Land van herkomst

Barbara & Stephanie Keating

Land van herkomst

Vertaald door Jeannet Dekker

ARENA

Barbara & Stephanie Keating bij Arena:
Mijn dochter in Frankrijk (2002)
De vriendschap (2006)

Achter in dit boek is een verklarende woordenlijst opgenomen.

Oorspronkelijke titel: *A Durable Fire*

Omslagontwerp: DPS, Amsterdam
Foto voorzijde omslag: Tom Brakefield / Getty Images
Typografie en zetwerk: CeevanWee, Amsterdam
ISBN 978-90-6974-878-8
NUR 302

Voor Christopher

Maar ware liefde is als een eeuwig vuur,
Immer brandend in de geest,
Nooit ziek, nooit oud, nooit dood,
Nooit iets anders dan liefde geweest.

WALTER RALEIGH

PROLOOG

Kenia, september 1970

Ze zou nooit terugkeren. Dat had ze zichzelf beloofd, maar nu het vliegtuig door een laag wolken naar de uitgedroogde aarde beneden dook, kon ze haar opwinding niet onderdrukken. Ze sloot haar ogen en wendde haar gezicht af van het raampje, zodat haar eerste blik op het land niet werd vertekend. Het vliegtuig schudde bij de landing, en even later stak Edward zijn hand uit om haar overeind te helpen. Er klonk een rammelend geluid toen de deur werd geopend en Camilla haalde met opzet diep adem, zodat ze van de onmiskenbare geur van Afrika kon genieten en haar mond en longen kon vullen met de geheel eigen smaak van het land.

De landingsbaan leek in de trillende hitte net een luchtspiegeling. Voor hen waren het glas en beton van de luchthavengebouwen van Nairobi zichtbaar, maar ze had er amper oog voor. Haar blik verslond de gebleekte vlakte achter het hek, het lege blauw van de ochtendhemel, de vlakke toppen van de acacia's met hun doornen, de stofwolk achter een vrachtwagen die via een onverhard spoor naar de hoofdweg in de richting van de stad reed. Haar blik werd wazig van de tranen toen ze achter Edward de trap afdaalde en haar voeten opzettelijk langzaam, als een pelgrim, op de Keniase bodem zette. Het was zo lang geleden – elk jaar had een heel leven geleken. En nu keerde ze terug, om de verkeerde redenen, maar dat deed er niet toe omdat ze er was.

Ze hadden met de luchtvaartmaatschappij geregeld dat er geen interviews aan de pers zouden worden gegeven, en ze was blij dat ze over het asfalt naar een besloten ruimte werden begeleid. De formaliteiten waren niet veranderd. Ze kon merken dat Edward geïrriteerd raakte omdat hij moest wachten totdat er een stempel in zijn paspoort was gezet; hij verplaatste zijn gewicht van het ene been naar het andere. Hij had een hekel aan bureaucratie. De ambtenaar las met een verveeld en knorrig gezicht hun paspoorten van voor naar achter, waardoor Camilla zich net een misdadigster voelde. Of een vluchtelinge wier vermomming men trachtte te doorzien. Ze keek hem aan, uiterst bezorgd en een tikje angstig. Ze had hoofdpijn en probeerde het nerveuze gevoel in haar buik te negeren.

De man fronste zijn wenkbrauwen en de vleugels van zijn brede neus gingen iets verder open toen hij even naar haar opkeek en daarna weer langzaam verderging met bladeren. Ten slotte tilde hij een rubberen stempel van het stempelkussen en liet dat met kracht neerkomen op de pagina voor de visa. Ze wendde zich al af toen hij opeens glimlachend naar haar opkeek en zijn zwarte gezicht uiteenspleet in een flits van witte tanden, zijn blik vol humor.

'Welkom in Nairobi, mevrouw. Meneer. Ik wens u een aangenaam verblijf.'

Ze liepen achter een kruier die zich over hun bagage had ontfermd verder naar de douane. Een Indiaas stel stond naast een balie waar goederen werden ingeklaard; de vrouw zweeg stoïcijns, de man sprak op driftige toon. Zijn tandvlees en gebit zagen rood van de sirih en een klodder speeksel verscheen in zijn mondhoek. Zijn vrouw zuchtte en trok haar sari over haar lange haar. De douanebeambte haalde al hun spullen uit hun tassen en wilde hen daarbij niet aankijken of antwoorden op hun smekende uitleg. Met vijf koffers zou het nog wel even duren. Dat was blijkbaar ook niet veranderd. Camilla voelde een golf van medeleven met het paar toen iemand van het personeel gebaarde dat ze mee mocht komen. Ze voelde Edwards hand op haar elleboog toen ze door een zijdeur met het opschrift ALLEEN VOOR PERSONEEL liepen en uitkwamen op een privéparkeerplaats.

Ze zag Sarah meteen staan. Zonder iets te zeggen renden ze naar elkaar toe en sloegen hun armen om elkaar heen. Toen lieten ze elkaar even los, keken elkaar aan en omhelsden elkaar weer.

'Ik vind het zo erg.' Sarah stopte een lok weerbarstig haar achter haar oor. 'Het is zo naar dat juist dit de reden was voor jouw terugkeer.'

Camilla knikte en stak haar hand uit om de tranen weg te vegen die om een andere reden in haar ogen opwelden. Ze liepen het kleine stukje naar de auto die stond te wachten, met Edward vlak achter hen. Nu was hij al een buitenstaander, die niet wist wat hij moest zeggen. Tijdens de twintig minuten durende rit naar de stad zag ze talloze huizen, en bussen en auto's die uitpuilden van de passagiers. Honderden schoolkinderen zorgden voor opstoppingen op stoffige paden. Kantoorpersoneel in schone, gesteven kleren drukte aktetassen en plastic zakken tegen zich aan. Oudere vrouwen, gewikkeld in bedrukte *kitenge*, droegen net als vroeger hun takkenbossen op hun rug, zodat het leer van het riempje diep in hun voorhoofd sneed. Een herder in een felrode *shuka* leidde een groepje schriele koeien door een greppel; hij floot naar de dieren en tikte ze even met een lange stok aan. Jonge mannen snelden langs op fietsen, gammele auto's braakten giftige uitlaatgassen uit. Chauffeurs in uniform bestuurden zoevende Mercedessen met op de achterbank tot in de puntjes verzorgde zwarte mannen en vrouwen. Waarschijnlijk politici; Camilla had zelden Afrikaanse vrouwen achter in een Mercedes zien zitten, en al helemaal geen auto zien rijden. Overhellende bussen haalden hen in, voorbijstuivend met een halsbrekende snelheid, volgestouwd met passagiers en met een heen en weer zwaaiende last van zakken en balen op de doorbuigende daken.

'Wat een mensen! Ik had nooit gedacht dat er zo veel mensen zouden zijn.' Haar stem klonk verstikt, en ze merkte dat ze een tikje buiten adem was. 'Al die huizen en hutten, aan alle kanten. Mijn hemel, waar komen die allemaal vandaan?'

'Die zie je overal, en je zult het voelen ook,' zei Sarah.

Camilla keek Edward aan. 'Vroeger was het hier helemaal leeg, weet je nog? Het mooie, lege Afrika. Ik heb langs de kant van deze weg ooit leeuwen gezien. En in elk geval altijd heel veel prooidieren.'

'Het heet vooruitgang.' Sarah klonk berustend.

Camilla huiverde, niet in staat de immense drukte en al die op elkaar gepakte lichamen te aanvaarden. Ze had zichzelf voorbereid op mogelijke veranderingen; er was immers zoveel gebeurd sinds ze het land van haar jeugd had verlaten. Het had een hele tijd geduurd voordat Edward haar zo ver had gekregen dat ze uit de schulp was gekropen waarin ze bescherming had gezocht, maar hij was geduldig geweest. Toen was opeens dat telefoontje gekomen, zomaar, onverwacht. Aanvankelijk was ze verscheurd geweest door verdriet, en daarna raakte ze vervuld van schuldgevoelens en het idee dat er iets naars zou gebeuren.

'Je moet nu terug, schat, dat weet ik,' had Edward gezegd. Hij had haar vastgehouden in een wereld die uit elkaar leek te vallen. 'Ik kan een paar dagen vrijnemen en met je meegaan. Zou je dat willen?'

Zijn aanbod had Camilla verbaasd. Doorgaans nam hij amper tijd voor zichzelf. Dat was iets waar ze nooit mee had leren omgaan, met die toewijding aan zijn werk die ervoor zorgde dat hij alles en iedereen vergat. En pas toen ze gisteravond samen op het vliegveld hadden gestaan, had ze echt kunnen geloven dat hij meeging. Nu waren ze hier in Kenia, het land van haar vroegste herinneringen, haar kinderdromen, haar latere mislukkingen.

Ze kwamen tot stilstand voor het Norfolk Hotel en stapten uit de Land Rover. De directeur van het hotel stond al op hen te wachten, een en al bezwerende geruststellingen. Ze konden de papieren later wel invullen, zei hij, en hij had voor nu de pers op afstand weten te houden. Camilla sloot heel even haar ogen en haalde diep adem voordat ze de lobby betrad, en daarmee haar verleden. Ze had hier zo vaak op de binnenplaats gezeten. Als kind had ze staan staren naar het bonte verenkleed van de vogels in de volière, als tiener had ze hier in haar eerste baljurk rondgelopen, als jonge vrouw had ze hier met de pijn van haar eerste verhouding geworsteld. Ze keek naar de verwrongen stam van de bougainvillea die nog steeds de muren bedekte en de balkons onder een paarse weelde bedekte. In de acacia hadden wevervogels hun nesten gemaakt en een honingzuiger zweefde in al zijn kleurenpracht boven de hibiscus.

'Ik regel wel even een tafel voor het ontbijt.' Sarah liep in de richting van de eetzaal.

Camilla liep achter Edward aan naar hun suite, die in een apart huisje bij het hotel was ondergebracht. De kamer rook naar boenwas en er stond een grote vaas rozen met een kaartje erbij. Ze las het en legde het met de bedrukte kant naar beneden op het dressoir. Nog niet, zei ze tegen zichzelf. Nu hoef je daar nog niet aan te denken. Ze maakte haar koffer open, gooide een stel kleren op het bed en pakte een schone blouse en broek. De zwarte jurk lag bovenop, en even hield ze die omhoog, zich afvragend of het allemaal een boze droom was. Toen schudde ze haar hoofd en hing de jurk op een hangertje in de kast. Haar handbagage stond op de ladekast. Ze maakte het slotje los en zocht naar de spulletjes die ze nodig zou hebben om zich op te frissen voor het ontbijt.

'Hodi! Hodi, memsahib?'

De zachte roep was troostend en vertrouwd, en ze keek glimlachend op naar het kamerknechtje. Natuurlijk werden ze tegenwoordig niet meer zo genoemd, en ze vroeg zich af wat nu de juiste benaming was. Ze vroeg hem of hij de zwarte jurk kon laten stomen en het bed wilde openslaan. Het duurde even voordat ze besefte dat ze Swahili sprak, alsof ze nooit was weggeweest.

Edward kwam de badkamer uit. 'Ik vroeg me al af tegen wie je stond te babbelen,' merkte hij op. 'Je bent het dus niet vergeten.'

'Ik dacht van wel, maar het moest gewoon even naar boven komen,' zei ze. 'Wat is het toch altijd ergerlijk dat jij er na een lange vlucht zo fris uit kunt zien. Alsof je net uit een duur hotel gerold komt waar ze elk uur je pak stomen en je schoenen poetsen. Ik heb nog even wat tijd nodig, hoor. Ik moet sterke Keniase koffie hebben, en een stuk papaja met limoen. Weet je, ga jij anders alvast maar naar de eetzaal, dan kom ik zo.'

Het spiegelbeeld in de badkamer was niet bepaald bemoedigend. 'De rode oogjes en vermoeide uitdrukking van een nachtvlucht,' zei ze hardop. 'En mijn haar is zo statisch dat het net een bos dode takjes is. Hopelijk kom ik geen bekenden tegen.'

Ze waste haar gezicht en kamde haar haar achterover, zodat ze het als een gladde knot van bleek goud achter in haar nek kon vastspelden. Daarna haalde ze een buitensporig grote zonnebril uit haar handtas en zette die op. In het felle licht van de zon stak ze de binnenplaats over en liep de drukke lobby in. Voor de receptie stond een forse man, niet op zijn gemak en verlegen in een duidelijk nieuw, glanzend safari-jasje. Zijn perfect gekapte echtgenote stond te wachten en wees met haar keurig gemanicuurde vingers naar hun bagage die in een safarivoertuig werd geladen. Camilla glimlachte. Dat strak in de lak zittende haar zou binnen de kortste keren in een helm van stof veranderen. Nieuwe reisgenoten stelden zich voor, ogenschijnlijk beleefd maar in werkelijkheid al strijdend om de beste plek in de auto's. Chauffeurs lieten de motoren brullen en gidsen vinkten hun lijsten af. Echtgenoten tikten hun vrouwen op de vingers die te lang in de hotelwinkel bleven hangen om naar het aanbod van Afrikaanse blouses, hoeden en sieraden te kijken. Camilla liep door. Hier lagen te veel herinneringen.

In de eetzaal was het uiterst rustig in vergelijking met de lobby. Sarah en Edward zaten al aan de koffie, thee en eieren met spek. Sarah glimlachte, haar gezicht open en vriendelijk, en haar groene ogen glansden toen ze zich vooroverboog en vol geestdrift iets uitlegde. Ze zag er goed uit, constateerde Camilla. Gebruind, een en al energie. Haar bruine haar zat vol blonde strepen van de zon en haar neus was een tikje verbrand en aan het vervellen, net zoals vroeger, toen ze nog kinderen waren. Camilla keek om zich heen. Godzijdank geen bekende gezichten, en niemand had haar herkend.

'Hebben jullie ook voor mij besteld? Ik heb best wel trek.' Ze wilde niet praten over de dagen die voor hen lagen. Dat was allemaal nog te veel een open wond, en ze had nu tijd nodig om zichzelf onder controle te krijgen.

'Ik heb het complete pakket besteld, omdat je onderweg niets hebt gegeten.' Edward schonk koffie voor haar in. 'Daarna moet je maar even gaan liggen. Morgen wordt een lange, drukke dag. Ik stel voor dat we vandaag hier blijven, en vanavond ergens rustig een hapje gaan eten.'

'Nee.' Ze keek hem met een felle blik aan. Haar ongemak was overduidelijk. 'Ik wil niet de hele dag nietsdoen. Ik wil iets met Sarah doen. Vanavond ook. Het is al zo lang geleden. En ik heb Hannah al... al eeuwen niet meer gezien.'

'Ze is niets veranderd, en ze staat te popelen om hierheen te komen.'

'O ja?' Camilla zag dát de spanning in haar stem Edward niet was ontgaan.

'Het was voor ons allemaal een vreselijke tijd. Heel verwarrend. Vol angst. We waren te jong voor wat er is gebeurd. Geen van ons was daarop voorbereid.' Sarah stak haar hand uit. 'Natuurlijk kunnen we vandaag iets samen gaan doen. Ik ben hier toch voor jou?'

'Wat waren we dik met elkaar, hè?' Camilla draaide de gouden armband rond haar pols in het rond en probeerde te glimlachen. Sarah was zo rechtdoorzee, zo onbevangen. Zo anders dan iedereen in haar kringetje in Londen. Het had een tijd geduurd voordat ze om had kunnen gaan met die ogenschijnlijk onschuldige gesprekken vol dubbele bodems, waarin ze had moeten zoeken naar de toon die aangaf wat de spreker nu echt bedoelde. 'Nu zijn we ouder, en wie weet wijzer,' zei ze. 'In elk geval minder idealistisch.'

'Wanneer komt Hannah naar Nairobi?' vroeg Edward.

'Misschien vanmiddag, als ze al weg kan, en anders morgenochtend vroeg. Ze zei dat ze nog zou bellen.' Sarah probeerde ontspannen te klinken, maar het was haar niet ontgaan dat Camilla haar mes en vork steviger vastgreep en dat er een nerveuze blik in de ogen van haar vriendin was verschenen.

Camilla staarde naar de glanzende eieren op haar bord. Wat waren de dooiers hier toch geel. Ze had geen trek meer en wou dat Edward niet zo'n uitgebreid ontbijt had besteld. Haar maag draaide zich om, haar moed leek te zijn verdwenen. Ze was er nog niet aan toe Hannah te zien. Ze was nergens aan toe. Ze vroeg zich af of ze ooit de draad zou kunnen oppakken die nooit helemaal was gebroken, ondanks al die jaren en kilometers die hen van elkaar hadden gescheiden. Ooit hadden ze een onafscheidelijk drietal gevormd, ondanks hun verschillende achtergronden en de uiteenlopende wegen die ze na school waren ingeslagen. Ze hadden gedacht dat niets de band tussen hen zou kunnen verbreken. Gelukkig zou Sarah er in elk geval bij zijn wanneer ze zich zouden herenigen. Dat zou de eerste, moeilijke stappen in de richting van begrip en vergiffenis in elk geval verzachten.

'Zin om even een dutje te doen, schat? Al is het maar een uurtje, dat is goed voor je.' Edwards stem verstoorde luid en dreunend haar gedachten.

'Nee, liever niet. Ik zei toch al dat ik niet wil slapen?' Ze wist dat ze schril klonk, dat de spanning tussen hen overduidelijk was. 'Misschien kan Sarah me straks naar het ziekenhuis brengen,' zei ze. Haar hart maakte een sprongetje, en ze moest haar kopje neerzetten om het trillen van haar handen te onderdrukken.

'Ik denk niet dat je dat meteen moet doen.' Fronsend tekende Edward de bon van het ontbijt en stond op. 'Je hebt al genoeg doorstaan, en morgen zullen er heel veel mensen zijn die je willen spreken. Je moet jezelf tijd gunnen, Camilla. Bereid je voor op een moeilijke ervaring.'

'Ik wil naar het ziekenhuis.' Haar stem brak.

'Camilla, ik moet je iets vertellen.' Sarah zat kaarsrecht in haar stoel, haar lichaam een en al spanning. 'Voordat je hem ziet.'

'Wat dan?' Camilla's smetteloze huid werd lijkbleek. 'Hij gaat toch niet dood, hè? Wil je me dat soms vertellen?' Ze merkte dat haar hart veel te luid en te snel klopte. Haar ledematen werden slap van opluchting toen Sarah haar hoofd schudde. 'Wat dan? Waar weet ik niets van –'

'Pardon, mevrouw,' onderbrak de ober haar op zachte toon, 'er is een dame voor u. Ze zegt dat ze uw vriendin is. Uw *rafiki ya zamani.*'

Camilla draaide zich om, niet in staat de zenuwen te onderdrukken waardoor haar keel leek te worden dichtgeknepen. Ze twijfelde er niet aan dat het Hannah was. Ze had nog geen tijd gehad om hierover na te denken, de juiste woorden te vinden. Ze keek op, zoekend naar Edward. Hij stond een stukje verderop, en ze voelde weerzin tegen zijn gezichtsuitdrukking, tegen de manier waarop hij zijn nieuwsgierigheid in lichtelijk gefronste wenkbrauwen tot uitdrukking bracht. Ze had niet samen met hem moeten komen. Dit was haar eigen reis naar het verleden, haar eigen allesverterende smart, en daarin was pas plaats voor hem als ze het zelf zou begrijpen.

Hannah had de tafel bereikt. Ze stond doodstil en keek haar jeugdvriendin met een ondoorgrondelijk gezicht aan. Haar blik was neutraal, haar kin een tikje opgeheven. Toen stak ze haar beide handen naar Camilla uit. Het gebaar leek heel even tussen hen in te blijven hangen, en toen zetten ze de eerste stappen die het gehavende landschap van hun verleden moesten doorkruisen.

EEN

Buffalo Springs, juni 1966

Het kakelende geluid achter de omheining maakte haar aan het schrikken en bracht de nachtmerrie in alle hevigheid bij haar boven. Vanuit de randen van haar slaap kon Sarah het maniakale gelach van de hyena horen, het 'woep, woep' van zijn kreet. De droom vulde haar gedachten, en weer stond ze op de heuvelrug. Ze zag de krijger met zijn hoofdtooi van veren roerloos staan, een arm opgeheven, de punt van zijn speer glanzend in het koude licht van de maan. En toen de hyena, ineengedoken op het stuk rots bovenaan. Opeens viel ze naar beneden. Ze tuimelde langs de heuvel naar beneden, gevolgd door het geluid van rollende stenen, en ze hoorde een schreeuw.

Ze deed haar mond open om een kreet van angst en pijn te slaken, maar er kwam geen geluid, en ze merkte dat ze wakker was en rechtop in bed zat. Ergens in het rieten dak ritselde iets en de nacht was overal om haar heen om haar te verstikken met zijn duister. Met trillende handen streek ze een lucifer af en stak de petroleumlamp aan. Ze draaide de vlam laag, zodat Dan en Allie haar niet zouden zien als ze nog wakker waren. Sarah wilde niet dat ze op haar deur zouden kloppen, ze wilde niet de vriendelijkheid en bezorgdheid in hun stemmen horen. Ze ging op de rand van haar bed zitten en probeerde haar trillende ledematen tot bedaren te brengen. Door zichzelf te dwingen langzaam en diep adem te halen trachtte ze de vreselijke beelden uit haar hoofd te bannen.

Dokter Markham had haar verteld dat die beelden langzaam zouden verdwijnen. Haar vader had hetzelfde gezegd toen ze met hem aan de telefoon zat. Maar er waren nu al maanden voorbijgegaan en ze had de dromen nog steeds, elke keer even levendig en angstaanjagend. Ze had geen slaappillen of kalmerende middelen willen nemen, ze had nee gezegd toen haar ouders vroegen of ze naar Ierland wilde komen, zodat ze afstand tussen haar en de pijn kon scheppen. Ten slotte waren Raphael en Betty Mackay naar Buffalo Springs gekomen en hadden zich onverwacht gemeld bij het onderzoekskamp waar hun dochter woonde en werkte.

Het was een kleine gemeenschap, een beetje als een *manyatta*, met een haag van doornstruiken rond de rondavels waar ze woonden en aten. Dan en Allie Briggs hadden in het grootste gebouw hun kantoor ingericht. Het grootste vertrek werd door een rieten dak beschermd tegen regen en hitte, en voor de grote ramen zaten luiken die bijna altijd open waren, zodat zelfs het minste briesje verkoeling kon bieden. De meubels waren oud en versleten, maar Allie had kleurige *kanga's* over de stoelen uitgespreid, zodat de rafelige bekleding niet te zien was. De eettafel binnen fungeerde als haar bureau; een uiteinde was altijd bedolven onder stapels van haar aantekeningen. De achterwand diende als een enorm prikbord waarop Dan rijen kaarten had gehangen waarop de bewegingen van de kuddes olifanten die ze bestudeerden waren aangegeven. Hij werkte die elke dag bij en verplaatste de gekleurde punaises die voor het formaat, de leeftijd en het geslacht van alle leden van een familie stonden. Elke avond tikte hij voor het eten zijn notities uit op een stokoude schrijfmachine die een hoog, tinkelend geluid maakte wanneer hij de slede doorschoof naar een nieuwe regel. Een groot deel van de vloer ging schuil onder dozen met naslagwerken en stapels boeken. Hun slaapkamer lag aan de ene kant van de woonkamer, en ze rekenden erop dat het lage rieten dak ook daar de regen en de warmte buiten zou houden.

Sarah had een eigen rondavel gekregen waarin een houten bed met klamboe, een ruw uitgevoerd bureau met stoel en een kast met een roede en een paar planken stonden. Aan de andere kant van het omheinde terrein stond een gebouw van leem en rijshout waarin de keuken en voorraadkamers waren ondergebracht en het personeel sliep. Tussen eenvoudige schotten waren douches bevestigd: aan de overhangende takken hingen grote linnen zakken die warm, naar hout geurend water uitstortten wanneer ze aan de ketting trok, zodat het stof en zand en zweet van haar lichaam spoelde. Sarah voelde zich daarna altijd als herboren. De tenten rond de douches stonden onopvallend aan een kant van de slaaphutten. Er was een tweede rondavel voor gasten, en Allie had een stel vaste bloeiende planten en struiken voor de bescheiden gebouwen geplant om de stoffige omgeving een beetje kleur te geven. Een meter of driehonderd verder liep de rivier de Uaso Nyiro, soms blauw en zilver maar vaker modderig en gezwollen in de droge hitte. 's Nachts kon Sarah de geluiden van snuivende nijlpaarden horen die in de koele, donkere uren door de modder lagen te rollen. Vanaf haar allereerste dag hier was ze dol op haar eenvoudige onderkomen, en door haar onderzoek voor Dan en Allie Briggs kon ze haar jeugddromen verwezenlijken.

Na het drama was ze teruggekeerd naar het kamp, getroffen door verlies en verdriet, maar er zeker van dat haar werk het enige was wat zou kunnen voorkomen dat ze eraan onderdoor zou gaan. Ze had net onder een boom haar aantekeningen van die dag zitten lezen toen een stofwolk de komst van een auto aankondigde. Het was aan het einde van de middag en een licht briesje speelde met haar papieren, waardoor een paar pagina's op de stoffige grond vielen. Toen ze zich vooroverboog om ze op te rapen, hoorde ze een stel stemmen die opvallend bekend klonken. Toen ging de houten poort krakend open en zag ze tot haar grote verbazing haar ouders staan. Tijdens die eerste avond, toen ze op klapstoeltjes rond het vuur hadden gezeten, had ze het hele verhaal verteld. Ze was dankbaar voor de troost die hun aanwezigheid bood, al konden ze niet echt iets zeggen wat haar pijn kon verzachten. Nog maar een jaar geleden had Raphaels gezondheid hen genoodzaakt Kenia voor Ierland te verruilen, maar het was duidelijk dat hij het heerlijk vond terug te zijn. Betty was echter bang dat hij weer malaria zou oplopen; ze wisten allemaal dat dat fataal kon zijn. Sarah merkte al snel dat ze de reis hadden ondernomen met het doel haar over te halen om thuis te komen.

Ze bleven een week. Elke dag trokken ze er met de Land Rover op uit en volgden samen met Sarah haar groepje olifanten, zodat ze zagen wat haar werk behelsde. Ze was blij dat ze daarvan getuigen konden zijn, dat ze zagen dat ze hier veilig was en dat er voor haar werd gezorgd, dat dit nu voor haar de beste plek was. Maar op de avond voor hun vertrek merkte ze dat ze er niet in was geslaagd haar ouders te overtuigen. Betty smeekte haar mee naar Ierland te gaan en een tijdje bij hen in Sligo te komen wonen, en Raphael koos voor zijn eigen milde wijze van overreding.

'We gaan nu tien dagen naar Mombasa,' zei hij. 'Op bezoek bij oude vrienden, op het strand wandelen, zwemmen, en daarna terug naar Sligo. En we zouden graag willen dat je meegaat. Kom thuis, al is het maar voor even.'

Sarah schudde haar hoofd. 'Ik kan nu niet weg,' zei ze. 'Het is niet het juiste moment, pap.'

'Het is daar rustig,' zei hij. 'Je kunt er goed nadenken. Je kunt er genezen, met het geluid van de zee en het strand, met de groene velden en heuvels om je heen. We zullen er allemaal zijn om je te steunen, zeker Tim. Jij en je broer kunnen zo goed met elkaar opschieten.'

Maar nadat ze voor de eerste keer had gepraat over haar ervaringen waren haar nachtmerries dubbel zo hevig geworden, en ze wilde er niets meer over zeggen. Ze wist dat ze in Ierland onmogelijk hun aanhoudende medeleven en stilzwijgende sympathie zou kunnen verdragen, en hetzelfde zou gelden voor de vragen en het verwarrende verdriet op de gezichten van vrienden en familieleden. Op de ochtend van hun vertrek naar de kust aanvaardden Raphael en Betty dat ze niet mee terug naar Sligo zou gaan. Dan en Allie steunden haar beslissing en bleven tot diep in de nacht met haar ouders praten, ze beloofden dat ze over hun dochter zouden waken en haar naar huis zouden sturen als het haar echt te veel zou worden. Na het afscheid voelde Sarah zich verscheurd: ze wilde bij hen zijn, maar ze moest ook kunnen ontsnappen naar haar eigen wereld. Ze wist zeker dat ze het meest baat zou hebben bij volledig opgaan in haar werk en dat dat haar zou helpen de bodemloze leegte van het verlies te vullen.

Met tranen in haar ogen had ze het vliegtuigje nagekeken dat in het indringende blauw was verdwenen, en daarna was ze teruggekeerd naar het kamp. Tijdens de reis over de savanne in de oude Land Rover, met boven haar een adelaar die traag zijn rondjes draaide aan de bleke hemel en in het spoor van de kuddes dieren die zich een weg door het stugge gele gras baanden, wist ze dat dit de manier was om met enig besef van een doel door haar veranderde leven te manoeuvreren. De nachten vormden echter nog steeds een hinderlaag voor haar. Haar ooit zo gastvrije hut was nu een oord vol dreigende schaduwen die haar elke keer wanneer ze na een dag de deur sloot met angst vervulden.

Nu zat ze daar alleen, in het flakkerende licht van haar lamp, en huiverde ze ondanks de warmte van de nacht toen ze wederom de roep van de hyena hoorde. Proberen te slapen was zinloos. Ze propte haar voeten in haar sandalen en schoof de klamboe opzij. Met onvaste hand pakte ze de lamp en liep naar de stapel papieren op haar schrijftafel. Een map met haar jongste foto's lag bovenop, en ze pakte de foto's er een voor een uit, in de hoop dat de olifanten met hun eeuwenoude wijsheid enige troost konden bieden.

Haar werk was uitermate bevredigend. Het was eerder een roeping. Wanneer ze met haar fototoestel en notitieboekje haar bevindingen vastlegde, genoot ze van elke nieuwe ervaring die ze opdeed. En ze had het enorm getroffen met haar werkgevers. Dan en Allie Briggs hadden haar aangenomen toen ze net haar studie had afgerond en helemaal geen ervaring had, op het staren naar een petrischaal in een lab in Dublin na. Ze hadden besloten haar een kans te geven omdat ze haar jeugd in Kenia had doorgebracht, vloeiend Swahili sprak en uitstekend kon fotograferen. Ze betaalden niet veel, maar ze kon rekenen op kost en inwoning, mocht in een gedeukte Land Rover rondrijden en kon zo veel film gebruiken als ze maar nodig had. Omdat ze toch het grootste deel van de tijd in het gebied rond Buffalo Springs en het aangrenzende natuurreservaat doorbracht, had ze weinig behoefte aan geld. Het was een perfecte regeling.

In de afgelopen acht maanden hadden Dan en Allie haar geleerd hoe ze de fascinerende dieren moest observeren, hoe ze een wetenschappelijk verantwoord verslag moest schrijven en hoe ze haar foto's het beste kon archiveren. Erope, een Samburu die een uitstekend spoorzoeker was en een trouwe vriend was geworden, had haar geleerd hoe ze een kudde kon volgen zonder die te storen en hoe ze kon zien waar de dieren naar voedsel en water zouden gaan zoeken. Langzaam was ze gaan begrijpen hoe de olifanten leefden, had ze respect ontwikkeld voor hun bedoelingen en was ze bewondering gaan koesteren voor de hechte familiebanden en sociale rangorde in de kuddes. Het team vormde een uitstekende eenheid, en Sarah was blij dat ze met haar fotografisch talent een waardevolle bijdrage aan het onderzoek kon leveren.

Ze ging aan haar bureautje zitten en begon de aantekeningen van de vorige dag in de goede volgorde te leggen. Haar ogen prikten van vermoeidheid, en ze knipperde hevig om het brandende gevoel te onderdrukken. Ze wilde zich per se op haar werk concentreren en haar nachtmerries uitbannen. Na een half uur staakte ze haar poging wegens gebrek aan aandacht en ging terug naar bed. Ze draaide de lamp bijna helemaal dicht, zodat de vlam piepklein was, en lag met open ogen als verstijfd onder haar klamboe. Haar wekker vertelde haar dat de dageraad haar pas over drie uur verlossing zou bieden. Ze wou dat ze kon bidden, maar het geloof dat ze als kind in een barmhartige God had gehad, was tijdens die vreselijke nacht verdwenen. Nu kon ze alleen nog maar met nerveuze vingers het laken vastgrijpen en de minuten tellen totdat een onrustige slaap bezit van haar nam.

Sarah voegde zich bij Dan en Allie aan de ontbijttafel, die onder een acacia stond. Het licht was zo fel dat haar ogen knipperden, en snel trok ze haar stoel de schaduw in. Ze was zo moe dat ze slechts een schijfje papaja kon eten en ze verkruimelde wat geroosterd brood, zodat ze het aan de lawaaiige spreeuwen kon voeren die aan haar voeten zaten te kwetteren, vechtend om de buit.

'We moeten het nog over de presentatie hebben die we volgende week in Nairobi gaan houden.' Allie zag de wallen onder Sarahs ogen en de krampachtige bewegingen van haar uitgeputte lichaam. 'Die dreigt heel belangrijk te worden. We gaan een verzoek indienen voor een subsidie voor volgend jaar, maar Dan twijfelt er niet aan dat de African Wildlife Federation ons hetzelfde bedrag als voorheen zal geven. Maar we zullen het onderzoek moeten uitbreiden, en we hebben echt een nieuwe auto nodig. Die rammelkast waar je nu in rijdt, Sarah, zal op een dag uit elkaar vallen, en dan heb je echt een probleem. Dan zullen jij en Erope naar huis moeten lopen door de *bundu*, en daar kom je niet bepaald vriendelijke wezens tegen.'

'Maar jullie gaan nu dus om meer geld vragen?' zei Sarah.

'Dat hebben we al gedaan. Al is de AWF niet al te toeschietelijk,' zei Allie, maar haar ogen straalden van opwinding. 'Dan heeft weer een brief van het Smithsonian gekregen, en een van hun leden zal bij de vergadering aanwezig zijn. Misschien komt hij daarna nog hierheen, als ons project hem wat lijkt.'

'Ze hebben er al op gezinspeeld dat ze ons wel iets willen geven,' zei Dan.

'Een publicatie zou Dan de erkenning geven die hij zo heeft verdiend.' Allie keek haar man vol trots aan. 'En dat is nog niet alles. De pers komt ook, en een Londense krant schijnt een stukje over ons te willen schrijven. Dan zullen ze meteen jouw foto's zien, Sarah. Misschien willen ze die wel gebruiken voor een artikel. Dat zou fantastisch zijn.'

'Dit is ons plan,' legde Dan uit. 'We gaan ons jaarverslag presenteren, zoals gewoonlijk. Maar voor de tweede helft van de vergadering heeft de AWF ook een paar journalisten uit Nairobi uitgenodigd. Lui die artikelen voor *Time* en wat Britse kranten schrijven. Na het gesprek over geld willen we daarom een paar van jouw dia's laten zien. Beelden die de aandacht van de pers zullen trekken, en niet alleen maar van een stel droge oude wetenschappers en bestuursleden van de stichting.'

'We willen eigenlijk dat jij de presentatie houdt,' zei Allie. 'Jij kunt zo goed uit je woorden komen, of nee, het gaat verder dan dat. Je drukt je heel poëtisch uit, dat voedt de verbeelding van mensen, laat dingen tot leven komen. Dat heb ik zelf gemerkt wanneer je met toeristen en andere bezoekers praat. En als we jouw foto's gebruiken, is het niet meer dan logisch dat jij het woord doet.'

'Inderdaad,' zei Dan. 'Allie en ik zijn goed in wat we doen, een beetje achter de olifanten aan struinen en aantekeningen maken, maar spreken in het openbaar ligt ons veel minder goed. Dus misschien kun je een stel dia's bij elkaar zoeken die duidelijk maken hoe het hier gaat. Iets wat meer aanspreekt dan de feiten en diagrammen waar we gewoonlijk mee aankomen.'

'O nee, liever niet. Zoiets heb ik nog nooit gedaan,' zei Sarah geschrokken.

'En op weg terug vanuit Nairobi zou je nog een paar dagen naar Langani kunnen gaan,' zei Allie. 'Dan ben je er even tussenuit. Kun je meteen zien hoe het met Hannah gaat, die is nu hoogzwanger. Wat denk je ervan?'

Sarah staarde naar haar bord en concentreerde zich hevig op het besmeren van een stuk geroosterd brood met jam dat ze toch niet door haar keel zou kunnen krijgen. Ze wilde niet dat ze zouden zien dat haar mond droog was van paniek. Ze boden haar een unieke kans om haar foto's aan invloedrijke mensen te laten zien en ze was geroerd door hun vertrouwen en vriendelijkheid. Ze was Dan en Allie zoveel schuldig. Vanaf het allereerste moment waren ze de ideale werkgevers geweest, en nu waren ze ook nog goede vrienden geworden. Toch had ze het gevoel dat ze elk moment kon instorten, geestelijk en lichamelijk. Elke zin die ze uitsprak, kostte haar grote moeite, zelfs hier in Buffalo Springs, waar ze onder mensen was die ze kon vertrouwen. Ze geloofde niet dat ze eraan toe was voor een groep vreemden het woord te voeren. Er zou vast iemand bij zijn die wist wie ze was, en als iemand over de gebeurtenissen op Langani zou beginnen, zou ze instorten.

Bovendien was ze nog niet klaar om terug te keren naar Langani. Drie maanden geleden had de bruiloft plaatsgevonden, en sindsdien had ze geen tijd meer gehad om erheen te gaan, hoewel Hannah haar herhaaldelijk had uitgenodigd. De laatste tijd vroeg haar vriendin haar niet meer, en in haar brieven of tijdens gesprekken via de radio had ze het zelfs niet meer over een weekendje langskomen. Sarah voelde zich schuldig. Ze wist dat het heel veel voor haar dierbaarste vriendin zou betekenen als ze naar de boerderij kwam, maar ze kon het nog niet. Aan de andere kant was de presentatie in Nairobi werk, en van groot belang voor Dan en Allie. Of ze volgend jaar nog geld zouden krijgen, hing voor een groot deel af van het succes van de presentatie, en Sarah wilde daartoe bijdragen. Maar als ze tijdens haar voordracht in zou storten en hen daarmee van subsidie zou beroven, zou ze daar nooit mee kunnen leven.

'Jullie weten dat ik jullie heel erg dankbaar ben.' Ze wendde haar blik af in een poging de opwellende tranen te onderdrukken. 'Jullie zijn zo gul geweest, en ik voel me vereerd dat jullie zo'n vertrouwen in me hebben. Maar ik kan het niet. Nog niet. Als ik in zou storten of iets doms zou doen, zou ik alles verpesten.'

'Ik snap best dat je ertegen opziet.' Dan gaf haar een klopje op haar arm. 'Maar vroeg of laat moet je weer de wijde wereld in, meid. Het is heerlijk dat je je hier voor alles kunt terugtrekken, in de wildernis bij de olifanten, en dat heb je de afgelopen maanden ook hard nodig gehad. Maar je kunt hier niet eeuwig blijven zitten. Als dat kon, had ik het ook allang gedaan.'

'Dat weet ik. En ik wil binnenkort wel proberen om een paar dagen –'

'Je zult omringd zijn door mensen die net als wij de natuur willen beschermen,' vervolgde Dan. 'En dankzij jouw prachtige foto's zullen we heel wat geld bijeen kunnen krijgen. Daar zijn Allie en ik zeker van. Dus zeg niet meteen nee. Denk er even een dag of twee over na. Want ik geloof dat je veel sterker bent dan je zelf denkt.'

Allie zei niets, maar Sarah zag de smeekbede in haar ogen. Alleen al de gedachte aan het drukke Nairobi maakte haar misselijk, maar omdat ze niet wilde laten merken hoe bang ze was, mompelde ze dat ze erover zou nadenken en stond toen op met het excuus dat ze haar spullen voor die ochtend nog bij elkaar moest zoeken.

In haar hut moest ze denken aan de eerste dagen na haar terugkeer van Langani. Allie had tot diep in de nacht bij haar gezeten en de lamp op een plek neergezet waar die het meeste licht zou geven, ze had niets gezegd wanneer Sarah van het kleinste geluidje opschrok en de schaduwen in de kamer met een angstige blik had gevolgd. Allie, met haar nuchtere steun en en begrip, had Sarah in staat gesteld zich langzaam aan te passen en haar nachtmerries te verwerken zonder dat ze hoefde te spreken over de dingen die ze wilde vergeten. Allie en Dan hadden haar tijd gegeven om te rouwen en hadden niets van haar geëist. Nu vroegen ze één ding van haar en moest ze nee zeggen. Het was uitgesloten, en ze konden zich trouwens ook uitstekend zonder haar redden. Dat hadden ze toch ook gedaan voordat zij hierheen was gekomen?

Ze ging aan haar bureau zitten en zocht de dia's en foto's die het beste beeld van het werk hier gaven. Daar zou ze tekst bij schrijven, zodat

Dan die kon voorlezen. Meer kon ze niet doen. Toen besefte ze opeens dat ze, als Dan en Allie geen geld meer zouden krijgen, haar baan hier zou kunnen verliezen en Buffalo Springs zou moeten verlaten. Het onderzoek was van levensbelang voor de olifanten waarvan ze zoveel was gaan houden, dat mocht ze niet op het spel zetten. Een uur lang worstelde ze met woorden, oefende ze in gedachten zinnen, probeerde ze duidelijk te maken welke verwondering haar greep wanneer ze de afzonderlijke leden van de kudde zag.

Ze had elk groepje verwante dieren leren kennen en zag de grote dieren elke dag met hun stille passen naar de rivier lopen waar ze hun slurven in het water staken om te drinken of het over zich heen te sproeien. Ze woelden met hun slagtanden in het zand, babbelden op lage toon met elkaar of trompetterden bij dreigend gevaar. Ze had al haar aantekeningen opgesteld in de nauwkeurige, wetenschappelijke termen die Allie haar had geleerd, maar die drukten niet de opwinding uit die ze had gevoeld toen haar kennis groeide en ze was gaan begrijpen hoe belangrijk het was dat deze imposante dieren werden beschermd. Ten slotte legde ze gefrustreerd haar pen neer.

Opeens kwam er een idee bij haar op dat ze meteen onderdrukte. Ze wist waar ze juiste woorden kon vinden, maar de bron was zo pijnlijk dat ze er niet eens aan wilde denken. Toch deed ze, tegen haar wil, de la van haar bureau open en haalde de brieven eruit. Die had ze aan Piet geschreven, kort na haar aankomst in Buffalo Springs, toen de wereld nog vol vreugde en ongekende mogelijkheden was geweest. Maar ze had ze nooit verstuurd omdat ze toen nog niet zeker had geweten of hij van haar hield. Ze had ze opgeborgen, in de hoop dat er ooit een dag zou komen waarop ze ze zou kunnen voorlezen. Toen hij haar ten huwelijk had gevraagd, had ze besloten haar brieven, tekeningen en foto's te bundelen tot een boek dat ze hem als huwelijkscadeau wilde geven.

Ze was amper in staat de eerste zinnen te lezen, maar toen ze zichzelf dwong de vellen om te slaan, begreep ze wat Allie bedoelde. In haar beschrijvingen van de olifanten, hun levens, hun omgeving, wist ze haar dagelijkse ervaringen met de dieren echt tot leven te wekken. Tranen druppelden op de bladzijden die ze had volgeschreven en vertroebelden de woorden die ze voor haar geliefde had genoteerd. Voor de man van wie ze nog steeds hield. En ze wist dat Dan noch Allie ze namens haar konden voorlezen, wist dat ze de moed moest vinden om dat zelf te doen. Ze zou ze luid en duidelijk moeten uitspreken, voor de olifanten, voor haar vrienden, voor de nagedachtenis aan een tijd toen Piet de stralende hoop in haar leven vormde. Ze moest sterk zijn. Toen ze de brieven weer had opgeborgen, kroop ze in het smalle bed, hoewel de dag net was begonnen, en wendde haar gezicht naar de wand. Ze rolde zich op, zodat ze de morgen kon buitensluiten, en sliep met gebalde vuisten eindelijk in.

Een klop op de deur deed haar opschrikken. Het onmiddellijke gevoel van verlies waarmee ontwaken voor haar altijd gepaard ging, nam haar gedachten over, en het licht van de noen werd getemperd door het duister van haar gedachten.

'Het middageten is klaar, *memsahib* Sarah.' Ahmed, de kok van het kamp, had een dienblad met een koud Tusker-biertje en een hoog glas in zijn hand. Hij keek haar bezorgd aan. 'Ik heb uw lievelingseten gemaakt, dat zal u de rest van de dag genoeg *nguvu* geven. En *bwana* Dan stuurt u deze Tusker.'

Ze nam plaats aan de tafel die verder de schaduw in was geduwd. De hitte van de middag had zelfs de vogels tot stilte gedwongen, en de zware lucht werd door geen enkel briesje in beweging gebracht.

'Bedankt voor het bier, Dan,' zei ze. 'Ik was er vanmorgen niet helemaal bij. Sorry.'

'Dat maakt niet uit, meid,' zei Dan. 'We zorgen wel voor je. Je moet in vorm blijven, omwille van ons allemaal. Eet je bord maar snel leeg, dan kun je naar de olifanten gaan kijken. Ik rij vanmiddag wel met je mee.'

Ze moest glimlachen om zijn barse toon, waarmee hij probeerde te verbergen dat hij haar probeerde te beschermen. 'Ik wilde nog iets vertellen.' Ze stortte de woorden over hen uit om te voorkomen dat ze van gedachten zou veranderen. 'Jullie hebben gelijk. Ik moet de wereld weer onder ogen komen, en waarom niet nu? Ik zal voor volgende week wel wat dia's bij elkaar zoeken. Bedankt voor jullie vertrouwen, ik zal proberen het niet te beschamen.'

In de dagen die volgden, sorteerde Sarah haar foto's van de olifanten en het droge gebied in het noorden; ze koos de indrukwekkendste beelden van het terrein en de vegetatie en schoof die toen weer opzij ten gunste van scherpere exemplaren. Toen de duisternis de omringende savanne opslokte, zette ze haar projector aan en bekeek samen met Dan en Allie welke dia's de beste waren. Ze lachten bij de herinnering aan auto's die in het zand waren blijven steken, aan de keren dat ze op het nippertje aan boze dieren waren ontkomen, aan fototoestellen en notitieboekjes die ze opzij hadden moeten gooien toen een jonge olifant de Land Rover bestormde, aan de keren toen het opeens was gaan regenen en het water dat door het open dak naar binnen stroomde hen tot op het bot had doorweekt.

Het was heel belangrijk om de juiste balans te vinden. Dit was een wetenschappelijk onderzoek, geen lokkertje voor toeristen. Sarah wilde echter wel graag dat haar publiek zou voelen hoe indrukwekkend de dieren en hun leefomgeving waren, dat het de ingewikkelde structuur van het reservaat zou ervaren, dat het begreep waarom het onderzoek zo belangrijk was en dat Dans project leidde tot meer inzicht in de regio en de dierenwereld aldaar. Haar wildernis kende een natuurlijke harmonie, maar was niet zonder bruutheid. Te zwakke dieren werden door de kudde achtergelaten om alleen te sterven, droogte veroorzaakte gebrek aan voedsel. Olifanten en neushoorns werden afgeslacht door stropers met vrachtwagens en geweren. In het kamp van Dan en Allie was geen plaats voor een onderzoeker die de bittere pil van de waarheid door middel van kennis wilde vergulden. Ze wist nog goed hoe Dan had gereageerd nadat ze getuige was geweest van een slachting onder een aantal olifanten die het werk van *shifta's* was geweest. Toen ze een olifant had zien liggen, voor dood achtergelaten nadat de slagtanden van het prachtige hoofd waren gehakt, had ze vreselijk moeten huilen, maar Dan had haar die dag gevraagd of ze sterk genoeg was om in Afrika te leven en te werken. Ze had tegen hem gezegd dat ze ervoor zou zorgen dat ze dat zou zijn, al had ze niet kunnen vermoeden dat ze daarvoor de grenzen van haar uithoudingsvermogen en geestelijke gezondheid zou moeten opzoeken. En ook vandaag wilde ze zich aan die belofte houden en blijven, laten zien dat ze iets kon bijdragen tot de wereld waarvan ze al sinds haar kindertijd zoveel hield.

Op de dag voor hun vertrek naar Nairobi wilde Allie weten wat ze aan zou trekken.

'Aantrekken? Daar heb ik helemaal niet over nagedacht.' Nu de vraag was gesteld, besefte Sarah dat ze al een half jaar in verschoten kaki broeken en safariblouses rondbanjerde, met een linnen hoed diep over haar oren getrokken om haar ogen tegen de zon te beschermen en haar neus voor vervellen te behoeden.

'Je hebt vast wel iets moois wat Camilla je ooit eens heeft gegeven,' zei Allie. 'Op dit soort momenten is het handig om een fotomodel als vriendin te hebben.'

Ze kozen uiteindelijk voor een linnen rok met een riem van gevlochten leer en een blouse van roomwitte zijde die Sarahs gebruinde huid goed liet uitkomen.

'Je kunt nog wat kralen van de Samburu omhangen,' raadde Allie aan. 'Die Erope voor je heeft laten maken. En je moet iets met je haar doen. Het heeft een prachtige warme kleur, maar er zit geen model in. Misschien kan ik het knippen. Hé, ik zie aan je dat je geen vertrouwen in mijn vaardigheden met de schaar hebt, maar geloof me, ik kan er wel iets van maken. Ga daar even lekker onder die boom zitten, dan haal ik mijn spullen. Ik knip Dans haar ook, en zo slecht ziet dat er toch niet uit?'

Het resultaat oogde onverwacht professioneel, en Sarah schrok zelfs een beetje toen ze in haar hut in het spiegeltje aan de wand keek. Doorgaans had ze amper oog voor haar verschijning. Haar gezicht was smaller dan een half jaar geleden, maar ze was gebruind en had wangen vol sproeten, en haar groene ogen glansden. Ze had haar haar gewassen en het grondig geborsteld toen het nog nat was, zodat het als een woeste, met zon doorschoten bos haar gezicht omlijstte. Sarah glimlachte. Het was verbazingwekkend dat ze er zo levendig uit kon zien en toch zo'n koude leegte in haar binnenste kon voelen. Een leegte waarover ze niet wilde nadenken uit angst dat haar voornemen zo gewoon mogelijk te doen zou worden ondermijnd.

Ze was nerveus toen ze aankwam bij het hoofdkantoor van de African Wildlife Federation. Dan en Allie waren in de vergaderzaal bezig de microfoon op te stellen, een slede met dia's in de projector te schuiven en het scherm neer te zetten. In het midden van het vertrek stonden stoelen rond een lange tafel. Dertig stoelen. Voor elke zitplaats lag een map met het onderzoeksverslag, de financiële cijfers en de begroting voor het komende jaar. Dan had gehoord dat er iemand van *National Geographic* zou komen en stond op de uitkijk voor het hoofd van de afdeling onderzoek van het Smithsonian Institute. Dat waren de mannen die moesten beslissen over de subsidie die Dan en Allie nodig hadden om te overleven, en hopelijk zouden ze het bedrag verhogen. Sarah had nooit eerder een microfoon gebruikt en voelde dat haar mond akelig droog werd. Ze keek om zich heen om te zien of er iets te drinken was en zag op een tafeltje een blad met drankjes staan. De geur van koffie was geruststellend. Ze schonk een kop in en was binnen een paar minuten naarstig op zoek naar het toilet.

'God,' mompelde ze tegen Allie, 'ik had nooit kunnen denken dat het zo zenuwslopend zou zijn. Hopelijk stel ik jullie niet teleur. Jullie hebben me horen oefenen, dus je kunt nog steeds mijn plaats innemen.'

'Onzin,' zei Allie. 'Het gaat vast fantastisch. Laat je hart spreken. Doe het voor de olifanten. Dit gaat niet om jou, of om mij, of om Dan, maar om de dieren. Denk daaraan, dan gaat het goed. En neem geen koffie meer, want dan blijf je plassen. Als het echt niet anders kan, neem dan een klein slokje water.'

Ze werd aan mensen voorgesteld. Rond de tafel verzamelden zich de aanwezigen, pijp of sigaret in de hand, babbelend over natuurbeheer en politiek, corruptie en hebzucht en internationale fondsen. Sarah kreeg iets meer zelfvertrouwen na een gesprek met de geldschieters van Dan en Allie, die onder de indruk waren van de resultaten van het afgelopen jaar en hun enthousiasme niet onder stoelen of banken staken. De man van het Smithsonian Institute hield zich meer op de vlakte, en Dan nam hem even apart voor een diepgaander gesprek. Allie richtte zich tot een sjofel ogende kettingroker met gele vingers die voor *The Times* in Londen werkte. Sarah sprak lange tijd met hem, in de hoop dat haar woorden hem konden overhalen een artikel aan de olifanten te wijden. Ze schrok op toen Dan vroeg of iedereen wilde gaan zitten en haar bij het gezelschap introduceerde.

'Vorig jaar hebben we een extra onderzoeker aangenomen,' zei hij, 'en nu wil ik u graag voorstellen aan Sarah Mackay. Ze is een waardevolle aanvulling op ons team en zal haar eigen foto's laten zien, die een goed beeld geven van het gedrag van de kuddes die we bestuderen. U zult zien dat het van het grootste belang is dat het breekbare en broodnodige evenwicht tussen de olifanten en hun omgeving niet wordt verstoord. En u zult inzien hoe groot de rol van de Samburu is, de stam die hetzelfde stuk land bewoont en in wier handen de bescherming in de toekomst zal moeten liggen.'

Sarah ging naast Dan staan. Haar handen waren vochtig van het zweet, haar mond weer kurkdroog. Maar toen de gordijnen werden gesloten en haar dia's op het grote scherm te zien waren, wist ze dat ze het publiek met de kracht van haar beelden voor zich kon winnen. Er waren dia's van de rivier, die soms bruin en traag en lui was en soms kolkte over glanzende stenen onder een lucht die zwanger was van regen. Ze toonde haar portretten van de Samburu in hun felrode *shuka's* en van hun magere koeien met bultige ruggen, van de kuddes hongerige geiten die glansden in de immer aanwezige stofwolken. Ze had de kwetsbaarheid van de pluimpjes van het gras vastgelegd, de wilde bloemen die baadden in het gouden avondlicht, de omtrekken van de apenbroodbomen met hun dikke stammen en kronkelende takken die zich uitstrekten naar de blauwe, wolkeloze leegte.

Maar het ging vooral om de foto's van de olifanten zelf. Hun reusachtige koppen vulden het scherm, wijs en zwijgend. De kracht straalde af van hun formaat, hun grote voeten en hun dikke, doorgroefde vel, de grote flaporen, de opgeheven slurf van een aanstormende stier. Maar ze had ook hun kwetsbaarheid vastgelegd: een kalfje dat bescherming zocht tussen de voorpoten van de moeder, een familie die elkaar teder streelde, de vrolijkheid van een bad in de modder, het kleine sieraad van een oog in een grote kop, een druppel water aan een wimper, een mondje dat zich tot een glimlach vertrok.

Ten slotte beschreef ze het bijzondere tafereel dat ze had vastgelegd toen de groep die ze had bestudeerd door stropers was gedecimeerd. Na de hinderlaag, toen de bandieten het ivoor hadden afgehakt, waren Erope en zij door de bewegingen van de in paniek geraakte kudde van hun auto gescheiden geraakt. Ze waren gedwongen geweest zich in het dikke struikgewas te verbergen en hadden daar de hele donkere nacht moeten wachten. Vol ontzag hadden ze gadegeslagen dat de nog levende olifanten als geesten tussen de bomen vandaan waren gekomen, dat ze met hun voeten en slagtanden stenen en takken hadden gepakt waarmee ze hun dode kameraden hadden bedekt en daarna de wacht hadden gehouden bij de graven die ze hadden gemaakt, totdat de opkomende zon hen had weggedreven, op zoek naar schaduw en water. Toen Sarah zag hoe geboeid haar publiek zat te luisteren en ze af en toe een verbaasde zucht hoorde, wist ze dat de foto's van die onfortuinlijke nacht hun doel niet hadden gemist. Na haar laatste woorden viel er heel even een stilte, gevolgd door een aanhoudend applaus.

Haar werk was inspirerend en vernieuwend, zei de directeur van het Smithsonian later toen hij haar glimlachend de hand schudde. Hij was onder de indruk van wat Dan en Allie tot nu toe hadden bereikt, en haar bijdrage had daar echt iets aan toegevoegd. Hij had besloten een bezoek aan het kamp te brengen en zou over een paar dagen met Dan en Allie meerijden.

'Mevrouw Mackay, kan ik u even spreken?'

Sarah draaide zich om en zag een lange Indiase man staan die tussen het publiek had gezeten. Hij keek haar vol belangstelling aan, met een potlood en notitieblok in de hand.

'Ik ben Rabindrah Singh en werk als freelancer voor een aantal kranten en bladen in Oost-Afrika,' zei hij. 'En ik ben correspondent voor *Newsweek* en de *Daily Telegraph*. Gefeliciteerd met uw prachtige presentatie. De heer en mevrouw Briggs mogen zich gelukkig prijzen met zo'n talent in hun midden.'

Zijn accent was beschaafd en wees op een Britse opleiding. Er hing een zweem van parfum om hem heen die Sarah ongewoon vond voor een man, maar zijn gezicht straalde van intelligentie. Hij bleef haar aankijken toen hij vragen stelde over haar werk, en na een paar minuten voelde ze zich ongemakkelijk onder zijn indringende blik. Blijkbaar wist hij heel goed wat Dan en Allie allemaal deden en hoe moeilijk het was de balans te vinden tussen natuurbescherming en menselijke behoeften in een gebied waar droge grond en onregelmatige regenval vaak leidde tot botsingen tussen de nomadische stammen en de wilde dieren die daar samen moesten leven.

'Het probleem van het land boeit me bijzonder,' zei hij. 'Het is een van de belangrijkste kwesties die de Keniase regering op haar bordje heeft gekregen, maar tot nu toe is er maar weinig gedaan. Ik weet dat er flink wordt gestroopt. Door gewapende Somaliërs van over de grens, en de plaatselijke autoriteiten knijpen in ruil voor een deel van de winst een oogje dicht.'

'Helaas wel, ja,' gaf ze toe. 'Maar er zijn steeds meer Samburu die zich actief inzetten in natuurbeschermingsorganisaties en het plaatselijke bestuur, dat zijn mensen die echt iets willen verbeteren. Neem Erope, mijn spoorzoeker. Hij gelooft dat –'

'Hoe redt u zich eigenlijk, als alleenstaande vrouw, in uw eentje in een onherbergzaam gebied?' Opeens gooide hij het over een andere, veel persoonlijker boeg. 'Wat brengt een jonge vrouw ertoe haar eigen veiligheid te negeren? Het is af en toe vast gevaarlijk. En eenzaam.'

'Ik woon binnen de omheining, net als de heer en mevrouw Briggs, en we krijgen vaak genoeg bezoek.' Het ergerde haar dat ze zo verdedigend klonk. 'Ik heb geen tijd om eenzaam te zijn. En voor problemen met de bandieten moet je echt verder naar het noorden of oosten.'

'Toch zal het voor een stel heel anders zijn,' merkte hij op. 'Maar u bent een aantrekkelijke, ongebonden vrouw die weken, of zelfs maanden achtereen in de *bundu* zit. Ik zou graag over u willen schrijven, en over de olifanten. Een artikel met een persoonlijk tintje trekt veel meer aandacht. Hoe gaat u om met eenzaamheid, hoe houdt u contact met vrienden en familie, hoe weet u wat er in de wereld gebeurt?'

'We hebben een radio, dus we zijn niet helemaal van de buitenwereld afgesloten,' zei ze.

'Gaat u vaak naar Nairobi? Zet u in de stad de bloemetjes buiten, als tegenwicht voor het leven daar? Hebt u hier een vriendje? Of daar misschien? Wat doet u graag wanneer u niet bezig bent met mooie foto's maken of het observeren van olifanten?'

Sarah keek om zich heen, zoekend naar een excuus om weg te lopen. Hier was ze bang voor geweest, en ze vond de Indiër maar ongevoelig omdat hij het gesprek deze kant op had gestuurd. Hij was opdringerig. Hij wist ongetwijfeld wie ze was. Haar naam had vaak genoeg in de kranten gestaan.

'Wanneer bent u daar begonnen, in Buffalo Springs?' vervolgde hij. 'Met al die aanvallen van *shifta's* moet u regelmatig gevaar lopen, misschien wel elke dag. Neem nu die hinderlaag waarover u ons net hebt verteld. Bent u niet bang dat ze u op een donkere nacht aan stukken zullen hakken?'

Sarah voelde zich overvallen door een golf van ontzetting. Haar benen trilden, en ze greep de leuning van de stoel vast om te voorkomen dat ze zou vallen. Zwijgend staarde ze hem aan, haar gezicht lijkbleek. Toen ze eindelijk iets zei, was haar toon afstandelijk, hoewel ze zo dichtbij stond dat ze zijn adem tussen hen in kon voelen.

'Gevaar beperkt zich niet tot een bepaalde plek,' zei ze. 'Het is iets wat je overal kan treffen, altijd. Het project van Dan en Allie Briggs zal niet worden gestaakt vanwege dreigingen met geweld van de *shifta's*. Die maken ons werk alleen maar noodzakelijker.'

Dan, die aan de andere kant van de zaal stond, zag haar veranderde uitdrukking en kwam snel naar haar toe. Hij knikte even naar de journalist. 'Het spijt me, maar het is tijd om te gaan, onze financiers hebben een diner voor ons geregeld. Hopelijk hebt u zo van onze presentatie genoten dat u er een artikel aan zult willen wijden.'

'Bedankt voor uw belangstelling, meneer Singh.' Sarah had zich hersteld en stak haar hand naar hem uit. 'In het persbericht vindt u trouwens alle informatie over schenkingen, voor het geval u zelf ook iets wilt bijdragen. Alle beetjes helpen. Goedenavond.'

Ze draaide zich om en liep samen met Dan naar buiten. De ogen van de journalist prikten in haar nek toen ze in de auto stapte.

Bij het Norfolk Hotel nam Allie haar even apart. 'Goed gedaan, meid. Dan is heel erg in zijn nopjes. Je hebt je kranig geweerd tegenover al die wetenschappers en cijferaars.'

Sarah glimlachte en voegde zich ontspannen tussen de genodigden. Ze beantwoordde vragen over haar werk en genoot ervan te verkeren onder leden van organisaties waarvoor ze altijd grote bewondering had gekoesterd. Hier was ze in elk geval niet het onderwerp van het stille medeleven dat ze zo vreesde. Het gesprek aan tafel ging hier over natuurbehoud, olifanten, de manieren waarop je de dieren kon opsporen en observeren, en over de aanhoudende problemen die het verdelen van land tussen mens en dier met zich meebracht. Toen de koffie werd geserveerd en de bestellingen voor port en cognac werden opgenomen, merkte Sarah echter dat ze uitgeput was.

'Zou je het heel erg vinden als ik er nu vandoor zou gaan?' fluisterde ze tegen Allie, die gelukkig onopvallend nee schudde. Ze stond op en liep naar de lobby. In een opwelling had ze besloten een kamer in het hotel te boeken; het zou fijn zijn voor Dan en Allie als ze even wat tijd voor zichzelf zouden hebben, en bovendien kon ze het zich permitteren omdat ze niets van haar salaris had uitgegeven. In het hotel was ze veilig, en misschien zou ze hier wel goed kunnen slapen. Toen ze aan de balie de sleutels in ontvangst nam, hoorde ze iemand roepen, en toen ze zich omdraaide, zag ze tot haar ongenoegen de Indiase journalist naderen. Hij had niet deelgenomen aan het diner, en ze vroeg zich af hoe hij haar had gevonden.

'Mevrouw Mackay! Ik heb u opgespoord omdat ik u nog iets wilde vragen.' Hij zweeg even en schraapte zijn keel. 'Ik vroeg me af of u een portfolio van uw werk hebt, of foto's die u zou willen verkopen? Buiten uw werk in Buffalo Springs, bedoel ik. Ik ben er vrij zeker van dat bladen interesse zouden hebben. Om eerlijk te zijn zou ik er zelf wel een paar willen gebruiken voor mijn artikel. Maar natuurlijk alleen als u dat wilt, en als het geen gevolgen heeft voor uw werk voor de heer en mevrouw Briggs.'

'Ik heb er nooit aan gedacht om mijn foto's te verkopen,' zei ze. 'Ik gebruik ze alleen maar voor mijn onderzoek. Maar als u iets over ons project wilt publiceren kan ik wel een paar dia's sturen, of afdrukken in zwart-wit.'

'Ik kan ze wel in Buffalo Springs komen halen,' bood hij aan. 'Ik ben van plan een paar dagen naar Samburu te gaan, en daarna ga ik bij George Adamson langs, die verder naar het noorden woont.'

'Ik ben bang dat ik er dan niet zal zijn,' zei ze. 'Ik neem een tijdje vrij. Maar als u me een adres geeft, wil ik u de foto's wel opsturen.'

'Goed.' Hij gaf haar een visitekaartje. 'Bent u morgen trouwens nog in de stad? We zouden ergens kunnen gaan lunchen. Of iets drinken. De mogelijkheden doornemen.'

Sarah wilde alleen maar weg en toevlucht zoeken in haar hotelkamer. De avond had haar de grootst mogelijke inspanning gekost, en het laatste wat ze nu wilde, was nog meer babbelen of vragen beantwoorden.

'Ik vertrek morgenvroeg al,' zei ze. 'Ik ga bij vrienden logeren. Maar toch bedankt. En ik kijk uit naar uw artikel.'

'Aha.' Hij vroeg zich af of ze nee zei omdat ze geen uitnodigingen van Indiërs aannam. '*Au revoir*, zou ik willen zeggen. Het was me een genoegen kennis te maken. En nogmaals de complimenten voor uw foto's.'

'Dank u. Prettige avond nog.'

Sarah wist dat ze kortaf klonk, maar ze moest hier weg. Snel schudde ze hem de hand en ging ervandoor. Ze had de avond overleefd, had er zelfs plezier aan beleefd. Op haar kamer zag ze haar portfolio op tafel liggen, en ze bladerde erdoorheen, zich afvragend welke foto's en dia's ze naar de Indiase journalist zou sturen. Hopelijk zou hij niets over haar persoonlijke belevenissen schrijven, als hij al iets zou schrijven. Met de pers wist je het nooit.

Ze reed naar het noorden onder een grijze hemel, omringd door de koelte van de morgen. De Land Rover gierde en sputterde toen ze door het glanzende groen van de koffieplantages en de akkers met maïs, groenten en bananen, de favoriete gewassen van de Kikuyu, de hellingen opreed. Sarah had last van een onrustig gevoel vanbinnen, een mengeling van somberheid en verwachtingsvolle spanning. Het omringende land was vruchtbaar en sappig, kinderen wuifden vanaf de kant van de weg naar haar en vrouwen liepen gekromd onder de zware ladingen brandhout die ze op hun ruggen hadden gebonden over de steile, rode paadjes tussen de akkers. De top van de grote berg was verscholen tussen een band van wolken, en er hing een neerslachtige stemming over het land. Bij de toegang tot Langani hield ze even halt om op adem te komen. Ze had Hannah voor haar vertrek uit Nairobi nog gesproken en gehoord hoe enthousiast haar vriendin was.

'Niet te geloven, zo dik als ik ben,' had Hannah gezegd. 'Lars zegt dat hij de deuren uit de hengsels moet tillen als ik zo doorga. Maar volgens dokter Markham is het geen tweeling. O, Sarah, ik ben zo blij dat je eindelijk thuiskomt. Ik ben zo blij.'

Maar het was geen thuis. Langani zou nooit meer thuis zijn omdat Piet er niet meer was en het leven dat ze samen hadden willen leiden was verdwenen, net als al die vreugde en liefde die haar hart gedurende die korte, verrukkelijke tijd hadden gevuld. Hij wachtte niet bij de voordeur op haar, hij zou haar niet in zijn armen nemen en optillen, haar niet lachend kussen en zeggen dat hij van haar hield. Hij zou nooit meer op haar staan wachten.

Sarah zette de motor weer aan en reed door de poort, de oprit op. Haar hart bonsde hevig en ze proefde verdriet op haar tong. Ze stapte uit en probeerde zich te wapenen tegen de muur van verdriet die op haar afkwam. Lotties tuin was haar redding. Tijdens die eerste jaren op kostschool was Lottie als een moeder voor haar geweest, maar nu was ze een bannelinge, duizenden kilometers verwijderd van de oase van rust en orde die ze hier in de woestenij had geschapen. Sarah draaide zich om en zag een straal zonlicht door de wolken heen breken die het gras liet glanzen als fluweel. De aanblik van de borders, van de golvende bedden vol prachtige kleuren die het oude huis omringden, bracht de liefde naar boven die ze al als kind had gevoeld toen ze deze plek voor de allereerste keer zag. De honden verschenen op de veranda en blaften enthousiast naar haar, kwispelend met hun staarten. Hannah kwam met uitgestrekte armen en een stralende glimlach het trapje af. Hun omhelzing was zwijgend en krachtig, en ze hielden elkaar een hele tijd vast voordat Sarah een stap naar achteren deed en zachtjes haar hand op de dikke buik van haar vriendin legde.

'Je ziet er geweldig uit.'

'Ik zie er topzwaar uit.' Hannah lachte. 'Ik voel me topzwaar. Lars blijft maar zeggen dat ik 's middags een dutje moet doen, maar ik ga liever met de honden wandelen. Straks kan ik helemaal geen stap meer zetten. Ik denk dat vrouwen niet meer aan kinderen zouden willen denken als dit een dag langer dan negen maanden zou duren.' Ze werd onderbroken door Lars, die op de veranda verscheen en zijn geweer tegen de omheining zette.

'Sarah, wat fijn dat je er weer bent. Geen lekke band, geen pech onderweg?'

Hij sloeg zijn armen om haar heen, en ze omhelsde hem stevig. Wat was het toch een fijne vent, die grote man van Hannah. Wat een fijne, lieve, goede vent.

'Nee, geen enkel probleem.' Ze keek vol genegenheid naar hem op en richtte toen haar blik op het geweer. Een zweem van angst schoot door haar heen. 'Is alles in orde hier?'

Hij glimlachte. 'Dat was vanwege het eten. Ik heb op iets voor in de pan gejaagd. Hier is het rustig. Geen onrust, geen *shauri.* Alleen die vriendin van je, die wil het maar niet kalm aan doen. Misschien kun jij haar op andere gedachten brengen.' Hij raakte even Hannahs blonde vlecht aan en kuste haar toen op haar voorhoofd. 'Ik moet voor de lunch nog een paar dingen regelen. Tot straks.'

'Ik breng je even naar je kamer,' zei Hannah. 'En daar hebben we Mwangi met de koffie.'

De oude huisknecht begroette Sarah hartelijk, nam haar handen in de zijne en mompelde een groet in zijn taal, het Kikuyu. Toen haalde hij haar koffer uit de Land Rover, streek het toch al perfect opgemaakt bed nog eens glad en deed de gordijnen open, zodat het zonlicht haar kamer binnen kon stromen. Toen hij weer weg was, ging Hannah op de stoel naast het raam zitten.

'Je neemt de zon mee, de eerste die we in dagen hebben gezien,' merkte ze op. 'Het is de hele week al somber en bewolkt. Deprimerend. Hoe ging de presentatie? Hoe lang kun je blijven?'

'Een dag of drie, vier. Dan moet ik weer terug,' zei Sarah. 'In Nairobi ging alles perfect. We krijgen volgend jaar opnieuw subsidie, en de kans is groot dat het Smithsonian Institute ons extra geld zal geven. De pers had ook belangstelling. Dan en Allie zien het helemaal zitten.'

'Dus jullie kunnen verdergaan met het werk in Buffalo Springs?'

'Ja. O, Han, ik heb ook nog een journalist leren kennen die mijn foto's wil gebruiken. Hij wil ervoor betalen, bedoel ik. Eerst voelde dat niet goed, maar nu zie ik in dat dat alleen maar goed is voor het onderzoek. En ik houd er ook nog iets aan over. Ik weet niet of hij het echt meent, maar het zou geweldig zijn om in *Time* of *Newsweek* te staan. Of in welk blad dan ook!'

'Dat heb je ook verdiend,' zei Hannah. 'Je foto's zijn fantastisch. Dat is echt goed nieuws.'

'Ach, het is bemoedigend. En nu wil ik alles over jou horen.'

'Veel heb ik niet te melden. Ik ben blij dat je er bent. Ik heb iemand nodig om mee te praten. Het komt vast door het weer, maar ik voel me niet op mijn gemak. Zenuwachtig. Hier op de boerderij is het erg rustig, maar... Ik weet het niet. Het is vast volkomen normaal, nu de baby bijna komt. Ik slaap slecht en blijf maar aan Lars denken. Aan hoe hij zich echt voelt.'

'Hij voelt zich prima, Hannah. Dat zag ik aan de manier waarop hij tegen je praat, en je net een zoen gaf.'

'Maar we hebben het er nooit over.' Hannah keek uit het raam, in de richting van de heuvel. Piets heuvel.

'Waar hebben jullie het nooit over?' Sarah wilde niet naar de heuvel kijken, niet denken aan het verlies. Ze wist niet hoe ze hier vannacht zou moeten slapen, in dit huis. In deze kamer.

'We praten nooit over de baby. Of het een meisje of een jongen zal worden, over namen. Die baby is het gevolg van mijn onbezonnen verhouding. Het is niet eens het kind van mijn man, maar zal straks wel deel van ons leven zijn.'

'Misschien is dat voor Lars wel het beste. En voor jou ook. Het is jouw kind, Han, en hij houdt van jou en zal ook van je kindje houden. Want dat is deel van jou, dat groeit in je en wordt beschermd door zijn liefde. Misschien is dat het enige waaraan je hoeft te denken.'

'Je bent vreselijk romantisch. En ik kan maar moeilijk geloven dat hij er altijd zo over denkt. Dat hij nooit iets over mijn verhouding met Viktor zegt, of de komst van dit kind vreselijk vindt.'

'Hij is niet het soort man dat wrok koestert,' zei Sarah. 'Ik geloof dat hij van je houdt zoals hij altijd al heeft gedaan. Hij wil voor jou zorgen, en voor alles wat bij jou hoort: het kind, het huis, de boerderij. Dat zijn dingen die jullie samen hebben opgebouwd. Wees niet bang,

Han. Hij is sterk, en jij ook, en jullie houden van elkaar. Het komt allemaal wel goed.'

Hannah knikte zwijgend en stond toen op. 'Ik ga naar de keuken, het een en ander met Kamau regelen. Ik zie je wel bij de lunch.' Ze glimlachte. 'Het gaat wel. Ik word alleen af en toe een beetje onrustig en wil dolgraag met iemand praten. Met jou, of met ma. Maar jullie zijn allebei zo ver weg.'

'Is er nog nieuws van je moeder? Ik moest meteen aan haar denken zodra ik de tuin zag.' Sarah probeerde het schuldgevoel te onderdrukken dat Hannahs woorden bij haar hadden opgewekt. Ze had eerder moeten komen.

'Het valt daar niet mee,' zei Hannah. Ze leunde tegen het kozijn en keek naar de tuin van haar moeder. 'Ze hadden Kenia nooit moeten verlaten. Ik had zo de pest aan die tabaksplantage, aan dat hele land. Ik voelde me heel erg schuldig toen ik wegliep en terug naar hier ben gegaan, want ik liet haar toen alleen, zodat er niemand meer was die haar kon helpen of troosten. Maar ik kon alleen maar aan Langani denken, ik wilde hier zijn, Piet helpen. Eerst deed hij net alsof ik niet meer was dan zijn kleine zusje, de lastpost die alleen maar problemen veroorzaakte. Maar toen ik de administratie ging doen en mijn steentje bij kon dragen, ging het allemaal prima.'

'Jullie konden zo goed samenwerken.' Toen Sarah Piets naam hoorde vallen, voelde ze een golf misselijkheid opwellen.

'Ja, dat was zo,' zei Hannah. 'Ik ben blij dat ik nog een tijdje bij hem kon zijn, voordat we hem kwijtraakten. En wat ma en pa betreft, op dit moment is Rhodesië niet het beste land om te wonen, en ze vinden de tabak maar niets. Pa drinkt naar het schijnt niet zoveel meer, maar het valt niet mee om de knecht van een ander te zijn. Kobus is een bullebak. Familie of niet, hij doet alsof pa personeel is in plaats van zijn neef. En er zijn voortdurend overvallen. De rebellen krijgen wapens uit Rusland en China. Het worden er steeds meer, ze zijn steeds beter georganiseerd. Ik weet dat ma dolgraag terug naar Langani wil, maar pa wil er niets van horen.'

'Dat is naar voor haar.'

'Ja.' Hannah keek bedachtzaam. 'Maar nu ze al drie jaar weg zijn, zou het ook raar zijn als ze opeens weer terug zouden komen en de leiding van Lars zouden overnemen. Het was pa's besluit om opeens te vertrekken, net voor de onafhankelijkheid. En hoewel het nog steeds zijn grond is, weet ik niet of we het zouden redden als hij opeens terug zou komen. Dat zou moeilijk zijn. Dan weet ik dat hij hier alleen maar rond zou hangen, te veel zou drinken en aan Piet zou moeten denken. Stel dat hij de leiding zou willen overnemen, wat moet Lars dan? Wat moeten wij dan, Sarah? Ik vind het vervelend om te moeten zeggen, maar ik weet niet of het een succes zou worden als ze terug zouden willen komen. Maar goed, ik moet nu echt met Kamau gaan overleggen welke groenten we moeten oogsten, anders hebben de varkens of buffels straks alles opgegeten.'

Na de lunch ging Sarah voor haar kamer op de veranda zitten, genietend van de rust van de middag. Gelukkig had ze Hannah tot een dutje kunnen overhalen. Aan weerszijden van haar stoel lag een hond; ze deden alsof ze sliepen, maar het trillen van hun borstelige wenkbrauwen verried hun interesse in het koekje dat ze zat te eten. Alleen de hond van Piet ontbrak. Piet zelf ook. Hij zou nooit meer haar naam roepen, nooit meer naast haar zitten, vol dromen en hoop en plannen voor de toekomst. Hun toekomst. Ze begon te huilen, haar lichaam schokte toen ze probeerde te voorkomen dat haar wanhoop haar kwetsbare zelfbeheersing aan flarden zou rijten. De honden keken op, zachtjes jankend, en likten aan haar hand. Toen ze hun zachte koppen streelde en tegen hen praatte, merkte ze dat dat troost bood.

'Zin in een ommetje?' Lars was haar komen zoeken.

'Ja, dat lijkt me fijn.' Ze wendde haar gezicht af en hoopte dat hij haar niet had zien huilen. 'Slaapt Hannah nog?'

'Ja.' Hij glimlachte toen ze naar hem toe kwam en ze op pad gingen. 'Hoe heb je dat voor elkaar gekregen? Ik probeer het al weken.'

'Ze ziet er anders goed uit.'

'Lichamelijk is er niets aan de hand, nee. Maar ze is gespannen.' Lars prikte met zijn wandelstok in de grond. 'Soms trekt ze zich dagenlang geestelijk terug en kan ik haar niet bereiken. Misschien komt het door de baby, en het feit dat vrouwen vlak voor de bevalling veel emotioneler worden. Maar ze wil per se lange dagen werken. Veel te lang, vind ik.'

'Als ze zich goed voelt, zie ik geen reden om het niet te doen.'

'Dat zegt dokter Markham ook, maar ze voelt zich met de *watu* niet meer zo op haar gemak als vroeger. Ze luistert niet meer naar hen en wordt vaak zomaar kwaad. Ze merken dat ze het idee heeft dat ze iets met de dood van Piet te maken hebben, en dat is niet goed. Het is net alsof ze vergeten is dat ze ons trouw zijn, dat ze dat al jarenlang zijn. Ze vergeet dat ook zij verdriet hebben.'

'Woede is voor haar altijd al een manier geweest om obstakels te overwinnen,' zei Sarah. 'We moeten geduld hebben, meer kunnen we niet doen.'

'Weet je, iedereen ziet me als die grote, slome, geduldige Noor,' zei Lars, 'maar ik ben ook woedend. Ik kook vaak van woede. En zelfs de mooiste dagen hier zijn voor mij ook vervuld van rouw, al doe ik mijn best om van Langani weer een vredig oord te maken. Een fijne plek voor een gezin. Maar dat kan ik niet alleen, en soms vraag ik me af of ik het eigenlijk wel kan.'

Sarah zag dat zijn ogen vochtig waren. Snel wendde hij zich af, en ze was getroffen door het besef dat het verlies van zijn vriend Piet hem natuurlijk ook diep had getroffen. Niemand had daar echt oog voor gehad. Ze dacht aan zijn grote hart, zijn trouw, zijn liefde voor Hannah die ertoe had geleid dat hij met haar was getrouwd en het kind als het zijne zou opvoeden. Lars was de praktische kerel, degene die alles aan de gang hield, de stem van de rede en het evenwicht. Ze schaamde zich omdat ze nooit had gevraagd hoe hij zich voelde.

'Ik weet dat het jou net zo treft als ieder ander,' zei ze. 'Die leegte die maar steeds groter lijkt te worden.'

Hij keek haar zwijgend aan en ze zag dat hij worstelde met zijn emoties en zijn kalmte trachtte te bewaren, omwille van iedereen.

'Nou, het ligt nu achter ons,' zei hij ten slotte. 'En we moeten verder, zo goed als we kunnen. Ik neem aan dat het na verloop van tijd wel beter zal gaan, wanneer de baby nieuw leven naar Langani brengt. Kijk naar de berg, Sarah, in dit licht. Die is uit de wolken tevoorschijn gekomen om ons aan schoonheid te herinneren.'

Ze spraken over het reilen en zeilen op de boerderij en Sarahs onderzoek in Buffalo Springs. Toen ze het deel van de oprit bereikten vanwaar ze de melkerij konden zien, zagen ze Hannah naar hen zwaaien. Ze bewonderden het melkvee dat haar grote trots was en liepen daarna gezamenlijk terug naar het huis.

'Dus je hebt het goed gedaan in Nairobi,' merkte Lars op. 'Dat zal niet gemakkelijk zijn geweest, een voordracht houden voor een zaal vol wetenschappers, waar zoveel van afhangt.'

'Het viel niet mee,' gaf Sarah toe, 'maar ik ben blij dat Dan en Allie me zover hebben gekregen. Hopelijk zal iemand van de pers er iets over schrijven. We kunnen wel wat giften gebruiken. En een van de journalisten wil misschien mijn foto's gebruiken.'

'En ervoor betalen,' bracht Hannah haar verrukt in herinnering. 'Dan word je rijk en beroemd.'

'Ja, en dan gaan we dat vieren met een weekendje in Nairobi,' zei Sarah. 'Dan trakteer ik jullie op een avondje eten en dansen in de New Stanley Grill.'

'Dan hopelijk na de komst van de baby.' Hannah grinnikte. 'Lars kan me nu niet eens in zijn armen nemen.'

'Misschien willen ze in de Grill wel niet eens zulke boerenkinkels als wij hebben.' Lars moest ook lachen. 'Zelfs niet in gezelschap van iemand die rijk en beroemd is.'

'Over rijk en beroemd gesproken, ik heb twee weken geleden nog wat van Camilla gehoord. Ze zei dat ze eind september hierheen wilde komen. Hebben jullie verder nog iets vernomen?' vroeg Sarah.

'Niet meer dan jij,' zei Hannah. 'Ze zit vast in Londen. Volgens haar agent kan ze niet onder haar contract in New York uit, en ze moet fotosessies voor een nieuw Frans parfum doen. Pas als dat achter de rug is, kan ze weer hierheen komen. Maar ze heeft ons geld gestuurd.'

'Geld?' vroeg Sarah verbaasd.

'Ze wil per se een eigen zaak beginnen, kleren en tassen en dergelijke maken. Hier op Langani, bedoel ik. Lars gaat het huisje van de *plaasbestuurder* opknappen, zodat ze daar een atelier van kan maken.'

'Ze heeft flink wat ruimte nodig om te kunnen naaien en stof te knippen,' zei Lars, 'en ze zei dat ze ook in het huisje wilde gaan wonen, maar Hannah denkt dat ze in het begin beter in het grote huis kan zitten. Voor het geval ze er zenuwachtig van mocht worden.'

'Het is erg dapper dat ze hier iets wil beginnen,' merkte Sarah op, 'maar ik neem aan dat ze gelijk heeft en dat er inderdaad een markt is voor kleren van exotische stoffen, versierd met Afrikaanse kralen en dergelijke. Denk maar aan die prachtige trouwjurk die ze voor jou heeft gemaakt, Han.'

'Hopelijk zal ze hier Londen niet al te veel missen,' zei Lars. 'Langani is erg afgelegen, en zelfs Nairobi is maar een slaperig dorpje in vergelijking met wat zij gewend is.'

'Ik kocht laatst een Engels tijdschrift met haar op de cover, mooier en stralender dan ooit,' zei Sarah. 'Maar haar brief was somber. Ze wil daar echt weg, terug naar Kenia.'

'Ze wil daar zijn waar Anthony is,' zei Hannah.

'Ja, hoewel ze nu niet goed weet wat ze aan hem heeft,' zei Sarah. 'Ze houdt een beetje afstand, om te zien wanneer hij er klaar voor is.'

'Flink wat afstand,' vond Hannah. 'Zij zit duizenden kilometers verder weg, en hij zit hier alleen. De grote blanke jager en gids. Een prooi voor rijke Amerikaansen op safari, die een stukje kopen van zijn wereld vol groot wild en kampvuren en leeuwen die brullen in het maanlicht. Hij is aantrekkelijk en alleenstaand, en blijkbaar onweerstaanbaar voor al die vrouwen.'

'Tja, dat zal de grote vraag wel zijn.' Sarah keek weifelend. 'Of hij Camilla ondanks alles trouw kan blijven. Hopelijk vergooit hij niet opnieuw zijn kansen. Ze houdt van hem, en ze zouden een geweldig stel vormen.'

'En zij zou, beroemd en beeldschoon als ze is, wonderen kunnen doen voor zijn onderneming,' vulde Hannah aan. 'Ze zou zijn tochten kunnen voorzien van de broodnodige vrouwelijke inbreng, de menu's wat variëren, om nog maar te zwijgen over de manier waarop het eten wordt opgediend. En ze zou voor de gasten in Nairobi kunnen zorgen. Met hen gaan winkelen en zo. Daar heeft hij een hekel aan, maar de klanten rekenen erop. Een paar weken geleden is hij met een stel Amerikanen hier komen lunchen. Aardige lui, maar behoorlijk beledigd omdat hij hen in de stad aan hun lot had overgelaten. Hij wilde zelfs niet met hen dineren. Dat viel helemaal niet goed.'

Ze waren bij het huis aangekomen. Lars liet hen alleen om samen met een van de knechten naar een hek te gaan kijken dat, niet voor het eerst, door een buffel kapot was gemaakt.

'Sarah, ik wil graag iets doen,' begon Hannah.

'Ik weet het niet, Han.' Sarah wist meteen wat ze bedoelde. 'Het laatste stuk van het pad is erg steil. Als je uitglijdt...'

'Dat gebeurt niet. Je kunt me helpen als het moeilijk wordt. En ik ben daar al een tijd niet meer geweest omdat Lars me heeft laten beloven dat ik niet alleen zou gaan. Toe, Sarah, dan gaan we samen naar Piet, op de heuvel. Op de plek waar hij het liefst was. Misschien is het wel de laatste keer voordat de baby komt.'

Ze namen Sarahs Land Rover en reden over het uitgestrekte goudkleurige *veldt.* Aan de horizon doemde de hoge berg op. Sarah reed zwijgend door, met bonzend hart. Als een jonge vrouw die een afspraak met haar geliefde had. Maar Piet zou nooit meer haar geliefde zijn, behalve in de eenzame doolhof van haar dromen waar ze hem niet kon bereiken. Dat verscheurde elke keer haar hart, zodat ze midden in de nacht wakker werd, getroffen door een enorme pijn.

Ze zetten de auto aan de voet van de heuvel neer en gingen te voet verder. Hun tempo viel steeds verder terug naarmate ze dichter bij de top kwamen. Boven op de heuvel bleven ze dicht bij elkaar staan en keken naar de gladde stenen waarvan ze de *cairn* hadden gemaakt. Vanaf het midden van de hoop stenen ontsproot een eenzame acacia in al zijn schoonheid, zijn brede takken uitgestrekt naar de bleke hemel. De wind voerde het geluid van vogelgezang mee, en onder hen strekten de akkers met tarwe en de open vlakten en de donkere bossen van Langani zich uit. Het leek wel alsof de zon de hemel in brand zette en de bomen en rotsen overspoelde met een gloed in rood en goud die zich langzaam over het land verspreidde, dat er in het avondlicht oud en vriendelijk en weelderig bij lag.

Sarah ging op de rand van de *cairn* zitten, op de plek waarvan Piet zoveel had gehouden, en keek naar het land waar ze samen hun leven hadden willen leiden. Ze legde haar hand op de warme stenen en ademde de herinnering aan hem in, het geluid van zijn stem, zijn lach, de aanraking van zijn vingers.

'Het is hier zo rustig.' Hannahs stem klonk verstikt. 'Denk je dat hij hier echt in vrede rust, die prachtige broer van me?'

'Ik denk het wel.' Sarah pakte de hand van haar vriendin vast. 'Ik denk dat hij hier het liefst had willen zijn, en hier kunnen we hem altijd vinden. Dit was zijn lievelingsplek.'

'Zal de pijn ooit minder worden?' wilde Hannah weten. 'Daar wacht ik op, totdat het minder pijn doet en ik me minder verslagen zal voelen. Totdat dat vreselijke, verlammende gevoel verdwijnt. Maar dat gebeurt maar niet.'

'Ze zeggen dat de tijd alle wonden heelt,' zei Sarah, 'maar ik weet niet of dat zo is, Han. Ik weet het gewoon niet. Kijk, daar gaat een cheetah.'

Beneden hen op de vlakte liep de katachtige langzaam door het hoge gras, haar kop net zichtbaar boven de pluimpjes. Haar blik was vastgenageld aan haar beoogde slachtoffer, een jonge gazelle aan de rand van de kudde. Spieren en pezen golfden onder haar vel. Opeens schrokken de dieren op van een onverwacht geluid en sprongen weg over het *veldt*, in de richting van de dekking van het kreupelhout. De cheetah, die inzag dat haar pogingen zinloos waren, ging op een laag heuveltje liggen en keek uit over de savanne, speurend naar een nieuwe prooi.

Sarah draaide zich om en keek naar het *kopje* en de lodge die Piet daar zo vol geestdrift had gebouwd. Het gebouw was nu verlaten en lag verborgen tussen de omringende bomen en rotsen. Lars was de enige die er nog kwam, hij snoeide de klimplanten terug, joeg de apen en bavianen weg en legde likstenen bij de drinkplaats voor de olifanten, buffels en ander wild dat er nog steeds kwam, zonder weet te hebben van de tragedie die daar had plaatsgevonden.

'Na de geboorte van de baby ga ik de lodge openen,' zei Hannah. 'Zodra ik een beetje aan mijn nieuwe leven gewend ben en een betrouwbaar kindermeisje heb gevonden. Dan open ik de lodge, voor Piet. Dan heb ik iets te doen, en hij zou ook willen dat ik dat doe. Dan zullen er bezoekers naar Langani komen en kunnen we een deel van de *plaas* echt in een natuurreservaat veranderen. Dan kunnen we nog iets verdienen. Piet heeft bijna alles wat we hadden in dat gebouw gestoken, en we doen er niets mee sinds...' Haar stem brak en ze drukte haar knokkels tegen haar mond. 'De laatste tijd heb ik het erg moeilijk gehad,' zei ze ten slotte. 'Ik weet niet hoe Lars erin slaagt om door te gaan. Hij is fantastisch, ik kan het gewoon niet geloven.'

Sarah knikte en stond op. Het was tijd om Piet te verlaten en zijn geest over te geven aan de roze schemering, één met de omgeving die hij zo had gekoesterd en zijn leven lang had beschermd. Ze deed een zwijgende smeekbede om vrede, smeekte hem haar te helpen, haar te laten zien hoe ze door moest gaan zonder zijn liefhebbende aanwezigheid.

'Ik denk dat we maar terug moeten gaan,' zei ze. 'Het wordt dadelijk donker, en ik wil niet dat Lars zich zorgen gaat maken.'

Voorzichtig liepen ze over het pad naar beneden, de takken vastgrijpend om hun evenwicht te bewaren. In de korte Afrikaanse schemering leek het land de adem in te houden, stil en zwijgend, terwijl de nacht naderde met zijn eigen vreemde geluiden en geritsel onder de mantel van duisternis.

Bij het huis aangekomen zagen ze Lars op de veranda zitten. Hij keek opgelucht toen hij het licht van de koplampen langs de bomen en struiken bij de oprit zag strijken.

'Ik begon me al zorgen te maken,' zei hij. 'Zijn jullie naar de heuvel geweest?'

'Het leek me het beste om samen met Sarah te gaan.' Hannah leunde tegen zijn lange gestalte aan en vlijde haar hoofd tegen zijn schouder. 'Laten we gaan eten, Lars. Dan kun je me vertellen hoe Juma er vanmorgen in is geslaagd de aanhanger te laten kantelen, en hoe hij de schade denkt te gaan vergoeden.'

Na het eten gingen ze zitten rond het knapperende vuur in de haard, maar ondanks de warmte van de vlammen had Sarah het koud. Ze durfde niet naar bed te gaan, uit angst voor de dromen, maar ze besefte dat ze Lars en Hannah ophield, die morgen weer vroeg uit de veren moesten vanwege het vele werk op de boerderij.

'Bedtijd,' zei ze. Ze probeerde te glimlachen, maar haar ogen lachten niet mee.

Ze omhelsden haar stevig, en toen pakte ze de petroleumlamp en liep over de veranda naar haar kamer. Ze zag de nachtwaker op het gazon. Hij had zijn oude legerjas dicht om zich heen getrokken en een wollen muts bedekte het grootste deel van zijn hoofd. Toen Sarah langsliep, hief hij bij wijze van groet zijn stok omhoog, en even vroeg ze zich af welke bescherming die kon bieden tegen de wapens die de rust en vrede op Langani al een keer hadden verstoord. In de badkamer bleef ze even staan treuzelen, daarna deed ze een eeuwigheid over het opbergen van haar kleren, maar ten slotte kon ze niets meer doen dan in bed kruipen en de lamp uitdoen. De geluiden van de nacht omringden haar; ze hoorde het huis, waarvan ze ooit zo had gehouden maar waarvoor ze nu zo bang was, kraken en zuchten. Ze wist dat ze hier niet langer kon blijven dan strikt noodzakelijk was. Hannahs vriendschap en behoeften en Lars' kracht boden onvoldoende tegenwicht tegen de puinhoop die haar eigen leven was geworden. Ze ging rechtop zitten en stak de lamp weer aan. Haar zenuwen stonden op scherp toen ze de schaduwen zag opdoemen in het sissende licht. De kilte van de nacht en haar eigen eenzaamheid troffen haar met zo'n hevigheid dat ze naar adem hapte. Ze wilde Piet, ze wilde zijn stem horen en zijn gezicht zien, ze wilde zijn armen om haar heen voelen, liefdevol en beschermend. Ze ging voor het raam staan, met haar ogen dicht, en sloeg haar armen om haar ribbenkast. Ze hief haar gezicht op naar de lege duisternis om zijn kus weer te voelen. Toen was ze terug op de heuvel en schreeuwde het uit en sloeg haar hand voor haar mond, bang dat iemand haar zou horen in die donkere, onverbiddelijke nacht die geen troost meer bood, maar waar alleen geesten haar eenzame pad deelden.

Hoog op de heuvelrug stond de oude Kikuyu te kijken naar de boerderij die onder hem in het maanlicht lag. De lampen van het huis straalden in de verte, als een baken in het donkere landschap, en hij kneep zijn ogen aandachtig tot spleetjes. Zijn grijzende hoofd ging schuil onder een wollen muts en zijn lange oorlellen waren versierd met kralen en koperdraad. Hij droeg een lange leren mantel over zijn schouders die hem moest beschermen tegen de kille wind van de nacht. Het zilveren maanlicht deed zijn gezicht scherp uitkomen tegen de achtergrond van de beschaduwde rotsen en richtte de aandacht op het lange litteken dat hij in de strijd had verdiend. Hij stond hier al drie dagen te wachten en te kijken. Achter hem, uit het zicht, lag een geïmproviseerde schuilplaats, opgetrokken uit takken en doornstruiken. Daar had hij in een ondiepe kuil met houtskool een vuur aangestoken. De gebogen takken onttrokken de rook aan het zicht, zodat niemand onder hem, bij de lodge of op de savanne, hem kon zien.

Hij verliet zijn uitkijkpost en liep terug naar het vuur. Daar hurkte hij neer en haalde een leren buideltje van zijn riem. Hij legde wat van het poeder op zijn tong en ademde diep in. Toen begon hij te neuriën, een hypnotiserend geluid achter in zijn keel, en sprenkelde hij de rest van het poeder over de gloeiende kooltjes. Die sisten en knapten en verspreidden een indringende geur, als vermorzelde beenderen. Hij stak zijn hand uit, pakte een kalebas vol bloed en goot de helft van de kleverige vloeistof uit boven de sputterende vlammen. Zijn stem rees en daalde, in golven van woordeloze geluiden, en toen haalde hij uit de zak op de grond een paar stukken rauw vlees en de teelballen van een jonge bok, die hij aan het oplaaiende vuur toevoegde. Met een mes haalde hij het verkoolde vlees en de testikels uit het vuur en at die langzaam op. De restjes spoelde hij weg met de inhoud van de kalebas. Met knoestige vingers veegde hij zijn lippen af en streek het bloed uit over zijn gezicht. Zachtjes zingend wiegde hij op zijn hurken heen en weer, zijn blik gericht op de boerderij onder hem, zijn tanden ontbloot in een grimas van haat.

Een tijdje later gooide hij een paar handenvol zand op het vuur, zodat elk deel ervan was gedoofd en elk spoor was uitgewist. Hij stond op en liep naar de rand van de heuvel, zodat hij opnieuw zwijgend naar het huis kon kijken. Zijn vloek zou hen in eeuwige duisternis doen belanden. Binnenkort. Het land zou niet langer land van de *wazungu* zijn, maar terug worden gegeven aan de Kikuyu. Het zou van hem zijn. Hij spuugde tegen de opstekende wind in, trok zijn leren mantel dichter om zich heen en versmolt met de doornstruiken en het kreupelhout dat de heuvel bedekte. Onder het zand brandde zijn verborgen vuur zich een weg naar de dorstige aarde, een merkteken voor de dood achterlatend.

TWEE
Kenia, juli 1966

Rabindrah Singh leunde achterover in zijn stoel en rekte zich uit. Zijn vingers deden pijn omdat hij de hele middag had zitten typen, en hij had een nieuw lint nodig, maar hij probeerde de laatste restjes uit het oude te krijgen voordat hij een nieuw pakte. Een nieuwe schrijfmachine, dat zou nog beter zijn, maar die kon hij zich nog niet veroorloven. Zijn hoogste prioriteit was op dit moment een eigen woning. Bij oom Indar was het netjes en gezellig, maar daar kon hij zijn vrienden niet uitnodigen. Zijn tante waakte als een havik over hem en kwam voortdurend aanzetten met weer een sikhmeisje dat een geschikte echtgenote voor hem zou kunnen zijn. Ze kwamen met hun moeders of hun zussen, wierpen met hun donkere ogen steelse blikken op hem en maakten er geen geheim van dat ze hem als een goede vangst beschouwden. Elk bezoek werd uitgebreid ontleed door tante Kuldip, die hem wees op de aantrekkelijke voordelen van ieder meisje en hem aandachtig aankeek om te zien of een van haar keuzes zijn toets der kritiek kon doorstaan. Maar Rabindrah had geen belangstelling voor een traditioneel sikh-huwelijk. Hij had een aantal jaar in Engeland gewoond en was gewend geraakt aan de vrijheid tussen mannen en vrouwen. Nu viel hij vooral op de buitenlandse meisjes die hij in de bars en cafés van Nairobi leerde kennen. Ze waren gul met gunsten en vroegen er weinig voor terug. Vanavond had hij een afspraak met een blonde Zweedse, een stewardess met porseleinblauwe ogen en een weelderige boezem. Ze had een appartement in Lavington, en hij glimlachte bij de gedachte aan de avond die voor hem lag. Nog een uurtje werken, en dan kon het genieten beginnen.

Weer begon hij op de toetsen te rammen, fronsend zoekend naar de juiste, indrukwekkende woorden om olifanten en hun omgeving te beschrijven. Toen hij klaar was, wist hij dat hij een artikel met een krachtige boodschap had geschreven, zeker door de foto's die die Ierse hem had gestuurd. Ze kon uitstekend fotograferen. De plaatselijke krant had al een zwaar geredigeerde versie van zijn verhaal over Dan en Allie Briggs en hun onderzoek geplaatst, maar nu had de *Daily Telegraph* beloofd het hele stuk te publiceren. Rabindrah besefte dat de foto's van Sarah Mackay de doorslag hadden gegeven. Sinds zijn terugkeer had hij al een keer of zes, zeven artikelen naar een Londense krant gestuurd, maar tot nu toe hadden ze allemaal nee gezegd.

'Misschien sta ik op een zwarte lijst,' had hij tegen zijn oom gezegd.

'Je hebt in die krant in Manchester geen blad voor de mond genomen,' had Indar Singh opgemerkt. 'Je hebt je behoorlijk druk gemaakt over de kwestie van Britse paspoorten voor onderdanen van Indiase komaf, en een dergelijke openheid valt daar niet altijd even goed. Niet wanneer het gaat om Brits beleid in de stervende koloniën die ze verlaten. Maar ik denk niet dat een Londense krant het je kwalijk zal nemen, niet nu je artikelen indient over het redden van de Afrikaanse natuur. Ze geven misschien geen fluit om hun medeburgers, maar als het om wezens op vier poten gaat, zijn de Britten zo sentimenteel als de pest.'

Oom Indar had gelijk gehad, zo bleek. Rabindrah zou zijn naam in een internationale kwaliteitskrant kunnen zien, en misschien zouden andere kranten en bladen hem nu ook serieus gaan nemen. Correspondent voor Oost-Afrika voor *The Economist* en *The Times.* Af en toe een artikel voor *Newsweek.* Dat was zijn doel. Een sterke visie op natuurbescherming zou hem wel eens de erkenning kunnen opleveren waarnaar hij zocht. Het was een onderwerp dat emoties opriep, waarover hij gemakkelijk kon schrijven en veel informatie kon vinden. De illegale slachtpartijen die onder het Keniase wild werden aangericht, veroorzaakten steeds meer ophef, en het was alom bekend dat de regering erg weinig tegen de stropers ondernam. Hij zou geen gebrek hebben aan bruikbaar materiaal, het ene nog sensationeler dan het ander. De internationale gemeenschap maakte zich al erg druk over het ongeremde doden van olifanten en neushoorns, en nog maar een maand geleden was een artikel van hem hierover door een

Amerikaans tijdschrift geplaatst. Het was erg goed ontvangen.

Het meisje had aanvankelijk niet staan springen om hem haar foto's te geven. Maar toen was de envelop op zijn bureau beland, en ze had niet eens naar de betaling gevraagd. Misschien ging ze zo op in haar onderzoek dat ze alleen maar dacht aan de voordelen die dit voor de olifanten zou kunnen hebben. Eerlijk gezegd bleef hij maar aan haar denken. De manier waarop ze die avond naar hem had gekeken, liet hem niet los. Haar blik was enigszins gekweld geweest, en daarna argwanend, met een zweem van angst. Een groot contrast met haar geoliede voordracht. Hij was van plan geweest navraag naar haar te doen, maar de afgelopen dagen was hij alleen maar bezig geweest met dit artikel, dat hem een stapje dichter bij de journalistieke top zou kunnen brengen.

Het gerinkel van de telefoon onderbrak zijn gedachten. 'Dat was een goed stuk, over die olifanten. Zou je ook een interview kunnen regelen?' zei Gordon Hedley, de redacteur van de *Daily News*. Hij werkte al heel lang in Afrika en was een verdraaid goede journalist, maar hij had nooit beweerd dat er voor Rabindrah een vaste plaats op de redactie in kon zitten. 'Je schrijft geweldig, maar je bent te uitgesproken,' zei hij. 'Het is hier een mijnenveld, jongen. Als je artikelen schrijft die de nieuwe politici niet bevallen, zetten ze je zo het land uit. Je moet leren je boodschap goed te verpakken, zonder dat het lijkt of je iemand aanvalt.'

'Als er niemand is die de enorme corruptie en diefstal een halt toeroept die sinds de onafhankelijkheid schering en inslag zijn, blijft er geen land over om te regeren.'

'Het zal wel even duren voordat alles een beetje in orde komt.' Gordon klonk berustend. 'Drie of vier generaties, als je het mij vraagt, maar je mag me wat dat betreft niet citeren. Maar goed, het International Wildlife Fund heeft een nieuwe directeur, ene Broughton-Smith. Heeft hier voor de *uhuru* ook al jaren gewoond en werkte vroeger voor Buitenlandse Zaken. Was voor de onafhankelijkheid betrokken bij de aankoop en herverdeling van land. Slimme kerel, erg goed in wat hij doet. Sinds gisteren is hij weer terug in Kenia. In zijn nieuwe functie kan hij rekenen op de nodige steun, ook financieel, uit Europa en

Amerika, maar ik heb geen idee of ze ook echt iets gaan bereiken. Zin om uit te zoeken wat hij van plan is? Op de lange termijn. Van dat soort dingen.'

Rabindrah noteerde de naam. 'Waar kan ik hem vinden?'

'Geen flauw idee. Probeer het ministerie voor Natuurbeheer, of de AWF. Die weten vast waar hij zijn winkeltje heeft ingericht. En vraag maar of hij iets wil zeggen over de jacht in Kenia, en over de corruptie die er de oorzaak van is dat de regering haar ogen sluit voor al dat stropen. Ik zou er donderdag graag een artikel over willen plaatsen.'

George Broughton-Smith verbleef op de Muthaiga Club. Niet bepaald een plek waar een Indiase journalist met open armen werd ontvangen, zelfs niet wanneer de journalist in kwestie een Brits paspoort had. Pas sinds kort mochten personen met een donkere huid daar naar binnen in een andere hoedanigheid dan die van kok of ober of schoonmaker. Ze spraken af tijdens theetijd, in de Lord Delamere Bar in het Norfolk Hotel.

George bleek een lange man met een beschaafd voorkomen en zilvergrijs haar die zijn beginnende buikje dankzij een goede kleermaker uitstekend wist te verbergen. Rabindrah herkende hem meteen als het product van een Britse particuliere school en een studie in Oxford. Als de ander niet had beschikt over de schroom en ironische humor die typerend was voor zijn klasse had hij als bijzonder arrogant gegolden. Innemend was het woord dat Rabindrah nu inviel, al sloot hij een zekere geslepenheid niet uit.

'Bent u vooral geïnteresseerd in natuurbehoud, meneer Singh?'

Rabindrah besloot eerlijk te zijn. 'Daarmee houd ik me sinds kort bezig, omdat het nu pas een kwestie is die de aandacht trekt. Het speelt een grote rol in de ontwikkeling van dit land, zeker met het oog op herverdeling van de grond, het toerisme en de inkomsten uit het buitenland die het kan opleveren. De hele wereld wil zien of het onafhankelijke Kenia de balans zal vinden tussen de behoefte aan nationale parken en natuurreservaten enerzijds en land voor de boeren anderzijds.'

'De regering heeft een goede aan Johnson Kiberu, die nu over milieu en natuurbeheer gaat. Het gaat ook om het gebruik van land in particulier eigendom en het beschermen van bestaande natuurgebieden. Op die punten zal ik met hem gaan samenwerken, maar u kent hem natuurlijk al.'

'Ik heb hem kort gesproken, ja, maar ik werk hier nog niet zo lang. Vier maanden. Ik probeer nog steeds mijn weg te vinden door de doolhof van ministeries en nieuwe afdelingen. Maar ik ben van plan zo snel mogelijk een gesprek met meneer Kiberu aan te vragen.'

'Waar hebt u hiervoor gewoond?' vroeg George. 'Afgezien dan van Engeland, dat hoor ik aan uw accent.'

'Het is het gewone verhaal: ik ben hier geboren. Mijn grootvader, een sikh, is hier in 1898 door de Britten heen gehaald als politieagent. Al snel volgden broers en echtgenotes en neven en nichten, van wie een deel zich rond Kericho en Kisii vestigde en sorghum en suikerriet ging verbouwen. Inmiddels zitten we overal.' Rabindrah haalde zijn schouders op. 'Mijn ouders hebben nog voor de onafhankelijkheid hun Britse paspoort gepakt en hun rechtmatige plekje in het Verenigd Koninkrijk opgeëist. Ik heb ook een stel ooms in Canada, en nog heel wat familie hier en in Oeganda.'

'Maar u bent dus ook weggegaan, zij het tijdelijk?' vroeg George.

'Ik werd naar Engeland gestuurd om er te gaan studeren en heb daar vier jaar bij regionale kranten gewerkt. Regionale persmuskiet, zou je me kunnen noemen. Maar het is een goede leerschool geweest.'

'Bent u nu van plan te blijven?' George vroeg zich af waarom de jongeman de zekerheid van een bestaan in Engeland had verruild voor de onzekerheden van het Afrikaanse continent.

'Ja.' Rabindrah besefte dat de rollen waren omgedraaid en dat de vragen nu aan hem werden gesteld. Hoewel hij het niet wilde, streelde de aandacht van de Engelsman zijn ijdelheid. 'Om eerlijk te zijn, heb ik ontslag genomen bij de krant in Manchester. Ik was het zat om steeds maar artikelen te moeten schrijven over Aziaten die geen Brits paspoort kunnen krijgen en niet in dat goede oude Engeland mogen wonen. En de redactie was het zat om die verhalen te moeten lezen. Daarom ben ik teruggekeerd naar Nairobi. Ik vind het in Kenia toch al leuker. Hier heb ik meer om over te schrijven, en het is een opwindende periode.'

'Misschien te opwindend, voor sommige mensen.'

'Ik kan het wel aan. Ik had geen zin om in Engeland bij mijn ouders te blijven wonen, met alleen maar een gemeenschap van Indiërs uit de voormalige kolonie om me heen. De ouderen in die groep zwelgen alleen maar in herinneringen aan het verleden, en een groot deel van de jongeren maakt zich overal kwaad over. Ze zitten vooral bij elkaar te treuren om wat ze hebben verloren en te zeuren over hoe moeilijk het is om aan een Britse buitenwijk te wennen. En de minder rijke Indiërs staat nog een zware strijd te wachten wanneer het gaat om economische zekerheden en integratie in de plaatselijke gemeenschap. Daar had ik allemaal geen zin in.'

'In dat geval hoop ik dat u grootse dingen in Kenia zult verrichten. Goed, wat wilde u van me weten?'

Het interview besloeg een groot aantal verschillende kwesties. George Broughton-Smith durfde voor zijn mening uit te komen, al deed hij dat in zorgvuldig gekozen bewoordingen. Diverse keren benadrukte hij dat het van groot belang was dat ook de plaatselijke bevolking bij natuurbehoud zou worden betrokken.

'We kunnen de natuur in dit land alleen beschermen als ook de gewone burger ziet welke voordelen dat biedt,' zei hij. 'Het geld dat wordt verdiend met wildparken en reservaten moet terugvloeien naar de plaatselijke gemeenschap en niet worden verkwist door politici in Nairobi. Volgens onze statuten dienen we de bedragen die we verdienen weer hier te investeren, bijvoorbeeld door kleine boeren te helpen bij het omheinen van hun *shamba's*. Je kunt niet verwachten dat een Kikuyu de dieren wil beschermen die zijn akkertje met maïs opeten of zijn gezin aanvallen. Kijk naar de olifanten en buffels die door de kleine boerderijtjes rond Nyeri en Nanyuki banjeren en echt alles vernielen.'

'En de Masai en de Samburu? Daar kunt u moeilijk een omheining omheen zetten.'

'We willen hun manier van leven beslist niet veranderen. Als we regels gaan opstellen over het gebruik van de gebieden die als natuurreservaat worden aangewezen, zullen we ook geld aan alternatieven moeten besteden. Mobiele dierenklinieken, drinkplaatsen voor hun vee. En we moeten de stammen ervan zien te overtuigen dat ze beter minder vee kunnen nemen dat genoeg te eten krijgt dan dat ze te grote kuddes op te weinig land laten grazen.'

'Daar willen ze nooit aan,' merkte Rabindrah op. 'Hun rijkdom en sociale status meten ze af aan het aantal stuks vee dat iemand bezit. Daar zal niets aan veranderen.'

'Niet tijdens mijn leven, vermoed ik,' zei George. 'Maar we moeten ergens beginnen, en onderwijs vormt de sleutel. We hebben docenten vanuit hun eigen stammen nodig. Mensen die ze al kennen en vertrouwen. Jongere mannen en vrouwen die hun moeten leren hoe ze op een andere manier van het land gebruik kunnen maken. Want als ze zo op de traditionele manier doorgaan en steeds grotere kuddes nemen, verandert al het land in woestijn.'

'Gaat u voltijds vanuit Nairobi werken?' wilde Rabindrah weten.

'Ja. Dan kan ik beter in de gaten houden wat er aan de hand is, en heb ik meer tijd om naar de mensen te luisteren.'

'Dat is een hele verbetering,' zei Rabindrah. 'Het wemelt hier van de deskundigen die maar een paar dagen blijven en dan rapporten vol aanbevelingen schrijven die toch niemand leest. Na hun vertrek verandert er nooit iets. Het zijn uitzuigers, de meesten dan. Of wereldverbeteraars, die zijn mogelijk nog erger.'

'Ik neem aan dat u op schrift minder uitgesproken bent dan in uw mondelinge uitingen?' George had wel schik in de verfrissend open en onbeschaamde houding van de jongeman. 'Maar zelfs die zogenaamde eendagsvliegen komen soms met een goed idee. Ze bekijken de zaken van de andere kant. Goed, ik zal even op een rijtje zetten wat ik het komende jaar denk te bereiken. Ik heb een samenvatting voor u op papier gezet, om te voorkomen dat u te veel afdwaalt. Of dat u zelf iets uit uw duim zuigt!'

Een uur later was Rabindrah diep onder de indruk van George Broughton-Smith en van de praktische ideeën die de basis van zijn plannen vormden.

'Nu hebben we wel genoeg over natuurbehoud gesproken,' zei George ten slotte. 'Te lang praten maakt een kwestie niet altijd duidelijker, en een mens krijgt er in elk geval erg veel dorst van. Mag ik u iets aanbieden?'

'Whisky, graag. Met water.' Rabindrah zag dat George een wenkbrauw optrok, en hij glimlachte. 'U merkt wel dat ik geen traditionele sikh ben. Geen tulband, geen baard, en een voorliefde voor goede whisky maakt me nog buitenissiger. Mijn vader lust ook graag een glaasje, maar mijn moeder raakt nooit drank aan en wil het zelfs niet in huis hebben. Ze weet nog niet dat ik drink en leest mijn vader graag de les, al heeft ze zich er min of meer bij neergelegd dat hij wel eens drinkt. Het is maar goed dat ze duizenden kilometers verderop zit.'

'Ik heb gelezen wat u over het onderzoek van het echtpaar Briggs in Buffalo Springs hebt geschreven.' George vond het vermakelijk dat de Indiër zo verbaasd keek. 'Ja, ik weet graag iets over degene die me komt interviewen. Ik kijk altijd even wat ze onlangs hebben geschreven, waar ze vandaan komen. Of ze een appeltje met iemand te schillen hebben. Maar dat was een goed artikel. Dan en Allie zijn geweldige lui, en natuurlijk waren de foto's van Sarah Mackay schitterend. Ze is een geweldige jonge vrouw.'

'Ze maakt de indruk erg veel om haar werk te geven. Maar ze is wat afstandelijk.'

'Dat is niet verwonderlijk, na wat ze allemaal heeft meegemaakt. Ze is een goede vriendin van mijn dochter Camilla.'

'Het model uit Londen?' Rabindrah floot bewonderend. 'Is dat uw dochter? Hemel, wat dom van me dat ik dat verband niet heb gelegd.'

'Ze hebben hier in Kenia bij elkaar op school gezeten,' legde George uit, 'maar sindsdien hebben ze helaas veel tegenslagen gehad. Vooral Sarah.'

'In welk opzicht?'

'Ze was verloofd met een jonge Afrikaner boer, Piet van der Beer. Vorig jaar is hij vermoord door een Kikuyu die voor hem werkte, een slimme knaap die Simon Githiri heette. Het motief was volkomen onduidelijk. Door een bizarre speling van het lot is Githiri tijdens zijn vlucht van de plaats van de misdaad om het leven gekomen. Het is een wonder dat die arme meid er niet aan onderdoor is gegaan.'

'Er heeft iets over die moord in de Britse kranten gestaan,' herinnerde Rabindrah zich. 'Maar de invalshoek was daar vooral het feit dat een blanke Keniase kolonist door een zwarte Afrikaan was vermoord.

Er stond niets in over familie of vrienden. De Indiërs in Engeland zagen het als een slecht voorteken voor de minderheden in Kenia. Ze zagen het als een soort nieuwe Mau Mau, die het voornemen had het land van de laatste blanken te ontdoen. Wat is er toen met het bezit van die boer gebeurd? Was het iets politieks?'

'De boerderij wordt nu bestierd door de zus van Van der Beer en haar man. Ze willen een deel van de grond in een reservaat veranderen, een plan dat ik voor de volle honderd procent steun. Maar ik weet niet of de jonge Hannah sterk genoeg is om het vol te houden, niet nadat ze zo'n drama heeft meegemaakt. Goed, als u het niet erg vindt, wil ik het hierbij laten omdat ik dadelijk een afspraak voor het diner heb. Ik neem aan dat u nu genoeg weet voor uw artikel? Als er nog iets is, kunt u me altijd bellen. Ik hoop dat we elkaar nog eens treffen en ons kunnen inzetten voor een betere toekomst voor mens en dier.'

De volgende ochtend begaf Rabindrah zich naar het kantoor van de *Daily News* en nam plaats in de archiefzaal waar alle oude nummers van de krant werden bewaard. Het duurde niet lang voordat hij de artikelen over de dood van Piet van der Beer op Langani had gevonden. De moord deed denken aan de rituele slachtingen waaraan de Mau Mau zich in de jaren vijftig schuldig had gemaakt, toen een deel van de Kikuyu dood en verderf had gezaaid onder blanke kolonisten en de leden van hun eigen stam die weigerden een eed van trouw aan de beweging af te leggen. Sarah Mackay en Hannah van der Beer, de zus van het slachtoffer, waren degenen die het lijk hadden gevonden. Rabindrah dacht aan zijn eigen zus en huiverde bij het idee dat hem zoiets zou overkomen. De gebeurtenis moest hen voor het leven hebben getekend. Er leek geen motief te zijn, hoewel Piets vader tijdens de noodtoestand nog tegen de Mau Mau had gestreden, net als vele andere blanke boeren. Het slachtoffer, dat eind twintig was, kon toen echter nog maar een jonge tiener zijn geweest. Het was moeilijk te geloven dat zijn dood daarmee verband zou kunnen houden.

Inspecteur van politie Jeremy Hardy had de zaak voor gesloten verklaard toen zijn agenten in het bos dat aan de boerderij grensde de recente overblijfselen van een man hadden gevonden. Hij was aangevallen door hyena's en grotendeels verscheurd en opgegeten, had Hardy verklaard. Het was bijna zeker dat het Simon Githiri betrof aangezien een hoofdtooi en andere versierselen die hij ten tijde van de moord had gedragen dicht bij de botten waren aangetroffen. Rabindrah fronste toen hij het artikel las, ontzet door de barbaarse aard van de moord en het ogenschijnlijke ontbreken van een reden. Misschien had Githiri wrok tegen zijn baas gekoesterd. Er werd beweerd dat Afrikaners hard voor hun *watu* waren. Maar als de politie had vermoed dat wraak het motief was, of als ze dachten dat Piets dood iets met het verleden te maken had, dan was moeilijk te verklaren waarom ze de zaak al zo snel hadden gesloten. Ze moesten hebben vermoed dat het mogelijk niet bij één geval zou blijven.

Rabindrah maakte een paar aantekeningen, vouwde zijn papieren keurig op en stopte die in zijn tas. Daarna ging hij terug naar zijn overvolle kantoortje vlak bij de garage van zijn oom. Als de zus van Piet nog steeds plannen had om een deel van haar grond in een natuurreservaat te veranderen, dan zat hier misschien nog een verhaal in. ZUS VAN VERMOORDE MAN BEGINT RESERVAAT, MONUMENT VOOR IDEALEN, BRUTE MOORD HOUDT HAAR NIET TEGEN. Hij zag de koppen al voor zich, dat was goede kopij. Misschien loonde het de moeite om met die politieman te gaan praten. Of de zus op haar boerderij op te zoeken. En met Sarah Mackay te praten, die haar verloofde had verloren maar in Kenia was gebleven om de olifanten te redden. Hij kon hier een uiterst boeiend, meeslepend verhaal voor een van de Britse sensatiekranten van maken. Hij pakte de telefoon en belde naar het hoofdbureau van politie, waar zijn achterneef, inspecteur Laxman Singh, werkte.

'Zou je me kunnen helpen aan het dossier over de moord op Langani, van vorig jaar?' vroeg Rabindrah hem.

'Nee, dat gaat niet. Dat ligt waarschijnlijk nog in Nyeri, en ik neem aan dat het vertrouwelijke informatie is. Waarom heb je daar belangstelling voor?' Laxman klonk geërgerd. Het was niet de eerste keer dat Rabindrah vroeg of hij iets uit wilde zoeken.

'Ik heb de verloofde van Piet van der Beer ontmoet en ben bezig met een artikel over een onderzoeksproject waaraan zij deelneemt.

Maar het wemelt hier momenteel van de wetenschappers, iedereen doet wel onderzoek naar het een of ander. Ik wil iets schrijven over haar karakter, over hoe inspirerend ze is. Zo dapper omdat ze het daar volhoudt, in de wildernis van het Northern Frontier District. Dat is van dat sentimentele gedoe dat de lezers vreten. Daarom zou ik graag het dossier over de moord willen lezen. Kijken of de man die het onderzoek leidde enig idee heeft van een motief. Het lijkt zo'n zinloze daad.'

'Waarschijnlijk koesterde iemand wrok omdat hij was ontslagen of zo. Die Afrikaners vallen niet mee, hoor. Het zou me niets verbazen als blijkt dat die Van der Beer zijn *watu* sloeg. En er een prijs voor moest betalen.'

'En de inspecteur van politie in die zaak?' vroeg Rabindrah. 'Is hij goed, of heeft hij er met de pet naar gegooid?'

'Je bent toch niet dom? Het hele land volgde de zaak op de voet, de politie stond onder flinke druk om met een verdachte op de proppen te komen. Blanke boer, wrede moord, opleving van de Mau Mau, dat werk. Ik heb een paar keer met Hardy gewerkt. Hij is grondig en eerlijk. Een echte Britse diender van de oude stempel. Als hij niets heeft kunnen vinden, dan was er ook niets.'

'Toch zou ik graag het dossier willen zien.'

'En toch kan dat niet, dat zei ik al.' Laxman verloor zijn geduld.

'Misschien kan ik een afspraakje met die Italiaanse meid voor je regelen,' zei Rabindrah op suikerzoete toon. 'Ze zag je wel zitten, ook al ben je een saaie sok. Misschien kan ik bij haar een goed woordje voor je doen.'

'Oké, oké, maar geef me een paar dagen de tijd,' zei Laxman lachend. 'En vraag me niet om nog meer gunsten.'

'Goed zo. Ik zal haar bellen. Wat dacht je van de Sombrero Club, rond een uur of negen? Dan kun jij in de tussentijd je Italiaans oppoetsen.'

Het duurde drie dagen voordat Rabindrah een kopie van het dossier ontving, in een bruine envelop zonder afzender. De pagina's onthulden maar weinig. Niemand begreep waarom Simon Githiri, een onopvallende Kikuyu-wees, een voorbeeldige leerling, een veelbelovende werknemer, opeens in een meedogenloze moordenaar was veranderd. Op de missiepost in Nyeri, waar hij een groot deel van zijn leven had doorgebracht, begrepen de priesters niets van die ingrijpende verandering. Niemand kon zich iets ongewoons herinneren. Er zat een briefje bij het dossier dat meldde dat de politie niet in staat was geweest een van Githiri's voormalige onderwijzers te verhoren omdat die in het ziekenhuis lag, maar dat was toch al een oudere man, ernstig ziek en vergeetachtig. Rabindrah las het dossier twee keer, noteerde de naam van de oude man en schudde toen zijn hoofd. Dit was een van die tragische gebeurtenissen waarvoor gewoon geen verklaring te geven was. Toch boeide het verhaal hem, evenals een gebrek aan een duidelijk motief. Hij besloot naar Nyeri te rijden om Jeremy Hardy persoonlijk te spreken. Daarna zou hij naar Langani gaan voor een gesprek met de zus van het slachtoffer. De krant in Manchester had hem veelvuldig nabestaanden laten interviewen. Het was verbazingwekkend wat mensen die verdriet hadden aan hem kwijt wilden, vaak zonder te beseffen dat ze iets zeiden wat nieuw of anders was. En misschien kon hij daarna naar Buffalo Springs rijden, om met Sarah Mackay over haar foto's te praten.

Tussen de middag zat zijn tante thuis op hem te wachten. Kuldip Kaur Singh was een elegante vrouw wier huishouden op rolletjes liep. In haar woonkamer kwamen haar talloze vriendinnen bijeen die zonen en dochters hadden voor wie een passende partner moest worden gevonden. Kuldip bewoog zich op een bijna koninklijke manier voort, doelbewust en sensueel tegelijk, en in de dagen van haar jeugd had iedereen haar als een grote schoonheid beschouwd, de perfecte echtgenote voor zijn oom.

'Ik ga vanmiddag naar Nyeri,' kondigde Rabindrah aan. 'En daarna naar Nanyuki om informatie voor een artikel te vergaren. Ik denk dat ik vannacht in de Sportsman's Arms een kamer neem. Morgen ben ik weer terug.'

'O, jongen, ik had gehoopt dat je vanavond hier zou zijn,' zei zijn tante. Ze keek hem berispend aan. 'Ik ga je lievelingskostjes maken, en Manjit Singh en zijn gezin komen eten. Anoop zal er ook bij zijn.'

'O, tante Kuldip toch.' Lachend sloeg Rabindrah zijn armen om haar heen. 'U weet toch dat ik niets in dat arme kind zie? En u moet toegeven dat de naam Anoop niet bij haar past. Ze is erg aardig en ongetwijfeld bijzonder deugdzaam, maar zeker niet de "ongeëvenaarde schoonheid" waarop haar naam duidt.'

'Schoonheid zit ook vanbinnen.' Kuldip trok een quasi-ernstig gezicht.

'O, haar ziel is vast beeldschoon,' zei Rabindrah glimlachend. 'Maar ze past niet bij me. Ik ben hier behoorlijk gewild, dus u hoeft me niet aan de eerste de beste uit te huwelijken. Bovendien heb ik gehoord dat ze een van die zonen van Patel, van hier verderop in de straat, wel ziet zitten.'

'Die past helemaal niet bij haar.' Kuldip snoof misprijzend. 'Die familie heeft geen aanzien, zelfs niet in de eigen gemeenschap. Ze verdenken de vader van omkoping, wist je dat? Daarom is hij bij de spoorwegen ontslagen.'

'Nou, ik moet mijn baan zien te houden, anders kan ik nooit voor een van die geweldige meisjes van u zorgen,' zei Rabindrah. 'En voorlopig hang ik nog wel even de veelgeplaagde journalist uit die nog niet betrouwbaar of verantwoordelijk genoeg is voor een verbintenis met een keurig meisje. Geen goede partij. Het kan alleen maar slecht aflopen als u me nu tot trouwen zou overhalen. Dan zou uw reputatie als koppelaarster een flinke deuk oplopen.'

'Je bent verwend en verwaand,' zei ze lachend, hem een zacht tikje tegen zijn oor gevend. 'Ik ben blij dat je moeder je nu niet kan zien. Denk maar niet dat ik sliep toen je vannacht om vier uur thuiskwam. Je zou op een fatsoenlijke tijd thuis moeten komen en moeten sparen voor een vrouw en een gezin, in plaats van je geld maar over de balk te gooien. Je bent nu dertig. Tijd voor vastigheid.' Maar ze sloeg lachend haar ogen ten hemel toen ze dat zei en keek hem grinnikend na toen hij vertrok.

Inspecteur Hardy trommelde met zijn vingers op het bovenblad van zijn bureau. De Indiase journalist wekte ergernis bij hem op. Hij had geen zin de moord op Piet van der Beer te bespreken met deze strijdlustige jonge persmuskiet uit Nairobi die hij nooit eerder had ontmoet. Maar de sikh bleef vragen stellen en had zo te horen alles gelezen wat er over de zaak te vinden viel. Hij had zijn huiswerk gedaan.

'Het was een nare kwestie,' moest Hardy toegeven. 'Met name omdat het lichaam door die twee jonge meisjes is gevonden. Het is een wonder dat ze na die nacht niet zijn doorgedraaid. Mag ik vragen waarom u er nu opeens belangstelling voor hebt?'

'Ik ben bezig met een artikel over Sarah Mackay en haar onderzoek naar de olifanten in Buffalo Springs. Ik denk dat lezers meer belangstelling voor haar werk zullen krijgen als ik er een wat persoonlijker portret van maak. Dat het zo dapper is dat ze na een drama als dit toch doorgaat. En dat zijn zus de boerderij ondanks alles draaiende houdt, dat soort dingen. U hebt de zaak trouwens al snel kunnen sluiten.'

'We hadden alle bewijzen verzameld die we nodig hadden. Githiri was door een hyena te grazen genomen. Om het even bot te zeggen: waarschijnlijk zat hij na de moord onder het bloed en is hij tijdens zijn vlucht verscheurd en opgegeten. We hebben zijn hoofdtooi en dergelijke in het bos gevonden, bij zijn botten. Een vreemde vorm van natuurlijke gerechtigheid dankzij welke we het dossier konden sluiten.' Hij haalde zijn schouders op, reikte naar zijn wapenstok en stond op. Het was duidelijk dat hij een einde aan het gesprek wilde maken. 'Dat was eigenlijk wel een zegen.'

'Maar wat kan zijn motief zijn geweest?' Rabindrah bleef zitten. 'Was de politie niet bang dat er meer moorden zouden volgen?'

'Dat is niet gebeurd.' Hardy fronste, en in zijn ogen verscheen een ijzige blik. 'Want Githiri was dood. En de eerdere incidenten betroffen uitsluitend Langani. Niemand anders in dat gebied is aangevallen. Dus er viel aan te nemen dat het het werk van een enkele persoon was geweest.'

'Eerdere incidenten?'

'Een paar maanden eerder was de boerderij door een gewapende bende overvallen. En er waren een paar koeien afgeslacht.'

'Was Piet van der Beer dan zo'n harde kerel?' Rabindrah zat driftig in zijn notitieboekje te schrijven. 'Gewelddadig jegens zijn *watu*? De moord deed aan een ritueel denken. Of een wraakactie.'

'Piet was een van de fijnste jongens die ik ooit heb gekend.' In Hardy's stem was een zweem van woede te horen. 'Het soort man dat dit land nodig heeft, als we willen dat mensen van alle kleuren met elkaar samenwerken. Ik ken die familie al jaren. Fatsoenlijke, eerlijke lieden die hun personeel altijd goed behandelen en met alle buren kunnen opschieten.'

'En de vader?' vroeg Rabindrah. 'Ik heb begrepen dat hij bij de King's African Rifles heeft gediend en tegen de Mau Mau heeft gestreden. En net voor de onafhankelijkheid is hij naar Rhodesië vertrokken. Klopt dat?'

'Heel veel boeren zijn kort voor de onafhankelijkheid weggegaan.' De inspecteur deed geen moeite zijn woede te onderdrukken. Zijn gezicht was rood geworden, en hij liep naar de deur van zijn kamer om die te openen. 'Ik ben bang dat ik er niets meer aan toe heb te voegen. En buiten staan twee *askari's* die ik aan het werk wil zetten.'

'Ik vroeg me af of u weet wie de priesters zijn die Simon Githiri op de school van de missiepost hebben lesgegeven, en waar ik hen nu kan vinden.' Rabindrah stond op, zijn notitieboekje nog in de aanslag.

'Hoor eens, ik denk dat niemand op een sensatieverhaal zit te wachten. Dat zou de nabestaanden erg van streek maken. Ze hebben het al moeilijk genoeg. Het is verleden tijd.' Hardy schudde hem niet de hand. 'Dag meneer Singh.'

Een uur later hield Rabindrah halt bij een *duka* om de weg naar Langani te vragen. Hij was nog nooit op een boerderij van Afrikaners geweest, en in deze streek waren er sowieso niet veel te vinden. De meeste lagen verder naar het westen en noorden, op de vlakte van de Uasin Gishu met de eindeloze akkers vol tarwe en rijen gombomen die hij altijd maar somber vond ogen, net als de Boeren die ze hadden geplant. Toen hij over het land van Van der Beer reed, werd hij echter getroffen door de schoonheid en afwisseling, en door de glanzende top van Mount Kenya die in de verte indrukwekkend en afstandelijk uit de tarwe leek op te rijzen. Hij hield even halt om naar een kudde giraffen te kijken die voor hem op de vlucht sloeg. Even verderop scharrelde een groepje bavianen op de stoffige weg. Het grootste mannetje bleef staan, sperde zijn bek open en toonde zijn lange, puntige tanden. Rabindrah huiverde. Hij had altijd al weerzin tegen apen gevoeld en was er zelfs een beetje bang voor. Als kind was hij getuige geweest van een troep bavianen die tijdens een bezoek aan het nationale park in Nairobi de auto van zijn vader hadden beklommen. Zijn zussen en ouders hadden verrukt gelachen om de capriolen, maar hij had ineengedoken achterin gezeten, wensend dat ze snel weg zouden gaan.

Hij zette de auto weer in beweging, nam een bocht en werd opeens getroffen door de aanblik van een keurige gesnoeide heg en een laag stenen gebouw dat werd omringd door een weelderig gazon. Het geheel oogde keurig en goed onderhouden, met borders in vloeiende vormen en struiken in alle kleuren en maten. Het was bijna onmogelijk het dak van het huis of de pilaren die het droegen te zien, want het hele bouwwerk was bedekt met een overvloed van kamperfoelie en bougainvillea en andere klimplanten die hij niet kende. Toen hij de motor afzette en uitstapte, ontdekte hij dat hij een plek had bereikt waar de wind door de bomen zong, en heel even was vogelgezang het enige geluid dat hij hoorde. En toen klonk er wild geblaf en verschenen er drie grote honden op de veranda. Hun haren stonden overeind. Rabindrah verstijfde. De zon verdween zonder waarschuwing achter een wolk, en opeens was de sfeer kil en dreigend.

'Wat kan ik voor u doen?' De vrouw was jong en blond en hoogzwanger, en haar stem had de vlakke klank die op een Afrikaner afkomst wees. 'Wees maar niet bang, de honden doen niets.'

Ze floot, zodat de grote beesten bleven staan, al hielden ze niet op diep in hun keel te grommen. Rabindrah bleef staan waar hij stond, zo roerloos mogelijk.

'Ik ben op zoek naar Hannah van der Beer.'

'Dat ben ik, of eigenlijk ben ik nu mevrouw Olsen. Komt u vanwege het zaad dat we hebben besteld? Of bent u van de houtzagerij?'

'Geen van beide, vrees ik. Ik ben journalist en vroeg me af of u even met me zou willen praten.'

'Waarover?' Hannah verstijfde en bleef boven aan het trapje van de veranda staan, zodat ze op hem neerkeek. Ze gaf niet aan dat hij verder mocht komen, en dat zag hij als een nadeel. Het was uitermate irritant dat die blanke boeren hem nog steeds het gevoel konden geven dat hij minder was dan zij.

'Ik heb over uw broer gelezen.' Hij zag haar gezicht verstrakken. 'Dat moet heel naar voor u zijn geweest. En ik heb Sarah Mackay onlangs in Nairobi ontmoet. Ze heeft me een paar van haar foto's gestuurd die ik voor een artikel over haar onderzoeksproject heb gebruikt. Dus in zekere zin hebben we met elkaar samengewerkt. Ik heb begrepen dat u een deel van uw land in een reservaat wilt veranderen en het werk van uw broer wilt voortzetten. Dat is heel moedig. Ik vroeg me af –'

'Als u dat allemaal al weet, begrijp ik niet wat u hier komt doen,' zei Hannah. 'Op het moment zijn mijn man en ik vooral bezig met ons boerenbedrijf, net als iedereen in deze streek. En ja, op een dag hopen we een klein wildpark met een lodge voor toeristen te kunnen openen, maar dat is nu nog niet aan de orde. Ik heb een krant dus eigenlijk niets te zeggen.'

'U hebt waarschijnlijk al genoeg journalisten gezien, en onder vreselijke omstandigheden. Maar het lijkt erop dat nog steeds niet bekend is waarom uw broer is vermoord. Ik bedoel, het motief is nooit duidelijk geworden, en –'

'De politie heeft de dood van mijn broer onderzocht.' Ze stapte naar voren en daalde langzaam het trapje af, met onhandige bewegingen. Maar haar ogen spuwden vuur van woede. 'De moordenaar is gevonden. Het was een gek, en nu is hij dood. En ik wil het er verder niet met u over hebben. Of met iemand anders van de krant. Nooit meer.'

Hij zag dat ze haar handen ineenklemde om het trillen te verbergen. Voordat hij iets kon zeggen of een poging kon doen om haar te kalmeren, verscheen er een eindje verder op de veranda een lange man.

'Wat is er aan de hand, Han?' Hij kwam naast haar staan. 'Wat wil die vent van je?' Hij luisterde even naar haar uitleg en sloeg toen zijn arm om haar schouders. Daarna wendde hij zich tot Rabindrah en zei: 'Ik begrijp niet wat u hier komt doen. Maar zoals u ziet, is mijn vrouw in verwachting en wil ik haar zo min mogelijk van streek maken. We hebben u niets te zeggen over de dood van haar broer of over ons eigen leven. Dus als u het niet erg vindt, zou ik graag willen dat u ons terrein verliet.'

'Ik had gehoopt dat mevrouw Olsen iets zou willen vertellen over haar plannen voor een natuurreservaat,' zei Rabindrah. 'Ik wilde niemand van streek maken.'

'Dat is dan erg naïef gedacht,' zei Hannah. 'Of vindt u de moord op mijn broer soms een passend gespreksonderwerp voor een gezellige middag? Had u gehoopt op een kopje thee, een babbeltje over zijn leven en dood en zijn verminkte lichaam?' Haar stem klonk schril, en hij zag dat haar vingers de stof van het safari-jasje van haar man vastgrepen.

'U kunt maar beter gaan,' zei Lars. In zijn nek zwollen twee aderen op en uit zijn blik sprak woede. 'En u hoeft niet meer terug te komen of ons op een andere manier lastig te vallen.'

'Het spijt me dat u er zo over denkt,' zei Rabindrah. 'Ik ben namelijk bezig met een serie artikelen over natuurbeheer en weet dat u een deel van uw grond in een reservaat wilt veranderen. Ik had u misschien wel van dienst kunnen zijn.'

Maar Lars had zich al afgewend. Hij nam zijn vrouw bij de arm en liep met haar naar de deur, Rabindrah alleen met de honden achterlatend op de oprit. De middagzon brak weer tussen de wolken door en bescheen het huis. Een diepe straal goudgeel licht viel tot in de achterste hoeken van de veranda, en opeens zag hij haar, het Ierse meisje. Ze stond voor een raam naar hem te kijken, haar armen over elkaar geslagen, haar gezicht gespannen. Toen ze merkte dat hij haar had gezien, stak ze snel haar handen uit en trok de gordijnen dicht.

'Mocht u van gedachten veranderen, dan heeft mevrouw Mackay mijn nummer,' riep Rabindrah Lars nog na, maar hij had meteen spijt van die woorden. Hij wilde het meisje niet van zich vervreemden. Ze vormde nog steeds een goed onderwerp voor een artikel, en bovendien was er alweer een nieuw idee bij hem aan het rijpen.

Hannah bleef op de drempel staan en draaide zich naar hem om. Haar gezicht was wit van woede. Toen liep ze verder het huis in. De honden stonden nog steeds onder aan het trapje en hielden hem nauwlettend in de gaten. Hij draaide zich om en liep naar zijn auto, spinnijdig omdat ze hem zo hadden durven behandelen. Het grind kraakte onder zijn wielen toen hij gas gaf en wegreed in een wolk van stof en ongemak.

'Wist je dat die hindoejournalist hierheen zou komen?' vroeg Hannah tijdens het eten. 'Hij zei dat jullie hadden samengewerkt, Sarah.'

'Ik had nooit kunnen denken dat hij helemaal naar Langani zou rijden.' Sarah vond het vreselijk dat Hannah dacht dat zij aanleiding tot het bezoek had gegeven. 'En we hebben niet samengewerkt. Ik heb hem een paar foto's gestuurd voor bij zijn artikel over het onderzoek van Dan en Allie, meer niet.'

'Vroeg hij jou ook naar Piet?' wilde Hannah weten. 'Toen je hem in Nairobi hebt gesproken, wilde hij toen ook iets weten over... de dood van Piet?'

'Daar heeft hij niets over gezegd,' zei Sarah verontrust. 'Ik denk dat hij me helemaal niet met Piet in verband heeft gebracht. Ik was gewoon iemand die onderzoek naar olifanten doet in Buffalo Springs.'

'Maar hij moet vanwege jou hierheen zijn gekomen,' zei Hannah beschuldigend. 'Hij noemde jouw naam. En wat bedoelde hij, dat het motief nog steeds niet duidelijk is? Piet is dood, en dat heeft een of andere bloeddorstige gek op zijn geweten. Wat is daar onduidelijk aan? Duidelijk is dat ons leven nooit meer hetzelfde zal zijn.'

'Journalisten zoeken altijd naar een nieuwe invalshoek, Han.' Lars streek haar even over haar arm. 'Dat deed hij ook, daar twijfel ik niet aan.'

'Maar wat bedoelde hij daarmee? Je moet iets tegen hem hebben gezegd, Sarah. In Nairobi. Iets wat hem hierheen heeft gelokt.'

'Dat is gemeen.' Sarah zag rood van woede. 'Ik zou nooit iemand aanmoedigen om naar Langani te komen en vragen over Piet te stellen. Of zich met onze levens te bemoeien. In Nairobi hebben we het helemaal niet over Piet gehad. Ik snap niet wat hij hier kwam doen, maar het heeft niets met mij te maken. O god, ik had die voordracht nooit moeten houden. Ik had al zo'n voorgevoel dat het alleen maar tot ellende kon leiden.'

'Je had ook een voorgevoel over Simon Githiri,' merkte Hannah op. 'Je zei dat je het zou hebben geweten als hij in het bos was gestorven. Dat je dat op de een of andere manier zou hebben gevoeld, dat dat je zou helpen het achter je te laten. En nu wordt het allemaal weer opgerakeld.'

'Maak je niet te druk, Han,' zei Lars. 'Dat is nu niet goed voor je. Sarah kan er niets aan doen dat die vent hierheen kwam. Dat weet je best.'

Hannah keek hem even aan en barstte toen in tranen uit. 'O god, o god, waarom houdt het nu nooit eens op? Wanneer zullen we eindelijk eens een rustig leven kunnen leiden en kunnen genieten van mooie herinneringen aan wat wel goed is gegaan?' Ze boog zich voorover, met haar handen op haar buik. Haar lichaam schokte van het huilen. 'Weet je, soms denk ik wel eens dat we beter kunnen verhuizen. Langani verlaten. Ik denk dat hier niets goeds meer zal gebeuren, dat we het verkeerde leven leiden. Misschien moeten we ergens anders opnieuw beginnen.'

'Toe, lieverd,' zei Lars, 'kom bij de haard zitten, dan vraag ik aan Mwangi of hij een warm drankje voor je maakt. En dan gaan we lekker vroeg naar bed. Morgen denk je er vast weer anders over.'

Korte tijd bleven ze met hun drietjes bij de haard zitten, zich ieder vastklampend aan hun laatste restje kwetsbare hoop. Ten slotte verbrak Hannah de stilte met een verontschuldiging. 'Lars heeft gelijk, ik kan maar beter naar bed gaan. Mijn rug doet zeer en ik ben doodop. En topzwaar. Als ik nu niet ga liggen, val ik nog om. Slaap lekker, Sarah.' Ze boog zich voorover om haar vriendin een zoen te geven en pakte haar hand even vast. 'Het spijt me dat ik zo overdreven reageerde. Morgen gaat het vast beter.'

Lars hielp haar overeind en bracht haar naar de slaapkamer. Mwangi liep heen en weer en ruimde de tafel af, terneergeslagen en stil. Sarah voelde dat de geesten zich in de donkere hoeken van de kamer verzamelden en wenste dat ze wel meteen terug naar Buffalo Springs was gereden. Toen hoorde ze het geluid van snelle voetstappen en rende Lars de kamer in.

'Ik ben bang dat er iets mis is,' zei hij. 'Hannah bloedt. Ik ga meteen dokter Markham bellen, maar ik denk dat we haar naar het ziekenhuis moeten brengen. Dit komt door die verrekte journalist, dat weet ik gewoon.'

'Ik pak even wat spullen bij elkaar,' stelde Sarah voor. 'Ik ga wel met haar achter in de Land Rover zitten, dan kun jij rijden.'

Voordat een van hen nog iets kon zeggen, klonk er een jammerend geluid vanuit de slaapkamer. Sarah rende erheen en trof Hannah opgerold op het bed aan. Haar vriendin had haar mond opengesperd en probeerde al hijgend de eerste golven van pijn te onderdrukken.

'Ze heeft weeën. Haar vliezen zijn gebroken.' Sarah greep Lars' grote hand vast, die nat was van het zweet. 'Vraag of dokter Markham meteen hierheen kan komen. Nu naar het ziekenhuis rijden is veel te riskant. Deze baby zal hier worden geboren, op Langani.' Ze boog zich voorover en legde haar hand op Hannahs voorhoofd. 'Het komt wel goed, Han. We zijn er om jou te helpen. Maak je maar geen zorgen. Vergeet niet adem te halen. Langzaam en diep, dan kun je je voorbereiden op het persen.'

'Weet je wel iets over bevallen?' Hannah keek op. Haar ogen waren groot van angst. 'Hebben ze je daar op de universiteit iets over geleerd?'

'Natuurlijk.' De leugen rolde als vanzelf over Sarahs lippen. Ze probeerde een vlaag van paniek te onderdrukken. Dit had ze nooit verwacht. 'Lars, zeg tegen Mwangi dat hij zijn vrouw moet halen. Agnes heeft geholpen bij de geboorte van tientallen baby's van arbeiders en in de medische hulppost van Lottie. En we moeten warm water hebben, en heel veel handdoeken en watten. Haal adem, Han, heel diep. Ik ga mijn handen wassen, dan zijn we er helemaal klaar voor.'

Op de gang voor de slaapkamer trof ze Lars aan, verstijfd van angst. 'God, ik kan dit niet,' zei hij. 'Ik weet niet hoe ik haar moet helpen. Als ze zo schreeuwt, weet ik niet wat ik moet beginnen. Dit is vreselijk.'

'Wat een onzin,' zei Sarah ferm. 'Kom op, verman je. Je hebt ongetwijfeld tientallen kalveren ter wereld geholpen, en nu weet je waarom. Dat was gewoon oefenen. Oefenen voor de geboorte van je eigen zoon of dochter. Maar het kan een hele tijd duren. Heb je dokter Markham kunnen bereiken?'

'Ik had zijn vrouw net aan de lijn. Hij is naar de oude mevrouw Hudson, die heeft een zware aanval van astma gehad en heeft zuurstof nodig. Misschien moet ze wel naar het ziekenhuis. Hij komt zo snel als hij kan, maar hij weet niet wanneer dat is. De Hudsons wonen hier dertig kilometer vandaan en de weg is slecht.'

'Sarah?' riep Hannah. 'Sarah, kom hier en blijf bij me, alsjeblieft!' Zweetdruppels parelden op haar gezicht, en ze greep het laken vast dat haar bedekte. 'Ik ben zo bang. Nu het zover is, weet ik helemaal niet of ik dit wel kan. Ik weet niet eens of Lars wel van ons kan houden, van dit kind dat niet van hem is. En het heeft niet eens een naam. We hebben het nooit over een naam gehad. O god, dit is vreselijk. Ik had nooit kunnen denken dat het zo erg zou zijn.'

'Hannah, ik heb wel over een naam nagedacht.' Lars verscheen in de deuropening en liep toen snel naar het bed, zodat hij haar hand kon vastpakken. 'Als het een jongen is, wil ik dat hij Piet gaat heten, naar mijn beste vriend. Maar als het een meisje is, Han, wil ik haar een Noorse naam geven. Mijn dochter wil ik Suniva noemen. Dat was een Ierse prinses, wist je dat? Net als Sarah hier. Ze kwam naar Noorwegen, en iedereen hield van haar, en haar naam betekende "geschenk van de zon". Zo wil ik onze dochter noemen. Suniva.'

Hannah keek even glimlachend naar hem op, maar toen vertrok haar gezicht weer van pijn. Ze lag kronkelend op het bed en greep Sarahs arm vast. Lars bleef naast het bed staan, niet goed wetend wat hij moest doen. De voor hem zo typerende kalmte was helemaal verdwenen. Mwangi bracht Sarah een kop thee en haalde na een snelle blik op Lars een groot glas cognac voor hem. Even later kwam zijn vrouw binnen, met op haar gezicht de gekmakend opgewekte glimlach van iemand die al talloze kinderen geboren heeft zien worden.

'O, *bwana* Lars, straks hebt u een kindje dat u op de *shamba* kan helpen.' Agnes duwde hem met een beslist gebaar opzij. 'Laat de vrouwen nu maar het werk doen. *Sukuma, memsahib* Hannah. Het is goed, het is zover. *Sukuma, mama!* Pers maar.'

En alle ellende uit het verleden was vergeten toen ze Hannah aanmoedigden om te puffen, te persen of even uit te rusten. In de uren die volgden, raakten hun geruststellende woorden vermengd met kreten van pijn, de ontzette geluiden van Lars en de beproefde aanwijzingen van de Kikuyu-vroedvrouw.

Ten slotte ving Sarah de eerste glimp van het hoofdje op en gleed het kindje na een laatste hevige inspanning van Hannah naar buiten. Sarah tilde het op en zag dat Agnes het bloed en slijm van het kleine gezichtje veegde. Toen legde ze het, terwijl de navelstreng nog steeds klopte, op Hannahs borst.

'Het is een meisje, Hannah. Je hebt een prachtig dochtertje.' Sarahs stem trilde. 'Lars zal zo de navelstreng doorknippen. Goed gedaan, Han.'

Ze ging naast Lars staan en zag dat hij met trillende vingers moeder en kind van elkaar scheidde. Toen huilde de baby voor de allereerste keer. Zijn ogen vulden zich met tranen van opluchting toen hij dat perfecte wezentje zag. Haar ogen gingen langzaam open, en ze keek hem met een plechtige, paarsblauwe blik aan. Hij keek naar haar, zo klein in zijn grote handen, en toen haakte ze een van haar kleine vingertjes om de zijne en viel met een snuffelend zuchtje in slaap. Lars keek naar Hannah, die was bedekt met zweet en bloed en wier haar vochtig was en door de war zat. Toen keek hij weer naar de slapende baby in zijn armen. En hij zei tegen Sarah: 'Dit zijn de mooiste twee mensen die ik ooit heb gezien.'

DRIE
Londen, augustus 1966

'Je kunt niet zomaar je loopbaan aan de wilgen hangen, alleen maar omdat je denkt dat een of andere bespottelijke onderneming ergens in Kenia een succes kan worden.' Tom Bartlett was woedend. 'Het is een idioot idee dat je ondergang kan worden.'

'Mijn ondergang?' Camilla keek hem onbewogen aan.

'Ben je vergeten wat er vorig jaar zomer is gebeurd?' Hij keek ongelovig terug. 'Toen je hier wegging, had je het mooiste smoeltje ter wereld, maar toen je zes weken later terugkwam, had iemand je met een *panga* bewerkt.' Hij streek het haar van haar voorhoofd. 'Wat dacht je van dit litteken? Op een avond stormen vijf mannen met messen de boerderij van Van der Beer binnen en vallen je aan. Die vriend van je, die Lars, schieten ze neer en ze maken jouw gezicht bijna onherstelbaar kapot. Je was maandenlang op van de zenuwen, je bent net weer een beetje tot rust gekomen. Godallemachtig, je had wel dood kunnen zijn. En nu wil je weer terug daarheen? Dat lijkt me niet verstandig. Helemaal niet. Maar ik ben ook maar een simpele jongen uit het East End, dus wat weet ik er nu van?'

'Dat was een op zichzelf staand incident. Een overval.' Haar glimlach was suikerzoet. 'Ik had net zo goed op straat in Londen slachtoffer van een overval kunnen worden, of in die soek in Tanger waar we die foto's voor *Tatler* hebben geschoten.'

'Doe niet zo verrekte dom,' zei hij. 'De gevaren waar we het hier over hebben, zijn –'

'Bovendien ben ik sindsdien al een keer in Kenia geweest,' onderbrak ze hem, hoewel ze wist dat haar argumenten weinig hout sneden. 'En op Langani was alles pais en vree.'

'O ja? Waarom is een van je beste vrienden er dan een paar maanden geleden vermoord?' vroeg hij botweg. 'Het is daar gewoon levensgevaarlijk, Camilla.'

'Dat vind ik niet.' Camilla keek langs hem heen naar een grote, ingelijste foto van haar eigen gezicht die aan de muur van zijn kantoor hing. 'Piet van der Beer is door een gek vermoord. Door een jonge Kikuyu die misschien wel onder invloed was, of bij een sekte hoorde, of gewoon een tik van de molen had gehad. Ik kende Piet al sinds mijn kindertijd. Hij was Hannahs enige broer, op wie ze stapeldol was, en Sarahs verloofde. Ik denk niet dat we ooit helemaal over zijn dood heen zullen komen.' Ze beet op haar lip en probeerde kalm te blijven. 'God mag weten waarom zulke dingen gebeurden. Maar het verschilt in wezen niet van een gek hier die opeens een forens voor een naderende trein duwt. Maar goed, de man die Piet heeft vermoord, is dood. Niemand op Langani wordt bedreigd.'

'Ben je dan helemaal nergens van onder de indruk?' Tom leunde achterover in zijn stoel en legde zijn voeten op zijn bureau. 'Je bent een beroemde schoonheid in Europa, en straks zul je de Verenigde Staten gaan veroveren. Je gaat naar feestjes waar The Beatles en de Stones komen, je staat op elk tijdschrift en je zit in elk tv-programma dat de moeite van het bekijken waard is. Je bent gefotografeerd door Donovan en Bailey en John French. Sterker nog, iedereen wil je fotograferen, iets over je schrijven, doen alsof ze je kennen. En dat wil jij allemaal zomaar weggooien vanwege een of ander kloterig sprookje.'

'Ik wil een ander leven gaan leiden.' Ze boog zich over het bureau heen, zodat haar ogen op gelijke hoogte met de zijne waren. 'Ik heb schoon genoeg van studio's en camera's en rare kleren en lagen verf op mijn gezicht. Ik wil niet meer op straat worden herkend of meedoen aan een stomme quiz op tv, ik wil niet voortdurend een flits voor mijn ogen zien. Dat voelt nu allemaal zo onbeduidend.'

'O, en ergens boven een vuurtje in een lemen hut hurken en een boutje koken voor de jager die elk moment thuis kan komen, dat is wel de moeite waard? Oe! Oe! Oe!' Hij maakte grommende geluiden en krabde in zijn oksels. 'Waar wil je daar je benen laten harsen, schat?'

'Wat ben je toch verrekte kortzichtig, Tom,' zei ze woedend. 'Dit is niet de enige stad waar wordt geleefd. Ik houd echt niet op te bestaan als ik Londen verlaat, of buiten jouw kleine wereldje ga wonen. Er is nog meer, hoor. Ik heb er genoeg van om een dure paspop te zijn. Dat idee dat ik heb, om in Kenia een kledingatelier te beginnen, is wél de moeite waard.'

'Probeer me maar niet over te halen om met je mee te dromen.' Tom stak een sigaret op en blies de rook langzaam uit, zodat die als een gordijn tussen hen in kwam te hangen. 'Ik weet de echte reden waarom je terug wilt gaan, en die is nog dommer dan het plan zelf.'

'Ik ga terug om een eigen zaak te beginnen.'

'Je zit al in zaken, voor het geval je dat nog niet wist. We zitten samen in zaken, mop, en niet zonder succes. We verdienen goudgeld. Saul Greenberg zet jouw naam op al die mooie jurkjes van hem, en dat betekent dat jij een bonus krijgt, elke keer dat een of andere tikgeit zo'n gevalletje koopt in de hoop op jou te gaan lijken. Over een paar weken hangt heel New York vol met foto's van jou, en die arme verliefde dwaas van een Greenberg wil ook nog eens een lingerielijn en cosmetica onder jouw naam uitbrengen. Hoe veel meer zaken wil je nog hebben?'

'Ik wil mijn eigen kleren en tassen ontwerpen, en sieraden. Spullen met een Afrikaans tintje, in beperkte oplage, en heel anders dan de mensen gewend zijn. Ontworpen door mij.'

'Goed idee. Ik kan zo een atelier voor je regelen, dan kun je vanmiddag nog beginnen. Drie deuren verder zit iets wat er geknipt voor is. Echt waar.'

'Je drijft de spot met me, en dat is beledigend en neerbuigend. Ik wil dit in Kenia doen omdat ik in Kenia wil zijn.' Ze zweeg even omdat ze besefte dat ze kalm en redelijk moest klinken. Dit was zo moeilijk uit te leggen aan mensen die de aantrekkingskracht van Afrika niet kenden. Ze kon niet verklaren hoe die plek zich al lang geleden zo diep in haar ziel had kunnen verankeren. Zelf begreep ze het amper. 'Ik ben dan misschien wel blond en lelieblank, maar mijn wortels liggen in Afrika. Ik weet dat je dat nooit zult begrijpen, net zomin als je kunt begrijpen welke band ik met Hannah en Sarah heb. Ze vormen een deel van mijn jeugd, ze waren de zussen die ik nooit heb gehad. Ik was enig kind, werd het grootste deel van de tijd aan mijn lot overgelaten in een kil, ongelukkig huishouden. Pas op Langani had ik het gevoel dat ik ergens bij hoorde en voelde ik wat warmte was. Daar voelde ik me veilig, bij mijn vriendinnen, en we beloofden elkaar dat we elkaar altijd zouden bijstaan. We maakten een snee in onze handen en vermengden ons bloed en legden die gelofte af. Ik ben dol op de boerderij, en op het land, en op het wild dat Sarah probeert te beschermen. Nu wil ik teruggaan en zelf iets bijdragen. Daar hoor ik echt thuis, Tom.'

'Het klinkt mij nog steeds als enorme onzin in de oren,' zei hij.

'Ik zal nog steeds bakken met geld verdienen, en jij blijft mijn agent,' zei ze, zonder aandacht te schenken aan zijn boze gezicht. 'Ik ga beginnen met jassen en tassen en riemen, geborduurd met etnische motieven in kralen en veren en halfedelstenen en kristal. Net als de spullen die ik eerder dit jaar in Londen heb verkocht. Ze zullen van dezelfde kwaliteit zijn als de trouwjurk die ik voor Hannah heb gemaakt. Je zei dat je die mooi vond. En Saul heeft beloofd alles te gaan gebruiken wat ik maak. Hij is weg van het hele idee.'

'Hij is weg van jou, dat is het gewoon.' Tom trok een verlekkerd gezicht. 'Alles wat je zegt, klinkt hem als muziek in de oren, hoe waanzinnig het ook is. Misschien willen mensen er wel een dag of twee uitzien als een Masai, dat is waar, maar zodra de rage voorbij is, zit je met een magazijn vol met die troep. En wat dan?'

'Dan ga ik iets nieuws ontwerpen, zoals iedere ontwerper doet,' zei ze vol ongeduld. 'Elk jaar een beperkt aantal artikelen. En als ik tijd heb, wil ik best een paar fotosessies naar keuze blijven doen.'

'Sessies naar keuze?' Hij snoof verontwaardigd. 'Je denkt toch niet dat ze je als eerste voor een klus zullen vragen als je duizenden kilometers ver weg in donker Afrika zit, bij Jim uit de jungle. Jean Shrimpton is hier bij de hand. Om nog maar te zwijgen over Twiggy, die op het moment niets fout kan doen, en Penelope Tree. Hij is het niet waard, Camilla.'

'Dat is niet de reden waarom ik ga,' zei ze verdedigend. 'Ik ga niet naar Nairobi, ik ga eerst een paar maanden op Langani zitten. Daar ga ik ter plaatse vrouwen aannemen en opleiden. In het begin zal ik alles voortdurend in de gaten moeten houden, anders krijg ik nooit de kwaliteit die ik wil. En bovendien is Anthony toch bijna altijd op safari.'

'Je bent helemaal verkocht, mop. Weet die kerel wel wat je voor hem opgeeft? Want tot nu toe heeft hij je vooral ongelukkig gemaakt. Hij denkt alleen maar aan zichzelf.'

'Ik zei toch al, het gaat niet om hem.' Ze sloeg met haar vuist op het bureau, zodat koffie over de rand van een beker vloog en een stapel foto's en papieren onder de spatten kwam te zitten. 'Ik kan heus wel nadenken, hoor. Ik kan uitstekend zelf bepalen wat ik wil.'

'Hoor eens, Camilla, we werken al sinds jouw eerste dag in dit vak samen,' zei Tom. 'Ik denk graag dat we niet alleen met elkaar werken, maar ook goede vrienden zijn.'

'Dat zijn we ook,' bevestigde ze. 'En je hebt heel veel voor me gedaan.'

'Je ziet er niet alleen fantastisch uit, maar je hebt ook een goed stel hersens, schat.' Hij stak weer een sigaret op en keek haar nadenkend aan. Ze keek smekend terug, met die grote blauwe ogen van haar. Ze was dichterbij gekomen en was op de rand van zijn bureau gaan zitten, zodat haar minirok omhoog was gekropen en een groot deel van haar fraaie en onmogelijk lange benen te zien was. Vreemd dat haar schoonheid hem na al die tijd nog steeds de adem benam. 'Maar het is een combinatie die je op die manier niet in je voordeel gebruikt.'

'Ik weet wat ik doe,' zei ze koppig.

'Het kan me niet schelen wat je zegt.' Tom had genoeg van de hele discussie. 'Dat verlangen naar Afrika heeft alleen maar met die grote blanke jager te maken, Camilla. En als ik af moet gaan op wat je over hem hebt verteld, is hij het niet waard. Ben je soms ook vergeten dat ik net heb geregeld dat je op de cover van *Vogue* komt? Ze hebben jou gekozen als een van de drie modellen die de collectie uit Parijs zullen showen. En je mag alle nieuwe jurken van Mary Quant voor volgend jaar zomer doen. Dat komt allemaal boven op je afspraak met Saul. Je kunt nu niet weggaan. Zo dom ben je niet.'

'Voor *Vogue* moet ik mijn gezicht laten doen. Het litteken weg laten halen.' Ze stond en keek uit het raam.

'Ja, dat was de afspraak. En dankzij mijn inspanningen en onuitputtelijke charme geloven ze dat het een groot succes zal worden.' Hij keek haar met toenemende argwaan aan. 'Ik dacht dat je dat litteken in november wilde laten weghalen, zodat je klaar zou zijn voor het nieuwe jaar. Dat zei Edward, en hij kan het weten.'

'Ik wil Edward hier niet bij betrekken.'

'Hoor eens, je bent tegen zijn advies in naar Afrika gevlogen om bij Hannahs bruiloft te kunnen zijn, en daar was hij pissig om. Gewoon wat ruzie tussen de tortelduifjes.' Tom zuchtte. 'Dat vergeeft hij je wel. Die arme drommel is smoorverliefd op je, maar het is een fatsoenlijke vent die goed voor je zal zorgen. Hij kan je zekerheid bieden, een goed leven. Hij is niet zoals dat onbetrouwbare type dat zo uit een avonturenfilm lijkt te zijn gerold en een garantie betekent voor onzekerheid.'

'Edward en ik... We zijn niet meer bij elkaar. Dat weet je. Ik heb het voor mijn vertrek uitgemaakt. Het zou niet eerlijk zijn om –'

'Terug te gaan naar de beste plastisch chirurg van Londen om je gezicht te laten doen,' viel hij haar in de rede, nu zijn laatste restje geduld was verdwenen. 'O mijn god, meid, doe eens volwassen. Je moet dat litteken laten weghalen, anders gaan de beste klussen aan je mooie neusje voorbij.'

'Ik heb de beste klussen al.'

'Je hebt je een paar maanden lang weten te redden met je pony of een hoedje over je voorhoofd, maar dat lukte alleen maar omdat iedereen medelijden met je had omdat je zo'n vreselijke ervaring hebt moeten doorstaan. Maar nu moet je van dat litteken af zien te komen en weer verdergaan, voor een nieuwe look kiezen. *Vogue* wil buitenopnamen, met je haar uit je gezicht. En voor de sieraden willen ze glad haar, achterover gekamd. Donovan neemt de foto's, en hij had het er al over dat hij het collier met diamant niet om je nek wil hangen, maar over je voorhoofd wil draperen.'

'Mooi, dan kan hij het precies over mijn litteken hangen,' zei ze, in een poging hem op te monteren.

'Je moet Edward bellen, want je hebt hem nu nodig,' zei Tom. 'Dat is alles. Wat vindt George er eigenlijk van dat je de benen neemt naar Nairobi?'

'Ik heb het hem nog niet verteld.' Ze keek hem niet aan. 'Het kan hem toch niet schelen.'

'Hij woont daar nota bene. Hij is je vader, Camilla. Als je dit idiote plan per se wilt doorzetten, kun je in elk geval bij hem logeren totdat je alles hebt geregeld. Hij heeft vast een luxe appartement met zeeën van ruimte.'

'Ik wil niet bij hem wonen. En als hij zo'n goede vader was, zou hij niet meteen na de dood van mijn moeder met zijn vriendje zijn gevlucht.'

'Ik dacht dat je het had geaccepteerd dat hij een vriend heeft,' merkte Tom op. 'De laatste keer toen ik je samen met George zag, waren jullie dikke vrienden.'

'Ik heb geaccepteerd dat hij... Nou ja, dat hij zo is. Dus ik heb hen te eten gevraagd. Een keer. Maar toen moest mijn lieve pappie zo nodig met Giles op vakantie, terwijl moeders graf net was dichtgegooid. Dat is geen teken van liefde, Tom.'

'Mensen die verdriet hebben, doen gekke dingen,' zei hij. 'George hield op zijn manier van je moeder. Dat heb je zelf gezegd. Ze zijn ondanks hun problemen bij elkaar gebleven, en tijdens Marina's ziekte heeft hij haar niet in de steek gelaten. Ze waren erg dik met elkaar.'

'Ja,' moest ze met tegenzin toegeven. 'Maar ze is er niet meer, en nu is alles anders. Hij heeft alles achter zich gelaten, ook mij.'

'Hij houdt van je, Camilla,' beweerde Tom. 'Dat weet je.'

'Nee, dat weet ik niet,' zei ze. 'En ik vind het vreselijk dat ik zo mijn best moet doen om dat te geloven. Liefde zou anders moeten voelen, diep en vol zekerheid. Iets waarop je kunt vertrouwen. Toen ik nog een kind was, dacht ik dat hij de enige was die ik kon vertrouwen, omdat mijn moeder zo afstandelijk en onvoorspelbaar was. Maar toen ontdekte ik dat zijn leven een leugen was en dat ik hem helemaal niet kon vertrouwen.'

'Hij was het slachtoffer van hypocrisie op hoog niveau,' bracht Tom haar in herinnering. 'Als mannen in zijn positie open kaart zouden spelen en zouden bekennen dat ze homoseksueel zijn, worden ze als een risico beschouwd. Dan worden ze bespot en uitgelachen. Tot voor kort was het zelfs nog strafbaar. Daarom trouwen ze en proberen ze het leven te leiden dat de maatschappij hen wil zien leiden. Maar dat gaat bijna altijd mis omdat het tegen hun aard ingaat. Dat is eigenlijk heel triest.'

'Ik heb er gewoon genoeg van,' zei ze. 'Ik ben eenentwintig, Tom, en ik heb al genoeg triestheid gekend. Mijn moeder is dood en mijn vader is een nicht. Ik heb een verhouding met iemand in Afrika gehad waar ik alleen maar ongelukkig van ben geworden. Mijn twee beste vriendinnen zitten aan de andere kant van de wereld, en we hebben door een walgelijke en primitieve moord allemaal iemand verloren om wie we erg veel gaven. Ik hoef niet nog meer trieste dingen mee te maken.'

'Je hebt heel veel succes en bent rijk en mooi,' zei hij. 'Je kunt doen wat je wilt. Alles wat je maar wilt.'

'Dat probeer ik je dus te vertellen.' Zijn vlotte antwoorden ergerden haar steeds meer. 'Het lijkt wel alsof je helemaal niet hebt geluisterd. Ik wil terug naar Kenia. Ik wil Hannah helpen en geld inzamelen voor Sarahs onderzoek. Dat is wat ik echt wil. Daar kan ik echt iets voor anderen betekenen. En ik snap niet waarom jij me er per se vandaan wilt houden.'

'Sinds wanneer ben jij opeens zo onbaatzuchtig?' Tom was niet overtuigd. 'Heb je soms iets vreemds gegeten? Dan moet je dat voortaan maar laten staan.'

'Je drijft weer de spot met me,' zei ze op bittere toon. 'Ik heb hier gewerkt als een paard, maar nu ben ik het zat. Ik heb genoeg van dit oppervlakkige werk, van drie paar wimpers opplakken en bergen onpraktische kleren aan moeten trekken, van doen alsof iedereen die zulke kleren koopt er net zo uit zal zien als ik. Ik wil iets doen wat de moeite waard is, en ik vind niet dat je daar zo neerbuigend over moet doen.'

Hij stond op en kwam naast haar staan. Toen sloeg hij een arm rond haar schouder en draaide haar om, zodat hij haar kon aankijken. Uiteindelijk kreeg ze altijd haar zin. Hij had de hoop opgegeven dat ze hem op een dag zou zien als meer dan alleen maar haar agent en hem een kans zou geven.

'Het spijt me,' zei hij, oprecht. 'Je hebt het afgelopen jaar veel meegemaakt, en ik weet dat je Afrika als je echte thuis beschouwt. Neem een paar maanden vrij en ga erheen. Als je echt met ontwerpen wilt beginnen, pak het dan eerst op bescheiden schaal aan. Dan steek je er tenminste niet meteen te veel geld in. En als het niet lukt, dan ben je in elk geval een ervaring rijker en kun je terugkomen. Of misschien kun je beide dingen doen: een deel van het jaar in Kenia wonen en de rest van de tijd in Londen of Parijs, of misschien wel New York.'

'Je zei net dat dat niet zou werken,' bracht ze hem in herinnering. 'Maar het geeft niet, want ik kom toch niet terug, Tom, behalve dan om te verkopen wat ik daar heb gemaakt. Ik zal net zo goed in ontwerpen worden als ik in modellenwerk ben.'

'Dat moet nog blijken.' Hij was zo verstandig er niet op door te gaan. 'Maar goed, je hebt volgende week een sessie voor Bibi, en je moet parfum en sieraden doen, en daarna naar New York. Pas daarna kun je terug naar dat lekkere ding van je in het oerwoud. Eigenlijk moet je daarvoor nog dat litteken weg laten halen, dan kan alles rustig genezen terwijl je in Kenia zit. Dan kun je daarna weer terugkomen voor de nieuwe collecties. Maar ga in godsnaam niet halsoverkop naar Afrika om daar werkplaatsen in te richten en bakken met geld uit te geven aan machines en materiaal. Kenia is tegenwoordig geen veilig land, Camilla. Het is niet langer de plek uit je jeugd, waar de Britten ervoor zorgden dat jouw soort mensen niets kon overkomen.'

'Je snapt het nog steeds niet, hè?' Ze wilde dat hij het zou begrijpen. 'Hannah kan me een ruimte aanbieden waar ik kan werken, het huisje van de oude *plaasbeheerder*. Lars is al aan het verbouwen, dankzij geld dat ik vorige maand heb gestuurd. Mijn atelier zal zorgen voor meer inkomsten voor Langani, waar ze het behoorlijk moeilijk hebben. Het gaat prima met de tarwe en de zuivel, maar al hun geld zit in de lodge die Piet heeft gebouwd. En die kan Hannah nu nog niet openen omdat ze net een kindje heeft. Ze gaat me helpen de plaatselijke vrouwen te leren hoe ze moeten naaien en borduren. Ik heb tegen haar gezegd dat we de opbrengst zullen delen.'

'Goed, nu weet ik zeker dat je knettergek bent geworden.' Ongelovig schudde Tom zijn hoofd. 'Maar je wilt het blijkbaar per se kwaadschiks leren. De enige zekerheid die dit woeste plan volgens mij biedt, is dat je heel snel weer terug zult zijn in Londen en zult staan bedelen om werk.'

'Dan kun je maar beter zorgen dat je lekker veel klussen voor me hebt.' Camilla probeerde geamuseerd te klinken, maar zijn gebrek aan vertrouwen had haar gekwetst.

'En je hebt niet eens aan de gevolgen voor mij gedacht. Als jij per se terug naar de jungle wilt, kan dat mij, als jouw agent, ook flink wat geld gaan kosten.'

'Jij beweert altijd dat er tientallen lekkere meiden staan te springen om mijn plaats in te nemen.'

'O, doe niet zo moeilijk, Camilla,' zei hij. 'Zin om vanavond ergens een hapje te gaan eten?'

'Nee, dank je. Na die sessie van vanmiddag ben ik vast doodmoe.'

'Goed, straf me maar omdat ik om je geef en je goede raad wil bieden. Maar je kunt maar beter snel vrede met Edward Carradine sluiten,' zei Tom, 'want wat er ook gebeurt, je moet van dat litteken op je voorhoofd af zien te komen. En nu wegwezen. Joe Blandford zit op je te wachten, en hij houdt niet van modellen die te laat komen.'

Ze liep naar buiten, half lachend, maar ook een tikje geërgerd omdat hij haar dromen niet serieus wilde nemen. In de studio van Blandford was het veel te warm en stoffig, zodat ze de middag begon met een hoestbui waardoor ze rode ogen kreeg en die haar doodmoe maakte.

'Je moet deze jurk aantrekken, dan komen je ogen goed uit.' Joe hield iets van blauwe zijde voor haar neus. 'En die lange sjaal met veren. Ik wil dat je er heel stoer bij gaat staan, en vrolijk: mond open, armen gespreid, uitbundig lachend. Schud je hoofd, zodat je haar alle kanten op zwaait. Alsof je zweeft.'

De sessie liep niet lekker. Camilla probeerde Toms opmerkingen te vergeten: de neerbuigende woorden die hij over Anthony had gesproken, de twijfel die hij bij haar had gezaaid. Ze kon maar niet veranderen in het luchthartige wezentje dat Joe voor zijn camera wilde zien. Al snel raakte hij geïrriteerd, hij riep bevelen naar haar, gaf zijn assistent de opdracht lampen te verplaatsen zodat de schaduwen en lichtval op haar gezicht zouden veranderen en hij vloekte toen haar glimlach te onecht en haar houding te stijf bleek.

'Jezus, wat is er toch met je? Je kijkt alsof je naar een begrafenis moet. Alsof je elk moment kan gaan huilen. Ik wil een blij gezicht, verdomme. Blij! Dit is *Vanity Fair*, Camilla. Kijk eens wat vrolijker, mop. Waar je je ook druk over maakt, doe het maar ergens anders, niet in mijn studio. Je moet beter je best doen.'

'Ik ben verdrietig.' Ze sloeg haar handen voor haar gezicht. Op hetzelfde moment kreeg ze een idee. 'Doe daar maar iets mee, Joe. Een blauwe jurk voor een meisje met de blues. Wacht even, dan zal ik het je laten zien.'

Ze zocht in haar tas, pakte haar make-up en borstels en liep naar de grote spiegel achter in de studio. Tien minuten later stond ze weer voor hem, haar ogen omrand met zwarte kohl, haar lippen gestift en pruilend. Ze staarde in de lens, met een arm rond haar gezicht en een verscheurde envelop in haar hand. Met haar andere hand trok ze de jurk naar beneden, zodat haar sleutelbeen en de bovenkant van haar ene borst zichtbaar werden. Tranen vulden haar ogen, eentje gleed er zelfs over haar wang.

'Krijg nou de klere! Dat is het. Prachtig, meid. Mond iets verder open, en nu stil blijven staan, schat, heel stil. Je bent top, Camilla. Echt de beste, verdomme nog aan toe. Niemand is zo goed als jij. Zin om straks ergens iets te gaan eten? Er zit een nieuw tentje –'

'Nee, ik ga thuis lekker een boek lezen en voor de tv hangen. Ik heb wat rust nodig.' Ze moest lachen toen hij zijn best deed haar afwijzing zo nonchalant mogelijk in ontvangst te nemen.

Toen ze de studio verliet, was ze nog steeds somber gestemd, en haar humeur verslechterde nog meer toen ze het gespetter van haar voetstappen in de plassen op het trottoir hoorde. Het was druk op straat, mensen haastten zich langs haar heen, gewapend met hoeden en sjaals en paraplu's. Een grote massa met ongetwijfeld ergere problemen dan zij, maar dat besef was helemaal geen troost.

Eenmaal thuis gooide ze haar tas op het bed en liet het bad vollopen. Ze leegde een hele fles dure badolie in het water. Daarna dompelde ze zich onder en sloot haar ogen in de hoop ook deze dag buiten te kunnen sluiten en haar zenuwen te kunnen onderdrukken. Maar Anthony Chapman vulde meteen de leegte die ze wilde scheppen, met zijn gebruinde, lachende gezicht vol sproeten, omringd door rossig haar dat over de kraag van zijn overhemd krulde, zijn lange benen iets uit elkaar, zijn armen voor zijn borst over elkaar geslagen zodat ze de etnische armbanden kon zien die zijn pols sierden. Ooit had ze geloofd dat hij van haar hield, maar ze wilde niet de herinnering verpesten die in een afwijzing was geëindigd. Tijdens Hannahs bruiloft was ze erin geslaagd koel tegen hem te doen en haar gezonde verstand te bewaren, afstand van zijn vastberaden toenaderingspogingen te nemen. Maar het was moeilijk geweest. Ze stapte uit bad, droogde zich snel af, trok een suède broek en een trui aan en stak haar nog natte haar op in een knot achter in haar nek. Even later zat ze in een taxi, op weg naar de bioscoop.

'Een kaartje voor *Torn Curtain*, graag,' zei ze met een blik op het affiche. 'Hartverscheurende spanning,' beloofde de leus. Precies wat ze nodig had: een paar uur ontsnappen, de wereld zien door de stralend blauwe ogen van Paul Newman. Ze kocht een reep chocola en zocht een plekje in de schemerige zaal. Net toen ze was gaan zitten, haar schoenen had uitgeschopt en haar paraplu aan haar voeten had gelegd, zag ze Edward lopen. Hij liep met een vrouw door het gangpad en daarna naar een stel stoelen twee rijen voor haar. De vrouw keek glimlachend naar hem op en raakte even zijn wang aan toen ze ging zitten. Camilla kroop dieper weg in haar stoel en hoopte hevig dat hij haar niet zou zien. Gelukkig begon op dat moment het bioscoopjournaal en trokken de jongste wereldrampen de aandacht van het publiek. Toen in de pauze het licht aanging, vroeg ze zich af of ze weg moest gaan, maar het was al te laat. Iets zorgde ervoor dat Edward zich omdraaide, en zijn blik kruiste de hare. Camilla hief haar hand op en zwaaide halfslachtig. Hij knikte even, leek op te willen staan maar draaide zich toen weer om en keek naar het witte doek. Het ontging Camilla niet dat de vrouw haar hoofd op zijn schouder probeerde te leggen maar dat hij die optrok en zo afstand tussen hen schiep.

Na de film stond hij buiten de zaal op haar te wachten. 'Hoe is het met je, Camilla? Dit is Juliette Dawson, maar jullie kennen elkaar waarschijnlijk al.'

In het licht van de felle lampen in de hal herkende Camilla de Amerikaanse. Ze was eind dertig en een goed actrice, al had ze nog niet het geluk gehad een hoofdrol te bemachtigen. Waarschijnlijk ging Edward iets aan haar gezicht doen. Of aan haar borsten. Of aan allebei.

'Ik vond je laatste film geweldig,' zei Camilla. 'Je had een Oscar moeten krijgen.'

'Dat vond ik ook.' Juliette glimlachte oogverblindend, zodat haar onberispelijke gebit zichtbaar was. 'Edward vroeg zich af of je iets met ons wilt gaan drinken.' Ze klonk niet erg enthousiast.

'Of een hapje eten,' vulde hij aan. 'We hebben elkaar al vijf maanden niet meer gezien, en ik wil alles horen over je reis naar Kenia.'

'Bedankt, maar ik moet morgen vroeg op voor een fotosessie,' zei Camilla. 'Leuk je weer te hebben gezien, en jou ook, Juliette. Tot ziens.'

Die nacht sliep ze niet goed, en toen de telefoon de volgende ochtend vroeg ging, was ze al wakker en een tikje onrustig.

'Ik wilde zeker weten dat ik je nog te pakken zou krijgen.' Edward probeerde nonchalant te klinken. 'Misschien heb je zin om vanavond met me uit eten te gaan?'

'Dat denk ik niet,' zei Camilla, 'ik moet nog –'

'Ik heb me vergist,' onderbrak hij haar. 'Ik was kwaad toen je vanwege Hannahs bruiloft naar Kenia vertrok, en dat was stom van me. Natuurlijk moest je daarheen. Ik had me er niet mee mogen bemoeien, en je hebt er goed aan gedaan me te negeren. Sinds ik vorige week je foto in de krant zag staan, probeerde ik al de moed te vatten om je te bellen. Nu je weer terug bent, Camilla, zou ik je graag eens zien.'

'Ik ga binnenkort weer weg.'

Er viel een korte stilte. 'Des te meer reden dus,' zei hij. 'Vanavond?'

'Nee. Hoor eens, Edward, ik heb geen zin in ruzie, niet met jou of met een ander. Ik ga terug naar Kenia, ik ga daar wonen, en ik weet zeker dat je me dat uit het hoofd wilt praten. Maar mijn besluit staat vast, en ik heb niet de energie om er de hele avond over te gaan zitten bakkeleien.'

'Dat wil ik ook helemaal niet,' zei hij. 'Zal ik je om acht uur komen ophalen? Dan gaan we ergens heen waar het rustig is en kun je me alles vertellen over de bruiloft en hoe het was om terug te zijn op Langani.'

Ze was vergeten hoe gemakkelijk hij in vertrouwen te nemen was. Edward de biechtvader, had ze hem ooit genoemd. Hij kon goed luisteren en hij keek belangstellend toen ze hem over de bruiloft op de *plaas* vertelde.

'Het was zo mooi. Het was zo ontroerend om in Lotties tuin te staan en te horen dat Lars en Hannah elkaar eeuwige trouw beloofden. Maar ik had zo met Sarah te doen, want zij en Piet hadden daar ook moeten staan. Ze was tijdens de plechtigheid heel dapper en lief, en ze heeft zelfs voor hen gezongen. Ik vond het hartverscheurend. Hopelijk zal de vreugde van hun huwelijk het verdriet een beetje verzachten. Een balsem zijn voor onze harten die eigenlijk nooit zullen kunnen helen.'

'Wat een tragische mengeling van herinneringen,' vond Edward.

'Ja, dat is het. Ik kon Piets aanwezigheid overal voelen, en soms dacht ik hem zelfs te kunnen horen, ruiken. Ik snap niet hoe ze zich daar dag in, dag uit redden, nu ze weten dat hij nooit meer het gras op zal lopen om naar de berg te kijken, of naar de honden zal fluiten, of de telefoon op zal nemen.' Ze zweeg even en slikte moeizaam. 'Telkens wanneer ik aan hem denk, voel ik die vreselijke pijn in mijn hart. Dus daarom probeer ik maar helemaal niet aan hem te denken. En dat doet ook weer pijn, omdat ik niet wil vergeten hoe geweldig hij was.'

'Het is in elk geval voorbij,' zei hij. 'En Hannahs kind kan een nieuw begin voor Langani betekenen.'

'Ja, het zal wel voorbij zijn.' Haar stem trilde. 'Maar het zou gemakkelijker zijn geweest om het af te sluiten als Simon Githiri gestraft had kunnen worden. O, het zou vreselijk zijn geweest om dagen of weken in een rechtszaal te moeten zitten en de gruwelijke details over de moord op Piet te moeten horen.' Ze rilde en zweeg weer even. 'Eigenlijk zal het nooit voorbij zijn,' zei ze ten slotte.

'En wat wil je nu gaan doen?' Edward keek naar zijn glas omdat hij hoopte zo de verwachtingen te kunnen verbergen die hij koesterde. Ze had altijd dit gekke effect op hem, ze gaf hem altijd het gevoel dat hij een tiener tijdens een afspraakje was, en geen succesvolle man van tweeënveertig.

'Ik ga terug. Zodra het kan.'

Dat had ze aan de telefoon al gezegd, maar nu hij het haar zo hoorde zeggen, voelde het als een stomp in zijn maag. Het benam hem de adem. Hij wist echter te glimlachen en dronk zijn glas leeg, luisterend naar haar plannen.

'Ik ga daar een eigen zaak beginnen, ik ga kleren onder mijn eigen naam ontwerpen. Die wil ik hier gaan verkopen, of misschien wel in Amerika.' Het verbaasde Camilla dat hij haar plannen niet meteen in twijfel trok of haar probeerde om te praten. 'Dat kan ik niet meteen doen omdat ik nog een aantal verplichtingen heb; Saul Greenberg gaat onder mijn naam nog een lijn met jurken op de markt brengen waarvoor ik volgende week in New York een fotosessie moet doen. Maar als het kan, wil ik nog voor Kerstmis naar Kenia gaan.'

Edward knikte. Hij durfde nog steeds geen commentaar te geven, maar wilde haar niet weer uit zijn leven laten verdwijnen. Het betekende dat hij nog maar weinig tijd had om haar van gedachten te laten veranderen. Als hij voorzichtig en subtiel zou zijn, kon hij haar misschien overhalen haar zaak hier in Londen op te zetten, voorstellen dat ze in Kenia een bedrijfsleider zou aanstellen, en er af en toe heen zou vliegen om te kijken hoe het ging. Misschien kon Hannah het na een tijdje wel daar overnemen. Het leek hem geen project voor de lange termijn. In de tussentijd was er ook nog haar opwindende eerste bezoek aan New York, waarbij glamour en bewondering haar ten deel zouden vallen. Hij kon gewoon niet geloven dat ze dat allemaal wilde opgeven voor Kenia, waarschijnlijk omdat ze nog steeds verkikkerd was op die blanke jager.

'Ik vind het heel dapper van je dat je weer terug durft te gaan,' zei hij. 'Na de dood van Piet en je afschuwelijke ervaringen op Langani. Je gezicht ziet er trouwens goed uit.'

'Ja, dankzij jou. Maar bij close-ups zie je nog steeds iets van het litteken op mijn voorhoofd, dus daar moet ik nog iets aan laten doen.' Ze zweeg even. 'Ik vroeg me af of jij dat zou willen doen.'

'Natuurlijk wil ik dat,' zei hij zonder aarzeling. 'Zeg maar wanneer. Houd er wel rekening mee dat je daarna een tijdje niet kunt werken.' Hij zag voor zich dat hij haar mee zou nemen naar een exotisch eiland, of een tijdje met haar op het platteland zou verblijven, misschien wel in het huisje in de Cotswolds dat haar moeder haar had nagelaten.

'Ik kan me tot aan het nieuwe jaar wel in Kenia verstoppen,' zei ze. 'Daarna moet ik naar Parijs voor *Vogue*, en ik heb een klus voor Quant. Ik wil Tom niet in de steek laten en moet toch geld verdienen totdat mijn nieuwe zaak een beetje loopt. Maar op Langani zal ik in alle rust kunnen genezen.'

'Ik heb gehoord dat George in Nairobi is gaan wonen,' zei hij. 'Bevalt het hem daar? Is Giles Hannington met hem meegegaan?'

'Geen idee.' Ze maakte duidelijk dat ze het niet over haar vader wilde hebben.

'Ik zou je dit weekend graag willen zien.' Hij veranderde van onderwerp, in de hoop dat het ergens toe zou leiden.

'Hoor eens, Edward,' zei Camilla, 'ik vond het leuk om weer eens samen uit eten te gaan, maar ik kan niet terug naar hoe het was, en ik wil je niet... kwetsen. We kunnen elkaar maar beter niet te vaak zien, het kan toch nooit iets worden tussen ons.'

'Maar we zijn toch nog wel vrienden?' Hij glimlachte naar haar. 'Dat hoop ik tenminste. Ik zal er geen doekjes om winden, ik koester nog steeds gevoelens voor je. Maar mijn werk is ook belangrijk voor me, en dat slokt me op. Je hebt vaak genoeg gezegd dat dat voor mij op nummer een staat. En ik begrijp wat je wilt zeggen, maar ik zie geen reden waarom we elkaar niet af en toe gezelschap zouden kunnen houden. Wat denk je ervan?'

Ze zweeg en staarde naar de dessertkaart, alsof die een leidraad voor de rest van haar leven kon bieden. Edward was altijd een goede vriend voor haar geweest, die veel voor haar over had gehad. Ze waren bijna per ongeluk geliefden geworden, in een periode waarin ze had gesnakt naar troost en geruststelling. Toen ze had gehoord dat Piet dood was. Daarna hadden ze het eigenlijk behoorlijk goed met elkaar gehad, tot de ruzie over haar reis naar Kenia. Ze was opgelucht dat hij zo gemakkelijk aanvaardde dat het tussen hen nooit meer hetzelfde zou zijn. En het was waar dat zijn werk alles voor hem was, het was bijna een obsessie. Camilla had vaak dagen alleen thuisgezeten omdat hij zo nodig naar een patiënt moest die er slecht aan toe was. Soms moest hij halsoverkop naar een ver oord vertrekken omdat er een mismaakt kind was geboren, of moest hij iemand helpen die het slachtoffer van verbranding of een ongeluk was geworden. Dan was hij soms dagen of weken niet te bereiken. Maar wanneer ze samen waren, had hij zich altijd slim en amusant gezelschap getoond. Goed gezelschap. Ze had hem de afgelopen maanden gemist.

'Als je vrienden wilt blijven, kunnen we elkaar af en toe best zien,' stelde ze voor. 'Maar...'

'Geen "maren".' Hij keek verrukt. 'Heb je zin om zondag met me te gaan lunchen? Je hebt me nog steeds niet verteld over de jurk die je voor Hannah hebt gemaakt, of over hun huwelijksreis.'

'Dit weekend kan ik niet,' zei Camilla.

Hij vervloekte zichzelf omdat hij te veel had gevraagd, maar tot zijn opluchting begon ze te lachen.

'Maandag vlieg ik naar New York,' zei ze. 'Mijn eerste bezoek, en ik kijk er erg naar uit. Dus je zult moeten wachten totdat ik weer terug ben. En dan wil ik ook alles over jou horen. Alle nieuwe verhalen over hoe je met je scalpel hoop hebt geschonken aan hen die alleen wanhoop kenden.' Ze trok een gezicht. 'Ik voel me nog steeds schuldig over dat artikel in de krant.'

'Ik vond het wel iets hebben,' bekende hij. 'Wat mijn moeder altijd een stuiversroman noemde. "Oudere man redt jong meisje van verminking en wordt verliefd". Belle en het beest, anno nu. Het sprak iedereen aan, en zelfs ik ben er even ingetuind.' Hij zag haar blozen van verlegenheid en ontzetting. 'Ik weet dat jij er niets aan kunt doen, Camilla, en ik durf te zweren dat Tom Bartlett iets aan een bevriende journalist heeft verteld. En ze waren er anders toch wel achter gekomen. Maar het was niet belangrijk. Echt niet.' Hij wilde niet langer praten over iets wat de avond kon bederven. 'Waar verblijf je in New York? En wat ga je doen als je je niet hoeft te laten fotograferen?'

'O, ik wil naar het Empire State Building en Cary Grant gaan zoeken,' zei ze. 'Ik wil het Vrijheidsbeeld zien vanaf de pont naar Staten Island, en ik wil winkelen op Fifth Avenue en hotdogs en *pretzels* bij zo'n karretje op straat kopen. En niemand zal me herkennen omdat ik er nog nooit ben geweest. Heel anders dan in Londen, waar ik altijd een pruik op moet zetten of met een sjaal om mijn hoofd loop, zodat ik net een schoonmaakster lijk.'

Hij bracht haar naar huis, maar vroeg niet of hij binnen mocht komen. Het enige wat hij deed, was haar een zoen op haar wang geven en haar veel succes in New York wensen. Camilla liep nog steeds met een glimlach rond toen ze zich klaarmaakte om naar bed te gaan, en eveneens lachend nam ze na de tweede rinkel de telefoon op.

'Is er nog nieuws?' De stem van Anthony Chapman scheurde haar vernisje van rust en vrede meteen aan stukken. 'Ik had gedacht dat je wel weer hierheen zou komen. Ik heb net met je vader gegeten, en het leek ons een goed idee om even te bellen en te vragen hoe het met je is. Hannah en Lars laten volgende week de baby dopen, en we vroegen ons af of je daar niet bij zou willen zijn.'

'Ik ga naar New York.' Het voelde alsof haar keel werd dichtgeknepen en ze geen adem meer kon halen. 'Ik vertrek maandag. Het is iets waar ik niet onderuit kan.'

'Maar je komt toch wel? Later? Het liefst zo snel mogelijk, Camilla.'

'Ja, ik probeer half september te komen,' zei ze, amper in staat te geloven dat zijn stem een tikje smekend klonk.

'Dat wilde ik horen,' zei hij. 'Dat houd ik nog wel uit, maar ook maar net. Hier is je vader nog even. Hij is met grootse dingen bezig, en ik vind het een eer dat ik voor een paar natuurbeschermingsprojecten met hem mag samenwerken. Je ziet het wel als je hier bent. *Salaams.*'

Camilla hoorde amper de begroeting van haar vader, zijn voorstel om bij hem te komen logeren, en zijn verzekering dat hij haar van het vliegveld zou afhalen en dat ze zijn auto met chauffeur mocht gebruiken. Hij wilde haar dolgraag duidelijk maken dat hij haar zoveel mogelijk wilde helpen. Maar zijn woorden maakten weinig indruk. Anthony had gebeld. Hij wilde dat ze terug zou komen. Ze ging naar New York, waar ze binnen een paar dagen roem en rijkdom zou oogsten. Zodra ze terug was in Londen zou ze aan Edward vragen of hij haar wilde opereren, en daarna zou ze meteen naar huis gaan, naar Kenia. Daar was alles waaraan ze waarde hechtte, daar woonde iedereen van wie ze hield. Kenia, waar Anthony op haar wachtte en haar nieuwe leven geweldig zou worden.

Ze zou nooit haar eerste blik op New York vergeten, de opwinding die ze voelde bij het zien van die hoge wolkenkrabbers aan de horizon die zowel krachtig als sierlijk oogden, de weelderige vormen van de bruggen en de schepen op de Hudson, de eindeloze stroom auto's die zes rijen dik door de straten reden, heen en weer over dat beroemde eilandje, Manhattan.

De pers en het publiek waren in groten getale op komen dagen, en het waren meer mensen dan ze ooit had kunnen denken. Er werden onverstaanbare vragen naar haar geroepen, camera's flitsten, en ze struikelde bijna toen ze sierlijk het trapje van het vliegtuig probeerde af te dalen. Ze moest Toms arm vastgrijpen en probeerde zich met hem een weg te banen door de menigte.

'Camilla! Camilla, wat vind je het leukste aan New York?'

'Camilla, waar wil je gaan eten? Waar ga je logeren?'

'Camilla, wat vind je van bier en hamburgers?'

'Wat vind je het leukste aan de VS?'

'Wanneer heb je voor het laatst The Beatles gezien?'

Iedereen dromde naar voren, armen werden naar haar uitgestoken, handen trokken aan haar kleren en raakten haar haar aan. Hysterische stemmen vermengden zich tot een kakofonie, zo luid als ze nog nooit van haar leven had gehoord. Saul Greenberg was degene die haar te hulp schoot; hij pakte haar bij haar elleboog en duwde haar vooruit naar een helikopter die op hen stond te wachten. Hij moest schreeuwen om boven de herrie uit te komen. 'Stap in! We gaan meteen naar Manhattan, daar kunnen we landen op het gebouw van PanAm, een paar straten bij mijn huis vandaan. Daar staat een limousine te wachten, en tot aan morgen heb je geen last meer van gillende fans.'

'Goeie hemel, dit had ik nooit verwacht.' Ze voelde zich slap worden van opluchting.

'Dan ben je wel erg naïef,' zei Saul. 'Sinds The Beatles voet op Amerikaanse bodem hebben gezet, zit men vol smart te wachten op alles wat Engels is. Je bent beroemd, je hoort bij dat flitsende *swinging* Londen. Je foto staat in bladen en kranten, je kent iedereen, van de Stones tot het koninklijk huis. En nu word je de koningin van New York.'

'Een helikopter, speciaal voor mij! Dit is geweldig.' Ze gaf hem een zoen op zijn mollige wang. 'Dat had ik nooit durven dromen. U bent een genie, meneer Greenberg.'

Sauls appartement zweefde hoog boven Park Avenue, als een groot blok glas en staal dat de omringende geluiden en lichten van de stad in zich opnam en weerkaatste. Camilla stond als betoverd voor het raam van haar slaapkamer en deed het een klein stukje open om te kunnen kijken naar de bussen en lange, gestroomlijnde auto's en gele taxi's die ver beneden haar traag vooruitkropen. Ze hoorde het schrille geluid van de sirenes van politieauto's die zich een weg door het rasterwerk van verstopte straten probeerden te banen. Een donkere stroom voetgangers golfde over de trottoirs en klitte samen bij de zebra's. Een verkeersregelaar pakte zijn fluitje en blies lang en aanhoudend. Camilla stond zo te popelen om zich tussen die mensen te voegen en hun gedrevenheid zelf te ervaren dat ze haar jas aantrok en naar buiten glipte. De lift gleed zoevend naar beneden en een paar seconden later stond ze in de hal beneden terwijl haar maag nog dertig verdiepingen hoger lag. De portier tikte glimlachend tegen zijn pet toen ze over de marmeren vloer liep en naar buiten ging, klaar om te worden opgezogen door die grote wereldstad.

Ze stak de straat over en liep naar Fifth Avenue, waar ze zich mee liet voeren door de stroom voetgangers die op weg naar huis was. Hun tempo was zo hoog en zo ongewoon dat ze er buiten adem van raakte. De energie van de stad raakte haar lichaam als een elektrische schok, dreef haar naar voren, vulde haar met een opwinding die ze nooit eerder had ervaren. Stoom steeg sissend van het trottoir omhoog, alsof de fundamenten van de stad rustten op een sterke, eindeloze bron van hitte die elk moment kon uitbarsten en de straten kon verzwelgen. In een *diner* gaf ze haar bestelling op aan een vermoeide ober die haar vanwege haar accent niet goed begreep. Ze bleef een tijdje zitten, nippend aan haar koffie, en staarde naar de andere klanten in die kleine, warme ruimte. Ze luisterde naar hun New Yorkse stemmen, hun afgemeten zinnen, het taaltje dat ze uit films kende maar dat nu een gruizig, levend geluid in haar oren was. Mannen in dure pakken kochten enorme broodjes en koffie om mee te nemen, ze vochten om aandacht bij de toonbank en maakten grappen met de koks, ze bespraken het nieuws van de dag met oude dametjes en luidruchtige jonge meiden met valse wimpers die hoopten te worden ontdekt. Twee straten verder stuitte Camilla op een karretje met hotdogs en kocht er eentje. Ze verslond de worst en het zachte broodje dat werd geserveerd met zuurkool, mosterd en ketchup. De sausjes dropen langs haar handen toen ze genietend de ene hap na de andere nam. Een tijdlang stond ze voor het Rockefeller Center naar boven te kijken, getroffen door de schoonheid en de strenge uitstraling van de gebouwen, die de straten veranderden in smalle kloven met wanden waartegen de geluiden van de stad afketsten. Ze had het allemaal al eens eerder gezien in films en op tv, ze had erover gelezen in boeken, maar de uitbundige, fantastische werkelijkheid was veel groter, stralender en levendiger dan ze zich had kunnen voorstellen. Ze was volledig in de ban van de magie van de stad.

Ze liep verder het centrum in en kwam in 59th Street voor de ingang van Bloomingdale's terecht. In het warenhuis dwaalde ze een tijdje rond, verrukt door het enorme aanbod, door de uitbundigheid die hemelsbreed verschilde van de keurige uitstallingen in Britse winkels. Opeens duwde iemand tegen haar aan en deed een nasale stem haar opschrikken uit haar mijmeringen.

'Handtekening?'

Verbaasd draaide ze zich om en zag achter haar een vrouw staan die haar een wit kaartje toestak.

'Ik geloof dat u zich vergist,' begon Camilla, maar toen besefte ze dat zij zich vergiste. Op een wand, een meter of tien verderop, zag ze de foto die twee maanden eerder in Parijs was genomen. Ze droeg een mini-jurkje van zilverkleurige vierkante en ronde stukjes stof, haar benen waren lang en bloot, en haar gezicht keek vanaf de andere kant van het gangpad naar haar, verleidelijk en onmiskenbaar het hare.

'Ik ben hier gewoon op vakantie,' zei ze, 'en ik wil eigenlijk niet...'

Het was al te laat. Een paar tellen later werd ze omringd door een menigte die haar naam riep, haar papiertjes en pennen toestopte, vragen naar haar schreeuwde. Mensen verdrongen zich om haar aan te kunnen raken. Ze probeerde weg te komen en hief haar armen op om zich te beschermen tegen de opschudding die ze had veroorzaakt, maar ze kon nergens heen. Ze kon niet ontsnappen. De paniek welde in haar op toen ze zag dat er steeds meer mensen om haar heen kwamen te staan, en het voelde alsof ze werd opgesloten en geen adem meer kon halen. Ze hapte naar lucht en botste achteruit tegen een van de toonbanken aan. Zonder geluid te maken begon ze te huilen; haar make-up liep in donkere stroompjes over haar wangen. Ze kwamen dichterbij, nog dichterbij. Het voelde alsof haar longen uit elkaar zouden knappen, en ze zakte ineen op een stoeltje. De stevig gebouwde bedrijfsleider was uiteindelijk degene die haar vastpakte en meenam naar de beslotenheid van zijn kantoor. Hij gaf haar een papieren bekertje met ijskoud water en keek toe terwijl ze het leegdronk. Ze glimlachte aarzelend, rekenend op medeleven.

'Hebt u geen lijfwacht?' vroeg hij op onverwacht vijandige toon. 'Dat soort taferelen willen we hier niet. Nog tien minuten en dan hadden we de hele verdieping kunnen afsluiten. U kunt maar beter iemand bellen die u hier komt ophalen.'

Ontzet keek ze hem aan. 'Ik kan niemand bellen,' zei ze. 'Sorry, maar ik had nooit gedacht dat dit me zou gebeuren.'

'Uw foto hangt overal in de winkel, mevrouw,' zei hij geërgerd. 'U bent hier openbaar bezit. U moet hebben geweten dat u opschudding zou veroorzaken, door hier tijdens het drukste uur van de dag te verschijnen. Het had niet veel gescheeld of mensen waren onder de voet gelopen. Hebt u buiten een auto staan? Een limo? Er moet toch wel iemand zijn die ik kan bellen?'

Ze wist niet wat ze moest zeggen en was geschokt door haar eigen naïviteit. Ze droogde haar gezicht, veegde de mascara van haar wangen en probeerde haar waardigheid en kalmte terug te krijgen. 'Ik logeer bij vrienden op Park Avenue,' zei ze. 'Het spijt me echt heel erg.'

'Ik ben Walter Jackman. Ik haal wel even een kop koffie voor u,' zei hij, nu een stuk vriendelijker. 'Als u me even het nummer van uw vrienden geeft, bel ik ze wel even.'

'Dat nummer heb ik niet.' Nu voelde ze zich nog dommer. 'Maar ik weet wel het adres. Misschien kunt u een taxi voor me bellen?'

Hij keek haar even ongelovig aan en begon toen te lachen, zodat zijn dikke buik op en neer schudde. Hij leunde achterover in zijn stoel en zei hoofdschuddend: 'Hemel, juffrouw Camilla, u bent me er eentje. Weet u wat, ik help u wel te ontkomen, maar dan wil ik een handtekening. Tjongejonge, mijn vrouw en kinderen zullen dit nooit willen geloven. O, dat ik dit nog mag meemaken!'

Hand in hand liepen ze door een tweede deur naar buiten en naar een goederenlift. In de kelder van het gebouw riep Walter om ene Joe. 'Dit is Camilla, dat Engelse model. Kent The Beatles en zo. Je zult het niet willen geloven, maar ze is verdwaald, en ik wil dat je haar naar huis brengt voordat ze er een potje van maakt.' Hij gaf Joe een papiertje met het adres aan Park Avenue. 'Houd haar in de gaten totdat ze daar veilig en wel binnen zit, begrepen?'

'Goed.' Joe grijnsde. 'Kom maar mee, mevrouw. Maar ik wil wel uw handtekening, voor mijn vriendin. Wat zeg ik, ook voor mezelf!'

Camilla keek Jackman aan. 'Ik ben u erg dankbaar,' zei ze. 'Kan ik iets terugdoen? Zegt u het maar.'

'Wegblijven uit Bloomingdale's tijdens de drukste uren,' zei hij. 'En verder wens ik u veel plezier in New York.'

'Hoor eens,' zei ze, 'ik zit morgen in een tv-programma, rond half negen 's morgens, op CBS. Dan zal ik een teken geven, speciaal voor u en uw gezin. Gewoon als bedankje. Dan breng ik mijn vinger naar mijn lippen, zo, en tik er twee keer mee. Speciaal voor u.'

Ze gaf hem een zoen op zijn wang en liep met Joe mee, terwijl Walter een paar keer tegen zijn lippen tikte. Ze stapten in een bestelwagen en reden met hoge snelheid weg. Op Park Avenue stond haar echter een allerminst hartelijke ontvangst te wachten.

'Waar hing jij in vredesnaam uit?' schreeuwde Tom toen ze de woonkamer binnenliep. 'Je was er zomaar vandoor. Geen berichtje, niets. Ik maakte me vreselijk veel zorgen, ik was bang dat je een ongeluk had gehad. Saul wilde al de ziekenhuizen gaan bellen. Jezus, Camilla, je kan niet zomaar weglopen.'

'Hé, geef die meid een borrel,' stelde Saul voor. 'Laat haar even rustig zitten, dan kan ze vertellen wat er is gebeurd. Ik maak wel even een martini voor haar.'

Ze ging in een grote fauteuil zitten en staarde door het raam naar de lichtjes van New York. Ver onder haar slingerde het verkeer zich als een lange slang door de straten en haastten voetgangers zich naar huis.

'Ik heb een heel avontuur achter de rug,' zei ze, en ze deed verslag van wat er in het warenhuis was gebeurd. 'Ik ben bang dat ik er veel te gemakkelijk over dacht. Eerlijk gezegd wil ik hier het liefst blijven zitten en nooit meer naar buiten gaan. Godzijdank zitten we niet in een hotel waar de gasten me zouden herkennen.'

'Wat mij betreft blijf je hier voor altijd.' Haar gastheer schudde met een stralend gezicht de shaker en schonk toen langzaam de glazen vol.

'Alsjeblieft.' Tom gaf haar het gekoelde glas aan. 'En ga hierna maar meteen in bad, want we gaan over een half uur uit eten.'

Ze kregen de beste tafel in Club 21, waar men iets discretere blikken op haar wierp. Camilla was zich ervan bewust dat zelfs hier, waar regelmatig beroemdheden kwamen eten, iedereen haar nauwlettend in de gaten hield. Na de vlucht en haar angstaanjagende ervaring van die middag was ze zo moe dat ze geen hap door haar keel kreeg. Na haar tweede glas champagne voelde ze haar hoofd tollen.

'Ik ben vermoeider dan ik had verwacht,' zei ze. 'Het is zo erg dat iedereen naar me kijkt.'

'Dat doen ze in Londen ook,' zei Saul. 'Hier is het niet veel anders. En de avondkranten hebben gemeld dat je hier bent aangekomen.'

'Hier is het anders,' vond Camilla. 'In Londen pakt niemand me vast en versperren ze me niet de weg. De beste restaurants zitten vol mensen die niet willen worden bekeken. En de minder beroemde gasten kijken ook niet lang omdat ze anders nooit meer een tafel zouden krijgen.'

'Het hoort er allemaal bij, meid. Maar vanaf morgen krijg jij een lijfwacht. Ik weet een geschikte vent die je in de gaten kan houden. Je vindt hem vast aardig.'

'Lijfwacht. Dat klinkt zo naar,' zei ze geschrokken.

'Het kan niet anders,' verzekerde Saul haar. 'De helft van de mensen hier heeft buiten een lijfwacht staan. Harold wordt de jouwe. Ziet eruit als een bootwerker, bijna twee meter lang, en niemand zal je iets durven doen als hij in de buurt is. Een prima kerel. Goed, laten we het dan nu over morgen en de rest van de week hebben. We moeten morgen om zeven uur in de studio zijn, dan kun je je voorbereiden. En dan moet je de rest van de dag op pad. We krijgen gelukkig goed weer. We gaan eerst met de ploeg naar Fifth Avenue om daar foto's te maken, en daarna naar het Empire State Building. Laatste halte is Central Park, voor een ritje in een van de koetsjes. Er rijdt een busje met kleren en een visagiste en een kapper mee. En we zorgen voor het eten. Je zult het heel goed doen, het gaat vast van een leien dakje.'

'Maar ze zullen me op straat herkennen, net als vandaag. Zeker als er fotografen bij zijn.' Camilla voelde zich misselijk worden.

'Natuurlijk zullen ze je herkennen, maar er zijn genoeg mensen bij, en we hebben Harold ook nog.' Saul bestelde nog een fles champagne. 'Toen je weg was, hebben Tom en ik even je contract doorgenomen. We hebben een paar dingetjes veranderd. Kijk er straks maar even naar, dan kun je het vanavond of morgen tekenen. Dan hebben we de papierwinkel achter de rug.'

'Dingetjes veranderd?' Camilla vond het ergerlijk dat ze, terwijl ze zo moe was, zou moeten nadenken over zakelijke afspraken.

'Ik had mijn twijfels toen je vroeg of ik die Afrikaans ogende jurken in de collectie wilde opnemen, maar ik heb gemerkt dat er veel vraag naar is.' Saul zag haar gezicht oplichten. 'Dus ik wil een extra sessie doen met de fotografen voor in *Bazaar*. Dat kan een paar dagen kosten. Drie, vier, want we moeten er nog het een en ander voor regelen. Tom kent een vent met een tamme luipaard –'

'Cheetah,' verbeterde Tom. Hij trok zijn wenkbrauwen op en stak een sigaret op.

'Een van die beesten met vlekken.' Saul maakte een vaag gebaar met zijn hand. 'Maar goed, als je hem van tevoren een paar kilo vlees geeft, is hij zo mak als een lammetje. De fotograaf wil iets in het Plaza Hotel doen, dan kun jij daar rondlopen met dat beest aan de lijn, met een diamanten halsband en zo. En jij draagt rokken met kralen en laarzen en veren. Er komt een zwarte vent bij die zich gaat verkleden, voor het decor. De visagiste wil hem insmeren met olie en wat oorlogskleuren op zijn gezicht schilderen, zodat hij er lekker eng uitziet. Dat wordt geweldig. We zullen de aandacht van iedereen trekken. Sexy!'

'Ik hoef niet zo nodig de aandacht te trekken,' merkte Camilla lachend op. 'En ik kan hoogstens tien dagen blijven omdat ik een afspraak heb om zodra ik weer terug in Londen ben mijn gezicht te laten doen. Die wil ik liever niet verzetten.'

Het viel haar mee dat Tom de leugen zo gemakkelijk slikte, maar ze zou die morgen meteen waarmaken door Edward te bellen en te vragen of hij een gaatje voor haar had. En daarna zou ze naar huis gaan, naar Kenia. Naar Hannah en Sarah. Naar Anthony.

De tijd in New York trok als een surrealistische film aan haar voorbij. Fotografen, journalisten, visagistes en kappers liepen af en aan, onophoudelijk. Zodra ze zich buiten de veilige beslotenheid van Sauls appartement waagde, werd ze belaagd door een intense menigte fans die bijna hysterisch waren. Beroemde presentatoren lagen aan haar voeten, ontwerpers stuurden haar kleren met het verzoek of ze die wilde dragen en die ze mocht houden. In sommige restaurants stonden gasten op en klapten in hun handen wanneer ze binnenkwam. Na een week wilde ze zich het liefst verstoppen. Haar schaarse vrije momenten bracht ze bij Saul thuis door, waar ze zat te lezen of zich verloor in de soaps die overdag werden uitgezonden en een nieuwigheid voor haar waren. Ze was gevierd in heel New York, ze was de lieveling van de pers, de verfijnde, tere, ongeëvenaarde Britse schoonheid. Ze was doodmoe.

Harold ging voortdurend met haar mee en liet haar geen moment alleen. Hij beschermde haar tegen de pers en fans die haar wilden aanraken, terwijl Tom eveneens geen moment van haar zijde week en genoot van de verbazing die ze uitte wanneer ze merkte dat ze tijdens een diner tussen Frank Sinatra en Peter Sellers zat of met Gene Kelly op een liefdadigheidsbal danste, of Andy Warhol in zijn Factory bezocht. De dagen regen zich aaneen, steeds langer, en ze werd met de seconde beroemder.

Greenberg trok glimlachend aan zijn sigaren. Hij had het mooiste en stijlvolste meisje ter wereld weten te strikken en was van plan haar zo lang mogelijk vast te houden. De jurken die hij onder haar naam liet maken, leverden hem meer op dan hij ooit had durven dromen, en zijn machines draaiden overuren om voldoende te kunnen produceren voor het volgende seizoen. Camilla kon geen stap zetten zonder dat een journalist er verslag van deed of een fotograaf haar vastlegde op de gevoelige plaat. De zaken waren nog nooit zo goed gedaan. Hij vroeg haar wat ze op haar laatste dag wilde doen. Hij wilde iets speciaals voor haar regelen, waaraan ze vol vreugde zou terugdenken en wat haar weer naar de stad zou lokken.

'Ik heb geen zin meer in chique restaurants of "intieme" etentjes met tientallen vreemden,' zei ze. Haar gezicht was bleek als een vaatdoek. 'Ik ben doodop, Saul. Ik wil gewoon een dag lang gewone dingen kunnen doen. Of nee, ik wil helemaal niets doen. Anders kun je me straks wegdragen.' Opeens ging ze rechtop zitten. 'Je kunt niet de hele tijd zo leven, Saul, dus ik zal je zeggen wat ik wil: ik wil naar een goede film. En daarna wil ik ergens heen waar we gewoon lekker kunnen eten, zonder het gevoel dat ik in een etalage zit. Ergens waar jij als kind graag kwam, bijvoorbeeld.'

Hij nam haar mee naar een komische film met Jack Lemmon en daarna naar een joodse delicatessenzaak ergens in de Village. Ze gingen in de lange rij voor de toonbank staan en hij wees aan wat ze allemaal kon bestellen. Trots stelde hij de eigenaar, de mensen achter de toonbank en de obers aan haar voor, die hij al kende sinds zijn kinderjaren. Camilla koos voor roggebrood met cornedbeef, waarbij ze een paar dikke, glanzende augurken, een portie koolsla en een koud biertje kreeg.

'Wat een enorme hoeveelheid,' zei ze, zich verwonderend over de berg op haar bord. 'Dit lijkt wel een flatgebouw. Hoe krijg je zoiets enorms naar binnen? Mensen eten dit toch niet elke dag?'

Maar ze at alles op, maakte grapjes met het personeel en imiteerde hun accent. Saul leerde haar een paar Jiddische woordjes, en zij vertelde de obers hoe bepaalde dingen in chic Engels en in het Cockney heetten. Ze sloegen haar lachend op de rug en probeerden haar de kwarktaart en de appeltaart met ijs aan te smeren. Toen ze wegging, kreeg ze te horen dat ze bij een volgend bezoek langs moest komen voor bagels met roomkaas en zalm.

'Dit was mijn mooiste dag in New York,' zei ze. 'Echt de allermooiste.'

'Je zou nog een paar dagen kunnen blijven,' stelde hij voor. 'Dan neem ik je mee naar Coney Island, en –'

'We hebben geen tijd, Saul. We moeten terug naar Londen,' zei Tom vriendelijk maar beslist. 'Ze is doodmoe, en ze moet ook nog naar Parijs. We zien je weer aan de andere kant van de grote plas.'

Na haar terugkeer naar Londen bleef Camilla twee dagen thuis, waar ze in haar bed of uitgestrekt op de bank lag.

'Ik wil niemand spreken,' maakte ze Tom duidelijk. 'Ik heb een paar dagen voor mezelf nodig, dus stel niets voor waarvoor ik naar buiten moet. En vertel niemand dat ik weer thuis ben, want ik heb niet de fut voor een gesprek, laat staan om te glimlachen of een ander kunstje op te voeren.'

'Je hebt het in New York geweldig gedaan en je hebt je rust verdiend,' zei hij. 'Wat een succes. En je bank zal een speciale kluis moeten regelen voor alle poen waarmee je thuis bent gekomen. Schatje, ik kan me gewoon niet voorstellen dat je na zoiets je tijd in Afrika wilt verdoen. Je zou het veel te veel missen. Je bent geboren om de ster uit te hangen, Camilla. En het verdient ook niet slecht.'

'Begin nu niet weer, Tom,' zei ze. 'En neem geen nieuwe klussen aan zonder overleg met mij.'

Toms publiciteitsmachine draaide echter al op volle toeren, en de volgende morgen meldden de kranten al dat de lieveling van New York terug was in Londen. Edward belde nog die middag, en ze maakte misbruik van het feit dat hij blij was met haar terugkeer.

'Ik wil graag met je eten,' zei ze. 'Ik wil een afspraak maken om mijn gezicht te laten doen. Maar we eten hier, want ik wil niet de deur uit. En vraag me niet hoe het in New York was. Ik heb even tijd nodig om bij te komen.'

De operatie stond voor een week later op de agenda. Hoewel Camilla een hekel aan ziekenhuizen had, bracht haar korte verblijf in de beschaafde sfeer van de kliniek haar wel tot rust.

'De hechtingen mogen er over tien dagen uit,' zei Edward met een blik op zijn werk. 'En over een paar maanden zie je er helemaal niets meer van. Hopelijk ben je dan ook de herinneringen aan die vreselijke nacht kwijt. Heb je zin om in de tussentijd een paar dagen naar Schotland te gaan? Ik heb vrienden met een aardig oud optrekje in de buurt van Edinburgh, en daar zal niemand je storen. Dan kom ik in het weekend naar je toe, als je dat ziet zitten, en dan maken we een ritje en kunnen we genieten van de hei en de whisky en de heuvels. Wat denk je ervan?'

'Ik zal erover nadenken,' zei ze. 'Ik ben je zo dankbaar, Edward. Dankzij jouw talent en jouw zorg kan ik doorgaan met mijn werk. Toen ik vorig jaar met mijn gezicht aan flarden uit Kenia terugkwam, was ik bang dat ik mijn broodwinning kwijt was, maar jij hebt me zo goed als nieuw gemaakt. Dat zal ik nooit vergeten.'

Hij moest zijn armen wel om haar heen slaan, daar, in zijn spreekkamer. Hij zou het niet moeten doen, hij wist dat het niet professioneel was en dat het te vroeg was om haar het hof te maken. En hij was zich bewust van het verschil in leeftijd, hij was zich zelfs pijnlijk bewust van het feit dat ze niet de gevoelens deelde die hem elk moment van de dag in hun greep hielden. Maar ze vertrouwde hem en was hem dankbaar. In zijn gedachten vormde zich een plan, hij stippelde de manieren uit waarop hij haar met haar zaak in Kenia zou kunnen helpen, hoe dwaas dat voornemen misschien ook was. Hij zou met haar naar Nairobi vliegen, een paar dagen blijven, haar helpen een bedrijfsleider te vinden. Zijn aanwezigheid zou haar behoeden voor die blanke jager die haar in het verleden zo'n pijn had gedaan. Het zou niet lang duren voordat ze zou beseffen dat haar toekomst in Londen lag, bij een man op wie ze kon bouwen. Dan zou al het andere gewoon een leuke hobby zijn.

'Ik bel je morgen, lieverd,' zei hij toen ze zich losmaakte uit zijn omhelzing. 'Als je zin hebt, kunnen we dan wel ergens een hapje gaan eten.'

Toen hij de volgende middag belde, was ze echter al verdwenen, weggevlogen tot ver achter de veilige grenzen die hij in zijn dromen voor haar had getrokken.

VIER
Buffalo Springs, september 1966

Sarah reed langzaam met haar Land Rover de steile helling af en sloeg aan de voet van de heuvel de bredere zandweg op, waar ze gas gaf en snel over de savanne naar Buffalo Springs reed. Het werd al donker en de onregelmatige silhouetten van de dadelpalmen en de fijne takken van de acacia's tekenden zich af tegen de hemel. De ondergaande zon deed alles baden in een bleke gloed van roze en goud. Voor haar auto, in het licht van haar koplampen, scharrelden groepjes frankolijnen heen en weer; ze schudden hun veren uit of renden het struikgewas in, op zoek naar een plekje om de nacht door te brengen. Af en toe lichtte een stel ogen op dat weer verdween wanneer de auto over de weg vol kuilen aan kwam hobbelen.

Het was een drukke dag geweest. Ze had net haar laatste aantekeningen van de middag in de kantlijn van haar notitieboekjes gekrabbeld toen haar groepje olifanten zich naar de bocht in de rivier begaf, waar de rest van de kudde zich al bevond. Ze was samen met Erope blijven kijken naar de begroeting van de dieren, die bromden en trompetterden en elkaars slurven aanraakten. Al snel begonnen de jonkies te stoeien en te spelen. Zelfs volwassen dieren konden af en toe erg speels zijn, en Sarah moest lachen toen de enorme wijfjes als pubers in het rond gingen rennen, met flapperende oren en zwaaiende slurven. Ze duwden tegen elkaar als botsautootjes op de kermis. Het was ongelooflijk ontroerend om te zien dat zulke grote, statige beesten zich overgaven aan vreugde, en ze had nog steeds geglimlacht toen ze in de auto was gestapt en koers had gezet naar huis.

Ze waren al sinds zonsopgang op pad. Ze hadden de Land Rover neergezet in de schaduw van een acacia en waren te voet achter de kudde aan gegaan, op veilige afstand van de familie die zich langzaam voortbewoog. Erope ging voorop, volledig in harmonie met zijn omgeving en de wilde dieren die altijd al deel van zijn wereld waren geweest. Ze vertrouwde volkomen op zijn kennis van dit gebied die hij van zijn stam had geërfd. Hoewel hij officieel haar assistent was, was ze hem vooral gaan zien als onmisbare partner en dierbare vriend. Ze was ook diep onder de indruk omdat hij zijn westerse kleding en manieren in een oogwenk wist te verruilen voor een *shuka* die hem meteen in een ongetemde bewoner van de savanne veranderde. Hij was als een slang die zijn huid afstroopte en moeiteloos van het ene leven in het andere stapte.

De meeste jongemannen van zijn leeftijd zouden hebben gekozen voor een administratieve baan in de grote stad, die meer aanzien genoot dan door de wildernis trekken. Erope was zeker geschoold genoeg voor dergelijk werk, maar het leek hem gewoon een vreselijk idee de hele dag opgesloten te zitten tussen schrijfmachines en archiefkasten. Hij had Dan Briggs voor het eerst ontmoet op het hoofdkantoor van het nationale park, en toen hij had gehoord dat de Amerikaan in Samburu werkte, had hij hem om werk gesmeekt. Hij kon van pas komen als gids, had hij gezegd, en als contactpersoon met de plaatselijke stammen in zijn geboortestreek. Dan zei altijd dat het in dienst nemen van Erope een van de beste beslissingen van zijn leven was geweest.

Wanneer ze niet in de auto zaten, bleef Sarah altijd dicht in de buurt van de jonge Samburu. Hij bewoog zich moeiteloos, geruisloos en sierlijk voort, hij rook aan de wind, keek naar de manier waarop een takje was afgebroken en zocht in de droge aarde naar sporen, naar indrukken die hem vertelden hoe oud en zwaar het dier was geweest dat hier had gelopen. Soms verkruimelde hij wat mest tussen zijn vingers om de structuur en vochtigheid te kunnen bepalen, zodat hij wist wanneer het dier was gepasseerd. Ze zaten niet te wachten op onverwachte ontmoetingen met een buffel. Wanneer ze hem probeerde na te doen, trapte ze onveranderlijk op een droge tak en schrok ze op van het krakende geluid. Dan bleef ze doodstil staan, met een voet nog steeds opgeheven voor haar volgende stap, en sloeg met een verontschuldigende blik haar ogen ten hemel.

Erope sprak nooit over Piet, maar af en toe, wanneer Sarah werd overvallen door verdriet, knikte hij even en raakte haar hand aan, en dan voelde ze zich getroost. Haar werk was haar redding, het enige deel van haar leven dat haar gedachten tot rust kon brengen en kon helpen de herinneringen aan het verleden te begraven. En ze stond het zichzelf steeds vaker toe een herinnering aan Piet op te halen, een levendig, stralend beeld dat misschien ooit haar laatste aanblik van hem zou kunnen verdrijven, die herinnering aan zijn levenloze lichaam dat was vastgepind op de grond. Hier op de savanne voelde ze zich meer met hem verbonden. Zijn afwezigheid was hier niet zo ondraaglijk als op Langani, misschien omdat zijn geest in haar geliefde wildernis vrij leek te zijn. Nu ze weer lange dagen maakte en tot laat in de avond haar aantekeningen zat uit te werken, was ze ook weer moe genoeg om te kunnen slapen. Stukje bij beetje werden ook haar dromen minder eng.

Plotseling dook er een groot dier uit de bosjes op, en dat bracht haar met een ruk terug naar de werkelijkheid. Ze greep het stuur stevig vast, maar de auto schoot opzij, draaide op een stuk losse aarde om zijn as en kwam tot stilstand. Erope greep de achterbank vast om te voorkomen dat hij uit de Land Rover zou worden geslingerd, en het duurde even voordat het stof was opgetrokken en ze zagen dat ze bijna over de kop waren geslagen.

'Het spijt me,' zei ze. 'Ik was even afgeleid. Was dat een bosbok?'

'*Ndio*,' zei hij. 'Je rijdt al net zo als *mama* Allie.'

'Het ging best goed.' Sarah lachte opgelucht. 'Ik heb de bok niet geraakt en de auto staat nog overeind. Maar goed, als ik hem wel had geraakt, hadden we vanavond iets lekkers te eten gehad.'

'Alsof jij hem zou opeten,' zei Erope lachend. 'Jij zou alleen maar zitten huilen omdat je een dier had doodgereden.'

'Dat is waar.' Nog steeds grinnikend probeerde ze de auto weer te starten. 'Laten we gaan voordat er nog meer ongelukken gebeuren.'

Er klonk een schurend, bijna kuchend geluid toen ze de contactsleutel omdraaide, maar daarna heerste er stilte. Ze probeerde het nog een keer. Deze keer gaf de motor helemaal geen teken van leven.

Erope uitte een ontstemde kreun. 'Kapot,' zei hij. 'Daar was Dan al bang voor.'

'Wat nu?' Sarah keek naar de koepel van de hemel, die in rap tempo donkerder kleurde. De eerste sterren waren al te zien. 'Er zijn buffels in de buurt, en we hebben ook al leeuwen gezien. Dit is niet het geschikte moment voor een wandeling. We zitten op een kilometer of vijf, zes van het kamp.'

'We moeten de *gari* zien te repareren,' zei Erope. 'En als dat niet lukt, moeten we lopen.'

Het duurde bijna een uur voordat hij de Land Rover aan de praat wist te krijgen, en in die korte tijd besefte Sarah dat ze helemaal niets van motoren wist. Zonder Eropes rudimentaire kennis hadden ze de nacht in het voertuig moeten doorbrengen, of hadden ze slechts gewapend met een speer en zaklantaarn te voet verder moeten gaan, overgeleverd aan de genade van leeuwen, buffels en kleinere jagers die wisten hoe ze profijt konden trekken van de duisternis van de avond. Op zeker moment hoorden ze vlakbij een laag, grommend geluid. Sarah verstijfde. Erope lag onder de auto te worstelen met een van de oude onderdelen, maar hij had het ook gehoord. Zijn lenige lijf gleed onder de auto vandaan en stond al rechtop voordat ze besefte wat er gebeurde. Hij hield zijn speer in zijn hand, klaar om haar tegen een eventuele aanval te beschermen. Toen hij ronddraaide en met zijn zaklantaarn de donkere avond in scheen, zagen ze een leeuwin staan. Het dier keek hen even aan, haar lange staart zwaaide zachtjes van links naar rechts, maar toen draaide ze zich opeens om en verdween in het hoge gras.

'Stap in de *gari*, Sarah, ik denk dat hij nu wel start.' Erope liep naar de andere kant van de auto en ging naast haar zitten.

Sarah haalde diep adem en draaide het sleuteltje om. Tot haar grote vreugde kwam de motor sputterend en kuchend tot leven en konden ze langzaam hun weg vervolgen. Toen ze het kamp naderden, kon ze alleen maar denken aan het aangename vooruitzicht van een douche en een koud biertje. Daarna zou ze in geuren en kleuren over hun avontuur vertellen. Ze parkeerde de auto op haar gebruikelijke plekje en zag dat er een grijze Peugeot voor het grootste gebouw van het kamp stond. Bezoek. Ze vroeg zich af wie het waren. Erope zwaaide even naar haar en maakte zich uit de voeten. Ze benijdde hem omdat hij niet gezellig tegen vreemden hoefde te doen, maar zelfs onaangekondigde gasten konden van belang zijn. Soms kwamen er wetenschappers langs met bevindingen waar ook zij iets aan hadden, en toeristen deden vaak gulle giften.

'We begonnen ons al zorgen te maken.' Allie verscheen in de deuropening van de grootste hut. 'Gelukkig ben je ongedeerd. O ja, en we hebben bezoek. De journalist die over je presentatie heeft geschreven. Rabindrah Singh.'

Sarah fronste. Wat moest hij hier? Ze vroeg zich af met welk excuus ze hem zou kunnen vermijden. Ze wilde douchen en daarna in haar hut blijven totdat hij weer was vertrokken. Allies woorden gooiden echter roet in het eten.

'Hij heeft het artikel bij zich dat in de *Daily Telegraph* heeft gestaan. Gisteren is er iemand uit Londen aangekomen die voor iedereen een exemplaar bij zich had. Het is een goed stuk, fantastische publiciteit, en je foto's zijn prachtig. Ik moet bekennen dat hij zijn research goed heeft gedaan. Hij heeft ons jaarverslag gebruikt, dus alle feiten kloppen. Kom bij ons zitten, Sarah. Zo te zien snak je naar een koud biertje.'

'We hebben autopech gehad,' zei ze. 'Erope wist de Land Rover te repareren, maar er kwam wel een leeuwin bij ons kijken. Dat was best schrikken. Ik wil nu graag even douchen en meteen mijn aantekeningen uitwerken. Het is een bijzondere dag geweest, ook al voordat we pech kregen.'

'Doe niet zo mal,' zei Allie op besliste toon. 'Ga maar douchen, het was bloedheet vandaag, maar daarna moet je ons echt alles over de auto komen vertellen. Schiet op. Die Rabindrah zit al de hele middag met Dan te kletsen. Hij heeft een interessant voorstel, dat moet je echt horen. We hebben gevraagd of hij blijft logeren, dan kun je met hem praten en een beslissing nemen.'

'Een beslissing? Hoezo?' Sarah wilde niets liever dan de man ontlopen die op Langani voor zo veel onrust had gezorgd. 'Jullie zijn degenen die hier de beslissingen nemen. Ik neem alleen maar foto's.'

'Wat ben jij vanavond *kali*,' merkte Allie met opgetrokken wenkbrauwen op. 'Ik dacht dat je een goede dag had gehad.' Ze gaf Sarah even een klopje op haar schouder. 'Toe, je bent een belangrijk lid van het team en mag je zegje doen over alles wat Dan en ik beslissen. En je moet jezelf niet opsluiten als we bezoek hebben. Kom, er is warm water, dus fris je maar even op. Ik laat je alvast een koude Tusker brengen.'

Rabindrah zat op een linnen vouwstoel onder de acacia, met Allie en Dan naast hem. Hij zag er netjes uit, in een gestreept overhemd met keurig opgerolde mouwen en een gestreken safaribroek. Gepolijst was het woord dat Sarah inviel. Een man die duidelijk de nodige aandacht aan zijn verschijning besteedde. Ze kon dure aftershave ruiken. Hij keek haar recht aan en stak een gladde, verzorgde hand uit. Het viel haar op dat hij een metalen armband rond zijn pols droeg. Wat zijn flauwe glimlach uitdrukte, durfde ze niet te zeggen. Was die sardonisch? Geamuseerd? Of gewoon beleefd? Ze wendde zich af toen ze begon te blozen omdat ze zich zo ongemakkelijk voelde. Hij moest weten dat hij haar in verlegenheid had gebracht door naar Langani te komen, dat hij haar zelfs pijn had gedaan, maar waarschijnlijk liet dat soort dingen een journalist koud.

'Mevrouw Mackay, wat fijn u weer te zien. En deze keer op uw eigen terrein.'

'Mijn eigen terrein?' Ze hoorde hoe dwaas het klonk dat ze zijn woorden herhaalde. Hij keek haar nog steeds aan, met een blik die zo direct was dat ze hem bijna als onbeleefd ervoer.

'Hier, bedoel ik, in de wildernis, tussen de olifanten. Hier bent u echt in uw element. Foto's als de uwe kunnen alleen worden genomen door iemand die zich helemaal thuis voelt in een bepaalde omgeving.'

Zijn stem was laag, en ze merkte dat ze naar voren leunde om hem beter te kunnen verstaan, hoewel hij zeker niet te zacht sprak. Een slimme manier om de aandacht van zijn publiek, of zijn prooi, vast te houden. Zijn opmerking was veel te persoonlijk, en ze vond het vreemd dat de Indiase journalist dat in haar werk had gezien. Nog steeds zag ze hem voor zich zoals hij haar op het gazon van Langani had gestaan en die uitdagende vragen had gesteld die weer het verdriet over Piets dood hadden opgerakeld. Hij was een echte persmuskiet, een gier die leefde van de ellende van anderen. Zonder enige scrupules. Ze kon zich niet voorstellen wat hem naar Buffalo Springs had gevoerd.

Dan gaf haar een glas aan en wees naar de tafel waaraan hij had zitten werken. 'Daar ligt een exemplaar van de krant, Sarah. Een halve pagina in de *Daily Telegraph.* Kijk maar eens, die kan ons veel steun opleveren. En er zit ook een cheque voor je foto's bij. Goed gedaan, meid.' Hij klopte haar op de schouder. 'Ik heb gehoord dat die oude rammelkast het weer heeft begeven. We zullen snel iets beters voor je regelen.'

Sarah moest toegeven dat het artikel boeiend was. Ze zei nadrukkelijk dat ze het goed vond en bedankte hem voor het gebruik van haar foto's. Het verbaasde haar dat haar reactie hem zo'n plezier deed. Ze had gedacht dat hij een doorgewinterde, harde journalist was die om het even welk verhaal zou publiceren, wat de gevolgen ook waren. Misschien had ze te snel geoordeeld.

Toen hij over zijn voorstel begon en zich naar haar toe boog, begonnen zijn ogen te glanzen van enthousiasme. 'Ik ben blij dat het stuk bevalt,' zei hij, 'want ik loop al een tijdje met een ander idee rond, en toen ik in Nairobi uw dia's zag, wist ik dat ik de fotograaf had gevonden met wie ik perfect zou kunnen samenwerken.'

'Samenwerken?' Sarah verwenste zichzelf omdat ze hem alleen maar leek te kunnen nabauwen.

'Laat hem even uitpraten, Sarah.' Allie glimlachte en keek Rabindrah toen veelbetekenend aan.

'Ik ben van plan een boek te schrijven over de olifanten in dit gebied,' legde de Indiër uit. 'Een boek met foto's van uw hand, van uitstekende kwaliteit. En mijn tekst natuurlijk. Het zal verslag doen van Dans onderzoek op een manier die het grote publiek ook zal begrijpen, maar zonder de boodschap te verdoezelen. Ik weet dat ik goed kan schrijven, maar uw foto's zullen pas echt de doorslag geven.'

Ze begreep dat dit een unieke kans was: zij zou haar foto's onder de aandacht kunnen brengen, en Dan en Allie zouden de erkenning krijgen die ze verdienden. Maar ze vertrouwde hem niet. Hij was goed van de tongriem gesneden, dat zeker, maar kon hij een uitgever vinden? Ze kende heel wat mensen die ervan droomden een boek over hun hoogstaande idealen uit te geven, maar het lukte maar zelden. Ze wilde niet maanden in het maken van foto's steken en dan nul op rekest krijgen.

'U vraagt zich af of ik wel een uitgever kan vinden,' zei hij, alsof hij haar gedachten kon lezen. 'Wat dat betreft heb ik geluk had. Ik heb een synopsis, samen met een paar van uw foto's, naar John Sinclair gestuurd. Aha, ik zie dat u van hem hebt gehoord. Dan en Allie zijn van mening dat hij de beste uitgever van natuurboeken is. Sinclair & Lewis is al een oud bedrijf, zijn grootvader is ermee begonnen, en ik heb John op de universiteit leren kennen. Toen ik in Manchester werkte, liep ik hem weer tegen het lijf. Hij kon zich nog herinneren dat ik uit Kenia kom en vroeg me of ik een inleiding tot een boek over de kust van Oost-Afrika wilde nakijken. Toen u mij uw foto's stuurde, ben ik zo vrij geweest hem er een aantal te laten zien. Als u mee wilt doen, is hij bereid de volgende stap te zetten.'

'Maar... wat voor boek moet het dan worden? Hoe wil je aan materiaal voor de teksten komen?'

'Rabindrah heeft al voorgesteld een tijdje met ons mee te draaien.' Allie zag het duidelijk helemaal zitten. 'Dan kan hij een paar maanden lang, of zo lang als nodig is, elke dag met Dan en mij op pad gaan, of met jou en Erope. Dan kan de tekst nakijken om te zien of de wetenschappelijke uitspraken kloppen en zo.'

'En jouw foto's spreken voor zich,' zei Rabindrah. 'Dan en Allie kunnen zich wel in het idee vinden.'

Het irriteerde Sarah dat hij Dan en Allie al bij hun voornamen aansprak. Hij glimlachte breeduit, zodat zijn regelmatige witte tanden scherp afstaken tegen zijn bruine gezicht. Nu zag ze pas dat zijn neus een tikje krom was en dat zijn ogen gouden vlekjes hadden. Ze vond hem net een roofvogel die zich elk moment op een prooi kon storten.

'Ik zal u echt niet in de weg lopen, dat beloof ik,' verzekerde hij haar. 'Ik ben gewend aan de rol van zwijgende toeschouwer. Bovendien zal ik heen en weer moeten rijden tussen hier en Nairobi, want daar verdien ik immers mijn brood. U hoeft dus niet bang te zijn dat ik voortdurend op uw lip zit.'

Sarah had geen flauw idee wat ze moest zeggen. Ze keek Dan vragend aan, maar hij was druk bezig zijn pijp te stoppen, en Allie trok net een tweede fles wijn open.

'Ik neem aan dat u wilt weten hoe we het financieel gaan doen,' vervolgde Rabindrah, die voelde dat hij het initiatief moest houden. 'Ik wil daarom voorstellen de opbrengst eerlijk te delen. Uw budget hier is waarschijnlijk niet al te ruim, dus extra inkomsten zullen welkom zijn, en wat u persoonlijk betreft...'

Ze keek verstoord op, en hij besefte dat hij nooit iets zou begrijpen van de weerzin die de Britse middenklasse voelde wanneer het om het bespreken van financiële aangelegenheden ging. Daarom ging hij snel verder: 'Ik zag in welke auto u uw werk moet doen en ben het met Dan eens dat het een wonder is dat het ding nog rijdt. Misschien kan ik mijn oom, Indar Singh, zover krijgen dat hij u een auto wil doneren.'

'Dat lijkt me erg onwaarschijnlijk.' Sarah twijfelde er niet meer aan dat de journalist indruk op Dan wilde maken, al begreep ze niet waarom.

'Mijn oom is eigenaar van een grote garage en een van de belangrijkste figuren in de sikhgemeenschap,' vervolgde Rabindrah gladjes. 'Hij zal het alleen maar prettig vinden wanneer zijn naam in één adem wordt genoemd met een belangrijk onderzoek. En we zouden hem in het boek kunnen vermelden.'

'Ik vind het allemaal nogal vergezocht.' Sarah stak haar twijfel niet langer onder stoelen of banken.

'Hij schenkt regelmatig bedragen aan allerlei goede doelen.' Rabindrah had ander lokaas nodig om zich van haar deelname te verzekeren, een voorstel dat ze niet zou kunnen weigeren. Ze leek een band met de olifanten te hebben die ronduit uitzonderlijk was. De uitgever had dat meteen gezien en was diep onder de indruk van de kwaliteit van haar werk geweest.

'Het boek lijkt me nu het belangrijkste.' Dan had de vijandigheid in Sarahs stem gehoord en bracht het gesprek terug op het oude thema.

'Weet u, mevrouw Mackay, het grote voordeel is dat u door dit boek de aandacht op uw onderzoek kunt vestigen,' zei Rabindrah, een nieuwe invalshoek kiezend. Hij wist dat hij zonder haar foto's geen schijn van kans maakte een dergelijk indrukwekkend werk uitgegeven te krijgen. 'Ik zou willen voorstellen Dan en Allie een deel van de royalty's te geven. Wat vindt u daarvan? Dan profiteert iedereen, ook uw olifanten.'

Hij glimlachte breeduit, bijna triomfantelijk. Sarah voelde een vlaag van ergernis en zelfs weerzin. Hij had het heel slim gespeeld. Ze wilde eigenlijk niet met hem samenwerken, maar het was een aanbod dat ze niet kon weigeren, vanwege haar eigen loopbaan en het werk van Dan en Allie, en dat wist hij donders goed. Hij bespeelde haar, en dat vond ze helemaal niet prettig. Maar ze moest wel ja zeggen, dat was ze Dan en Allie verschuldigd, en ze moest bekennen dat het idee dat haar foto's in boekvorm zouden verschijnen wel degelijk aantrekkelijk was. Als het moest, zou ze het wel een paar weken met Rabindrah Singh kunnen uithouden. Per slot van rekening zou hij niet lang nodig hebben om de eerste teksten te schrijven, zeker niet wanneer Dan hem zou helpen. Als de basis in Buffalo Springs eenmaal was gelegd, kon hij de rest van zijn research in Nairobi doen. Misschien zou ze er zelfs plezier in krijgen, op voorwaarde dat hij zou begrijpen dat ze met geen woord van haar privéleven wilde reppen.

'Tja, meneer Singh, wat kan ik daar nu op zeggen?' Ze glimlachte stijfjes. 'Alleen maar ja, denk ik. Laten we de wereld gaan vertellen over de olifanten van Buffalo Springs.'

'Prachtig!' Allie hief haar glas. 'Op jullie allebei, en op een grootse samenwerking.'

'Nou, nu kun je morgenochtend net zo goed meteen je medeauteur mee op pad nemen, Sarah. Dan kun je kijken of jullie met elkaar kunnen opschieten.' Dan keek Rabindrah aan. 'Hopelijk heb je geen bezwaar tegen vroeg opstaan. Die meid is een behoorlijk vroege vogel.'

Sarah opende haar mond om te protesteren. Ze wilde niet met vreemden op pad. Rabindrahs aanwezigheid zou beslist een negatieve invloed op haar werk hebben, en ze wilde het ritme van haar dagen, waaraan zij, Erope en de olifanten zo gewend waren, niet verstoren. Dan bleef echter haar werkgever en ze moest aan het boek denken. Als de journalist morgen wilde beginnen, kon ze moeilijk bezwaar maken.

'Ik vertrek zodra het licht is. Het zal een lange dag worden.' Haar toon was kortaf.

'Zeg maar wanneer ik klaar moet staan.' Rabindrah kreeg visioenen van een Land Rover met pech, van kuddes aanstormende wilde dieren, maar hij zat hier nu eenmaal en kon niet meer terug. 'En ik zou graag de foto's willen zien die je al hebt gemaakt. John Sinclair heeft ongeveer vijfhonderd dia's nodig; hij zal er zo'n honderdvijftig uitkiezen, met de beste kwaliteit. Hopelijk gaat dat lukken, Sarah.'

Nu hij haar was gaan tutoyeren, kon ze moeilijk deftig blijven doen. Zo waren Dan en Allie ook niet.

'Goed,' zei ze stijfjes. 'Ik zal morgen wel wat uitzoeken.'

'Trek in een lekkere oude single malt, kerel?' Dan pakte zijn beste fles whisky.

Sarah begreep dat hij zich opmaakte voor een van zijn avonden vol diepzinnige gesprekken, met een ruime hoeveelheid drank om de discussie gaande te houden. Als Rabindrah Singh deze inwijding wilde overleven en morgenvroeg fris als een hoentje klaar wilde staan, moest hij wel van wanten weten. Ze keek Allie even lachend aan en ging toen naar haar hut om haar verslag voor die dag op te stellen.

Een tijdje later werd er op de deur geklopt. '*Hodi.* Mag ik binnenkomen?' vroeg Allie. 'Ik heb een kop thee voor je.'

'Lekker, dank je. Wacht even, dan leg ik deze papieren op de grond. Kun je de bekers op de kast zetten? Mijn hele tafel ligt vol, vrees ik.'

Nippend aan hun thee namen ze in een vriendschappelijke sfeer de dag door.

'Hoe zit het nu met die meneer Singh?' veranderde Allie opeens van onderwerp. 'Zo prikkelbaar ken ik je niet. Die man heeft je een interessant voorstel gedaan, Sarah. Dit is de kans van je leven. Ik dacht dat je wel wat enthousiaster zou zijn.'

Sarah leunde zuchtend achterover. Ze had Allie niet verteld dat de journalist naar Langani was gekomen en vragen had gesteld over de dood van Piet, maar nu wist ze dat ze haar gedrag zou moeten verklaren. Ze vertelde wat er op de boerderij was gebeurd en dat ze er zeker van was dat zijn vragen Hannahs weeën hadden opgewekt.

'Gelukkig is alles goed gegaan,' zei ze, 'maar toen ik die Rabindrah in Nairobi sprak, stelde hij me ook al persoonlijke vragen. En toen verscheen hij opeens op Langani, duidelijk op zoek naar meer informatie. Daarom schrok ik zo toen je zei dat hij hier was. Ik was bang dat hij weer over de dood van Piet zou beginnen.'

'Ik snap het,' zei Allie. 'Nou, misschien is het enige troost dat hij eerder vandaag niets over Piet of over Langani heeft gezegd.'

'Lars heeft me verteld dat Jeremy Hardy hem ook al de deur had gewezen. Daarom was ik zo nerveus. Het spijt me dat ik zo overdreven reageerde. Hij is hier vanwege een goede reden, dat zie ik nu ook wel in.'

'Mocht hij weer over Piet beginnen, dan moet je het meteen tegen me zeggen. Dan zal ik wel meer doen dan hem de deur wijzen,' zei Allie. 'Maar misschien moet je hem morgen inderdaad maar meenemen. Eens kijken hoe het gaat. Bevalt het niet, dan kan hij overmorgen met mij meerijden. We willen trouwens dat je morgen onze auto pakt, dan kan Dan even kijken of hij de jouwe nog kan opkalefateren. Hij maakt zich zorgen over dat kreng, maar hoopt dat hij het nog even volhoudt. Mochten we meer subsidie krijgen, dan is een andere auto kopen het eerste wat we doen, al slaat het nog zo'n gat in de begroting. We hebben helaas geen keuze, Sarah, tenzij die oom van Rabindrah zich als ons suikeroompje ontpopt.'

'Wat een vergezocht idee was dat, zeg,' zei Sarah. 'Maar ik zal mijn best doen, Allie. Maak je maar geen zorgen.'

Toen ze de volgende morgen haar hut verliet, stond Rabindrah al te wachten. Hij leek geen kater te hebben, waardoor Sarah de indruk kreeg dat hij een ijzeren gestel had. Ze dronken een paar koppen thee en stapten toen in de Land Rover, waarin Erope al een mand met eten, een thermosfles en drie grote flessen water had gezet. Sarah stelde de twee mannen aan elkaar voor, en er werden handen geschud.

'Wanneer we te voet verdergaan, heeft Erope de leiding,' legde Sarah uit. 'Je volgt hem zonder iets te zeggen en doet wat hij zegt. We hebben geen wapens bij ons, dus hij is onze enige bescherming.'

Rabindrah knikte. Ze gingen op pad, op zoek naar de kudde. Dan had erop gestaan dat ze zijn Land Rover zouden nemen, dan zou hij die ochtend het andere voertuig repareren. Sarah reed een tijdje zwijgend door, geïrriteerd door haar gespannen gevoel dat haar ochtend dreigde te bederven. De sikh leek zich bijzonder op zijn gemak te voelen en stelde Erope af en toe een vraag over diens stam, de streek en zijn werk voor Dan en Allie Briggs. Hij vroeg Sarah helemaal niets, en ze merkte dat ze zich een beetje begon te ergeren omdat ze buiten het gesprek werd gehouden. Ten slotte besloot ze zelf maar een vraag te stellen.

'Waarom wij?' wilde ze weten. 'Waarom heb je voor het project van Dan en Allie gekozen? Heb je eerder iets op het gebied van natuurbehoud gedaan?'

'Nee, hoewel het tegenwoordig een belangrijk thema is. Mensen willen er graag over lezen, zeker in Europa en Amerika.' Hij zweeg even en keek haar aan. Ze zat voorovergebogen over het stuur en tuurde voor zich uit in het felle ochtendlicht, op zoek naar olifanten. 'Eerlijk gezegd werd mijn belangstelling pas gewekt toen ik jullie jaarverslag onder ogen kreeg. Ik vond het allemaal erg inspirerend, het leek me de moeite waard erachteraan te gaan. En toen bleek de *Telegraph* mijn artikel geweldig te vinden en was John Sinclair ook nog eens geïnteresseerd. Dus het is allemaal met jou begonnen.'

'Je moet ervoor zorgen dat de tekst honderd procent correct is,' merkte ze op.

'Daarom ben ik ook hier. Ik kan pas overtuigend over iets schrijven als ik me volledig in een onderwerp heb verdiept. Ik begrijp heel goed wat de invloed van jullie werk is, op wereldschaal.'

Tegen haar zin voelde ze zich gevleid. Iets meer op haar gemak begon ze hem uit te leggen wat het onderzoek precies behelsde. 'In de afgelopen paar weken hebben we bepaalde taken verdeeld, zodat we ons ieder op een bepaald gebied kunnen storten. Allie volgt drie families en legt de levens van de wijfjes vast, terwijl Dan zich concentreert op de stieren die de familie hebben verlaten en met mannen onder elkaar leven. Mij is een aantal kalveren toegewezen die ik vanaf de geboorte ga volgen, zodat ik het voeden en verzorgen binnen de groep kan vastleggen. Ik heb nog nooit een kalf geboren zien worden, maar Erope heeft me vorige week een drachtig wijfje aangewezen en zegt dat het bijna zover is. Misschien heeft ze gisteren wel geworpen en zullen we straks een pasgeboren kalfje kunnen zien.'

'Dat zou geweldig zijn,' begon Rabindrah, maar toen trapte Sarah opeens stevig op de rem. 'O god,' zei hij, 'dat is wel een erg grote buffel. Staan we te dichtbij? Moeten we de raampjes dichtdoen? Sarah?'

'Stil! We hebben hem al eerder ontmoet,' zei ze met lage stem, 'en hij is gemeen en onvoorspelbaar. Kijk eens naar die grote kop en die enorme hoorns. Hij kan je binnen een tel doden, die oude *mbogo*.'

'En nu?' Rabindrah kon zijn angst niet onderdrukken.

'Ik moet achteruitrijden,' zei ze, 'hoewel dat niet mijn sterkste kant is.'

'*Kweli*. Dat is waar,' deelde Erope allerminst behulpzaam mede. Het zon hem duidelijk niet dat hij elke dag een journalist uit Nairobi in zijn Land Rover zou hebben. Zijn broer had voor een Indiase *duka wallah* gewerkt, en dat volk stond erom bekend dat ze Afrikanen niet bepaald aardig behandelden.

'Sarah kan heel snel keren,' zei hij, blij met het effect dat zijn woorden op Rabindrah hadden. 'Net als Allie.'

De buffel bewoog in hun richting, met zijn grote kop gebogen. Zijn blik liet de auto geen moment los. Rabindrah sloot zijn ogen en wachtte totdat hij het geluid zou horen van een hoorn die metaal aan stukken reet. Toen de oude stier echter op een meter of twee van de auto was, snoof hij opeens luidruchtig en dook toen het struikgewas in.

'Doe je ogen maar weer open,' zei Sarah. 'Hij is weg, en mijn rijkunsten blijven je bespaard. Voor nu althans.'

'O god,' zei hij weer. 'Ik ben nog nooit zo dicht in de buurt van een gevaarlijk dier geweest. Ik ben me nooit zo van hen bewust geweest, afgezien dan als lokkertje voor de toeristen. Mijn ouders gingen nooit op safari. Wilde dieren, dat waren de legendarische beesten die tijdens de aanleg van de spoorlijn een van mijn oudooms hebben opgegeten.'

'Je zei dat je in Engeland hebt gestudeerd en gewerkt,' zei Sarah. 'Waarom ben je teruggekomen?'

Hij haalde zijn schouders op. 'Omdat dit mijn thuis is, denk ik. Hier ben ik opgegroeid. Ik had daar kunnen blijven, mijn ouders wonen daar nu, en mijn zussen ook. Maar ik was het zat om overal aan te kloppen.'

'Hoe bedoel je?'

'Je weet wel, bij mensen aankloppen om commentaar. Aan de weduwe vragen hoe ze zich nu voelt nu haar man bij een brand in de fabriek is omgekomen, of door een vrachtwagen is overreden, dat soort dingen.'

'O, net zoals vragen hoe iemand het vindt dat haar broer is vermoord.' Het deed haar deugd dat hij ineenkromp. 'Dat klinkt inderdaad verschrikkelijk. Maar je deed vast wel meer dan dat.'

'Ik schreef artikelen over de Indiase gemeenschap in Engeland, vooral over de kwestie van paspoorten en Brits staatsburgerschap. Maar ik had het gevoel dat ik bij een campagne werd betrokken, dat ik gedwongen was alleen het standpunt van de Indiërs te verslaan. Ik wilde niet door het leven gaan als de Indiase journalist die alleen over zijn eigen groep schrijft. En wanneer je wordt geconfronteerd met vijandige reacties omdat je dingen wilt weten over onderwerpen die men liever zou vergeten...' Hij zag haar knokkels wit worden. 'Racisme en vooroordelen, bedoel ik, en het gevoel onder Engelsen dat de Indiërs dat kregen waar zij eigenlijk recht op hadden.'

'Maar waarom vond je dat zo vervelend? Dan had je toch een vuist voor je eigen mensen kunnen maken?'

'Ik wilde meer afwisseling. Ik wilde een goed leven. Als journalist in de provincie verdien je geen cent, en in Londen kon ik geen baan vinden. Bovendien is het Engelse weer niet bepaald een zegen.'

'Dat is waar. Ik dacht dat ik na drie jaar Ierland nooit meer zou opdrogen,' bekende Sarah.

'En daarom ben ik dus teruggekomen, en tot nu toe bevalt het me hier wel. Ik vind het fijn dat ik mijn eigen gang kan gaan, kan zijn wie ik wil.'

'Ben je niet teruggekomen uit liefde voor Kenia? Omdat je iets voor het land wil betekenen?'

'Nee, zo nobel was ik helaas niet,' zei hij. 'Ik wil hier aan mijn carrière werken en goed verdienen. Ik heb een neus voor mooie verhalen en kan aardig schrijven. Je hoeft geen aanhanger van iets te zijn om er goed over te kunnen schrijven, soms is het zelfs beter enige afstand te bewaren: als je objectief bent, zie je soms dingen die de mensen die er tot over hun oren bij betrokken zijn volledig ontgaan.'

Ze waren aangekomen op de plek waar Sarah de vorige avond nog de kudde had gezien. Ze gebaarde dat hij stil moest zijn, zette de auto uit de wind, zodat de grote dieren hen niet zouden ruiken, en deed de motor uit. Na een paar minuten te hebben gekeken, wees Erope op hun eigen groepje. Het vrouwtje dat de leiding had, had rafelige oren en slagtanden die bijna over elkaar groeiden. Sarah had haar Hippolyte genoemd, naar de koningin der Amazonen, omdat ze een krijger zonder vrees was die haar familie tegen elke vijand durfde te verdedigen. Nu stond ze aan de rand van de drinkplaats en besproeide zichzelf met water totdat haar vel donkerrood van het natte stof zag. Wanneer de modder opdroogde, vormden de sporen een fijn netwerk waardoor de indruk werd gewekt dat ze een kanten doek over haar grijze gerimpelde huid droeg. In haar groep waren nog vier jongere wijfjes, waaronder de drachtige koe die Sarah al had genoemd.

'Daar is ze, het vrouwtje dat elk moment kan gaan werpen,' zei Sarah. 'Ik heb haar Lily genoemd, en haar gaan we de komende dagen volgen. Meestal verwijderen ze zich vlak voor de geboorte samen met een paar andere koeien van de rest van de kudde. Als het zover is, moeten we te voet verder, hoewel dat gevaarlijk is. Als de olifanten ons als een bedreiging zien, kunnen ze in een oogwenk agressief worden.'

'Dan kan ik misschien beter in de auto blijven,' stelde Rabindrah voor. 'Dan houd ik me wel koest en laat het wandelen aan de ervaren onderzoekers over.'

'Je kunt niet alleen in de auto blijven,' zei Sarah beslist. 'Tenzij je als doelwit wilt dienen voor een jonge stier die wil dollen. Nee, nu je mee bent gegaan, moet je bij Erope en mij blijven.'

Nog geen uur later hadden Hippolyte en haar naaste verwanten zich van de andere dieren afgescheiden. Erope en Sarah stapten stilletjes uit, gevolgd door een aarzelende Rabindrah. Lily was rusteloos, ze liep telkens weg van de andere vrouwtjes en kwam dan weer terug. Ze riep hen telkens en maakte aan één stuk door geluiden. Rond het middaguur was de hitte ondraaglijk geworden. Het groepje had al een flink stuk afgelegd, maar ten slotte bleven ze staan en kon Rabindrah even tegen een vijgenboom leunen en het zweet van zijn gezicht vegen. Sarah besefte dat hij zich niet prettig voelde omdat ze zo ver van de auto en zo dicht bij de grote dieren waren.

'Het enige wat ik van Afrikaanse olifanten weet, is dat ze gevaarlijk en onvoorspelbaar zijn,' zei hij fronsend. Hij wreef over zijn armen, die hij had opengehaald aan de doorns in het struikgewas. 'En dit is me veel te dichtbij.'

'Er zal niets gebeuren, als ze zich maar niet bedreigd voelen,' legde Sarah uit. 'En als we maar tegen de wind in lopen. Wees maar niet bang.'

Hij knikte, maar keek niet overtuigd. Ze zag dat hij zijn fles water opende en naar het laatste restje tuurde. Hij had te snel gedronken en moest nu zuinig zijn met wat hij nog had. Sarah lachte even in zichzelf, hoewel ze wist dat dat gemeen was. Het was een zware morgen geweest, maar Rabindrah had zich voor een groentje kranig geweerd en geen moment geklaagd. Zonder vragen te stellen had hij gedaan wat Erope zei. Ze vroeg zich af of ze hem iets van haar water moest aanbieden, maar besloot het niet te doen. Hij moest leren zuinig te zijn. Als hij uitgedroogd zou raken, kon ze hem een paar slokken uit haar fles geven, maar hij was toch degene die was teruggekeerd om hier een goed leven te leiden? Dan moest hij het ook maar zo snel mogelijk leren. Erope stond aan de andere kant van de boom als een ooievaar op één been, zoals de gewoonte was bij zijn stam. De hitte en de onherbergzame omgeving leken hem niet te deren. Hij scheen te slapen, maar Sarah zag hem een teken geven dat ze naar voren moesten komen.

Ze hurkten neer achter een groepje rotsen en sloegen de activiteiten van de dieren gade. Sarah pakte haar fototoestel toen ze zag dat Lily inderdaad elk moment kon werpen. Ze stond een stukje bij de andere dieren vandaan en flapperde met haar oren, bewoog onrustig van de ene poot op de andere heen en weer. Even later was het zover en gleed het kleine wezentje naar de grond. Het zat echter vast in een vlies, en de moeder leek niet te weten wat ze moest doen. Binnen een paar minuten stonden de andere koeien om haar heen en duwden zachtjes met hun slurven en voeten om het kalfje te bevrijden. Toen hief Lily haar eigen slurf en voorpoot op om het diertje overeind te helpen.

Sarah keek even naar Rabindrah en zag dat hij helemaal in de ban van de gebeurtenis was. Het pasgeboren kalfje probeerde op te staan, wankelde, viel een paar keer en zette toen aarzelend zijn eerste stapjes. Zijn kop was bedekt met een laagje donzig zwart haar en zijn oogjes waren roodomrand, alsof hij de hele nacht was opgebleven. Nadat hij onwennig met zijn slurfje naar haar uier had gezocht, begon hij meteen bij zijn moeder te drinken. De andere vrouwtjes kwamen ondertussen om Lily heen staan en raakten haar en het kalf strelend met hun slurven aan. De geluiden die ze maakten, trokken al snel de aandacht van een stel jonge stieren.

'Liggen,' siste Erope toen de olifanten zich naar de stieren wendden. 'De grote moeder gaat ze wegjagen, en misschien komen ze hierheen.'

Sarah liet zich op de aarde vallen, die vol doornige takjes lag, en trok Rabindrah met zich mee. Hij legde zijn armen op zijn hoofd en bleef roerloos liggen, wachtend totdat hij zou worden vertrapt. Overal om hen heen konden ze grommende geluiden en krakende takken horen. De olifanten kwamen dichterbij en naderden de drie stille gestalten. Opeens klonk er een trompetterend geluid en trilde de grond onder hen. Stof stoof op, en Sarah hoorde Rabindrah een zachte kreet van angst slaken. Ze draaide haar hoofd en zag dat hij haar aankeek, zijn lippen opeengeperst. Blijkbaar hoopte hij op een geruststellend teken, maar dat kon ze hem niet geven. Toen ze hem eindelijk bij zijn arm pakte en door elkaar schudde, hield hij zijn ogen stijf dicht.

'De stieren zijn weg,' zei ze. 'Kom maar overeind.'

'Je staat te lachen! O, je bent stapelgek. Ik ging bijna dood van angst, en jij staat te lachen. Mijn hart klopte als een razende, er zat stof in mijn neus en ik moest niezen, maar ik durfde niet omdat ik bang was dat ik dan dood zou worden getrapt. Ik durfde niet eens met mijn ogen te knipperen. O, dat angst zo'n lawaai kan maken, dat merk je pas als je dat bonzen in je hoofd voelt.'

Sarah was al opgestaan en maakte aan één stuk door foto's. Hoewel ze bang was dat het geluid van de sluiter de aandacht van de dieren zou trekken, kon ze de gelegenheid om zoiets unieks vast te leggen niet weerstaan. Na een tijdje kwam een van de oudere stieren een kijkje nemen bij de boreling. Het kalfje liep naar hem toe en het oudere dier raakte zijn kopje even met zijn slurf aan, alsof hij hem zegende. De rest van de dag bracht hij in de beschutting van zijn moeders poten door, totdat Hippolyte het tijd vond het groepje mee terug te voeren naar de rest van de kudde. Rabindrah keek toe, zich niet langer bewust van de angst en het ongemak dat hij eerder had gevoeld, maar volkomen betoverd door het wonder dat hij had mogen aanschouwen. Sarah trok haar wenkbrauwen op en keek Erope even glimlachend aan. Het was duidelijk dat ze een zieltje hadden gewonnen.

De schaduwen van de middag vormden al langgerekte, donkerbruine patronen op de zanderige bodem toen ze eindelijk de kudde verlieten en tussen de doornstruiken door terugliepen naar de Land Rover. De auto was net een oven, hun broodjes waren veranderd in een kleffe pap. Gelukkig zat er nog koffie in de thermosfles en hadden ze een pak koekjes dat ze helemaal opschrokten. Verrukking verdrong alle andere emoties.

De volgende morgen reden ze al rond zonsopgang terug naar de olifanten, maar deze keer was de sfeer tijdens de rit ontspannen. De geboorte had diepe indruk op Rabindrah gemaakt. Een dag eerder had Sarah nog het gevoel gehad dat hij het boek alleen maar wilde schrijven om naam te maken en geld te verdienen, maar nu wilde hij dolgraag de kudde zien en weten hoe het met de kleine ging. Ze hoopte dat zijn teksten dankzij deze ervaringen bezield zouden klinken en dat de levens van de olifanten, en hun behoeften, voor een groot publiek tastbaar zouden worden gemaakt. Terwijl ze op zoek waren naar Lily en haar kalf begon ze een Iers deuntje te neuriën, en tot haar verbazing neuriede hij mee en kende hij zelfs de tekst.

'De helft van mijn collega's in Manchester was Iers,' legde hij uit. 'Wat een stel woestelingen waren dat, zeg. Ze hebben me tot ere-Paddy uitgeroepen omdat ze me ook als een soort rebel zagen, als iemand die vraagtekens zette bij het gedrag van de Britten op het wereldtoneel. Daar heb ik geleerd grote hoeveelheden whiskey te verstouwen, en nog steeds drink ik liever Ierse dan Schotse. Maar zeg dat liever niet tegen Dan!'

Lachend keek ze hem aan. Hij had in elk geval enig gevoel voor humor, en dat zou hun samenwerking gemakkelijker maken. Hij bleef tijdens de rit zwijgend naast haar zitten, ademde de stoffige lucht in en luisterde naar het roepen van de neushoornvogels en het zingen van de wevervogels. Hij keek om zich heen in het felle licht, in de hoop dat hij nog eerder dan de spoorzoeker een cheetah of zelfs een leeuw zou zien. De passieve rol die hem was toebedeeld was niets voor hem, en hij wist dat Sarah en Erope hem allebei als een aanhangsel beschouwden dat alleen maar kon storen bij het werk.

Ze troffen de olifanten bij de rivier, waar ze langzaam naar het noorden trokken. Het peil van het water was laag. Pas over een paar weken zouden de korte regens komen – als er al iets zou vallen. Het droge gras kraakte, het was geelbruin en prikte, en een paar leden van de kudde groeven met hun slagtanden of voeten in de grond, zodat de harde bodem gedwongen was een langzame stroom modderig vocht vrij te laten, maar dat was amper genoeg om de hele groep een modderbad te laten nemen. Na een uur was het bloedheet in de auto en zat Rabindrah aan één stuk door de vliegen weg te slaan die op zijn huid en kleren landden. Toen ze weer verder reden, voor de kudde uit, gleden de wielen weg in het dikke zand en slipte de auto bijna. Hij vroeg zich af hoe het zou zijn om hier uren vast te zitten, in de meedogenloze middagzon, of zelfs dagen. De dieren sjokten verder en rukten ondertussen takken van de bomen. Het kostte het kalfje moeite zijn moeder bij te houden, zodat het groepje regelmatig op hem bleef staan wachten. Met geluiden, duwtjes en strelingen van hun slurf moedigden ze hem aan.

Ze bleven hetzelfde groepje tien dagen lang volgen. Sarah maakte foto's van het olifantje dat probeerde te ontdekken waarvoor die slurf toch diende, en ze hoorden hem protesteren wanneer hij niet bij zijn moeder mocht drinken. Wanneer hij verstrikt raakte in de struiken of niet over een dikke tak heen durfde te stappen, kwam een van de wijfjes steevast naar hem toe om hem te helpen. Het was verbazingwekkend te zien hoe snel hij sterker en avontuurlijker werd.

'Morgen laat ik dit groepje aan Dan en Allie over,' zei Sarah tegen Rabindrah toen ze in de Land Rover zaten, omringd door de kudde.

'Jij moet terug naar Nairobi, en het is mijn beurt om naar Isiolo te rijden om de post te halen en de andere klusjes in het kamp te doen. Dus kijk nog maar eens goed naar de kleine Louis hier, want bij je volgende bezoek zal hij een stuk groter zijn.'

Ze maakte net de thermosfles met koffie open toen het kleine olifantje naar de auto liep. Sarah verstijfde. Voorzichtig betastte hij de spatborden met zijn slurf, en toen hij het portier naderde, kon ze hem recht in zijn glanzende ogen kijken. Ze bleef doodstil zitten, met een huid die tintelde van opwinding en angst. God mocht weten wat zijn moeder en de andere koeien zouden doen als ze dachten dat hij in gevaar was. Hij stak zijn zachte slurf door het open raampje en raakte voorzichtig haar haar aan, volgde de vorm van haar gezicht en tastte toen haar arm af. Langzaam draaide ze haar handpalm omhoog en liet haar vingers over zijn ruwe huid gaan. Zijn adem streek langs haar hand toen hij zachtjes blies. Toen stak hij zijn slurf weer uit en liet die nog eens over haar gezicht gaan. Lily maakte opgewonden geluidjes, maar kwam niet dichterbij. Haar metgezellen bleven in de buurt, onrustig en wachtend op een teken van haar. Rabindrah durfde niet eens adem te halen, ervan overtuigd dat ze allemaal zouden worden verpletterd door de kudde. Zelfs Erope verroerde zich niet. Na een paar minuten draaide het kalfje zich om, hief sierlijk zijn slurf op en deed zijn eerste poging tot trompetteren. Daarna voegde hij zich weer bij de andere dieren. Sarah bleef een hele tijd roerloos zitten, volkomen van haar stuk gebracht door wat ze zojuist had ervaren. Ze rook aan haar hand, aan de scherpe geur die hij had achtergelaten, en beleefde het moment weer opnieuw.

'O god, we hadden wel dood kunnen zijn.' Rabindrah was degene die de stilte verbrak. 'Vooral die moeder, en dan die grootste, met die gekruiste slagtanden... Ze had ons in een paar tellen kunnen verpletteren. Wat een risico! Je bent gek, Sarah. Een ander woord heb ik er niet voor.'

'Ik kon moeilijk wegrijden,' bracht Sarah hem in herinnering, maar ook zij zat te trillen. 'Maar goed, iets beters maken we vandaag niet meer mee, of misschien wel nooit meer. Kom, dan gaan we terug naar het kamp.'

Sarah was de hele avond bezig dia's en afdrukken uit te zoeken die Rabindrah mee kon nemen. Het zou een paar weken duren voordat hij weer zou komen, maar in de tussentijd zou hij de eerste hoofdstukken samen met een synopsis en haar foto's naar Londen sturen. Hij leek er zeker van te zijn dat er een contract voor publicatie zou volgen, en Sarah vond zijn enthousiasme aanstekelijk.

Dan en Allie verlieten de volgende dag als eersten het kamp en gingen op zoek naar Lily en haar jong. Sarah schudde Rabindrah de hand, blij dat ze nu weer de vertrouwde routine kon oppikken waaraan Erope en zij gewend waren geraakt.

'Tot ziens,' zei ze, 'ik ben heel erg benieuwd naar de eerste hoofdstukken.'

'Die stuur ik je zo snel mogelijk,' zei Rabindrah, 'maar voordat ik wegga, wil ik me eerst nog even verontschuldigen.'

'Waarvoor?'

'Omdat we niet bepaald op goede voet zijn begonnen,' zei hij. 'Ik had geen idee wat je allemaal had meegemaakt. En ik vind het heel erg dat ik je vriendin in Langani van streek heb gemaakt. Jullie hebben een vreselijk verlies geleden, en ik had jullie privacy moeten respecteren.'

'Ja, dat had je moeten doen,' was ze het met hem eens. 'Je kunt ons namelijk niet zomaar gebruiken als materiaal voor een sensationeel verhaal. We zijn gewone mensen, die genoeg hebben van onderzoeken en vragen en verdriet. Ik heb gehoord dat je zelfs inspecteur Hardy in Nyeri hebt bezocht.'

Hij keek haar even aan en wilde vragen of ze enig idee had waarom iemand haar verloofde had willen vermoorden, maar haar gezicht stond verstrakt en haar blik was kil van woede. Hij zei niets, omdat hij niet het risico wilde lopen dat ze zo boos zou worden dat ze een streep onder hun samenwerking zou zetten. Hij hoefde zijn verhaal trouwens niet langer aan haar persoonlijke tragedie op te hangen. Hij had haar foto's bekeken, haar aan het werk gezien en had van Dan Briggs gehoord dat *National Geographic* hun onderzoek misschien wilde financieren. Als hij de tekst van een boek over het echtpaar Briggs en hun olifanten zou schrijven, was er een kans dat het tijdschrift hem ook werk zou aanbieden. Alles ging nu zo voorspoedig dat hij er niet over peinsde Sarah tegen de haren in te strijken.

'Het spijt me echt heel erg,' zei hij. 'Ik vroeg me af of de politie misschien steken had laten vallen en ik wilde weten of er nog iets nieuws te melden was. Zo zijn journalisten nu eenmaal. Dus ik hoop dat je mijn excuses wilt aanvaarden en dat we mijn botte blunder kunnen vergeten.'

'Ik voel absoluut niet de behoefte er nog langer bij stil te staan,' zei ze. 'En bovendien vind ik het heel geschikt van je dat je een deel van de royalty's aan Dan en Allie wilt geven.'

'Ik vind het een eer om met jullie samen te werken,' antwoordde hij vol oprecht respect.

Na Rabindrahs vertrek reed Sarah naar Isiolo om de post te halen. Nadat ze de Land Rover had volgestouwd met kratten en dozen vol levensmiddelen ging ze in de schaduw van een boom zitten om een eerste blik op haar eigen brieven te werpen. Ze zag dat de dikste envelop was beschreven met het spichtige handschrift van haar broer en scheurde die als eerste open. Zijn nieuws las ze echter met gemengde gevoelens. Nadat ze de brief had gelezen, liep ze terug naar het kleine postkantoortje.

'Ik wil graag naar Ierland bellen,' zei ze tegen de lokettist. Ze probeerde bemoedigend te glimlachen toen ze zijn twijfel zag. 'Maakt u zich niet druk, dat ligt naast Engeland en kost net zoveel als een gesprek naar dat land. De telefoniste kan u daarna wel vertellen hoeveel u van me krijgt.'

Er volgde een heel gesprek met de telefoniste voordat ze eindelijk Tim aan de lijn kreeg.

'Je hebt dus een datum geprikt,' zei ze.

'Je moet erbij zijn, Sarah!' riep hij. 'We kunnen het zelfs nog uitstellen, een maand of zo. Dat zou Deirdre niet erg vinden.'

Sarah werd getroffen door de pijn van haar eigen verdriet. Ze hadden de datum al twee keer verschoven. Het zou niet eerlijk zijn hen nog langer te laten wachten. Maar het idee dat ze naar een bruiloft zou moeten, zo dicht bij de datum van Piets dood, maakte haar misselijk. Uiteindelijk wist ze iets te zeggen.

'Ik ben heel blij voor je, Tim, dat weet je. En papa en mama zijn ook vast buiten zinnen van vreugde. Ik heb hun brief nog niet gelezen, want ik wilde jou bellen zodra ik de jouwe had gelezen. Het is echt geweldig, heus, maar stel het niet langer uit. Wacht niet op mij. Ik kan niet –'

'We trouwen thuis,' onderbrak Tim haar. 'We houden het klein, er komt niet veel familie. En Deirdre wil jou als bruidsmeisje. Dat wil ze heel graag.' Hij leek niet te weten wat hij verder moest zeggen, en er viel een ongemakkelijke stilte. Ze werd geacht ja te zeggen, maar toen vervolgde hij: 'Ik weet dat dit heel moeilijk voor je is. Piet en jij hadden degenen moeten zijn die trouwden. En ik weet dat ik veel van je vraag, maar toe, kom alsjeblieft. Het betekent zoveel voor me.'

'Tim, ik zou er heel graag bij zijn, het is zo'n grote dag voor je.' Het kostte haar moeite kalm te blijven. Dit was veel moeilijker dan ze had verwacht. 'Ik vind het een eer dat Deirdre me als bruidsmeisje wil, maar ik zit in een beslissende fase van mijn onderzoek, en je weet hoeveel vrij ik kon nemen na...' Ze kon haar zin niet afmaken. 'Hoe dan ook, ik zou een slechte beurt maken als ik Dan en Allie nu weer om vrije dagen zou vragen. Ik ben hun enige assistent, en ze hebben me hard nodig. Het spijt me, Tim, echt waar.'

'Dit is niet te geloven.' Zijn toon veranderde. 'Je bent immers wel naar de bruiloft van Hannah gegaan, of niet soms? Toen zij je nodig had, kwam je wel. Ik vraag je alleen maar hetzelfde voor mij te doen. En je weet dat pap en mam je graag willen zien, hoeveel dat voor ons allemaal zou betekenen.'

'Dat weet ik,' zei Sarah. 'Maar Hannah woont hier een paar uur rijden vandaan. Ik denk niet dat ik nu helemaal naar Ierland kan komen. Zelfs niet voor jou.'

Ze hoorde dat zijn stem teleurgesteld en kwaad klonk toen hij afscheid nam en de telefoon aan Betty gaf. Hoewel haar ouders geen poging waagden haar van gedachten te doen veranderen, had Sarah na het gesprek het gevoel dat ze iedereen teleurgesteld had. Tim dacht vast dat ze niet wilde komen omdat ze altijd haar bedenkingen bij Deirdre had gehad. Die meid was bazig en bezitterig. Ze had een andere achtergrond dan de familie Mackay en een beperkte blik op de wereld. Sarah vermoedde dat het Tims idee was geweest haar als bruidsmeisje te vragen, zodat ze het gevoel zou hebben dat ze er echt bij hoorde. Maar ze zou niet naar Ierland gaan, dat kon ze niet. Het idee van een bruiloft, van wat voor feest dan ook, gaf haar het gevoel dat ze werd verscheurd. Misschien moest ze hem schrijven, het nog eens goed uitleggen, zodat hij zou inzien dat ze het echt niet kon. Aan de telefoon gingen dat soort dingen niet. Door de emoties en de afstand werd de werkelijkheid vertekend. Ze kon het beter op papier zetten en aan de woorden schaven totdat alles precies goed klonk. Ze liep naar buiten, het felle zonlicht in, in gedachten nog steeds bij het dilemma, en botste tegen Anthony Chapman op.

'Ik dacht al dat ik die oude rammelkast herkende.' Hij sloeg zijn armen om haar heen. 'Je moet iets ondernemen voordat die auto je midden in de *bundu* in de steek laat. Zeg, ik kom net uit Samburu, waar ik een paar klanten op het vliegtuig naar Nairobi heb gezet, en ik was van plan om even in Buffalo Springs langs te komen. Maar je bent al hier, klaar om me de weg te wijzen naar het dichtstbijzijnde koude biertje.'

Ze was zo blij hem te zien dat ze haar problemen even vergat. Anthony kon haar altijd aan het lachen maken, met zijn beschrijvingen van rare of leuke klanten en de capriolen van zijn personeel.

'Heb je zin om een paar dagen te blijven?' vroeg ze.

'Dat gaat niet,' zei hij. 'Ik moet zo snel mogelijk terug naar Nairobi, het liefst vanavond nog.'

'Je hebt de pest aan Nairobi,' wist ze. 'Waarom die haast? Moet je meteen weer op safari?'

'Ik moet terug naar Nairobi omdat Camilla overmorgen aankomt.' Hij keek haar even half vragend, half glimlachend aan. 'En ik ga haar vragen of ze met me wil trouwen.'

VIJF
Kenia, december 1966

'Ik kom morgen naar jullie toe.' Camilla klonk opgewekt en een tikje buiten adem. 'De vertegenwoordiger heeft al mijn spullen weten in te voeren en mijn auto volgestopt. Is het trouwens goed als ik iemand meebreng?'

'Natuurlijk,' zei Hannah. 'Wie? Anthony?'

'Nee, mijn vader. Hij wil graag het atelier zien en met jou en Lars over parkwachters praten. Hij gaat oud en nieuw vieren bij vrienden in Nyeri en het zou enig zijn als hij met kerst bij ons kon zijn. Zou dat kunnen?'

'Natuurlijk,' zei Hannah weer. 'Ik had hem nog willen bellen, maar de baby kost zo veel tijd dat alles op de lange baan wordt geschoven.'

'Dan zie ik je morgen,' zei Camilla. 'Heb je nog iets nodig uit de grote stad? Ik ga vanmiddag nog een paar boodschappen doen.'

'Ik heb vandaag gekeken of de oude Patel nog rozijnen had, voor in de kerstpudding, maar die zakken die hij had, zaten onder het stof en leken gevuld met dode mieren. Volgens mij lagen ze al sinds de komst van de eerste kolonisten in de winkel. Heb je Sarah nog gesproken? Ze zat gisteren aan de radio.'

'Ja, en ik haal morgenvroeg meteen de drukproeven voor haar op, en nog wat teksten van die auteur. Onze vriendin, de beroemde fotografe,' zei Camilla vergenoegd. 'Wat heerlijk dat ze er ook bij kan zijn.'

'Ik wil haar dolgraag weer zien,' bekende Hannah. 'Ik had gehoopt dat ze na de komst van Suniva wat vaker zou komen, maar dat is niet gebeurd. Allie moet haar hebben gedwongen om met kerst weg te gaan omdat ze waarschijnlijk bang zijn dat ze anders wortel zal schieten. En Anthony?'

Anthony. Hij had op het vliegveld staan wachten toen ze vanuit Londen hierheen was gevlogen. Ze had eerst een week bij haar vader gelogeerd, en tijdens de tweede avond, toen George een receptie had gehad waar hij per se zijn neus moest laten zien, had Anthony haar meegenomen naar de Ngong Hills om naar de zonsondergang te kijken. Hij had een plaid, kussens en gekoelde champagne meegebracht, haar bij de hand genomen en haar naar een vlak gedeelte tussen de rotsen geleid waar ze de savanne vol grazende zebra's en gazellen en hartenbeesten konden zien. Een lange giraffe stond vanaf zijn verheven uitkijkpunt naar de contouren van de stad in de verte te kijken en de laatste zonnestralen vielen op de speer en de rode *shuka* van een Masai die met zijn kudde koeien en geiten in zijn *manyatta* beschutting zocht voor de nacht.

'Welkom thuis,' zei Anthony.

Ze haalde diep adem en ademde de stoffige lucht in, genietend van de ruimte en de schoonheid van het ongerepte land, van het gevoel van gevaar dat Afrika was.

'Door dit continent voel je pas echt hoe nietig de mens is,' zei ze. 'Dat we in het grote geheel der dingen eigenlijk niets voorstellen. Ik had gelijk, dit is mijn thuis.'

'Ik ben stom geweest,' zei hij. 'Ik heb je laten gaan, ik heb je uit mijn leven laten verdwijnen, veel te ver weg. En nu wil ik iets tegen je zeggen wat ik nooit eerder heb gezegd. Ik hou van je, Camilla.'

Ze gaf geen antwoord. De stilte tussen hen rekte zich uit. Hij wilde iets zeggen, maar bedacht zich en zweeg.

Hij vroeg zich af hoe hij haar duidelijk moest maken hoeveel ze voor hem betekende en besefte dat hij nog nooit zijn hele ziel voor een ander had blootgelegd en zich zo kwetsbaar had opgesteld. Hij sloeg een arm om haar middel en pakte haar kin vast, zodat hij haar kon kussen. Ze sloot haar ogen en voelde een golf van liefde en verlangen die zo sterk was dat ze bijna niet kon blijven staan. Hij trok haar neer op de plaid en knielde naast haar neer, hij streek met zijn vingers het haar van haar voorhoofd en over de dunne rode lijn die nog steeds zichtbaar was. Haar blouse had kleine zilverkleurige knoopjes aan de voorzijde die hij langzaam los begon te knopen. Elke centimeter huid die hij blootlegde, kuste hij gretig, onder de indruk van haar perfecte schoonheid. Ze bedreven de liefde alsof het de eerste en laatste keer was, en het was zo intens dat ze ervan moest huilen.

'Ik wil met je trouwen,' zei hij toen ze later met hun gezichten naar elkaar toe en hun benen en vingers verstrengeld op de plaid lagen. 'Alles wat ik de afgelopen tijd heb gedaan, elke gedachte die ik heb gekoesterd, heeft me doen beseffen dat ik van je hou. En nu ik dat inzie, valt alles opeens op zijn plaats. Trouw met me, Camilla, alsjeblieft.'

Ze voelde een briesje, koel en licht op haar huid. Maar er stroomde een vlaag van hitte door haar lichaam, en haar hart klopte als een gevangen vogeltje in haar borstkas. Ze hief een hand op en raakte zijn gezicht aan. 'Nee,' zei ze.

'Maar ik hou van je.' Vol ongeloof keek hij haar aan. 'We zijn dol op elkaar. We horen bij elkaar. Dat weet ik, dat weet jij ook. Speel geen spelletjes met me, Camilla. Ik wil met je trouwen.'

'Nee,' zei ze weer.

'Is er soms een ander?' vroeg hij. 'Heeft het iets te maken met de man die je gezicht heeft gedaan?'

'Er is niemand anders,' zei ze, 'maar ik heb me al eerder vergist in onze gevoelens voor elkaar. Deze keer moeten we gewoon voorzichtiger zijn en kijken wat –'

'Ik was degene die zich had vergist,' zei hij snel. 'En nu laat je me daarvoor boeten. Of ben ik soms niet verfijnd en werelds genoeg voor het mooiste schepsel op aarde?'

'Ik wil dat we het allebei zeker weten,' zei ze. 'Ik wil zeker weten dat je zoveel van me houdt dat je me trouw zult blijven. En ik heb tijd nodig om uit te zoeken of ik hier een succesvol leven kan leiden. Dat ik daar het lef voor heb.'

'Je bent wereldberoemd en hebt overal succes,' zei hij. 'Alles wat je tot nu toe hebt gedaan, was een enorme triomf.'

'Dat is niet echt zo.' Ze legde haar vingers op zijn lippen om te voorkomen dat hij meer zou zeggen. 'Ik ben door toeval model geworden. Ik heb er niet aan gewerkt, ik ben niet tegen alle verwachtingen in doorgestoten naar de top. Toen de toneelschool me afwees, gaf ik gewoon het hele idee van acteren op en werd dit me min of meer in de schoot geworpen. En zo ging het ook toen jij me afwees. Ik gaf het op en koos voor wat ik al kende. Koos voor de weg van de minste weerstand.'

'Ik had je moeten gaan halen,' zei hij.

'Maar dat heb je niet gedaan. En ik was niet dapper genoeg om hier te blijven, zoals Hannah en Sarah. Ik ging er met de staart tussen de benen vandoor.'

'Nu ben je weer hier.' Hij kuste haar. 'Nu kunnen we bij elkaar zijn.'

'Ja, maar ik wil mezelf bewijzen dat ik het kan. Ik wil een succes maken van het atelier op Langani. Ik wil weten dat ik alle problemen die ik op mijn weg zal vinden kan oplossen en niet wegren zodra er ellende aan de horizon gloort. Dat lijkt iedereen namelijk te denken.'

'Wie dan?' wilde hij weten.

Ze negeerde zijn vraag. 'Ik wil dat je me een half jaar de tijd geeft. Om op Langani te gaan wonen en de zaak op poten te zetten. Ik moet in het nieuwe jaar nog even naar Londen, om aan een paar afspraken te voldoen die ik eerder heb gemaakt, en om de kleren die ik op Langani heb laten maken aan de man te brengen. Daarna zien we wel of de band tussen ons sterk genoeg is om aan trouwen te denken.'

Hij wendde zich van haar af, met een hevig teleurgesteld gezicht. 'Dat is gekkenwerk,' zei hij. 'Een half jaar om te bewijzen wat we al weten. Dat lijkt wel iets uit een film. Heb ik zoiets niet gezien?'

'Dan kan best,' zei ze. Glimlachend pakte ze haar kleren. 'En ze leefden nog lang en gelukkig. Maar als wij niet snel terug naar de auto gaan, eindigen wij in het ziekenhuis. Nu de zon onder is, heb ik het steenkoud. Straks raak ik nog onderkoeld.'

'Vastgebonden aan een ziekenhuisbed ben je vast beter te hanteren,' mompelde hij ontstemd. 'Goed, we gaan terug naar de stad, maar ik was George liever als zijn aanstaande schoonzoon onder ogen gekomen. Je hebt een flinke streep door mijn plannen gehaald.'

Twee dagen later ging Anthony weer op safari en besloot Camilla de herinneringen aan zijn aanzoek uit haar gedachten te bannen. Drie maanden lang richtte ze al haar aandacht op haar naaiatelier. Nu was het bijna kerst en wist ze nog niet of Anthony de feestdagen samen met haar kon doorbrengen. Ze had gehoopt dat hij haar zou vragen mee te gaan op safari, als er rond die tijd tenminste klanten zouden zijn, maar tot nu toe had hij daar niet op gezinspeeld.

'Anthony zit in de Mara,' zei ze nu, als antwoord op Hannahs vraag. 'Ik denk dat hij daar met kerst ook zal zijn, tenzij zijn klanten oud en nieuw in de Mount Kenya Safari Club of in Nairobi willen vieren. Dan komt hij misschien ook naar Langani.'

'Goed,' zei Hannah. 'Dan zie ik je morgen. Suniva heeft trouwens weer een tandje gekregen, en ik heb een afspraak voor de lunch, dus ik moet me haasten.'

'Met wie?' wilde Camilla weten. Sinds de geboorte van haar dochter verliet Hannah de boerderij bijna nooit.

'Met een lange donkere vreemdeling,' antwoordde Hannah lachend. 'Je weet dat ik van contrasten hou.'

'Dat klinkt interessant en gevaarlijk,' zei Camilla. 'Tot morgen dan.'

Een uur later nam Hannah voor de laatste keer haar boodschappenlijstje door, herhaalde een hele lijst aan instructies betreffende de verzorging van Suniva en keek Lars toen onzeker aan.

'Gá!' zei hij grijnzend. 'Suniva en ik vermaken ons wel en jij bent al laat. We gaan lekker samen naar de tarwe kijken en over dingen praten die meisjes alleen met hun vaders kunnen bespreken.'

'Zoals?' zei Hannah. 'Ze weet meer over melk dan over tarwe.'

'Inderdaad,' zei Lars, 'en daar gaan we vandaag samen iets aan veranderen. Ga maar, Hannah. Esther is hier, we hebben flesjes klaarstaan en luiers en weet ik wat. Ik zie je om vier uur in Nanyuki. We hebben al heel lang niet meer getennist, en ik heb er zin in.'

'Vergeet haar kleedje niet,' zei Hannah met een laatste blik op haar dochter.

'Ga!' brulde Lars.

Hannah verliet Langani met een zenuwachtig gevoel omdat dit de allereerste keer was dat ze haar kindje achterliet. Toch was ze blij dat

Barbie Murray erop had gestaan dat ze met haar ging lunchen. De Murrays waren goede buren, die haar na de dood van Piet vol liefde hadden gesteund en Lars met open armen hadden ontvangen. In de zaaitijd kwamen ze altijd helpen, en toen hun tractor op een cruciaal moment was bezweken, had Bill Lars zonder aarzelen zijn fonkelnieuwe Massey Ferguson geleend. En dankzij het advies van Barbie waren ze aan hun kindermeisje Esther gekomen, een lieve, betrouwbare vrouw die vroeger ook voor alle kinderen van Barbie had gezorgd.

Neuriënd parkeerde Hannah haar auto naast de *duka* van Patel en pakte haar boodschappenlijstje. Ze zou eerst met de Indiase uitbater onderhandelen over de prijs van spijkers en petroleum en dan later de spullen komen ophalen, in de hoop dat er niets zou ontbreken. Ze had zo'n tijd niet getennist dat ze er waarschijnlijk niets van zou bakken, al had ze wel een uitstekende conditie dankzij de lange wandelingen die ze elke dag maakte, met Suniva in de kinderwagen en de honden om haar heen. Gisteren had ze een picknickmand ingepakt en had Lars het reiswiegje op de achterbank vastgezet en waren ze naar de rivier gereden. Tegen de tijd dat ze daar waren aangekomen, stond de zon op het hoogste punt en was het zelfs in de schaduw van de wilde vijgenboom onaangenaam heet.

'We gaan zwemmen,' had Lars aangekondigd. 'Ze moet het zo snel mogelijk leren.'

'Je kunt een klein kind niet in een ijskoude rivier laten zakken,' had Hannah gezegd. 'Straks schrikt ze zo dat ze watervrees krijgt.'

Maar Lars had zijn korte broek en overhemd al uitgetrokken. Hij nam Suniva in zijn armen en gleed langs de oever naar beneden. Daar nam hij plaats op een half in het water liggende boomstam en doopte Suniva's voetjes in de rivier. Ze keek even verbaasd naar hem op en toen weer naar haar voeten. Ze schopte met haar mollige beentjes en kirde van plezier, enthousiast met haar armpjes zwaaiend vanwege deze nieuwe en heerlijke ervaring.

'Kom er ook bij.' Lars wenkte naar zijn vrouw.

Hannah stond op, trok al haar kleren uit en dook de rivier in, happend naar adem toen ze het koude water op haar huid voelde. Lars keek naar haar en werd opnieuw stapelverliefd op haar. Ze kwam boven en bleef naast hem drijven, en hoewel hij de baby op schoot had, wist hij zijn hand naar haar uit te steken en haar mooie volle borsten, haar zachte buik en haar sterke benen te strelen.

'Ik hou van je, Han.'

'Ik ook van jou.' Haar ogen straalden van vreugde. Ze kwam een tikje huiverend het water uit, en hij kuste haar voordat hij haar de oever op hielp, met Suniva op zijn andere arm. Ze draaide zich om om hem zijn broek aan te geven en zag op dat moment zijn brede, gulle gezicht, het blonde haar dat al een tikje van zijn voorhoofd begon te wijken, de rimpels rond de hoeken van zijn blauwgroene ogen en al die liefde en vriendelijkheid die hij in zich had. En ze wist dat hij volmaakt was.

Nu ze in de stoel op de veranda van de club zat, moest ze blozen bij de herinnering aan de vrijpartij die daarop was gevolgd.

Barbie Murray keek haar goedkeurend aan. 'Je ziet er goed uit, meid. Stralend en mooi. Ik kijk uit naar ons potje tennis. Dubbelen is nooit zo zwaar, dus het is een prima manier om er weer in te komen.'

'Ik had als lunch de curry willen nemen,' zei Hannah, 'maar dan zal er van fatsoenlijk spelen wel niets meer komen.'

Ze gaven hun bestelling op en liepen net de eetzaal in toen een luide stem met een zwaar accent een groet naar hen riep.

'Twee beeldschone vrouwen zonder man. Die moet ik wel komen redden.'

Viktor Szustak liep de zaal door, pakte Barbies hand vast en boog zich eroverheen. Zijn zwarte haar was dik en wild, zijn glimlach als van een roofdier. Toen hij zijn rug rechtte, keek hij Hannah even aan voordat hij zijn armen om haar heen sloeg en haar iets in haar oor fluisterde dat met opzet onverstaanbaar was. Ze verstijfde in zijn omhelzing en ademde de bekende geuren in van de sigarenrook die in zijn kleren hing en de gin die hij had gedronken. Ooit was hij haar minnaar geweest, maar nu voelde ze iets wat nog het meest op weerzin leek.

'Je ziet er even stralend uit als altijd.' Hij liet haar los en deed een stap naar achteren. 'Je bent niets veranderd, nog steeds de prachtige, krijgshaftige koningin.' Zijn uitdrukking werd oprecht droevig toen hij op zachtere toon vervolgde: 'Ik vind het zo erg van Piet. Een kerel uit duizenden en een goede vriend.'

Hannah stond erbij als een zoutpilaar, zwijgend en roerloos. Ze had hem al een jaar niet meer gezien. Niet sinds ze hem in Nairobi met een Afrikaanse in bed had aangetroffen. Viktor had haar verleid en haar verlaten toen hij genoeg van de verhouding had. Viktor was Piets vriend geweest en had de lodge ontworpen die nu leeg en doelloos op Langani stond. Viktor, de vader van haar kind.

'Jij bent ook niet veranderd,' zei Barbie met een brede glimlach. 'Je lijkt meer dan ooit op een boef, en je huid is bijna zwart. Wat heb je in godsnaam uitgespookt?'

'Ik heb in Tanzania gezeten.' Viktor gebaarde met zijn sigaar. 'Daar heb ik in het zuiden een schitterende lodge gebouwd, in Ruaha. Onontgonnen gebied, dus het heeft me bijna een jaar gekost om al het materiaal op die plek te krijgen. Ik huurde een huis in Dar es Salaam en zat in mijn vrije uren op het strand. Ik ben een man van de zee en de passaatwinden geworden, een meester over willige slaven die al mijn grillen vervullen.' Zijn zwarte ogen glansden toen hij een arm rond Barbies schouder sloeg. 'Gaan jullie lunchen? Dan doe ik mee.'

Hannah trok een ontstemd gezicht, wat Barbie niet ontging. Een jaar eerder hadden er roddels over Hannah en Viktor de ronde gedaan, geruchten over een verhouding. Maar op een bepaald moment was hij van het toneel verdwenen, en daarna was Piet vermoord. Het was duidelijk dat zijn verschijning onaangename herinneringen opriep.

'Hannah heeft even een dagje vrij, van de boerderij en haar man en kind,' zei ze. 'Het is nu meiden onder elkaar. Geen plaats voor mannen. Maar als je hier over een paar dagen nog bent, moet je maar een borrel komen drinken. Dat zal Bill enig vinden.'

'Ik heb gehoord dat je getrouwd bent.' Viktor keek Hannah recht aan. 'Feliciteer die grote Vikingboer maar van me. En als ik Barbie goed heb begrepen, is er ook al een baby?'

Hij keek haar glimlachend aan, in afwachting van een trots antwoord, maar toen zag hij iets in haar blik. Zeker weten deed hij het niet, maar het leek hem angst. Zijn huid tintelde.

'Is het een jongen of een meisje?' Zijn stem klonk anders, en de verandering ontging haar niet.

'Een dochter,' zei ze. Verdedigend hief ze haar kin op, met dat gebaar dat hij zich zo goed kon herinneren.

Hij knikte. 'Dan is een dubbele felicitatie op haar plaats,' zei hij. 'Dat jullie nog lang en gelukkig mogen leven. Barbie, is het goed als ik morgenavond even langskom? Ik ben hier nog twee dagen, vanwege de mogelijke bouw van een nieuwe uitkijkpost op Mount Kenya. Diep in het woud, zodat er 's nachts misschien luipaarden en *bongo's* kunnen worden bekeken. Het is nog maar een plan, maar het klinkt interessant.'

'Inderdaad,' zei Barbie, die uitkeek naar zijn bezoek. 'Kom Hannah, dan kunnen we ons eten nog even laten zakken voordat we gaan tennissen.'

'Je afwijzing doet me pijn,' verklaarde Viktor. 'Nu zal ik terug moeten naar de bar om mijn verdriet weg te spoelen met gin, en dat is jouw schuld. Tot morgen, Barbie. Ik neem een fles whisky voor Bill mee.'

'Het is een schurk, die vent,' zei Barbie even later lachend tijdens de lunch. 'Charmant, maar absoluut niet te vertrouwen.' Het ontging haar niet dat Hannah met een somber gezicht in haar eten prikte. 'Lieverd,' zei ze, 'het is nooit leuk om een oude vlam tegen het lijf te lopen, maar maak je niet druk om iemand als Viktor. Hij ziet vrouwen nu eenmaal als een voorbijgaand verschijnsel en is geen man die nog eens terugkomt.'

'Dat is waar.' Hannah probeerde te glimlachen. 'We hebben heel even iets met elkaar gehad, maar toen keerde mijn verstand gelukkig weer terug. Ik hoop alleen dat Lars hem niet tegen het lijf loopt. Hij kan hem niet uitstaan.'

'Dat is logisch.' Barbie lachte luid. 'Ik weet nog dat Bill tijdens een bal in Nyeri een keer een oud vriendje van me tegenkwam. Toen veranderde die lieve, zachte man van me opeens in een woedend beest, klaar om te vechten. Het was eigenlijk best vleiend, we waren toen al een jaar of tien getrouwd en nogal bezadigd geworden. Het heeft ons eerlijk gezegd goedgedaan. Maar nu moet je me alles vertellen over je beroemde gaste en het nieuwe atelier. Iedereen heeft het erover.'

'Camilla is al aardig gewend, en de *bibi's* die voor haar werken, krijgen langzaam door wat ze wil.'

'Ik zag haar vorige week nog in de *duka* in Nanyuki, en ze was als een bundel licht in dat stoffige tentje. Ik geloof niet dat ik ooit zo'n mooi meisje heb gezien. Ze heeft iets van een engel, met die smetteloze huid en die hemelsblauwe ogen en dat lange, lichtblonde haar. Het lijkt wel alsof ze elk moment kan wegzweven en tussen de wolken kan verdwijnen. En ze weet hoe ze haar schoonheid moet gebruiken.'

'Ze zit nu een paar dagen in Nairobi,' zei Hannah. 'Ze probeert een nieuwe zending stof door de douane te krijgen, en hoewel ze een vertegenwoordiger heeft die haar kan helpen, drijven ze haar tot waanzin. Ik geloof niet dat ze had verwacht dat iedereen hier zo langzaam en corrupt is.'

'Dat is voor ons oudgedienden ook moeilijk te verteren,' zei Barbie. 'De corruptie tiert welig, en werkelijk overal. Ik kan niet geloven dat dat zo snel is gegaan. Vóór de onafhankelijkheid waren we er zo trots op dat Kenia een redelijk eerlijke samenleving had, heel anders dan die landen in West-Afrika waar je voor alles smeergeld moet betalen.'

'Het is inderdaad heel erg,' beaamde Hannah. 'Ik heb een van onze *watu* rijles gegeven, en hij is echt heel goed, maar toen hij vorige week examen wilde doen, vroeg de examinator om driehonderd shilling omdat hij van een andere stam was. Als ze allebei Luos waren geweest, had het minder gekost. Het gevolg is dat hij nu nog steeds op de fiets gaat.'

'Laatst heeft een ambtenaar op Landbouw het bij Bill geprobeerd,' vertelde Barbie. 'Die dreigde hem zelfs het land uit te zetten omdat hij iemand had ontslagen. Tenzij Bill vijfhonderd shilling zou ophoesten. Volkomen corrupt. Die vent was een week niet op zijn werk verschenen en was altijd dronken, en hij heeft ook nog eens het gereedschap gestolen van de Indiase monteur die onze machines onderhoudt.'

'En toen?'

'Die oude hindoe heeft hem opgezocht en hem een verklaring laten tekenen waarin stond dat hij had gestolen. Natuurlijk kreeg hij ze niet terug; die spullen zijn vast verkocht, voor eentiende van wat ze waard zijn. Die verklaring heeft Bill verdere problemen kunnen besparen, maar ze zullen het niet zijn vergeten als hij weer eens een vergunning nodig heeft. Hoe gaat het verder op Langani?'

'Goed,' zei Hannah. 'De tarwe staat er mooi bij, de koeien zijn gezond, en dankzij intensief patrouilleren weten we stropers op afstand te houden.'

'Gelukkig maar, lieverd. En je hebt zo'n fijne vent aan Lars. Bill en ik mogen hem graag.'

'Ja, ik voel me ook lekker bij hem.' Hannahs gezicht verzachtte. 'We hebben vorige maand een extra nachtwaker aangenomen, gewoon voor de zekerheid. Nu kunnen we ons eindelijk weer een beetje ontspannen. En Camilla is bezig vijf *bibi's* op te leiden.'

'Gaan al die spullen echt naar Londen en zelfs New York?' Barbie was duidelijk onder de indruk.

'Het meeste wel, ja,' legde Hannah uit. 'Maar ze wil misschien nog een modeshow in Nairobi houden, samen met een paar plaatselijke winkels. Camilla vindt dat we ook hier een markt moeten ontwikkelen, en dat ben ik met haar eens. Maar haar voornaamste doel is inderdaad de producten in Engeland en zelfs Amerika aan de man te brengen.'

'Ik heb gehoord dat haar voornaamste doel dichter bij huis ligt,' merkte Barbie veelbetekenend op.

'Wat dat betreft is ze heel voorzichtig,' zei Hannah. 'Anthony heeft sinds haar aankomst Langani al een paar keer bezocht, en ze zoekt hem in Nairobi op als hij niet met klanten in de *bundu* zit. Maar ze weet hoe het zit met die jagers en safarimensen en is dus erg voorzichtig.'

'Slim van haar. Het is een knappe vent. Ze zal hem langzaam in haar netten moeten verstrikken en hem niet meer laten gaan. Maar laat hem gerust even spartelen. Dat is dé manier om een vent naar je hand te zetten. Wil jij nog een dessert? Ik wel, hoor.'

Het potje tennis dat ze later die middag speelden, was uitermate gezellig, maar Hannah merkte dat ze op de club en later in de stad, toen ze met Lars de boodschappen bij meneer Patel ophaalde, voortdurend over haar schouder keek. Viktor was echter nergens te zien, en ze voelde zich duizelig van opluchting toen ze Nanyuki verlieten en naar huis reden.

De volgende dag heerste er een opgewonden stemming omdat Sarah en Camilla op hetzelfde moment op Langani arriveerden. De honden blaften als bezetenen, Mwangi en Kamau kwamen de keuken uit en heetten hen stralend welkom, en Hannah was een en al glimlach toen haar vriendinnen zich kirrend over de baby bogen. George Broughton-Smith hield zich een tikje afzijdig en voelde zich een beetje buitengesloten door de drie luidruchtig babbelende vrouwen. Tot zijn grote opluchting zag hij dat Lars het gazon overstak en naar hem toe liep.

'Leuk dat u er bent.' Lars schudde hem de hand.

'Ik heb gehoord dat alles goed gaat. Geen stropers, bedoel ik,' zei George.

'Dat klopt. Ik kan u vanmiddag wel even rondrijden, als u dat wilt. Dan kunt u zien hoe we het wild bewaken,' zei Lars. 'De bewakers doen goed werk.'

'Zal ik alles nog even in de auto laten liggen?' stelde Camilla voor. 'Ik wil papa en Sarah nu meteen het atelier laten zien.'

'Is Anthony er niet?' Toen ze het gazon overstaken naar het gebouw dat Lars tot atelier had verbouwd, pakte Sarah Camilla bij de arm.

'Hij is met een stel Amerikanen uit Seattle op stap. Gepensioneerd, uiterst serieus en verschrikkelijk saai. Dure artsen en zo. Ze weten nog steeds niet of ze met kerst op de savanne willen bivakkeren of gezellig een feestje in de stad willen houden, en dus weet ik ook nog niet of ik oud en nieuw met hem kan vieren.' Ze keek haar vriendin een tikje droevig aan. 'Ik ben blij dat ik hier bij Hannah en Lars mag wonen,' bekende ze. 'En dat ik papa kan opzoeken als ik naar Nairobi ga. Anders zou ik me vreselijk eenzaam hebben gevoeld. Gelukkig loopt alles in het atelier op rolletjes en leren de vrouwen snel.'

Het voormalige huisje van de *plaasbestuurder* lag op een paar honderd meter van het gewone huis en was inmiddels veranderd in een heuse werkplaats. Lars had een paar scheidingsmuren afgebroken en er een lichte ruimte met glanzende vloeren en grote ramen van gemaakt. Midden in het vertrek stond een tafel op schragen waarop patronen werden getekend en stof werd geknipt. Langs de muren stonden een paar grote houten voorraadkasten, en aan het ene uiteinde van de ruimte waren vier elektrische naaimachines neergezet: twee voor het stikken van rechte naden, een lockmachine en een model voor het zware werk zoals het naaien van leer en huiden. De planken langs de muren lagen vol zijde en linnen, leer en zachte suède die keurig rond rollen karton waren gewikkeld.

'Het zal nog even duren voordat het echt loopt zoals ik het hebben wil,' zei Camilla tegen haar vader. 'Ik heb wel gemerkt dat het hier allemaal minder snel gaat dan in Londen.'

De eerste twee maanden had ze als een ware beproeving beschouwd. Nadat Anthony weer op safari was gegaan, had ze lange, frustrerende uren in Nairobi doorgebracht, waar ze van de ene instantie naar de andere werd gestuurd om haar werkvergunning te regelen en haar bedrijf in te schrijven. De machines die ze had besteld, werden veel later geleverd dan afgesproken, en toen ze werden bezorgd, bleek een ervan zwaar beschadigd. Bovendien moest ze extra invoerrechten betalen over alle goederen die ze naar Kenia liet komen. Bij de douane boog een pas aangestelde ambtenaar zich over de formulieren die ze had ingevuld en gaf haar toen een nieuwe stapel papierwerk. Hij doorzocht haar dozen en pakjes en rolde meters kwetsbare stoffen en bleke suède uit op zijn groezelige balie, zodat ze die niet meer kon gebruiken. Hij was arrogant en nukkig, een onbeduidend ambtenaartje dat het hoog in de bol had en duidelijk genoot van de eerste keer dat hij het een blanke *memsahib* moeilijk kon maken. Het was zonneklaar dat hij op smeergeld rekende, maar Camilla was niet van plan hem dat te geven. Bij de vreemdelingendienst liep ze tegen vergelijkbare problemen aan.

'Ik ga een eigen zaak beginnen,' zei ze tegen de ongeïnteresseerde ambtenaar. 'Ik heb weken geleden al een verblijfsvergunning aangevraagd, ik heb de aanvraag per aangetekende post verstuurd. Ik zal een aantal nieuwe banen scheppen en vreemde valuta naar dit land halen door mijn goederen te exporteren. Dat is alleen maar goed voor Kenia.'

'We kunnen uw aanvraag niet vinden. U moet een nieuwe invullen,' zei hij, terwijl hij met een afwijzend gezicht haar dossier sloot.

Ze was vastbesloten geen smeergeld te betalen, hoewel ze te maken kreeg met ambtenaren die haar dwarsboomden of zelfs bedreigden. Na vier dagen had ze doodmoe en bijna in tranen bij haar vader aangeklopt.

'Zo gaat het hier nu voortdurend,' legde hij uit. 'Je hebt iemand met de juiste contacten nodig die ervoor zorgt dat je aanvraag wordt verwerkt en dat je je bedrijf kunt starten. Ik zal Johnson Kiberu eens vragen, die kan je wel helpen.'

'Johnson Kiberu? Die heb ik ooit in Londen ontmoet.' Ze fronste bij de herinnering. De man had geprobeerd haar te verleiden, maar ze was voor zijn onhandige avances gevlucht.

'Het is een bekwaam politicus,' zei George. 'Toegewijd, een doorzetter. Vastbesloten de leiding over nationale parken en reservaten in eigen hand te houden. Zonder zijn steun was ik nooit zover gekomen. Hij kent vast iemand bij de douane en de vreemdelingendienst die je kan helpen. Maak je geen zorgen, lieverd, we krijgen de boel wel aan de gang. Ga in de tussentijd alvast naar Langani en begin maar gewoon.'

'Maar alle spullen liggen nog bij de douane,' wierp ze tegen. 'Als ik die niet snel kan invoeren, verdwijnen ze geheid.'

'Daar heb je een vertegenwoordiger voor nodig,' wist George. 'Ik ken een jonge Indiase journalist die beslist een familielid heeft dat in die branche werkzaam is. Het kost je wel wat extra's, maar dan word je in elk geval niet langer van het kastje naar de muur gestuurd.'

Op Langani wilden Lars en Hannah per se dat ze bij hen in het grote huis zou logeren.

'In je oude kamer, aan het einde van de veranda,' zei Hannah. 'Dat vinden we veel leuker. En als Lars naar Nairobi is, kan ik wel wat gezelschap gebruiken.'

Het viel Camilla op dat ze een tweede nachtwaker hadden en dat er een wapen in de kast met drank lag. Lars en Hannah hadden bovendien revolvers op het kantoortje en in hun slaapkamer liggen. Sinds de moord op Piet, bijna een jaar eerder, waren er echter geen problemen meer geweest. Met de subsidie voor natuurbeheer die ze dankzij de organisatie van George hadden gekregen had Hannah een Land Rover kunnen kopen en vier parkwachters kunnen aanstellen die stropers op afstand moesten houden. Lars had hen wekenlang getraind en roosters opgesteld die bepaalden wanneer waar de wacht werd gehouden. De afgelopen paar maanden was er op de *plaas* geen enkel dier gedood of bejaagd.

Tijdens haar eerste middag op Langani pakte Camilla haar koffers uit en nam daarna een kijkje in haar toekomstige naaiatelier. Toen ze terugkeerde naar het grote huis zag ze een oude Land Rover op de oprit staan.

'Verrassing!' Sarah rende met uitgestrekte armen en een brede glimlach de veranda af. 'Ik moest wel even langskomen om te zien of je er echt bent.'

'Ja, we zijn weer met ons drietjes.' Hannah straalde. 'En dat is heerlijk.'

Ze brachten de avond in een gemoedelijke sfeer door, spelend met de baby en herinneringen ophalend aan hun schooltijd, totdat het gesprek op Anthony en zijn aanzoek kwam.

'Ik hou van hem,' zei Camilla, 'echt waar, maar ik moet eerst zeker weten dat ik mijn eigen leven kan leiden, anders zou ik niets te doen hebben wanneer hij weken achter elkaar in de wildernis zou zitten. Ik ben blij dat hij er nu niet is, want als hij het nu weer aan me zou vragen, weet ik niet of ik hem zou kunnen weerstaan.'

'Je zou het niet over hem moeten hebben als hij er niet bij is,' zei Lars, maar hij lachte. 'Het is vreselijk om te worden overgeleverd aan de genade van drie vrouwen, of zelfs maar eentje, zonder dat je je kunt verweren.'

Tijdens het eten waren ze allemaal stil omdat ze moesten denken aan de talloze avonden dat ze hier met Jan en Lottie aan tafel hadden gezeten, vol optimisme over de toekomst van de familie op Langani. Lars voelde de droefheid de kamer binnensluipen en deed zijn best hen af te leiden met verhalen over zijn eerste bezoeken aan Kenia, toen hij nog een kleine jongen was geweest en bij zijn oom op de koffieplantage had gelogeerd. Toen had hij al geweten dat hij wilde blijven.

In de kamer die Sarah en Camilla vroeger al hadden gedeeld, bleven ze voor het slapengaan nog een tijdje met elkaar kletsen, met op de achtergrond het geluid van de generator die langzaam uitschakelde. Ze wachtten totdat de lichten op de veranda zouden doven en plaats zouden maken voor het met sterren bezaaide fluweel van de Afrikaanse hemel.

Camilla stak haar hand uit naar het andere bed en raakte die van Sarah aan. 'Ik hou van je,' zei ze. 'Slaap lekker.'

'Ik hou ook van jou,' zei Sarah. En voor de eerste keer sinds Piets dood viel ze op Langani met een glimlach op haar lippen in slaap.

'We gaan vandaag lekker paardrijden,' zei Hannah de volgende dag tijdens het ontbijt. 'Dat heb ik sinds de geboorte van Suniva niet meer gedaan, dus het is voor mij ook heel bijzonder.'

Ze reden over het *veldt* achter de kuddes wild aan en hielden halt om even te kijken naar een stel wrattenzwijnen die een modderbad namen. In het korte gras viel een secretarisvogel met ongekende felheid een slang aan, en nadat hij die had doorgeslikt, liep hij met precieze, afgemeten passen verder. Hij oogde uitermate sierlijk in zijn keurige verenkleed in zwart, wit en grijs, als een heer die zijn sociëteit bezoekt. Bij de oever van de rivier stegen ze af en lieten de paarden grazen. Ze wisten allemaal waarom Hannah juist hierheen was gereden, naar de murmelende, heldere stroom die zijn oorsprong op de berg had.

'Hier hebben we vier jaar geleden een eed gezworen,' zei ze. 'Hier hebben we een snee in onze handen gemaakt en ons bloed vermengd en beloofd dat we altijd voor elkaar zouden zorgen. Piet was erbij, als getuige. Nu Camilla terug is, moeten we die belofte misschien nog eens hernieuwen. We hoeven geen gapende gaten in onze handen te snijden, dat bedoel ik niet, maar we kunnen de woorden herhalen. En ik weet dat Piet die ook zal kunnen horen, dat hij nog steeds bij ons is.'

'Ik beloof onze vriendschap nooit te vergeten en jullie altijd trouw te blijven. Ik beloof er altijd voor mijn zusters te zijn.' Sarah wist nog precies wat ze toen hadden gezegd, alsof het gisteren was geweest. Ze pakte de handen van Hannah en Camilla vast en herhaalde samen met hen de belofte, en toen gingen ze met hun armen om elkaar heen geslagen onder de oude vijgenboom staan waar Piet zijn paard had vastgebonden en getuige was geweest van de oorspronkelijke belofte. Op die zonnige dag, die nu een eeuwigheid geleden leek.

Hoog boven hen op de heuvelrug stond de oude man naar de drie blanke *memsahibs* te kijken en sprak zachtjes zijn vloek uit. Ze stonden heel dicht bij elkaar, hand in hand, alsof ze een ritueel uitvoerden. Toen sloegen ze hun armen om elkaar heen, hielden elkaar even vast en deden toen weer een stap naar achteren. Hij spuugde op de grond. Kort daarna stegen ze weer op, en hij zag hen te paard over de savanne rijden, waar de wind door het lange gras zong en de kuddes wilde dieren voorttrokken. Ze reden langs de rand van de akker vol gouden tarwe, totdat ze het stuk grond bereikten waar de koeien en de maïs en de groenten stonden. Het stuk grond dat binnenkort van hem zou zijn.

De volgende dag keerde Sarah 's middags terug naar haar olifanten en ging Camilla verder met het inrichten van haar werkplaats. Ze had met de vrouwen gesproken die op Langani werkten en die Hannah haar had aangeraden. Ze hadden hun eigen met kralen bestikte kleren meegenomen, zodat ze hun naaiwerk kon beoordelen. Maar het viel niet mee om een elektrische naaimachine te bedienen. Er hadden ontzette kreten geklonken toen iemand het pedaal te diep had ingetrapt en de naald te snel op en neer was gegaan, zodat de stof werd bedekt met een willekeurig patroon van onregelmatige steken. Camilla had dagenlang bij de vrouwen gezeten om steken uit te halen en resten stof van de ondergang te redden. Ze kregen maar niet onder de knie hoe ze de draad om de spoel moesten winden en jammerden geërgerd wanneer de naald niet op en neer wilde gaan of het garen brak. Tijdens het leerproces ging er een flinke hoeveelheid kostbare zijde en suède verloren, en ook werd er gestolen. De *bibi's* waren net eksters en zagen er geen been in om de mooiste glanzende kralen in eigen zak te steken en er hun eigen kleren en huizen mee te versieren. Ten slotte besloot Camilla na overleg met Lars om de timmerman van de boerderij sloten op alle kasten te laten zetten.

Ze was een paar keer naar Nairobi gereden wanneer Anthony daar was en had heerlijke avonden in zijn huis doorgebracht, waar ze spraken over hun ervaringen in de wildernis en op de *plaas* en daarna de liefde bedreven met een tederheid die hen verzadigde, maar hen ook deed snakken naar meer. Camilla kocht nieuwe geborduurde lakens en kussenslopen, tafellakens en kussens, glazen en zilveren kandelaars en vazen. Gelukkig reageerde hij aangenaam verrast toen hij zag dat ze zijn vrijgezellenstek had veranderd in een romantisch verblijf. Ook zijn huisknecht verwonderde zich over de gedekte tafel.

'De *bwana* kan aan tafel goed zien.' Joshua wees naar de lamp boven de tafel en de kleinere lampen aan de wand, maar Camilla ging verder met kaarsen neerzetten. 'Die heeft hij niet nodig, *memsahib* Camilla, en ze zullen alleen maar druipen op het dressoir.'

'Dit wordt een speciaal etentje voor de *bwana*, en als ik hier ben, doen we het zo,' zei ze. 'Joshua, zou je dit servet zo kunnen vouwen? En dan nu in vieren. Goed zo. Als je nu dit hoekje zo pakt...'

Ze genoot van zijn gezicht terwijl ze hem leerde hoe hij bloemen kon vouwen uit stukjes gesteven stof, en ook deed ze hem voor hoe hij netjes de tafel moest dekken, de rozen en dahlia's moest schikken die ze in de tuin had geplukt en de kaarsen in de kandelaars moest doen. Tijdens elk bezoek bracht ze dozen met kleren en accessoires mee die ze op Langani had gemaakt en die ze aan een winkel in Nairobi liet zien. Ze tekenden meteen een contract met haar.

'Ik wil niet dat mijn creaties overal te koop zijn,' legde ze aan Anthony uit. 'Ik denk dat één winkel in Nairobi genoeg is. Volgende maand ga ik naar de Mount Kenya Safari Club om te zien of ze daar belangstelling hebben. En misschien in een duur hotel aan de kust. Maar ik wil het exclusief houden. Bovendien kan ik niet iedereen hier bevoorraden omdat Saul Greenberg een grote bestelling heeft geplaatst.'

Op Langani bracht Camilla hele dagen in haar atelier door. Aan het einde van de eerste maand, nadat ze de vrouwen voor hun uren had betaald, kwamen er die maandag maar twee terug. Makena, haar beste naaister, spreidde met een berustend gebaar haar handen uit en zei dat de echtgenoten van de drie ontbrekende vrouwen van hun loon zaad hadden gekocht of zich hadden bezat en hun vrouwen hadden teruggestuurd naar hun *shamba*. De eerste zes weken had Camilla het gevoel dat elke stap vooruit twee stappen terug betekende, en vaak lag ze 's nachts wakker, denkend aan de waarschuwingen van Tom Bartlett. Maar zijn overtuiging dat ze met hangende pootjes naar Londen zou terugkeren, smekend om werk, sterkte haar in haar vastberadenheid om in Kenia te slagen.

Na een tijdje merkte ze eindelijk dat haar Kikuyu-vrouwen doorhadden wat ze van hen verlangde. En de vrouwen waren terecht trots op hun prestaties. Ze luisterde graag naar de gesprekken die ze tijdens het werken met hun zangerige stemmen voerden, en hun uitbundige gelach deed haar wensen dat ze hun taal sprak. Haar kennis van het Swahili was goed, maar ze kon het dialect van de Kikuyu niet volgen, op een paar zinnetjes na. Wanneer de kleren klaar waren, hielp Hannah ze in te pakken in dozen, tussen lagen vloeipapier, waarna ze naar winkels in Kenia of naar Londen en New York werden verzonden.

Sarah vond het jammer dat haar vriendinnen vóór kerst geen tijd meer hadden om haar in Buffalo Springs op te zoeken en wist niet goed of ze de feestdagen wel op Langani wilde doorbrengen. Iedereen zou denken aan het feit dat Piet zich precies een jaar geleden met haar had verloofd, en aan de vreselijke dagen daarna. Uiteindelijk ging ze toch, omdat ze van haar vrienden hield en hen niet in de steek wilde laten, en omdat ze zich niet kon voorstellen hoe ze die dagen alleen door zou moeten komen. Tot haar aangename verrassing was George ook gekomen. Hij zou goed gezelschap zijn voor Lars, en het was duidelijk dat hij onder de indruk was van wat zijn dochter had bereikt. Tijdens een rondleiding door het atelier keek hij haar regelmatig vol vaderlijke trots aan en stak een paar keer zijn duim omhoog.

'Ik heb die vriend van je, die journalist, in Nairobi ontmoet,' zei hij tegen Sarah. 'Rabindrah Singh.'

'Ik zou hem geen vriend willen noemen,' zei ze.

'Hoe dan ook, het is een slimme vent met ambitie,' vond George.

'Hij heeft me erg goed geholpen met artikelen over ons voor kranten en tijdschriften. Hoe is het met jullie boek?'

'Na oud en nieuw komt hij weer naar Buffalo Springs,' zei Sarah. 'We hebben samen doorgenomen wat hij tot nu toe heeft geschreven, en Dan heeft correcties aangebracht. Het ziet er allemaal goed uit, maar we wachten nog steeds op het groene licht van de uitgever. Ik heb wel een bemoedigende brief van John Sinclair ontvangen. Hij is onder de indruk van wat we tot nu toe hebben gedaan.'

Na de lunch kreeg George een rondleiding op de boerderij en werd hij voorgesteld aan de parkwachters die Hannah had kunnen aannemen dankzij de subsidie die hij voor Langani had weten te regelen. Lars liet hen voor inspectie naar het kantoor komen en stelde hen in een rijtje op, allemaal keurig in hun kaki uniform met de wollen baret opgerold onder de epaulet op hun schouder. Voor de patrouilles bij nacht hadden ze dikke jassen gekregen. Ze gingen vol trots in de houding staan toen George hen begroette en klommen daarna achter in de Land Rover. Langs het stuk grond dat als natuurreservaat was aangewezen, was een groot hek geplaatst, en Lars hield halt bij twee plekken waar olifanten en buffels erdoorheen waren gebroken. Het reservaat was een vlak stuk land vol geel gras dat werd omzoomd door de rijen bomen langs de rivier en een paar hectare dicht bos. Een mannetjesstruisvogel rende met grote passen voor de auto uit, zijn verenkleed glansde zwart. Hoog aan de wolkeloze hemel draaide een adelaar moeiteloos zijn rondjes, en een stel dikdiks schoot op dunne, fragiele poten het struikgewas in. Aan het einde van de middag sloeg Lars de weg in die naar de lodge voerde die Piet had laten bouwen.

'Dat zal niet meevallen, zelfs nu niet,' zei George.

'Nee, maar ik kom hier regelmatig,' zei Lars. 'Ik wil voorkomen dat het gebouw wordt overwoekerd en in verval raakt. Hannah wil de lodge in het nieuwe jaar openen. Ik denk dat ze er eerst niet eens aan wilde denken, maar nu begint ze het als een soort monument ter nagedachtenis van Piet te zien. Ze heeft het gevoel dat het haar plicht is de lodge te openen. Ik ga hier elke week met een paar *watu* heen: dan maken we de kamers schoon en snoeien we de *bundu* terug en leggen we likstenen voor het wild neer.'

Ze bleven even op het panoramaterras staan en keken uit naar de rust van de middag onder hen. Bij de drinkplaats stond een eenzaam wrattenzwijn dat even naar hen opkeek en toen zijn geslobber voortzette. Alleen het geluid van zingende vogels was te horen. In de verte zag George een groepje olifanten het bos verlaten en optrekken naar het *kopje*.

'We laten de wachters hier meestal 's nachts patrouilleren, maar we veranderen de routes en tijden zo vaak dat de stropers nooit kunnen weten waar en wanneer we zullen verschijnen. Tot nu toe gaat dat goed.'

'Het is moeilijk te geloven dat er op zo'n mooie plek als deze zulke nare dingen gebeuren,' merkte George op. 'Ik heb grote bewondering voor die drie jonge vrouwen, en de manier waarop jij hen hebt gesteund. En ik ben heel blij dat jullie dankzij het geld van mijn organisatie bewaking hebben kunnen inhuren.'

Eenmaal terug in het huis besloot George een middagdutje te doen en ging Lars nog even naar zijn kantoor. Hij wilde net de deur openen toen hij Hannah hoorde praten. Ze zat te telefoneren, en haar stem klonk afgemeten en kwaad.

'Je hoeft hier helemaal niet heen te komen. Ik heb je niets te zeggen, behalve vaarwel.' Met een klap gooide ze de hoorn op de haak. Daarna stormde ze het vertrek uit, waarbij ze in botsing kwam met haar echtgenoot.

'Hé, wie had je aan de lijn?' vroeg hij verbaasd.

'O, een of andere vervelende vent die ons iets wilde verkopen,' antwoordde ze. 'Ik kwam maar niet van hem af.'

'Wat wilde hij dan verkopen?' Lars was van zijn stuk gebracht door haar rode gezicht en de woedende blik in haar ogen.

'Ga jij nu ook nog lopen zeuren?' vroeg ze. 'Moet ik nu elk woord gaan herhalen dat ik tegen die stomme verkoper heb gezegd?'

'Hannah, wat is er met je?' Hij sloeg zijn armen om haar heen en hield haar tegen zich aan.

'Het spijt me,' zei ze ten slotte. 'Ik ben vandaag gewoon een beetje uit mijn doen. Misschien is het vermoeidheid. Suniva heeft me vannacht twee keer wakker gemaakt, en ik heb de hele dag in het rond gerend om alles klaar te maken voor het bezoek.'

'Misschien moet je even een dutje gaan doen, net als George,' zei hij. 'Esther is met de baby aan het wandelen, dus je hebt een uurtje voor jezelf. Toe maar.'

Hannah knikte en liep over de veranda naar de kamer die Sarah en Camilla met elkaar deelden.

'Hallo,' zei ze, toen ze haar hoofd om de hoek van de deur stak.

Sarah keek op van een map vol volgetikte vellen papier en glimlachte. 'Ik ben net halverwege het manuscript van Rabindrah, en ik moet bekennen dat hij echt kan schrijven. Beter dan ik dacht. Zeker wanneer je bedenkt dat hij er maar heel even is geweest. Zijn stijl is treffend en de feiten kloppen, dankzij de hulp van Dan. Hierdoor krijg je het gevoel dat je echt alles over olifanten wilt weten, maar het wordt geen moment sentimenteel. Ik ga dat alleen niet tegen hem zeggen, want hij is al te veel van zichzelf overtuigd. Ik ga zijn ego niet nog verder opblazen.'

'Ik liep Viktor gisteren in Nanyuki tegen het lijf,' flapte Hannah eruit. 'Hij wil hierheen komen. Ik denk dat hij Suniva wil zien.'

'O nee!' Sarah staarde haar ontzet aan. 'Wat moest hij in Nanyuki? Volgens Allie zit hij in Tanzania. Hij denkt toch niet dat...'

'Dat weet ik niet,' zei Hannah mismoedig, 'maar ik ben bang. Hij heeft net gebeld, en ik geloof dat Lars me met hem heeft horen praten. Dus ik loog en zei dat ik een verkoper aan de lijn had.'

'Je kunt Lars maar beter vertellen hoe de vork in de steel zit,' vond Sarah. 'Han, samen kun je dit beter aan.'

'Nee, ik kan er niet met Lars over praten.' Hannah schudde woest haar hoofd. 'Dat kan ik gewoon niet.'

'Hoe lang blijft Viktor hier?'

'Geen idee. Een paar dagen, zei hij tegen Barbie Murray. Maar straks vraagt iemand hem nog om hier een nieuwe lodge te ontwerpen!'

'Dan moet je het zeker tegen Lars vertellen,' zei Sarah.

'Wat moet ze aan Lars vertellen?' Camilla verscheen in de deuropening. Ze ging op het bed zitten en luisterde naar het hele verhaal. 'Viktor is een lafaard,' oordeelde ze ten slotte. 'Hij is geen man die wil worden beperkt door de zorg voor een kind en hij wilde ook niets meer van jou weten, Hannah, zodra hij in de gaten kreeg dat jij een langdurige relatie wilde. Ik kan gewoon niet geloven dat hij nu opeens moeilijk gaat doen.'

'Je weet niet wat hij gaat doen.' Sarah keek weifelend. 'Sommige mannen geven niets om hun vrouwen of vriendinnen, maar denken heel anders over een eigen kind. We moeten hem hiervandaan zien te houden, van hem af zien te komen.'

'Ik zou niet weten hoe, tenzij je hem in een ravijn wilt duwen,' merkte Camilla op.

'Ik heb hier geen goed gevoel over.' Hannah keek hen met een angstige blik aan. 'Ik voel me de hele dag al beroerd. Ik blijf er maar aan denken dat het bijna een jaar geleden is dat Piet werd vermoord, en ik wil er niet over praten, maar ik voel me echt heel rot. Ik mis hem elke dag. En ik zie zo op tegen Kerstmis, en tegen zijn sterfdag.'

Sarah stond op en liep naar het raam, zodat ze de heuvelrug kon zien. Ze had niet aan zijn sterfdag willen denken, maar nu het woord was gevallen, voelde ze zich misselijk van de zenuwen. Het oude verdriet golfde door haar heen en dreigde oude emoties op te rakelen die ze zo krampachtig had onderdrukt. Sinds zijn dood had ze niet meer kunnen bidden en had ze geen kerk meer vanbinnen gezien, en ze wilde geen kerst vieren, met al die liederen over vreugde en hoop en geboorte.

'We slaan ons er samen doorheen.' Camilla kwam naast haar staan. 'Ik denk niet dat Viktor op ruzie met Lars zit te wachten, en dat kan hij krijgen als hij hierheen komt.'

'En bovendien is Suniva het evenbeeld van jou, Hannah,' zei Sarah. 'Ik snap dat dit verschrikkelijk emotioneel voor je is, maar vergeet niet dat je dochter blond haar en blauwe ogen heeft. Ze lijkt veel meer op jou en Lars dan op Viktor.'

Hannah wendde zich af, haar armen stijf over elkaar geslagen en haar gezicht hard als steen. Heel even had ze zin om Sarah een klap te geven, zo'n pijn deed die nuchtere vaststelling. Toen veranderde haar gezicht en begon ze te lachen. 'Echt iets voor jou, om zoiets verstandigs te zeggen.' Ze sloeg haar armen om haar vriendin heen. 'Maar ik hoop dat dit geen probleem gaat worden. Lars en ik zijn zo blij met elkaar en met de baby, en toen ik naar Nanyuki reed, voelde ik me het gelukkigste meisje ter wereld.'

De volgende dag begonnen ze met de voorbereidingen voor Kerstmis. Hannah zat de hele morgen bij Kamau in de keuken. De oude kok kon Lotties recepten heel goed zelfstandig bereiden, maar hij luisterde vol geduld en genegenheid naar haar instructies en vroeg om advies dat hij niet nodig had. George bood aan voor de laatste boodschappen naar Nanyuki te rijden, en in de woonkamer haalden Camilla en Sarah de versieringen uit de grote kartonnen doos en begonnen de boom op te tuigen die na het ontbijt was bezorgd. De herinneringen lieten echter niemand los en tijdens het werk daalde een stilte over het huis neer.

Het geluid van een auto lokte hen naar de veranda, en tot hun ongenoegen zagen ze Viktor uitstappen. Sarah hield haar adem in toen ze hoorde dat de deur van het kantoor werd geopend. Lars keek hun bezoeker lange tijd zwijgend aan en liep toen het trapje af. 'Je bent hier niet welkom.'

'Ik was al lang voor jouw komst een goede vriend van Piet,' zei Viktor. 'En nog gefeliciteerd, trouwens. Ik heb je vrouw in Nanyuki getroffen en hoorde dat je een mooie dochter hebt. Daarom dacht ik dat het leuk zou zijn haar eens een bezoekje te brengen.'

Hannah, die door Mwangi was gewaarschuwd, kwam de keuken uit. Haar gezicht was bleek van schrik. 'Wat moet je, Viktor?' zei ze. 'Ik heb gezegd dat je weg moest blijven.'

'Is dat zo, Hannah?' Lars keek haar even aan en richtte zijn aandacht toen weer op Viktor. 'Je hebt een halve minuut om in te stappen en weg te rijden,' zei hij. 'Je tijd gaat nu in.'

Viktor bleef staan waar hij stond, met een spottende blik in zijn donkere ogen. Zijn vlezige lippen waren vertrokken tot een sardonisch lachje. Toen wierp hij zijn hoofd in zijn nek en bulderde van het lachen. Lars schoot bliksemsnel naar voren en liet zijn rechtervuist als uit het niets neerkomen op Viktors kin. Viktor wankelde en viel, en heel even heerste er een indringende stilte. Toen haalde hij een zakdoek uit zijn zak en veegde de bloeddruppels van zijn kin. Hij krabbelde overeind en hief zijn vuist op, maar Lars stoof op hem af, waardoor hij van gedachten veranderde.

'Hier laat ik het niet bij!' riep hij terwijl hij wegreed in een wolk van stof. Zijn banden piepten toen hij de bocht in de oprit nam en uit het zicht verdween.

'Je hebt niet gezegd dat je Viktor tegen bent gekomen. Je hebt tegen me gelogen,' zei Lars tegen Hannah.

Ze staarde hem aan, met stomheid geslagen door zijn ongenoegen en ontzet door de kille woede op zijn gezicht.

'Ik ben de rest van de dag buiten.' Hij liep weg.

Het was bijna donker toen hij weer thuiskwam. Hannah wachtte op de veranda op hem, waar ze heen en weer liep met Suniva in haar armen. De baby voelde de spanning aan en was nerveus en huilerig.

'Het spijt me zo,' zei Hannah. 'Het spijt me zo, Lars. Ik had het moeten zeggen, maar ik schrok zo toen ik hem op de club zag. En ik was bang. Ik was gewoon bang.'

Maar hij kwam zonder iets te zeggen naar binnen en smeet de deur van het kantoortje hard achter zich dicht. Ze liep naar het raam en tikte zachtjes tegen het glas, maar hij keek niet op, en na een paar minuten ging ze weg.

Een uur later zat ze onderuitgezakt in een stoel in de woonkamer toen ze een auto hoorde, en ze verstijfde.

'Mijn klanten hebben besloten kerst te vieren in de Mount Kenya Safari Club.' Anthony stommelde met een brede grijns de veranda op. 'Waar is iedereen? Ik heb een verrassing voor jullie, vanwege de kerst.'

Hannah stortte zich in zijn armen en verborg haar gezicht in zijn safari-jasje, zich aan hem vastklampend. Hij sloeg even zijn armen om haar heen en maakte toen haar vingers van zijn arm los en luisterde naar de uitleg die ze hem in korte, hakkelende zinnen gaf.

'Die vent is gestoord. Wat een zak,' zei Anthony. 'Hij kwam hier natuurlijk alleen maar heen om jullie op stang te jagen. Viktor zou nooit zijn rechten op een kind doen gelden, dat is een veel te grote verantwoordelijkheid voor hem. Hij heeft in het hele land vrouwen zitten, en ook in half Tanzania. Maak je maar geen zorgen, Hannah, hij komt vast niet meer terug.'

'Hij zei dat hij hier in de buurt misschien een lodge gaat ontwerpen,' zei Hannah. 'En Lars is zo kwaad dat hij... Ik weet niet wat hij gaat doen.'

'Hij gaat samen met George en mij een borrel drinken,' zei Anthony. 'Kan ik hier blijven slapen?'

'Je kunt de oude kamer van mijn grootouders nemen.' Hannah glimlachte aarzelend. 'Daar staat een tweepersoonsbed, en ik denk dat Sarah haar kamergenootje kwijt zal raken.'

Door Anthony's komst veranderde de sfeer in huis, en opeens leek Kerstmis niet meer zo erg.

'Ik heb een idee,' zei hij die avond tijdens het eten. 'Er zijn nogal wat problemen met neushoorns in het gebied rond Nyeri. Ze lopen de *shamba's* onder de voet en vallen steeds vaker mensen aan omdat die hun nederzettingen dichter bij het bos bouwen. Het lijkt sommigen beter als we de neushoorns naar een ander gebied brengen, en George wil dat wel financieren. Daarom heb ik een bivak opgeslagen op mijn lievelingsplekje in de Aberdare Mountains en wilde ik voorstellen om daar morgenochtend heen te gaan.'

'Ik kan de boerderij niet zomaar alleen laten,' zei Lars. Hij had de hele avond amper iets gezegd en wilde niet nadenken over zoiets frivools als kamperen.

'Het is maar voor een paar dagen,' zei Anthony. 'Ik zie hier een mooi meisje dat wel een vakantie heeft verdiend, en ik wil dolgraag Suniva voor het eerst mee op safari nemen. Daarna kunnen we allemaal weer hierheen gaan. Vanwege... vanwege zijn sterfdag. Dan kunnen we naar de heuvel gaan en onze *salaams* tegen Piet zeggen.'

'Ja,' zei Hannah, 'ja, dat moeten we doen, Lars. Het zou maar voor heel even zijn. Juma kan zich hier wel redden, en Mwangi en Kamau kunnen hier in het grote huis slapen. Ik zal tegen de Murrays zeggen dat we er niet zijn, en als er iets is, kunnen ze ons via de radio bereiken. We zitten maar op een paar uur rijden hiervandaan. We hebben al sinds eeuwen geen vrije dagen meer gehad.'

'Het lijkt me een prima plan, kerel,' zei George tegen Lars. 'Ik ga graag met jullie mee, dan rijd ik daarna door naar Nyeri om oud en nieuw met een paar kameraden van me te vieren.'

Het bivak lag in het bos. Op hun weg erheen bleven ze af en toe staan om naar de franjeapen te kijken die van tak naar tak sprongen, hun witte en zwarte franje uitgespreid als vleugels. Een waterbok, een mannetje, stond aan de rand van de open plek, met ogen die in het gespikkelde zonlicht vloeibaar en glanzend waren. Zijn hartvormige neus was vochtig, zijn prachtige vacht zacht en pluizig. Het personeel van Anthony stond al naast de kantinetent te wachten, en er werd gelachen en geklapt toen hij Camilla hielp uit te stappen. Ze genoten van een lunch onder de bomen, omgeven door de geluiden van vogels en het fladderen van vuurrode vleugels toen een stel toerako's kakelend tussen de takken dook, op zoek naar eten.

's Middags stapten ze in twee auto's en gingen op zoek naar wild, over een weinig gebruikt pad dat door de bossen naar de open vlakte voerde. Overal om hen heen stonden dikke bossen bamboe waarvan de stengels oprezen uit de donkere, lemen bodem en de toppen zich uitrekten naar de zon. Varens en wilde bloemen hadden zich in de rijke aarde genesteld, en af en toe stopte Anthony even om hen te wijzen op kruiskruid en lobelia's van bijna twee meter hoog, als reusachtige mutaties van bergplanten. Verderop langs het pad waren de planten bedekt met korstmossen die spookachtig groen oogden in het schemerige licht en leken te zweven. Op de open vlakte ademden ze de ijle lucht in en bleven staan om een waterval te bewonderen. Een kudde olifanten was net op weg naar een glinsterende bergbeek.

Op weg terug naar het bivak kwamen ze de buffels tegen. Terwijl ze een bocht maakten, doemden er voor de twee auto's opeens een stel jonge stieren op die de weg versperden en agressief begonnen te snuffelen. Hun kleine zwarte oogjes glansden van argwaan. Camilla zat voorin, naast Anthony, maar Hannah was al eerder op het dak van de auto geklommen en had de baby slapend in haar wiegje op de achterbank laten staan. Ze keek om, hopend dat ze achteruit zouden kunnen rijden, maar hapte naar adem van schrik toen de rest van de kudde de weg opliep, klaar om hen te omsingelen.

'We zitten in de val,' fluisterde ze. Ze liet zich door het open dak op de achterbank glijden. 'Er zijn een paar jonkies bij, duidelijk afgescheiden van de rest van de groep. Ze staan achter Lars en George. Sarah is ook weer in de auto gaan zitten.'

De dieren kwamen dichterbij, ze duwden en snoven en zwaaiden met hun grote, gehoornde koppen heen en weer, duidelijk opgewonden, maar niet goed wetend wat ze moesten doen. Anthony hield zijn hand op de versnellingspook en het ontging Hannah niet dat zijn knokkels wit waren, al bleef zijn gezicht onbewogen. Lars keek gespannen en gebaarde vanuit de andere auto naar hen, maar niemand kon iets doen. Ze zaten vast tussen beide groepen. Een ouder wijfje schraapte met haar hoef over de grond, en haar indrukwekkende borst en stevige lichaam waren zo dichtbij dat ze haar konden horen hijgen. Haar gekromde hoorns waren lang, met dodelijk scherpe punten, en het leek alsof ze die elk moment onder de bumper kon klemmen om de auto om te gooien. Iedereen bleef roerloos zitten, wachtend op de klap. Toen schoot er voor hen opeens een oude, afgeleefde stier vanuit de struiken de weg op. Takken kraakten, luid gesnuif weerklonk, en toen stoof de kudde uiteen, zoekend naar dekking, even plotseling verdwijnend als ze was gekomen. De rest van de dieren schoot alle kanten op, een voor een verdwenen ze tussen de bomen aan weerszijden van de weg, totdat er alleen nog maar een naargeestige stilte te horen was. Zelfs de vogels waren opgehouden met zingen.

'Dat scheelde niet veel,' zei Anthony, met een blik op Hannahs asgrauwe gezicht dat hij in de achteruitkijkspiegel kon zien. Daarna pakte hij Camilla's hand vast. 'Kom, dan gaan we terug naar het bivak en pakken een straffe borrel bij het kampvuur.'

Terug in het bivak snelde Lars naar Hannah toe zodra die uit de auto stapte. Hij nam de baby van haar over en pakte haar hand. 'Jullie zijn me van alles op deze aarde het dierbaarst,' mompelde hij in haar oor, met zijn armen om haar heen. 'Jij en Suniva. Mijn prachtige meiden, van wie ik zoveel hou. Dat is alles wat ertoe doet.'

De ochtend van Eerste Kerstdag begon helder en ongerept. 's Nachts was er een lichte motregen gevallen, en het bos was versierd met druppels die glansden op de grasprieten en groene bladeren. Boven de boomgrens rees de top van de Kirinyaga hoog op, verheven en heersend over zijn omgeving. Sarah bleef even voor haar tent staan, getroffen door de schoonheid van de wereld om haar heen. Even vroeg ze zich af of ze naar een van de Afrikaanse kerkjes op de Kinangop moest gaan, maar toen dacht ze aan de kerst van nu een jaar geleden. Ze was naast Lottie neergeknield tussen de kerkbanken en had kerstliederen gezongen, uit dank aan God voor de vreugde die ze toen had gevoeld: Piet hield van haar, ze gingen trouwen, en al haar dromen waren uitgekomen. Maar op deze prachtige morgen, een jaar later, kon ze zich er niet toe zetten te bidden, niet om genade en ook niet om vrede. Haar gesprekken met God waren tot een einde gekomen toen Hij haar van haar grote liefde had beroofd en Piet zonder haar, alleen, had laten sterven. Tegen zo'n wreed, onverzoenlijk opperwezen had ze niets te zeggen. Ze was opgelucht toen Anthony naast haar kwam staan en haar hand vastpakte, alsof hij iets van haar smart wilde overnemen.

Tijdens het ontbijt gaven ze elkaar eenvoudige geschenken, en daarna reden ze door het dichte bos naar Chania Falls, waar ze het zachte groen van de hellingen in de verte bewonderden en het gevoel kregen dat er nog orde en harmonie op de wereld heerste. De uren leken als vertraagd voorbij te gaan. Sarah nam foto's en schoot portretten van Hannah en Lars en de baby, al dreigde de hechte liefde van het gezinnetje haar hart te verscheuren. Camilla liep met haar vader en Anthony mee naar de rivier, gewapend met hengels en vliegen, en kwam even later terug met een paar dikke forellen. Rond het middaguur dekte het personeel de tafel voor een lunch met kalkoen die perfect was klaargemaakt in een oven die van een oud petroleumvat was gemaakt. Maar ondanks al Anthony's inspanningen en hun voornemen opgewekt te zijn voelden ze allemaal een hevig verlies dat ze niet leken te kunnen overwinnen.

'Dit was een mijlpaal, die we nu hebben gehad,' zei Hannah toen ze die avond rond het vuur zaten. 'Zo moet het, langzaam, stapje voor stapje, en we moeten hopen dat de tijd alle wonden heelt, zoals ze zeggen. Als we thuis zijn, ga ik mijn ouders bellen. Die zitten daar op die vreselijke plek, waar niemand hun verdriet deelt, terwijl wij in elk geval elkaar nog hebben.'

'We moeten hen overhalen terug te komen,' vond Lars. 'Dat zal moeilijk voor hen zijn, en voor ons ook, maar het is tijd om het verleden te laten rusten, en dat kunnen ze van een afstand nooit doen. Voor Jan is er op Langani genoeg te doen, ik zal hem helpen een nieuwe rol te vinden. Het zal niet meevallen, maar ik weet dat we het kunnen. Maar voordat het zover is, hebben we nog een dag hier, en ik wil mijn dochter graag nog een luipaard laten zien. En misschien een paar neushoorns.'

Op de ochtend van hun vertrek nam George afscheid en reed weg met de plaatselijke wachter met wie hij de verhuizing van de neushoorns wilde bespreken, om daarna door te rijden naar zijn vrienden in Nyeri. Het was precies een jaar geleden dat Piet was vermoord, en ze verkeerden allemaal in een droevige stemming toen ze zich opmaakten voor vertrek. Anthony zag dat Camilla haar spulletjes in een grote linnen tas stopte, en was getroffen door haar bewegingen, haar stralende huid, de zijdezachte donkere wimpers die haar wangen streelden wanneer ze haar ogen sloot, en de volmaakte vorm van haar mond.

'Ik hou van je,' zei hij. 'Ik wil dat je de mijne wordt.'

Ze ging zitten en sloeg haar armen om hem heen, zijn hoofd tegen haar borsten drukkend. 'Heb geduld,' zei ze. 'Het gaat goed met mijn bedrijfje, en zodra ik al mijn modellenwerk heb gedaan en niet meer naar Londen hoef, zal ik de knoop kunnen doorhakken.'

'Ik wil je nu bij me hebben,' zei hij.

Camilla gaf hem glimlachend een kus. 'Maar dat zou maar voor een paar dagen zijn,' merkte ze op. 'Daarna zou je weer de *bundu* intrekken en me helemaal vergeten.'

'Nee,' zei hij, 'ik wil dat je meegaat op mijn volgende safari. Er komen drie mannen jagen, maar slechts een van hen brengt zijn vrouw mee. Ik had gehoopt dat je misschien mee zou willen gaan. Dan kun je met haar naar het wild gaan kijken, of iets anders met haar doen wanneer wij gaan jagen. Wat vind je daarvan?'

'Dat lijkt me heerlijk.' Verrukt gaf ze hem een knuffel. 'Als Hannah bereid is een oogje op het atelier te houden, wil ik graag met je mee.'

Aan het einde van de ochtend verlieten ze het bivak en reden naar het noorden, terug naar Langani. Onderweg hielden ze even halt voor een broodje en een biertje en om wat benzine en spullen voor op de boerderij in te slaan. Sarah was de hele weg stil en bereidde zich voor op wat ging komen. In gedachten had ze al voorbereid wat ze wilde zeggen bij de *cairn* die ze als gedenkteken voor Piet hadden opgericht, maar ze wist niet of ze die woorden hardop zou kunnen uitspreken. Haar keel deed pijn, net als haar hart, nu de nare herinneringen haar overvielen. Na drieën passeerden ze de bomen die de oprit en de tuin omzoomden.

Lars zette als eerste de auto stil, gevolgd door Anthony. Ze tilden net de baby en de bagage uit de auto's toen Mwangi op de veranda verscheen. Zijn gezicht zag grauw, zijn knokige handen waren ineengeklemd. Tranen glansden in zijn oude troebele ogen.

'*Mama* Hannah,' zei hij. '*Mama* Hannah...'

ZES
Kenia, december 1966

Ze stonden in de ruïne die Camilla's atelier was en keken naar de verwoestingen. De schragentafels waren omgegooid, het hout was versplinterd. Naaimachines waren in stukken geslagen en niet meer te repareren. Rollen stof waren afgewikkeld en in repen gesneden door het lemmet van een *panga*, of vertrapt en besmeurd met modder en stof. Fournituren lagen over de grond verspreid, linten waren in onbruikbare stukjes gesneden. Glazen kralen waren vermorzeld tot kleine vlekjes licht die kraakten onder hun schoenen. Het leek het werk van een krankzinnige. Camilla staarde vol ongeloof om zich heen. Al haar apparatuur, al haar voorraden waren systematisch verwoest.

Sarah stond met stomheid geslagen naast haar en moest denken aan de willekeurige verwoestingen waarvan ze in Buffalo Springs getuige was geweest, waar stropers olifanten van hun ivoren slagtanden ontdeden en de karkassen gewoon liet liggen, zodat ze konden wegrotten. Maar dat kon ze nog begrijpen, dat ging om handel en geld en corruptie. Hier, in Camilla's atelier, had zo te zien niemand iets gestolen. De vernielingen leken geen enkel doel te dienen.

Hannah liep heen en weer, met haar dochtertje dicht tegen zich aan, en maakte ontzette geluiden. Af en toe bleef ze even staan om een stuk stof op te rapen of haar vingers over een tafelblad te laten glijden dat het zo zwaar te verduren had gehad. Haar blik kruiste even die van Sarah, maar toen keek ze de andere kant op, bang haar eigen angst weerspiegeld te zien. Lars liep te vloeken en zette de omgevallen stoelen en andere meubels weer overeind. Anthony omhelsde Camilla, die beefde van schrik en ontzetting. Ze boog zich voorover en pakte restjes van het geborduurde suède jasje op dat ze voor haar vertrek bijna had voltooid. Het was aan stukken gereten, de naden waren losgetrokken, en van de kralen en de veren langs de randen was weinig over.

'Wie heeft me dit aangedaan? En waarom?' Ze stelde de vragen toch, ook al wist ze dat niemand antwoord zou geven. 'Ik ben hier net begonnen. Alle vrouwen leken heel tevreden, en we hadden eindelijk het punt bereikt waarop ze foutloze dingen maakten. Ik snap er niets van.' Ze keek Anthony aan en liet het vuile stuk stof op de grond vallen. 'Ik ben niet eens verzekerd,' zei ze. 'Daar heb ik nooit aan gedacht.'

Mwangi en Kamau stonden in de deuropening en spraken op gedempte toon over kwade geesten. De politie arriveerde, twee *askari's* namen getuigenverklaringen op. Het moest 's nachts zijn gebeurd, veronderstelde Juma, het hoofd van de bewaking. De tweede nachtwaker, die ze onlangs hadden aangenomen, was nergens te vinden. Misschien had hij de vandalen binnengelaten. Of misschien was hij gewoon gevlucht.

'Kom, Camilla.' Anthony pakte haar hand en voerde haar weg van de resten van haar atelier. 'We kunnen hier nu toch niets doen. Laten we naar binnen gaan, dan kunnen we even gaan zitten en bespreken hoe het nu verder moet.'

In de woonkamer schonk Lars voor iedereen een borrel in. Het nieuws had zich al onder de arbeiders verspreid, en een aantal van hen had zich op het gazon voor het huis verzameld, waar ze hoofdschuddend en mompelend commentaar gaven. Het was een *shitani*, zeiden ze. Of misschien was de geest van Simon Githiri komen spoken. Het was een slecht voorteken voor Langani. Lars liep naar buiten en zei tegen hen dat ze de politie zoveel mogelijk moesten helpen. Alles wat ze hadden gezien, kon van belang zijn, hoe onbeduidend het ook leek. Toen ze zich verspreidden, kon hij echter merken dat ze zich meer zorgen maakten over het werk van boze geesten dan over de vraag of de *askari's* zouden ontdekken wat er was gebeurd.

'We weten allemaal dat dit geen toeval is.' Lars ging in de woonkamer naast Hannah zitten en sloeg een arm om haar heen. 'Piet is precies een jaar geleden gestorven. Dit moet een soort boodschap zijn, al heb ik geen flauw idee wie hierachter zou kunnen zitten. Ik moet Jeremy Hardy bellen. De plaatselijke *askari's* zijn hier niet tegen opgewassen, en als we willen voorkomen dat ons personeel de benen neemt, moeten we antwoorden zien te vinden. Die *watu* zijn zo bijgelovig als de pest, die denken meteen dat de doden de levenden kwaad kunnen doen.'

'Iemand heeft ons ook kwaad gedaan.' Hannahs uitdrukking was somber. 'Al denk ik niet dat de doden er iets mee te maken hebben. Jeremy heeft altijd al gezegd dat Simon hulp moet hebben gehad. Toen de *plaas* vorig jaar werd overvallen, waren er bijvoorbeeld vijf mannen bij betrokken. Die moeten allemaal iets met Simon te maken hebben gehad. En hij kan mijn koeien ook niet zonder hulp hebben gedood.'

'Wil je beweren dat iemand anders nu het werk van Simon voortzet?' Camilla huiverde. 'Wat een vreselijk idee.'

'Simon Githiri handelde alleen.' Lars was er zeker van. 'Hij was een wees zonder familie, en toen hij op Langani woonde, is hij nooit door bekenden bezocht. Hij lijkt helemaal op zichzelf te zijn geweest, ook voor zijn komst hierheen. Wie zou dan willen voortzetten waaraan hij is begonnen?'

Sarah wendde zich af. Ze kon zich niet bevrijden van die misselijkmakende zekerheid die haar had overvallen zodra ze het atelier had betreden. Deze vernielingen droegen de sporen van eerdere aanvallen, het was dezelfde blinde haat die het eerste incident op de boerderij had gekenmerkt, toen ze Hannahs koeien afgeslacht hadden aangetroffen, de kelen en pezen doorgesneden, van de ingewanden ontdaan. Dit was het werk van iemand die kwaad wilde doen, maar ze kon alleen niet begrijpen waarom, net zomin als ze had begrepen waarom Simon Piet had willen doden, die toch degene was die hem een baan en een kans op een beter leven had gegeven. Simon, wiens aanwezigheid ze nog steeds kon voelen, hoewel hij allang dood en verdwenen was. Haar gedachten draaiden in wanhopige kringetjes rond en haar hoofd begon pijnlijk te bonzen. Ze liep naar buiten, de veranda op, in de hoop dat de koele avondlucht de pijn zou verzachten. Maar ze vond het donker bedreigend en meende al snel onheilspellende vormen in de schaduwen van Lotties tuin te zien. Ze wilde terug naar binnen rennen, maar ze kon de anderen niet onder ogen komen, ze wilde hen niet laten merken welke vreselijke gedachten ze koesterde. En ze durfde evenmin alleen naar haar kamer te gaan. Ze greep de balustrade van de veranda beet, vastbesloten het beeld van Piet uit haar gedachten te bannen dat voor haar geestesoog was opgedoemd. Even later kwam Lars naar haar toe, bezorgd en meelevend.

'Het spijt me,' zei ze. 'Ik kan maar moeilijk wennen aan het idee dat iemand ons nog steeds pijn wil doen. Dat Simons haat levend wordt gehouden.'

'Het is gissen wat er aan de hand is,' zei hij. 'Dit kan vreselijke gevolgen hebben. Als we weer worden bedreigd, weet ik niet of we hier wel kunnen blijven. Er lijkt geen logica of motief achter te zitten. We kunnen geen reden of een oplossing bedenken en ik heb al helemaal geen idee hoe we onszelf kunnen beschermen. We wilden per se op Langani blijven en dit achter ons laten, maar nu wil ik vooral dat Hannah en Suniva een veilig leven kunnen leiden. Ik heb geen idee wat we moeten doen, waar we heen moeten, maar...'

Hij viel stil toen hij een stel koplampen zag naderen. Een auto kwam over de oprit aangereden, en even later zagen ze Jeremy Hardy uitstappen. Zijn gezicht was verstrakt.

'Dit is slechte *shauri*,' zei hij. 'Dat het precies een jaar na de dood van Piet is, neem ik erg serieus. Ik wil eerst het personeel in huis verhoren en daarna alle andere arbeiders. In de komende achtenveertig uur wil ik met iedere man en vrouw hier spreken en weten waar ze de afgelopen dagen hebben gezeten, en of ze wel of niet iets hebben gezien of gehoord. De kleinste roddel kan al een aanwijzing vormen. Waar heb je die nachtwaker vandaan die nu is verdwenen?'

'Hij kwam uit Nyeri en heeft meer dan een jaar voor het Outspan Hotel gewerkt,' zei Lars. 'Hij had goede referenties.'

'Waarom wilde hij dan op een boerderij werken, voor waarschijnlijk minder loon?' wilde Jeremy weten.

'Hij zei dat zijn vrouw hier uit de buurt kwam en dat hij een kleine *shamba* had die hij in de gaten wilde houden,' vertelde Lars. 'Ik hoop toch niet dat ik me met iemand heb ingelaten die...'

'Ik denk dat de kans groter is dat hij is gevlucht omdat hij bang is dat hij hier de schuld van krijgt,' veronderstelde Jeremy. 'Hij weet ook wel dat de verdenking op hem zal vallen omdat je hem als laatste hebt aangenomen. Maar als hij zelf de vernielingen heeft aangericht of een ander heeft binnengelaten, dan zal het niet moeilijk zijn hem te vinden. Iedereen zal zich hem herinneren omdat hij een vreemde was, en hij moet een spoor hebben achtergelaten. Kom, dan gaan we je personeel eens wat vragen stellen en kijken wat we kunnen ontdekken.'

Die nacht kon niemand de slaap vatten. De uren kropen voorbij, in een nachtmerrieachtige herhaling van de gebeurtenissen die nog maar een jaar geleden in dezelfde kamer hadden plaatsgevonden. Jeremy kwam en ging, dronk koffie, sprak met zijn *askari's* en verhoorde doodsbange arbeiders. Tegen zonsopgang viel Hannah doodmoe op haar bed neer, met Suniva, die ze sinds hun thuiskomst niet meer had losgelaten, nog steeds in haar armen. Later die ochtend ging Camilla naar haar atelier en begon met opruimen. Sarah en Anthony kwamen haar helpen en zochten in de rommel naar alles wat nog enigszins bruikbaar kon zijn. Het was een financiële ramp. Makena, de naaister, bood aan te helpen, maar de andere Kikuyu waren zo bang dat ze geen stap in het huisje durfden te zetten. Op zo'n plek werken zou ongeluk brengen. Tegen het einde van de middag waren ze doodmoe en stelde Anthony voor op te houden en goed af te sluiten.

'Daar is het nu te laat voor,' zei Camilla op bittere toon. Ze was zo moe dat ze sloffend naar het grote huis liep.

In de woonkamer bracht Mwangi hun thee. Sarah zat te knikkebollen van vermoeidheid en schrok wakker van de telefoon. Buiten was het bijna donker. Lars nam op en gebaarde even later naar haar.

'Het is voor jou,' zei hij. 'Allie Briggs.'

'Sarah, lieverd.' Allie klonk opgewekt. 'Ik hoop dat je een fijne kerst hebt gehad. Ik heb je op Eerste Kerstdag nog gebeld, maar Mwangi zei dat jullie in de Aberdare Mountains aan het kamperen waren, met Anthony. Goed idee.'

'Ja, maar toen we terugkwamen, ontdekten we dat hier iets heel ergs was gebeurd.' Het kostte Sarah moeite haar stem onder controle te houden. 'Er is ingebroken in het atelier van Camilla, en alles is vernield. Jeremy Hardy en zijn *askari's* zijn hier al sinds gisteravond om iedereen te verhoren.'

'O nee, wat erg voor jullie! Die arme meid had de boel net een beetje op poten gezet. Is er iets gestolen? Valt er nog iets te redden? Weten ze wie dit heeft gedaan, en waarom?'

'Er is niets gestolen,' zei Sarah. 'Het was puur vandalisme. Precies op de sterfdag van Piet. Dat zint Jeremy helemaal niets. Allie, er is hier iets heel sinisters gaande. Ik vind het doodeng en heb het gevoel...' Haar stem stierf weg omdat ze de angst die ze voelde niet in woorden wilde vatten. 'Maar goed, de politie is er nu, en we kunnen alleen maar afwachten.'

'Wat zul je geschrokken zijn. En Hannah natuurlijk ook.'

'Ja, en Lars vraagt zich af of ze hier nog wel een toekomst hebben,' zei Sarah. 'We kunnen nu alleen maar hopen dat Jeremy iets ontdekt. Maar laten we het over iets leukers hebben. Hoe was jullie kerst?'

'Goed,' antwoordde Allie. 'Ik bel vanuit Nairobi. Het is niet te geloven, maar ik heb Dan een paar dagen hierheen weten te slepen. Hij heeft er nog plezier in ook, al zal hij dat nooit toegeven. En we hebben geweldig nieuws dat je hopelijk wat op zal beuren.'

'Zeg het maar.' Sarah probeerde enthousiast te klinken.

'Rabindrah heeft ons gebeld,' vertelde Allie. 'Hij heeft zijn oom, Indar Singh, zover gekregen om ons een gloednieuwe Land Rover ter beschikking te stellen. We kunnen het bijna niet geloven. En Indar is ook bereid een gereviseerde motor in die oude rammelkast van jou te zetten. Wat zeg je daarvan?'

'Geweldig,' zei Sarah. 'Ik kan het bijna niet geloven.'

'Ik ook niet,' bekende Allie, 'en natuurlijk is Dan een en al argwaan.'

'Hoezo?'

'Hij kan niet geloven dat er geen voorwaarden verbonden zijn aan zo'n dure gift, zeker omdat die wordt geschonken door een lid van de Indiase gemeenschap. Hij is er zeker van dat er ergens een addertje onder het gras zit en dat oom Indar bepaalde bedoelingen heeft. Volgens Dan gaat alleen de zon voor niets op en willen de meeste Indiërs alleen iets voor je doen als ze er wat voor terugkrijgen.'

'Ik kan me zijn bedenkingen wel een beetje voorstellen,' zei Sarah. 'Het is een enorm vrijgevig gebaar van iemand die we niet eens kennen, of van wie we tot voor kort zelfs nog nooit hadden gehoord. Rabindrah moet over grote overtuigingskracht beschikken. Ik maak me trouwens meer zorgen over hem dan over zijn oom. Hij is erg ambitieus en wil per se een boek in de winkel zien met zijn naam in grote letters op de kaft, wat er ook gebeurt.'

'Nou, ik kan me niet voorstellen dat een van beiden kwaad in de zin heeft. Tot nu toe hebben we er alleen maar profijt van,' zei Allie. 'Ze kunnen ons werk niet beïnvloeden en hebben niets in ruil hiervoor gevraagd. Rabindrah heeft voor morgenochtend een afspraak met zijn oom voor ons geregeld. Hij heeft een grote garage in Westlands, en daarom bel ik je eigenlijk. Het lijkt hem aardig als er iets over de overdracht van de auto in de krant komt te staan. Met een passende foto.'

'Aha,' zei Sarah, 'er zijn dus wel voorwaarden aan verbonden.'

'Ik heb er helemaal geen moeite mee,' aldus Allie. 'Een stukje in de krant zal ons geen windeieren leggen. Dat heb ik ook al tegen Dan gezegd. Maar goed, je moet natuurlijk wel bij de overdracht zijn.'

'Wanneer is dat precies?' Sarah begreep dat ze geen nee kon zeggen.

'Dat weet ik ook niet, het hangt ervan af wanneer Rabindrah zijn stukje in de krant kan krijgen. Ik heb gezegd dat je hem zult bellen, dus ik zal je even zijn nummer geven.' Ze somde een reeks cijfers op. 'O, en Sarah?'

'Ja?'

'Probeer je niet al te veel zorgen te maken,' zei Allie. 'Ik weet dat het een vreselijk tijdstip voor een dergelijk incident is, maar aan Jeremy Hardy heb je een goeie. En je hebt vrienden om je heen. Als dit het werk van een *rafiki* van Simon Githiri is, zullen ze hem beslist vinden. Bel Rabindrah nu maar, dan kun je zelf horen wat hij van plan is.'

Met tegenzin draaide Sarah het nummer. De telefoon was nog maar twee keer overgegaan toen hij al opnam.

'Ik had al gehoopt dat je zou bellen,' zei hij. 'Prettige kerstdagen, als het daar niet te laat voor is. Ik neem aan dat je het nieuws al van Allie hebt gehoord?'

'Het is erg vrijgevig van je oom. Dan en Allie zijn er bijzonder blij mee.' Ze probeerde opgewekt te klinken, maar merkte dat haar toon vlak was.

'Mijn oom zou graag een stukje in de krant willen zien, met een foto erbij,' zei Rabindrah, teleurgesteld door haar gebrek aan enthousiasme. 'Dat is goed voor je olifanten, en natuurlijk ook voor oom Indar en zijn garage. Niet dat hij het nodig heeft, hij heeft al werk zat. Maar hij vindt het fijn wanneer mensen hem als een steunpilaar van de gemeenschap zien, die iets goeds doet voor de wereld en zo.'

'Ik mag aannemen dat hij pas over het redden van Keniase olifanten is gaan nadenken toen jij erover begon.' Ze moest lachen. 'Hoe heb je het voor elkaar gekregen?'

'O, hij heeft alleen maar dochters. Dochters zijn leuk en mooi, maar totdat je ze aan de man hebt kunnen brengen, zijn ze ook een last.' Rabindrah zette bij die woorden even een zwaar Indiaas accent op en schakelde toen weer over op zijn normale stem. 'Ik ben altijd al zijn lievelingsneef geweest, en hij behandelt me als de zoon die hij nooit heeft gehad. Maar ik denk dat je hem weldra zelf wel zult leren kennen. Wat dacht je van overmorgen?'

'Dat is goed,' zei ze.

'Zullen we afspreken bij zijn garage in Westlands? Allie weet wel waar het is. Rond een uur of drie? Dan kun je ook nog even met de fotograaf bespreken hoe die zijn foto's wil hebben.'

'O nee.' Te laat besefte Sarah wat er van haar werd verwacht. 'Nee, ik wil niet met mijn foto in de krant. Ik kan hier eigenlijk ook niet weg, maar ik doe het omdat Allie het graag wil.'

Hij hoorde haar toon veranderen en herinnerde zich dat het een jaar geleden was dat haar verloofde was vermoord. 'Ik begrijp dat dit een moeilijke periode voor je is,' zei hij. 'Maar misschien is het goed om er even uit te zijn, al is het maar voor een paar uur...'

'Ik ben er al tussenuit geweest,' zei ze kortaf. 'Met kerst hebben we in de Aberdares gekampeerd. Helaas werden we bij thuiskomst erg onaangenaam verrast.'

Rabindrah luisterde met groeiende verontrusting naar haar verslag van de gebeurtenissen. 'Dat kan geen toeval zijn,' begreep hij meteen. 'Die datum is niet willekeurig gekozen.'

Hij vroeg haar wat de schade behelsde en of de politie al enig idee van de toedracht had, en na een paar minuten begon Sarah zich af te vragen of hij soms aantekeningen zat te maken, zodat hij na hun gesprek meteen een sensatieverhaal aan de krant kon doorbellen.

'Ik hoop echt dat je hier niets over schrijft,' zei ze, en ze gaf geen antwoord toen hij om meer details vroeg.

'Als er iets over in de krant komt, is dat niet mijn schuld,' antwoordde hij gekrenkt. 'Maar zorg ervoor dat je vriend Hardy erbovenop blijft zitten. Hij moet alles natrekken, hoe onbeduidend het ook lijkt. Misschien moet hij de oude verhoren nog eens doorlezen om te kijken of hem de vorige keer niets is ontgaan.'

Opeens herinnerde ze zich iets. 'Je zei tijdens je bezoek aan Langani dat het motief nooit duidelijk was geworden. Wat bedoelde je daarmee?'

'Eigenlijk niets, maar –'

'Wat bedoelde je daarmee?'

'Niets belangrijks,' zei hij. 'De politie is erg grondig te werk gegaan.'

'Kom op, voor de draad ermee,' zei ze met stemverheffing. 'Je kunt niet zeggen dat de politie alles nog eens goed moet bekijken en me dan niet vertellen waarom ze dat moeten doen. Wat bedoelde je daarmee?'

Hij zweeg, van zijn stuk gebracht door de felheid van haar woede.

'Het spijt me,' zei ze op vermoeide toon. 'Maar je hebt geen idee hoe het is om dit mee te maken. Hoe het voelt dat die verschrikkingen weer beginnen, om elke seconde over je schouder te moeten kijken. Ik begon de angst net een beetje kwijt te raken. Dat gold voor ons allemaal.'

'Er stond iets in het dossier van de politie,' zei Rabindrah. 'Over een pater die Simon Githiri les heeft gegeven op de missiepost in Nyeri. Die heeft voor hem gezorgd toen hij daarheen werd gebracht. Bidoli, heette hij, pater Bidoli. Maar niemand heeft hem ooit verhoord.'

'Waarom niet?' Dat verbaasde Sarah.

'Hij was al gestopt met lesgeven en was ziek geworden. Ten tijde van de moord lag hij in Nairobi in het ziekenhuis, en naar het schijnt is hij oud en vergeetachtig. Ik neem aan dat niemand dacht dat hij iets belangrijks te vertellen zou hebben, en dat het geen zin zou hebben een zieke man lastig te vallen. Maar ik vind dat ze toch met hem hadden moeten praten. Misschien had hij iets over het karakter van Githiri kunnen vertellen, of over vrienden van hem of bekenden. Zelfs Hardy nam aan dat hij het niet alleen had gedaan.'

'Heb jij nog met die pater gesproken?' vroeg ze.

'Nee, maar ik heb wat navraag gedaan. Hij woont in Nairobi, in een rusthuis voor geestelijken. Misschien gaat de politie nu wel met hem praten. Of misschien moet jij eens bij hem langsgaan. Je zult misschien meer herinneringen bij een oude man kunnen oproepen dan een tactloze agent met een notitieboekje. Mocht er nog iemand rondlopen die wrok koestert, dan zijn jullie daar op Langani ook niet veilig...' Hij zweeg, en de stilte bleef zwaar tussen hen in hangen.

'Nee!' Ze probeerde de opzwellende paniek te onderdrukken. Ze wilde het niet meer over Simon hebben en zijn naam niet eens meer horen. Dat was meer dan ze kon verdragen, dat zou alle pijn naar boven halen die ze probeerde te onderdrukken. En ze wist nog steeds niet zeker wat Rabindrah precies wilde. 'Nee, dat lijkt me niet verstandig.'

'Misschien kun je een vriend of vriendin meenemen,' stelde hij voor. 'Of anders wil ik wel meegaan.'

'Nee. Dat is vriendelijk aangeboden, maar nee, bedankt. Hoe ben je er trouwens in geslaagd dossiers van de politie te lezen? Zijn die niet vertrouwelijk?'

'Ik ben journalist. Iedere goede verslaggever heeft toegang tot zulke bronnen.' Hij zweeg even. 'Al zou ik het op prijs stellen als je hierover niets tegen inspecteur Hardy zou willen zeggen. Dat zou mijn contactpersoon bij de politie in de problemen kunnen brengen. Dan kan hij zijn baan kwijtraken.'

'Ik zeg tegen niemand iets.' Sarah fronste. 'Al vind ik het allerminst geruststellend dat zulke dossiers dus blijkbaar niet vertrouwelijk zijn. Dat mensen zoals jij ze kunnen lezen en bepaalde conclusies kunnen trekken. Daarom komt de waarheid dus altijd zo verdraaid in de krant te staan. Ik denk niet dat dat de zaak ten goede komt.'

'Er zijn ook journalisten met verantwoordelijkheidsgevoel,' zei hij verdedigend.

'Nou, hopelijk ben je er daar een van,' merkte ze op. 'Ik zie je in Nairobi.'

Nadat Sarah had opgehangen, bleef ze nog een tijdje zitten, denkend aan de pater en de bijzonder kleine kans dat hij enig licht op de nieuwe nachtmerrie zou kunnen werpen. Ten slotte wist ze wat ze moest doen en liep ze terug naar de woonkamer.

'De oom van Rabindrah Singh schenkt Dan en Allie een nieuwe Land Rover,' zei ze. 'En hij gaat ook een nieuwe motor in dat oude ding van mij zetten. Allie wil dat ik naar Nairobi kom voor de overdracht, en omdat het wel enige tijd zal duren om de papieren in orde te maken, zal ik daar wel moeten blijven slapen. Ik kom zo snel mogelijk weer terug.'

'Een nieuwe Land Rover?' Hannah keek haar met open mond aan. 'Die zijn een fortuin waard. Wat wil hij in ruil daarvoor hebben?'

'Niets, blijkbaar,' antwoordde Sarah. 'Al vroeg Dan zich dat ook al af.'

'Ik vertrouw ze voor geen cent, die hindoes,' zei Hannah. 'Er zit vast een duur onderhoudscontract aan vast of iets dergelijks. Er moet een addertje onder het gras zitten.'

'Voor zover we kunnen zien niet,' zei Sarah. 'En de sikhs staan bekend om hun vrijgevigheid. Mijn vader heeft me vaak genoeg verteld over hun gulle giften.'

'Aanpakken en niet te veel vragen stellen, dat zou ik doen,' zei Anthony. 'Misschien wil die oom een wit voetje halen bij de regering, of bij de natuurbeschermingsorganisaties die aan de lopende band auto's kopen. Wat de reden ook is, het is fantastisch. Hoewel, als Allie degene is die ermee gaat rijden, moet iemand die oom Singh maar eens vertellen dat hij veel tijd aan onderhoud kwijt zal zijn.'

'Dat is waar,' zei Sarah lachend. 'Mag ik even bellen? Ik moet een hotelkamer gaan boeken.'

'Je kunt wel bij mij logeren,' bood Anthony aan. 'Er is toch niemand, en Joshua zal je goed verzorgen. Dan heeft hij ook weer iets te doen. Ik bel wel even, als het je wat lijkt.'

'O, dan kan hij mooi servetten voor je vouwen en kaarsen aansteken,' zei Camilla, die voor de eerste keer lachte. 'Anders vergeet hij alles wat ik hem over de geneugten des levens heb geleerd.'

'Misschien moet je maar meegaan naar Nairobi, Camilla,' zei Hannah. 'Dan kun je bij Anthony of bij je vader logeren, totdat we alles hier hebben opgeknapt.'

'Ik blijf liever hier bij jou en Lars.' Camilla zag de onuitgesproken dankbaarheid in de blik van haar vriendin. 'Sarah is bovendien over een dag of twee alweer terug.'

Sarah vond het idee dat ze in het huis in Karen zou logeren een tikje beangstigend. Sinds de dood van Piet had ze alleen maar op Langani of in Buffalo Springs geslapen, op een paar nachten in een hotel in Nairobi na. Nu zou ze in haar eentje in Anthony's huis met de grote tuin zitten, vlak na deze nieuwe, onverklaarbare daad van geweld. Ze kon echter geen reden bedenken om nee te zeggen en wilde bovendien niet dat iemand haar angst zou opmerken.

'Dank je, Anthony, dat zou geweldig zijn,' zei ze, terwijl ze probeerde breeduit te glimlachen.

Camilla's invloed was overal in het huis zichtbaar. Sarah keek uit het raam naar de tuin en zei tegen zichzelf dat ze geen reden had om bang te zijn. Het huis van de buren werd aan het zicht onttrokken door een rand struiken en een massa bougainvillea's, maar stond dichtbij genoeg om gemoedsrust te bieden. Hier kon haar niets overkomen, en het werd bovendien tijd dat ze eens een nacht alleen doorbracht. Ze sprak zichzelf moed in en belde toen Dan en Allie, die bij vrienden logeerden.

'Onze kameraden zijn vanavond uit eten,' zei Allie, 'dus heb je zin om hierheen te komen en met ons mee te eten? Als je wilt, kan ik je wel komen ophalen.'

'Dat is goed, dank je. Maar ik kom wel naar jullie toe. Hoe laat?'

'Een uur of half acht. Tot vanavond.'

Sarah legde de hoorn op de haak en pakte toen het telefoonboek. Met bonzend hart keek ze onder het kopje 'religieuze instellingen' en liet haar vingers langs de nummers gaan totdat ze dat van missiehuis Consolata had gevonden. Pater Bidoli, kreeg ze te horen, zat in het rusthuis in Mathari. Ze schreef het nummer op en draaide opnieuw. Ja, ze mocht op bezoek komen, zei de receptioniste, maar niet te lang. De pater had weer in het ziekenhuis gelegen en was snel moe, maar een kort bezoekje zou hem goed kunnen doen. Dat kon hem oppeppen. Een minuut later was ze al op weg.

Het missiehuis lag in een drukke straat aan de rand van een sloppenwijk. Het eenvoudige witgepleisterde gebouw oogde opvallend schoon en stak door het groene dak en de kleine tuin af tegen de omringende vervallen hutjes met open riolen en lekkende daken van roestige golfplaat. Ze parkeerde haar auto voor het pand en bleef even zitten om moed te verzamelen. Een hele reeks uitvluchten kwam bij haar op. Het was niet eerlijk een pater lastig te vallen die net uit het ziekenhuis was ontslagen. De kans dat hij iets te vertellen had, was heel klein. Ze kon maar beter weggaan en de arme ziel met rust laten. Hoewel, er bestond natuurlijk een heel klein kansje dat hij zich iets over Simons verleden zou kunnen herinneren, of over iemand met wie Simon bevriend was geweest. Ze vermande zich en stapte uit.

'*Hodi!*' riep ze toen ze de veranda betrad. 'Is daar iemand?'

Een jonge Afrikaan in een gesteven wit overhemd en broek kwam naar buiten. 'Ja, mevrouw, pater Bidoli is thuis,' zei hij als antwoord op haar vraag. 'Loopt u maar even mee.'

Hij ging haar voor naar een beschaduwde hoek van de veranda waar een gestalte in een stoel lag. De geestelijke was oud en breekbaar. Zijn hoofd hing op zijn borst, de huid van zijn gezicht hing losjes rond zijn kaak. Vroeger was hij duidelijk mollig geweest, maar nu gaf zijn uitgezakte vlees blijk van ziekte en achteruitgang. Zijn gelaat was doorgroefd met rimpels en hij leek te slapen. Zijn witte soutane was een tikje gerafeld aan de zomen bij de mouwen en onderkant, en hij hield zijn handen op zijn borst gevouwen, alsof hij tijdens het gebed in slaap was gedommeld. Sarah had er nu al spijt van dat ze hem zou storen. Ze deed een stap naar achteren, twijfelend, en wilde net weglopen toen de priester zijn ogen opende en haar nauwkeurig en onderzoekend aankeek. Een paar tellen lang bestudeerde hij haar zonder iets te zeggen, toen stak hij ter begroeting zijn hand uit. Toen ze die schudde, merkte ze tot haar verbazing dat zijn greep ferm was. Zijn glimlach was hartelijk. Ze vroeg zich af hoe oud hij was.

'Het spijt me dat ik u wakker heb gemaakt, pater,' zei ze. 'Ik ben Sarah Mackay, en ik hoop dat u even met me wilt praten. Ik weet dat u ziek bent geweest, dus ik zal het niet te lang maken.'

'Dat geeft niet, Sarah.' Hij sprak Engels met het zware, zangerige accent van een Italiaan. 'Wat kan ik voor je doen?'

Nu het zover was, had Sarah weer dat bekende gevoel, dat haar keel werd dichtgeknepen. Het kostte haar grote moeite haar stem niet te laten trillen.

'Het lijkt alsof je ergens mee worstelt.' De pater boog zich voorover en kromp even ineen nu hij van houding veranderde. Hij pakte weer haar hand vast en wees op een stoel naast de zijne. 'Kom even zitten, mijn kind. Je hoeft je niet te haasten.' Hij keek naar haar toen ze plaatsnam en haar best deed zich te beheersen. 'Vertel me eerst eens iets over jezelf. Waar kom je vandaan?'

Sarah merkte dat ze enigszins kalmeerde door over haar jeugd te vertellen, en ze nam de tijd om haar jaren aan de kust en de praktijk van haar vader te beschrijven. Daarna vertelde ze over de nonnenschool, en ten slotte over hoe ze Langani had leren kennen. Pater Bidoli knikte toen hij haar die naam hoorde noemen.

'Aha, ik begrijp al wat je hierheen heeft gevoerd.' Zuchtend vouwde hij zijn handen over elkaar. 'Je bent gekomen vanwege Simon Githiri.'

Het noemen van die naam zette de sluizen van haar herinnering open, en een vloedgolf stroomde naar buiten, in een vlaag van onsamenhangende zinnen. Ze vertelde over de lodge die Piet had laten bouwen, en dat hij zo trots was geweest toen die voltooid werd. Ze beschreef hoe hij er toen uit had gezien, lachend en stralend, dat hij op die wolkeloze ochtend naar het gebouw was gereden om te zien of alles gereed was voor de opening en de eerste gasten. Hij had beloofd die middag contact met haar op te nemen, en ze wist nog goed hoe zenuwachtig ze was geworden toen ze maar niets van hem hoorde en hem niet via de radio had kunnen bereiken. Anthony en Hannah waren later met haar naar de lodge gereden, in de veronderstelling dat Piet autopech had gekregen. Maar hij was nergens te bekennen. Ze hadden het gebouw doorzocht, zijn naam geroepen en gezocht naar Simon, die hem tijdens die laatste fatale dag had vergezeld. Van geen van beiden was enig spoor te vinden. Evenmin zagen ze Kipchoge, de spoorzoeker en vriend die Piet al sinds zijn jeugd kende en op wie hij erg gesteld was. Ze gingen altijd overal samen heen. Ten slotte was Sarah naar het panoramaterras gelopen, in de hoop dat ze in het maanlicht iets zou zien bewegen of een aanwijzing zou vinden die haar kon vertellen waar hij was.

Nu ze naast de pater in Nairobi zat, voelde ze de hitte van de middag niet meer. Ze liet die beelden die ze zo lang had verdrongen haar gedachten binnenstromen en huiverde bij de herinnering aan de hand die haar schouder had vastgepakt en haar bijna naar de grond had getrokken, in een beweging vol kracht en wanhoop. Ze had zich omgedraaid en Kipchoge gezien, bloedend en gewond. Hij had zich aan haar vastgeklampt, had haar iets willen vertellen, maar hij was aan haar voeten gestorven. Een paar tellen later vonden de anderen het lijk van Ole Sunde, de nachtwaker, die net als Piets honden in stukken was gehakt. Daarna was die angstaanjagende rit naar de heuvelrug gevolgd, met Anthony en Hannah. Ze hadden de hyena's horen lachen en kakelen in het donker en gebeden om een wonder, dat Piet was ontsnapt aan degenen die zijn kameraden hadden gedood, maar ze waren vervuld geweest van een misselijkmakende angst. Ze was voor de anderen uit gerend, naar zijn lievelingsplekje, ze had het laatste stuk van het pad naar de top in het donker bedwongen, voortgedreven door een angst die haar in staat stelde over de rotsen te klimmen. Vlak bij de top had ze de mannetjeshyena zien staan, ineengedoken op de rotsen boven haar, met glinsterende ogen en zijn bek open, klaar voor de aanval. In gedachten hoorde ze weer het zoeven van de speer en zag ze het dier vallen. Het beeld dat ze zo vaak had getracht te vergeten, rees nu in volle hevigheid op. Ze zag de krijger, zijn verentooi en andere versierselen glansden in het maanlicht, en hij draaide zijn gezicht naar haar toe. Simon Githiri. Ze drukte een gebalde vuist tegen haar mond, niet in staat de pater te vertellen hoe ze ten slotte haar grote liefde had aangetroffen.

'Toen zag ik hem. Piet. Hij lag op de grond. Vastgebonden als een dier.' Sarah uitte die woorden voor de eerste keer, happend naar adem. 'Zijn lichaam was opengesneden, en zijn ingewanden lagen uitgespreid, zijn bloed bevlekte de aarde. Ik kon het ruiken. En toen zag ik zijn gezicht.' Ze hield op, haar adem kwam in stoten, en ze sloeg haar armen om zichzelf heen in een wanhopige poging het beven tegen te houden.

'Meisje, je hoeft niet –'

'Ja, dat moet ik wel. Ik moet vertellen hoe het was. Want het ligt dag en nacht op me te wachten, begraven in mijn herinnering. Het is er altijd, wat ik ook doe.'

De pater knikte en pakte haar hand vast, keek vol medeleven naar haar gevecht met haar tranen. Het duurde een paar minuten voordat ze weer iets kon zeggen.

'Hij was zo knap, begrijpt u, met zijn blauwe ogen en die glimlach die de hele wereld kon laten smelten. En zijn haar leek in het zonlicht net puur goud. Maar toen ik hem vond, was zijn hoofd donker, klevend van het bloed. En zijn... zijn mannelijkheid was afgesneden en in zijn mond gepropt.' Ze kokhalsde, maar ze ging verder. 'En zijn ogen waren uitgestoken, zodat de kassen alleen nog maar bloedende gaten waren. O god.' Ze kromp ineen en wiegde heen en weer. De tranen stroomden over haar wangen en drupten op de rafelige zoom van de soutane. 'O god, altijd wanneer ik mijn ogen sluit, zie ik dat beeld van Piet voor me. Altijd.'

Pater Bidoli zat heel stil, haar handen in de zijne, en bewoog zijn lippen in een geluidloos gebed.

'Ik heb tegen Hannah gezegd dat we niets hadden kunnen doen, ook al waren we een uur eerder geweest,' zei ze op gespannen toon. 'Maar zijn bloed was nog niet gestold. Het stroomde nog steeds, en de hyena had hem nog maar net gevonden. Het duurt nooit lang voordat ze vers bloed ontdekken. En het maakt niet uit hoe hard ik mijn best doe, ik kan maar niet vergeten hoe hij daar heeft gelegen, blind, het uitschreeuwend van pijn, roepend om ons. Maar we vonden hem pas toen het te laat was. God mag weten hoe lang het heeft geduurd voordat hij stierf, of hoeveel angst en pijn hij heeft moeten doorstaan. Piet is alleen gestorven. Ik zal nooit weten hoe zijn laatste uren waren, en dat is niet te verdragen.'

'Het is een onverdraaglijke gedachte,' beaamde de geestelijke.

'Ik heb dat nooit tegen zijn zus gezegd. Ik wil niet dat Hannah zich gaat afvragen of we hem hadden kunnen redden als we hem eerder hadden gevonden.' Ze veegde haar tranen weg. 'Maar misschien had hij nog geleefd als we meteen waren gaan zoeken. Of misschien had ik dan bij hem kunnen zijn, om hem tijdens die vreselijke laatste minuten bij te staan.'

'Lieve kind, wanneer we met een tragedie worden geconfronteerd, denken we altijd aan hoe het had kunnen zijn. Maar daardoor kunnen we niet veranderen wat er is gebeurd. Lijden is het grootste mysterie dat er bestaat. Je moet jezelf niet kwellen met de gedachte aan wat had kunnen zijn. Het was niet voorbestemd dat jij daar zou zijn.'

'Dat probeer ik mezelf ook wijs te maken. Ik heb mezelf de vraag gesteld of hij zo had willen leven, blind en ontmand. Ontdaan van alles...' Ze greep de leuning van haar stoel vast, met elke zenuw en spier vechtend om haar zelfbeheersing te bewaren. 'Want hij keek zo graag naar de wereld, hij wilde deel van alles zijn. Hij was dol op paardrijden, hij wandelde graag over zijn land. En hij hield van me. We hielden zoveel van elkaar. Ik denk niet dat hij zo had willen leven als hij had moeten leven als we hem eerder hadden gevonden.'

'Moge de barmhartige God je helpen dit vreselijke verlies te dragen.' De pater legde een hand op haar hoofd. 'Ik hoop dat je kunt bidden en troost zult vinden in het gebed.'

'Bidden? Nee, dat kan ik niet meer, vader. Want een barmhartige God had dit nooit laten gebeuren,' zei ze. 'Een barmhartige God zou hem nooit op dat moment van het leven hebben beroofd, toen hij zo sterk en knap was. Toen ons leven samen net zou beginnen en we zo gelukkig met elkaar waren. Zo gezegend en zo dankbaar. Het is zo wreed, dat kan ik niet begrijpen.'

'Jullie zouden gaan trouwen?'

'Hij had me een dag eerder een aanzoek gedaan. Maar we hebben nooit samen tijd kunnen doorbrengen. Zelfs geen maand, geen week.' Ze begon weer te huilen. Ze liet haar hoofd in de open handen van de priester rusten en snikte hevig, terwijl hij haar over haar haar streelde en zachtjes bad. Hij hield haar vast terwijl ze tekeerging tegen die meedogenloze macht die haar heel even had laten zien wat liefde was en toen die belofte had weggegrist, zodat ze verscheurd was achtergebleven, voorbestemd eenzaam door een woestenij van eenzaamheid en wanhoop te dwalen.

'En Simon Githiri, die jongen die u hebt gekend.' Ze keek de geestelijke eindelijk weer aan. 'Waarom zou hij zoiets doen?'

'Weet je heel zeker dat hij het was?'

'Ja.' Ze veegde haar ogen af, haalde haar handen langs haar opgezwollen wangen en oogleden. 'Piet had hem werk gegeven, hem de kans op een goede toekomst geboden. Simon had geen reden om te doen wat hij heeft gedaan. Ik begrijp het niet.'

'Simpele antwoorden bestaan niet, Sarah. Wanneer een man voor het kwaad kiest, gebeuren er vreselijke dingen. Ik begrijp dat je kwaad op God bent, omdat je hele toekomst, je hele wereld, is vernietigd. Daarom kun je niet bidden, niet voor jezelf en niet voor de man van wie je hebt gehouden.'

'Ik ben opgevoed met bidden. Maar nu kan ik God niet meer vinden, pater, en ook geen liefde of mededogen. Niemand zou mogen doormaken wat Piet is aangedaan. Ik kan niet verkeren met een god die toestaat dat mensen elkaar zoiets aandoen.' Ze huiverde even. Haar ogen prikten en deden pijn van alle vergoten tranen.

'Wat kan ik voor je doen?' vroeg de geestelijke uiterst vriendelijk. 'Je bent hier niet alleen heen gekomen om woorden van troost te horen.'

'Ik neem aan dat u hebt gehoord dat Simon door hyena's is gedood? Toen we dat hoorden, dachten we dat het voorbij was. Dat zei de politie. Dat het over was. Maar drie dagen geleden, op Piets sterfdag, is er op de boerderij weer iets gebeurd.' Ze vertelde hem over de vernielingen in Camilla's atelier. 'Dat is geen toeval. Het begint opnieuw. Daarom vroeg ik me af of u misschien iets over Simon kunt vertellen, iets wat duidelijk kan maken waarom hij Piet heeft vermoord. En misschien weet u wie zijn vrienden waren. Want het zou te maken kunnen hebben met wat er nu is gebeurd. Misschien hebt u hem ooit samen met anderen gezien, die nu het werk voortzetten dat hij niet heeft kunnen afmaken.' Ze liet zich naast hem op haar knieën zakken. 'Ik ben gekomen omdat ik denk dat u de enige bent die me iets kan vertellen, een detail, hoe onbeduidend ook, dat ons verder kan helpen. Anders ben ik bang dat we nooit meer een normaal leven zullen kunnen leiden.'

De geestelijke staarde voor zich uit. Heel even was Sarah bang dat hij uit een bepaald principe niets zou willen zeggen, maar toen nam hij het woord.

'Simon is als kleine jongen bij ons gekomen. Hij leek een jaar of vier, maar ik denk dat hij eerder zeven of acht was. Waarschijnlijk was hij door ondervoeding zo klein gebleven. Heel lang heeft hij geen woord gezegd, en we dachten zelfs dat hij niet kon praten. Maar toen hij al een tijdje bij ons was en niet meer hongerig en bang was, begon hij geluiden te maken. De man die hem naar ons toe had gebracht, had niet gezegd hoe hij heette, hij was duidelijk bang en maakte zich zo snel mogelijk weer uit de voeten. Het enige wat hij had gezegd, was dat het kind Githiri heette, dat zijn ouders dood waren en dat hij geen familie had die voor hem kon zorgen.'

'Hoe zijn zijn ouders overleden?' vroeg Sarah.

'Toen dachten we dat ze misschien waren gedood door de Mau Mau. Er vonden destijds regelmatig slachtpartijen rond Nyeri plaats. Veel dorpen van Kikuyu werden in brand gestoken, mensen werden vermoord, dieren afgeslacht, alleen maar omdat ze de eed niet wilden afleggen.' De pater zweeg even en dacht na. 'In de dorpen had je ook vrouwen die in het geheim eten brachten naar de bendes die zich in de bossen in de Aberdare Mountains hadden verstopt. Ze werden vaak opgepakt en verhoord door leger en politie, en sommige soldaten of agenten waren even wreed als de bendeleden die ze probeerden te pakken. Wanneer ze in de bossen iemand vingen, sloten ze die soms dagenlang op, of schoten hem neer. Iedereen leefde in angst. Dus misschien waren de ouders van het kind daar ook bij betrokken geraakt. Hij had geen naam, geen papieren, en we hebben hem Simon gedoopt. Hij zei niet veel, maar aan zijn blik kon ik zien dat hij intelligent was. Ik mocht hem wel, en toen hij eindelijk begon te praten, gaf ik hem bijles. Ik gaf hem boeken, ik moedigde hem aan te lezen.'

'Dat heeft hij me verteld.' Sarahs stem klonk zwaar van verdriet. 'Ik heb hem zelfs een paar van mijn eigen boeken gegeven. Op die laatste ochtend, voordat hij met Piet op pad ging, gaf ik hem een bloemlezing uit de Engelse literatuur. Die had ik als student gewonnen.' Ze haalde haar hand langs haar gezicht om nieuwe tranen te drogen.

'O, vader, waarom zag ik niet in hoe hij echt was? Kunt u zich nog iets bijzonders herinneren wat hij u heeft verteld? Of iets over iemand die hij kende?'

De pater schudde zijn hoofd. 'Hij kreeg nooit bezoek. Hij werkte hard en veroorzaakte problemen. Ik denk dat hij gelukkig was, en hij groeide op tot een sterke jongeman vol zelfvertrouwen. Hij kon goed met de andere jongens overweg, maar hij had met niemand een echt hechte band. Hij had niet veel vrienden, zoals de meeste kinderen, maar hij had wel altijd een goed humeur.' Hij zweeg even. 'Tot een jaar of drie geleden.'

'Wat gebeurde er toen?' Sarah voelde dat er een nerveuze rilling door haar lichaam trok.

'Er kwam een man langs die hem wilde spreken. Hij zei dat hij familie was en Simon mee wilde nemen voor een bezoek. Er was nooit eerder iemand voor hem gekomen; ze hadden niet het geld om een wees te voeden of naar school te laten gaan. Daarom was hij bij ons achtergelaten. Maar nu hij oud genoeg was om te werken en zijn plaats in de wereld in te nemen, wilde zijn stam hem weer kennen. Simon was opgetogen, maar ook nerveus. Hij vroeg me of ik aan niemand wilde vertellen dat hij zijn familie ging bezoeken omdat hij niet zeker wist of het een succes zou worden. Ik kon merken dat hij geen gezichtsverlies wilde lijden. Natuurlijk respecteerde ik zijn wens, ik was blij voor hem. Jonge mannen op de missieschool hebben geen vakantie en krijgen geen vrij, ze moeten werken voor het eten en het onderwijs dat ze ontvangen. Maar ik heb altijd mijn best gedaan om mijn leerlingen enige vrijheid te geven.' De oude man haalde glimlachend zijn schouders op. 'Ik heb Simon wat geld gegeven, zodat hij iets voor zijn familie kon kopen, en ik heb tegen de andere paters gezegd dat hij naar Nanyuki ging omdat daar iemand was die hem misschien aan werk kon helpen. Hij bleef twee weken weg.'

'En toen kwam hij weer terug?'

'Ja. Maar hij was veranderd.'

'In welk opzicht?' Sarah boog zich voorover. Ze wilde geen woord van zijn antwoord missen.

'Dat kan ik niet precies zeggen.' De geestelijke fronste zijn wenkbrauwen. 'Hij keek gewoon anders naar me. Naar ons allemaal. Je zou kunnen zeggen dat hij wat teruggetrokken was, of zelfs nukkig. Hij glimlachte nooit meer. Hij las niet meer. In zijn vrije tijd was hij het liefst alleen.'

'Hebt u hem gevraagd hoe het tijdens het bezoek was gegaan?'

'Ja, natuurlijk. Hij zei dat ze helemaal geen familie waren. Dat ze zich hadden vergist. Ik dacht dat hij probeerde zijn teleurstelling te overwinnen. Misschien had die zogenaamde neef hem voor de gek gehouden, in de hoop hem geld te kunnen aftroggelen. Of dat zijn familie hem om een of andere reden had afgewezen. Dat zou niet de eerste keer zijn. Ik vroeg hem waarover hij liep te piekeren, maar hij wilde niets zeggen. Ik zei dat hij de ontmoeting met zijn familie misschien moeilijker had gevonden dan hij had verwacht en dat hij er altijd over kon komen praten als hij dat wilde. Maar hij heeft niets meer tegen me gezegd.'

'Maar hij bleef in Kagumo?'

'Ja, voor even. Een maand later zei hij dat hij in de stadjes naar werk wilde gaan zoeken. Hij wilde niet langer op de missieschool blijven,' zei pater Bidoli. 'Dat leek me een goede keuze. Hij was jong, klaar om zijn eigen leven te leiden. Hij had zijn hele jeugd bij ons doorgebracht en wilde nu wat vrijheid. Hij had zijn opleiding met goede cijfers afgerond, en het leek me een goed idee dat hij nu een eigen leven zou opbouwen, zeker na de teleurstellende ervaring met zijn familie. Ik vroeg aan onze penningmeester of die een aanbevelingsbrief wilde schrijven en gaf Simon wat geld. Hij vertrok vrijwel meteen. Dat is nu twee jaar geleden. Ik heb hem sindsdien nooit meer gezien.'

'Twee jaar geleden?' Sarah dacht na en probeerde Simons doen en laten op een rijtje te zetten. 'Maar hij kwam pas in juni 1965 naar Langani. Wat heeft hij dan in de tussentijd gedaan?'

'Hij heeft vast ergens anders gewerkt.'

'Dat lijkt me niet. Zijn enige referentie was die van de missie, en Hannah had de indruk dat hij rechtstreeks daarvandaan kwam. Hij zei dat hij nog nooit ergens anders had gewerkt.' Sarah begreep er niets van, maar ze had het gevoel dat zich in haar maag een knoop vormde. Dit kon een eerste aanwijzing zijn die hen naar iemand kon leiden voor wie Simon mogelijk had gewerkt, of bij wie hij had gewoond. 'Hebt u na zijn vertrek nog iets van hem gehoord?'

De pater schudde zijn hoofd, duidelijk verontrust door haar vraag.

'Hebt u enig idee waar hij heen kan zijn gegaan, op zoek naar werk?'

'Kort na zijn vertrek werd ik erg ziek,' zei de geestelijke. 'Ik ben naar Nairobi verhuisd omdat ik zo vaak naar het ziekenhuis moest.' Vol berusting glimlachte hij. 'Eigenlijk moet ik dat nog steeds heel vaak. Ik ben een oude man die niet veel tijd meer heeft.'

'Wat naar voor u.' Sarah kende de pater nog maar net, maar in zijn vriendelijke toon herkende ze een man die de pijn en verwarring van de mensheid kende, en die het begreep. Hij pakte weer haar hand en ze sloot half haar ogen, troost puttend uit zijn geestelijke kracht.

'Toen ik vorig jaar in het ziekenhuis lag, kwam iemand van onze gemeenschap me bezoeken,' vertelde de geestelijke. 'Hij zei dat Simon bij de missie in Nyeri naar me had gevraagd. Dat moet een maand of vier, vijf na zijn vertrek zijn geweest. Naar het schijnt was hij van streek, en toen hij hoorde dat ik er niet was, werd dat nog erger. Ze hebben hem mijn adres in Nairobi gegeven, maar ik heb nooit meer iets van hem gehoord.' Pater Bidoli haalde met een vermoeid gebaar zijn hand langs zijn ogen. 'Misschien kon hij geen werk vinden en had hij mensen leren kennen van wie hij wist dat ze niet deugden. Misschien kwam hij me om hulp of raad vragen. En misschien had ik iets kunnen zeggen wat hem van gedachten had doen veranderen. Maar voor hetzelfde geld had hij niet naar me geluisterd. God heeft om een of andere reden anders beslist.'

'Denkt u net als ik dat hij die moord vooraf heeft beraamd? Dat hij naar Langani kwam met de opzet te doden?'

'Dat weet ik niet. Misschien zal niemand dat ooit weten, mijn kind.' Hij zuchtte. Ze zag dat zijn handen beefden en dat hij erg moe was. 'Het spijt me dat ik je niet meer kan vertellen, maar ik zal voor je bidden, en voor je vriendin Hannah en haar gezin, en voor de jonge vrouw wier atelier is verwoest. Ik zal bidden dat je bescherming mag vinden, en troost, en dat iets je de weg zal wijzen.'

'Dank u. Ik wou dat ik uw geloof had, vader. Een ziekte had ik nog kunnen aanvaarden, een ongeluk ook, maar niet die onuitsprekelijke wreedheden. Tot zo'n god kan ik niet bidden.'

'Dat begrijp ik. Maar geef het gebed niet op, zelfs als je nu niet kunt aanvaarden wat er is gebeurd. Uiteindelijk zal het je helpen, meer dan wat dan ook.'

'U bent erg aardig, vader, en erg geduldig.' Sarah wilde geen discussie beginnen over haar gebrek aan geloof, of over het gebed. 'Ik heb u al veel te lang van uw rust afgehouden.' Ze haalde een kleine blocnote uit haar zak en schreef haar adres en de code van hun radio in Buffalo Springs op. 'Voor het geval u zich nog iets herinnert.'

'Dan laat ik het je weten. En je moet me iets beloven.'

'Ja, als ik dat kan.'

'Maak jezelf geen verwijten. Je had net zomin als ik kunnen raden wat Simon van plan was. We falen allemaal omdat we niet het gehele patroon kunnen zien, alleen de kleine draden die ons omsluiten. En geef God niet op.' Zijn blik zat vol wijsheid en mededogen. 'Je bent nu kwaad, dat maakt deel uit van je rouwproces, en dat gaat over. Maar woede kan je verteren, dus je moet proberen los te laten. En daarna zul je Hem nodig hebben, meer dan ooit.' Hij zonk weg in zijn stoel. 'Als je met iemand wilt praten die niet schrikt van wat je te vertellen hebt en die niet bang wordt van wat je voelt, moet je maar naar me toe komen. Dat kan je helpen.'

Ze stond op en keek even op hem neer, zich afvragend of ze hem ooit weer zou zien. Toen zei ze zacht: 'Dag, vader.' Toen ze de veranda verliet, meende ze hem iets te horen zeggen, maar toen ze omkeek, zag ze dat hij in slaap was gevallen.

Bij Anthony thuis brandde de open haard in de woonkamer. Joshua liep heen en weer, wachtend totdat hij iets voor haar kon doen. Hij vermeed zorgvuldig naar haar opgezwollen gezicht en rode ogen te kijken.

'Ik ga vanavond bij vrienden eten,' zei ze, 'dus je hoeft niet te blijven. Dank je, Joshua.'

Ze besloot een flinke borrel in te schenken en die mee te nemen naar de badkamer. Het vooruitzicht bij Dan en Allie te moeten eten was niet langer aanlokkelijk. Ze lag lange tijd volledig uitgeput in het warme water aan haar drankje te nippen en vroeg zich af of ze moest bellen om te zeggen dat ze niet zou komen. Maar het was al laat, en het zou onbeleefd zijn op het allerlaatste moment af te bellen.

Dan begroette haar bij de deur.

'Fijn dat je er bent, meid. Kom binnen. Gelukkig hebben onze vrienden een uitstekende *mpishi*, zodat we ons niet hoeven bloot te stellen aan Allies kookkunsten. Ze is weliswaar een briljant wetenschapper, maar koken kan ze niet!' Lachend leidde hij haar naar de woonkamer.

In de deuropening bleef ze als aan de grond genageld staan. Rabindrah Singh stond glimlachend op van de bank. Het duurde even voordat Sarah over haar verbazing heen was. Dit beviel haar helemaal niet.

Dan leek haar aarzeling te merken en pakte haar stevig bij haar arm. 'Rabindrah heeft ons vanmiddag aan zijn oom Indar voorgesteld. Dat is in alle opzichten een bijzondere man, die maar al te blij is dat hij ons kan helpen. Hopelijk komt hij binnenkort eens in het kamp kijken. Morgen zul je hem zelf wel leren kennen.'

'Daar kijk ik naar uit.' Sarah was verbaasd dat Dans bedenkingen over Indar Singh zo snel waren verdwenen.

'We hebben je eerder vanmiddag bij Anthony proberen te bereiken, maar de huisknecht zei dat je er niet was,' zei Dan. 'Kom, ik heb een paar ijskoude martini's staan waarvoor James Bond zich niet zou hoeven schamen. Proef eens, meid. O ja, we hebben de nieuwe Land Rover al gezien, en wat is dat een fijne auto. Het minste wat we konden doen, was Rabindrah bij wijze van dank uitnodigen voor een etentje.'

'Dan, mijn oom is degene die jullie de auto geeft, niet ik.'

'Jij hebt hem wel zover gekregen,' zei Dan.

'Zijn er nog ontwikkelingen in het onderzoek op Langani?' vroeg Rabindrah aan Sarah.

'Nee, niets nieuws.' Ze was bang geweest dat hij over de pater zou beginnen, maar na die ene vraag schakelde hij over op algemenere onderwerpen.

'Ik vind het zo erg wat er op de *plaas* is gebeurd.' Allie kwam bij hen staan, sloeg een arm om Sarah heen en pakte een martini aan. 'Pas op, dit drankje kan je de das omdoen. Dan kan er wat van; je merkt pas hoe sterk ze zijn als je weer probeert op te staan.'

Sarah had nog nooit martini gedronken en genoot van de scherpe smaak en de opvallende geur van het ijskoude drankje. Ze vroeg zich af of het verkeerd zou vallen, na de whisky die ze in bad had gedronken, maar korte tijd later merkte ze dat ze zich ontspannen voelde en enorme trek kreeg. Het misselijkmakende gevoel dat ze aan haar gesprek met de pater had overgehouden, trok langzaam weg. Tijdens het eten dronk ze een paar glazen rode wijn, waardoor ze enigszins licht in het hoofd werd. Het gesprek ging vooral over Buffalo Springs; Rabindrah wilde graag terugkeren en de rest van de tekst voor het boek opstellen. Naarmate de avond vorderde, dronken ze allemaal een flinke hoeveelheid. De mannen konden heel wat drank verstouwen, en ook Allie deed vrolijk mee zonder dat er iets aan haar te merken was. Sarah besefte dat ze de enige was die heel erg dronken werd. Ze hoorde zichzelf met dubbele tong praten, maar niemand leek het erg te vinden. Het etentje voltrok zich als in een waas, en later wist ze niet eens meer wat er op tafel had gestaan. Na het eten gingen ze weer in de woonkamer zitten, waar koffie werd geserveerd en de haard werd aangestoken, en toen wist Sarah dat het tijd was om te gaan. Dat bleek echter veel moeilijker dan ze had verwacht. Anthony's huis leek opeens zo eenzaam en afgelegen, daar zou ze alleen zijn met haar visioenen en nachtmerries. Opeens werd ze doodsbang. Dan boog zich naar haar toe en streek haar over haar hoofd.

'Volgens mij is het tijd voor je schoonheidsslaapje, jongedame,' zei hij met een geamuseerde blik. 'Waarom blijf je niet hier logeren?'

'Goed idee.' Allie kwam naast haar zitten.

Sarah zag het allemaal niet meer zo scherp en was ontzettend slaperig. Ze dacht heel diep na, maar haar hoofd was gevuld met watten.

'Ik denk dat ik maar moet gaan,' zei ze ten slotte.

Ze wist niet goed of ze nog wel kon autorijden. Rabindrah zei iets tegen haar, maar ze zag hem niet scherp meer, al meende ze hem te zien glimlachen. Dat deed hij nu altijd, met die witte tanden die scherp afstaken tegen zijn donkere huid.

'Als je terug wilt naar je logeeradres breng ik je wel even,' zei hij. 'Het is maar tien minuten rijden. Dan halen Dan en Allie je morgen wel weer op, zodat je je auto kunt komen halen.'

Ze spande zich tot het uiterste in. Een bed verderop in het huis, waarvoor ze maar een paar passen hoefde te lopen, was erg aanlokkelijk. Maar de mensen van wie dit huis was, zouden straks thuiskomen, en ze had geen zin om aan volslagen vreemden uit te leggen dat ze te dronken was geweest om te rijden. En nu ze toch helemaal in de lorum was, zou het haar minder moeite kosten alleen in een vreemd huis te slapen. Ze wilde niet dat Dan en Allie zouden merken hoe laf ze was. Haar hoofd tolde, en ze knipperde een paar keer met haar ogen.

'Sarah?' Allies stem kwam van heel ver weg. 'Ben je er nog? We moesten je maar naar bed brengen.'

'Nee, nee.' Ze ging rechtop zitten. 'Ik wil terug naar Anthony's huis... Vind je het echt niet erg om me even te brengen, Rabindrah? Dan ga ik me even opfrissen.'

Langzaam stond ze op en liep naar het toilet, waar ze haar gezicht met water besprenkelde, in de hoop dat ze dan weer helder zou kunnen denken. Haar benen leken wel van rubber, en ze kon amper haar evenwicht bewaren. Maar ze voelde in elk geval geen pijn. Ze voelde helemaal niets. Dat was goed. Niets voelen was aangenaam. Ze voelde zich prima. Het enige wat ze hoefde te doen, was lang genoeg overeind blijven om Rabindrahs auto te bereiken. Glimlachend keek ze naar haar spiegelbeeld.

'Je bent zo dronken als een tempelier.' Ze wees naar de vrouw in de spiegel. 'Maar goed dat de nonnen je niet kunnen zien.'

Ze deed de deur open en liep langzaam terug door de gang. Haar hoofd tolde, en ze moest een hand uitsteken om steun te zoeken, maar ook de muren bewogen. Ze zag dat Allie iets op ernstige toon tegen Rabindrah zei, met een hand op zijn arm.

'Dit is een moeilijke periode voor haar. De sterfdag van Piet, en nu weer die problemen op de boerderij. Ze is erg kwetsbaar, dus pas goed op haar. We zijn erg op haar gesteld, Dan en ik, ze is een heel bijzondere jonge vrouw.'

Sarah bleef in de schaduw staan, met ingehouden adem. Rabindrah pakte Allies handen vast en glimlachte. 'Ik zal voor haar zorgen alsof ze een klein meisje is.' Hij draaide zich om toen ze haar voetstappen hoorden.

'Ik ben zover.' Ze probeerde opgewekt te klinken, maar ze hoorde zelf ook dat ze met dubbele tong sprak. Ze wilde zeggen dat ze geen klein meisje was en niet als zodanig wilde worden behandeld, ze wilde iedereen op een waardige manier duidelijk maken dat ze heel goed op zichzelf kon passen, maar ze kon die woorden niet over haar lippen krijgen. Gedwee liet ze zich door Allie naar Rabindrahs auto voeren.

'Ik heb geen afscheid van Dan genomen,' zei ze.

'Dat begrijpt hij wel. We zien je morgen weer. Ik kom je ophalen, vergeet je zonnebril niet.' Grijnzend sloot Allie het portier. 'Slaap morgen maar een paar uur uit, dat zul je nodig hebben.'

Sarah mompelde een bedankje en sloot haar ogen. De auto zette zich in beweging en ze voelde dat haar ingewanden in opstand kwamen. Ze wilde niet tegen Rabindrah zeggen dat ze niet alleen durfde te zijn, maar ze had geen controle over haar tong. De woorden buitelden haar mond uit en verdwenen in haar hoofd, zodat ze niet eens zeker wist of ze iets had gezegd. Of droomde ze het soms? Het geluid en de stank van de motor maakten haar misselijk en duizelig. Ze wou dat ze de fut had om het raampje naar beneden te draaien.

'Ik voel me niet zo lekker,' zei ze op plechtige toon. 'Ik denk dat ik moet overgeven. Ja, dat moet ik. Kotsen, bedoel ik. Ik heb altijd last van wagenziekte, wist je dat?'

Toen ze haar ogen weer opende, stond de auto stil en hees Rabindrah haar van haar stoel, de oprit op. Ze struikelde over de drempel en moest hem stevig vastpakken en lachte omdat ze haar evenwicht niet kon bewaren. Binnen leunde ze tegen de muur, in een poging haar omgeving in haar op te nemen. Maar de muren bewogen heel vreemd, en opeens voelde ze zich heel erg beroerd. Haar benen zakten onder haar weg, zonder waarschuwing, en ze zeeg neer op de grond. Het kwam als een schok toen hij haar optilde en door de gang droeg, allerminst elegant.

'Wat doe je?' Ze kreeg de woorden bijna niet haar mond uit.

'Ik breng je naar de badkamer omdat je gastheer vast niet wil dat je over zijn Perzische tapijt braakt. Welke deur is het, wijs maar. Dank je. Daar gaan we dan.'

De geluiden hadden Joshua naar hen toe gelokt, en de huisknecht keek de Indiër met een mengeling van verbazing en hevige argwaan aan. Rabindrah keek over zijn schouder en gaf instructies.

'De *memsahib* voelt zich niet lekker. Zou je de deur van de badkamer open willen doen? En maak daarna maar meteen haar bed in orde.'

Joshua kwam meteen in actie, en ze haalden de badkamer nog maar net op tijd. Sarah viel voor de wc op haar knieën neer en Rabindrah hield haar hoofd vast terwijl ze kokhalzend en kreunend boven de pot hing. Haar waardigheid en beschaving werden samen met de beschamende sporen van haar drinkgelag weggespoeld. Daarna leunde ze tegen het bad, leeg en huiverend, terwijl hij met een spons haar gezicht en schouders schoonveegde. Toen bracht hij haar naar de slaapkamer en hielp haar het bed in. Zijn gezicht doemde voor haar op toen hij haar een glas water en twee witte pilletjes gaf die ze zonder protesteren doorslikte. Het leek alsof hij bedenkelijk keek, maar ze wist niet zeker of hij boos of bezorgd was of alleen maar afkeer voelde. Hij glimlachte in elk geval niet, en ze was dankbaar dat zijn stem laag en zacht klonk. Het kostte haar moeite hem scherp te zien, maar ze moest iets heel belangrijks tegen hem zeggen.

'Ik ben geen klein meisje, hoor.' Ze fronste vol ergernis. 'Ik heb geen kindermeisje nodig. Ik kan voor mezelf zorgen, echt waar. Ik kan nu alleen even niet goed staan, dat is alles. Je hoeft me niet zo kinderachtig te behandelen, echt niet.' Ze leunde achterover tegen het kussen. 'Geen klein meisje. Dat wilde ik even zeggen. Maagd, ja. Klein meisje, nee.' Ze giechelde even en kreunde toen. 'Jezus, ik maak er wel een puinhoop van. Sorry, hoor. Sorry.'

'Slaap lekker.' Rabindrah gaf haar een klopje op haar hoofd. 'Ik twijfel er niet aan dat je meteen als een blok in slaap zult vallen, maar voor de zekerheid blijf ik vannacht hier. Ik denk niet dat meneer Chapman daar onder deze omstandigheden bezwaar tegen zal hebben. En morgen praten we wel verder.'

Een straal zonlicht prikte tegen haar oogleden en deed haar hoofd bonzen. Sarah tuurde met samengeknepen ogen naar haar horloge, vastbesloten zo weinig mogelijk licht te hoeven aanschouwen. Nee! Het kon geen half twaalf zijn. Snel schoot ze overeind, om toen weer kreunend van pijn te gaan liggen. Het voelde alsof iemand haar hoofd van haar nek had geschroefd. Wat was er aan de hand? Waar was ze in vredesnaam? Langzaam kwamen de herinneringen boven, en kreunend begroef ze haar hoofd in haar kussen. Wat had ze zich misdragen! Ze had in de badkamer overgegeven, ze had gezegd dat ze geen klein meisje was, maar wel een maagd. God o god! Dit was rampzalig. Ze schaamde zich kapot. Wat moest die onuitstaanbare vent wel niet van haar denken? Hij had natuurlijk helemaal geen respect meer voor haar. Hoe konden ze nu nog samenwerken aan hun boek? Of aan wat dan ook? En Joshua! Ze herinnerde zich vaag zijn ondoorgrondelijke gezicht toen ze langs hem door de gang werd gedragen. Zou hij het tegen Anthony zeggen? Ja, natuurlijk zou hij dat. O, dit zou ze nog zo vaak te horen krijgen.

Ze ging weer rechtop zitten, maar deze keer heel voorzichtig. Zou ze zich ergens kunnen verstoppen, bij voorkeur minstens een week? Toen ze haar benen over de rand van het bed zwaaide, ging de deur open en zag ze Rabindrah staan. Ontzet keek ze hem aan. Had hij vannacht hier geslapen? Hij zag er akelig fris en monter uit, hoewel ze wist dat hij ook het nodige had gedronken. Maar hij kon liters drank wegwerken, net als Dan en Allie. Dat was niet eerlijk. Sikhs hoorden niet eens te drinken. Dat wist zij zelfs. Hij was van zijn geloof gevallen. Net als zij, als katholiek.

Sarah draaide haar hoofd om en kreunde.

'Voel je je vandaag wat minder lekker?'

Hij glimlachte weer, zijn tanden zo stralend wit dat het pijn deed aan haar ogen. Ze voelde zich verscheurd door woede en schaamte. Nu zou hij neerbuigend gaan doen. Met moeite keek ze hem aan, schraapte haar keel en zei op deftige toon: 'Ik ben je een excuus verschuldigd. Ik heb me gisteravond schandelijk misdragen.'

'Ja, uitermate schandelijk. Je wist van voren niet meer dat je van achteren leefde.' Hij gooide zijn hoofd in zijn nek en lachte bulderend. 'Joshua is bezig met het ontbijt.' Hij zag haar grimas en liep de kamer in. 'Ik heb een beproefd recept tegen katers dat ik op duistere ochtenden in het noorden van Engeland heb geleerd. Eerst neem je deze aspirientjes in, gevolgd door een hele fles cola. Dan neem je een warme douche en ga je uitgebreid ontbijten met gebakken eieren met spek en neem je nog een bloody mary en een paar koppen koffie. Daarna voel je je stukken beter, dat beloof ik je. Dan ben je helemaal klaar voor de overdracht van een Land Rover!'

Het voelde als een marteling, maar ze deed gedwee wat hij zei en probeerde te bedenken hoe ze haar gedrag moest verklaren. Toen ze had ontbeten, ontdekte ze tot haar verbazing dat Rabindrah gelijk had. Ze voelde zich bijna weer mens. Ook hij had een enorm bord eten weggewerkt, een paar koppen koffie gedronken en een van die drankjes met tomatensap, wodka en tabasco genomen die haar lieten hoesten. Tijdens het ontbijt had hij niet veel gezegd, maar nu keek hij haar recht aan.

'Ik vind het echt heel vervelend,' zei ze. 'Van gisteravond, bedoel ik. Ik ben niet gewend aan zo veel alcohol. Ik had eerder moeten stoppen.'

'Het was niet erg,' zei Rabindrah. 'Je was erg beschaafd, in vergelijking met andere gevallen die ik heb meegemaakt. Maar ik denk dat we nu maar moeten gaan.' Hij keek even op zijn horloge. 'Dan heeft eerder vanmorgen al gebeld, en ik heb gezegd dat we nog even bij hen langs zouden rijden om jouw auto op te halen.'

Vol ongenoegen staarde Sarah hem aan en besefte dat haar werkgevers nu vast het hele verhaal kenden.

'We hebben om drie uur bij de garage van oom Indar afgesproken,' vervolgde hij. 'Zullen we nu gaan? Ik moet ook nog werken.'

Ze knikte. Hij was erg beleefd, vond ze, maar afstandelijk. Hij had het helemaal niet meer over pater Bidoli gehad. Of hij was de discretie zelve, of hij probeerde zich zo weinig mogelijk met haar te bemoeien om zichzelf niet in verlegenheid te brengen.

'Je hoeft me niet te brengen. Ik neem wel een taxi. Het is niet ver.' Ze wilde niet dat hij dacht dat ze op meer hulp of aandacht rekende.

Hij sloeg met een hand tegen zijn voorhoofd. 'O, dat is waar ook, bijna vergeten. Je vriend Anthony heeft nog gebeld. Ik zei dat je wel terug zou bellen.'

De moed zonk haar in de schoenen.

'Ik ben zo vrij geweest hem te vertellen dat ik je kwam ophalen om de Land Rover in ontvangst te nemen,' vervolgde Rabindrah.

Zijn uitdrukking was ondoorgrondelijk, en ze kon niet zeggen of hij lachte of niet. Maar natuurlijk lachte hij haar uit. Ze liep naar de telefoon en belde naar Langani.

'Sarah? Is alles in orde?' Lars klonk bezorgd.

'Ja. Ik voelde me gisteren na het eten niet zo lekker, dus Rabindrah heeft me hierheen gereden. Dat was erg aardig van hem.' Ze wist dat het slap klonk, maar had geen zin uit te weiden met Rabindrah in de kamer naast haar. Waarschijnlijk zat hij toch al geamuseerd te luisteren.

'Is Hannah er ook?' vroeg ze, schuldbewust.

'Ik geef haar even. Tot morgen.'

'Ik weet dat het stom was,' zei Hannah, 'maar ik was bang dat je alleen op pad was gegaan en was overvallen. Je hebt van die bendes die 's nachts in Nairobi de straten onveilig maken. Ze versperren de weg en wachten op auto's, en vooral op vrouwen die alleen onderweg zijn.'

'Ik was niet alleen. Rabindrah gaf me een lift omdat het zo laat was.'

'Wat moest hij daar?' Hannah klonk beschuldigend. Ze had het hem nog steeds niet vergeven dat hij naar Langani was gekomen.

Sarah zuchtte. 'Hoor eens, ik was gisteravond nerveus en van streek. Ik heb tijdens het eten te veel gedronken en durfde eigenlijk niet meer alleen terug naar het huis van Anthony. Dat snap je toch wel, Han? Ik had niet gedacht dat ik het alleen zo moeilijk zou hebben.' Ze wachtte totdat Hannah iets zou zeggen, maar toen er geen antwoord kwam, vervolgde ze: 'Ik was best wel aangeschoten, en toen ik eindelijk hier was, heb ik er niet aan gedacht te bellen. Ik had een nummer achter moeten laten waar jullie me hadden kunnen bereiken, maar daar heb ik ook niet aan gedacht. Ik kon gewoon niet helder denken.'

'Als je niet alleen wilt zijn, waarom logeer je dan niet bij Dan en Allie?'

'Hannah, ik was stomdronken! Rabindrah bood aan me naar huis te brengen, ik kotste bijna zijn auto onder, en toen ik hier aankwam, ben ik min of meer bewusteloos geraakt. Ik ben net wakker. Het klinkt niet leuk, maar dat is de waarheid. Ik heb me als een idioot gedragen, dus maak het nu niet nog erger.' Ze wist dat ze scherp en verdedigend klonk, maar het ging eerlijk gezegd niemand iets aan hoe ze haar tijd doorbracht, en met wie.

'Het spijt me.' Hannahs toon veranderde. 'Het spijt me dat ik zo lullig deed en in paniek raakte om niets. Het valt allemaal niet mee sinds het atelier vernield is. En je bent mijn grote steun, Sarah, zeker nu. Houd contact, oké? Toe.'

'Dat beloof ik.'

Sarah legde neer. Rabindrah stond op het trapje dat naar de tuin leidde een sigaret te roken. 'Is alles in orde?' vroeg hij.

'Kan niet beter. We zijn één grote gelukkige familie. Zullen we gaan?'

Ze pakte haar tas, klaar om het huis te verlaten en aan de taken te beginnen die ze die dag diende te verrichten. Maar haar lichaam deed pijn, en ze was sloom en wenste dat er iemand was bij wie ze steun kon zoeken. Iemand die haar van al haar problemen af kon helpen en haar pijn en verdriet kon wegnemen, en haar kon laten slapen. Ze sloot haar ogen. Buiten op het *veldt* stond Piet in het zonlicht, met zijn rug naar haar toe. Ze riep zijn naam en hij draaide zich om. Staarde haar met lege, bloedende oogkassen aan. Haar handen schoten naar haar gezicht, ze hapte naar adem en klapte dubbel. Rabindrah kwam razendsnel naar haar toe, en ze liet hem haar arm vastpakken en haar gezicht naar hem toe draaien. Hoog in de bomen hoorde ze de vogels zingen, ze rook de kamperfoelie die de veranda bij de voordeur bedekte. De hemel was stralend blauw en het was een zonnige, warme dag op Gods prachtige aarde, waar de man van wie ze had gehouden een onbeschrijflijk pijnlijke dood was gestorven.

'Vertel het maar,' zei Rabindrah.

'Ik heb niets te vertellen.' Ze probeerde te glimlachen, maar ze voelde de tranen in haar ogen opwellen.

'Als je niet met iemand praat, ga je eraan onderdoor,' zei hij.

'Maar ik heb niemand om mee te praten,' zei ze. 'Niemand weet hoe het is om in mijn schoenen te staan. Om zo eenzaam en alleen te zijn. Om elke ochtend wakker te worden en te weten dat ik hem nooit meer zal zien, wat er ook gebeurt. Nooit, hoe lang ik ook leef. En nu is het allemaal weer opgerakeld.'

'Je bent met die pater gaan praten.' Het was een intuïtieve vaststelling, en hij raakte vervuld van medeleven toen hij zag dat hij het goed had geraden.

'Ja.' Het was een opluchting het tegen iemand te kunnen zeggen. 'Het was een vriendelijke man, en we hebben het over Simon Githiri gehad.'

'Wil je praten over wat hij heeft gezegd?'

Ze deed haar best om te herhalen wat pater Bidoli had verteld en haalde daarna hulpeloos en berustend haar schouders op. 'Ik heb tegen niemand gezegd dat ik naar hem toe zou gaan,' zei ze. 'Ik wilde niet dat Hannah de verkeerde conclusies zou trekken. Ik wilde niet dat ze zou denken dat ik erachter zou komen waarom Piet is gedood en we op Langani nog steeds worden aangevallen. En ik weet niet of de pater nu wel of geen nieuwe inzichten kan bieden. Het enige wat ik eigenlijk heb gedaan, is mijn ergste nachtmerrie opnieuw tot leven wekken.'

'Ik begrijp dat dat heel pijnlijk moet zijn.'

'Maar er is nog iets.' Ze aarzelde en uitte haar gedachten toen in een stroom van ellende en wanhoop. 'Het is iets wat ik niet mag zeggen. Een idee dat krankzinnig klinkt, en als ik het zou zeggen, zou ik te veel mensen pijn doen.'

'Wat dan?'

Toen ze het eindelijk verwoordde, klonk haar stem zo laag dat hij zich naar voren moest buigen om haar te kunnen verstaan.

'Stel dat hij niet dood is?' zei ze.

'Dat wie niet dood is?' Hij begreep niet wat ze bedoelde.

'Simon Githiri.'

'Maar hij is dood. Je hebt hem die nacht zelf gezien, hij stond daar op de heuvel. Jij herkende de spullen die de politie later bij de resten in het bos heeft gevonden als de spullen die hij die avond droeg.'

'Dat is waar,' zei ze met lage stem. 'Maar ik heb altijd het idee gehad dat ik het zou hebben gevoeld als hij was gestorven. Als de hyena's in het bos hem hadden gedood. Omdat ik van die voorgevoelens heb, word ik al mijn hele leven lang uitgelachen, maar ik heb meestal gelijk. En nu wordt Langani opnieuw door verschrikkingen getroffen en voel ik dezelfde dreiging boven de boerderij hangen. En ik ben bang dat Simon nog leeft.'

ZEVEN
Kenia, januari 1967

'Het is nu het hoogtepunt van het toeristenseizoen, Mary, en ik bied je de collectie exclusief aan,' zei Camilla. 'Ik heb heel veel bijzondere kleren en accessoires waarvan ik zeker weet dat je ze allemaal kunt verkopen.'

'Je hebt me drie keer zoveel als dit beloofd, meid. En hoe wil je me verder bevoorraden als je je atelier niet kunt gebruiken?' Mary Robbins bood haar koffie aan. 'Dit komt niet eens in de buurt van onze afspraak, en ik heb meer klanten dan alleen maar toeristen. Iedere goedgeklede vrouw in Nairobi komt naar mij toe, en de seizoenen zijn hier niet van invloed op de mode. Als ik een nieuwe lijn in mijn aanbod opneem, steek ik tijd en geld in het promoten ervan. Mijn grootste zorg is continuïteit.'

'Ik zal binnen de kortste keren weer op volle toeren draaien...'

'Daarom denk ik dat we in het kader van de gebeurtenissen een nieuwe overeenkomst moeten sluiten. Laten we afspreken dat je me over zeg een maand of negen weer gaat leveren.'

Mary wilde niet over alternatieven praten. In haar ogen was er iets grondig mis op Langani. Ze geloofde niet dat Lars en Hannah op de boerderij zouden blijven, niet na dat incident dat precies op Piets sterfdag had plaatsgevonden. Als Camilla's vrienden hun land nu zouden verlaten, zouden ze trouwens niet de enigen zijn. Talloze boeren waren er niet in geslaagd hun bedrijf na de onafhankelijkheid voort te zetten. De omstandigheden waren te zeer veranderd.

Camilla zou waarschijnlijk ook vertrekken. Het was al bijzonder dat die meid een zaak in Kenia was begonnen terwijl ze triomfen vierde in Londen en New York. Haar verhouding met Anthony Chapman had haar weer hierheen gelokt, maar Mary geloofde niet dat die lang zou duren. Hij zat te vaak achter de vrouwen aan. Camilla was een van de chiquere dames die waren gevallen voor de charmes van de blanke jager, voor dat idee van een romance in de wildernis waarvoor vrouwen opvallend vaak bezweken. Elke dag in Afrika moeten wonen en werken was echter heel andere koek, en dit meisje oogde te kwetsbaar om het vol te kunnen houden. Haar moeder, een ware schoonheid, was een van Mary's beste klanten geweest. Het was triest dat ze zo jong was gestorven. De geruchten gingen dat George Broughton-Smith eigenlijk op mannen viel, maar dat ze tijdens hun huwelijk een oogje had dichtgeknepen. God mocht weten wat voor relatie Camilla met haar vader had. Op zijn best een kwetsbare. Al met al zou het beter zijn als het kind terugkeerde naar Europa en haar glanzende loopbaan. Misschien zou het atelier op Langani wel nooit worden heropend. Het was allemaal veel te onzeker, en er klopten genoeg andere fabrikanten met een mooi aanbod bij Mary aan.

'Ik wil je kleren graag verkopen.' Ze probeerde iets vriendelijker te klinken. 'Het zijn prachtige ontwerpen van goede kwaliteit. Maar ik ga nieuwe winkels openen in drie van de duurste hotels van Kenia, en ik heb meer stuks nodig dan jij nu kunt leveren. Laten we het er over een half jaar nog eens over hebben, als jouw zaak weer draait. Dan zien we wel verder.'

Camilla voelde dat de moed haar ontglipte, maar ze was vastbesloten kalm te blijven en een afspraak met Mary Robbins te maken. Over een paar weken moest ze weer naar Londen om aan haar verplichtingen jegens Tom en Saul Greenberg te voldoen. Op Langani was de situatie allerminst rooskleurig omdat er geen geld werd verdiend. Een paar van de arbeiders waren weggegaan, zodat Lars alle zeilen moest bijzetten om de boerderij draaiende te houden.

'Ik ga een groot deel van mijn geld in het opzetten van het atelier steken,' had Camilla hem voor haar vertrek naar Nairobi verteld. 'Zodra ik die nieuwe contracten heb afgesloten, heb ik het geld om opnieuw te beginnen. En over een paar weken krijg ik ook mijn eerste aandeel van de jurken van Saul Greenberg.'

'Je hoeft niet per se door te gaan, hoor,' zei Lars. Hij was onder de indruk van haar bereidheid en vastberadenheid. 'We begrijpen het heel goed als je op Langani niet meer verder wilt gaan. Misschien kun je beter op zoek gaan naar een geschikte locatie in Nairobi.'

'Nee,' zei Camilla, 'als jullie blijven, blijf ik ook. Ik moet eind februari terug naar Londen, dat weet je, want ik ben voor een paar grote campagnes geboekt. Maar Hannah kan dan het atelier leiden. Ze heeft bijna elk dag bij me gezeten, geholpen de *bibi's* op te leiden, en ze heeft toezicht gehouden op het naaien en knippen. Ze kan het wel. Ze zal alleen nieuwe vrouwen moeten opleiden als de oude niet terug durven komen.'

Na de vernielingen in het atelier was Hannah een paar dagen lang kortaf en somber geweest, onbereikbaar, opgesloten in haar eigen gedachtewereld.

'Ik weet niet wat ze denkt,' had Lars tegen Camilla gezegd. 'In bed draait ze haar rug naar me toe, ze wil niets tegen me zeggen, maar ik weet dat ze niet kan slapen. Ze zit de hele dag naast de baby en zegt geen woord. Misschien wil ze het opgeven en Langani verlaten.'

Op nieuwjaarsdag had Hannah voor iedereen een mededeling.

'We weten niet wat er hier gebeurt, of waarom.' Haar gezichtsuitdrukking was vermoeid, haar ogen waren donker van uitputting. 'Maar ik zal nooit de *plaas* opgeven omdat een stel *kaffirs* me bang proberen te maken.' Ze zag Lars ineenkrimpen toen ze dat woord gebruikte en maakte een snelle beweging met haar hand, zijn afkeuring negerend. 'Mijn grootouders zijn hier begonnen en mijn vader heeft tegen de Mau Mau gestreden om zijn land te kunnen behouden. Pa is vertrokken, zodat zijn zoon de boerderij kon krijgen, en Piet zelf is gestorven met de gedachte dat we het recht hadden om hier als burgers van dit land te wonen. Daarom zal ik alles doen wat ik kan om de *plaas* te behouden. Omdat mijn ouders al zoveel aan dit land hebben gegeven en omdat ik Lars en Suniva en mezelf een toekomst wil kunnen bieden.' Ze keek haar man aan. 'We gaan de lodge van Piet openen en Camilla's atelier weer opknappen. We blijven op ons bedrijf, Lars, in wat ons land is. Niemand zal ons dat afnemen, niet door angst te zaaien en ook niet op een andere manier.'

Camilla had zitten luisteren, vol bewondering voor de vasthoudendheid en moed achter die woorden. Haar eerste opwelling was weggaan geweest, naar Nairobi verhuizen om daar haar zaak voort te zetten. Maar toen ze Hannahs stem had horen haperen en haar naar Lars, de baby en het geweer op de plank naast haar had zien kijken, had ze ook besloten te blijven.

Ze had alleen geld nodig, en snel ook. Ze had het grootste deel van haar liquide middelen in het atelier gestoken: in een nieuw dak, nieuwe water- en stroomleidingen, wanden en planken. Ook had ze machines en materialen gekocht, drie maanden lang loon betaald en bijgedragen aan de huishoudelijke kosten van de boerderij. Ze had nu contanten nodig die haar door de komende weken heen moesten helpen, en Mary Robbins was haar beste kans.

De serveerster kwam nog twee koppen koffie brengen en morste bij het neerzetten van het kopje een klein drupje op Camilla's witte linnen blouse. Ze keek een tikje geërgerd op en zag een van de mooiste gezichtjes die ze ooit had aanschouwd. Het meisje was Somalisch, nam ze aan, of Ethiopisch. Haar gezicht was volmaakt ovaal, haar nek was lang als van een zwaan. Haar ogen waren amandelvormig, omkranst door lange, krullende wimpers, en haar slanke neus wees een tikje omhoog. Haar lippen waren rond en vol en glanzend, als rijpend fruit. Meteen kreeg Camilla een idee dat haar zou kunnen redden.

'Ik begrijp heel goed wat je bedoelt, Mary,' zei ze. 'Ik weet dat je liever meer artikelen op voorraad hebt, maar ik heb nog een ander plan.'

'Als het duur of riskant is, wil ik er niets over horen,' zei Mary.

'Ik denk dat we voor een vraag moeten zorgen waaraan we sowieso niet kunnen voldoen,' zei Camilla. 'Een paar uitmuntende artikelen die je maar twee of drie keer per jaar in je collectie hebt, in erg kleine hoeveelheden. Echte couture. Ik stel voor dat we ergens in de komende twee maanden een modeshow geven, voor een goed doel, met aansluitend een chic diner. Misschien op Valentijnsdag, dat zou een goede datum zijn. We kiezen een goed doel en doneren een deel van de opbrengst; we houden het aantal toegangsbewijzen bescheiden, maar verkopen ze wel voor een fiks bedrag. Ik laat een echte catwalk bouwen en regel mannequins. Ik, en twee andere meisjes, een Indiase en een Afrikaanse. Het nieuwe gezicht van Kenia. We laten de artikelen zien die ik nu al heb en laten de klanten vechten om een beperkt aantal dat nooit meer opnieuw verkrijgbaar zal zijn.'

'Dat krijg je in zo'n korte tijd nooit geregeld,' zei Mary. 'Hoe wil je iedereen zo snel laten weten wat je van plan bent?'

'Ik vraag wel of een paar beroemde namen uit Londen hierheen komen. Van die lui over wie de bladen altijd schrijven. Ik ken een stel die bij me in het krijt staan.' Camilla vroeg zich af of ze een Europese ster hierheen zou kunnen lokken. 'Ik zal de andere meisjes zelf opleiden en ik kan je beloven dat het er net zo goed uit zal zien als een show in Londen of Parijs.'

'En waar wil je die meisjes vandaan halen?' wilde Mary weten. 'Het lijkt me heel veel werk, terwijl je absoluut niet kunt weten of het je wel lukt. Dit is weliswaar geen wereldstad, maar mensen verwachten hier wel kwaliteit.' Ze zweeg even. 'En wie had je uit Londen willen halen? Je hebt wel erg weinig tijd.'

Camilla merkte echter meteen dat ze Mary aan het nadenken had gezet. Toen ze een half uur later afscheid van elkaar namen, hadden ze een dag afgesproken waarop Camilla haar collectie zou leveren en Mary haar zou betalen. Ze stond daarna meteen op en keek of ze de serveerster ergens zag, maar het meisje was nergens te bekennen.

'Waar is de chef?' vroeg ze aan de ober die het tafeltje kwam afruimen.

'Is er iets mis?' vroeg hij een tikje ontstemd.

'Nee, nee.' Camilla gaf hem een flinke fooi. 'Ik vroeg me alleen af hoe jullie nieuwe serveerster heet.'

Hij trok zijn grote neus op en tuitte afkeurend zijn lippen. 'Dat is Zahra. Een Somalische. Maar ze is al weg.'

'Kun je haar een boodschap doorgeven?' vroeg Camilla.

Hij schudde zijn hoofd. '*Hapana.* We gaan niet met die mensen om. Als ze niet werkt, doet ze slechte dingen. En ze praat niet tegen ons.'

'Dat kan ik me voorstellen,' merkte Camilla op. 'Waar woont ze?'

'*Sijui.*' Hij haalde zijn schouders op, pakte voordat ze van gedachten kon veranderen de fooi en ging toen met overdreven veel aandacht een volgende klant bedienen.

In het overvolle kantoortje legde de zelfingenomen secretaresse uit dat de chef weg was en dat ze geen idee had wanneer hij terug zou komen. Niemand wist waar Zahra woonde. Dat wist alleen de chef. Camilla reed terug naar het huis van haar vader, bij wie ze logeerde wanneer Anthony op safari was. Ze had met hem mee willen gaan, maar als ze een modeshow wilde organiseren, zou ze daar toch geen tijd voor hebben. Ze pakte de telefoon.

'Ik wil graag naar het buitenland bellen,' zei ze tegen de telefoniste. 'Londen, alstublieft.'

Tom Bartlett bulderde van het lachen toen ze hem haar plan uitlegde. 'O, schat, je maakt een grapje,' zei hij. 'Dat kun je in zo'n korte tijd nooit organiseren. Ik ken niemand die op het vliegtuig stapt en foto's gaat nemen van een amateuristisch modeshowtje ergens in donker Afrika. Ik woon in de echte wereld, weet je nog?'

'O, maar jij komt bijvoorbeeld al,' zei ze. 'Toe, Tom, denk eens met me mee. Dit kan geweldig worden. Ik weet zeker dat Joe Blandford ook wel interesse heeft. Ik heb hier een Somalisch meisje gezien dat zo mooi is dat je een fortuin aan haar kunt verdienen. Echt, de bladen en de fotografen zullen voor haar in de rij staan. Je hoeft maar een paar dagen naar Kenia te komen.'

'Je ijlt,' zei hij. 'Je bent door de hitte bevangen. Of die Tarzan van je heeft iets in het water gedaan waardoor je gek bent geworden, precies zoals ik al heb voorspeld. Wanneer had je dat allemaal willen organiseren?'

De rest van de dag besteedde ze aan de eerste voorbereidingen, en tegen de avond had ze zich van de eerste beloften van zowel Tom als Joe Blandford verzekerd.

'Ik ga een modeshow organiseren,' zei Camilla die avond tijdens het eten tegen haar vader.

'Dat mens van een Mary Robbins weet ook iedereen voor haar karretje te spannen,' zei George. 'Hoe heeft ze jou over weten te halen?'

'O, het was mijn idee, niet dat van haar. Het zal het grootste spektakel worden dat Nairobi ooit heeft gezien.' Ze legde uit wat ze precies van plan was en zag dat George een teleurgesteld gezicht trok.

'Ik moest dat mens, zoals u haar noemt, toch tevreden zien te houden,' zei ze, 'en daar heb ik gelukkig net genoeg voorraad voor. Gelukkig had ik de spullen die al af waren reeds naar het huis van Anthony gebracht, anders waren die ook vernield. Gisteren moest ik tweederde van de bestelling van Saul Greenberg verschepen. Als ik hem nee had moeten verkopen, was de schade nog veel groter geweest. Nu moet ik eerst mijn geld van Mary zien te krijgen, dan kan ik alles op Langani opnieuw inrichten.'

'Misschien kun je beter wachten totdat de politie het onderzoek heeft afgerond,' stelde George voor. 'Ik vind het allemaal maar erg naar, lieverd. Het is daar niet pluis, en ik weet zeker dat Hannah het niet erg zou vinden als je het atelier even liet voor wat het is.'

'Hoezo, "naar"?' Het irriteerde haar dat hij zijn blik afwendde en geen antwoord wilde geven. 'U wilt nooit over Langani praten. Hannah probeert de boerderij te behouden, en nota bene u zou dat toch moeten begrijpen. U lijkt te zijn vergeten dat Jan en Lottie zich om me hebben bekommerd toen u me zo nodig naar die kostschool daar moest sturen. Ze zijn al die jaren als ouders voor me geweest, terwijl u het druk had in Nairobi of naar Londen moest vliegen voor iets politieks. En die mooie Marina moest naar haar liefdadigheidsfeestjes en chique borrels. Ik zag Sarahs ouders en de familie Van der Beer vaker dan u. Langani was echt mijn thuis, totdat moeder het zo nodig moest verpesten.'

'Camilla, rijt nu geen oude wonden open, dat is zinloos. Hannah heeft nu een goede, verstandige man die beter voor Langani kan zorgen dan Jan van der Beer ooit heeft gekund. En je hoeft je niet verplicht te voelen oude misstappen van je moeder recht te zetten.'

'Het was haar schuld dat Jan en Lottie Langani hebben verlaten,' zei ze. 'Zij zei dat Jan op de zwarte lijst van de nieuwe regering stond. Dat hij na de onafhankelijkheid waarschijnlijk zijn bedrijf zou verliezen vanwege iets wat jaren geleden was gebeurd. U moet hebben geweten wat ze bedoelde.'

'Ik weet niets zeker,' zei hij, 'en speculeren over dergelijke zaken is alleen maar dom en gevaarlijk, daar is niemand mee geholpen. Bovendien is het nu allemaal verleden tijd. Als je door wilt gaan met je atelier kan ik je het geld wel lenen. Dan hoef je niet je best te doen om lieden als Mary Robbins te plezieren.'

'Dat is lief van u.' Camilla lachte even snel, maar ze merkte dat ze een gevoelige snaar bij hem had geraakt. Misschien voelde hij zich inderdaad schuldig over het feit dat Jan en Lottie Langani hadden verlaten. 'Ik moet helaas nee zeggen, want dit is mijn onderneming en ik wil mijn eigen boontjes kunnen doppen. Het is maar een tijdelijk probleem, vanaf maart heb ik weer geld genoeg. Meer dan genoeg. In de tussentijd moet Mary's betaling me er maar even doorheen helpen.'

'Lieverd, je bent onvoorstelbaar trouw en dapper,' vond hij, 'maar ik blijf erbij dat je op Langani niet veilig bent. Ik weet het, ik weet het.' Hij hief zijn hand op om haar af te remmen. 'Je wilt Hannah niet alleen laten. Maar het is daar niet pluis, Camilla. We dachten allemaal dat er met Piets dood een streep onder het verleden was gezet, dat de rekening was vereffend. Maar dan gebeurt er zoiets.'

'Welke rekening?' Ze keek hem argwanend aan. 'Zoiets zei u ook na zijn dood. U zei dat het misschien iets met de Mau Mau te maken had. Maar Jan was niet de enige boer die toen de wapens heeft opgenomen. Bill Murray, de buurman, en de meeste andere boeren in die streek hebben ook tegen de Mau Mau gevochten. En zij en hun vee worden niet aangevallen, hun huizen worden niet vernield. En bovendien wonen Jan en Lottie er niet eens meer.'

'Hoe is het met hen?' wilde George weten. 'Blijven ze in Rhodesië?'

'Dat weet ik niet,' zei Camilla. 'Hannah heeft hen met oud en nieuw nog gesproken, en ze heeft Lottie verteld wat er is gebeurd. Ze zei dat zij en Lars zouden blijven en dat haar ouders terug moesten komen, moesten laten zien hoe sterk ze zijn. Lottie moest huilen, maar Jan wilde niet met ons praten. Hannah vermoedde dat hij had gedronken.'

'Het is een flinke meid,' zei George. 'Het is een taai slag, die Afrikaners.'

'Ik vind het allemaal zo erg,' zei Camilla. 'Ik moet gewoon huilen als ik eraan denk hoe gelukkig we als kind op Langani waren. Jan was een schat, we mochten op de tractor rijden en hij leerde ons vissen en paardrijden en maakte ons aan het lachen. En ik weet nog dat ik met Lottie rozen in de tuin heb geplant en dat ze ons in haar keuken liet zien hoe je heerlijke Italiaanse toetjes met die dikke gele room van de boerderij kon maken. En Piet had zo veel plannen voor als hij op een dag Langani zou leiden. We hadden allemaal mooie dromen, maar het zijn nachtmerries geworden.'

George zag dat zijn dochter elk moment in tranen kon uitbarsten en veranderde van onderwerp. 'Wanneer ga je naar Londen?'

'Kort na die modeshow,' antwoordde ze. 'Maar ik blijf maar een paar weken weg.'

'Nou, denk er even over na als je in Londen zit,' zei hij. 'Van een afstand zie je de dingen vaak veel duidelijker. Dan heb je een beter perspectief. In Nairobi zijn genoeg geschikte locaties voor een atelier.' Opeens glimlachte hij, maar zijn toon was peinzend. 'Je zou Anthony vaker zien, en ik zou het natuurlijk ook leuk vinden om je in de buurt te hebben.'

'Papa, bent u hier wel gelukkig?' Camilla meende een zekere eenzaamheid in zijn stem te horen en pakte zijn hand. 'Ik weet dat hier nog vrienden van vroeger wonen, maar...' Ze zweeg, niet goed wetend wat ze wel en niet kon vragen. 'Bent u eenzaam? Mist u Londen? Mist u Giles?'

Haar onomwonden vraag liet hem schrikken, en ze zag dat het hem moeite kostte zijn gebruikelijke masker van onverstoorbaar zelfvertrouwen op te zetten. 'Ik ben erg blij dat ik hier woon,' zei hij. 'En ik vind mijn baan erg uitdagend.'

'En Giles?' Nu ze over de minnaar van haar vader was begonnen, wilde ze ook een antwoord horen.

'Het was te ingewikkeld. Ik heb hier vrienden die je moeder en ik... Nou, het zou ongepast zijn geweest. Zo kort na haar dood. Bovendien had hij niet veel zin om naar Kenia te verhuizen.' Zijn gezicht verstrakte. 'Hij had een werkvergunning moeten hebben, en er zouden toch al niet al te veel geschikte banen voor hem zijn geweest. Ik heb het er liever niet over.'

'Sorry.' Zijn antwoord verbaasde haar, want ze wist nog goed dat Giles haar had gesmeekt de relatie en zijn liefde voor haar vader te accepteren. 'Ik wilde niet nieuwsgierig zijn. Ik wilde alleen weten of u... niet eenzaam bent.'

'Dat ben ik niet,' zei hij vastberaden.

'Wat denkt u, zou uw vriend Johnson Kiberu een van de vipgasten op mijn gala willen zijn?' gooide ze het over een andere boeg.

'Dat zal hij enig vinden. Ik zal hem en zijn vrouw vragen of ze aan mijn tafel komen zitten.'

'Dank u, papa.' Camilla gaf hem een zoen op zijn wang.

'Komt Anthony ook?'

'Dat weet ik nog niet. Hij heeft het erg druk, maar zou vanaf twaalf februari wel vier dagen in de stad zijn. Dus ik hoop dat hij komt.'

'Hij wil met je trouwen. Als ik jou was, zou ik hem niet te lang laten wachten,' zei George.

'U bent mij niet, papa. En ik wil het zeker weten.'

'Lieverd, hij is stapeldol op je. Hij is een jongeman met een goed karakter die net zoveel van dit land houdt als jij, en hij wil bijdragen tot de toekomst van Kenia. Hij heeft zitting genomen in een commissie die ik in het leven heb geroepen. We gaan onderzoeken of er minder wild zal worden afgeslacht als we de verkoop van vlees aan mensen met ondervoeding en eiwitgebrek extra gaan subsidiëren. Tevens willen we kijken of het zin heeft bedreigde dieren vanuit de landbouwgebieden over te brengen naar nationale parken. Over beide onderwerpen had hij heel zinnige dingen te zeggen.'

'Hij heeft me verteld dat hij een paar weken geleden een hele middag in een boom heeft gezeten omdat hij moest vluchten voor een neushoorn die bij nader inzien toch niet bewusteloos bleek te zijn.' Camilla lachte bij de herinnering aan Anthony's levendige beschrijving. 'Hij zei dat hij erg weinig aan u had en dat u moest bulderen van de lach toen hij moest rennen voor zijn leven.'

'Ja.' George grinnikte. 'Maar hij vraagt me altijd om geld om zulke dieren te beschermen, dus dat maakte het erg vermakelijk. Ik moet zeggen dat hij erg veel overredingskracht heeft. Vorige maand wist hij me nog een vette cheque te ontfutselen waarmee hij later dit jaar een stel Rothschild-giraffen wil laten overplaatsen. Bovendien, lieverd, denk ik dat hij zijn wilde haren wel kwijt is. Ik zou graag zien dat mijn knappe, dappere dochter met een man als Anthony trouwt.'

'We zullen wel zien.' Camilla hield haar hoofd scheef en keek hem glimlachend aan. 'Misschien is Valentijnsdag niet alleen een belangrijke dag vanwege mijn modeshow.'

De volgende morgen ging ze terug naar het koffiehuis en zag Zahra een aantal klanten bedienen. Vreemd, vond Camilla, dat haar schoonheid veel bezoekers gewoon ontging, alleen maar omdat ze zwart was.

'Een grote koffie met melk, graag,' zei Camilla toen het haar beurt was. 'En als je klaar bent met werken, wil ik graag even met je praten.'

'Ik heb niets verkeerd gedaan.' Het meisje keek haar met grote ogen aan, hevig geschrokken. 'Ik veroorzaak geen problemen hier.'

'Dat weet ik,' zei Camilla. 'Nee, ik heb geen klachten, ik wil je juist een baan aanbieden. Ik denk dat je meer in je mars hebt dan serveerster zijn.'

Het duurde niet lang voordat Zahra haar verhaal had verteld. In een poging aan een zwaar leven vol armoede en honger in haar dorpje in Somalië te ontsnappen was ze de grens overgestoken en in de halfwoestijn van het Northern Frontier District beland. De eerste paar maanden had de man met wie ze mee was gereisd haar aan het werk gezet in een bordeel in Maralal, waar ze regelmatig werd geslagen. Nadat ze had weten te ontsnappen, was ze met twee Italiaanse toeristen die op jacht waren geweest meegelift naar Nairobi, waar beide mannen voor twee weken een woning huurden. Ook zij maakten naar believen gebruik van haar, maar ze kochten in elk geval kleren voor haar en namen haar mee uit eten, en een van hen had haar zelfs een gouden armband en wat geld gegeven. Na hun vertrek had ze onderdak gevonden in een bouwval en naar werk gezocht. Gek genoeg was haar schoonheid vooral een belemmering gebleken. De eigenaar van het koffiehuis en talloze klanten wilden telkens wat van haar. Omdat ze vreesde haar baan te verliezen, deed ze wat de eigenaar vroeg, hoewel ze een hartgrondige afkeer voor hem voelde.

Camilla vond een kamer voor haar in een appartement waar twee jonge Nandi-vrouwen woonden die een opleiding tot secretaresse volgden. Ze vonden de Somalische maar niets en wantrouwden haar, maar omdat Camilla ervoor zorgde dat de huur werd betaald, konden ze weinig inbrengen. Vanaf dat moment was Zahra de hele dag druk bezig de kunst van het model zijn onder de knie te krijgen. Ze liep eindeloos heen en weer door Anthony's woonkamer en over zijn veranda totdat Camilla er zeker van was dat ze op die onbeschaamde, opzettelijk verleidelijke manier kon bewegen die op de catwalk de gewoonte was. Zahra's haar omkranste als een kroezende wolk haar gezicht, maar Camilla nam haar mee naar een kapper en liet het millimeteren, zodat niets de aandacht van haar prachtige gelaatstrekken kon afleiden. Het enige probleem waren Zahra's voeten: die waren zo groot en breed dat het onmogelijk was passende schoenen te vinden, en bovendien kon ze niet op hakken lopen. Camilla besloot voor open schoenen te kiezen. Ze kocht kralen en pailletten en andere versierselen in de Indiase bazaar en liet die op eenvoudige leren sandalen naaien. Het meisje zelf was slim, maar niet helemaal punctueel. Toen ze een paar keer niet voor haar lessen verscheen, had Camilla zich afgevraagd of ze haar oude vak misschien weer had opgepakt. Per slot van rekening was dat de enige zekerheid in haar ellendige leventje geweest.

Via Ranbindrah wist ze een Indiaas model te vinden.

'Dit is Rabindrah Singh,' zei George tegen zijn dochter, toen ze plaatsnamen aan hun tafel in restaurant Taj Mahal. 'Hij werkt als –'

'Dat weet ik al,' viel Camilla hem in de rede. Ze schudde de man de hand. 'U werkt aan een boek met mijn beste vriendin, Sarah. Ik neem aan dat u binnenkort weer naar Buffalo Springs gaat?'

'Ik wou dat ik daar meer tijd kon doorbrengen,' bekende hij. 'In het begin dacht ik vooral aan wat het boek me qua financiën en bekendheid zou kunnen opleveren, maar nu ben ik helemaal in de ban van de olifanten en van het werk van Dan en Allie, en van Sarah zelf natuurlijk.'

'Ik had haar in het nieuwe jaar willen opzoeken,' zei Camilla, 'maar dat is me niet meer gelukt.'

'Wat erg van het atelier,' zei Rabindrah. 'Weet de politie al iets meer?'

'Nee,' zei Camilla, 'maar ik ben van plan door te gaan. Daarom wil ik dit gala organiseren, om geld te verdienen voor de reparaties op Langani. U kent zeker geen Indiaas meisje dat tijdens mijn modeshow mannequin zou willen zijn?'

'Ik heb een nichtje dat dat misschien wel zou willen doen,' antwoordde hij. 'Als u wilt, kan ik wel iets regelen.'

Camilla aarzelde even. Ze wilde liever niet een van de familieleden van de journalist afwijzen. Misschien zou hij dan beledigd zijn, en dat kon invloed hebben op zijn samenwerking met Sarah.

'Ik zeg niets tegen haar, maar vraag gewoon of ze iets bij u langs wil komen brengen,' zei hij, alsof hij haar gedachten kon lezen. 'Dan kunt u haar met eigen ogen zien. Mocht ze niet geschikt zijn, dan is er geen man overboord. Maar ik denk dat ze u wel zal bevallen. Ze loopt erg mooi, want ze kan erg goed dansen. En anders neemt u toch die dame die daar in de hoek zit?' Grinnikend knikte hij naar een paartje aan de andere kant van het restaurant. 'Ik heb gehoord dat Twinkle Kiberu graag model zou willen worden. Of iets anders waarmee ze de aandacht kan trekken.'

George slaakte een zachte kreet. 'Johnson en Twinkle! Ik moet straks nog even hallo zeggen.'

'Niemand zou Twinkle mogen heten,' zei Camilla lachend. 'Dat is bespottelijk.'

'Dat is ze ook,' zei Rabindrah lachend. 'Kom, dan stellen we u even aan haar voor.'

Johnson stond op om Camilla de hand te schudden en leek haar niet te herkennen. Ze was blij dat hij blijkbaar was vergeten dat hij haar ooit in Londen had ontmoet, waar ze naar zijn hotelkamer in het Savoy was gegaan om te vragen of hij de bescherming van het wild op Langani financieel wilde steunen. Hij had heel even geluisterd naar haar verhaal over stropers en beveiliging en had haar toen nogal onhandig en ruw geprobeerd te versieren.

'Je vader en ik zijn vrienden en bondgenoten,' zei Johnson. 'En Rabindrah zorgt ervoor dat we af en toe in de krant komen. George, ik weet niet of je Twinkle al kent?'

De jonge vrouw stond op en boog zich over de tafel heen, waarbij haar volle boezem uit haar laag uitgesneden jurkje dreigde te rollen. Ze had een uiterst dun middeltje, brede heupen en grote, volmaakt ronde billen die ze op hun voordeligst uit liet komen toen ze zich bukte om een servetje op te pakken. Ze had haar zwarte haar laten ontkroezen en het in een knotje opgestoken, en haar gezicht was opvallend knap, met volle wangen en weelderige lippen die glanzend roze waren gestift. Toen ze lachte, werden haar witte tanden zichtbaar, en toen ze Rabindrah de hand schudde, giechelde ze en knipperde met haar wimpers.

'Dit is Camilla Broughton-Smith,' zei hij. 'U hebt haar vast wel in kranten en bladen zien staan, of misschien wel shows in Parijs en Londen zien lopen.'

Hij wist heel goed dat ze nooit in Londen of Parijs was geweest, maar ze knikte geestdriftig. 'Ja, ik ken haar,' zei ze. 'Ik zou graag eens een van uw shows zien. In Londen.'

'Dan moet u vragen of Johnson u meeneemt als hij weer eens naar Europa gaat,' zei George. 'Camilla organiseert binnenkort een show hier in Nairobi, en ik zou het een eer vinden als u aan mijn tafel kwam zitten.'

'Mijn hemel, wat een sexappeal,' zei Camilla toen ze later het restaurant verlieten. 'Dat is een vrouw met uitstraling. Maar ze zal met die prachtige kont van haar nooit in een van mijn creaties passen, ik zou een heel nieuwe collectie moeten ontwerpen voor meisjes met zo'n figuur. Weet je, daar heb ik best zin in.'

Lila, het nichtje van Rabindrah, had ravenzwart haar dat als een waterval over haar schouders stroomde, en een ingetogen, maar sensuele manier van bewegen. Haar gebaren wezen op de gestileerde precisie van een klassieke danseres en haar natuurlijke, moeiteloze gratie wekte de indruk dat ze niet liep maar zweefde. Drie weken lang oefende Camilla elke dag met beide meisjes en liet hen in elke vermoeiende sessie minstens twintig verschillende outfits tonen. Ze keek hoe snel ze zich konden verkleden en experimenteerde met make-up en kapsels. Mary Robbins verstuurde uitnodigingen en werd platgebeld met verzoeken om meer kaarten. In Londen regelde Tom tickets voor zichzelf en Joe Blandford, en *Tatler* stuurde iemand die een artikel zou schrijven voor de pagina's met nieuws uit de beau monde. Het was het hoogtepunt van het seizoen; talloze rijke en adellijke Europeanen waren op vakantie in Kenia. Mary Robbins spoorde iedereen op en gaf speciale uitnodigingen weg. De *Daily Telegraph* plaatste een artikel van Rabindrah over de nieuwe multiculturele glamour van de voormalige kolonie. Een deel van de opbrengst van de kaarten werd aan een ziekenhuis voor kinderen met ongeneeslijke ziektes geschonken. De plaatselijke pers en radio waren opgetogen vanwege het evenement.

Sarah kwam over uit Buffalo Springs en werd begroet door een versie van haar oude vriendin die ze nog niet kende.

'Ik weet niet waarom ik hier in vredesnaam aan ben begonnen.' Camilla was moe en snel afgeleid. 'We krijgen het licht maar niet goed, en de soundcheck van vanmiddag was een ramp. Alles klonk hol en metalig. En ik denk dat mensen achterin niets kunnen horen.'

'Dat is niet erg. Als ze de kleren maar kunnen zien,' zei Sarah. 'Die spreken voor zich. O, ik had nooit gedacht je zo nog eens te zien, je bent altijd zo kalm en goed georganiseerd. Dit bevalt me wel, deze stress.'

'O, hou toch je mond. Kijk dan, ik heb voor alle tafels witte bloemen besteld, en wat sturen ze? Alle kleuren, waardoor het hier net een kermis lijkt. En de catwalk is anderhalve meter korter dan afgesproken. Dit wordt een ramp, en jij kan alleen maar lachen. Is er trouwens nog nieuws over je boek?'

'Dan kijkt Rabindrahs manuscript nog een laatste keer na, dan kan het naar Londen. Ik denk dat ze ons daarna wel een contract aanbieden. Misschien ga ik er zelf nog een keer heen, vanwege de lay-out.'

'Ik heb Dan en Allie niet op de gastenlijst zien staan,' zei Camilla. 'Ik had hen er graag bij willen hebben.'

'Ik heb gezegd dat ze kaarten konden krijgen, maar dit soort dingen is niets voor hen.' Sarah lachte. 'Niets voor Dan, in elk geval, al vermoed ik dat Allie woedend was omdat hij geen zin had. Ik heb geprobeerd me erbuiten te houden.'

'De oom en tante van Rabindrah komen ook alleen maar omdat hij hen heeft gedwongen,' bekende Camilla. 'Zijn oom wilde wel, maar ik geloof dat tante Kuldip haar bedenkingen had.'

'Ja, over halfnaakte meisjes, onder wie haar nichtje, die veel te veel van zichzelf gaan laten zien. Ik heb haar bij de overdracht van de auto leren kennen. Ze deed me denken aan de nonnen die ons probeerden wijs te maken dat ontbloot vlees tot hel en verdoemenis leidt. Jij hebt je daar trouwens nooit veel van aangetrokken.'

'Nou, Lila's ouders hebben een tafel voor hun vrienden geboekt,' zei Camilla, 'en ik hoop dat ze niet te veel zullen schrikken.'

Anthony was drie dagen eerder teruggekomen, maar vanwege de voorbereidingen voor het gala had Camilla hem amper gezien. Ze werkte als een bezetene en reed heen en weer tussen zijn huis en het hotel waar het gala werd gehouden, ze hield toezicht op het strijken van de kleren en het neerzetten van de rekken en de lange tafel met de accessoires die de modellen moesten dragen. Aan het begin van de middag kwam hij even bij haar kijken, toen ze net op de grond lag om de geborduurde zoom van Zahra's jurk recht te trekken. Lila lag slechts in haar ondergoed uitgestrekt op de bank en deed nog even een dutje voordat ze weer moest oefenen. Anthony bleef even in de deuropening naar het tafereel kijken en schraapte toen zijn keel.

'Is dit mijn huis? Vroeger woonde ik hier, geloof ik. Toen was het een rustige vrijgezellenstek. Maar ik kan hier best aan wennen.'

Camilla stond op en gaf hem een zoen. Lila sprong bij het horen van de mannenstem snel op en rende naar de slaapkamer om haar kleren te pakken. Zahra bleef doodstil staan en keek hem met haar lichtbruine ogen aan, als een wild dier dat elk moment kon aanvallen of vluchten.

'Ik dacht dat je pas vanavond zou komen,' zei Camilla. 'Meru is een heel eind rijden.'

'Ik ben met mijn klanten meegevlogen en laat een van mijn chauffeurs de auto brengen,' legde hij uit. Hij keek om zich heen en floot. 'Nou, nou, hier komt Joshua nooit meer overheen.'

'Als de meisjes er zijn, mag hij niet in het hoofdgedeelte van het huis komen,' zei Camilla. 'Dit is Zahra, uit Somalië, en dat is Lila. Je kent haar neef al, Rabindrah Singh. We willen nog even een uurtje doorgaan, we moeten de kleren uitzoeken en proberen te beslissen welke sieraden we bij wat willen dragen.'

'Je kunt wel een voorstelling voor mij geven,' opperde Anthony.

'Nee, dat doen we niet,' zei Camilla streng. 'Waarom ga je niet die saaie administratie van je doen? Als je daarmee klaar bent, zijn wij het ook.'

'Ga je vanavond met mij en mijn klanten uiteten?' vroeg hij. 'Ze willen je graag leren kennen.'

'Dat is goed,' zei ze, al had ze liever met hun tweetjes thuis gegeten. 'Maar vanaf morgen heb ik geen minuut vrij meer. En dan heb je toch niet veel aan me omdat ik doodmoe ben.'

De volgende morgen arriveerde Tom vanuit Londen. Hij had Joe Blandford bij zich, plus een visagist die Gino heette en al snel liep te mopperen over de problemen waarvoor kroeshaar en een donkere huid hem stelden. Anthony liet duidelijk merken dat hij het drietal maar vermakelijk vond en niet onder de indruk was van de sporen die ze in de modewereld hadden verdiend.

'Ik kan gewoon niet geloven dat twee volwassenen de hele dag over de kleur van een paar schoenen kunnen bazelen, of over de vraag of je wel of geen valse wimpers moet nemen,' zei hij tegen Camilla. 'En volgens mij ziet die fotograaf je wel zitten. En die ander ziet míj duidelijk zitten. Kun je hen niet hun gang laten gaan en vanavond naar mij toe komen?'

'Ben je gek geworden?' Ze lachte, maar het deed haar pijn dat hij neerkeek op de vrienden die helemaal hierheen waren gekomen om haar te helpen. 'Ze zijn voor mij uit Londen gekomen, en we gaan vanavond allemaal in de Grill eten met dat oude mens dat door *Queen* is gestuurd om een artikel te schrijven. Ze logeert bij mensen die daar een feestje geven. Heb je enig idee wat dit allemaal behelst?'

'Geen flauw idee.' Anthony greep haar bij haar middel en liet een hand onder haar rokje glijden, zodat hij haar zijdezachte dijen kon strelen. Ze voelde dat haar knieën knikten. 'Maar het wordt vast geweldig. Een groot succes. Kom mee naar bed, ik wil met je vrijen. Nu. Laten we de deur dichtdoen en even een paar uur lang niet meer aan deze poppenkast denken.'

Camilla maakte zich los uit zijn greep. Het zat haar dwars dat hij niet begreep hoe belangrijk dit voor haar was. Ze wierp hem een strenge blik toe en liep daarna naar buiten. Het grind op de oprit spatte hoog op toen ze wegreed voor een laatste overleg met Mary Robbins.

Ondanks zijn bedenkingen kwam Anthony naar het etentje en

deed zijn best de gasten uit Londen te vermaken met verhalen uit de wildernis. De eettafel was lang en na het dessert wisselden sommige gasten van plaats. Tom kwam naast Camilla zitten.

'Wat geweldig, schat,' zei hij. 'Iedereen is reuze enthousiast. Ze hebben het gevoel dat het hier net zo fijn is als vroeger, maar ik hoop alleen dat die Tarzan van je me niet zal neerschieten. Ik zie nu al dat we nooit vrienden zullen worden. Toch zal hij hier ook profijt van hebben, ik zag hem al een paar keer zijn kaartje aan de gasten geven.'

Camilla glimlachte en zocht Anthony met haar blik. Hij zat aan het andere einde van de tafel, met Zahra aan zijn zijde. Ze luisterde vol aandacht naar zijn safariverhalen, haar blik op zijn gezicht gericht en haar volle lippen tot een glimlach geplooid. Haar lange armen rustten op de tafel, bijna tegen de zijne aan. Camilla voelde een zekere onrust in haar binnenste en keek de andere kant op, maar toen ze in de kleine uurtjes eindelijk weer alleen waren, hield hij haar vast en streelde haar en bedreef vol geestdrift de liefde met haar.

'Je bent zo mooi,' fluisterde hij. Hij kuste haar hals. 'En slim. Misschien wel te slim en te mooi voor deze *bushbaby*. Ik weet nog steeds niet wat je met mij moet.'

'Doe niet zo raar.' Zijn opmerking verbaasde haar. 'Je was vanavond uitstekend gezelschap. Al die Londenaren hingen aan je lippen.'

'Dat is niets voor mij.' Zijn stem klonk al sloom van vermoeidheid.

'Ik zag dat je Zahra aardig wist te boeien.' Ze moest het wel ter sprake brengen. 'Ze was helemaal in je ban.'

'Mijn verhalen waren niets vergeleken bij die van haar. Wat een vreselijk leven heeft ze geleid. Ze mag blij zijn dat ze zo mooi is, anders had ze daar nooit aan kunnen ontsnappen. Ze is erg moedig.'

Camilla wilde iets zeggen, maar bedacht zich. Het meisje had het aan haar te danken dat ze nu een beter bestaan leidde, maar ze hoefde zich nu niet op de borst te kloppen. Ze stak haar hand uit naar Anthony en wilde hem kussen, maar hij was al in slaap gevallen. Ze lag een hele tijd wakker in het donker, haar ogen wijd open, en probeerde zichzelf ervan te overtuigen dat ze zijn grote liefde was en dat altijd zou blijven.

Lars en Hannah kwamen op de ochtend van de grote dag in Nairobi aan. Ze hadden hun kindermeisje Esther meegenomen, zodat die op Suniva kon passen en ze wat tijd samen hadden. Het meisje was nog nooit in Nairobi geweest en schrok van het drukke verkeer, de grote aantallen mensen op straat, de hoge gebouwen en de brede, door bloemen omzoomde lanen. Het was allemaal te groot en te beangstigend voor haar, en ze was blij toen ze zich met het kindje bij George thuis kon terugtrekken. Lars en Hannah brachten de dag samen door; ze lunchten uitgebreid in een Italiaans restaurant en kochten een paar dingen die in vergelijking met hun gewone dagelijkse boodschappen erg buitenissig waren. Aan het einde van de middag voegde Sarah zich na een vergadering van de African Wildlife Foundation bij hen. Voordat ze naar het gala vertrokken, dronken ze bij George thuis nog een borrel en hieven ze het glas op een geslaagde avond. In het hotel verdween Hannah achter de bühne en omhelsde Camilla innig.

'Ik hou van je, en je bent moedig en geweldig en dit wordt een groot succes,' zei ze. 'Lars en ik weten hoeveel je voor ons hebt gedaan, en vanavond zul je de vruchten van je werk plukken. Weet je, ik had niet gedacht dat hij mee zou gaan. Hij durfde Langani niet te verlaten, zelfs niet voor één nacht. Maar toen zei hij dat we je moesten steunen.' Ze keek even over Camilla's schouder tussen een spleet in het doek door. 'O nee! O nee, nee!'

'Han, wat is er?'

'Die rotzak van een Viktor!' zei Hannah. 'Hij zit vier tafels verderop. O god, als Lars hem ziet...'

'Die zal hem niet zien. Ga maar meteen naar je tafel en wissel de kaartjes om, zodat Lars naast papa zit, met zijn rug naar Viktor. Blijf bij hem in de buurt. Vlei hem en hou zijn hand vast, zodat hij alleen maar oog heeft voor jou. En zeg tegen Sarah wat er aan de hand is. Waar zit Viktor precies?'

Hannah wees hem aan en ging toen meteen de tafelschikking veranderen. Camilla haalde diep adem en liep naar de kleedkamer. Beide meisjes hadden hevige plankenkoorts en zaten voor de spiegel als nachtdieren in de bundel licht van een stel koplampen. Hun make-up kon hun ontzetting niet verhullen.

‘Kom op,’ zei Camilla. ‘We trekken onze eerste outfits aan en moeten over een kwartier op. Zodra je op de catwalk staat, ben je niet bang meer, geloof me. Ik ben net zo bang geweest als jullie nu, maar het gaat over. De lichten en de mensen en de muziek slepen je erdoorheen. We zijn allemaal beeldschoon. Een drie-eenheid van godinnen, en dit is onze avond. *Harambee.* Kom op.’

Vanaf de allereerste seconde was de avond een groot succes. Ze liepen heupwiegend over de catwalk, op de maat van de muziek. Hun jurken waren uitdagend kort, met pofmouwen en kragen en zomen die met borduursel in felgekleurde zijde waren afgezet. De vormen waren ontleend aan de krullerige versieringen die Camilla op de kleren, potten, schilden en kalebassen van de Masai en de Kikuyu had gezien. Daarna kwamen langere jurken en rokken aan bod, schuin van draad geknipt en versierd met kralen en kwastjes. Broeken met versierde zakken en zomen. Schoenen en laarzen en sandalen in felle kleuren, met bijpassende linnen en leren en fluwelen handtassen, versierd met bandjes en gespen in dezelfde stijl. Kaftans en avondjurken die glansden van de halfedelstenen, veren en parels die in armbanden, zomen, halslijnen en naden waren verwerkt.

De finale zorgde voor een staande ovatie toen Zahra op de catwalk verscheen, glanzend van de olie waarmee ze haar huid hadden ingewreven. Haar goudkleurige jurk met haltertopje was zo diep uitgesneden dat de dunne zijde amper haar borsten verhulde. De rok had aan één kant een diepe split, zodat haar lange benen te zien waren die langzaam en vloeiend bewogen, als de poten van een exotische katachtige. Op haar rug bungelde een kwastje, verzwaard door het gewicht van stukjes rozenkwarts, en op haar hoofd prijkte een gouden haarband in de vorm van een slang. Lila liep achter haar, in een avondjurk van changeant zijde die het licht weerkaatste en bij elke stap van kleur veranderde. In haar lange haar waren pailletten gevlochten en haar oorbellen waren als een glinsterende waterval. Camilla was de laatste die op de catwalk verscheen; ze zweefde als een eenzame geest over het podium, in het licht van een enkele spot. Ze liep als in trance het publiek in, met gespreide armen zodat de met zilverdraad doorschoten mouwen van chiffon net de vleugels van een vlinder leken. De witte jurk was bijna doorzichtig en hing als een wolk rond haar lichaam. Eronder droeg ze een geborduurde onderjurk die net een luchtspiegeling leek. Aan haar voeten had ze sandalen van wit leer met dunne bandjes van glazen kralen en parels. Toen ze bij de tafel van George aankwam, keek ze naar haar vader en haar dierbaarste vrienden en wierp hun een kushandje toe. De lichten doofden, en ze verscheen als een schim van schoonheid in het plotselinge duister.

Er volgde een geladen stilte die werd verbroken door een woest applaus. Toen gingen de lichten aan en schalde de muziek door de zaal en kwamen de drie meisjes weer de catwalk op en bogen. Achter het toneel omhelsden ze elkaar telkens weer, terwijl de adrenaline door hun lijf gierde. Mary Robbins kwam in extase de kleedkamer in. Gasten dromden samen voor de deur en moesten worden weggestuurd. Tom baande zich een weg door de menigte en riep Camilla's naam. Breed grijnzend kwam hij naast haar staan, en achter hem duwde Anthony een stel journalisten en fotografen opzij om haar te kunnen bereiken.

'Het is niet te geloven wat jij vanavond voor elkaar hebt gekregen.' Tom sloeg zijn armen om Camilla heen. 'Ver van de beschaafde wereld, in donker Afrika nota bene. Morgen moet je me helpen die meiden een contract te laten tekenen, zeker dat zwarte lekkere ding. Joe wil haar dolgraag ergens in de jungle fotograferen. Iedereen is zwaar onder de indruk. Wat ben je toch een fantastisch wijf, je bent verdomme een genie! Je verspilt hier je talenten, schatje. Je hebt je hier kunnen bewijzen, zoals ik al heb voorspeld, je hebt laten zien wat je kunt. Nu kun je ermee ophouden en die edele wilden en boeren achter je laten, net als die goede oude Tarzan die duidelijk geen idee heeft van wat je in je mars hebt. Echt geen flauw idee. Het wordt tijd dat je naar huis gaat, mop.'

'Natuurlijk kon ik dit.' Ze sloeg haar armen om zijn nek en keek hem lachend aan. 'Je had wat meer vertrouwen in me moeten hebben. Ik heb je toch verteld wat ik van plan was? Ik zei dat ik in Kenia voor mezelf kon beginnen, dat het niet om hem ging. En ik heb gelijk gekregen, op alle fronten.'

Anthony stond met een rood gezicht in de deuropening, kokend van woede. Hij wilde naar haar toe gaan, maar Camilla was omringd door razend enthousiaste bewonderaars. Ze merkte niet eens dat hij probeerde de kring rondom haar te bereiken.

Het duurde bijna een uur voordat de pers alle vragen had gesteld die ze wilden stellen en ze naar het restaurant kon gaan. Iedereen zat al aan tafel, Zahra links van Anthony. Sarah fronste toen ze zag dat het Somalische meisje haar best deed hem om haar vinger te winden en keek of ze Camilla ergens zag, maar haar aandacht werd al snel afgeleid door Viktor Szustak, op wie ze niet bepaald zat te wachten. Hij zat bij een groepje kunstenaars uit Nairobi die bekendstonden om hun zucht naar drank, seksuele uitspattingen en sinds kort ook verboden verdovende middelen. Op dit moment was hij verdiept in een gesprek met het kringetje en keek niet eens in de richting van de tafel met belangrijkste gasten. Lars zat tussen Twinkle Kiberu en Hannah en was duidelijk geboeid door de aanblik van zijn vrouw in een hem onbekende avondjurk.

Camilla kwam binnen en ging aan de andere kant van Anthony zitten. Ze gaf hem een zoen op zijn wang, maar toen hij niet reageerde, voelde ze een vlaag van onrust die ze niet kon verklaren. Haar succes was overweldigend, en ze voelde zich enorm trots toen ze de stralende gezichten van haar vrienden zag. Haar vader gaf haar even een kneepje toen ze de felicitaties van de gasten in ontvangst nam. Ze dronk haar eerste glas champagne heel snel leeg en nipte daarna aan haar tweede, genietend van Toms pogingen om Lila's aandacht te trekken.

Sarah was aanvankelijk ontstemd geweest toen ze had gezien dat ze tussen Rabindrah en Johnson Kiberu moest gaan zitten. Ze werd liever niet herinnerd aan haar dronken avonturen in het bijzijn van haar kalme, onverstoorbare collega die ze sinds de dag van de overdracht van de auto niet meer had gezien, en ze had geen idee wat ze moest zeggen. Al snel ontdekte ze echter dat Johnson Kiberu een man was die goed op de hoogte was van het natuurbehoud in zijn land.

'Voorlichting is het allerbelangrijkste,' vond hij. 'Het gaat langzaam, maar het is de enige manier om de balans te vinden tussen de behoefte aan landbouwgrond en de noodzaak onze wilde dieren te beschermen.'

'Het zal niet gemakkelijk zijn,' veronderstelde Sarah. 'Naast de politiek spelen ook de verhoudingen tussen de stammen een rol, en er zijn ook nog internationale belangen. Dat is een explosief mengsel.'

'Zeker in de regering,' zei hij. 'Dat het natuurbehoud in Kenia op de internationale agenda is komen te staan, is een vloek en een zegen. We worden overspoeld door deskundigen die hun kennis vaak alleen maar uit boeken en niet uit het echte leven halen. Veel van hen hebben te grote idealen. En dan zijn er nog degenen die willen voorkomen dat grote stukken land als natuurgebied worden aangewezen omdat ze daar zelf plannen mee hebben. Maar ik heb Dan en Allie Briggs een paar keer ontmoet en ben onder de indruk van hun werk en hun inzichten. Ik hoop jullie binnenkort weer een keer te kunnen bezoeken. Misschien kom ik wel met George mee, dat is een verstandige kerel wanneer het om dit soort zaken gaat. Kent u hem al lang?'

'O ja.' Sarah lachte bij de herinnering aan vroeger. 'Camilla en Hannah en ik kennen elkaar nog van school. We zijn al heel lang vriendinnen.'

'Dan hebben we in George een goede gezamenlijke vriend,' zei Johnson. 'Ik kijk ernaar uit om u in Buffalo Springs te bezoeken, en ik hoop dat u mijn *salaams* aan Dan en Allie wilt overbrengen. We hebben zulke verstandige mensen hard nodig, om ons te helpen en het volk voor te lichten.'

Camilla had het gevoel dat het hele diner als in een waas voorbijging. Tot haar verbazing had ze erg veel trek, maar toen herinnerde ze zich dat ze al een hele tijd niet meer rustig was gaan zitten voor een hapje eten. Tijdens de koffie hoorde ze Hannah even een geluidje van ongenoegen maken, en toen ze opkeek, zag ze Viktor zijn groepje verlaten. Maar hoewel hij even hun kant op keek, kwam hij niet naar hun tafel toe.

'Een aanbidder van je?' Tom boog zich naar haar toe en keek haar met opgetrokken wenkbrauwen aan. Zijn toon was suggestief.

'God, nee zeg. Hij is architect en een bekende rokkenjager,' zei ze.

'En die vent met wie je vanavond bent, is precies zoals ik me hem voorstelde,' zei Tom. 'Je grote liefde. Ik zie trouwens dat je niet de enige bent die hem wel ziet zitten, schat.'

De catwalk was afgebroken en er had een orkestje plaatsgenomen dat dansmuziek begon te spelen. Anthony en Zahra stonden allebei op en liepen naar de kleine dansvloer. Camilla staarde naar het koffiedik in haar kopje en probeerde de teleurstelling en jaloezie te onderdrukken die zich als giftige pijlen in haar hadden verankerd.

'Vraag Camilla eens ten dans.' Sarah porde Rabindrah in zijn zij.

'Wat?' Hij keek zo verbaasd dat het komisch was. 'Hoezo?'

'Doe het nu maar,' zei ze. 'Toe.'

Hannah zat naast haar man, zijn hand in de hare, en wachtte totdat Viktor naar haar toe zou komen en haar hele avond zou verpesten. Maar toen ze eindelijk moed had gevat en in de richting van zijn tafel durfde te kijken, was hij nergens te bekennen. In stilte zei ze een dankgebedje.

'Hij is weg,' fluisterde ze tegen Camilla. 'Ik was doodsbang dat hij naar ons toe zou komen en herrie zou schoppen, of zelfs met Lars op de vuist zou gaan. We gaan morgenvroeg weg, want Lars wil terug naar de *plaas.* Ik hoop dat Viktor daar niet nog een keer langskomt, want ik weet niet wat er dan zal gebeuren.'

'Als hij je vanavond niet heeft aangesproken, lijkt het me stug dat hij helemaal naar Langani zal reizen,' zei Camilla, maar ze zag dat Hannah niet overtuigd was.

'Kom jij nog een keer langs voordat je naar Londen gaat?' wilde Hannah weten.

'Ik denk niet dat dat lukt,' zei Camilla. Ze zag dat Anthony aan een ander tafeltje was gaan zitten en een gesprek voerde met een vrouw van middelbare leeftijd die was behangen met dure juwelen. Zahra kwam naast hen staan en werd aan de vrouw voorgesteld. Het Somalische meisje ging bij hen zitten en nam een glas champagne aan.

'Misschien vlieg ik wel samen met Tom mee terug naar Londen,' zei Camilla.

Ze klonk zo verloren dat Hannah hevig medelijden voelde. 'Mannen zijn gek,' zei ze. 'Hun verstand verdwijnt zodra ze een loops teefje ruiken, maar het hoeft niets te betekenen, ook al is het moeilijk te verteren.'

'Kom Han, dan gaan we dansen.' Lars pakte zijn vrouw bij de

hand, en Hannah besloot zich over te geven aan de feestelijke stemming van de avond.

Op de overvolle dansvloer maakte Zahra er geen geheim van dat ze zich tot Anthony aangetrokken voelde. Ze danste dicht tegen hem aan, keek hem met haar grote bruine ogen aan en schonk hem glimlachjes die niets te raden overlieten. Camilla bestelde meer champagne en was vastbesloten indruk op haar gasten te maken; ze bleef bij de tafels staan en sprak met mensen die ze niet eens kende, ze danste met Johnson Kiberu en met Rabindrah, met Lars en haar vader, en ze flirtte als een bezetene met Tom. De afstand tussen haar en Anthony werd steeds groter, en de zaal gonsde van opwinding en roddels naarmate de avond vorderde. George was uiteindelijk degene die besloot dat het tijd was om te gaan, en Sarah volgde zijn voorbeeld en ging met hem mee, in de wetenschap dat ze bij zonsopgang naar Buffalo Springs moest vertrekken.

Camilla was inmiddels doodop en keek of ze Anthony ergens zag. Ze wilde het dolgraag goedmaken met hem en hem uit de buurt van Zahra houden. Maar hij was nergens te zien, zodat ze zuchtend naar de toiletten liep om haar make-up bij te werken.

Ze stonden samen in de verlaten gang, Zahra met haar rug tegen de muur, een arm verstrengeld rond Anthony's hals en hem met haar andere hand naar zich toe trekkend. Ze hief haar gezicht naar hem op. Hij boog zich glimlachend over haar heen.

'Wegwezen. Nu, wegwezen,' zei Camilla tegen het meisje, met een stem die helder en laag en uiterst kil klonk. 'Pak je spullen en scheer je weg. Ik wil je nooit meer zien.'

Ze keek Anthony niet aan. Hij draaide zich met een ruk om en liep zonder iets te zeggen weg. In de kleedkamer pakte Zahra zwijgend haar spullen bijeen, zonder een poging te doen het uit te leggen of haar excuus aan te bieden, en een paar minuten later viel de deur achter haar dicht en was ze verdwenen. Camilla's kille woede sloeg om in dreigende tranen, maar ze slikte het brandende gevoel in haar keel weg en klemde haar kaken opeen, vastbesloten niet in huilen uit te barsten. Ze keek naar zichzelf in de spiegel en zag slechts teleurstelling toen ze haar haar naar achteren streek en haar trillende lippen opnieuw stiftte. Ze rechtte haar rug, toverde haar professioneelste glimlach op haar gezicht en liep terug naar de zaal.

'O, daar ben je,' zei Tom. 'Ik dacht al dat je er met je vriendje vandoor was gegaan en mij in de steek had gelaten. Ik heb mijn best gedaan om Lila in bed te krijgen, maar nee, ze wil niets van me weten. Althans niet onder toeziend oog van haar ouders. En die zwarte schoonheid lijkt ook te zijn verdwenen. Joe is helemaal weg van die meid.'

'Ik wil champagne,' zei Camilla. 'Kom, dan gaan we naar de bar. Nu.'

'Goed, champagne.' Tom merkte dat er iets mis was en leidde haar de zaal uit. 'Of zullen we naar mijn suite gaan, waar niemand ons kan storen? Je hebt er waarschijnlijk wel genoeg van.'

'Ja, dat heb ik,' zei ze. 'Ik heb er genoeg van, in alle opzichten.'

Tom vroeg niet waar Anthony was, maar zag dat Camilla snel achter elkaar twee glazen champagne achteroversloeg.

'Morgen heb je twee interviews, schat,' zei hij ten slotte. 'Die oude taart van *Tatler* logeert bij Lady Carghill en wil nog even een babbeltje met je maken. En Rabindrah zei dat hij iets voor de *Telegraph* wilde doen.'

'En jij gaat een reisje maken,' zei ze met onvaste stem. 'Je kunt niet hierheen komen en geen enkel wild dier zien. Ik heb een bezoek aan Treetops voor je geregeld. Dat is een geweldig panoramaterras hoog in de bomen in het Aberdare Forest. Daar verbleef prinses Elizabeth toen ze te horen kreeg dat haar vader was gestorven en zij koningin was geworden.'

'Geweldig,' zei Tom zonder enig enthousiasme. 'Ik ben dol op historische feiten. Heeft ze soms op de tijgers geplast toen ze nodig moest?'

'Wat ben je toch grof en dom,' zei Camilla. 'Er zijn geen tijgers in Afrika. Maar je kunt daar de hele nacht zitten te vernikkelen terwijl je wacht totdat de neushoorns en olifanten en misschien wel een luipaard langskomen. Eén worden met de natuur en zo.'

'Ik heb niet veel met dieren, op een bontkraagje voor mijn winterjas na,' merkte Tom op. 'Maar ik denk dat ik blij moet zijn dat je geen tent op de savanne voor me hebt geregeld, met leeuwen die aan de rits peuzelen zodat Tarzan me moet komen redden. Zeker weten dat je geen zin hebt om mee te gaan?'

'Heel zeker.' Camilla liet haar hoofd zakken. 'Ik ben best wel dronken, lieverd, dus ik denk dat ik vanavond maar hier blijf. Is dat goed?'

Ze was al op de bank in slaap gevallen voordat hij iets kon zeggen. Hij pakte een deken van het bed en legde die over haar heen. Morgenochtend zou ze zich hondsberoerd voelen, maar hij zou er zijn om haar te steunen en de dag door te helpen. Goeie ouwe Tom, betrouwbare agent en vriend. Met een beetje geluk zou ze met hem mee terug naar Londen gaan en dat atelier aan die boerenvriendjes van haar overlaten. Glimlachend deed hij het licht uit.

De volgende ochtend stuurde Camilla Tom naar de kleedkamer om haar spullen te halen. Hij regelde meteen dat de zaal werd opgeruimd en dat de kleren in dozen werden gedaan en meteen naar Mary Robbins werden gebracht. Op weg terug naar de lift kwam hij Joe tegen, die in de lobby stond te wachten.

'Heb je Camilla gezien?' vroeg hij. 'Ik wil weten waar ik die Zahra kan vinden, zodat ik een paar close-ups van haar kan maken. Dan kan ik die in Londen laten zien.'

'Dat moet ik even voor je navragen,' zei Tom.

'Ik zag trouwens dat ze achter die vent van Camilla aan zat. Leek me niet slim,' zei Joe. 'Maar goed, het is wel een verdraaid mooie meid, dus bied haar maar een contract aan, Tom. Ze past uitstekend onder de noemer opwindend en exotisch.'

'Wil je over gisteravond praten?' vroeg Tom toen Camilla een douche had genomen en zich had aangekleed.

'Dat kreng zat achter Anthony aan, en hij is ervoor gevallen,' merkte ze vanuit de badkamer nuchter op, hoewel ze inwendig kookte van woede.

'Ik kwam Joe beneden tegen. Hij wil foto's van haar maken.'

Camilla kwam de kamer in en ging recht voor Tom staan. 'Ik wil één ding duidelijk maken,' zei ze. 'Als je die meid een contract aanbiedt, ga ik bij je weg en zul je me nooit meer zien. Begrijp je dat, Tom Bartlett? Als dat namelijk niet zo is, kun je nu het vliegtuig naar Londen pakken en vergeten dat we elkaar ooit hebben gekend.'

'Ik zou haar met nog geen tang willen aanraken,' haastte hij zich te zeggen. 'Als ze het gaat maken in de modellenwereld komt dat niet door mij. Goed, ga nu die interviews maar doen. Eerst *Tatler*, en daarna die Indiase kennis van je.' Hij imiteerde een Indiaas accent en zag tot zijn opluchting dat ze moest lachen.

'Is het goed als we tegelijkertijd lunchen?' vroeg Camilla toen Rabindrah zijn blocnote en pennen tevoorschijn haalde. 'Ik heb een flinke kater en ben net al door de mangel gehaald. Ik heb heel veel eten en een bloody mary nodig, anders red ik het niet.'

Tegen de tijd dat ze bij de Equator Club aankwamen, was ze moe en neerslachtig. Ze kwam in de verleiding om Anthony te bellen, maar ze had geen idee wat ze kon zeggen zonder in te storten en hem de vreselijkste beschuldigingen naar het hoofd te slingeren. Misschien moest ze vanmiddag naar zijn huis gaan om het rustig uit te praten, maar toen ze daar wat meer over nadacht, voelde ze de tranen prikken in haar ogen. Ze excuseerde zich tegenover Rabindrah en liep naar het toilet, waar ze voor de spiegel bleef staan en moed probeerde te vatten om de rest van de dag door te komen. Toen ze het gevoel had dat ze haar emoties weer een beetje in de hand had, duwde ze de deur open en liep terug naar de eetzaal. Die was donker en rokerig en erg vol. En de geur van Chinees eten herinnerde haar eraan dat haar maag niet bepaald de rust zelve was. Misschien was eten toch niet zo'n goed idee.

Op weg terug naar haar tafeltje hoorde ze een vrouw giechelen. Het was een akelig bekend geluid. Ze keek nieuwsgierig om zich heen en zag aan een klein tafeltje voor twee, verscholen in een nis, Viktor Szustak en een Afrikaanse zitten. De vrouw had een onmiskenbaar zandloperfiguur en straalde pure sensualiteit uit. Twinkle Kiberu. Hij deed haar lachend voor hoe ze met stokjes moest eten; een van zijn handen raakte haar lange vingers met de vuurrood gelakte nagels, de andere veegde een paar rijstkorrels van haar mondhoek. Hij fluisterde iets in haar oor, en haar tong gleed even langs zijn vingertoppen. De glimlach die ze hem toewierp, stond bol van de onmiskenbare wellust. Geen wonder dat hij gisteren niet naar hen toe was gekomen. Camilla wendde zich snel af en zag een vergelijkbaar beeld van Anthony en Zahra in gedachten voor zich. Misschien waren ze nu wel samen, misschien draaiden ze even verlekkerd om elkaar heen als dit tweetal. Snel liep ze verder en ging zitten.

'Ik zag Viktor Szustak daar al in zijn hoekje zitten,' merkte Rabindrah op, 'samen met *mama* Kiberu. Het verbaast me niet dat hij gisteren niet even een babbeltje kwam maken.'

'Is dat al lang bezig?' vroeg Camilla. '"Ben je getrouwd of woon je in Kenia?", is dat niet wat ze altijd zeggen? Vertel eens, geldt dit als een schandaal?'

'O, de plaatselijke roddeltantes smullen ervan,' zei Rabindrah, 'maar ik denk niet dat je voor een duel hoeft te vrezen. Zullen we bestellen? Dan kunnen we het daarna over multiculturele kralen en spiegeltjes hebben.'

Halverwege de middag kwam Camilla eindelijk bij Anthony's huis aan. Zijn Land Rover stond op de oprit. Met bonzend hart, op van de zenuwen, liep ze naar binnen.

'Waar heb jij in godsnaam gezeten?' vroeg hij op afgemeten toon. Zijn gezicht stond strak. 'Ik heb tot zonsopgang op je zitten wachten. Je ziet er compleet afgeleefd uit.'

Hij kwam naar haar toe en probeerde zijn armen om haar middel te slaan en haar naar zich toe te trekken, maar ze duwde hem hoofdschuddend van zich af.

'Ga even zitten,' zei hij. 'Je ziet er doodmoe uit.'

'Ik ben niet moe, ik ben alleen maar verdrietig,' zei ze. 'Zoals gewoonlijk, zou ik bijna willen zeggen.'

'Je hebt een geweldige avond achter de rug,' zei hij. 'Het was een groot succes.'

'Jouw avond was ook geweldig, geloof ik.' Ze kon haar jaloezie niet onderdrukken.

'Wacht eens even!' zei hij verdedigend. 'Je had het gisteravond zo druk dat je me amper zag staan, en je zat als een bezetene te flirten met die idioot van een Bartlett. Ik weet dat je deed alsof, dat het voor de lol was. Iedereen zat met Zahra te flirten, maar ik had de pech dat ze het op mij had gemunt. Het had niets te betekenen. Het was haar grote avond.'

'Het was míjn grote avond,' zei ze op bittere toon. Ze wendde zich af, zodat hij de tranen van woede in haar ogen niet zou zien. 'En ik wil het er nu niet over hebben, Anthony, dus houd alsjeblieft je mond.'

'Ik vind dat je wel wat overdreven reageert,' merkte hij op. 'Ze heeft vanmorgen nog hierheen gebeld omdat ze je wilde spreken. Ze was bijkans hysterisch. Ze zei dat ze nooit drinkt en weet dat ze zich vreselijk heeft misdragen en ze wil haar excuses aanbieden. Misschien moet je haar de kans geven dat te doen.'

'Zeg niet wat ik wel en niet moet doen!' Ze draaide zich naar hem toe en liet haar woede vrij, zodat die hem bijna als een fysieke kracht trof. 'Je hebt geen idee wat die hele avond voor me betekende, je weet niet hoe belangrijk het is dat er geld wordt verdiend, zeker voor Hannah. Je hebt geen idee, Anthony, want als puntje bij paaltje komt, ben je egoïstisch en leeg. Je kijkt niet verder dan de buitenkant en kan geen nee zeggen wanneer een vrouw zich aanbiedt. Trouw is een begrip dat je niets zegt, laat staan dat je het in praktijk brengt. Daarom zei ik vijf maanden geleden nee toen je vroeg of ik met je wilde trouwen, en nu begrijp ik dat dat de juiste beslissing is geweest.'

'Je overdrijft, dat komt door de stress.' Hij probeerde verzoenend te klinken. 'Laten we het nu gewoon vergeten, Camilla, het stelde niets voor. Kijk eens hoe mooi Joshua de tafel heeft gedekt, hij heeft zelfs bloemen voor je neergezet. We kunnen nog maar heel even bij elkaar zijn, morgenochtend moet ik weer weg. En ik heb je amper gezien omdat je het zo druk had.'

'Ik heb geen tijd, ik ga met mijn vader naar een borrel,' zei ze stijfjes. 'Ik kom hier vanavond niet meer terug.'

Ze stopte wat willekeurige kleren in een grote tas en schonk geen aandacht meer aan hem. Hij stond met zijn rug naar haar toe uit het raam te kijken, naar de middag die nu was bezoedeld door woede en spijt. Toen ze haar auto startte, liep hij de veranda op, maar hij zei of deed niets, en zij was te trots om uit te stappen en terug te lopen naar het huis.

George groette haar hartelijk en zei niets toen ze haar tas in de logeerkamer zette. Ze wilde dolgraag haar hart bij hem uitstorten, maar hield zich in. Waren haar vriendinnen nog maar in Nairobi. Een krankzinnig moment lang vroeg ze zich af of ze in haar auto moest stappen en naar Langani of Buffalo Springs rijden, maar in plaats daarvan nam ze een bad en kleedde zich met de grootste zorg om voor de borrel.

'Wat zie je er mooi uit, lieverd,' zei George vol genegenheid. 'En het komt ook allemaal wel goed met die jongeman van je. Zulke onenigheden horen nu eenmaal bij het echte leven en de liefde, maar in een groter verband stellen ze erg weinig voor. Jij bent de enige voor hem. Dat weet je.'

'Nee, dat weet ik helemaal niet.'

'Mannen stellen zich wel vaker vreselijk aan als ze niet genoeg aandacht krijgen,' legde George uit. 'En ik weet zeker dat Anthony echt niet had verwacht dat dat meisje vandaag naar zijn huis zou komen. Hij belde meteen hierheen om te vragen of je hier was, maar ik had geen idee waar je uithing. Ik denk niet dat je het hem kwalijk moet nemen.'

Camilla had het gevoel dat alle lucht uit haar longen werd gezogen. Anthony had tegen haar gelogen. Ze voelde zich heel erg misselijk worden, en zweetdruppeltjes parelden op haar voorhoofd. Ontzet, met een bleek gezicht, staarde ze haar vader aan, niet in staat iets te zeggen. Hij merkte dat hij onbewust het verkeerde had gezegd en wendde zijn blik af. Camilla balde haar vuisten en voelde niets dan walging voor Anthony. En voor haar vader, omdat die er zo gemakkelijk overheen leek te stappen.

'U hebt helemaal gelijk,' zei ze. 'Het is volkomen onbelangrijk. Laten we nu naar die borrel gaan, papa, en lol maken.'

Een half uur later dwaalde ze door een overvol vertrek en nam felicitaties voor haar succes van de avond ervoor in ontvangst. Inmiddels wenste ze dat ze nooit was gekomen, en ze wilde net naar boven lopen, naar de rustige bar, toen George haar wenkte.

'Dat was een geweldige avond,' zei Johnson Kiberu. Zijn blik gleed langzaam over haar lichaam. 'Hopelijk lukt het me volgende keer om een uitnodiging voor een show in Londen te bemachtigen. Misschien kan ik dan nog meer modellen leren kennen.'

'Dat zal wel lukken.' Inwendig rilde ze. Hij was misschien een goed politicus, maar hij was ook een onbeschaamde rokkenjager. Ze voelde dat hij zijn hand op haar blote arm legde en haar een kneepje gaf.

'We hebben wel wat vrienden gemeen,' zei ze, 'en we hebben elkaar vorig jaar al eens kort in Londen getroffen. Maar dat weet u zeker niet meer? Nee, u leert natuurlijk zo veel mensen kennen.'

'Dat is waar.' Johnson kneep zijn ogen tot spleetjes, en ze zag de eerste sporen van schrik op zijn gladde gezicht. Hij nam een grote slok van zijn drankje. 'Het valt niet mee om me te herinneren wie ik allemaal heb ontmoet. Ik ben blij dat uw vader heeft besloten Nairobi als zijn uitvalsbasis te nemen. Hij heeft ons al van zo veel advies over natuurbehoud kunnen dienen. Blijft u ook nog een tijdje hier?'

'Dat weet ik nog niet.' Camilla glimlachte, knipperde met haar ogen en flirtte nu openlijk met hem, vastbesloten hem in haar val te laten lopen. 'Dat hangt af van wat Nairobi me te bieden heeft.'

'Hopelijk zien we elkaar snel weer,' zei hij, er inmiddels zeker van dat ze geen problemen zou veroorzaken. Hij waagde een volgende stap. 'U hebt toch niet altijd een begeleider bij u?'

'O nee, zeg.' Ze keek hem opzettelijk onschuldig aan. 'Hoe is het trouwens met uw zus?'

'U kent mijn zus?' Hij was oprecht verbaasd.

'Die knappe, sexy zus die er gisteren ook bij was,' zei Camilla. 'Ik heb haar al eerder gezien, met een vriend van me. Viktor Szustak. Hij is weg van haar, en ze hebben samen zo'n lol. We komen vaak bij elkaar in dat tentje waar ik haar laatst nog met hem zag, ik kan even niet op de naam komen. Ach, u kent het wel, zo'n donker, intiem restaurantje, ideaal voor opwindende verhoudingen en een verzengende romance. Je kunt er tot in de kleine uurtjes dansen. Misschien kunnen we er eens met ons vieren heen gaan, dat zou leuk zijn.'

Ze zag dat de ogen van de politicus vonkten van woede en voelde toen dat George haar stevig bij haar arm pakte.

'Lieverd, ik wil je even voorstellen aan een voormalige collega van me, met wie ik bij de Hoge Commissie heb gewerkt,' zei hij bijna wanhopig. 'Johnson, ik zie je wel weer op de vergadering over die wildparken.'

'U hoeft me niet zomaar mee te slepen,' mompelde ze. 'Dat is erg onbeleefd.'

'Mijn god, Camilla, je weet donders goed dat Twinkle niet zijn zus is,' siste George. 'Ze is zijn vrouw, god nog aan toe. Ik heb je aan haar voorgesteld, tijdens dat etentje met Rabindrah. Dat weet je toch nog wel? Hoe kon je nu denken dat ze zijn zus is? En je weet dat Szustak altijd achter de vrouwtjes aan zit. Waar heb je die twee in vredesnaam samen gezien?'

'O jee, dan heb ik van alles door elkaar gehaald.' Camilla glimlachte sluw. 'Of misschien verwar ik haar met iemand anders.' Ze zag dat Johnson Kiberu haar vanaf de andere kant van het vertrek nauwlettend gadesloeg. 'Nou ja, wat maakt het uit,' zei ze monter. 'Hij kan zijn handen ook niet bepaald thuishouden, die vriend Kiberu van u. Kunnen we nu naar huis? Ik ben doodop.'

Bij vertrek wuifde ze nog even naar Johnson en schonk hem een oogverblindende glimlach. Hij draaide zich met een ruk om en verdween tussen de gasten.

De telefoon ging net toen ze de woonkamer van George betraden.

'Kom alsjeblieft terug, nu,' zei Anthony. 'Ik vertrek morgenochtend en wil je zo graag nog even zien.'

'Je bent me nog vergeten te vertellen dat Zahra vandaag bij je langs is gekomen,' zei ze bevend van woede.

'Camilla, dat had ik tegen je willen zeggen, maar je was al zo van streek en ik wilde het niet nog erger maken. Ik heb haar meteen weggestuurd, er was geen land met haar te bezeilen. Hysterisch, zoals ik al zei. En het heeft helemaal niets te betekenen. Helemaal niets. Camilla?'

'Ik vind van wel,' zei ze ziedend.

'Kom hierheen, toe. Ik wil je zien. Ik wil je, nu. Jij bent de enige die ik wil. Laten we deze onzin alsjeblieft zo snel mogelijk vergeten.'

'Ik ga een hapje eten met papa.' Ze was zo kwaad dat ze alles door een rood waas zag. 'En morgenavond vertrek ik naar Londen. Met Tom.'

'Wát? Maar wanneer zie ik je dan weer? Wanneer kom je terug?'

'Ik heb geen idee,' zei ze. 'Ik heb echt geen flauw idee.'

ACHT
Londen, april 1967

Rabindrah was degene geweest die had geregeld dat Sarah naar Londen zou gaan. Een paar dagen voordat hij voor een opdracht naar Tanzania moest, was hij nog even in Buffalo Springs langsgekomen, en de tijd was vliegensvlug verstreken. Wanneer hij niet in het spoor van de kudde over de savanne reed, zat hij onder de acacia, met op een klaptafeltje voor hem een stokoude draagbare schrijfmachine waarop hij al tikkend zijn aantekeningen uitwerkte, terwijl het zweet van zijn voorhoofd druppelde. De armband van onbewerkt metaal die hij altijd droeg, glansde rond zijn pols. Zijn zwarte haar viel tijdens het werken af en toe voor zijn ogen, zodat hij regelmatig met zijn hoofd zat te schudden.

'Ik heb nog wel een scherpe schaar waarmee ik je van dat probleem af kan helpen,' zei Sarah tegen hem. 'En anders moet je het maar aan Allie vragen, die kortwiekt je wel. Dan kun jij je krachten sparen en hoeven wij niet meer bang te zijn dat je hoofd van je romp valt.'

'Sommige sikhs knippen hun haar of baard nooit.' Hij keek haar grijnzend aan. 'Op mijn armband na is dit mijn enige verwijzing naar mijn achtergrond, en ik zie mijn lok bovendien als een alternatieve vliegenmepper.'

Hij had een zeker gevoel voor zwarte humor en was snel van begrip, wat hem aangenaam gezelschap maakte. 's Avonds las hij haar zijn teksten voor, nam zonder morren kritiek of suggesties in ontvangst en lachte om incidentele foutjes. Hij kon erg goed met Dan en Allie opschieten en bleef soms tot diep in de nacht met Dan zitten bomen over de wereld in het algemeen of de kans dat Kenia ooit tot een echte multiraciale samenleving zou uitgroeien. Zelfs het Afrikaanse personeel in het kamp leerde de *mahindi* in hun midden schoorvoetend te aanvaarden, maar Erope bleef zijn hoofd schudden omdat Rabindrah over zo weinig kennis over de natuur beschikte.

'Heb je nog iets van die pater gehoord?' vroeg Rabindrah op de dag van zijn vertrek aan Sarah.

Ze schudde haar hoofd. 'Weet je, ik was veel te veel van streek toen ik hem bezocht. Ik werd overspoeld door nare herinneringen en kon niet helder denken.'

'Probeer je me te vertellen dat je gevoel over Simon Githiri niet klopt? Dat je toch niet gelooft dat hij nog leeft?'

'Ik weet het niet,' zei ze, 'maar ik wil er niet te veel over piekeren omdat het iets instinctiefs is. Ik wil het liever achter me laten en vergeten. Er niet meer over praten. Heb je zin om een stukje mee te rijden in mijn opgekalefaterde rammelkast en naar de olifanten te kijken?'

'Altijd,' zei Rabindrah. 'Ik heb al tegen oom Indar gezegd dat ik zijn nieuwe auto's zou gaan testen. Kunnen we een foto vanuit het hart van de kudde maken? Dan kan hij zelf zien welke vooruitgang hij naar de wildernis heeft gebracht.'

'Waarom komt hij zelf niet even een kijkje nemen? We zullen hem graag willen rondleiden,' zei Sarah.

Rabindrah gaf geen antwoord en ze keek hem nieuwsgierig aan. 'Hij is zeker bang voor wilde dieren,' zei ze lachend. 'Het zal je nog verbazen hoeveel grote, sterke mannen opeens op de achterbank in elkaar duiken wanneer er een grote stier op hen afkomt.'

Hij wilde liever niet tegen haar zeggen dat zijn oom en tante zo hun bedenkingen hadden over zijn samenwerking met haar. Dat hadden ze beschaafd, maar duidelijk laten merken.

'Je bent vast met een paar goede artikelen in Nairobi bezig,' had Kuldip Singh gezegd nadat haar neef had aangekondigd dat hij een paar dagen naar Buffalo Springs zou gaan.

'O, er is altijd wel nieuws,' was zijn antwoord geweest, 'maar wat ik daar meemaak, is veel unieker. Die plek is betoverend, de ervaringen laten je niet meer los. U moet eens met me meegaan, tante Kuldip. Het is zo bijzonder om samen met Sarah 's morgens vroeg op pad te gaan en te worden omringd door die enorme dieren, en te zien dat ze zo waardig en georganiseerd hun gang gaan. Die meid is echt nergens bang voor. Ze kent alle olifanten van haver tot gort, ze weet precies wat ze gaan doen, nog voordat ze het doen. Ze gaat elke dag achter de kuddes aan, alleen of met die Samburu, en ze is helemaal niet bang voor de olifanten of de buffels of de stropers. Ze kent totaal geen vrees. Zo'n vrouw heb ik nog nooit ontmoet. Het is alsof ik bij de geboorte van een legende aanwezig mag zijn.'

'Het is vast een erg aardig meisje,' had tante Kuldip opgemerkt. 'Maar ze zei niet veel toen ze die Land Rover kwam halen.'

'Toen had ze haar dag niet,' legde Rabindrah uit. 'U weet toch dat ze met die Afrikaner boer verloofd was die toen net een jaar eerder was vermoord? In de buurt van Nanyuki. En kort voordat u haar ontmoette, was er op die boerderij ingebroken. Ze was toen erg nerveus en werd geplaagd door nare herinneringen.'

'Het arme kind,' zei Kuldip. 'Misschien heeft ze meer tijd nodig om te rouwen. Sommige mensen dragen dat soort dingen een leven lang met zich mee. Ze worden nooit meer de oude. Ben je hier morgen ook nog, Rabindrah? Ik wil je aan iemand voorstellen.'

'U geeft ook nooit op, tante,' zei hij lachend. 'Het is vast een van uw aanstaande bruidjes, en u zult weer teleurgesteld worden. Maar ik ben er wel, ja.'

'Je kunt je het beste bij je eigen soort houden,' zei Kuldip. 'Het huwelijk is al zwaar genoeg, daar hoef je niet nog eens extra hindernissen aan toe te voegen.'

'Je tante heeft gelijk.' Indar kwam net binnen en had haar laatste woorden gehoord.

Rabindrah kon echter niet goed uitleggen wat zijn eigen soort was. Hij had het gevoel dat hij bij een kleine stam vreemdelingen hoorde die op geen enkel continent een echt thuis kon vinden. De Britten hadden hen naar Afrika gehaald en hen daarna in de steek gelaten, zodat ze zich maar moesten zien te redden. Ze waren niet langer Indiërs, de afstammelingen van de eerste sikhs die politieagenten en boeren en soldaten waren geworden, de kleinkinderen van de koelies die naar een ver land waren verscheept om daar een spoorlijn aan te leggen. Ze waren echter ook geen Afrikanen, al woonden ze in Kenia en waren hun kinderen op Afrikaanse bodem geboren.

‘Wat is mijn eigen soort dan?’ wilde Rabindrah weten, al hadden ze het vaker over die vraag gehad, zonder op een bevredigend antwoord uit te komen.

‘Je bent van Indiase afkomst. Dat is je erfenis. En je bent een sikh, ook al heb je geen belangstelling voor je religie,’ zei Indar.

‘Ik ben een Keniaan,’ zei Ranbindrah. ‘Ik ben hier geboren en heb nog nooit een voet in India gezet. U bent er ook nog maar één keer geweest en had toen ook het gevoel dat u een vreemde was. “Indiaas”, dat is gewoon een vaag idee dat we koesteren. Een sentimenteel besef dat alleen in onze harten leeft. Dit is ons thuis, of we nu willen of niet.’

‘Maar we zijn ook Brits staatsburger,’ zei Kuldip.

‘Lieverd, die jongen heeft gelijk.’ Indar klonk somber. ‘Mijn broer werkt dan wel in Engeland en woont daar in zijn rijtjeshuis, maar echt Brits zal hij nooit worden. En ze zullen nooit nog meer van ons toelaten. De Britten hebben ons gebruikt om de kolonie op te bouwen, maar ze moeten ons niet en zullen altijd naar manieren zoeken om ons buiten te sluiten. Ze noemen ons de joden van Afrika, en dat is niet positief bedoeld.’ Hij keek zijn neef aan. ‘Je tante is een verstandige vrouw,’ zei hij. ‘De laatste tijd heb je het alleen maar over die Ierse, en het is leuk dat jullie samen aan een boek werken, maar meer dan dat moet het niet worden. Je vindt echte vriendschap en liefde toch vooral in je eigen gemeenschap.’

Nu dacht Rabindrah weer even aan het strenge gezicht waarmee zijn oom dat had gezegd. Hij zat naast Sarah in de auto, omgeven door het landschap dat baadde in het rozerode licht van de ondergaande zon. Vogels scharrelden over de zandweg en stegen vlak voor de auto op naar de koele hemel. Hij zag de eenzame schoonheid van de avondster en de bleke sikkel van de wassende maan. Hij was stoffig en moe en voelde zich volledig in harmonie met de wereld om hem heen. Sarah keek recht voor zich uit, haar kleine, gebruinde handen stevig rond het stuur geklemd. Ze neuriede iets, en het deed Rabindrah ongelooflijk veel plezier dat ze zo opgewekt was.

Twee dagen geleden had hij bericht gekregen van John Sinclair, de uitgever in Londen. Dat had Sarah heel opgetogen gemaakt, maar haar ook voor een moeilijke keuze gesteld.

'We kunnen het eindelijk gaan vieren,' had Rabindrah gezegd toen ze onder de sterrenhemel rustig zaten te eten. 'Het contract voor het boek ligt klaar en hoeft alleen nog maar te worden ondertekend.'

'Ze sturen het zeker naar je adres in Nairobi?' vroeg ze. 'Als we allebei moeten tekenen, moet je het volgende keer maar meebrengen.'

'Dat zou ik kunnen doen,' zei Rabindrah, 'maar er moeten nog wat knopen worden doorgehakt waar het de lay-out betreft, en John wil graag dat ik daarvoor naar Londen kom. En ik vind dat jij daar ook bij moet zijn.' Hij keek Dan aan. 'Zou je haar een week kunnen missen? Dat moet voldoende zijn.'

'Nu ze ons toch wereldberoemd zal maken, mag ze wel even weg.' Dan keek Sarah glimlachend aan. 'Misschien moet je dan maar ja tegen je vader zeggen, meid, dan regelt hij zo een ticket naar Ierland voor je. Dan kun je naast Londen ook je familie bezoeken. Je broer gaat binnenkort toch trouwen?'

Sarah moest haar blik afwenden. 'Eind april.'

'Misschien kan Rabindrah het zo regelen dat dat met elkaar te combineren is,' stelde Dan voor. 'Kun jij haar dan missen, Allie?'

'Natuurlijk. Als Sarah dat graag wil.' Allie wist dat ze beter niet kon aandringen omdat Sarah niet veel voelde voor grote feesten, en zeker niet voor een bruiloft.

'We zullen wel zien.' Sarah wist dat ze kortaf en ondankbaar klonk. Ze besefte dat ze de reis mogelijk niet zou kunnen vermijden. Het werd tijd dat ze weer haar eerste stappen in de buitenwereld zou zetten en haar familie in Sligo zou bezoeken, die haar zo graag wilde zien. Het werd tijd om naar huis te gaan. Het was niet haar thuis en het was niet haar bruiloft, maar ze wist dat nee zeggen onmogelijk zou zijn.

Het was lente toen ze in Londen aankwam. Camilla haalde haar op van het vliegveld en ze namen een taxi naar haar woning in Knightsbridge. Sarah was vergeten dat de wind zo snijdend kon zijn en dat de grijze hemel als een deken op de volle straten drukte.

'Waarom ga je niet even een dutje doen? Ik laat wel een sleutel voor je achter, voor het geval je wilt gaan winkelen of zo,' zei Camilla. 'Ik moet om twaalf uur voor een fotosessie in de studio zijn en ben pas om een uur of vijf weer terug. Als je zin hebt, kunnen we vanavond iets met ons tweetjes doen.'

Ze aten die avond in een drukke trattoria waar het zo gehorig was dat een goed gesprek voeren niet mogelijk was. Sarah vroeg zich af of Camilla dat met opzet had gedaan. Het was al laat toen ze weer terug in de woning waren en ze in staat was door het gebabbel heen te prikken dat Camilla als façade rond zich optrok.

'Zin in zo eentje?' Camilla pakte een gouden aansteker en bood haar een zoet geurende sigaret aan. 'Het is goed spul, en als je er slaperig van wordt, rol je zo je bed in. En als je hysterisch moet lachen of de hik krijgt, ben ik de enige die het ziet. Je gaat er echt niet van hallucineren of uit het raam springen.'

'Ik moet bekennen dat ik sinds ik in Buffalo Springs woon meer drink dan ooit,' zei Sarah, 'maar een joint is nieuw voor me. Laat maar, als je het niet erg vindt.'

Camilla ging op haar rug op de bank liggen en sloot haar ogen, alsof ze in slaap was gevallen. Ze zwegen allebei een tijdlang.

'Heb je nog steeds nachtmerries?' vroeg Camilla opeens. 'Na de overval, toen mijn gezicht zo gehavend was, durfde ik amper te slapen of alleen te zijn. Ik was overal bang voor. Dat heeft maanden geduurd. En toen ik vorig jaar weer op Langani was, was ik nog banger. Pas na een hele tijd voelde ik me weer op mijn gemak en kon ik weer slapen. Sinds mijn atelier is vernield, heb ik echter weer last van die oude nachtmerries. Ik zie die *panga* weer op me afkomen, ik voel dat lemmet weer in mijn gezicht, het is alsof het gisteren was. Nu vraag ik me af of ik wel terug kan gaan. Of ik daar ooit de moed voor zal hebben.'

'Het valt niet mee,' beaamde Sarah. 'Zeker als je niet weet waarom je bent aangevallen.'

'Hoe moet je met blinde haat omgaan?' Camilla klonk woedend. 'Die Afrikanen lijden nog meer dan wij. Kijk eens naar die vrouwen die nu hun baan kwijt zijn die zo belangrijk voor hen was geworden, in zo'n korte tijd. En als we niet weten wat de reden is geweest, kan het weer gebeuren.' Ze trok aan haar sigaret. 'Ik wil Hannah niet in de steek laten. Ik weet zeker dat zij er nooit aan heeft gedacht om Langani met de staart tussen de poten te verlaten. Maar ik ben niet zo sterk als zij. Ik ben echt bang geworden.'

'Het is haar thuis. Ze zegt dat ze zal blijven, wat er ook gebeurt,' zei Sarah. 'Maar jij zou opnieuw kunnen beginnen in Nairobi.'

'Dat is nooit mijn bedoeling geweest. Ik had zulke mooie plannen voor Langani, maar daar is niets van terechtgekomen. Niets. En ik weet nu niet meer wat ik moet doen. Echt niet.'

Sarah besefte dat ze het ook over Anthony had, en niet alleen over het atelier. Wat een oppervlakkige, harteloze stommeling was hij toch ook. Een achtergebleven holenmens, dat was hij. Ze vroeg zich af hoe hij het ooit weer goed wilde maken, en of hij daartoe eigenlijk wel de kans moest krijgen.

'Is er eigenlijk nog iets tussen jullie?' vroeg ze ten slotte.

Camilla deed haar ogen niet open. 'Niet meer dan er tussen Anthony en iedere andere vrouw is die ooit zijn pad heeft gekruist.'

'Hij heeft zich als een idioot gedragen.' Sarah hoorde hoe zwak dat klonk.

'Ik zal nooit iets van de liefde begrijpen.' Camilla maakte een halfslachtig gebaar. 'Waarom zulke gevoelens in bepaalde omstandigheden zomaar terzijde worden geschoven, alsof ze niets voorstellen, en waarom liefde in andere gevallen toch ondanks alles blijft bestaan. Kijk maar naar George en Marina.'

Ze had sinds de dood van haar moeder nooit meer Marina's naam genoemd. Sarah bleef heel rustig zitten, zonder iets te zeggen, omdat ze de woordenstroom niet wilde onderbreken. Camilla werd slechts zelden zo persoonlijk.

'Ik heb na haar dood gehuild, weet je dat? Dat had ik niet verwacht, maar ze bracht me aan het huilen. Ze zei dat we haar leven waren, papa en ik. Dat ze zoveel van ons hield, dat hij de enige man was van wie ze ooit had gehouden. Ze zei dat als ze een wens zou mogen doen ze zou wensen dat ze minstens vijftig mocht worden, zodat ze de kans zou hebben om ons allemaal gelukkig te maken, wat ze daarvoor ook zou moeten doen. Ze wilde niet haar hele leven overdoen, ze wilde alleen maar dat het een tijdje goed zou gaan, zodat we daar het eerste aan zouden denken als we ons haar zouden herinneren. Meer wilde ze niet. Gewoon leven, tot aan haar vijftigste. En toen lachte ze en zei ze dat vijftig wel genoeg zou zijn omdat ze daarna toch rimpels zou krijgen en uit zou zakken. Daar is ze altijd al bang voor geweest. Eenmaal gerimpeld zou ze opnieuw onuitstaanbaar worden.' De tranen deden Camilla's ogen glanzen, maar ze stond het zichzelf niet toe te huilen. 'Ze was erg moedig,' zei ze. 'Dat maakte het allemaal veel moeilijker.'

'Ze hielden dus wel van elkaar, ondanks alles?'

'Ik denk het wel. Het was in elk geval een bepaalde vorm van liefde. Maar hoe kun je zo'n huwelijk voortzetten, vraag ik me af. Al die jaren aan de zijde van een man die op jacht was naar vriendjes. Hij was geen echte echtgenoot. Maar ze had er genoeg aan. Geheimen, zwijgen, ten koste van haarzelf. Ten koste van ons allemaal. Omdat hij zich nooit van zijn schuldgevoel heeft kunnen bevrijden en omdat zij zich geen leven zonder hem kon voorstellen. En ik kon weinig anders doen dan me laten overspoelen door hun ellende.' Ze ging rechtop zitten en leunde naar voren, starend naar haar voeten. 'Geen wonder dat ik niets begrijp van liefde en relaties.'

'En Anthony?'

'Die zal wel weer op safari zijn. Omgeven door vrouwen die zijn tent aan stukken scheuren om zijn bed te kunnen delen en hem een fortuin betalen om zichzelf te mogen aanstellen.' Camilla's lachje was dun en hoog. 'Dat heb ik ook gedaan, me aangesteld.'

'Nee, dat is niet waar,' zei Sarah. 'Hij is degene die zichzelf voor gek heeft gezet. Een puber vermomd als man, die nog steeds zijn wilde haren niet kwijt is. Nog niet volwassen. Maar ik denk dat hij wel van je houdt, ook al weet hij dat misschien zelf nog niet. Of misschien weet hij helemaal niet hoe hij van iemand moet houden.'

'Hij houdt van zijn leven zoals het nu is, en hij ziet geen reden er iets aan te veranderen. Ik dacht dat hij aan een vaste relatie toe zou zijn, maar dat heb ik helemaal verkeerd gezien.'

'Hij heeft je een aanzoek gedaan. Was dat niet vast genoeg?'

'Dat was een leeg romantisch gebaar, Sarah. Je hebt hem met die del van een Zahra bezig gezien.'

'Op een dag zal hij inzien dat hij vreselijk dom is geweest. Dan komt hij je op zijn knieën smeken om vergiffenis.'

'Jezus, Sarah, wat ben je toch altijd optimistisch! Je ziet altijd het goede in een ander. Nee, vergeet het maar, dat zal hij nooit doen. En ik zal hem toch nooit meer vertrouwen. Omdat vertrouwen ook al iets is waarvan ik zo weinig heb, is dat des te belangrijker voor me. Liefde en vertrouwen en rust en dergelijk gezeik. Daar ben ik tegenwoordig naar op zoek.' Ze zwaaide met de joint heen en weer. 'Kom, neem ook eens een trekje. Dat is goed voor je. Je slaapt er lekker van.'

'Ach, waarom ook niet?' Sarah zoog aan de sigaret met het dunne vloeipapier en de ongelijke draadjes tabak en ademde aarzelend de rook in. Zo slecht was het niet. Ze nam nog een trek en liet haar hoofd tegen de dikke kussens rusten. Camilla had heel veel goed gevulde kussens en stoelen.

'Ik slaap ook niet goed meer,' zei ze. 'Hetzelfde liedje als jij. Sinds de sterfdag van Piet word ik opnieuw door nachtmerries geplaagd. Dat zal wel weer minder worden, maar nu leef ik echt van dag tot dag. Meer kan ik niet doen. Meer kan niemand van ons doen. En wat vertrouwen betreft, tja, ik vertrouw jou. En Hannah en Lars. En Dan en Allie. Dat zijn goede vrienden geworden met wie ik goed kan opschieten, ook al zitten we voortdurend op elkaars lip. We werken samen, we wonen daar op een kluitje en eten meestal ook samen. Met ons drietjes. Maar het gaat omdat we hetzelfde doel hebben.'

Sarah dacht aan Dan en Allie en de diepe vriendschap en liefde die hen bij elkaar hield.

'Soms voel ik me wel eens alleen als ik zie hoe hecht hun relatie is,' zei ze, 'maar ik kan me niet voorstellen dat ik ooit mijn leven met iemand zal delen. Piet is er niet meer, dat moet ik aanvaarden, ik moet verder met mijn leven. Dat is het enige wat ik kan doen. En ik hou van mijn werk, dus wat dat betreft heb ik geluk gehad.' Haar ledematen voelden zwaar en slap aan, maar het was geen onprettig gevoel. 'We zijn niet helemaal geïsoleerd in Buffalo Springs. We krijgen vaak genoeg bezoek.'

'Wie dan?'

'O, wetenschappers die een kijkje komen nemen, mensen van het ministerie en toeristen uit de Samburu Lodge.' Sarah liet haar hoofd achterover vallen, al wist ze niet zeker of het nog aan haar lijf vastzat. Het leek een paar centimeter boven de rest van haar lichaam te zweven, maar haar gedachten waren tot rust gekomen en ze was blij dat ze vrijuit kon praten. 'George en Joy Adamson komen af en toe langs, en bijzondere natuurbeschermers als Peter Jenkins en Bill Woodley, die ondanks alles de parken in stand weten te houden. Die zijn echt inspirerend, hoor.' Ze ging verder. 'En soms komen er wel eens filmsterren langs die op safari zijn en Dan meteen een vette cheque geven. De jagers en safarigidsen nemen hen mee.' Ze zweeg omdat ze besefte dat ze het beter niet over dat soort mensen kon hebben. 'Ik wou dat je een tijdje bij me kon komen logeren. Ik wil je zoveel laten zien.'

'Ik had in januari willen komen, maar je weet wat er van die plannen is geworden.'

'En nu heb ik ook mijn boek nog, dat is ook goed voor me.'

'Dat is meer dan goed,' zei Camilla. 'Wanneer heb je een afspraak met je journalist?'

'Ik zal hem morgen eens bellen.' Sarah fronste. 'Ik snap niet waarom iedereen hem maar mijn journalist noemt. Het is gewoon een zakelijke afspraak, voor maar even. Hij koos voor mij omdat hij mijn foto's mooi vond. Hij schrijft goed, hij kent veel nuttige mensen, en we maken samen een boek. Dat is alles.'

Toen ze die woorden uitsprak, zag ze weer het beeld voor zich van Rabindrah die haar door de gangen van Anthony's huis droeg. De joint was net een waarheidsserum, en ze ratelde door, vertelde over die rampzalige avond in Nairobi. Afgaande op Camilla's klaterende lach was haar verslag van haar dronken capriolen en de verbijsterde uitdrukking op Joshua's gezicht uitermate komisch.

'Ik moet bekennen dat Rabindrah meer dan nobel was, en nog vriendelijk ook. De volgende dag stortte ik helemaal in en vertelde hem hoe de vork in de steel zat, al denk ik dat hij het toch al wist, hij is niet voor niets journalist. Zijn oom vond me vast een vreemde vogel toen we later die dag de Land Rover gingen halen. Daar wil ik liever niet meer aan denken. Ik had een rode neus en opgezwollen ogen en ook nog eens een flinke kater.' Ze begon te giechelen. 'Rabindrah heeft me nog een zonnebril geleend die minstens drie maandsalarissen heeft gekost. Hij is altijd erg met zijn uiterlijk bezig. Volgens mij is hij een beetje ijdel.'

Ze nam nog een trekje en zoog nu ze wist hoe ze moest inhaleren de lucht verder haar longen in. Toen ze de rook weer langzaam liet ontsnappen, had ze het gevoel dat ze opsteeg. Vanaf dat hogere punt kon ze dingen zien die haar eerder nog niet waren opgevallen.

'Toen hij vorige maand weer op bezoek kwam, vond ik het best fijn hem weer te zien,' bekende ze. 'Hij is geen deel van mijn moeizame verleden, begrijp je. Ik heb mijn best gedaan dat te verbergen, zodat niemand het zou zien, maar nu kent hij mijn verhaal en weet hij alles van me. Dus ik hoef nergens meer omheen te draaien. Ik voel me op mijn gemak bij hem.'

'O, dus daarom ben je in Londen! Omdat hij hier is.' Camilla lachte veelbetekenend.

'Nee, zeg!' Sarah kwam in protest overeind en gleed toen weer onderuit. Ze moest haar hoofd schudden in een poging de nevel te laten optrekken die rond haar hersens hing. Camilla keek haar met geloken ogen aan. 'Nee, ik ben hier vanwege de uitgever. We gaan het hebben over de lay-out en over welke foto's er in het boek komen te staan. En ik ga naar Tims bruiloft, hoewel ik dat helemaal niet wil en ik niet snap waarom hij met haar wil trouwen.'

'Duffe Deirdre. Ik weet ook niet wat hij in haar ziet. We hadden er eerder een einde aan moeten maken,' zei Camilla. 'Ik had gewoon verliefd moeten worden op die lieve, trouwe Tim.'

'Zou je iets voor me willen doen, Camilla?' Sarah kwam weer overeind. 'Zou je met me mee willen gaan naar Ierland? Want het zal zo moeilijk voor me worden. Iedereen heeft natuurlijk heel erg met me te doen, maar ze zullen niet weten hoe ze op me moeten reageren. Ze weten allemaal wat er is gebeurd, al durven ze er met geen woord van te reppen. Mijn ouders willen me vast overhalen daar te blijven, en dat zal ook moeilijk zijn. Ik kan wel wat steun gebruiken.'

'Natuurlijk ga ik met je mee.' Camilla aarzelde geen moment. 'Ik zal je wel helpen. En misschien kunnen we Timmy nog redden, hem overhalen ervandoor te gaan met de plaatselijke barmeid. Of misschien verleid ik hem zelf wel. Voor het goede doel.'

'Ik ben blij dat we weer iets samen kunnen doen,' zei Sarah. 'Hannah was nogal van streek omdat je niet terugschreef. Als het tegenzit, moet je je niet afsluiten voor je vriendinnen. Je moet niet weglopen en voor ons verbergen wat je doormaakt.'

'Ik ben niet weggelopen,' zei Camilla. 'Het atelier zal worden heropend, en ik zal niemand in de steek laten. Ik heb alleen wat tijd nodig om alles te verwerken. Alles wat er is gebeurd.'

Sarah wilde nog iets zeggen, maar haar oogleden vielen dicht en haar hoofd zat nu echt niet meer aan haar lichaam vast.

'Dat is genoeg voor vanavond.' Camilla klonk dromerig. 'Je zou jezelf eens moeten zien. Zo stoned als wat, en ik ook. Kom, dan gaan we naar bed.'

Sarah had om twee uur een afspraak met de uitgever, maar ze zat die ochtend een hele tijd op de rand van haar bed, een tikje verdwaasd, en vroeg zich af wat ze in vredesnaam moest aantrekken. Ze wilde een goede indruk maken. Toen ze haar kamer uitkwam, keek Camilla op van de ochtendkrant, slaakte een geschrokken kreet en stond meteen op om te gaan bellen.

'Kapper, manicure, nieuwe broek en jasje over een zijden blouse,' zei ze. 'Zo'n blouse heb ik wel voor je, die heb ik nog nooit gedragen. Zullen we om twaalf uur in Fenwicks afspreken? O ja, we zijn trouwens vanavond door Edward voor een etentje uitgenodigd. Wat denk je, zou meneer Singh ook zin hebben?'

'Edward? Ik dacht dat hij verleden tijd was.'

'O, we zien elkaar af en toe,' zei Camilla op luchtige toon. 'Maar we zijn niet... we hebben geen... O, laat me maar weten of hij mee wil.'

Na haar bezoek aan de luxe kapsalon ging Sarah samen met Camilla een aantal winkels af, wat gelukkig niet al te veel tijd kostte. Ze had nog nooit een uitgever ontmoet en had geen idee wat er van haar werd verwacht. Door een selectie van haar nieuwe foto's, een slee dia's en haar aantekeningen was haar tas maar lastig vast te houden, en het hengsel bleef van haar schouder glijden. Ze moest regelmatig haar andere tassen neerzetten om haar tas goed te kunnen doen, zodat ze het warm had gekregen toen ze bij het kantoor aankwam. Haar haar was gaan kroezen en haar kleren waren een tikje gekreukt. Ze had helemaal niet het idee dat ze de keurige vakvrouw was die ze zo graag wilde zijn. Rabindrah zat al in de receptie op haar te wachten en oogde vlot en elegant. Even later kwam John Sinclair hen begroeten en stelde haar meteen op haar gemak. Hij had al een aantal titels over de flora en fauna van Afrika uitgegeven, en de kwaliteit van het drukwerk was buitengewoon hoog. Hij legde geduldig uit hoe het hele proces in zijn werk ging, noemde het aantal woorden en illustraties dat hij in gedachten had en bekeek Sarahs foto's vol aandacht.

Meer dan een uur later verlieten ze zijn kantoor weer, ieder met een exemplaar van het contract op zak.

'Jullie willen vast nog wel dat jullie advocaat of agent er even naar kijkt,' had John gezegd, 'gewoon om te zien of er geen onduidelijkheden zijn. We betalen een voorschot, en jullie moeten zelf maar bepalen hoeveel ieder krijgt. Veel is het niet, omdat dit een eerste boek is, maar jullie krijgen ook nog royalty's die zeker het dubbele van dat bedrag kunnen zijn. Laat ons maar even weten naar welke rekening we het kunnen overmaken, en vergeet niet dat het nog een jaar duurt voordat het boek echt in de winkel ligt. Eerst moeten we de illustraties uitzoeken en de tekst redigeren. Daarna maken we de litho's voor de foto's, kiezen we de definitieve lay-out, ontwerpen we een omslag en laten we drukproeven maken, die daarna moeten worden nagekeken. Ik zal jullie tijdens het hele proces persoonlijk begeleiden, en ik denk dat dit een succes gaat worden. De timing is ideaal, nu er zoveel te doen is over de Adamsons en de film over hun leeuwen en zo. Gefeliciteerd, jongens.'

'Ik denk dat we ons maar moeten overgeven aan de eeuwenoude Engelse traditie van *high tea*,' zei Rabindrah nadat ze de uitgeverij hadden verlaten. 'Je krijgt tenslotte niet elke dag een contract. Brown zit hier om de hoek.'

'Ik ken hier helemaal geen advocaten,' bedacht Sarah opeens. 'Hopelijk kan Camilla me helpen.'

'Mijn vader is advocaat,' zei Rabindrah toen ze hadden plaatsgenomen. 'Ik kan hem vragen of hij ernaar wil kijken. Als je dat niet erg vindt.' Het deed hem deugd toen ze knikte omdat hij bang was geweest dat ze misschien geen Indiase advocaat zou willen, of geen familielid van hem. 'Je ziet er trouwens heel anders uit. Is dit de chique Londense Sarah?'

'Misschien wel, ja.' Ze lachte. 'Ik logeer bij Camilla, en die probeert me altijd op te tutten. Goed verzorgd, zo noemt ze het. Dat was vroeger op school al zo.'

'Het resultaat mag er zijn,' merkte hij op, en hij zag tot zijn genoegen dat een rode blos vanuit haar hals langs haar wangen omhoogkroop. 'Wat gaat Camilla nu eigenlijk doen?'

'Ik geloof niet dat ze al een besluit heeft genomen.'

'Het zou dapper, maar enigszins dwaas zijn als ze het weer opnieuw in Kenia zou proberen. Hebben jullie nog iets van de politie gehoord?' Hij zag dat haar handen zich stijf om de leuning van de stoel sloten. 'Wil je Indiase of Chinese thee? Ik wil wel een paar van die scones, met room en jam. Er is toch niets ter wereld zo beschaafd als een Engelse *high tea.* En het is nota bene hetzelfde volk dat de zwarte wilden in de kolonie heeft onderdrukt.'

'Heb je vanavond trouwens nog iets te doen?' vroeg Sarah toen ze hun thee hadden gedronken. 'Camilla vroeg of we zin hadden om bij een vriend van haar te komen eten.'

'Ik zou haar graag weer eens zien. En dan kunnen we morgen even langs mijn vader gaan. Ik zal ervoor zorgen dat hij het contract vanavond nog krijgt, dan kunnen we het morgen bij hem op kantoor of misschien thuis nog even doornemen. Het is niet ver van hier, en mijn ouders willen je graag leren kennen.'

'Logeer je bij hen?'

'Nee, ik ga liever bij hen op bezoek. Mijn moeder is nogal religieus en streng in de leer, en ik houd me niet bepaald aan de gebruiken van de sikhs. Dus als ik hier ben, ga ik liever mijn eigen gang. Dat scheelt een hoop ruzie in de familie.'

'Was je vader in Kenia ook al advocaat?'

'Ja, hij was partner bij een groot kantoor in Nairobi, maar hij nam aan dat de Aziatische gemeenschap na de *uhuru* zou worden onteigend en alles zou verliezen. Dat hij zijn bezit kwijt zou raken en niet meer aan zijn spaargeld zou kunnen komen. Daarom is hij al eerder dan alle anderen vertrokken en met ons gezin naar Engeland gegaan. Hij werkt nu voor een advocatenkantoor in Southwark.'

'Wat vond jij van die verhuizing?'

'Ik had hier al gestudeerd en had bij familie gewoond. Het eerste huis waar mijn ouders en mijn twee zussen hebben gewoond, was erg klein, dus ik ben nooit bij hen ingetrokken.'

'En je zussen?'

'Die zijn nu allebei getrouwd.'

'Missen je ouders Kenia niet?'

'Mijn vader houdt van zijn werk, hoewel hij een lagere functie heeft dan in Nairobi. Er wonen hier heel veel vrienden van hen, en nu hebben ze ook een huis gekocht. Ik denk dat ze wel tevreden zijn, al leven ze hier eenvoudiger en heeft mijn moeder niet langer personeel.' Hij haalde zijn schouders op. 'Mijn zussen zijn met goede sikhs getrouwd die zich aan de regels houden en regelmatig naar de *gurudwara* gaan. Ze zijn niet opstandig en dwars, zoals ik. Ik denk dat dat voor mijn ouders wel genoeg is.'

'Zou het genoeg zijn voor jou?'

'De Indiërs die hierheen zijn gegaan, hebben iets verloren. Hun wortels, denk ik. Ze wonen in Engeland, bij elkaar, omringd door anderen van Aziatische afkomst die allemaal ergens anders vandaan komen. Maar misschien hebben ze wel helemaal geen wortels. Er wordt altijd over India gepraat alsof dat het moederland is en Kenia een soort tussenhalte. Maar mijn vader is in Nairobi geboren en is maar twee keer van zijn leven in India geweest. Hij vond het er vreselijk en smerig en was blij dat hij weer thuis was. Mijn opa is in 1898 naar Kenia gekomen en liet al snel zijn vrouw en broers en hun echtgenotes overkomen.'

'Net als de opa en oma van Hannah,' zei Sarah.

'Ja, al denk ik niet dat ze op zo'n vergelijking zit te wachten,' merkte hij droogjes op.

'Je zult haar heus wel beter leren kennen,' zei Sarah. 'En dan zul je merken dat ze minder vooroordelen heeft dan je denkt.'

'Misschien. Maar goed, India is dus nooit het thuisland van mijn ouders geweest. En Engeland? Hier zijn we vluchtelingen, tweederangsburgers die met veel hangen en wurgen hebben mogen blijven. Ik denk dat mijn vader er verkeerd aan heeft gedaan, maar dat zal hij nooit toegeven. En mijn moeder volgt hem overal. Ze doet haar best om er altijd iets van te maken, als het soort goede sikhvrouw dat ze ook ooit nog voor mij hoopt te vinden.'

Even na zeven uur kwam Sarah weer thuis. Camilla zat op de bank, naast een lange man van in de veertig die opstond en zijn hand uitstak.

'Jij bent dus de beroemde Sarah.' Zijn glimlach deed zijn ogen oplichten. 'Ik heb over je gelezen in de *Telegraph*. Ik ben Edward Carradine. Gefeliciteerd, het is heel wat wanneer je boek wordt uitgegeven.'

Sarah mocht hem meteen. Hij had een vriendelijk gezicht, vond ze, lang, met een hoog voorhoofd. Zijn haar werd bij de slapen al een tikje grijs. Hij had een zelfverzekerde houding, alsof het leven hem niet kon verrassen. Wanneer hij glimlachte, werden zijn lichtbruine ogen warm, al hadden zijn trekken iets van een havik. Het was duidelijk dat hij erg op Camilla gesteld was. Hij luisterde aandachtig naar haar en hield een beschermende hand op haar rug wanneer hij haar een taxi in hielp of met haar een restaurant betrad. Interessant, vond Sarah, maar zou hij ooit in staat zijn Anthony, met al zijn fouten en gebreken, uit Camilla's hart te verdrijven?

Het restaurant was chic en druk en zat vol gasten. Sarah zag Rabindrah al bij de bar staan. Een paar mensen zwaaiden naar Camilla, andere keken aandachtig toe toen ze zich een weg baande tussen de tafeltjes en haastige obers door.

Het ontging Rabindrah niet dat ze de beste tafel hadden gekregen.

Edward bestelde de wijn. 'Proost,' zei hij. 'Ik heb altijd een borrel nodig wanneer ik samen met Camilla spitsroeden heb gelopen door de zoveelste chique zaak.'

'Ja, je bent zelf ook zo rustig en bescheiden.' Spottend trok Camilla haar wenkbrauwen op.

'O ja,' bevestigde hij glimlachend. 'Ik groet alleen wanneer iemand eerst naar me heeft gezwaaid. Hier zit een aantal vrouwen die doen alsof ze me helemaal niet kennen, uit angst dat iemand zal raden dat ze hun gezicht hebben laten doen. Het is alsof we elkaar in het diepste geheim in een donkere kerker hebben getroffen waar ik mijn werk verricht, en dat niemand het ooit zal weten. Mannen zijn nog erger.'

'Mannen nemen toch geen facelift?' Sarah was stomverbaasd.

'Mannen kiezen voor allerlei operaties. Zeker als het coryfeeën zijn die al over hun hoogtepunt heen zijn. Sarah, vertel eens wat je van dit heerlijke wijntje vindt. Het komt uit een kleine wijngaard in de Bouche du Rhône. Ik probeer Camilla telkens zover te krijgen dat ze deze zomer met me mee naar Zuid-Frankrijk gaat om zelf te zien hoe heerlijk het daar is. Dat er leven is buiten de modehuizen van Parijs en de drukte van Manhattan.'

'De wijn is zalig, maar één glas is genoeg.' Sarah keek even naar Rabindrah. 'Ik wil dit gezelschap niet voor schut zetten. Ken je Parijs en Manhattan goed?'

'Ja,' zei hij. 'Ik heb zelfs een tijdje in New York gewoond en mijn vaardigheden geoefend op de dames van Park Avenue. Het is een heerlijke stad.'

'Ik was meteen verliefd op New York,' zei Camilla. 'Ik vond alles geweldig, vanaf het eerste moment. In vergelijking daarmee gaat het leven in Londen maar langzaam. En als ik de verhalen van Edward mag geloven, heeft hij nog nooit boven op het Empire State Building gestaan.' Ze keek hem lachend aan. 'Dat was het mooiste uitzicht dat ik ooit heb gezien. Ik zou er best een tijdje willen wonen, als...'

'Je zou er een deel van het jaar kunnen wonen,' stelde Edward voor. 'De zaken in Amerika gaan goed, en je zou mijn woning aan Central Park kunnen gebruiken. Beter kan bijna niet.'

'Het is me nu allemaal goed genoeg,' zei Camilla, 'en ik heb het al druk zat.'

Het gesprek kwam op Rabindrahs recente bezoek aan Tanzania, waar hij Jane Goodall in haar onderzoekskamp in Gombe had geïnterviewd.

'Ik was erg onder de indruk van haar, van alles daar. En de chimpansees zijn zo bijzonder, al heeft het iets onbehaaglijks om dieren gade te slaan die zoveel op ons lijken. Kort geleden is er polio uitgebroken in een paar dorpen bij het reservaat, en Jane is meteen begonnen met inenten. Het was voor iedereen, de onderzoekers en de dieren, een erg gevaarlijke periode.'

'Hebben ze de dieren ook ingeënt?' vroeg Camilla verbaasd.

'O ja, maar dat ging niet zomaar, want als de dominante dieren te veel van de bananen met de entstof zouden binnenkrijgen, zouden ze polio krijgen in plaats van ertegen beschermd te zijn.' Er verscheen

een treurige blik in Rabindrahs ogen. 'Een stuk of negen van hen zijn besmet geraakt. Vier zijn gestorven en twee moesten worden afgemaakt, wat een enorme klap voor het team was. Ze raken erg gehecht aan de dieren, dat weet Sarah als geen ander.'

'En de andere dieren?' vroeg Edward.

'Vijf zijn verlamd geraakt, en het is verbazingwekkend om te zien hoe ze zich toch weten te redden. Het was tragisch dat de ziekte daar heeft toegeslagen, maar het bood de onderzoekers wel de kans om te zien hoe de chimpansees hiermee omgingen.'

'Is dat je specialisatie?' wilde Camilla weten. 'Een tikje gestoorde vrouwen interviewen die met wilde dieren leven?'

'Ik wil alle vrouwen interviewen, gestoord of niet,' antwoordde Rabindrah geamuseerd. 'Vrouwen moeten meer hindernissen overwinnen, niet alleen fysiek, maar ook wanneer het gaat om vooroordelen. In Afrika telt dat nog zwaarder. Ik heb onlangs ook met Mary Leakey gesproken en hoop er nog meer aan mijn lijstje te kunnen toevoegen.'

'Ik ben niet gestoord,' zei Sarah lachend.

'Een beetje maar,' zei Rabindrah.

Camilla hoorde iets in zijn stem wat ze maar al te goed herkende. Hij vindt haar leuk, dacht ze. Ze weet het niet, en misschien weet hij het zelf ook niet eens. Maar het begin is er.

Ze bestelden een dessert en spraken over Edwards werk en zijn bezoeken aan de Derde Wereld, waar hij kinderen met brandwonden of andere verminkingen hielp.

'Ik ben al een paar keer in Kenia geweest,' zei hij. 'Camilla's moeder zamelde geld in voor ziekenhuizen en medicijnen voor mijn patiëntjes. Maar dat is alweer een tijdje geleden.'

'Je moet weer eens komen,' zei Sarah. 'Dan doe je eerst je werk en ga je daarna op safari. Kom langs in Buffalo Springs, ga naar Samburu. Het is er schitterend, zeker als je ergens rond de Uaso Nyiro gaat kamperen.'

'Overal ter wereld hebben mensen hulp nodig,' zei Camilla een tikje scherp. 'Het zou niet eerlijk zijn een bepaald land voor te trekken, en Edward is al zes keer in Kenia geweest.'

'Dat is waar,' zei Edward snel. 'Later dit jaar ga ik nog naar de Bahama's, en daar blijven we een paar weken.' Hij glimlachte naar Sarah. 'We hebben gezamenlijke vrienden die daar een prachtig huis op het strand hebben, en een oude tobbe waarmee we van eiland naar eiland mogen zeilen. We gaan bij hen logeren.'

Camilla bleef naar haar bord staren. Sarah zei niets meer over reisplannen of safari's. Hoe kon ze nu over kamperen in Samburu beginnen terwijl Camilla's verhouding met Anthony juist daar was gestart? De wijn had vast haar tong losser gemaakt. Ze vroeg zich wederom af hoe het met Edward zat. Camilla had gezegd dat ze hem af en toe trof, maar hij had het over reisjes naar Frankrijk en New York en de Bahama's. Blijkbaar dacht hij dat ze zou blijven. Hij was zeker twintig jaar ouder dan Camilla, maar hij was charmant, blaakte van energie en had duidelijk succes in zijn werk. Misschien zou hij op de langere termijn een betere partner voor haar zijn. Hij kon haar het soort zekerheid en vertrouwen bieden dat ze zo hard nodig had, maar ze had eerder bijna achteloos over hem gesproken. Bijna afwijzend.

'Ik vond het fijn je eens beter te leren kennen, Sarah,' zei Edward later. Rabindrah was even gaan bellen en Camilla was op de terugweg van het toilet opgehouden door bekenden die een praatje wilden maken. 'Je bent erg dapper en ik weet hoe belangrijk je voor Camilla bent. Vriendschappen als die van jullie zijn zo zeldzaam.'

'Ik ben ook blij dat ik jou heb leren kennen,' zei Sarah. 'Ik zie dat je veel voor haar betekent.'

'Dat is waar. Ach, wie weet raakt ze aan me gewend en besluit ze me te houden.'

'Met je te trouwen, bedoel je?' Meteen had ze spijt van haar botte vraag. Het waren haar zaken niet.

Tot haar ongenoegen veranderde zijn uitdrukking meteen. Hij wendde zich af en gebaarde naar de ober dat die de rekening moest brengen. Buiten bleek het te regenen, zodat Camilla en Sarah in de deuropening bleven staan wachten terwijl de mannen taxi's regelden.

'Wat ga je morgen doen?' wilde Camilla weten.

'We hebben weer een afspraak met de uitgever. Morgenochtend gaan we met de vormgever praten, en daarna wil Rabindrah me aan zijn vader voorstellen.' Toen ze zag dat haar vriendin haar wenkbrauwen optrok, legde ze snel uit: 'Meneer Singh is advocaat en gaat ons contract nakijken voordat we het tekenen. O kijk, Edward heeft een taxi voor ons. Slaap lekker, Rabindrah, ik zie je morgen weer.'

Terug in Camilla's woning zette Sarah voor hen allebei een kop koffie. 'Dreigt Edward iets vasts te worden?' vroeg ze.

'Wat noem je vast?' Camilla legde haar tas op de bank en ging zitten. 'Misschien kom ik morgen onder een bus. Misschien breekt hij zijn nek over een bananenschil. Vast zegt niets.'

'Hij is vast en zeker verliefd op je,' zei Sarah, 'dus je kunt me in elk geval vertellen wat je daarvan vindt. En kom niet aan met die verhalen die je iedereen aan de neus hangt. Ik wil het ware verhaal horen.'

'Ik wil mijn leven niet door Anthony laten verpesten.' Camilla's stem klonk sterk, maar ze oogde kwetsbaar, bijna breekbaar. 'Ik heb tegen mezelf gezegd dat ik me nooit meer door hem zou laten kwetsen. Kort na mijn terugkeer kwam ik Edward tegen. Dat was onvermijdelijk, gezien onze gezamenlijke vrienden. Nu gaan we af en toe met elkaar uiteten of naar de film of naar een concert. Ik vind hem aardig. Ik voel me veilig bij hem en hij maakt me aan het lachen. Hij neemt me ook in de maling. Hij lijkt te begrijpen wat ik heb meegemaakt en hoe ik me voel. Maar hij werkt als een bezetene. We zien elkaar wanneer het hem uitkomt, dus ik heb tijd genoeg voor mezelf. En dat is voor mij voldoende.'

'Voor hem ook?' wilde Sarah weten. 'Wil hij niet met je trouwen?'

'Hij is niet... Nou ja, het probleem is dat hij al getrouwd is. O toe, Sarah.' Camilla lachte om Sarahs verontwaardigde uitdrukking. 'Het is verdorie 1967 en we zitten in Londen. Zijn vrouw heeft een aantal jaren geleden een zware hersenbloeding gehad en is een kasplantje geworden.'

'Wat vreselijk,' zei Sarah. 'Hebben ze kinderen?'

'Nee, voordat ze ziek werd, leefden ze al een tijdje van elkaar gescheiden omdat ze een verhouding met een ander had, van wie ze ook een kind heeft gekregen. Edward is nooit van haar gescheiden. Maar je hoeft tegenwoordig niet meer te trouwen om samen te kunnen leven, hoor. Ik ken heel veel mensen die samenwonen. Niet iedereen denkt dat je zult branden in de hel als je geen boterbriefje hebt. En ik heb trouwens geen idee wat ik op de lange termijn wil. Ik ben nog maar een paar weken geleden teruggekomen en heb Edward duidelijk gemaakt hoe ik over dingen denk. Hij is slim genoeg om dat te begrijpen. Maar goed, ik denk dat het tijd is om naar bed te gaan.' Ze stond op. 'Ik moet morgenochtend vroeg werken en ben waarschijnlijk al weg wanneer jij opstaat. En de rest van de dag heb ik het ook druk. Ik heb gelukkig wat afspraken kunnen verzetten, zodat we overmorgen naar Ierland kunnen vertrekken. Net op tijd om Tim te redden.'

'Daarvoor wil ik je graag bedanken,' zei Sarah. 'En het spijt me, ik zal niet meer over Edward beginnen. Het zijn mijn zaken niet.'

'Er valt ook niets meer over te zeggen. Je ouders hebben me trouwens een uitnodiging voor de bruiloft gestuurd, dus ik ben nu een officiële gast, zij het waarschijnlijk niet Deirdres eerste keuze.' Ze bleef even staan bij de deur. 'Waarom denk je dat hij het doet? Het is zo'n leuke vent, met dat onschuldige gezicht van hem en dat ronde brilletje, en hij oogt altijd zo warrig en hulpeloos. Ik kan me voorstellen dat de verpleegsters en patiëntes helemaal weg van hem zijn.'

'Ja, dat zijn ze, en ik snap het ook niet,' zei Sarah. 'Misschien vindt hij het prettig dat ze hem nodig heeft, en ze is het soort meisje dat nooit naar een ander zal kijken. Toen hij zich verloofde, heb ik hem gevraagd of hij van haar hield. Hij bleef maar zeggen dat ze zo lief en goed was, maar hij nam het woord liefde niet in de mond. Hij reageerde zelfs verdedigend. In mijn ogen komen ze helemaal niet als een verloofd stel over, ik zie geen echte hartstocht of opwinding, maar ik neem aan dat ze erg gelukkig zijn.' Ze kon de jaloezie en het verdriet in haar stem niet onderdrukken, en Camilla sloeg een arm om haar heen.

'Het valt vast wel mee,' zei ze. 'Ik zal bij je zijn. En dan moet ik nu gaan slapen, anders zie ik er morgen niet uit.'

'Ik heb mijn vader gebeld,' zei Rabindrah na hun gesprek met de vormgever. 'We worden voor de lunch bij mijn ouders thuis verwacht.'

Ze staken de rivier over naar Southwark, de wijk die de meeste inwoners van Indiase afkomst van de hele stad telde. Overal liepen vrouwen met kleurige sari's onder hun jassen. Veel mannen droegen een tulband of waren gehuld in Pakistaanse *salwar kameez* met mutsjes van astrakan en lange omslagdoeken. De taxi zette hen af voor een keurig twee-onder-een-kaphuis in een stille zijstraat. De deur werd geopend door een vrouw in de traditionele dracht van Punjab, een knielange tuniek met zijsplitten over een wijde broek en een geborduurde omslagdoek rond haar schouders. Rabindrah begroette haar vol eerbied, maar duidelijk liefdevol, en stelde haar voor aan Sarah.

Nand Kaur Singh was begin vijftig, tenger gebouwd, met diepliggende, donkere ogen in een smal gezicht. Haar lange zwarte haar vertoonde geen spoor van grijs en ze droeg het in een lange vlecht op haar rug, met gekleurd draad erdoorheen gevlochten. Ze zag er exotisch en elegant uit. Een schoonheid, vond Sarah. Ze zag van wie Rabindrah zijn knappe uiterlijk en keurige voorkomen had geërfd.

'Komt u binnen. Welkom in ons huis, mevrouw Mackay.'

Sarah wist niet goed of ze moest zeggen dat de vrouw haar bij de voornaam mocht noemen. In de gang werd ze overvallen door de krachtige geuren van curry en specerijen die uit de keuken kwamen. Nand Kaur bracht hen naar de woonkamer en wees op twee leunstoelen. Haar stem was laag en enigszins zangerig, een eigenschap die Sarah van andere Indiërs kende en altijd aangenaam had gevonden.

'Rabindrah, geef onze gast eens iets te drinken,' zei ze. 'We hebben jus d'orange of cola.'

Sarah keek om zich heen. De meubels waren zwaar en donker, overal lagen kussens met franje en borduursel in gouddraad. De zware fluwelen gordijnen waren deels gesloten, waardoor de kamer iets sombers kreeg. Op de vloer lag een fraai tapijt, waarschijnlijk Perzisch. Aan de muren hingen naar wat Sarah vermoedde religieuze teksten, omringd door kleurige landschappen in gouden lijstjes. Alles hing vrij hoog aan de muur en de stoelen stonden langs de wand, waardoor ze het gevoel had dat ze in een wachtkamer was beland.

'Gaat u toch zitten. Mijn man komt zo,' zei Nand Kaur. Ze ging tegenover hen zitten, haar voeten dicht bij elkaar en haar handen gevouwen in haar schoot. Het deed Sarah denken aan de nonnen die ze als kind had gekend. 'Het spijt me dat Rabindrahs zussen er niet bij konden zijn,' zei Rabindrahs moeder. 'Hij had eerder moeten zeggen dat hij langs wilde komen, maar we zijn blij dat hij er is. Kent u Londen goed, mevrouw Mackay?'

'Niet echt,' bekende Sarah. 'Ik heb in Dublin gestudeerd en ken die stad beter. Mijn ouders zijn Iers.'

Er viel een ongemakkelijke stilte. Ze hoorden de voordeur opengaan en Nand Kaur zei: 'Dat zal mijn man zijn.' Ze stond op, verontschuldigde zich en liep naar de gang.

'Wat denk je, zou je moeder me Sarah willen noemen?' Ze keek Rabindrah aan. 'Ik word een beetje zenuwachtig van dat gemevrouw.'

Rabindrah lachte. 'Dan is dit de eerste keer dat ik zie dat je van je stuk gebracht bent. Neushoorns, aanstormende buffels en kuddes olifanten doen je niets, maar mijn kleine moeder maakt je nerveus!'

Jasmer Singh was net zo lang als zijn zoon, en net als Rabindrah droeg hij een antracietkleurig pak, alleen was hij eveneens uitgedost met de tulband en baard die kenmerkend waren voor sikhs. Hij begroette Sarah gereserveerd en beperkte het gesprek aanvankelijk tot de bepalingen in hun contract, maar toen ze door Nand Kaur aan tafel werden geroepen voor een rijkelijk geurende curry met groenten werd de sfeer losser.

'We zijn er heel trots op dat u samen met onze zoon aan dit boek werkt,' zei Jasmer. 'Het zal voor u allebei erg belangrijk zijn qua carrière. En waarschijnlijk ook voor Kenia, gezien de huidige problemen. Rabindrah heeft ons alleen nog niet verteld hoe u elkaar hebt leren kennen.'

'Hij vertelt ons sowieso niet veel.' Nand Kaur glimlachte even. 'Ik krijg alles via mijn schoonzus te horen. Hij schrijft nooit naar huis.'

Sarah lachte. 'Mijn ouders zouden hetzelfde kunnen zeggen. Maar ik wil het wel vertellen. Het boek was trouwens helemaal zijn idee.'

Ze beschreef hun eerste ontmoeting en ging verder met amusante anekdotes over Rabindrahs eerste dagen in Buffalo Springs. 'Ik geloof niet dat hij voorbereid was op wat hem daar te wachten stond. Dat je soms onder de auto ligt om een band te verwisselen en dan een slang op je af ziet komen. Hij probeerde zo snel weg te komen dat hij vreselijk zijn hoofd stootte, en wij kwamen niet meer bij omdat het een *nyoka* was, die doen helemaal niets. En op een avond werd hij half hysterisch omdat er een klipdas onder zijn bed zat. Tja, dan had hij zijn deur maar niet open moeten laten staan.'

'Ik ben blij dat hij iets heeft waarvoor hij zich helemaal kan inzetten, mevrouw Mackay,' zei Jasmer. 'Tegenwoordig zijn de meeste jongemannen te veel bezig met geld of het najagen van vluchtige genoegens.' Hij keek zijn zoon streng aan. 'Maar je moet voorzichtig zijn met wat je zegt in boeken of artikelen.'

'Wij hebben net zo veel recht onze stem te laten horen als andere bevolkingsgroepen,' zei Rabindrah, duidelijk geërgerd. 'Ik ga echt geen onzin op papier zetten omdat een of andere corrupte Afrikaanse politicus dat graag wil. Ik ben net zo Keniaas als zij. Ik ben daar geboren, en u ook.'

'Je bent een optimist, jongen,' zei Jasmer. 'We zijn anders dan zij en we zullen nooit gelijk aan hen zijn. Wij zijn Indiaas en zij zijn zwart.'

'We zijn allemaal Kenianen,' hield Rabindrah koppig vol. 'We zijn weliswaar van Indiase afkomst, maar we zijn geboren en getogen in Kenia.'

Sarah voelde haar hart pijnlijk samentrekken toen ze aan haar tijd op school dacht, en aan Jan van der Beer die aan het hoofd van de tafel had gezeten en hetzelfde tegen Piet had gezegd. Blijkbaar was dit in dit huishouden een terugkerend punt van discussie. Ze vroeg zich af of de meningen en ambities hier vaker botsten. Jasmer Singh was charmant en ontwikkeld, maar duidelijk conservatief, terwijl zijn zoon vooruitstrevend was. Rabindrah bracht het gesprek snel op het cadeau van oom Indar, en Sarah kon merken dat hij als geen ander de kunst beheerste bepaalde onderwerpen te omzeilen. Het duurde echter niet lang voordat het weer mis dreigde te gaan.

'Misschien kun je er na dit boek eens over denken of je niet naar Londen wilt terugkeren,' opperde Jasmer. 'Je hebt al een paar keer in de *Telegraph* gestaan, en je oom in Manchester heeft me je stukjes uit de *Manchester Guardian* gestuurd. Dankzij je tijd in Kenia heb je een naam kunnen opbouwen, Rabindrah. Misschien heb je daar nu iets aan als je hier, waar het veiliger is, naar een vaste baan gaat zoeken.'

'Ik wilde een jaar geleden niet in Engeland wonen, en dat wil ik nog steeds niet,' zei Rabindrah. 'Bovendien wil ik nu meer weten over natuurbeheer en het soort werk dat Dan en Allie Briggs en Sarah in het noorden doen.'

'Maar je hebt al over mevrouw Mackay geschreven, en straks verschijnt het boek,' merkte Nand Kaur op. 'Dan moet je op zoek naar nieuwe onderwerpen, anders blijf je telkens hetzelfde schrijven. Dat vond je toch zo vervelend toen je in Manchester werkte?'

'Dit is iets heel anders,' wierp Rabindrah tegen.

'Ik weet dat mijn zoon u dankbaar is.' Jasmer keek Sarah recht aan. 'Maar ik neem aan dat u ook begrijpt dat hij in zijn vak niet stil mag blijven staan. Het is belangrijk een brede blik te houden.'

'Ik hoop dat ons boek Rabindrah een kans geeft nieuwe wegen in te slaan.' Ze merkte dat het gesprek een wending nam die ze niet begreep. 'Hij is een goed journalist, dat is waar het om gaat.'

Nand Kaur glimlachte en hield gedurende de rest van de maaltijd haar mond, behalve om iedereen extra eten en drinken aan te bieden. Na de lunch werd er zoete thee met veel melk en zoetigheid geserveerd die verslavend bleek te zijn. Op verzoek van Rabindrah had Sarah haar foto's meegebracht, die ze nu op de lage salontafel uitspreidde. Zijn ouders hadden veel bewondering voor haar werk, en de rest van het bezoek was ontspannen en aangenaam. Ten slotte meldde Jasmer dat hij weer terug moest naar kantoor. Hij schudde Sarah de hand en omhelsde zijn zoon vol trots.

'Ik wens u veel succes, mevrouw Mackay,' zei Nand Kaur. 'Misschien zien we elkaar nog eens, al hebben we momenteel geen plannen naar Kenia terug te keren. Onze familie woont nu hier, en we hopen dat we hier allemaal samen een leven kunnen opbouwen.' Ze raakte de wang van haar zoon even liefdevol aan. 'Blijf niet meer zo lang weg,' zei ze tegen hem. 'Je vader maakt zich zorgen, en je kunt maar beter naar hem luisteren. Probeer ons in elk geval vaker te schrijven.'

'En nu?' vroeg Rabindrah toen ze weer buiten op straat stonden. Het was duidelijk dat de spanning die zich tijdens het samenzijn met zijn ouders in hem had opgehoopt nu van hem af was gevallen. 'Ik ga morgen met die contracten naar Sinclair en Lewis om te kijken of ze de veranderingen aanvaarden die mijn vader heeft voorgesteld. Dan kunnen we ze tekenen en zul je binnenkort je geld krijgen. Het is geen kapitaal, maar alles is beter dan niets.'

'Ik geloof niet dat ik ooit zo vaak een taxi heb genomen,' zei Sarah toen hij er eentje voor hen aanhield. 'Het voelt zo decadent om er geld aan uit te geven, maar ik ben blij dat ik niet met mijn map in de metro hoef te zitten. Heb je zin om nog even mee te gaan naar Camilla? Misschien kunnen we later iets met ons drietjes doen.' Opeens werd ze overvallen door verlegenheid. 'Tenzij je het te druk hebt, natuurlijk.'

'Het lijkt me leuk om mee te gaan,' zei hij, zonder antwoord te geven op haar tweede voorstel.

'Ik heb geen plannen voor vanavond,' zei Camilla. 'Ik heb me aan een vreselijk feestje weten te onttrekken, en Edward moet iets doen wat met zijn werk te maken heeft. Zullen we naar de film gaan?'

Tijdens de thee discussieerden ze vrolijk over wat ze wilden zien.

'Sarah moet kiezen,' vond Camilla. 'Ze gaat nooit naar de film, dus zij mag het zeggen.'

'*Alfie*?' stelde Sarah voor. 'Ik heb gehoord dat Michael Caine een sensatie is.'

'Nee.' Camilla was vastberaden. 'Hij is veel te ordinair.'

'Ik dacht dat je Sarah wilde laten kiezen,' merkte Rabindrah lachend op. 'Wat is er mis met Michael Caine?'

'Ik wil mijn avond niet doorbrengen met gewetenloze mannen,' zei Camilla. 'Daar ken ik er al genoeg van.'

Ze besloten naar *Blow Up* te gaan en bespraken daarna tijdens een etentje in een bistro de genialiteit van Antonioni.

'Ik moet maar van baan veranderen,' vond Rabindrah. 'Modefotograaf is stukken beter dan slecht betaalde journalist. Dan zou ik de hele tijd omringd zijn door mooie halfnaakte of zelfs naakte vrouwen en er nog akelig veel geld voor krijgen ook.'

'Wat een onzin,' zei Sarah, 'je onderzoekt veel liever een of ander schandaal in de regering, of je interviewt bandieten om erachter te komen hoe het is om stroper te zijn. Nu je aan de *bundu* gewend bent geraakt, zul je die niet meer kunnen missen. Ik denk dat je je binnen tien minuten kapot zou vervelen als je foto's van halfnaakte meisjes in gekke kleren zou moeten maken.'

'Hé, er is niets mis met halfnaakte meisjes in gekke kleren,' zei Camilla quasi-verontwaardigd. 'Ik heb gehoord dat sommige mensen dat voor hun brood doen.' Ze keek Rabindrah aan, knipperde met haar lange wimpers en glimlachte veelbetekenend. 'Let goed op die vriendin van me, anders verandert ze nog in een feministe, en ze heeft al veel te veel goede bedoelingen.'

'Als je halfnaakte meiden wilt zien, zou je de Samburu moeten bestuderen,' zei Sarah. 'Daar lopen er genoeg rond, en je zou heel wat boeiends kunnen schrijven over het zware leven dat ze leiden. Ze worden daar nog besneden. Al zou je vader het misschien een minder geschikt onderwerp vinden.'

'Bandieten en maagden,' zei Rabindrah nadenkend. 'Ja, dat lijkt me wel wat.'

'Uitermate boeiend,' zei Camilla. 'En je mag trouwens ook iets voor mij doen.'

'Wat?' wilde Rabindrah weten.

'Ik wil dat je met mijn vader gaat praten,' zei ze. 'Over Langani en Jan van der Beer.'

Rabindrah leunde achterover, hogelijk verbaasd, alsof hij afstand wilde scheppen tot haar verzoek. Het ontging hem niet dat Sarah verstijfde en even heel erg ontzet keek.

'Wat kan jouw vader nu te melden hebben wat we nog niet weten?' zei Sarah op verongelijkte toon. Ze wilde niet aan Langani en het verleden denken. Het was een leuke dag geweest, en ze wilde dat die vrolijk zou eindigen. 'Jeremy Hardy doet zijn uiterste best om uit te zoeken wie je atelier heeft vernield, en ik zie niet in wat George daaraan zou kunnen bijdragen.'

'Er spelen dingen mee die je misschien niet helemaal begrijpt.' Camilla keek Rabindrah recht aan. 'Dingen waarover Sarah en ik in het verleden hebben gesproken, maar die we nooit helemaal hebben begrepen. Ongeveer een jaar voor de onafhankelijkheid waren we allemaal op een feestje waar mijn moeder Jan ervan beschuldigde een misdadiger te zijn. Ze zei dat hij na de onafhankelijkheid nooit zijn boerderij zou mogen houden omdat hij vroeger iets verkeerds had gedaan. Ze was altijd jaloers op mijn goede band met de familie, en die avond had ze erg veel gedronken. Maar kort daarna heeft Jan onverwacht het land verlaten, zonder uit te leggen waarom. Ik denk dat mijn vader er meer van weet, maar hij wil mijn vragen niet beantwoorden. Ik twijfel er niet aan dat hij over informatie beschikt die meer licht kan werpen op wat er al die jaren geleden met Jan van der Beer is gebeurd, en of dat op de een of andere manier samenhangt met wat er de laatste tijd op Langani is voorgevallen. En misschien wil hij dat wel aan jou vertellen.'

'Ik denk dat George me helemaal niets zal willen vertellen. Maar ik heb een andere bron die mogelijk –'

'Het kan me niet schelen met wie je praat,' onderbrak Camilla hem. 'Maar je moet dit voor Sarah doen, die haar verloofde en haar toekomst heeft verloren, en voor Hannah, die moet vechten om haar thuis te behouden. En voor mij, omdat ik van hen allebei hou, en omdat Langani van alles wat ik ooit heb gekend nog het meest op een thuis lijkt. Beloof mij, en Sarah, dat je dat zult doen.'

'Dat zal ik doen.' Rabindrah keek Sarah recht in haar ogen. 'Dat beloof ik jullie allebei.'

NEGEN

Ierland, april 1967

Ze hadden gereserveerd voor een van de eerste vluchten naar Dublin, en Sarah had voor de rest van de reis voor de trein gekozen, zodat ze van het landschap konden genieten.

'Maar ik kan helemaal niet naar buiten kijken,' zei Camilla klagend toen ze plaatsnamen in de coupé. 'Ik moet slapen. En ik heb een zonnebril nodig die me tegen al dat felle groen kan beschermen. Laten we wat sterke thee in de restauratiewagen gaan halen, en eieren met spek en worstjes. Een Iers ontbijt heelt alle kwalen. En ik wil nooit meer iemand horen zeggen dat sikhs niet drinken.'

'Hij is geen echte sikh,' zei Sarah. 'Hij draagt geen tulband en gaat niet naar de tempel, en hij eet alles wat hij te pakken kan krijgen. Tijdens zijn verblijf in Engeland is hij helemaal losgekomen.'

'Vaak gebeurt het tegenovergestelde als iemand ver van huis is,' zei Camilla. 'Dan gaan mensen op zoek naar hun wortels en maken ze zich druk over dingen die ze voorheen niet eens zagen. Maar hij heeft wel zo'n armband, en het zou me niets verbazen als hij ergens zo'n traditionele dolk onder zijn kleren draagt omdat hij die niet onder zijn tulband kan stoppen.'

'Ze stoppen geen dolken in hun tulbanden,' zei Sarah lachend. 'Daar hebben ze een foedraal voor.'

'O ja? Nou, misschien draagt hij ook wel die krijgersonderbroek die ze allemaal aan schijnen te hebben. Je moet hem er eens naar vragen. Of even kijken natuurlijk. Bijna net zo intrigerend als de vraag of een Schot iets onder zijn kilt draagt.'

'Doe niet zo idioot.' Sarah werd vuurrood. 'Ik snap niet dat ik het met je uit weet te houden, maar ik ben blij dat je meegaat.' Ze zweeg even. 'Ik wou je om nog een gunst vragen.'

'Voor de draad ermee,' zei Camilla. 'Doe het nu ik zwak en hulpeloos ben.'

'Ik wil niet dat ze het weten, van het atelier,' zei Sarah. 'Mijn ouders, bedoel ik. Ze zeuren me al aan het hoofd dat ik thuis moet komen, en dit zou ze alleen maar meer voer geven.'

'Ik zeg niets. We zullen elkaar steunen, zoals we dat al in onze wijsheid hebben beloofd toen we nog onwetende schoolmeisjes waren.'

Raphael stond op het station op hen te wachten en Sarah vloog hem meteen als een klein kind om de hals. Ten slotte liet hij haar voorzichtig los en begroette Camilla. Hij liep met hen naar zijn stokoude auto en reed daarna over landweggetjes die werden omzoomd door grote akkers en bomen in de knop. In de verte doemde de grote platte Ben Bulben als een zeil aan de horizon op. Het was een frisse, koele dag, maar de zon scheen. Sarahs hart maakte een sprongetje toen ze het gerimpelde gezicht van haar vader zag, met die scheve glimlach en de stoppels op zijn wangen waar het scheermes niet was gekomen. Hij was geen spat veranderd, en ze hield meer van hem dan ze ooit in woorden zou kunnen uitdrukken.

'Sarah! Ik ben zo blij dat je er bent! Godzijdank, godzijdank.' Betty barstte in tranen uit toen ze haar dochter in haar armen sloot, dankbaar dat ze was teruggekeerd naar haar familie en dat ze allemaal samen zouden zijn voor Tims bruiloft. Toen wendde ze zich tot Camilla, die enigszins op de achtergrond was gebleven en de hereniging met een nadenkende glimlach had gadegeslagen.

'Lieverd.' Ze spreidde haar armen. 'Wat een tijd geleden, ik ben zo blij dat je er bent. Hopelijk voel je je net zo thuis als vroeger. Ik vond het zo naar toen ik het nieuws over je moeder hoorde.'

'Waar is Tim?' Sarah wilde niet op Marina ingaan. 'Waarom staat hij hier niet de rode loper uit te rollen?'

'Hij komt zo.' Betty glimlachte vol genegenheid. 'Hij is met Deirdre naar de stad om een paar laatste dingen te regelen. Ze zijn met de thee weer terug.'

'We hebben een verrassing voor Deirdre.' Raphael keek vergenoegd. 'Langs de weg naar Colloony hebben we voor een schijntje een oud huisje gekocht dat jaren leeg had gestaan en dat we voor het jonge stel hebben laten opknappen.'

'Dat leek je vader en mij beter dan dat ze hier zouden intrekken,' zei Betty, 'we werken per slot van rekening ook al met elkaar.' Ze straalde bij het vooruitzicht op hun reactie. 'Tim weet het natuurlijk al en vindt het geweldig. Maar Deirdre heeft geen flauw idee. We gaan hun morgen de sleutel geven.'

'Wat een prachtig cadeau,' zei Sarah. 'Een eigen huis. Ze zullen het enig vinden.'

Ze keek om zich heen. Tijdens haar laatste bezoek was het huis nog een halve bouwput geweest, maar nu was het een echt thuis, vol glanzend koper en bloemen in vazen op de tafel in de hal. Raphaels lievelingspers lag op de vloer van geolied eiken, en de meubels uit Mombasa gaven de kamers een hartverwarmend vertrouwd aanzien. Toch hing er ook een verlangen naar het verleden, naar het geluk dat nooit meer zou worden hervonden en naar levens die voor altijd waren veranderd. In de woonkamer werd ze omringd door aandenkens aan haar kindertijd, en ze stak haar handen uit naar een teakhouten tafel, een dressoir uit Lamu en de met koper beslagen kisten uit Zanzibar die allemaal deel van hun Afrikaanse verleden vormden. De planten die het huis hadden overwoekerd toen ze het kochten, hadden plaatsgemaakt voor keurig gesnoeide heggen, struiken en borders vol viooltjes in het gelid. Sarah moest denken aan Lotties tuin op Langani en wendde zich af van het raam. Betty liep naar de keuken en kwam even later terug met een dienblad met thee. Terwijl ze inschonk en begon te babbelen, besefte Sarah dat ze er goed aan had gedaan Camilla mee te nemen. Door haar beschrijvingen van het swingende Londen en New York en verhalen uit de modewereld konden ze nare en pijnlijke onderwerpen vermijden.

'Het is een wonder dat we er zijn,' zei Camilla. 'We moesten om zes uur opstaan, maar hebben pas om twee uur afscheid genomen van Rabindrah. Als Sarah niet zo vasthoudend was geweest, had ik nu nog in bed gelegen. Maar het was leuk, en hij danst als een derwisj.'

'Vertel eens wat meer over hem en het boek.' Raphael keek zijn dochter trots aan. 'We vinden het allemaal zo geweldig dat je foto's in boekvorm verschijnen. Hopelijk zijn zijn teksten goed genoeg als begeleiding. Werkt hij al lang als journalist? Ik kan me niet herinneren zijn naam in de krant te hebben zien staan toen ik nog in Nairobi woonde.'

'Nee, jullie kunnen niets van hem hebben gelezen.' Sarah vertelde snel iets meer over zijn achtergrond.

'Ik stel me hem voor als een van die grote sikhs met een enorme tulband en een dichte baard, en een felle blik als van een havik,' zei Betty. 'Een trouwe tempelganger en steunpilaar van de Indiase gemeenschap in Nairobi.'

'O, verre van dat. Hij doet me wel eens denken aan een havik. Hij is jong en veel slimmer dan goed voor hem is,' zei Camilla, 'en hij heeft kort haar en opvallende ogen, groen met gouden vlekjes, en hij draagt geen baard. Sarah was in het begin erg hard voor hem, maar nu werken ze heel goed met elkaar samen.'

'In het begin moest ik er niet aan denken om hem voortdurend op sleeptouw te nemen en allerlei vragen te moeten beantwoorden,' zei Sarah. 'Ik dacht dat hij alleen maar naam wilde maken, maar hij heeft zich aan zijn woord gehouden. Ik heb toch al geschreven dat hij zijn oom zover heeft gekregen dat die Dan een Land Rover heeft geschonken? Dat vond ik heel aardig. Oom Indar, dat is nu een echte steunpilaar van de gemeenschap. Hij is het niet eens met alles wat zijn lievelingsneefje doet, maar hij is wel apetrots op hem. En in Londen heb ik Rabindrahs ouders gesproken.'

'Hemeltje,' zei Betty, 'je bent dus al helemaal in de familie opgenomen. En wat verlangen ze in ruil voor al die vrijgevigheid?'

'Dat vroeg Dan zich eerst ook af, maar ik geloof dat ze helemaal niets willen,' zei Sarah.

'Het is vrij bijzonder dat een Indiër over natuur en platteland schrijft,' zei Raphael. 'Meestal houden ze zich bezig met actuele gebeurtenissen en politiek, maar dit is een ongewoon thema, nietwaar?'

'Ja,' gaf Sarah toe, 'maar Rabindrah is ook ongewoon, en hij is behoorlijk betrokken geraakt bij ons onderzoek en het lot van de olifanten. Singh betekent leeuw, maar in het begin deed hij absoluut niet denken aan zo'n onverschrokken beest. Hij was doodsbenauwd voor alle wilde dieren.'

Ze begon verslag te doen van een aantal vermakelijke incidenten die de journalist de schrik van zijn leven hadden bezorgd, en iedereen zat net te schudden van het lachen toen Tim binnenkwam. Even viel er een stilte. Hij keek zijn zus aan, ze rende naar hem toe, en ze hielden elkaar zo stevig vast dat ze geen adem konden halen. Daarna wendde hij zich tot Camilla.

'Lang niet gezien, Timmy.' Ze haalde haar sierlijke vingers door zijn haar en drukte een lichte kus op zijn wang.

Deirdre was in de deuropening blijven staan. Sarah zag haar zenuwachtig met haar ogen knipperen en liep toen naar haar toe om haar te omhelzen en bij hun reünie te betrekken.

'Kom, vertel me alles over de bruiloft.' Ze pakte Deirdre bij haar arm. 'We willen alles weten.'

'Ja, ja, maar ik moet vanmiddag nog het een en ander regelen. Patiëntenverslagen, en de medicijnen.' Deirdre klonk buiten adem en keek Tim smekend aan. 'Misschien kan Raphael jullie nu de nieuwe praktijk laten zien voordat het avondspreekuur begint. Dan babbelen we later wel verder.'

'Het gaat op alle fronten erg goed,' zei Raphael trots toen ze met hem meeliepen naar de praktijk. 'Ik denk dat een paar oudjes bang waren hier een medicijnman met een bot door zijn neus aan te treffen, na al die jaren in Afrika, maar we hebben inmiddels een aardig bestand aan patiënten, meer dan we eigenlijk willen. En zonder je moeder zouden we het niet eens redden. Ze zit de helft van de tijd aan de balie en doet ook nog eens het hele huishouden. En Deirdre is een harde werker en de beste verpleegkundige die ik me had kunnen wensen. Kom Tim, dan leiden we deze twee even rond.'

De praktijk was gevestigd in het oude poorthuis aan het begin van de oprit. Zelfs op een schemerige avond oogde alles fris en licht; er hingen posters aan de muren, er stonden comfortabele stoelen in de wachtkamer, er was een tafel met tijdschriften en er lag een mand met speelgoed voor de kinderen. Over een minuut of twintig zou het spreekuur beginnen, en die avond nam Tim het voor zijn rekening.

'Over een paar dagen ga ik naar Parijs, op huwelijksreis.' Ongeduldig tikte hij met zijn vingers op het tafelblad. Het was duidelijk dat hij van zijn bezoekers af wilde komen. 'Daarom draai ik deze week dubbele diensten. Ik heb het erg druk. Pap, nu de meiden alles hebben gezien, moet u hen maar weer terug naar het huis brengen. Ik kom als ik hier klaar ben.'

'Tim was wat kortaf,' merkte Sarah toen ze in de schemering terugliepen over de oprit.

'Zenuwen voor de bruiloft,' zei Raphael onbekommerd. 'De avond voor de mijne ben ik bijna op de vlucht geslagen, maar ik heb me eroverheen gezet. En dat was maar goed ook.'

Hij glimlachte naar zijn dochter en Camilla en hield de voordeur voor hen open. Uit de keuken kwamen hun heerlijke geuren tegemoet, en hij riep naar zijn vrouw: 'We zijn er weer. Goed, als jullie nu even een dutje gaan doen, drinken we om zeven uur samen een borrel. We hebben champagne gehaald, en dat doen we ook niet elke dag. Het is echter een bijzondere avond.' Hij liep naar zijn studeerkamer en draaide zich toen nog even om. 'Sarah,' zei hij zacht. 'Het is fijn dat je er weer bent.'

Het eten verliep in een luchtige sfeer. Ze bespraken de plannen voor de bruiloft; het zou geen groot feest worden, en de receptie werd in het huis gehouden.

'Een hotel leek ons niets. Hier is het veel leuker,' zei Raphael. 'Betty wilde eerst zelf alle hapjes maken, maar ik heb haar overgehaald iemand in te huren. Dan zit ze niet in de keuken opgesloten en kan ze ook van de dag genieten.'

Sarah was inmiddels blij dat ze was gekomen. Er was genoeg te doen en ze zou haar moeder echt kunnen helpen. Op de dag voor de receptie zouden de extra tafels en stoelen worden bezorgd die ze hadden gehuurd, net als de bloemen, het tafellinnen, borden, glazen en bestek. Op de avond voor de bruiloft moest de kerk worden versierd, en 's middags zouden ze nog even repeteren met de pastoor en de organist. Tijdens het eten zei Deirdre niet veel, en Sarah, die haar onopvallend gadesloeg, zag dat ze haar eten bijna onaangeroerd liet liggen. Tim is niet de enige die de zenuwen heeft, dacht ze. Na het eten liepen ze naar Raphaels studeerkamer, waar de reeds bezorgde cadeaus al op tafel waren uitgestald.

'En je jurk? Die zou ik graag eens zien,' zei Camilla. 'Of bewaar je die in je eigen woning, om te voorkomen dat Timmy een kijkje neemt?'

'Nee,' zei Deirdre, 'die hangt hier. Betty heeft een van de slaapkamers boven ingericht als ruimte waar we ons kunnen voorbereiden. Daar hangen mijn jurk en de kleren voor de huwelijksreis, en ik kan me er ook verkleden.'

'Mag ik die eens zien?' vroeg Sarah. 'Misschien kun je de jurk even aantrekken en voor ons showen.'

'Wat een goed idee,' vond Betty. 'Toe maar, Deirdre. Pap en Tim en ik ruimen de tafel wel af, dan kun jij je jurk laten zien.'

'Ik ga wel eerst naar binnen om hem aan te trekken,' zei Deirdre toen ze op de overloop waren. Ze voelde zich duidelijk opgelaten. 'Maar het is geen jurk die... Weet je, ik heb hem gewoon in de winkel gekocht. Hij is niet speciaal gemaakt, door een ontwerper of zo.' Ze keek hen handenwringend aan, met een bleek, nerveus gezicht.

'Toe maar.' Camilla gaf haar een zetje. 'We staan te popelen.'

De deur bleef een hele tijd gesloten. Camilla leunde tegen de muur en trok haar wenkbrauwen op, maar Sarah hief schouderophalend haar handen op, in een gebaar dat moest aangeven dat zij het ook niet wist. 'Ik denk dat ze bang is,' fluisterde ze.

Een paar tellen later hoorde ze het klikje van het slot. Deirdre stond voor hen, haar lippen opeengeklemd, haar hele lichaam gespannen. Met een verdedigende blik keek ze naar Camilla, en opeens had Sarah heel erg met haar te doen. Ze was maar een eenvoudig meisje van het platteland, in de belangrijkste jurk die ze ooit zou dragen, en ze werd bekeken door het kritische oog van een beroemd fotomodel dat ze in tijdschriften en zelfs op tv had gezien. Iemand die de mooiste en duurste kleren en sieraden ter wereld had gedragen. Het moest zenuwslopend zijn.

De jurk had een wijde rok van tule, een hoge kraag en lange kanten mouwen. Een andere vrouw zou eruit hebben gezien als een slagroomtaart, maar Deirdre stond het model opvallend goed. Ze was flink afgevallen en had haar gladde, sluike haar naar achteren gekamd, zodat haar smetteloze teint goed te zien was. Camilla zei niets, en de stilte begon ondraaglijk te worden. Deirdre greep de deur vast, alsof ze die elk moment in hun gezicht dicht kon gooien.

'Je ziet er fantastisch uit,' zei Camilla ten slotte. 'Het is me nooit opgevallen dat je zo'n mooie botstructuur hebt. En zo'n smal middeltje, en een huidje zo zacht als dat van een baby. Echt prachtig. Mogen we nu binnenkomen? Heb je ook een sluier?'

Op Deirdres gezicht verscheen een opgeluchte uitdrukking, en met een zachte zucht liet ze de adem ontsnappen die ze had ingehouden. Het duurde niet lang voordat ze rondjes draaide en Camilla haar rok liet rechttrekken en haar diadeem liet vastzetten.

'Ik heb een gouden collier dat ik je graag zou willen geven,' zei Camilla. 'Dat is mijn cadeau voor jou. Iets nieuws. En hebben we al iets ouds en geleends en blauws? O Deirdre, je ziet er prachtig uit. Timmy zal helemaal ondersteboven zijn.'

Deirdres ogen vulden zich met tranen. 'Dank je. Dank jullie allebei.' Haar stem klonk laag. 'Ik was er namelijk niet zeker van. Ik zal alles nu maar meteen opbergen. Morgen moet ik vroeg op, dat is mijn laatste werkdag.'

De volgende morgen was het helder, maar koud. Het smaragdgroene gras glansde in het zonlicht. Tim had voorgesteld die ochtend vroeg te gaan paardrijden. Deirdre was nergens te zien toen ze de drie paarden zadelden en zich opmaakten voor een galop over het strand. De ijzige wind kleurde hun wangen rood en deed hun ogen tranen, maar het was heerlijk.

'Is Deirdre nog steeds niet over haar angst voor paarden heen?' vroeg Sarah toen ze in een drafje over het pad terug naar de stallen reden. 'Of had ze te weinig tijd om te gaan rijden voordat het spreekuur begint?'

'Ik denk dat ze nooit een echte amazone zal worden,' zei Tim. 'Ze heeft het geprobeerd, maar ze is zo bang dat er voor haar geen lol aan te beleven is. De paarden voelen dat ze niet de baas is en gedragen zich daar dus naar, zelfs de oude Ben. Ik dacht dat ze wel over haar angst heen zou groeien, maar ik heb het opgegeven. Voorlopig, althans.'

Het speet Sarah dat hij een van zijn grote liefhebberijen niet met zijn vrouw zou kunnen delen, maar ze was er zeker van dat ze nog genoeg andere dingen samen zouden kunnen doen. Terug in de stallen zadelden ze de paarden af, en Sarah liep alvast naar binnen, zodat ze haar moeder met het ontbijt kon helpen. Ze hoorde dat Camilla en Tim achter haar op het pad met elkaar liepen te geinen, zoals ze al sinds hun jeugd hadden gedaan, en werd getroffen door de gedachte dat ze Tim Deirdre nog nooit had horen plagen. Ze was veel te gevoelig voor dergelijke dingen, zodat zelfs mild de spot met haar drijven al te veel voor haar zou zijn. Het zou niet gemakkelijk voor Tim worden, wist Sarah.

De rest van de ochtend hielpen zij en Camilla haar moeder met het verschuiven van de meubels, zodat ze plaats konden maken voor de extra stoelen en tafels die voor de receptie nodig waren. Betty tutte en lachte, verplaatste tientallen keren dezelfde kandelaars en vazen en beeldjes, totdat Raphael en Tim binnenkwamen voor het middageten. Ze zaten net aan de koffie toen Raphael met zijn lepel tegen zijn kopje tikte om hun aandacht te trekken.

'Tim en Deirdre, we hebben een verrassing voor jullie,' zei hij. 'We gaan een ritje maken. Het is niet ver, dus we kunnen wel allemaal in mijn auto gaan.'

Het oude huisje lag een stukje van de weg af, omringd door een tuin. Het was gemaakt van rode baksteen, met een spits leien dak en schuiframen. Langs de pas geverfde voordeur en ramen groeiden klimrozen. Binnen zag alles er piekfijn uit. Betty had op veilingen en in tweedehandswinkeltjes de belangrijkste meubels op de kop getikt, en op de houten vloeren, die in de was waren gezet, lagen kleden in felle kleuren. De enige uitspatting was het hemelbed in de grote slaapkamer, een Iers antiek bed dat ze had behangen met gordijnen en waarop ze een handgemaakte quilt had gelegd. Terwijl Tim en Deirdre een rondje door het huis liepen, bleven de anderen in de woonkamer wachten. Betty keek uiterst tevreden, maar dat veranderde toen Deirdre even later de kamer binnenkwam. Haar gezicht was verstrakt en de glimlach die ze hun schonk, was uiterst verkrampt.

'Het is erg mooi, echt waar. We zijn er heel blij mee. Maar ik moet nu weer snel terug, want er is nog heel veel te doen in de praktijk voordat ik de zaken overdraag aan mijn invalster.' Ze liep snel naar buiten en rende bijna naar de auto. Thuis aangekomen snelde ze zonder iets te zeggen meteen naar de praktijkruimte.

'Ze vindt het maar niets, Raphael.' Binnen liet Betty zich in een stoel vallen en drukte haar vingers tegen haar oogleden. 'Ze vindt ons waarschijnlijk maar bemoeizuchtig, omdat we al die meubels hebben gekocht en zo. Waarschijnlijk had ze liever zelf iets uitgezocht. Daar had ik aan moeten denken. Maar omdat haar eigen moeder er niet is om van alles voor haar te doen...' Ze was bijna in tranen. 'Ik vind het zo erg voor je, Tim.'

'Nee, mam, het is het mooiste en beste cadeau dat u had kunnen bedenken.' Zijn stem klonk grimmig. 'Ik begrijp niet waarom ze zo reageert, dat snap ik echt niet. Ze zou er dolblij mee moeten zijn. Het is prachtig, u hebt er zo uw best op gedaan. Ik ga meteen met haar praten.'

'Misschien moet ik dat doen,' bood Sarah aan. Ze kon merken dat haar broer kwaad en gekwetst was omdat zijn ouders zo teleurgesteld waren. Het was geen goed moment voor een ruzie. 'Misschien wil ze nu liever niet met je praten. Laat mij maar even kijken of ik kan ontdekken wat er aan de hand is.'

'Ze heeft gelijk,' zei Camilla. 'Tim, waarom gaan wij anders niet even een stukje wandelen? Dan laten we het aan Sarah over.'

Deirdre bleek echter niet in de praktijk te zijn, zodat Sarah verwonderd weer terug naar het grote huis liep.

'Ze is boven,' fluisterde Betty tegen haar dochter. 'Ze kwam door de achterdeur naar binnen, blijkbaar om ons te ontlopen. Ik weet zeker dat ze zich vreselijk voelt. Die arme meid schaamt zich vast kapot. Ik had me niet gerealiseerd dat ze zo zenuwachtig was.'

Sarah rende met twee treden tegelijk de trap op en klopte op de deur. Geen antwoord. Ze voelde aan de deurkruk. Op slot.

'Deirdre?' riep ze. 'Kan ik even met je praten? Ik snap best dat je zenuwachtig bent vanwege de bruiloft, vanwege alles. Dat komt wel vaker voor, en je voelt je vast beter als je even hebt kunnen praten. Doe de deur eens open, toe.'

'Het gaat best.' Deirdres stem klonk gedempt. 'Ik moet even wat tijd voor mezelf hebben. Ik kom zo, maak je maar niet druk.'

Sarah bleef even staan, niet goed wetend wat ze moest doen. Ze voelde zich hulpeloos, maar ook boos, en kon maar niet bedenken wat Deirdre scheelde. Ten slotte draaide ze zich om en liep de trap af, beseffend dat ze een meisje dat ze amper kende onmogelijk kon dwingen haar hart uit te storten.

'Mam? Ze wil even alleen zijn.'

'Ze wil niet met je praten?' Betty kwam de keuken uit. 'O hemeltje. Als we haar dwingen, zal het waarschijnlijk alleen maar erger worden.'

'Dat denk ik ook,' zei Sarah. 'Dan ga ik maar een stukje wandelen. Hebt u zin om mee te gaan?'

'Ja, dat lijkt me heerlijk,' zei Betty. 'Wacht even, dan pak ik me goed in.'

In de gang wikkelden ze zich in jassen en sjaals en liepen toen het waterige zonnetje in. Sarah zag haar broer meteen. Hij stond achter in de tuin, met Camilla, en sprak op ernstige toon met haar, haar handen in de zijne. Ze luisterde even naar hem, toen sloeg hij zijn armen rond haar middel en liet zijn hoofd op haar schouder rusten, zodat haar lange haar voor zijn gezicht viel en zijn uitdrukking niet te zien was. Even later rechtte hij zijn rug, nam haar gezicht tussen zijn handen en keek haar lange tijd aan. Ze gaf hem een kus op zijn voorhoofd en liet haar armen om zijn hals glijden, en zo bleven ze een tijdje staan, zachtjes heen en weer wiegend. Ten slotte boog hij zich naar haar toe, maar ze stak haar hand uit en raakte zijn wang aan, strelend, en maakte zich toen van hem los. De wind voerde de woorden die ze sprak met zich mee, maar Tim knikte en keek haar glimlachend na toen ze van hem wegliep en gebaarde dat hij haar moest volgen. Toen hij haar had ingehaald, sloegen ze het pad in dat naar het strand voerde en verdwenen uit het zicht, arm in arm.

Sarah staarde hen als betoverd na en voelde het bloed in haar keel kloppen. Snel wierp ze een blik op haar moeder. Betty draaide zich om en liep met een strak gezicht naar binnen. Toen Sarah zich omdraaide om haar voorbeeld te volgen, zag ze vanuit haar ooghoeken iets bewegen. Ze keek op. Deirdre stond voor het raam in de slaapkamer, met haar handen tegen de ruit gedrukt, en staarde over het gazon in de richting van het strand, roerloos als een standbeeld. Toen draaide ze zich om en liep weg van het raam. Sarah bleef op het terras staan, worstelend met de vraag wat ze tegen Deirdre moest zeggen. De rollende golven en snerpende koude wind konden haar echter het antwoord niet geven, en na een tijdje liep ze weer naar binnen.

Het kon niet zijn wat het leek. Dat wist ze zeker. Tim was overstuur en nam een oude vriendin in vertrouwen. Maar toen herinnerde ze zich weer hoe hij jaren geleden in Mombasa naar Camilla had gekeken. En later, toen ze studenten waren geweest en met Pasen een weekend in Londen hadden doorgebracht. Toen was er duidelijk sprake geweest van een zekere aantrekkingskracht. Dat had Camilla ook geweten. Ze was gewiekst, op een manier zoals Tim dat nooit zou kunnen zijn. Nog maar een paar dagen geleden had ze gegrapt dat ze Tim maar moest zien te verleiden. Daar hadden ze allebei grapjes over gemaakt.

Sarah hing haar jas op en vroeg zich af of ze weer met Deirdre moest gaan praten of dat dat het alleen maar erger zou maken. Misschien zou ze het meisje ervan kunnen overtuigen dat het schouwspel niets te betekenen had, en wellicht zou ze kunnen ontdekken wat haar eerder die dag zo van streek had gemaakt. Ze liep naar boven en klopte op de deur. Geen antwoord. De deur zat niet op slot, maar toen ze naar binnen ging, was er niemand te zien. Ze liep weer naar beneden en trof haar moeder in de keuken aan.

'Hebt u Deirdre misschien naar buiten zien gaan?' vroeg ze met een akelig voorgevoel.

'Ik heb haar de trap af horen lopen en naar buiten horen gaan,' zei Betty. 'Maar ik heb niets gezegd omdat ik bang was dat ik het erger zou maken. Ze zit vast bij Tim in de praktijk.'

'Nee, Tim is met Camilla aan het wandelen.'

Betty keek op toen ze de bezorgdheid in de stem van haar dochter hoorde, en opeens drong het tot haar door. 'O hemel, ze heeft die twee toch niet samen gezien?'

'Er is niets tussen hen,' zei Sarah snel. 'Dat weet u ook wel.'

'Nee, maar hoe zou jij je voelen als je zoiets zou zien? De man van wie je houdt, in de armen van een ander?'

Sarah huiverde en wendde zich af. In gedachten zag ze Piet voor zich, al die jaren geleden, toen ze nog op school hadden gezeten. Toen had ze al geweten dat ze van hem hield, en ze had haar hart voelen breken toen ze op die maanverlichte avond voor het raam op Langani had gestaan en hem Camilla had zien kussen in dat kille, bleke licht, voordat hij met haar in het donker was verdwenen.

'Ik ga even een stukje wandelen, een paar foto's maken,' zei ze, in de hoop dat ze haar broer zou tegenkomen en hem kon waarschuwen dat Deirdre hem had gezien.

De tuin was verlaten, Tim en Camilla waren nergens te zien. Boos en geërgerd liep Sarah het pad af dat naar het strand leidde, maar het licht van de middag werd al minder, zodat ze zich tevreden moest stellen met een eenzaam wandelingetje en halfslachtige pogingen een verlaten strand en zee te fotograferen, die er in het vlakke licht van de wegstervende dag saai en somber bij lagen.

Ze keerde terug naar een stil huis, nam een warm bad en kleedde zich langzaam aan. Ze wist dat ze de onvermijdelijke spanningen die deel zouden vormen van de avond probeerde uit te stellen, maar ten slotte moest ze zich toch bij haar ouders beneden voegen. Meteen zag ze dat er iets heel erg mis was. Betty stond met rode ogen bij de haard, een zakdoek in haar handen geklemd. Raphael stond naast haar en trok nerveus aan zijn pijp. Sarah keek van de een naar de ander. 'Wat is er gebeurd?'

'Deirdre.' Betty haalde diep adem. 'Ze is weg.'

'Hoezo, weg?' Sarah begreep er niets van.

'Ze is weg. Voorgoed, voor zover we kunnen zien,' zei Raphael. 'Tim heeft een half uur geleden een briefje op zijn bureau in de praktijk gevonden waarin ze schreef dat ze wegging.'

'Waarom?' vroeg Sarah.

'Dat heeft hij niet gezegd,' zei Raphael op vermoeide toon.

'Wat heeft hij dan wel gezegd?' Het nieuws was verwarrend.

'Dat het allemaal een vreselijke vergissing is. Dat hij beter had moeten weten. Dat ze allebei beter hadden moeten weten. Hij zegt dat ze niet meer terug zal komen, maar hij zei niet wat de reden voor haar vertrek is. Hij heeft tegen je vader gezegd dat hij er nu niet over wil praten.' Betty streek met een trillende hand over haar haar. 'Zou het door die lange werkdagen komen, Raphael? Wat denk jij?'

'Lieverd, ik heb geen idee.' Raphael liet zich in een stoel vallen en klopte zijn pijp uit. 'Ik heb geen idee wat er is gebeurd.'

'Misschien had ze gewoon heel erg de zenuwen vanwege de bruiloft,' zei Sarah, maar het beeld van Tim en Camilla lag haar nog vers in het geheugen. Het beeld dat Deirdre ongetwijfeld ook voor zich zag. Ze keek even naar haar moeder, maar Betty ontweek haar blik. 'Zou Deirdre bij haar ouders kunnen zitten? Hebben we hun nummer?'

'Ze heeft niet echt een goede band met hen,' zei Raphael vol twijfel. 'Haar vader schijnt een echte zuurpruim te zijn, en haar moeder is aan de drank. Ik denk dat wij meer als ouders voor haar hebben gefungeerd dan die twee ooit konden zijn.'

'Maar het slaat nergens op om zomaar weg te lopen, zonder zelfs maar om uitleg te vragen,' zei Sarah.

'Om uitleg vragen? Nee, die zou Deirdre juist moeten geven.' Raphael keek zijn dochter aan omdat hij iets ongewoons in haar stem had gehoord, maar Betty schudde heel even haar hoofd.

'Ze had moeten vragen... Ze had Tim kunnen vragen of hem iets dwarszat.' Sarah probeerde vaag te blijven.

'De laatste paar maanden heeft ze zich wel een tikje anders gedragen dan normaal,' merkte Betty nadenkend op. Ze was weer wat gekalmeerd. 'Ze heeft de bruiloft een paar keer uitgesteld. Eerst zei ze dat ze het hier veel te druk had, met de praktijk en zo, toen zei ze dat ze jou er per se bij wilde hebben, Sarah. En toen Tim voor deze maand een datum prikte, was ze weer bang dat hun vrienden uit Dublin niet zouden kunnen komen. Vorige week dacht ze nog dat haar huwelijksreis ons voor problemen zou stellen en vroeg ze of we een invalster wilden regelen. We waren onder de indruk omdat ze zo verantwoordelijk was, maar achteraf gezien was het eigenlijk vooral vreemd.'

'Je moeder vraagt zich af of ze soms iets heeft gezegd of gedaan wat het meisje heeft weggejaagd, of dat we er verkeerd aan hebben gedaan hun het huisje te geven. Of misschien voelde ze zich buitengesloten omdat iedereen van het huisje wist, alleen zij niet.' Raphael schoof zijn bril omhoog en kneep met zijn duim en wijsvinger in de brug van zijn neus. 'Zelfs Tim wist ervan en heeft niets tegen haar gezegd. Toch denk ik niet dat dat de reden kan zijn.'

'Natuurlijk niet,' zei Sarah ongeduldig. 'Dat zou belachelijk zijn.'

'Ik ga het eten klaarmaken,' merkte Betty op. 'Tot straks.'

Raphael en Sarah bleven zwijgend naar het vuur in de haard zitten staren, totdat de deur openging en Camilla binnenkwam.

'Heb jij Tim gezien?' Sarah hoorde dat haar toon scherp was.

'Nee. We zijn samen gaan wandelen, en daarna is hij naar de praktijk gegaan,' zei Camilla. Ze leek volkomen op haar gemak, en Sarah vroeg zich af of ze wel iets wist over Deirdres verdwijning of vreemde gedrag.

'Waarschijnlijk heeft hij even tijd voor zichzelf nodig,' zei Raphael. 'Ik kan me voorstellen dat hij niet op vragen zit te wachten.'

Voordat ze nog iets konden zeggen, kwam Tim binnen.

'Het spijt me allemaal heel erg,' zei hij schutterig. 'Jullie hebben allemaal zo jullie best voor me gedaan, en ik vind het heel vervelend. Ik weet niet wat ik verder moet zeggen.'

Sarah voelde een en al medeleven toen Betty aan kwam lopen en haar zoon een klopje op zijn arm gaf, alsof ze een klein kind troostte. Camilla liet niets van verbazing of nieuwsgierigheid merken en stelde geen vragen. Sarah begreep dat ze al wist wat er was gebeurd.

Ze aten snel en zonder iets te zeggen. Toen Tim na het eten opstond en naar de studeerkamer liep, ging Sarah hem achterna.

'Wat is er aan de hand, Tim?' Ze raakte zijn arm aan. 'Kan ik je op de een of andere manier helpen?'

'Ik kan niets meer doen,' zei hij. 'Ik heb me vergist, meer niet. Dat geldt voor ons allebei.'

'Ik snap niet dat ze zomaar is verdwenen,' zei Sarah. 'Net voor de bruiloft, nu alles is geregeld. Wat dacht ze –'

'Misschien ken je een ander nooit echt helemaal,' onderbrak Tim haar. 'Maar goed, ze is vertrokken, dat is het dan. Ik kan er niet over praten en dat wil ik ook niet. Maar ik moet nu wel de gasten bellen om te zeggen dat ze niet hoeven te komen. Gelukkig zijn het er niet al te veel. Toe, Sarah, zet me nu niet onder druk. Laat me gewoon doen wat ik moet doen, dan kan ik de hele zaak zo snel mogelijk afsluiten. Ik vind het heel naar voor jullie allemaal. Ik hou van jullie, de rest is niet belangrijk.'

Sarah keek naar haar broer. Hij zag er vermoeid uit. Afstandelijk. Maar ze zag niet het overweldigende verdriet dat je zou verwachten bij iemand die kort voor zijn bruiloft door zijn grote liefde in de steek is gelaten. Dat zou ze herkennen, ze wist hoe dat voelde. Misschien moest ze hem vertellen wat zij had ervaren, misschien zou hij haar dan in vertrouwen nemen. Hij zette het raam een stukje open, zodat hij de zee kon horen, en ze liep naar hem toe en vertelde op zachte toon hoe het was geweest toen Piet haar ten huwelijk had gevraagd en alles volmaakt had geleken. Ze vertelde over de plannen die ze hadden gemaakt, dicht naast elkaar op de heuvel, met uitzicht op de boerderij en de lodge. Daar hadden ze hun dromen en de heerlijke toekomst die voor hen lag in woorden gevat. Ze wilde Tim laten weten dat het leven verder zou gaan, hoe onwaarschijnlijk en moeilijk dat ook leek. Ze vertelde dat ze langzaam uit het dal van wanhoop was opgekrabbeld en besefte opeens dat ze nooit de hele waarheid onder ogen had gezien. Ze had alleen maar gewild dat de pijn zou verdwijnen, en ze dacht dat dat nooit helemaal zou gebeuren.

Sarah huiverde. Duizenden kilometers verder weg hing Piets geest nog steeds boven de *cairn* en het boompje op zijn graf, wachtend op gerechtigheid, heersend over dat prachtige, vervloekte plekje. Een tijdlang had ze alleen maar bij hem willen zijn, maar ze had zichzelf gedwongen door te gaan, hem daar achter te laten. In zekere zin had ze hem de rug toegekeerd omdat ze anders ook zou zijn gestorven. En nu wist ze dat ze ondanks alle ellende van de afgelopen vijftien maanden niet wilde sterven, en dat ze zich daar niet voor hoefde te schamen. Tim luisterde zonder haar in de rede te vallen en sloeg toen zijn arm om haar heen.

'Het wordt fris,' zei hij.

Hij bewoog zich echter niet, en ze bleven daar zwijgend staan, luisterend naar het ruisen van de golven en het krijsen van de meeuwen die boven zee vlogen. Aan de andere kant van het raam baadde alles in het spookachtig witte licht van de maan.

'Piet is er niet meer.' Ze keek naar hem op. 'Ik kan hem nooit terugkrijgen. Maar als je van Deirdre houdt en dit op wilt lossen, dan moet je achter haar aan gaan. Nu. En wat er verder ook gebeurt, ik wil dat je belooft dat je me komt opzoeken. Ik wil je aan Dan en Allie voorstellen, ik wil dat je de olifanten leert kennen. Net zoals papa en mama na de dood van Piet hebben gedaan. Ik wil dat je ziet dat ik van mijn werk hou en het nodig heb. En wat het voor me betekent.' Opeens kreeg ze een idee, en ze pakte hem bij zijn arm. 'Mocht het echt voorbij zijn tussen jou en Deirdre, dan moet je misschien maar een tijdje in Kenia komen werken.'

Hij keek haar met een meewarig glimlachje na toen ze de kamer verliet omdat ze hem de rust wilde geven die hij nodig had om zijn vrienden te bellen en dit uit te leggen. Nadat ze de deur had gesloten, bleef hij even staan, met zijn handen rond de leuning van de stoel, zijn hoofd gebogen, met afhangende schouders.

De volgende dag was de stemming uiterst somber. Niemand wist waar Deirdre was. Het eten werd afgebeld, de cadeaus ingepakt en teruggestuurd naar de gulle gevers. Camilla zei niet veel toen ze dozen dichtplakte en adressen op de etiketten schreef, maar ze was de enige die Tim een glimlach wist te ontlokken. Sarah keek naar hen en hoorde de woorden weerklinken in haar gedachten. Ze moest die arme Timmy uit Deirdres klauwen bevrijden, had Camilla lachend gezegd, en hem redden. De sfeer in huis werd drukkend en ondraaglijk, maar Sarah kon niet praten over wat ze had gezien. Over wat Deirdre had gezien, voor haar onverklaarbare vertrek. Raphael bleef de hele dag in de praktijk, en Betty deed duidelijk koeler tegen Camilla.

'Kijk toch eens,' zei Betty op een bepaald moment. Ze had de laatste meubels terug op hun plaats geschoven en had een blik uit het raam geworpen toen ze haar rug had gerecht. Ze gebaarde dat Sarah moest komen kijken.

Buiten zat Camilla onder de eik, naast Tim op de schommelbank. Het zonlicht toverde gouden vlekjes op haar blonde haar, en ze hield haar hoofd dicht bij dat van Tim. Ze schommelden zachtjes heen en weer, als op muziek die alleen zij konden horen.

'Heeft hij nog iets tegen je gezegd?' Betty keek haar dochter met een gekwelde blik aan.

'Nee. Alleen tegen Camilla.' Sarah schaamde zich voor de wrok en jaloezie die ze voelde.

'Soms is het gemakkelijker met iemand te praten die minder dicht bij je staat,' zei Betty. 'Al vraag ik me af of zij de juiste persoon is. Hij is nu erg kwetsbaar.' Ze zweeg even en zei toen: 'Weet je, ik vind het heel erg om te moeten zeggen, maar op een bepaalde manier ben ik opgelucht. Vanwege die arme Deirdre.'

Sarah keek haar moeder verbaasd aan.

'Ze was niet geschikt voor hem,' zei Betty. 'Ze had... ze had hem te hard nodig, denk ik. Tim is hartelijk en vrolijk en zit lekker in zijn vel, maar hij heeft net als iedere andere man liefde en steun nodig. Ik weet niet of zij hem die had kunnen geven.'

Raphael kwam binnen en Sarah bleef naar haar ouders kijken, in de wetenschap dat ze binnenkort weer zou moeten vertrekken. Ze vroeg zich af hoe ze dat moest vertellen. Ze hadden al een paar keer gezinspeeld op de onveilige situatie in Kenia en hoopten dat ze in Ierland wilde blijven.

'Ik moet terug,' flapte ze eruit. 'Maandag.'

'Kun je niet nog een paar dagen vrij nemen?' Raphael klonk ontstemd.

'Ik kon alleen maar hierheen komen omdat Dan me vrij wilde geven voor de bruiloft,' zei Sarah. 'Ik moest naar Londen voor zaken, maar dit bezoekje aan thuis was echt een gunst van hem.'

'Weet je zeker dat je terug wilt gaan?' Betty's nervositeit hing als een aura om haar heen. 'Ik weet dat je dol bent op je werk, maar het is daar nu zo gevaarlijk. Vorig jaar hadden die stropers je wel kunnen doden, toen je die dode olifanten vond.' Ze zweeg even. 'Volgens de laatste berichten neemt het geweld tussen de stammen in Kenia alleen maar toe. Het zou misschien beter zijn een tijdje ergens anders te wonen. Kom thuis en studeer verder. Zie het als een nieuw begin, los van de ellende uit het verleden. Je kunt later altijd nog terug naar Afrika.'

'Ergens anders zou het heus niet beter gaan.' Sarah was vastbesloten. 'Ik blijf voor Dan en Allie werken, en het boek is ook nog niet af. Ik kan niet alles aan Rabindrah overlaten. En er is nog meer...'

Ze zweeg. Het had geen zin iets te zeggen over haar bezoek aan de Italiaanse pater, of over haar angst dat Simon misschien nog in leven was. Haar moeder zou gek worden van angst als ze zou weten dat er weer een aanval op Langani had plaatsgevonden en de politie zich over de zaak had gebogen.

'Ik hou van dat land,' zei ze. 'In Kenia wil ik wonen, het is mijn thuis. Daar wonen mijn vrienden en heb ik mijn werk.'

Betty slaakte een zucht en leunde tegen haar man aan. Ze hadden dit gesprek al eerder gevoerd, in dezelfde kamer, toen Sarah had besloten niet verder te studeren en ja had gezegd tegen het aanbod van Dan en Allie. Toen was ze zo jong en zorgeloos en zo vol hoop geweest. En drie maanden later had ze vanaf Langani gebeld om te zeggen dat Piet en zij zouden gaan trouwen. Raphael had toen naar zijn vrouw geglimlacht en gezegd dat er geen reden tot zorg was.

'Ik weet dat ik je niet van gedachten kan laten veranderen,' zei Betty. 'Maar beloof me dat je naar huis zult komen als het... gevaarlijker wordt.'

'Ik red me wel, echt waar,' zei Sarah. 'Vergeet niet dat de kranten altijd overdrijven.'

Ze liet hen alleen en liep naar de stallen. Tot nu toe was ze elke dag met Tim op het strand gaan rijden, met aan de ene kant de rollende branding en aan de andere de vage paarse vormen van de heuvels aan de horizon. Toen ze de hoek omsloeg en het erf voor de stallen opliep, zag ze haar broer staan. Hij oogde erg ontspannen. Camilla was nergens te zien.

'Ik zocht je al,' zei hij. 'Ik dacht dat je misschien wel van de ouderlijke bezorgdheid wilde worden gered. Papa doet vandaag het spreekuur, dus als je zin hebt, kunnen we gaan rijden. Het is eb, dus we hebben ruimte genoeg om ze eens flink de sporen te geven.'

Ze reden zwijgend het strand op. De paarden dansten door de kolkende golven en snoven ongeduldig. Ze wilden niets lieven dan lekker door de branding rennen.

'Heb je zin om terug te gaan naar Kenia?' vroeg Tim.

'Ja. En papa en mama moeten het maar aanvaarden. Ze weten dat het geen zin heeft met tegenargumenten te komen, en daar ben ik blij om. Ik wil doorgaan met mijn werk, ik wil samen met Rabindrah het boek voltooien.'

'Ik heb gehoord dat hij een geschikte vent is,' zei Tim. 'En volgens Camilla ziet hij je wel zitten.'

'Wat een onzin.' Sarah bloosde van ergernis. 'In Buffalo Springs kun je nu eenmaal niet om vijf uur je werk verlaten of naar de kroeg gaan, dus we brengen nu eenmaal veel tijd met elkaar door. En Dan en Allie zijn er natuurlijk ook bij.'

'Goed, goed,' zei hij geamuseerd. 'Je hoeft niet meteen je stekels op te zetten. Maar Camilla heeft oog voor dat soort dingen, en als het waar is, zou ik maar voorzichtig zijn als ik jou was. De cultuurverschillen kunnen je nog opbreken.'

'Er is echt niks, geloof me.' Sarah begon kwaad te worden op Camilla omdat ze zomaar wat had zitten speculeren en haar gedachten met Tim had gedeeld. 'Ik snap niet waar ze zoiets stoms vandaan haalt.'

'Ze heeft me over haar vader verteld,' zei Tim opeens. 'Dat hij een nicht is. Dat had ik nooit gedacht, zo'n type is hij helemaal niet. En ze heeft me over Anthony verteld, dat die zich weer als een rokkenjager zonder hersens heeft gedragen. Ze is erg sterk.'

'Ze weet dingen goed te verbergen. Net als jij.' Sarah was vastbesloten door zijn pantser heen te prikken. 'Nu ik toch vertrek, kun je me net zo goed vertellen hoe je je echt voelt. Ik wil me nergens mee bemoeien, maar ik wil zeker weten dat je het redt.'

Tim schudde echter zijn hoofd en gaf zijn paard de sporen, zodat ze gedwongen was achter hem aan te rijden, spetterend door het schuim en de steentjes die als juwelen glansden in het water. De lucht was schoon en koud en smaakte zilt, en ze ademde diep en gretig in, alsof ze die in haar longen zou kunnen bewaren voor de dagen waarop ze in Afrika de zinderende hitte moest doorstaan en heimwee zou hebben naar haar familie. Toen ze aan het einde van het strand waren aangekomen, lachte ze van vreugde en opwinding.

'Mijn kleine zusje,' zei hij. 'Wat zie je er geweldig uit, met die wilde bos haar van je en die stralende ogen, en een gezicht dat bloost van de wind. Jij bent ook heel sterk.'

Toen het eindelijk tijd was om te gaan, had Sarah het gevoel dat haar hart uit haar lijf werd gerukt, en ze moest haar best doen om niet in huilen uit te barsten. 'Kom met me mee naar Afrika, Tim,' drong ze aan. 'Kom nu mee naar Buffalo Springs. Dan kun je in het gastenverblijf logeren en een beetje afstand van alles nemen. Het zal je goed doen.'

'Toe maar, jongen,' zei Raphael. 'Het is een goed idee. De oude Mallory zou toch al komen helpen als je op huwelijksreis –' Hij zweeg abrupt toen hij het gezicht van zijn zoon zag. 'Ik bedoelde alleen maar dat we ons wel een paar weken kunnen redden.'

Tim schudde zijn hoofd. 'Niet nu,' zei hij. 'Ik kom later dit jaar wel. Als alles... Nou ja, later. Snap je?'

Camilla sloeg haar armen om hem heen en probeerde opgewekt te doen, maar het lukte haar niet een van die gevatte opmerkingen te maken waarmee ze iedereen altijd aan het lachen kreeg.

'Mocht je Sarah gaan bezoeken, dan moet je ook bij mij langskomen,' zei ze. 'Wanneer je maar wilt. Je weet waar ik woon, en misschien kunnen de geluiden en lichtjes van de grote stad je wat opvrolijken.'

Sarah merkte dat ze ontroostbaar was toen ze op de trein stapte. Camilla zat naast haar en bood haar een zakdoek aan. Ze deed geen poging een luchtig gesprek te voeren, maar voorzag Sarah van sterke thee en liet een glas cognac uit de restauratiewagen halen. Na een tijdje snoot Sarah haar neus en probeerde niet te luisteren naar het ratelen van de wielen op de rails, die haar steeds verder weg voerden van degenen van wie ze zoveel hield. Ze had niet gezegd dat ze Camilla samen met haar broer had gezien, of dat Deirdre er ook getuige van was geweest. Ze schaamde zich voor de argwaan die zich in haar gedachten had genesteld, en het deed pijn dat Tim Camilla, en niet haar, in vertrouwen had genomen.

'Ik heb je samen met Tim gezien,' flapte ze er opeens uit. 'Jullie hadden jullie armen om elkaar heen, en je gaf hem een kus. Op de dag dat Deirdre is vertrokken. En zij heeft het ook gezien.'

'O mijn hemel!' zei Camilla kwaad. 'Dus daarom deden jij en Betty zo koel tegen me. Ik snap dat zij de verkeerde conclusies heeft kunnen trekken, maar jij? Je dacht toch niet echt dat ik Tim op de een of andere manier heb willen beïnvloeden? Sarah?'

'Nee, natuurlijk niet.' Sarah wist dat ze niet overtuigd klonk. 'Maar van een afstand zag het er zo intiem uit, en je hebt na haar vertrek veel samen met Tim gedaan.' Ze zweeg even en liet toen al haar zelfbeheersing varen. 'Hij zei dat je hem over George hebt verteld. En dat je erop hebt gezinspeeld dat Rabindrah... dat hij me wel ziet zitten. Dat is echt onzin. Een en al bekentenissen, en ik neem aan dat Tim ook zijn hart bij jou heeft uitgestort. En je heeft verteld waarom Deirdre is vertrokken.'

'Ja, eerlijk gezegd heeft hij dat.' Camilla's blik was ijzig.

'En?'

'En ik heb beloofd dat ik er met niemand over zou praten. Dat moet ik respecteren.'

'Ja, natuurlijk.' Sarah voelde dat ze kookte van woede.

Camilla pakte haar tas en haalde er een boek uit, maar het lukte haar niet om lekker te lezen. Ze had het gevoel dat ze verkeerd was beoordeeld. Ze had getracht Tim zover te krijgen dat hij zich over zijn vernedering heen zou zetten en alles met zijn familie zou bespreken, maar het was niet gelukt.

'Iets anders kun je niet doen,' had ze gezegd. 'Bovendien kom je vaak sneller tot een oplossing als je ergens open over bent. Je moet het in elk geval aan Raphael vertellen.'

'Ik wil best met pa praten, maar niet nu.' Tim had zijn bril afgezet en in zijn ogen gewreven. 'Bedankt dat je hebt willen luisteren, en dat je niet hebt zitten preken of geschokt hebt gereageerd, of sentimenteel bent gaan doen.' Toen had hij haar gezicht tussen zijn handen genomen en probeerd haar te kussen, maar ze had zijn onhandige poging weten te ontduiken en was weggelopen naar het strand.

Camilla slaakte een zucht. Ze had al haar afspraken in Londen afgezegd om haar vriendin te kunnen steunen, maar ze vond dat Sarah te snel en vooringenomen haar conclusies had getrokken. De rest van de reis bleef de sfeer tussen hen gespannen, en toen ze laat in de middag bij Camilla's woning aankwamen, verontschuldigde Sarah zich met de woorden dat ze nog een paar boodschappen wilde doen.

Dat bracht haar echter niet de rust waar ze op had gehoopt. Het afscheid van haar familie en de onenigheid met Camilla hadden haar erg aangegrepen, en al snel vonden regen en kou hun weg naar haar vermoeide lichaam. Na een uur keerde ze moe en somber naar Knightsbridge terug.

'Ik ben bang dat je hier nog een dag vast zult zitten,' merkte Camilla op toen Sarah haar natte jas uittrok en haar doorweekte schoenen uitschopte.

'Hoezo?'

'Allie heeft gebeld vanuit Nairobi. Morgenavond organiseert *National Geographic* iets in Londen, met dezelfde mensen die vorig jaar naar jouw presentatie zijn gekomen. Dan wil graag dat je erheen gaat. En ze hebben gehoord dat ze meer subsidie krijgen, en Dan wil dat je daar een paar formulieren voor gaat ophalen. Je moet maar even je ticket omwisselen en hen even bellen.'

'Ik zou blij moeten zijn,' zei Sarah even later toen het haar was gelukt een latere vlucht te boeken, 'en dat ben ik ook wel, maar ik wou dat ik dit eerder had geweten. Nu wil ik gewoon heel graag naar huis. Ik heb jou beledigd en dat vind ik heel vervelend. Ik weet zeker dat je me niet nog een dag hier wilt hebben. En ik heb van genoeg mensen afscheid genomen.'

'Dat geldt ook voor mij,' zei Camilla, 'maar ik heb geleerd dat je soms niet te lang bij bepaalde dingen moet stilstaan. Edward heeft trouwens gevraagd of we vanavond bij hem willen komen eten.'

'Dan ben ik het derde wiel aan de wagen,' zei Sarah. Ze wilde liever alleen zijn en afstand nemen van de ellende die ze had veroorzaakt. 'Ik ga liever naar de film, of nee, ik ga eens een keer vroeg naar bed.'

'Het is geen mode meer om de martelaar te spelen,' zei Camilla, 'en bovendien heeft hij ook een paar vrienden uitgenodigd. Een Amerikaans stel. Dus je kunt maar beter iets uitzoeken om aan te trekken.' Ze nam een dreigende houding aan, en voor het eerst blonk er weer iets van humor in haar ogen. 'Of gaan winkelen.'

'Ik ben een straatarme onderzoekster uit Afrika.' Sarah begon te glimlachen. 'Ik geloof niet dat ik eruit hoef te zien als iemand die in Bond Street of Knightsbridge haar kleren koopt. Hoor eens, het spijt me dat ik me zo heb aangesteld. Vergeef het me alsjeblieft.' Ze was bijna in tranen.

'O, je bent een hopeloos geval,' zei Camilla, 'net als die broer van je. Kom, dan kijken we even in mijn kast, en dan doe je precies wat ik zeg. Je weet hoe dat gaat, en het werkt altijd.'

Het etentje bij Edward verliep in een ontspannen sfeer. Zijn vrienden waren onder de indruk van Sarahs verhalen over aanvallende olifanten en van krokodillen vergeven rivieren en brullende leeuwen onder de nachtelijke sterrenhemel. Ze zeiden dat ze altijd al een keer op safari hadden willen gaan, maar het leek hen beter voor een gids te kiezen die hun persoonlijk door iemand was aangeraden.

'Dan moeten jullie maar eens een vriend van ons bellen,' zei Sarah toen Camilla bezig was koffie en cognac in te schenken. 'Geef me jullie adres maar, dan geef ik het aan hem door en kan hij contact met jullie opnemen. Hij is een van de besten in die branche. Willen jullie nog iets speciaals zien of doen?'

Ze bespraken de voordelen van enkele nationale parken en de verscheidenheid aan vogels en andere dieren in de verschillende regio's. Het verbaasde Sarah dat ze haar bij vertrek een cheque in de hand drukten. Haar werk was zo belangrijk voor de hele mensheid, zeiden ze, en ze zouden bij een bezoek aan Afrika later dat jaar ook graag eens bij Dan en Allie komen kijken.

Sarah straalde van genoegen. 'Dit is niet te geloven.' Ze keek naar het bedrag op de cheque en uitte een kreet van verrukking. 'Dat je gewoon tijdens een etentje zit te praten over dingen die je aan het hart gaan, en dat je dan aan het einde van de avond een stukje papier krijgt dat je halve jaarsalaris waard is! Mijn god, dat is... Nou, ik ben gewoon ontzettend blij. Dank je, Edward, dat je me aan je vrienden hebt voorgesteld, en voor de fijne avond.'

'Je bent een geboren vertelster, en daardoor kun je als geen ander geld inzamelen,' zei Camilla. 'Je zet hun verbeelding aan het werk, en dat is een nuttige eigenschap.' Ze liet zich door Edward lichtjes op de wang kussen en pakte Sarah toen bij haar arm. 'Kom, we gaan. Ik heb morgenvroeg een sessie.'

'En ik ga morgen even de stad in,' zei Sarah. 'Al moet ik rond vijven weer terug zijn om me op te tutten voor dat avondje van *National Geographic*.'

'Maak je niet druk, ik help je wel. Welterusten, Edward.'

Door Camilla's naam te noemen wist Sarah de volgende dag nog een afspraak met de kapper te maken, en daarna ging ze nog even naar de Royal Academy. Het zou zonde zijn als ze terug zou keren naar Kenia zonder een enkele tentoonstelling te hebben gezien. In een fotowinkel kocht ze filmrolletjes en trakteerde zichzelf op twee nieuwe lenzen. Ze had al te veel bagage voor in het vliegtuig en had beslist te veel geld uitgegeven, dus ze besloot naar Camilla's woning terug te keren voordat ze voor nog meer verleidingen kon bezwijken. Toen ze in Knightsbridge de ondergrondse verliet, scheen de zon, en ze keek op haar horloge. Het was nog maar drie uur. Ze had nog genoeg tijd voor een dutje en een lang bad. Op Brompton Road wemelde het van de winkelende mensen, en ze was blij toen ze het rustige zijstraatje had bereikt dat naar Camilla's huis voerde. Een kop thee zou haar goeddoen.

Voor het pand waar Camilla woonde, zag ze een taxi staan. De lichtbak was uit en de motor liep. De deur van het huis ging open en een man haastte zich naar buiten, zich blijkbaar bewust van de lopende meter. Hij had zijn rug naar haar toe, maar toen hij zich omdraaide en naast de auto bleef staan om de chauffeur te vertellen waar hij heen wilde, bleef Sarah stokstijf staan, compleet verbijsterd. Hielden haar ogen haar voor de gek? Ze hief een arm op en begon te rennen, maar de taxi reed al weg en verliet het pleintje. Ze bleef staan om adem te halen en bij te komen van haar verbazing. Dat was Tim. Daar twijfelde ze niet aan. Maar wat deed hij in Londen, en waarom had hij niet op haar gewacht? Camilla wist toch dat ze snel thuis zou komen? Haar gedachten buitelden over elkaar heen. Misschien had hij toch besloten mee te gaan naar Kenia.

Haar stemming klaarde op, en glimlachend liep ze de trap op en stak haar sleutel in de deur. Camilla zat in de woonkamer te bellen en gebaarde naar de keuken. Sarah liep naar het fornuis en zette theewater op.

'Morgenavond heb ik geen tijd, Tom,' zei Camilla vol ergernis. 'Ik heb al iets, dan had je me eerder moeten vragen. Nee, dat kan ik niet afzeggen. Als ze echt zo graag willen dat ik kom, moeten ze een andere datum prikken. Ze regelen maar iets. Dag, schat.'

Sarah pakte de theepot en zag twee lege glazen in de gootsteen staan. Er klonk een klik toen Camilla de hoorn op de haak legde.

'Jij bent vroeg terug. Heb je het leuk gehad? Dat was Tom aan de telefoon. De klant die me als model voor een nieuwe collectie heeft gekozen, wil per se dat ik met hen ga eten. Ik snap niet waarom dat altijd nodig is en we niet gewoon een contract op kantoor kunnen tekenen. Waarom willen ze allemaal in een chique tent worden gezien, met een model aan de arm? Hé, je haar zit leuk. Wil je nog even een dutje doen? Dan zoeken we daarna wel kleren voor je uit. Ik heb nog iets waar je ze helemaal gek mee kan maken.'

Camilla sprak heel snel en struikelde bijna over haar woorden, en Sarah zag dat ze opgewonden was. Ze repte met geen woord van Tim.

'Ik heb een kop thee voor je,' zei Sarah. 'Is hier nog iets bijzonders gebeurd?'

'Niet echt,' antwoordde Camilla luchtig. 'Helemaal niks. De vrienden van Edward hebben nog even gebeld om te zeggen dat ze je zo geweldig vonden, en blijkbaar denken ze dat je van hen bent nu ze je dat geld hebben gegeven, en dat ze Dan en Allie en de olifanten erbij krijgen. Ik twijfel er niet aan dat je hen later dit jaar nog wel een keer in Kenia zult zien. Dan kunnen ze zeggen dat ze alles met eigen ogen hebben gezien en de onderzoekers persoonlijk kennen, dat soort verhalen.'

Sarah wendde zich af. Wat was er in vredesnaam aan de hand? Tim was hier zo-even nog geweest, daar was ze zeker van. Maar hij had niet op haar gewacht en niet eens een boodschap achtergelaten. En Camilla zei niets over het feit dat hij in Londen was. En waarom was hij hier eigenlijk? Elke vraag die door haar gedachten schoot, leidde tot een volgende, en ze voelde hoofdpijn opkomen. Misschien moest ze iets zeggen en laten merken dat ze haar broer op het pleintje had gezien, dat ze hem weg had zien rijden in een taxi. Langzaam voelde ze woede in haar oprijzen, zodat ze een bittere smaak in haar mond kreeg.

'Ik ga even een uurtje slapen en dan in bad,' zei ze. 'En daarna ga ik me optutten, maar ik doe hetzelfde aan als vorige keer.'

Toen ze enkele uren later naar de bijeenkomst vertrok, was ze een en al twijfel. Ze vroeg zich af of Tim terug zou komen nu ze veilig en wel buiten de deur was. Misschien hadden hij en Camilla plannen om uiteten te gaan, of ging ze naar zijn hotel. Waar hij een eigen kamer had. Nee, dat kon niet waar zijn. Al was het allemaal erg verdacht. Ze maakte zich zorgen over haar broer en vroeg zich af wat hij uitspookte, maar toen ze de volgende dag aan boord van het vliegtuig stapte, was ze vooral kwaad. Heel erg kwaad.

Aan het begin van de middag ging de bel, en toen Camilla de deur opende, zag ze Tim Mackay staan. Hij oogde uiterst verloren, maar ze ergerde zich niet alleen aan zijn hulpeloosheid, maar ook aan het feit dat hij haar in een onmogelijke positie met zijn zus had gebracht.

'Het spijt me dat ik gisteren zomaar voor de deur stond,' zei hij. 'Ik dacht dat Sarah al naar Nairobi was vertrokken.'

'Ze heeft je op het plein beneden gezien,' zei Camilla.

'Weet je dat zeker?' vroeg hij mismoedig.

'Ze was voor haar vertrek nogal koel tegen me, en ik kan geen andere reden daarvoor verzinnen. Maar kom binnen.'

'Wat heb je tegen haar gezegd?'

'Niets. Dat had ik je toch beloofd?'

'Ik heb nog om me heen gekeken voordat ik naar buiten ging,' merkte Tim op.

'Blijkbaar niet goed genoeg. Waarom ben je niet gewoon op haar blijven wachten?'

'Het ligt ingewikkeld.'

'Het hele leven is ingewikkeld, maar nu jij door je domme gedrag mijn vriendschap met jouw zus in gevaar hebt gebracht, wil je me misschien vertellen wat er nu eigenlijk aan de hand is. Ik neem tenminste aan dat je niet in Londen bent om met mij een kopje thee te drinken.'

'Nee. Dat soort dingen doet die goede oude betrouwbare Timmy niet.' Hij keek schaapachtig.

'Waar denken Betty en Raphael dat je zit?'

'Ik neem aan dat ze denken dat ik Deirdre aan het zoeken ben.'

'Nou, hier zit ze zeker niet,' zei Camilla.

'Het spijt me.' Hij schoof zijn bril langs zijn neus omhoog. 'Ik weet dat ik op Sarah had moeten wachten, maar ik ben zo in de war. Bovendien heeft zij al genoeg aan haar hoofd.'

'En ik niet?'

'Je hoeft niet zo sarcastisch te doen. Ik wil gewoon met iemand praten. Vertellen wat er is gebeurd.'

'En nu mag ik een luisterend oor bieden,' zei Camilla, verontwaardigd over zijn veronderstelling. 'Ik moet alles maar even opzijschuiven omdat jij opeens huilend voor de deur staat. En opeens weer verdwijnt omdat je bang bent je zus tegen te komen.'

'Dat was inderdaad niet al te slim,' gaf hij toe. 'Ik ben niet echt duidelijk geweest.'

'Je zei op het strand in Sligo tegen me dat Deirdre is weggelopen omdat het huwelijk te veel voor haar was. Dat haar ouders altijd ongelukkig waren geweest, dat het in haar familie een en al kommer en kwel was en dat ze niet meer durfde. En je was boos omdat ze dat niet eerder tegen je had gezegd en je op het allerlaatste moment had laten zitten. Dat lijkt me duidelijk genoeg. Wat ik alleen niet begrijp, is waarom je dat niet tegen Sarah kon zeggen.'

Hij schudde zijn hoofd en ontweek haar blik.

'Je bent zo gesloten als een preutse oester,' zei ze. 'Zo komen we nooit ergens, en ik heb nog meer te doen.'

'Bestaan er eigenlijk wel preutse oesters?' Zijn mondhoeken krulden om, en ze begonnen allebei te lachen, zodat de spanning werd verbroken.

'Ik zet even thee,' zei ze. 'En dan ga je me eens alles vertellen, maar dan ook alles.'

'Ik was naar haar op zoek,' zei Tim na zijn tweede kopje. 'Ik wist dat ze een zus in Londen heeft en dacht dat ze misschien hierheen was gegaan. Het adres en telefoonnummer stonden op de lijst met bruiloftsgasten, en toen ik vanuit Sligo belde, nam Deirdre inderdaad op. Ik heb zonder iets te zeggen neergelegd, maar toen vond ik dat ik met haar moest gaan praten. Ik was niet kwaad meer. Ik dacht dat ze misschien weer tot rust was gekomen, dat was ik ook. Dat ze misschien van gedachten was veranderd, dat we hier konden trouwen. Stilletjes, zonder gedoe.'

'Hou je nog steeds zoveel van haar?' Camilla kon haar verbazing niet onderdrukken.

'Dat weet ik niet. Ze leek me de ideale echtgenote,' bekende Tim. 'Ik heb tijdens mijn studietijd genoeg vriendinnetjes gehad met wie het lang leve de lol was, maar ik had nooit mijn leven met hen kunnen delen. Ze wisten van wanten, waren met minstens de helft van mijn vrienden naar bed geweest. Je kent dat wel.'

'O, dus je zocht naar een ongerepte maagd, ondanks je eigen pogingen daar een bedreigde soort van te maken?' Camilla trok haar wenkbrauwen op.

'Als puntje bij paaltje kwam, zetten die meiden je zo aan de dijk voor een succesvolle specialist of advocaat. Of zelfs een tandarts. Ik heb een paar keer mijn vingers gebrand. Maar zij was anders.'

Hij stond op en begon te ijsberen, maar toen bleef hij voor het raam staan en vertelde verder, met zijn rug naar haar toe. Ze hadden elkaar tijdens de nachtdienst leren kennen. Hij was onder de indruk geweest van haar pogingen een oude man te troosten die door zijn familie in de steek was gelaten. Dat was een moeilijke patiënt, eenzaam en bitter, met wie de meeste verpleegkundigen zo snel mogelijk klaar wilden zijn. Maar toen zijn einde naderde, probeerde Deirdre zo vaak mogelijk bij hem te zijn. Hij was onderwijzer geweest, en ze had hem aan het lachen gemaakt door passages te citeren uit schoolboeken die ze leuk had gevonden, of juist niet. Op een nacht was hij tegen zonsopgang vredig gestorven, en daarna had Tim haar meegenomen naar een koffiehuis voor een bak sterke thee en eieren met spek.

'We gingen al een tijdje met elkaar uit toen ze vertelde dat ze een moeilijke jeugd had gehad en dat haar moeder dronk. Ze had het nooit over haar vader, ze zei alleen dat hij altijd hard voor haar was geweest. Ik liep ondertussen mijn coschappen en had door mijn lange dagen geen tijd om een meisje twee of drie keer per week mee uit te nemen. Het beviel me wel dat Deirdre niet moeilijk deed en verstandig was. Ze was niet iemand die net zo snel een nieuw vriendje als een stel nieuwe schoenen nam.'

'Klinkt redelijk,' zei Camilla, maar ze vroeg zich af of Tim Deirdres eerste vriendje was geweest. 'Maar een beetje saai.'

'Ik voelde me bij haar op mijn gemak,' zei hij. 'Natuurlijk wilde ik na een tijdje met haar naar bed, maar ze wees me botweg af. Ze zei dat ze geen seks voor het huwelijk wilde, en dat moest ik respecteren. Misschien vind jij het ouderwets en zinloos, maar ik had er wel bewondering voor.'

'O hemel.' Camilla glimlachte veelbetekenend. 'Arme Timmy, verteerd door niet te stillen lust.'

'Misschien wel, ja. Maar goed, toen mijn vader zei dat hij in Sligo een praktijk wilde beginnen, bood Deirdre aan om voor ons te komen werken. Ze zei dat ze genoeg van Dublin had.' Tim ging weer zitten. 'Stel ik me niet aan? Ik zit hier maar te blaten.'

'Je zult niet de eerste en ook niet de laatste zijn die zich aanstelt,' zei Camilla. 'Tot nu toe had dit iedereen kunnen overkomen.' Ze ging achterover op de bank liggen.

'Ik voelde me gevleid,' zei Tim. 'Ze kon een betere baan in Dublin krijgen, met een hoger loon, en een van de specialisten had haar een paar keer mee uit gevraagd, maar ze wilde er niets van weten. Ze wilde alles opgeven en met mij meegaan, de rimboe in. Toen vroeg ik of ze met me wilde trouwen, en ze zei ja.'

'En jij dacht dat jullie samen oud zouden worden.'

'We besloten voor een bescheiden bruiloft te kiezen,' zei Tim. 'Toen Sarah zei dat ze er niet bij kon zijn, vond Deirdre dat we het moesten uitstellen, maar ik wilde er niets van weten. We zijn bij Deirdres ouders langsgegaan. Haar moeder was best vriendelijk, en volgens mij ook nuchter. Maar tussen Deirdre en haar vader hing een vreemde spanning. Hij deed geen moeite dat te verbergen en liet duidelijk merken dat hij het niets vond dat ze voor een eenvoudige plattelandsarts had gekozen. Ik moest de nodige twijfels over mijn toekomst aanhoren. Op zijn zachtst gezegd voelde ik me niet echt op mijn gemak, en ik was blij toen we weer naar huis gingen.'

Camilla wachtte totdat hij verder zou gaan, maar hij bleef voor zich uit staren. Ten slotte gaf ze hem een por. 'Kom op, Tim, niet dichtklappen.'

'Ik kon er niet met Sarah over praten,' bekende hij. 'Ze heeft Deirdre nooit echt zien zitten. Toen ze besloot niet verder te studeren, maar in Buffalo Springs te gaan werken hebben we flinke onenigheid gehad. Ze ging naar Kenia, en voordat ik het wist, was ze met Piet verloofd. Ze waren zo smoorverliefd op elkaar, ze pasten zo goed bij elkaar. Ik weet niet hoe ze het na zijn dood heeft gered, maar nu bleek ik de enige die ging trouwen. Ik kon doen wat zij zo graag had willen doen, maar het liep allemaal anders. Het lijkt zo oneerlijk, zo gemeen, en daarom wil ik er niet met haar over praten. Snap je wat ik bedoel?'

'Ja, dat snap ik.'

'Deirdre wilde onze huwelijksreis uitstellen omdat mijn vader het zo druk had, maar ik wilde er niets van weten omdat we al genoeg hadden uitgesteld. En toen zag ze het huisje, de plek waar we eindelijk samen konden zijn. Toen we die dag samen boven waren, legde ik daar nogal de nadruk op; ik trok haar het hemelbed op en begon haar te kussen en met haar te rotzooien.' Hij zweeg en werd rood. 'O, je kent dat wel. Ik zei tegen haar dat we naar Parijs zouden gaan op huwelijksreis. De stad van de liefde. Dat vond ze maar eng omdat ze geen Frans sprak en de Fransen intimiderend vond.'

'Die indruk willen de Parijzenaars maar al te graag wekken,' zei Camilla. 'En ze zijn er erg goed in.'

'Nou, ik kreeg een beetje genoeg van haar. Ik zei dat ik al haar angsten en bezwaren zat was, en toen rende ze naar buiten, terug naar de praktijk. Ik dacht er verder niet meer aan, ik nam aan dat het haar allemaal een beetje te veel werd, ook al omdat zij geen familie had om mee te praten.'

'Je dacht dat ze heel ouderwets de zenuwen had, wat heel charmant kan zijn,' zei Camilla. 'Timmy, dit klinkt als een verhaal van Barbara Cartland.'

'Nou, dat is het niet,' zei Tim. 'Het is eerder een griezelverhaal. Want toen ik terugging naar de praktijk zat ze daar tranen met tuiten te huilen. Ze zei dat ze me een brief had geschreven en dat ze niet met me kon trouwen. Nooit. Iemand had haar... pijn gedaan, zei ze. Haar aangevallen toen ze nog klein was geweest. O verdomme, ze vertelde dat haar vader haar had verkracht. Jarenlang. En dat ze dat maar niet kon vergeten. Ze kon met niemand meer naar bed, zei ze.'

'O, wat vreselijk. O, dat arme kind. Arme Timmy.'

'Ik stelde voor dat ze naar een psychiater zou gaan, zodat ze erover kon praten en het kon verwerken, maar toen werd ze woedend. Ze zei dat ze niet gek was, en ze zou niet naar een zielenknijper gaan, want dan zou iemand haar ongetwijfeld zien en zou iedereen het te weten komen. En toen is ze verdwenen.'

'En sindsdien heb je niets meer van haar gehoord?'

'Nee. Ze schreef in haar briefje dat ze zich van kant zou maken als ik zou proberen om haar op te sporen en om te praten.' Hij zweeg even. 'Ze had al die tijd al geweten dat ze niet geschikt was om echtgenote te zijn, maar ze heeft wel ja gezegd op mijn aanzoek en heeft mijn moeder al die voorbereidingen laten treffen. Ik kon er gewoon niet over uit dat ze me nooit de waarheid had verteld. Dat ze me volledig voor schut had gezet.'

'Heb je haar nog gesproken?'

'Ik heb gisteren na mijn bezoek aan jou geprobeerd met haar te praten,' zei hij, 'maar ze wil me niet zien. Nooit meer, zei ze. Ik heb met haar te doen, maar ik voel me ook schuldig. Omdat ik me eigenlijk best opgelucht voel nu ze niets meer met me te maken wil hebben. Het ergste is nog dat ik egoïstisch genoeg ben om me af te vragen hoe ik de roddels het hoofd moet bieden die nu in het dorp de ronde zullen gaan doen, dat gefluister en gegrinnik achter mijn rug. Ik heb gemerkt dat ik diep in mijn hart een lafaard ben, en dat valt niet mee. Dus van welke kant je het ook bekijkt, ik ben flink genaaid.' Opeens glimlachte hij. 'Of eigenlijk ben ik dat juist niet. En mijn zus is ook nog pissig op ons allebei.'

'Het is inderdaad geen ideale situatie,' beaamde Camilla. Ze keek hem vol medeleven aan, haar hoofd een tikje scheef. 'Raphael moet dit ook weten. Je moet met hem praten, Tim.'

Tim zette zijn bril af en wreef in zijn ogen. 'Ja, je hebt gelijk,' zei hij vermoeid. 'Maar ik had dit niet tegen Sarah kunnen zeggen.'

'Maar je kunt haar schrijven.'

'Ik wil niet –'

'Het kan me geen donder schelen wat jij wel of niet wilt,' zei Camilla kwaad. 'De vriendschap met je zus is voor mij het allerbelangrijkste ter wereld, en die ga ik niet voor iets als dit op het spel zetten. Blijf vannacht maar hier logeren, dan praten we morgen verder. Maar op één voorwaarde: dat je aan Sarah vertelt hoe de vork in de steel zit. Dat ben je me wel verschuldigd.'

'Ja, dat zal ik doen. Je hebt gelijk.'

De telefoon ging en Camilla nam op. 'Edward. Nee, helaas ben ik vanavond niet vrij. Lief van je om me te vragen, maar ik heb morgen een sessie bij fel kunstlicht, dus ik ga vroeg naar bed. Ik bel je morgenochtend wel. Ja, dat beloof ik. Slaap lekker.' Ze hing op en keek Tim aan. 'Kijk nu eens wat je hebt gedaan, ik moet een etentje voor je afzeggen. Dus je kunt het maar beter goedmaken en me meenemen naar de dichtstbijzijnde bistro.'

De volgende morgen stond Camilla vroeg op. Tim lag nog steeds in de logeerkamer te slapen; zijn mond hing een stukje open, en hij snurkte lichtjes en maakte zachte, puffende geluidjes. Zonder zijn bril met de dikke glazen en met metalen montuur zag hij er weerloos uit, en zijn haar zat door de war, als dat van een stripfiguur. Camilla boog zich over hem heen en drukte een kus op zijn voorhoofd, zoals ze bij een klein kind zou doen. Toen ging ze koffiezetten en brood roosteren. De geuren wekten hem al snel en lokten hem naar het keukentje.

'Bedankt,' zei hij op schutterige toon. 'Voor gisteravond, voor alles. En het spijt me als ik problemen tussen jou en Sarah heb veroorzaakt.'

'Zorg er gewoon voor dat je het snel oplost,' zei ze. 'Wat ga je vandaag doen?'

'Mijn vlucht gaat rond twaalven, dus ik ga binnen een uur weg.' Hij tuurde haar bijziend aan en glimlachte toen. 'Ik mocht er van mezelf niet over nadenken, er niet over praten. Ik had alles in me opgekropt, maar ik denk dat het nu wel beter zal gaan.'

'Je bent hopeloos,' zei ze. 'Als je het mij vraagt, zou je ja moeten zeggen tegen de uitnodiging van Sarah. Ga naar Nairobi, laat dit even achter je. Ze zal je maar al dat graag door haar olifantenrijk willen rondleiden, en Hannah zal het ook enig vinden je weer te zien.'

'Nog niet,' zei Tim, 'ik moet eerst thuis het een en ander regelen. Nu ga ik mijn spullen pakken, want ik weet dat jij een drukke dag voor de boeg hebt.' Hij sloeg een arm om haar middel en boog zijn hoofd om haar een zoen te kunnen geven, maar ze maakte zich van hem los en gaf hem een vriendschappelijk klopje op zijn wang.

'Dan ga ik maar.' Hij was een tikje verlegen en had een rood gezicht gekregen. 'Nog een uur bij het mooiste meisje ter wereld en ik zou me niet langer kunnen inhouden.'

'Ik zou me beledigd voelen als het wel zo was,' zei ze lachend. 'Het klinkt alsof je weer de oude begint te worden. Praat met Raphael. Laat me weten hoe het gaat. Geen nare geheimen meer.'

Camilla ging voor het raam staan en zag hem Brompton Road inlopen. Ze slaakte een zucht, denkend aan het hartzeer dat hij moest voelen en de vernedering die hij had ondergaan. Gevoelens die ze maar al te goed kende. Ze douchte snel en kleedde zich vlug aan, want ze was al aan de late kant, en propte wat boeken en make-up in haar tas.

Het werd een lange dag, in gezelschap van een veeleisende fotograaf. De studio was veel te warm en door de felle lampen kreeg ze hoofdpijn en brandende ogen. Tegen zevenen was ze weer thuis, en ze was doodop. Toen ze de deur opende, hoorde ze de telefoon gaan.

'Je zei dat je me vanmorgen zou bellen, weet je nog?' zei Edward.

'Sorry, ik heb het heel druk gehad.'

'Ik ook,' zei hij. 'Ik had vanmorgen een hele waslijst af te werken, maar er is nog hoop. Wat dacht je van een etentje?'

'Kom maar hierheen, als je zin hebt,' zei Camilla. 'Ik ben te moe om nog de deur uit te gaan.'

Even later kwam hij binnen, met een fles gekoelde champagne en een bos roze tulpen. 'Je ziet er doodmoe uit,' zei hij. 'Ik dacht dat je vroeg naar bed was gegaan.'

'Dat is ook zo, maar ik was vanmorgen al voor negenen op pad en heb een vreselijke dag gehad. Maar nu heb ik vier dagen vrij. Ik heb Tom gezegd dat hij niet op me hoeft te rekenen.'

'Dat moeten we vieren,' zei hij. 'Ik trek de fles champagne wel open. Heb je ijs?'

Hij fronste toen hij in de keuken twee koppen, schotels en bordjes met resten van een ontbijt zag staan. Ze had vast bezoek gehad, al maakte Camilla niet graag 's morgens vroeg afspraken. Als er iemand was blijven logeren, was het vreemd dat ze er niet iets over had gezegd. Hij vulde de ijsemmer en liep ermee naar de woonkamer. Zijn hart klopte iets te snel. Het was idioot om verdenkingen te koesteren, zich ongemakkelijk te voelen, maar hij kon de jaloerse gevoelens die zijn hart binnendrongen niet onderdrukken. Wat hield ze voor hem verborgen, en waarom? Hij keek even naar Camilla; haar haar glom als bleek goud onder de lamp, haar gezicht was kalm en onschuldig en beeldschoon. Zijn verlangen naar haar maakte hem onzeker en beroofde hem van zijn gebruikelijke zelfverzekerdheid. Hij wist alleen dat hij haar voor zichzelf wilde. Ze kwam naast hem staan en hij nam haar snel in zijn armen om haar te kussen, overvallen door iets wat nog het meest op paniek leek.

Camilla bleef heel stil staan en liet zich door hem strelen, terwijl hij lieve woordjes in haar oor fluisterde. Ze dacht aan Tim en zijn verloren droom van geluk, en aan Sarah die zo recht door zee en lief en vrijgevig was en nooit meer naar haar geliefde Piet zou kunnen lachen of dankbaar kon zijn voor zijn bestaan. In gedachten zag ze Lars voor zich, met zijn sterke armen om Hannah heen geslagen, haar door dik en dun beschermend. En de eenzaamheid en leegheid van haar bestaan als beroemdheid troffen haar als een harde klap.

'Kom,' zei ze. Ze pakte zijn hand en leidde hem naar de slaapkamer, als een slaapwandelaarster in een ongemakkelijke droom. 'Kom en vrij met me. Het is lang geleden en ik heb je gemist.'

Toen ze enige tijd later naast hem lag en naar zijn slanke lichaam en fijne trekken keek, merkte ze dat ze tot rust was gekomen.

'Hou je dan wel van me?' Zijn stem was een tikje schor.

Zijn intense blik en het spoor van angst in zijn toon verbaasden haar. Ze kuste hem op zijn lippen, maar toen hij opnieuw de liefde met haar wilde bedrijven, duwde ze hem glimlachend van zich af en fluisterde een belofte. Ze ging in bad en kleedde zich aan en liep daarna naar de keuken om een hapje eten te maken. Toen ze de kaarsen op de eettafel aanstak, kwam Edward achter haar staan en sloeg zijn armen om haar heen.

'Trouw met me, Camilla. Ik hou heel veel van je, en ik denk dat ik je gelukkig kan maken. Wil je met me trouwen?'

'Daar ben ik nog niet aan toe, Edward.'

'Ik wel,' zei hij. 'We passen goed bij elkaar. Ik ben goed voor je, liefste. Dat weet je.'

'Ik meen me te herinneren dat je al een echtgenote hebt.' Dat was gemeen, maar ze wilde zich door niemand onder druk laten zetten.

'Ik heb nooit een scheiding aangevraagd,' bekende hij. 'Dat leek me niet eerlijk tegenover iemand die in coma ligt. En ik had er trouwens ook geen reden toe. Nu wel. Maar het zou niet moeilijk zijn een scheiding te regelen. Ik hou van je, Camilla, en ik wil met je trouwen. Ik kan me niet voorstellen dat ik zonder je zou moeten leven.'

'Het zou zo gemakkelijk zijn om ja te zeggen,' zei ze, op vriendelijkere toon. 'Maar het lijkt me geen goed idee. Ik ben niet zo verzorgend als een echtgenote zou moeten zijn. En af en toe wil ik graag even alleen zijn. Het laatste wat ik wil, is je teleurstellen of een einde maken aan het plezier dat we altijd hebben.'

'Misschien hoef je niet verzorgend te zijn. Misschien is dat mijn rol.'

'Nee, Edward, het huwelijk is op dit moment niets voor me. Misschien komt het wel doordat ik altijd heb kunnen zien hoe het tussen mijn ouders ging, ik weet het niet, maar het is niets voor mij.'

Verslagen boog hij zijn hoofd, niet in staat zijn teleurstelling te verbergen. 'Is er iets wat ik nog niet weet?' zei hij. 'Heeft het iets met Anthony Chapman te maken? Heb je hem nog gezien?'

'Dit heeft alleen met mij te maken,' zei ze, 'en ik wil het er verder niet over hebben. Je moet nu maar tevreden zijn met wat ik je kan bieden en hopen dat ik ooit nog eens verander.'

'Ja,' zei hij, 'daar zal ik op blijven hopen. In de tussentijd moeten we maar genieten van wat we al hebben.'

De volgende morgen ging hij al vroeg weg, en ze zag hem met enige spijt vertrekken. Ze hield van hem, in zekere zin. Het was niet die allesverterende hartstocht die haar een leeg, nutteloos gevoel gaf wanneer ze niet bij hem was. De uren kropen niet voorbij wanneer ze alleen was en ze zat niet ongeduldig op een telefoontje van hem te wachten. Maar ze voelde zich op haar gemak wanneer ze bij elkaar waren, ze voelde zich thuis in zijn huis en bij zijn vrienden, die hem duidelijk benijdden om zijn mooie vangst. Edward bood haar een gevoel van veiligheid dat voor haar erg belangrijk was. Hij luisterde naar haar, moedigde haar aan zich door hem te laten begrijpen en had belangstelling voor haar werk. Bij hem zou ze veilig zijn. Hij zou nooit vreemdgaan. Misschien, dacht Camilla, is dat wel genoeg.

TIEN
Kenia, mei 1967

'Ik denk niet dat ze nog terugkomt,' zei Hannah. 'Ze heeft ons al dat geld van het gala gegeven om opnieuw te beginnen, en we mogen alles wat we met de verkoop hier verdienen houden, in plaats van een bepaald percentage. Dat is wat Camilla belangrijk vindt: inkomsten voor de *plaas.* Ze weet dat we die nodig hebben en dat ik er heel blij mee ben. En dat ik me gevleid voel omdat ze de leiding van het atelier aan mij overdraagt. Ze heeft zich aan haar woord gehouden.'

'Maar ze zou het toch wel tegen je hebben gezegd als ze voorgoed in Londen wil blijven?' vroeg Lars. 'Of tegen Sarah?'

'Niet per se. Ze heeft de gewoonte zomaar zonder uitleg te verdwijnen als er iets mis dreigt te gaan.'

'Vanuit Londen gezien oogt Kenia waarschijnlijk niet bepaald als de beste plek op aarde,' moest Lars toegeven. 'Ze heeft hier al eerder bijna haar toekomst verloren, en dat litteken is nog maar net helemaal weggetrokken. Daarna is haar atelier vernield, zonder dat we weten waarom. En haar vent heeft haar niet bepaald fraai behandeld. Waarom zou ze terugkomen?'

'Dat weet ik ook niet,' zei Hannah. 'In Londen heeft ze alles: een leuke woning in een chique wijk van een wereldstad, geld, roem en zekerheid. Maar ik neem aan dat we binnenkort wel van haar zullen horen.' Ze deed de deur van het atelier op slot en stak de sleutel in haar zak. 'Ik ga haar vanavond schrijven en melden dat alles weer hersteld is. Niet dat ze ooit antwoord stuurt. Ik kan gewoon niet geloven dat ze haar boekhouder cheques laat sturen, zonder zelfs maar een briefje erbij.'

'Ze verstopt zich, wat je al zei.' Lars raakte even haar wang aan. 'Maar je weet dat ze aan je denkt.'

'Ja, ik neem aan van wel. Maar goed, we kunnen volgende week weer met het naaiwerk beginnen. Makena wil weer voor ons komen werken, en een van de andere meiden ook. Ik moet drie nieuwe meisjes het klappen van de zweep leren, maar dat lukt me wel.'

Lars pakte haar hand vast. 'Mijn dappere kleine Hannah,' zei hij glimlachend. 'Sterk en zoet, als thee met honing. Heb je echt de fut om nu naar de lodge te rijden?'

'Ja,' zei ze. 'Als het gaat, moeten we die in juni openen. Anthony zal voor de eerste gasten zorgen, en een paar andere safarigidsen hebben ook al gezegd te zullen boeken. We moeten de lodge openen en laten zien dat we het menen. Dat niemand ons kan verjagen.'

Hij knikte en hielp haar in de Land Rover te stappen, maar hij vroeg zich af aan wie ze dacht wanneer ze het over verjagen had, en hoe hij haar kon beschermen tegen de onbekende vijand die het op Langani had gemunt.

Vanaf het moment dat Hannah haar besluit had genomen, had ze een routine ontwikkeld die afmattend voor haar was, maar daardoor had ze in elk geval geen tijd om na te denken of twijfels te gaan koesteren. Elke morgen bracht Mwangi haar om zes uur thee op bed en putte ze kracht uit de aanwezigheid van Lars' sterke lijf naast haar en het gebrabbel dat uit de wieg kwam. Elke dag begon in de melkerij, daarna volgden het ontbijt en het verdelen van huishoudelijke taken onder Mwangi en Kamau. De kok was tegenwoordig opperbest geluimd. De jongelui zouden de boerderij niet verlaten, zoals *bwana* Jan had gedaan. De lodge zou weldra zijn deuren openen, en zijn zoon David zou een van de belangrijkste functies op Langani gaan bekleden. De *wazungu* van ver weg zouden zijn maaltijden prijzen en hij, Kamau, zou de naam krijgen dat hij zijn eerstgeborene had opgevoed tot een van de beste koks van Kenia. Als een tornado schoot hij door zijn domein, rammelde met potten en pannen en tikte David op de vingers wanneer die de wortels verkeerd sneed of beslag niet luchtig genoeg klopte.

Hannah had nooit echt van de administratie gehouden, maar ze beheerde haar rekeningen met een zorgvuldigheid waaraan de beste boekhouders van het land een puntje konden zuigen. Tijdens gesprekken met de bank dook ze altijd gewapend met feiten en cijfers op, vol redenen waarom ze de lening moesten voortzetten. Door de dag heen nam ze verscheidene keren pauze om Suniva te voeden of met haar te spelen, en soms liet ze de zuigeling achter bij het kindermeisje zodat ze met Lars kon gaan rijden, het vee kon inspecteren of de tarwe kon bekijken, waarbij ze in haar achterhoofd altijd rekensommen betreffende kosten en opbrengsten maakte. Ze sprak echter zelden met de *watu.* Lars maakte zich zorgen omdat ze de oudere arbeiders, die al voor haar geboorte op de boerderij hadden gewerkt, amper een blik waardig keurde.

'Je hebt deze week bijna niets tegen Juma gezegd.' Het zinde Lars niet dat ze zo kortaf was wanneer ze de voorman tegenkwamen. 'Hij is beledigd, Hannah. Hij is een trouwe werknemer die zijn beste beentje voorzet. Kijk toch eens, hij werkt als een bezetene om dat hek te repareren.'

'Je kunt nooit weten wie trouw is en wie niet.' Ze kneep haar ogen tot spleetjes. 'We kunnen geen van hen vertrouwen.'

Lars gaf geen antwoord. Dat was een punt van discussie waar ze niet uitkwamen. Sinds de moord op haar broer was Hannah bijna al het personeel gaan wantrouwen. Alleen Mwangi en Kamau konden de toets der kritiek doorstaan, en omdat het kindermeisje al jaren voor de familie Murray had gewerkt, kon ook zij door de beugel, maar Lars kon Hannah niet meer alleen op Langani achterlaten. Ze probeerde haar angst te verbergen, maar hij wist hoe ze zich voelde. Dag en nacht werden ze omringd door een gevoel van dreiging, zodat ze altijd op hun hoede waren. Het was uitermate vermoeiend, ze raakten geestelijk en lichamelijk uitgeput en konden onvoldoende troost uit elkaars aanwezigheid putten. Lars had zelfs naar zijn schoonvader in Rhodesië gebeld en hem over de vernielingen in het atelier verteld, maar Jan was niet bepaald behulpzaam geweest en had laten merken dat een terugkeer naar Langani uitgesloten was. Niet dat ze veel aan hem zouden hebben gehad. Jan was door zijn drankzucht en weemoed een onbetrouwbare factor. Hannah zou misschien wel baat hebben bij de aanwezigheid van haar moeder, al was het maar tijdelijk. Lars vroeg zich af of hij Lottie tot een vakantie kon overhalen.

De Land Rover reed hobbelend en schuddend over de onverharde weg die was vergeven van de kiezels en herinneringen. Een gat dwong hen al snel tot een lager tempo toen de auto bijna kapseisde en Lars het stuur stevig moest vastgrijpen.

'Het ziet er daar goed uit.' Hij minderde even vaart en wees naar de lodge, die boven hen op de helling lag. 'Je ziet het riet van de daken, maar dat gaat op een natuurlijke manier over in de gebogen wanden. Alsof het geheel uit de rotsen is gegroeid, zonder hulp. Zo heeft Piet het zich ook altijd voorgesteld. Dankzij zijn visie hebben we nu iets heel bijzonders.'

Hannah keek uit het raampje, zodat Lars haar plotselinge glimlach niet zag. Hij had niets gezegd over Viktor, dankzij wie het ontwerp tot stand was gekomen, en ze geloofde niet dat ze zijn naam ooit nog zouden uitspreken. Ze wist zeker dat Lars hem op het gala in Nairobi moest hebben gezien, maar hij had niets gezegd. Drie dagen na hun terugkeer uit de stad was Hannah naar Nanyuki gereden om boodschappen te doen en had daarna nog even een kop koffie in het Silverbeck Hotel gedronken en daar de kranten van die dag gelezen. Op de voorpagina had niets interessants gestaan, maar toen ze de bladzijde had omgeslagen, hadden de roofdierachtige trekken van Viktor Szustak haar grijnzend aangekeken. Ze had zich verslikt en wat koffie op haar schoot gemorst. Het duurde even voordat ze zichzelf weer onder controle had. Na een paar minuten depte ze de vlek weg en pakte de *Standard* weer op. Ze zei tegen zichzelf dat ze het artikeltje verkeerd had begrepen. Er stonden maar een paar korte zinnen onder zijn foto: zijn werkvergunning was ingetrokken en hij was uitgewezen vanwege verdachte zakelijke transacties. De heer Johnson Kiberu had verklaard dat de heer Szustak een getalenteerd architect was die ettelijke fraaie hotels voor toeristen op zijn naam had staan, maar dat hij niet boven de wet stond. Zijn uitwijzing moest worden gezien als waarschuwing aan anderen die zich niet aan de wettelijke regels wensten te houden.

Hannah had een verraste lach geuit en toen snel haar hand voor haar mond geslagen omdat ze merkte dat mensen naar haar zaten te kijken. Even later was ze neuriënd naar huis gereden. In het kantoortje had ze de krant op het bureau gelegd, nog steeds open op de bewuste pagina, en was haar boekhouding gaan doen. Toen Lars even later binnenkwam, zag hij de *Standard* liggen en las het artikeltje. Even keek hij zijn vrouw zonder iets te zeggen aan, maar toen knikte hij langzaam. Met een brede grijns gooide hij de krant in de prullenbak en liep naar buiten, de zon in. Hannah keek hem verbaasd na. Hij leek helemaal niet verrast, en opeens wist ze zeker dat hij dit had geregeld. Haar geweldige, slimme man had haar voor nog meer zorgen en schaamte behoed, en ze hield meer van hem dan ze ooit had kunnen denken.

Nu zat ze weer te glimlachen, zelfs toen ze halt hielden voor de lodge.

'Hannah?' Lars gaf haar een por. 'Geef eens antwoord op mijn vraag.'

'Wat vroeg je dan?'

'O, dat is echt iets voor een vrouw,' zei hij. 'Ik vraag iets heel belangrijks, en jij zit maar een beetje te dromen en let helemaal niet op.'

'Ik droomde over jou.' Ze boog zich naar hem toe en gaf hem een kus. 'Wat vroeg je dan?'

'Of je nog wat bloeiende struiken bij de ingang wilt hebben,' zei hij, 'en zo ja, welke kleur. Ik kan de jongens van de *shamba* morgen vragen of ze een paar gaten willen graven. Zeg maar waar je ze wilt hebben.'

Ze liepen naar binnen, langs de receptie, en daarna verder de lodge in. Hannah bleef af en toe even staan om een stoel te verplaatsen, een kleed recht te leggen of de kussens op een bankje te schikken. De meubels waren allemaal op de boerderij gemaakt en ze had eigenhandig de gordijnen, spreien en gordijnen genaaid, blij dat ze iets kon bijdragen aan Piets grootse plan voor een natuurreservaat en een lodge met panoramaterras. Het was meer dan vijftien maanden geleden dat ze hier met haar broer had gestaan, dat ze tevreden naar hun werk hadden gekeken en trots waren geweest dat ze een droom hadden verwezenlijkt. Lange tijd had ze hier niet willen komen en was ze blij geweest dat Lars het onderhoud op zich had genomen, maar sinds de vernielingen in het atelier was ze anders over de lodge gaan denken en was ze vastbesloten geweest haar diepgewortelde angst te onderdrukken en erheen te gaan.

Met trillende handen maakte ze het hangslot van het magazijn los en deed de deuren open. Een uil die zijn toevlucht had gezocht op een van de dakbalken vloog geschrokken op. Lars keek zwijgend toe toen ze de stofhoezen wegtrok en naar de mooie spulletjes keek die ze hier na de dood van Piet hadden opgeborgen. Had ze maar geweten dat hij er zo kort zou zijn, dan zou ze vaker tegen hem hebben gezegd dat ze van hem hield en zo veel bewondering voor hem had. Hier hingen nog zo veel sporen van al die hoop die hij had gekoesterd, en dat gaf haar de kracht om door te gaan. Als een herinnering aan hem.

'Het komt wel goed, hè?' vroeg ze Lars met trillende stem.

'Ja, het komt goed, Han. En hij zal trots op je zijn.'

Ze pakte zijn hand vast en ze liepen samen naar het panoramaterras, zodat ze konden uitkijken over het golvende goud van de tarwe in de verte en de rand van groen die de rivier omzoomde. De hemel had een uitgebleekte, lichte tint die pijn deed aan hun ogen, en ze hield een hand boven haar ogen. Hoog boven de savanne cirkelden gieren rond, wachtend op een prooi. Ze zag noch hoorde de man die tussen de bomen achter de drinkplaats verborgen zat en langzaam op zijn hurken heen en weer wiegde. Hij trok met zijn magere vingers cirkeltjes in de aarde en mompelde zijn gebeden en toverspreuken tegen de *wazungu* die uitkeek over het land van zijn voorvaderen. Haat welde in hem op, etterend als een wond, en Hannah voelde een rilling door haar lichaam gaan. Wachtten de gieren ook op haar? Cirkelden ze boven een ten dode opgeschreven boerderij? Ze rechtte haar schouders en pakte weer de hand van haar man vast.

'Anthony komt later deze week langs,' zei Lars. 'Hij moet wat klanten naar de Safari Club brengen terwijl het bivak wordt verplaatst, en dan kunnen we meteen de lodge met hem bespreken. Eens kijken wat hij wil, als aandeelhouder.'

'Hij is laatst nog bij Dan en Allie langs geweest,' zei Hannah op afkeurende toon. 'Allie heeft hem nog naar Camilla gevraagd, op die typische onomwonden manier van haar, maar het was duidelijk dat hij helemaal niet met haar bezig was. Ach, het is gewoon een oude geile bok, of eerder een hond die een loopse teef ruikt. Hij heeft zich vreselijk gedragen, we weten allemaal waar hij die avond met zijn gedachten zat. Hij heeft geen hart, hij weet niet wat trouw is. Hij is dan wel slim en charmant en weet veel van de wildernis, maar hij mist ook iets. Hij is niet in staat tot een diepere relatie. Als het op vrouwen aankomt, deugt hij gewoon niet.'

Toch was Hannah blij met Anthony's bezoek. Hij was gebruind en vrolijk en zat vol verhalen over het kleine groepje toeristen dat al vaker met hem had gereisd. Deze keer was hij met hen door de Masai Mara getrokken, naar de befaamde Serengeti in Tanzania, waar ze leeuwen hadden zien paren, luipaarden en cheetahs en wilde honden hadden gadegeslagen, waren achtervolgd door een olifant en meer dan tweehonderd soorten vogels hadden geteld. Ze hadden nu alvast geboekt voor volgend jaar.

'Jullie gaan de lodge dus openen,' zei hij. 'Goed zo, Hannah, ik sta helemaal achter je. Vertel eens wat meer.'

'Ik wil in juli opengaan,' zei Hannah. 'Dan hebben we nog twee maanden. Het is niet de drukste tijd van het jaar, dus we kunnen langzaam beginnen en het personeel inwerken. Als het genoeg regent, zal het hier prachtig groen zijn, vol wilde bloemen. En vers gras zal ook grote kuddes hierheen lokken.'

'Dat zou ideaal zijn,' beaamde Anthony. 'Laat me even weten hoeveel ik financieel moet bijdragen, dan zal ik het op de rekening van de lodge overmaken. Gelukkig heb ik een mooi seizoen achter de rug en zit ik goed in de slappe was. En nu Sarah die journalist van haar heeft getemd, weet ik zeker dat we wel een positief artikel over de opening kunnen regelen.'

'Ik mag die vent niet,' zei Hannah. 'Ik wil hem hier niet hebben.'

'Waarom niet?' vroeg Lars verbaasd. 'Hij heeft Allie en Dan voor het voetlicht weten te halen en zelfs een nieuwe auto voor hen geregeld. En zijn oom heeft dat oude barrel van Sarah weten te repareren. Om nog maar te zwijgen over dat contract met die uitgever. Die Rabindrah lijkt me zo slecht nog niet.'

'Ik ben er nog steeds niet blij mee dat hij met Jeremy is gaan praten en toen opeens hier opdook om vragen over Piet te stellen,' zei Hannah. 'Die lui van de pers zijn allemaal hetzelfde, ze willen allemaal iets sensationeels schrijven en geven niet om het verwoeste leven van anderen. Hij lijkt me geen haar beter dan de rest.'

'Maar hij heeft niets over Piet geschreven,' bracht Lars haar in herinnering. 'Er hebben drie regeltjes over het atelier in de krant gestaan, maar die waren niet eens van hem.'

'Hij heeft vast een ander getipt, zodat zijn naam er niet onder zou komen te staan,' hield Hannah koppig vol. 'Ach, weet je, het komt vast ook doordat ik nog nooit een Indiër heb ontmoet die niet slimmer was dan goed voor hem was. Ze proberen altijd ergens een slaatje uit te slaan, een voordeeltje te behalen. En ze zijn helemaal niet goed voor hun Afrikaanse personeel. Geld, dat is het enige waar ze aan denken. Ik durf te wedden dat er iets tegenover die nieuwe auto voor Dan en Allie moet staan.'

'Nu ben je wel erg hard,' vond Anthony. 'Het is een hardwerkende gemeenschap die erg hecht aan een goed gezinsleven, en zeker de sikhs hebben veel voor dit land gedaan. Ik geloof echt dat dit pure liefdadigheid was, meer niet.'

'We zullen wel zien,' zei Hannah. 'Ze zijn gehaaid, en zeker deze. Hij is trouwens geen echte sikh. Volgens mij is hij niet te vertrouwen en moet Sarah goed oppassen. Ze ziet altijd veel te snel het beste in een mens.'

'Je hoeft je volgens mij echt geen zorgen over hem te maken, Han.' Lars pakte haar hand en streelde de binnenkant van haar pols, in de hoop dat dat haar zou kalmeren. Maar ze had vanavond duidelijk geen zin haar woorden op een goudschaaltje te wegen, en hij wist dat hij haar niet van gedachten zou kunnen laten veranderen.

'Ga je later dit jaar nog naar Europa of Amerika?' Hannah keek naar Anthony. 'Voor je jaarlijkse klantenbinding.'

'Ik heb nog geen idee,' zei hij ontwijkend. 'Ik heb nog geen vastomlijnde plannen.'

'Misschien moet je die dan maar eens maken,' zei Hannah botweg. 'Dan kun je meteen vrede sluiten.'

'Hoor eens, ik had nooit met die Somalische griet moeten flirten,' zei Anthony, 'maar ik denk niet dat –'

'Denken was toen ook al niet je sterkste punt,' viel Hannah hem in de rede. 'Sterker nog, ik vraag me af of je soms wat hersencellen mist. Je hebt Camilla wederom vreselijk gekwetst. Je hebt de avond verpest waaraan ze zo hard had gewerkt, met name voor ons hier op Langani. Je bent gewoon een enorme stomkop, Anthony Chapman.'

'Het had niets te betekenen. Het was –'

'Ik ga nu naar bed.' Ze liet hem niet uitpraten. 'Ik weet niet of ik je morgenochtend nog zie, want ik ga al vroeg op pad. Maar ik stel voor dat je na je safari nog maar een keer hierheen komt, dan kunnen we de puntjes op de i zetten. In de tussentijd moet je die hersens maar weer eens zien te wekken.'

Ze glimlachte liefjes toen ze hem een zoen op zijn wang gaf en keek Lars streng aan. 'Blijf niet de hele nacht op,' zei ze, hen daarna achterlatend in een ongemakkelijke stilte.

Anthony verbrak die als eerste. 'Ze windt er geen doekjes om, die vrouw van je,' zei hij bedeesd.

'Ze is erg dapper,' zei Lars. 'En erg trouw aan de mensen van wie ze houdt. Dat is het allerbelangrijkste voor haar. Slaapmutsje?'

'Nee, dank je,' zei Anthony stijfjes. 'Dan ga ik nu naar bed, ik moet morgen ook weer vroeg op. Voor het ontbijt. Ik moet in mijn bivak zijn voordat de volgende lading gasten arriveert. Tot gauw, vriend.'

In de week die volgde, zat Hannah elke dag in de lodge. De twee meisjes die ze voor de dood van Piet had aangenomen, wilden dolgraag weer aan de slag gaan en ze was urenlang met hen bezig de bedden op te maken, handdoeken tot keurige stapeltjes te vouwen en af te stoffen en te poetsen totdat elk stuk hout, steen en glas glom. In de keuken werkte ze met David aan het aanpassen van de recepten die Lottie Kamau jaren geleden had geleerd en verzon ze nieuwe gerechten aan de hand van de producten die op de boerderij zelf werden verbouwd of op de markt in de buurt werden verkocht.

Er kwam een ansicht uit Sligo: over drie dagen was de bruiloft, alles was klaar, ze wilden dat ze erbij kon zijn, groetjes van Sarah en Camilla.

'Zullen we een keer naar Europa gaan?' stelde Hannah voor aan Lars terwijl ze met een peinzend gezicht naar de foto van de witte huisjes op de weelderige akkers keek, met op de achtergrond de berg met de afgeplatte top. Daar zaten Camilla en Sarah, midden in dat groene land, en zij was weer buitengesloten. 'Het ziet er geweldig uit,' zei ze.

Ze zaten op het panoramaterras, zij met de baby op haar schoot. Bij de drinkplaats onder hen was het rustig, maar ze hoorden geritsel tussen de struiken en bogen zich voorover toen een troep wrattenzwijnen tevoorschijn kwam en snel naar een vochtig stuk aan de rand van de open plek draafde. Tevreden geknor weerklonk door de avond toen de dieren om beurten door de rode, dikke modder rolden.

'Iets als dit vind je daar niet. In elk geval niet in Noorwegen.' Lars moest lachen om de capriolen van de varkens. 'De koeien op de boerderij van mijn ouders zijn zo schoon en glanzend dat het lijkt alsof ze naar zo'n salon zijn geweest die ze in Amerika voor honden hebben. Een koeientrimsalon. Heel anders dan onze *ngombes*, met hun stoffige vel en modderige hoeven. Maar we gaan er wel een keer heen, en dan laat ik je het noorderlicht zien.'

'En ik wil naar Londen,' zei Hannah. 'Toen we nog op school zaten, Camilla en Sarah en ik, dachten we altijd dat we daar op een dag met ons drietjes heen zouden gaan en al de hippe jongeren en rockers en musea en winkels zelf zouden zien, en de Tower en het wisselen van de wacht.'

'We gaan volgend jaar wel.' Lars pakte haar hand. 'Wanneer we een goed seizoen in de lodge hebben gedraaid. En of Camilla nu terugkomt of niet, we zullen haar ontwerpen hier uitvoeren, dus we zullen genoeg geld hebben om op vakantie te gaan. Dan gaan we reclame voor onszelf maken, net als Anthony doet, en de bezienswaardigheden bekijken.'

'Ja, en dan komen we terug vol heerlijke herinneringen, maar zijn we ook blij dat we weer thuis zijn,' zei Hannah glimlachend. 'Want volmaakter dan hier vind je het nergens.'

'Dat is zo,' beaamde Lars. 'En wacht maar totdat Sarah weer terug is en ziet wat je in de afgelopen twee weken allemaal hebt gedaan.'

'Weet je nog dat ze zo vreselijk schrok toen ze hier voor het eerst was?' vroeg Hannah. 'Ze wilde zo graag tegen Piet zeggen dat de lodge perfect was, maar ze had last van nare voorgevoelens die ze maar amper kon verbergen. Pas een paar maanden geleden heeft ze me dat verteld. Dat heeft ze altijd al gehad, wist je dat? Dat ze dingen aanvoelt. Ik weet niet of ik dat ook zou willen of dat ik blij moet zijn dat ik er geen last van heb.'

Lars zei niets, maar besefte dat het altijd sluimerende gevoel van onrust in haar was opgeweld.

'Maar nu voel ik helemaal niets wat daarop lijkt,' zei ze. 'Ik mis alleen Piet en wou dat hij bij ons kon zijn. Hij zou zo trots zijn dat zijn droom toch nog werkelijkheid is geworden en dat ik er zo hard voor heb gewerkt.'

'Ja, dat zou hij zeker zijn. Dan denk ik dat we nu maar naar huis moeten gaan voor een bad en een bord eten. En daarna wil ik je vasthouden en beminnen, Han. Kom, dan kunnen we bij de zonsondergang naar huis rijden. Wie weet komen we nog een jakhals of luipaard tegen die op zoek is naar een lekker hapje.'

Die avond gingen ze vroeg naar bed en lagen heel dicht bij elkaar, kussend en boodschappen doorgevend met hun vingers. Hun liefdesspel was zacht en teder, en daarna werden ze al snel door een warme, weldadige slaap overvallen. Hannah was degene die midden in de nacht opeens wakker schrok. Ze drukte zich tegen Lars' warme rug en liet een arm rond zijn middel glijden. De gordijnen waren niet helemaal gesloten en bewogen zachtjes heen en weer voor het open raam, en ze voelde de koele nachtwind van de hooglanden over haar gezicht spelen. Een nacht die vaag rook naar de *kuni* waarmee de oude boiler werd gestookt. Ze deed haar ogen open en vroeg zich verbaasd af hoe laat het was. Misschien had de *toto* in de keuken het vuur vandaag vroeg aangestoken. Hannah pakte de zaklantaarn die op haar nachtkastje lag en scheen ermee op de wekker. Twee uur 's nachts. Het was erg fris, maar ze stapte uit bed, deed haar ochtendjas aan en ademde diep in. Nu besefte ze dat de geur van rook haar had gewekt. Zodra ze uit het raam keek, zag ze wat er aan de hand was. Een dunne oranje streep die de vorm van de heuvelrug volgde. Brand.

'Lars, Lars, word wakker!' Ze schudde hem door elkaar. 'Brand! Er is brand op de heuvel.'

Ze was niet de enige die het had gezien. Terwijl ze haar broek en trui aantrok, werd er op de deur van hun slaapkamer gebonsd.

'*Bwana* Lars!' Juma was buiten adem. Zijn kippenborst rees en daalde en speeksel welde op in zijn mondhoeken toen hij uit zijn woorden probeerde te komen. '*Bwana* Lars, er is brand op de heuvel. Het is er heel droog, we moeten er nu heen! Ik heb emmers en *debbi's* met water in de auto gelegd. *Haraka, haraka!*'

Lars snelde naar de garage, met Hannah op zijn hielen. 'Je moet hier blijven,' zei hij. 'Je kunt Suniva niet alleen laten.'

'Ik ga mee. Esther kan op haar passen.'

'Nee,' zei hij, 'jij moet hier blijven. Dat is een bevel. Houd je geweer bij de hand. Mwangi en Kamau zijn bij je, en de nachtwaker ook. Bel Bill Murray, nu. We hebben alle hulp nodig die we kunnen krijgen.'

Hij liet haar alleen achter in de donkere nacht, angstig, met een petroleumlamp in haar handen. Zijn hoofd tolde, en vervuld van twijfel reed hij over het pad naar de heuvelrug. Misschien had hij hen mee moeten nemen, Hannah en Suniva. Misschien was het niet veilig in het grote huis. Maar de nachtwakers waren er, dat hoopte hij tenminste. Zijn hart klopte te snel, hij reed veel te hard. Achter hem, in de laadbak, klampten de *watu* zich aan de randen vast en riepen naar elkaar. Voor hen zagen ze de vlammen oplaaien, als rode vingers die zich snel over de heuvelrug verspreidden. Met misselijkmakende zekerheid wist hij wat er aan de hand was, en dat dit geen ongeluk was. Juma zat naast hem voorin en hield het dashboard stevig vast.

'We moeten een rij van de *watu* vormen, zodat die de emmers aan elkaar kunnen doorgeven,' zei Lars. 'Acht van ons moeten met water naar boven lopen, dan kan de rest in de *bundu* een brandweg aanleggen.'

'Ze hebben de lodge in brand gestoken.' Juma keek ontzet. 'Ze pakken de lodge van *bwana* Piet van ons af en steken hem in brand. Dat is het werk van een slecht mens, een *shitani*.'

Lars kwam met piepende remmen tot stilstand aan het begin van de oprit die naar het gebouw leidde. Het rieten dak stond in lichterlaaie, vlammen staken scherp af tegen de donkere hemel. Vonken schoten overal om hem heen en staken het droge kreupelhout in brand. Lars rende naar het magazijn om de brandslangen te pakken die ze nog niet in de lodge zelf hadden geïnstalleerd.

'Hier,' zei hij tegen Juma. 'Sluit deze aan op de waterpomp en de kraan in de keuken. Nu, zo snel als je kunt. Maak de bomen nat die het dichtst bij de lodge staan.'

De hitte was zo hevig dat zijn longen bij elke ademteug leken te verschroeien. Hij rende heen en weer langs de rij mannen met hun emmers, hij schreeuwde en wees en uitte bemoedigende kreten. Daarna hielp hij mee de takken weg te hakken, zodat het vuur zich niet verder kon verspreiden. Vlammen schoten in hoge pieken naar de hemel, sprongen over van de ene kamer naar de andere en laaiden steeds heviger op. Het gebulder van het vuur overstemde de angstige kreten van de mannen die hakten en renden en water op de helse vlammen gooiden. De honger van de brand was echter niet te stillen, en de enorme, krachtige mond verslond alles wat in de buurt kwam; het vuur bulderde en kraakte en brak elk twijgje en elke struik. De vurige tong voelde aan elke open plek in de *bush* en verteerde elke tak die op zijn pad neerkwam. In de verte hoorde Lars kreten en getrompetter en geblaf, en hoeven trappelden toen groepen dieren op de vlucht sloegen.

Het was bijna vier uur toen de politie en de brandweer en de buren arriveerden, die allemaal door Hannah waren gebeld. Bill Murray vocht de rest van de nacht aan Lars' zijde tegen het vuur. Ze deinsden geschrokken achteruit toen de lodge opeens in een vuurbal veranderde die over de rotsen leek te dansen en over de rand van het *kopje* naar beneden tuimelde, zodat elke poging tot doven zinloos leek. Toch deden de brandweg en de slangen hun werk, en tegen zonsopgang had Lars eindelijk het idee dat hij de brand onder controle had. Hij liep wankelend terug naar zijn auto, zijn armen en gezicht onder het roet, met bloeddoorlopen ogen en ledematen vol wonden en krassen. Overal om hem heen lagen de resten van Piets droom. Walmende rook onttrok het roze ochtendgloren en de top van de berg, het afgelegen en ongerepte onderkomen van de grote god Kirinyaga, aan het zicht. Overal op de heuvel zaten of stonden mannen; ze zaten op de grond, leunden tegen boomstammen, hingen over rotsen en veegden hun zwarte gezichten af. Ze kuchten en spuugden, ze mompelden en huilden zelfs vanwege de vernietiging om hen heen.

Op de boerderij zat Hannah te wachten, haar gezicht even grijs als de as op de heuvel. Ze rende naar Lars toe zodra die uitstapte en sloeg haar armen om zijn beroete lijf heen, schuddend van de snikken.

'Godzijdank mankeert je niets,' zei ze.

Hij omhelsde haar, streek haar haar glad en kuste haar voorhoofd met zijn gesprongen lippen. 'We hebben water en thee en eten voor iedereen nodig,' zei hij. 'En zonder Bill hadden we het niet gered. Dankzij hem hebben we minstens de helft van het bos achter de lodge kunnen behouden.'

'Barbie is hierheen gekomen,' zei Hannah. 'Ik ben blij dat ze me gezelschap heeft gehouden.'

Een paar minuten later kwam Jeremy Hardy aan en brachten ze het eten naar buiten voor de vermoeide mannen die tegen het vuur hadden gevochten. Op het gazon zaten de arbeiders zwijgend kommen *posho* en dikke sneden brood met boter te eten of aan hun mokken warme zoete thee te nippen, en in de eetkamer zaten ze zelf aan het ontbijt, omringd door een drukkende stilte waarin iedereen probeerde te begrijpen wat de betekenis was van wat er die nacht was gebeurd. Na het ontbijt vertrokken Bill en Barbie weer naar huis, maar niet nadat Barbie had gezegd dat Hannah moest bellen als er iets was. Ze was erg bang dat Hannah de stress niet langer zou kunnen verdragen.

Na hun vertrek gebaarde Jeremy dat Hannah de deur moest sluiten en zei: 'Dit is nu echt een noodgeval. Ik laat jullie huis voortaan dag en nacht bewaken, maar ik vind dat Lars zich niet moet afvragen of hij jou en Suniva niet beter even op vakantie kan sturen. Ga naar de kust, of bezoek vrienden. En ik denk dat je met je vader moet gaan praten. Vertel hem wat er hier is gebeurd. Het kan belangrijk zijn.'

Hannah staarde naar haar bord, niet in staat een woord uit te brengen. Hij probeerde haar iets te vertellen, maar ze begreep niet wat het was. Ze wilde nu weg, zo ver mogelijk wegrennen, vluchten met haar man en kind en ervoor zorgen dat hen niets zou overkomen. Dat haar niets zou overkomen. Ze had zin om te gillen, haar zelfbeheersing te verliezen, en ze klemde haar knieën tegen elkaar en balde haar vuisten om te voorkomen dat ze zou gaan beven. De woede redde haar door haar angst te smoren.

'En wat zou pa ons dan kunnen vertellen?' zei ze. 'Hij is vier jaar geleden vertrokken, je oude vriend Jan van der Beer. Je zou hem niet eens meer herkennen, Jeremy, echt niet. Dus als je vindt dat iemand met hem moet gaan praten, geef ik je zijn nummer wel. Doe het zelf maar.'

Jeremy maakte een verslagen gebaar en keek even naar Lars. Maar die wist niet wat hij moest zeggen, en de politieman stond op om afscheid te nemen. 'Ik hoef zeker niet te zeggen dat –'

'Dat je alles zult doen wat in je vermogen ligt.' Hannah was bitter. 'Ik twijfel er niet aan dat je ons binnenkort een doorbraak in het onderzoek kunt melden, net als je ons een jaar geleden hebt beloofd. Je zult vast snel kunnen vertellen wat er hier gebeurt en waarom onze koeien worden afgeslacht en ons huis overvallen en leden van mijn familie in mootjes worden gehakt. En waarom niemand van je mannen de *kaffirs* kan vinden die het atelier hebben vernield en de lodge in brand hebben gestoken.' Ze stond op en keek hem aan, met een gezicht dat vuurrood was van woede. 'Piet dacht dat het niemand iets kon schelen wat er met ons gebeurde omdat we Afrikaners zijn, en ik begin hem te geloven.'

'Ik geloof niet dat er een goede verklaring is voor wat er hier gebeurt,' zei Jeremy. 'Of dat jullie iets verkeerds hebben gedaan.'

'Een goede verklaring?' Ze was nu aan het schreeuwen. 'We hebben ook niets verkeerd gedaan. Piet had altijd werk voor iedereen en betaalde goed en bood de *watu* een goed leven. En mijn vriendin Camilla heeft ook haar best voor hen gedaan. Onze lodge had werk aan meer dan twintig man geboden, en ons reservaat is de enige echte bescherming waarop het wild hier kan rekenen, want anders eindigt het toch maar in iemands kookpot, of als handvat van een dolk of als een stel oorbellen, terwijl de laatste karkassen van de neushoorns wegrotten in de zon. Dus laat je *askari's* maar in de stadjes en de reservaten speuren, Jeremy, en laat ze een verklaring vinden voor wat er hier gebeurt.' Ze draaide zich met een ruk om en liep de kamer uit. De deur viel met een klap achter haar dicht.

'Dit zint me helemaal niet, Lars,' zei Jeremy. 'Misschien moet je met haar gaan praten en haar overhalen om –'

'Ze zal Langani nooit verlaten,' onderbrak Lars hem. 'Je hebt haar gehoord. En ze heeft gelijk. We moeten erop kunnen vertrouwen dat de wet ons beschermt en erop kunnen rekenen dat de politie haar uiterste best doet om ons te helpen. Anders is er voor niemand hoop in dit jonge land, of je nu zwart, bruin of blank bent.'

Jeremy slaakte een zucht. 'Er zijn hier zo veel oude rekeningen te vereffenen. Kenyatta is een geweldig politicus, een staatsman die bereid is het verleden te laten rusten, met een schone lei te beginnen en iedereen een kans te geven, ten bate van het land. *Harambee.* Maar dat geldt niet voor alle politici en ambtenaren. De meesten sluiten hun ogen voor incidenten waarvan blanken het slachtoffer zijn. Zeker als die blanken oude kolonisten zijn.'

'Dit zijn niet zomaar incidenten,' zei Lars op felle toon. 'We hebben het hier over gewapende overvallen, afgeslacht vee, moord, vandalisme en nu brandstichting. Allemaal op dezelfde boerderij. Je moet toch enig idee hebben wat dit te betekenen heeft?'

Jeremy pakte zijn pet en zijn wapenstok. 'We hebben helemaal niets van onze gebruikelijke informanten gehoord, en dat is erg ongewoon,' zei hij. Hij zweeg even. 'Maar er zou een verband met vroeger kunnen zijn, met de tijd van de noodtoestand.'

'Wat voor verband?' vroeg Lars. 'Alle kolonisten hier waren tegen de Mau Mau en vochten zij aan zij met het Britse leger en de politie. Ik weet dat de broer van Jan is gedood, en Jan zelf heeft in de bossen naar bendes gezocht, samen met honderden anderen. Als er iets van waarheid in jouw theorie schuilt, zouden de buren toch ook moeten worden aangevallen?'

Jeremy deed geen poging die vraag te beantwoorden. 'Ik kom zo snel mogelijk weer langs. We gaan dit tot op de bodem uitzoeken. Dat beloof ik je. Uiteindelijk –'

'Uiteindelijk zúllen we het loodje leggen,' zei Lars, 'maar ik zou wel graag zien dat mijn vrouw en kind nog zo lang mogelijk van dit leven kunnen genieten.'

Jeremy leek nog iets te willen zeggen, maar bedacht zich toen en knikte snel. 'Voor het einde van de week hoor je weer van me,' zei hij. 'En ik kan je verzekeren dat ik er dag en nacht aan zal werken.'

Lars trof Hannah in de slaapkamer aan, waar ze uit het raam stond te staren. De heuvelrug rees een eindje verder omhoog, onbuigzaam en leeg en zwartgeblakerd. De wonden die de brand had geslagen, gingen amper schuil achter kringelende rook, en de verbrande bomen leken hun takken als in een grimmige smeekbede uit te steken. Hij ging achter haar staan en sloeg zijn armen om haar middel, zodat ze tegen hem aan kon leunen. Hij voelde dat haar lichaam begon te beven en draaide haar om, zodat hij haar aan kon kijken en ze in de cirkel van zijn armen kon huilen. Hij hield haar heel lang vast, totdat ze haar ogen afdroogde en een stap naar achteren deed.

'Denk je dat we weg moeten gaan?' vroeg ze. 'Wat vind jij, Lars? Moeten we Langani verlaten?'

'Ik denk dat we dat moeten bespreken,' zei hij. 'Wist je dat er een telegram van Sarah uit Londen is bezorgd? Ze komt morgen op weg naar het noorden hierlangs. Ze haalt zodra ze uit het vliegtuig is gestapt haar auto op en rijdt meteen door.'

Sarah zag de heuvel al voordat ze bij de poort van de boerderij aankwam. Ze zette haar auto stil en staarde naar de zwarte, nog steeds smeulende resten voor haar. De onwelriekende, scherpe brandlucht gaf haar het gevoel dat ze stikte. Ze gaf gas en reed zo snel als ze kon door naar het huis.

'Wat is er gebeurd?' vroeg ze aan Hannah zodra ze was uitgestapt. 'Bosbrand?' Maar zodra ze die vraag stelde, kende ze het antwoord al. 'O nee! Er zijn toch geen gewonden?'

Hannah schudde haar hoofd. 'Nee. Het is twee nachten geleden gebeurd, en de lodge is afgebrand. Ik ben zo bang, Sarah. Ik ben zo bang dat iemand Lars of de baby iets zal aandoen. Jeremy heeft hier *askari's* lopen, maar die stellen alleen maar eindeloos veel vragen, zoals altijd. Ik kan niet meer slapen, ik kan me nergens meer op concentreren.'

'Heeft hij echt geen flauw idee?' Sarah sloeg haar armen om haar vriendin heen.

'Hij zegt dat hij helemaal niets heeft gehoord van de stammen of uit de stadjes. Geen greintje informatie.' Hannahs mondhoeken wezen naar beneden en haar ogen waren dof van woede. 'Ik voel me zo verslagen, Sarah. Ik weet niet eens of we hier wel kunnen blijven. Lars wil dat ik een tijdje met Suniva naar de kust ga, maar ik wil hem niet alleen laten. En ik wil niet dat ze denken dat ze me hebben verjaagd.'

'Je kunt morgen meegaan naar Buffalo Springs,' bood Sarah aan. 'En Suniva ook. En als Lars tijd heeft, kan hij ook een paar dagen langskomen.'

'Ik weet het niet.' Hannah twijfelde. 'O, daar heb je Lars al. Ik ga even liggen. Omdat ik 's nachts geen oog dichtdoe, probeer ik overdag wat te slapen. Ik zie je later wel.'

'Sarah.' Lars' altijd zo blozende gezicht was bleek en vermoeid. 'We zitten nu echt in de problemen, en in vergelijking met de andere incidenten is de brand echt de druppel.'

'Ik heb begrepen dat Jeremy jullie ook niet veel te bieden heeft,' zei ze.

'Soms vraag ik me af of we niet iets heel belangrijks over het hoofd zien,' zei hij. 'Hij is een prima politieman en een oude vriend van de familie, maar ik heb het gevoel dat hij iets voor ons verzwijgt. Misschien heeft het iets met Jan te maken. Al kan ik me niet voorstellen waarom hij dat zou doen.'

'Dat denkt Camilla ook. En Rabindrah ook,' zei Sarah, 'maar ik zeg het maar niet tegen Hannah. Ik weet dat ze kwaad zou worden, en het is maar een vaag vermoeden.'

Even had ze zin Lars te vertellen over de pater en haar irrationele angst dat Simon misschien toch nog in leven was en zich verborgen hield in het dichte, donkere bos, wachtend om opnieuw te kunnen toeslaan, vanwege een reden die ze niet konden begrijpen. Toen zei haar gezonde verstand tegen haar dat er geen bewijzen waren, dat haar gevoelens niet logisch waren en alleen maar tot vals alarm konden leiden. En het was allemaal al erg genoeg.

'Hoe was het in Londen? Vertel eens wat, misschien kan het me opmonteren,' zei Lars. 'En wacht maar even met een verslag van je broers bruiloft totdat Hannah er weer bij is.'

'Deirdre heeft het op het laatste moment afgezegd,' zei Sarah, 'dus dat was ook al ellende. Doffe ellende.'

Ze ging zitten en vertelde hem alles over haar bezoek aan Europa, met inbegrip van Camilla's aanhoudende verhouding met Edward en de schok die ze had gevoeld toen ze haar broer voor de woning in Knightsbridge had gezien.

'Ik vraag me maar af wat dat te betekenen had,' zei ze, met een stem waarin het ongenoegen net zo smeulde als de resten van de brand op de heuvel, 'ik kan me niet voorstellen waarom ze zoiets voor me verborgen zouden houden. De hele tijd dacht ik dat ze erover zou beginnen, of dat Tim het zou komen uitleggen, maar ze heeft niets gezegd en we hebben vrij gespannen afscheid van elkaar genomen. Dat was dus onze vriendschap. Maar zeg alsjeblieft niets tegen Hannah, die heeft al genoeg aan haar hoofd.'

'Dat is zo,' was Lars het met haar eens. 'Camilla heeft sinds haar vertrek niet meer geschreven. Ze heeft geld voor het atelier gestuurd, zoals beloofd, maar verder niets, geen telefoontje, geen briefje, niets. Dat grijpt Hannah ook nogal aan.'

'Het verbaast me niets,' zei Sarah bitter. 'We denken altijd dat het beter zal worden, maar ze verandert niet.'

'Is dat trouwens je oude Land Rover, waarmee je bent gekomen?' Lars probeerde haar af te leiden omdat hij kon merken dat ze van streek was.

'Ja,' zei ze, 'maar de oom van Rabindrah heeft hem helemaal uit elkaar gehaald en er nieuwe onderdelen in gezet. De motor is gereviseerd. Dat oude ding rijdt weer als een zonnetje. Dus we hebben een tweedehandsauto die zo goed als nieuw is. Dan is helemaal in de wolken.'

'O ja, Dan,' herinnerde Lars zich, 'die heeft nog voor je gebeld. Hij zei dat iemand gisteren een boodschap via de radio voor je heeft achtergelaten. Een priester in Nyeri. Ene pater Bidoli. Hij wil je spreken.'

'O.' Sarah had het gevoel dat haar hart uit haar keel naar buiten zou komen.

Heel even wilde ze niets liever dan weer in Ierland zijn, bij haar familie, ver weg van het geweld en de angst die onderdeel waren geworden van het dagelijks leven op de plek waarvan ze zoveel hield. Er waren te veel schokkende gebeurtenissen geweest, te veel herinneringen en voortekens en boodschappen uit het verleden. Ze kon er niet meer tegen.

Lars keek haar nieuwsgierig aan, en ze hoopte dat hij noch Hannah naar de pater zou vragen. Hopelijk zouden ze denken dat ze had besloten haar geloof weer actief te belijden.

'Verdomme,' zei ze. 'Ik kom net uit Nairobi, en daar woont hij.'

'Nee hoor,' zei Lars. 'Dan zei dat hij in Nyeri zit. Hij heeft me een telefoonnummer gegeven.'

Het duurde een tijdje voordat ze de pater had gevonden en met hem werd doorverbonden, maar opeens hoorde ze zijn stem, trillend en breekbaar, aan de andere kant van de lijn.

'Sarah, ik ben teruggekeerd naar de missiepost, naar Kagumo,' zei hij, 'en ik hoop hier een tijdje te kunnen blijven. Voor zolang ik nog heb op deze aarde. Ik heb contact opgenomen met het kamp, en daar zeiden ze dat je op Langani zat. En ik vroeg me af of je zin hebt om langs te komen. Om me te bezoeken. Misschien morgen. Want ik weet me weer iets te herinneren. Iets wat ik je wil laten zien, kindje. Het heeft met Simon Githiri te maken.'

ELF

Kenia, mei 1967

Pater Bidoli zat op haar te wachten op de missiepost in Nyeri. Hij was zo breekbaar dat ze de afzonderlijke botjes in zijn vingers kon voelen toen hij haar de hand schudde. Ze ging zitten en wachtte totdat hij ook had plaatsgenomen, vechtend tegen haar ongeduld.

'U bent weer terug op uw oude stek, vader,' zei ze. 'Ik hoop dat dat betekent dat u zich beter voelt?'

'De artsen in Nairobi hebben gedaan wat ze konden,' zei hij met kalme berusting. 'En hier ben ik beter af. Dit is na al die jaren mijn thuis geworden.' Hij keek haar aandachtig aan, recht in haar ingevallen gezicht. 'Je vrienden in Buffalo Springs zeiden dat je weg bent geweest?'

Ze vertelde hem over haar bezoek aan Londen en over haar tijd in Ierland, en toen over de brand in de lodge. 'Ik had vandaag terug moeten gaan naar het kamp,' zei ze, 'maar ik mag wat langer bij Hannah blijven. Vanwege de brand.' Ze leunde achterover. Haar stem stierf weg en maakte plaats voor stilte.

'Het zal nooit ophouden, vader,' zei ze na een tijdje. 'Wie ze ook zijn, waarom ze het ook doen, ze zullen doorgaan totdat ze Hannah van Langani hebben verdreven. Of erger. En we kunnen er niets tegen ondernemen.'

'Daarom heb ik je ook gevraagd te komen,' zei pater Bidoli. 'Bij je eerste bezoek was ik niet voorbereid. Ik heb in al die jaren zo veel jongens onder mijn hoede gehad dat het me moeite kostte alles over Simon naar boven te halen. Ik had tijd nodig. Om me dingen te herinneren. En dat heb ik sinds ons gesprek ook gedaan. Ik heb aan hem gedacht en geprobeerd de details van onze tijd samen uit mijn geheugen op te diepen.' Hij glimlachte naar haar. 'Een voordeel van mijn leeftijd is dat je tijd hebt om na te denken. En ik kon me iets herinneren waar je misschien wat aan hebt.'

Op zijn schoot lag een versleten notitieboek, met op de voorzijde in grote letters een jaartal. Twee jaar geleden, zag ze. Hij bladerde al sprekend door het boek.

'In Kagumo houden ze bij waar de jongens heen gaan wanneer ze het terrein verlaten,' zei hij. 'Wanneer een leerling zijn familie bezoekt of ergens een cursus gaat volgen, moet hij voor vertrek een paraaf in het boek zetten. Hij moet opschrijven naar wie hij toe gaat, en waar diegene woont. Ik weet nog dat Simon vreselijk opgetogen was toen hij eindelijk zijn familie had gevonden, en ik bedacht dat hij geen reden heeft gehad de details te verzwijgen. Hij moet trots zijn geweest dat hij familie had, dus waarom zou hij geen echt adres in het boek hebben gezet? Tenzij degene die hem is komen halen niet geheel eerlijk is geweest. Zodra ik vorige week terugkwam uit Nairobi heb ik naar het boek van dat jaar gevraagd, en ik heb het doorgelezen.' Hij stak het haar toe. 'Hier staat het.'

Zijn vinger wees naar een regel onder aan de bladzijde, en Sarah voelde misselijkheid opwellen toen ze het keurige handschrift van Simon herkende. Heel even kwam de herinnering aan hem haarscherp bij haar boven: zoals hij altijd zorgvuldig de opdrachten had genoteerd die Hannah en Piet hem hadden gegeven. Ze balde haar vuisten, zodat haar nagels in haar vlees drongen, en ze voelde weer de pijn waarmee hij iedereen had opgezadeld.

Pater Bidoli legde een hand vol oudersdomsvlekken over de hare. 'Ik zie dat je het handschrift herkent. Hij was altijd erg netjes. Daardoor had ik het vermoeden dat hij zijn naam in het boek kon hebben gezet.'

'Simon Githiri. Met Karanja Mungai naar het Mwathe Reservaat.' Sarah staarde naar de bladzijde, nam de woorden in zich op en vroeg zich af of dit de eerste bruikbare aanwijzing was die Simon had achtergelaten. 'Denkt u dat dit een bestaand adres is, vader?'

'Iemand zal erheen moeten gaan en naar hem moeten vragen,' zei de oude pater. 'Het is niet ver van Nyeri. Maar ook al is hij daar geweest, dan wil dat nog niet zeggen dat de mensen daar dat zullen toegeven. Hij is dood, ze zullen zijn schande niet op zich willen nemen. Schrijf die naam op, Sarah, en de naam van het reservaat. Maar koester niet te veel hoop.' Zijn toon was waarschuwend.

'Ik vind het heel naar voor u, vader. Ik weet dat hij u erg dierbaar was, als kleine jongen.'

'Hij was nog zo klein toen hij hier net was.' De pater wreef over zijn voorhoofd. 'Jong, maar met een oud gezicht dat was getekend door verdriet. Ik dacht dat hij een kind was dat dingen had gezien die kinderen niet mogen zien, maar ik had geen idee wat het was. Toen hij voor het eerst iets zei, was dat omdat ik een boek aan de kleintjes voorlas, een simpel volksverhaal van de Kikuyu over een arme jongen en een ezeltje. Ik deed het geluid van een ezel na, en opeens moest hij lachen. Hij had zo'n prachtige lach, die veranderde zijn hele gezicht en maakte weer een klein jongetje van hem. Ik merkte dat ik een manier had ontdekt om hem zijn jeugd terug te geven. Niet dat ik die kon herstellen, dat kon niemand. Hij had geen vader, geen moeder, geen familie. Maar door middel van boeken en verhalen die ik vertelde, kon ik zijn verbeelding tot leven laten komen. Hij leerde hoe hij moest spelen en lachen, al bleef hij verlegen. Hij deed heel erg zijn best om me een plezier te doen, en hij was in alles even serieus. Ik denk dat hij zich nooit helemaal veilig heeft gevoeld, zelfs niet op de missieschool.'

'Dus u denkt dat hij op zeer jonge leeftijd iets heel beangstigends heeft meegemaakt.' Sarah dacht aan Simons manier van doen, zijn gebaren en uitdrukkingen. Hij had haar altijd een bescheiden jongeman geleken, rustig, vol zelfvertrouwen. 'Maar u hebt nooit ontdekt wat dat was?'

'Ik heb geprobeerd hem te laten vertellen over wat hij had meegemaakt voordat hij bij ons kwam, maar na een tijdje vroeg ik er niet meer naar, omdat hij vaak dagenlang zijn mond hield wanneer iemand hem iets had gevraagd. Dan zat hij alleen maar in zijn eentje en wilde niet meer eten. Hij wilde zich niets herinneren. Na verloop van tijd wist hij weer iets van zijn leven te maken. Hij was slim en deed goed zijn best en boekte vooruitgang. De meeste kinderen hier komen nooit verder. Die kunnen we helemaal niet helpen.'

'Waardoor veranderde hij?'

De pater schudde zijn hoofd. 'Ik zou het niet weten. Ik weet alleen dat het iets vreselijks moet zijn geweest, anders zou hij nooit alles wat hij had geleerd de rug hebben toegekeerd. En in een moordenaar zijn veranderd. Als ik hier was geweest toen hij me kwam zoeken, dan had ik misschien... Maar ik was er niet toen hij me het hardst nodig had. Dat soort dingen kunnen we nooit begrijpen, mijn kind.'

Sarah leunde achterover in haar stoel. Het vermoeide haar dat ze er niets van begreep. Een herinnering aan Simons gezicht plaagde haar: de vreugde die ze op zijn trekken had gezien toen ze hem het boek had gegeven. Had hij echt zo'n dubbele persoonlijkheid gehad, met een deel dat vol hoop was voor de toekomst en een ander deel dat zo was vervuld van haat dat hij kon verminken en moorden? Ze verdrong de gedachte.

'Ik twijfel er niet aan dat hij bewondering voor u had,' zei ze, verlangend de pater troost te bieden. 'Hij moet u dankbaar zijn geweest.'

'Niet dankbaar genoeg om zich te houden aan wat ik hem heb geleerd,' zei pater Bidoli. 'Maar misschien kan deze aantekening je op de een of andere manier verder helpen. Ik geef je mijn zegen, kind, en je weet dat je hier altijd welkom bent, om wat voor reden dan ook. Moge God je rust en vrede geven.'

De hele weg terug naar Langani worstelde Sarah met de vraag wat ze moest denken van de informatie die ze had gevonden. Misschien had degene die Simon was komen halen een valse naam en een vals adres opgegeven. Al had hij niet kunnen weten dat die gegevens zouden worden genoteerd. Misschien waren ze echt naar het Mwathe Reservaat gegaan, misschien was daar nog iemand die zich Simon kon herinneren. Ze besloot er eerst met Lars over te praten voordat ze iets tegen Hannah zou zeggen. Het was slechts een vage aanwijzing die misschien niets te betekenen had en alleen maar tot meer teleurstelling zou leiden. Daar hadden ze er al genoeg van gehad. Toen vroeg ze zich af of ze dit tegen Jeremy Hardy moest zeggen. Hij had gezegd dat zelfs de onbeduidendste details hen op het goede spoor konden zetten, gecombineerd met wat ze al wisten. Sarah besloot hem te bellen zodra ze met Lars had gesproken.

Op Langani stormden de honden meteen op haar auto af en heetten haar blaffend welkom. Mwangi kwam naar buiten en zei dat *memsahib* Hannah in de melkerij was, maar dat de *bwana* in het kantoortje zat. Ze liep over de veranda en klopte op de deur.

'*Hodi*, ik ben er weer. Hoe gaat het? Hoe is het met Hannah?'

'Het gaat.' Lars stond op om haar te begroeten.

'Heb je nog iets van Jeremy gehoord?' Ze wilde het onderwerp meteen ter sprake brengen.

'Niets. Het is allemaal erg frustrerend.'

'Lars, ik moet je iets vertellen, maar ik weet niet of we er echt iets aan hebben.' Ze keek hem recht aan. 'Maar je mag niets tegen Hannah zeggen,' voegde ze er smekend aan toe. 'Nog niet.'

'Goed,' zei hij, eerder nieuwsgierig dan met tegenzin.

'Ik ben bij een van de Italiaanse paters uit Kagumo geweest,' zei Sarah. 'Een oude man, hij is met pensioen en erg ziek. Maar hij had veel met Simon te maken toen die nog klein was. Om eerlijk te zijn was Rabindrah degene wie het is opgevallen dat niemand na de dood van Piet met hem heeft gesproken –'

'Rabindrah? Wat heeft die hiermee te maken? Waarom bemoeit hij zich er nog steeds mee?'

'Luister nou eens, Lars. Rabindrah heeft ons misschien het eerste stukje informatie gegeven waar we echt iets aan hebben, sinds het begin van het onderzoek en de dood van Piet. Wil je het horen of niet?'

'Sorry. Maar je weet hoe Hannah over hem denkt.'

Sarah negeerde die opmerking en stak meteen van wal omdat ze geen zin had in een discussie over de Indiase journalist. 'Zoals ik al zei, viel het Rabindrah op dat niemand toen met de pater heeft gesproken omdat die toen in het ziekenhuis lag. Daarom ben ik naar hem toe gegaan. Twee keer al.'

'Twee keer? Wanneer was de eerste keer dan?' Lars was van zijn stuk gebracht.

'In Nairobi, kort voordat ik naar Londen vertrok. Maar ik heb er toen niets over gezegd omdat ik niet wist of hij me iets nuttigs zou vertellen.'

'Heeft hij dat gedaan?'

'De eerste keer niet, nee, maar vandaag ben ik weer naar hem toe gegaan omdat hij zich iets wist te herinneren.' Ze pakte het stukje papier waarop ze de gegevens had genoteerd die Simon in het logboek had opgeschreven en vertelde wat de pater had gezegd.

Lars keek zwijgend naar het briefje en zei toen: 'Ik weet waar Mwathe is. Net buiten Nyeri, aan de rand van het Aberdare Forest. Het is een van de grootste reservaten van de Kikuyu.'

'Het is niet veel, maar we hebben in elk geval een naam. Karanja Mungai. Misschien helpt dat ons verder. Wat denk je, moeten we het tegen Jeremy zeggen? Zodat hij er iemand heen kan sturen die vragen kan stellen?'

'Ja, dat zou hij meteen doen,' zei Lars knikkend. 'Of misschien wel zelf gaan. Maar dat land behoort uitsluitend aan de Kikuyu. Tijdens de noodtoestand was dat het hart van de Mau Mau.'

'En dus?'

'En dus zullen de mensen in dat reservaat niets zeggen tegen een blanke politieman die op zoek is naar een lid van hun stam in verband met de moord op een blanke *bwana* of brandstichting op de boerderij van een blanke,' legde Lars uit. 'Ze zullen hun mond houden en wij zullen niets wijzer worden.'

'Dan moeten we zelf gaan,' besloot Sarah. 'Jij en ik vormen geen bedreiging omdat we niets met justitie of de gevangenis en dat soort dingen te maken hebben. We kunnen zelf met die mensen gaan praten. Je zegt altijd dat je zo met de Kikuyu moet omgaan. En als we echt niet verder komen, kunnen we het altijd nog aan Jeremy overlaten.'

'Ik dacht het niet.' Lars schudde zijn hoofd. 'Het zou niet verstandig zijn als we daar zonder begeleiding heen zouden gaan.'

'Dan nemen we een Kikuyu mee, om het ijs te breken. Iemand van hier die we kunnen vertrouwen.'

'Dat gaat niet, Sarah.'

'Dan ga ik wel,' zei ze. 'Ik vraag wel of David mee wil gaan. Kamaus zoon kan ik volledig vertrouwen. Nu de lodge is afgebrand, heeft hij toch geen werk meer, en ik neem aan dat hij maar al te graag wil weten wie daarachter zit.' Ze sprak snel omdat ze wist dat Lars haar dolgraag op andere gedachten wilde brengen. 'Dit is onze enige aanwijzing, dit kan belangrijk zijn. Ik ga naar Mwathe, met of zonder jou.'

'Je kunt daar niet alleen heen gaan, Sarah.' Hij wilde tegen haar zeggen dat ze te impulsief en te koppig was, maar wist dat dat geen zin had. Ze had haar besluit al genomen. 'Goed dan, ik ga met je mee, en we nemen David ook mee. Dat is in elk geval een verstandig idee.'

'En wat zeggen we tegen Hannah?'

Lars zweeg even, verscheurd door het verlangen Hannah tegen verder gevaar te beschermen en de wetenschap dat hij dit voornemen alleen geheim kon houden door tegen haar te liegen. 'Ik denk dat we voorlopig beter helemaal niets kunnen zeggen,' zei hij met tegenzin. 'Niet totdat we iets zeker weten. Als ze het wist, zou ze mee willen. We moeten rustig en kalm onze vragen stellen, en Hannah is veel te opgefokt. Ze zou niet geduldig en kalm kunnen blijven. Dus we zeggen even niets.'

'Maar het zal ons bijna een dag kosten. We moeten toch iets zeggen?' Sarah keek hem vol twijfel aan. 'Ik weet het niet, Lars. Het voelt gewoon niet juist.'

'Wat voelt niet juist?' De deur ging open en Hannah kwam binnen. Ze ging naast haar man staan en legde haar hand in zijn nek.

Sarah keek Lars vragend aan en vroeg zich af of Hannah al lang voor de deur had gestaan en iets had gehoord. Bijna onmerkbaar schudde hij zijn hoofd, en ondanks haar besluiteloosheid verliet de leugen soepel en moeiteloos haar lippen: 'O, ik ben niet tevreden met een van de foto's voor het boek. Ik denk dat ze een andere moeten nemen.'

'Kan dat nog?' vroeg Hannah verbaasd. 'Vertel eens, welke bedoel je? Ik kan me niet voorstellen dat je nog betere foto's hebt dan die. Kom, dan maken we meteen een wandelingetje en neem ik Suniva mee.'

Ze liepen samen naar buiten, maar niet nadat Sarah nog een snelle blik op Lars had geworpen. Hannah glimlachte slechts, vervuld van de vreugde van een moeder die weldra haar kind weer zal zien.

'Ik ben van plan morgen naar Nanyuki te gaan,' zei Lars tijdens het eten.

'O, misschien rij ik wel met je mee.' Sarah staarde ingespannen naar haar soep, zodat ze Hannah niet aan hoefde te kijken.

'Waarom in vredesnaam?' vroeg Hannah verwonderd. 'Ik had gehoopt dat je me in de medische hulppost zou kunnen helpen.'

'Sorry, Han, maar ik moet een stel negatieven en dia's naar Londen versturen en Rabindrah laten weten dat ik van gedachten ben veranderd. Het is erg belangrijk. Dringend.'

'Kan Lars dat niet voor je doen?'

'Ik moet ook nog een paar dingen voor mijn werk kopen. Persoonlijke dingen, je kent dat wel. Daar had ik gisteren geen tijd meer voor.' Sarah wist dat ze ongeloofwaardig klonk, maar ze kon niets beters bedenken. Zenuwachtig liet ze haar glas in haar hand ronddraaien.

'Nou, je mag zelf weten wat je doet,' gaf Hannah toe, maar blij klonk ze niet. 'Hoe laat zijn jullie weer terug?'

'Ergens in de middag.' Lars was vaag. 'Ik moet op een onderdeel voor de combine wachten. O, en ik neem David mee.'

Hannah keek hem aan. 'David? Waarom dat?'

'Nu hij geen kok in de lodge kan worden, zit hij behoorlijk in de put. Ik wil hem iets te doen geven.' Lars schonk geen aandacht aan haar groeiende irritatie en vervolgde: 'Jij hebt hem nu toch niet nodig.'

'Ik laat hem weer in het magazijn werken, net als voorheen.' Hannah zag rood van ergernis.

'Nou, je kunt hem vast wel een dagje missen,' zei Lars. 'En misschien kun je ander werk voor hem verzinnen. David heeft weliswaar geen opleiding afgerond, maar hij is slim en heeft een uitdaging nodig, anders raken we hem nog kwijt.'

'Boodschappen doen in Nanyuki lijkt me niet echt een uitdaging,' merkte ze kwaad op. 'En ik denk niet dat je je moet bemoeien met wat ik hem laat doen. Hij mag blij zijn dat ik hem nog in dienst wil houden. Als je hem nu gaat voortrekken, krijgen we alleen maar ontevredenheid en jaloezie onder de *watu*. Dat zal problemen veroorzaken.'

'Misschien wel,' gaf Lars toe, 'maar ik neem hem toch mee.'

'Je gaat je gang maar.' Kwaad smeet ze haar servet neer. 'Maar overmorgen wil ik David weer in het magazijn zien.'

Zodra ze klaar was met eten stond ze op en liet hen alleen, ontstemd vanwege Sarahs voorgenomen uitje. Onlangs was er op de boerderij dysenterie uitgebroken, en ze kon onmogelijk iedereen die naar de hulppost kwam in haar eentje helpen. Sommige vrouwen kwamen aanzetten met *toto's* die hoge koorts hadden en uitgedroogd waren. Het hele tochtje naar Nanyuki leek haar onnodig, en het was het verkeerde moment. Ze had gehoopt dat Sarah haar in de paar dagen die ze hier nog zou zijn zou kunnen opmonteren, maar dat ging niet als ze de hele dag weg zou zijn.

In de eetkamer zat Lars naar de tafel te staren. Zijn gezicht was verstrakt. Sarah had met hem te doen, maar ze wist niet wat ze moest zeggen. Ten slotte stond ze op en raakte even zijn schouder aan. 'Het is gewoon de spanning van de afgelopen tijd,' zei ze. 'Of nee, die van het afgelopen jaar. We moeten geduld hebben. Ik zie je morgen.'

Ze vertrokken al vroeg, zich hevig bewust van Hannahs aanhoudende ongenoegen. Lars had zijn ogen ten hemel geslagen toen ze was opgestaan van de ontbijttafel, zich op haar hielen had omgedraaid en alleen aan haar dag was begonnen. Sarah kreeg het gevoel dat Lars en zij een stel ongehoorzame kinderen waren en wilde dolgraag naar buiten rennen om Hannah te vertellen wat er aan de hand was. Maar dan zou Lars zeker in de problemen komen omdat hij een dag eerder had gelogen. Wat ze ook deed, het zou nooit goed zijn. Geërgerd slaakte ze een diepe zucht.

In Nanyuki reden ze eerst naar de winkels om de goederen te bestellen die ze nodig hadden en ze spraken af wanneer ze die weer konden ophalen. Sarah kocht ook een paar meter *kitenge* en wat wol in felle kleuren.

'Wat ga je daarmee doen?' vroeg Lars. 'Vrouwen willen ook altijd winkelen, wat de omstandigheden ook zijn.'

'Dit is voor de vrouwen in Mwathe,' zei Sarah een tikje gepikeerd. 'Karanja heeft vast een of meer vrouwen. Het kan nuttig zijn geschenken aan te bieden.'

'Goed idee.' Een tikje schaapachtig liep hij de winkel weer in. 'Dan neem ik wat tabak voor de mannen mee.'

Terwijl ze zuidwaarts naar Nyeri reden, legden ze aan David uit waar ze heen gingen en wat ze hoopten te ontdekken. De jongeman voelde zich duidelijk niet op zijn gemak.

'U moet erg voorzichtig zijn,' zei hij. 'Die mannen in Mwathe... Als ze Simon hebben geholpen, of als ze verantwoordelijk zijn voor de dingen die sinds de dood van *bwana* Piet op Langani zijn gebeurd, dan deugen ze echt niet. Dan doen ze u misschien ook iets aan. Misschien is het beter als *memsahib* Sarah in Nyeri wacht.'

'Daar zit iets in,' vond Lars.

'Ik blijf niet alleen wachten.' Sarah was vastbesloten. 'Als jullie met Karanja praten, als we hem al vinden, praat ik wel met de vrouwen. Misschien zeggen de *bibi's* eerder wat tegen mij dan de mannen tegen jullie. Ik heb geen idee of dit ergens toe leidt, maar ik ga naar Mwathe. Mijn besluit staat vast.'

'David heeft gelijk waar het onze veiligheid betreft,' zei Lars. 'We moeten duidelijk maken dat er mensen zijn die weten waar we zitten. En dat die ons gaan zoeken als we op een bepaalde tijd niet thuis zijn.'

Sarah knikte instemmend, al wist ze dat het niet uitmaakte wat ze zouden zeggen. Zodra ze weten dat we van Langani komen, dacht ze, zijn we een doelwit voor iedereen die kwaad wil doen.

In Nyeri stopten ze even om de weg te vragen, en een half uur later reden ze over de weg die naar het Mwathe Reservaat voerde. Het Aberdare Forest torende dicht en groen boven de sporen van menselijke bewoning uit. Sarah zat stilletjes en gespannen voorin naast Lars terwijl David vroeg waar hij Karanja Mungai kon vinden. De mensen die over de onverharde weg liepen, keken hen nieuwsgierig na, maar bemoeiden zich nergens mee. Sommigen riepen een groet, anderen keken alleen maar argwanend en fluisterden over de vreemdelingen die voorbijreden. David zat kaarsrecht achter in de Land Rover, met een ernstig gezicht. Het was duidelijk dat hij zich zorgen maakte, maar hij zei er niets over.

De huisjes van de Kikuyu, die gemaakt waren van riet en leem, stonden in groepjes bij elkaar, omgeven door goed onderhouden akkertjes. Hoger in de heuvels zagen ze de *toto's* koeien en geiten hoeden, en voor elk hutje scharrelden de kippen heen en weer. De vrouwen liepen met zware bundels brandhout op hun rug over de smalle paadjes, kromgebogen onder het gewicht. De mannen liepen voor hun vrouwen uit of stonden in groepjes met elkaar te praten en te roken terwijl ze het huishoudelijk werk gadesloegen. Het leek een tafereel uit een ander tijdperk. Ze hielden halt op een plek waar de weg zo smal werd dat verder rijden onmogelijk was en stapten uit. David wees naar een groepje hutten voor hen, vlak bij de rand van het woud. 'Daar moet het zijn.'

Lars en Sarah keken naar wat hij aanwees. Rook steeg op uit de gaten in de daken van de ronde hutten. Toen ze dichterbij kwamen, zagen ze twee vrouwen buiten zitten en een stel kleine kinderen spelen in het stof om hen heen. Een derde vrouw, die jonger was, stond in de schaduw van een boom naast een van de hutten, een baby op haar heup. Ze sloeg hen zwijgend gade, roerloos maar duidelijk op haar hoede.

'Aan het aantal hutten te zien mag die Karanja niet klagen,' merkte Lars op. 'Minstens drie vrouwen, zo te zien. En eentje is erg jong, zelfs naar hun maatstaven.' Hij knikte in de richting van het meisje onder de boom.

'Wat ga je zeggen?' vroeg Sarah. Nu ze er eenmaal waren, wist ze het niet zo goed meer. 'We kunnen niet zomaar naar hen toe lopen en vragen wat ze van Simon Githiri weten.'

'David zal ons volgens de gewoonten van de stam voorstellen,' zei Lars. 'En daarna moeten we maar zien. We moeten goed opletten. Er is een aantal zware vergrijpen gepleegd, en als iemand iets te verbergen heeft, verraadt die zich mogelijk.'

'Hoe dan?' vroeg Sarah.

'Dat weet ik ook niet,' zei Lars, 'maar David begrijpt de gebaren en uitdrukkingen van zijn volk beter dan wij. Als ze liegen, merkt hij het wel. En mijn Kikuyu stelt niet veel voor. Ik kan het amper volgen als iemand snel praat, dus ik kan iets missen. Bovendien is het beter om over te komen als de domme blanke.' Hij glimlachte bemoedigend. 'Jij bent degene die goed een bepaalde stemming kan aanvoelen, Sarah. Steek je voelsprieten maar uit. Daar gaan we dan.'

Ze bleven bij de omheining rond de hutten staan. Sarah keek om zich heen, zich er opeens van bewust dat ze vanuit de omringende hutjes door iedereen werden bekeken en dat ze de enige blanken hier waren. Een paar jongere mannen kwamen naar hen toe en bleven dicht bij haar staan, zonder iets te zeggen, maar met argwanende gezichten. Zo keek zij ook. Ze voelde zich niet bepaald op haar gemak.

David riep een eerbiedige groet in het Kikuyu, en een van de oudere vrouwen knikte naar hem. Hij vroeg of *mzee* Karanja thuis was, en de vrouw knikte naar de grootste hut. Het meisje met de baby liep naar de ingang en riep iets naar binnen. Na een tijdje kwam er een man door de smalle opening naar buiten. Hij had vast liggen slapen, veronderstelde Sarah, en hij tuurde hen met gele en bloeddoorlopen ogen aan. Zijn gezicht was gerimpeld en onbuigzaam, en een lang litteken liep van zijn voorhoofd over zijn linkerwang naar zijn kaak. Hij had een stok bij zich die was bezet met kralen die een kleurig patroon vormden, en hoewel hij mager was, wekte hij de indruk sterk te zijn. Het was moeilijk te schatten hoe oud hij was: misschien ergens in de zestig, of zelfs boven de zeventig. Hij droeg een versleten kaki broek en een oud hemd in plaats van de uitdossing van zijn stam, maar zijn oorlellen waren uitgerekt en versierd met koperdraad, en hij had een mutsje op zijn hoofd dat met kralen was bestikt. Hij bleef dreigend en zonder te glimlachen voor zijn hut staan terwijl zij dichterbij kwamen. David nam weer het woord en vroeg of de *wazungu* de omheining mochten passeren om een belangrijke kwestie te bespreken. Karanja staarde hen lange tijd aan. Zijn vrouwen porden elkaar en spraken fluisterend met elkaar, hun handen voor hun monden, en de kinderen keken hen met een ernstige blik in hun grote ogen aan. Twee jongere mannen hurkten voor de ingang van een tweede hut neer, in afwachting van wat de *mzee* zou beslissen. Ten slotte knikte hij en wenkte dat ze dichterbij konden komen.

'Zeg tegen hem dat we erg dankbaar zijn dat hij met ons wil praten,' zei Lars tegen David. 'We hebben geschenken voor de *mzee* en zijn vrouwen en we komen om zijn advies te vragen over een moeilijke *shauri*. Want hij is een wijs man, en hopelijk kan hij ons helpen.'

Terwijl David tolkte, haalde Sarah het bruine papier van haar aankoop en toonde de vrouwen de meters stof en de kralen. Ze genoot van hun verrukte gezichten toen ze de materialen met hun vingers betastten. Lars bood Karanja een zak met tabak aan, en de oude man knikte weer en zei iets tegen de vrouwen. Ze verdwenen in de hut en kwamen terug met drie houten krukjes die ze voor de hut op de grond zetten. Lars en David gingen tegenover Karanja zitten, maar Sarah kon weinig anders doen dan aan de kant blijven staan. Het kostte Lars moeite goed te blijven zitten, met zijn lange benen in een vreemde hoek onder zich gevouwen, en Sarah meende Karanja's ogen even boosaardig te zien glanzen toen hij zag dat de grote blanke man netjes probeerde plaats te nemen. De jongere Kikuyu hurkten aan weerszijden van hun leider neer. Iedereen keek naar Lars toen die een pakje sigaretten uit zijn zak haalde en die zijn gastheer aanbood. Karanja pakte een sigaret aan en daarna staken de andere twee mannen hun hand uit. Na een paar op gedempte toon uitgesproken woorden tussen de mannen en de vrouwen nam ook de oudste vrouw er eentje. Lars stak Karanja's sigaret met zijn Zippo aan, en toen de aansteker de kring rondging, bekeken alle aanwezigen het metaal aandachtig. Toen de aansteker weer terug was bij Karanja hield die hem nadenkend in zijn hand.

'Zeg tegen hem dat ik het een eer vind als hij de aansteker als geschenk wil aanvaarden,' zei Lars tegen David.

De Zippo en het pakje sigaretten verdwenen in Karanja's broekzak. Hij trok aan zijn sigaret en keek de *wazungu* door de rook met een vijandige blik aan. Hij mompelde iets onverstaanbaars tegen de andere mannen, maar omdat Sarahs Kikuyu niet geweldig was, had ze geen idee waar hij het over had. Lars vroeg aan David of die wilde zeggen dat ze meer wilden weten over een jongeman die mogelijk familie van hen was en die bij de mensen voor wie hij had gewerkt bekend was geweest onder de naam Simon Githiri.

Sarah bleef doodstil staan en sloeg hen aandachtig gade toen de naam van Simon werd genoemd. De mannen verstijfden duidelijk, en de twee jongere wisselden een heimelijke blik. Het meisje met de baby reageerde echter het opvallendst. Ze stond aan de rand van de kring, uit het zicht, en de mannen zagen niet dat ze het kind in haar armen steviger vastgreep en dat haar vingers in het bundeltje drongen. Er klonk een jammerende kreet, en Karanja draaide zich met een boze blik naar haar om. Ze dook weg en legde uit dat het kind wakker was geworden en honger had. Met een bezorgd gezicht probeerde ze de baby stil te krijgen en bood de oude man haar verontschuldigingen aan omdat ze hem had gestoord. Hij keek haar vol minachting aan.

Sarah sloeg het meisje aandachtig gade. Ze had een vlaag van paniek over dat gezicht zien schieten en was ervan overtuigd dat de jonge vrouw Simon kende of in elk geval van hem had gehoord. Sarah liep in haar richting en knikte even vol eerbied naar Karanja, in de hoop dat hij zou denken dat ze gewoon een vrouw was die belangstelling had voor een kindje. De baby moest al minstens een jaar oud zijn, maar kroop niet rond tussen de andere *toto's* op het erf. Een van de vrouwen lachte kakelend en spuugde op de grond toen Sarah haar hand uitstak om het kindje aan te raken. Hij had zich aan zijn dekentje ontworsteld, en nu zag ze dat hij een zwaar misvormd voetje had. Het meisje volgde haar blik en trok snel in een beschermend gebaar haar eigen kleren om hem heen. Sarah glimlachte naar haar op wat hopelijk een geruststellende manier was, maar er kwam geen reactie.

Karanja sprak een paar minuten lang op zachte toon met de andere mannen. Toen wendde hij zich hoofdschuddend tot David en beweerde nooit van Simon Githiri te hebben gehoord. Zijn twee hulpjes kwamen dichter naar hem toe en schudden eveneens ontkennend het hoofd. Lars liet merken dat hij het jammer vond door zijn handen uit te steken, met de palmen naar boven, en zijn schouders op te halen.

'Dan hebben we ons vast vergist,' zei hij, 'maar we zijn bij de missieschool in Kagumo geweest waar deze Simon Githiri als kind heen is gebracht. Er stond een aantekening in het logboek waaruit bleek dat hij door een familielid, ene Karanja Mungai, was meegenomen voor familiebezoek aan het Mwathe Reservaat. De paters hebben ons verteld dat Simon Githiri samen met Karanja Mungai de missiepost had verlaten. Misschien is er hier nog iemand met die naam?'

Karanja stond op en gaf aan dat zijn metgezellen hetzelfde moesten doen. David begreep het meteen, maar Lars was langzamer. Hij was nu in het nadeel, als enige man die nog zat. Hij stond moeizaam op en keek de drie Kikuyu aan. De sfeer was gespannen geworden. De oude man zwaaide zijn stok voor Lars' gezicht heen en weer en sprak op boze toon, waarbij het speeksel opwelde in zijn mondhoeken. Hij stompte met zijn *rungu* in het stof om zijn woorden kracht bij te zetten. Dit was geen beleefd gesprek meer, hij boog zich dreigend naar voren. Via David liet hij weten dat hij inderdaad een keer bij de missieschool was geweest, maar dat was al een hele tijd geleden. Hij had gehoord dat daar een jongen was die met zijn stam was verbonden, maar toen hij de jongeman vragen had gesteld, had hij beseft dat het een vergissing was. De jongen had niets met hem of zijn stam te maken. De jongen was oneerlijk geweest. Hij had beweringen geuit die niet waar waren. Als hij had opgeschreven dat Karanja familie van hem was, dan had hij gelogen. Misschien had hij dat gedaan om daar weg te komen, om ergens heen te gaan waar hij niet heen mocht van de paters.

Karanja spuugde op de grond en spreidde zijn handen uit. Hij had er niets aan toe te voegen, behalve dat de *wazungu* voor niets waren gekomen. Lars probeerde tevergeefs meer te weten te komen, en Sarah liep weer naar de jonge moeder toe en probeerde het kind aan te raken. Ze sprak het meisje aan in een mengelmoes van Kikuyu en Swahili waarvan ze hoopte dat ze het begreep.

'Mijn vader is arts, een blanke medicijnman,' zei ze met zachte stem. 'Hij heeft vaker kindjes als het jouwe kunnen helpen. Als je met je kind naar Langani komt, in de buurt van Nanyuki, dan zal ik je helpen. Ik ken artsen die je kindje beter kunnen maken. Het zal even duren, maar na verloop van tijd zal hij net zo kunnen lopen als andere kinderen.'

Het meisje sperde haar ogen open en wendde zich toen af. David legde aan Karanja uit dat de politie naar het reservaat had willen komen om vragen te stellen, maar dat *bwana* Olsen had gezegd dat ze zich vergisten en dat hij zelf wel zou gaan kijken. Hij was het ermee eens dat Simon Githiri een oneerlijk man was, sterker nog, hij was een erg slecht man en werd gezocht voor moord. En nu was hij dood. Een oordeel van de grote god Kirinyaga. Maar als ze zich nog iets over hem konden herinneren, of over mensen die wel vrienden of familie van hem waren geweest, dan moesten ze het tegen *bwana* Olsen zeggen, of tegen de politie in Nyeri.

Karanja staarde terug, steeds vijandiger, en herhaalde dat hij nog nooit van de man in kwestie had gehoord. En als hij dood was, was de zaak toch afgedaan. Hij spuugde weer op de grond en raakte bijna Davids voeten. Lars knikte en gebaarde dat ze moesten vertrekken.

De jonge vrouw was in een van de hutten verdwenen, en toen Sarah wegliep, meende ze een glimp van haar te zien, zoals ze in de schaduw van de deuropening naar hen stond te kijken. Maar de zon stond al laag aan de hemel, en met dat tegenlicht kon ze het niet met zekerheid zeggen.

Ze reden in hoog tempo terug naar Nanyuki, bezorgd dat ze misschien te laat waren om hun boodschappen op te halen. Wanneer ze met lege handen terug zouden keren naar Langani, zou Hannah alle reden hebben om kwaad te zijn.

'Ze weten iets, dat staat als een paal boven water,' zei Sarah terwijl ze voortsnelden over de weg. 'De manier waarop ze reageerden toen je Simons naam noemde, was overduidelijk.'

'Maar we hebben er niets concreets aan overgehouden,' zei Lars. 'Ik geloof er helemaal niets van dat Karanja helemaal naar Kagumo is gereisd en toen heeft geoordeeld dat Simon geen familie was. Ik weet zeker dat ze samen naar Mwathe zijn gekomen. Die oude pater van je had wel gelijk: Karanja had geen flauw idee dat Simon zijn naam had genoteerd.'

'Het is het eerste verband dat we met een bekende van hem kunnen leggen,' zei Sarah. 'En misschien kunnen we nu ontdekken wie ons kwaad wil doen.'

'In Mwathe zal niemand ons meer willen vertellen,' merkte Lars op. 'Misschien moeten we het nu aan Jeremy en zijn mannen overlaten.'

'Maar als de politie vragen gaat stellen, gaat Karanja er misschien vandoor. Dan verdwijnt hij in het woud. Als hij achter de laatste twee aanvallen op Langani zit, kan hij die vanaf elke plek hier hebben beraamd. Ze kunnen beter denken dat we hun verhaal slikken en de domme *wazungu* uithangen. Misschien kan Jeremy hun nederzetting in de gaten laten houden.'

'En jij, David?' wilde Lars weten. 'Wat vind jij van Karanja?'

'Hij is slecht, *bwana*. En hij gebruikt *bhang*.'

'Ja, hij had zeker iets genomen. Hij had die koortsachtige uitstraling die ze allemaal krijgen als ze verslaafd zijn.'

'Wat mij vooral interesseerde, was dat meisje met die baby,' zei Sarah. 'Ze schrok zich rot toen Simons naam viel. Ik wou dat ik onder vier ogen met haar had kunnen praten.'

'Het is niet goed voor een vrouw als iemand ziet dat ze met een *wazungu* praat,' legde David uit. 'Ze zouden haar doden. Ze is jong, een derde vrouw, en ze heeft een mismaakt kind. Zo iemand brengt de stam ongeluk. Die brengt iedereen ongeluk. Sommige mannen zouden van hun vrouw eisen dat ze zo'n *toto* ergens in de wilderis achterlaat. Voor de hyena's.'

'Dat arme kindje heeft een klompvoet,' zei Sarah. 'Een aandoening die heel gemakkelijk te verhelpen is, mijn vader heeft het vaak genoeg gedaan. Ik heb dat tegen haar gezegd, weet je, dat ik medische verzorging kan regelen, maar ik heb geen idee of ze me begreep. Voordat ik kon uitleggen wat ik bedoelde, liep ze weg.' Ze voelde zich terneergeslagen omdat ze in feite geen stap verder waren gekomen. 'Ik voel gewoon aan mijn water dat ze meer over Simon weet.'

'Misschien weet David hoe we haar te spreken kunnen krijgen,' zei Lars, maar zonder al te veel hoop.

'We moeten het nu wel tegen Hannah zeggen,' zei Sarah, 'al hebben we bijna niets ontdekt. We kunnen het niet langer verbergen, dat kan ik althans niet. Als we dit Jeremy gaan vertellen, moeten we het eerst tegen Hannah zeggen. Toe, Lars, ik ben helemaal niet geschikt voor geheimzinnig gedoe.'

Lars knikte instemmend. 'We gaan het er vanavond over hebben.' Hij keek even in zijn spiegel. 'En jij, David...'

'Ndio, bwana.'

'Je mag tegen niemand zeggen waar we vandaag zijn geweest. Tegen niemand. Het is van het grootste belang dat de mensen in Mwathe denken dat we geen belangstelling meer voor hen hebben, snap je dat?'

'*Ndio, bwana.* Ik zeg niets, tegen niemand.'

Ze kwamen letterlijk een paar seconden voor sluitingstijd van de winkel in Nanyuki aan.

'Wat dacht je van een snel drankje in het Silverbeck?' zei Lars toen ze de spullen hadden ingeladen. Hij wilde dolgraag iets van de spanning van de dag kwijtraken voordat ze terug zouden keren naar Langani.

'Ik denk dat we maar naar huis moeten gaan,' zei Sarah. 'Het is bijna donker, en Hannah vindt het niet prettig om alleen te zijn.'

Lars glimlachte en raakte met een vriendschappelijk gebaar haar arm aan. 'Je hebt gelijk. Zoals altijd. We rijden door.'

'Zullen we haar even bellen?'

Lars aarzelde en schudde toen zijn hoofd. 'Nee, ik heb geen zin om van alles aan de telefoon uit te leggen, en we zijn over een dik half uur thuis. Kom, we gaan.'

Ze reden in hoog tempo naar Langani, ieder in gedachten verzonken, totdat ze een bocht in de weg namen en bijna op een jonge olifant botsten. Sarah uitte een geschrokken kreet toen de enorme gestalte opeens voor hun voorruit verscheen en Lars trapte keihard op zijn rem. Het kostte hem moeite de auto in de hand te houden, en het voertuig schoot heen en weer over de onverharde weg waarin diepe voren waren uitgesleten. Een botsing leek onvermijdelijk, maar op het allerlaatste moment hief de olifant geschrokken zijn slurf op en verdween in de *bush.* Het voorwiel van de auto raakte met een knarsend geluid een rotsblok naast de weg en de Land Rover kwam tot stilstand, naar één kant overhellend. Een paar minuten lang bleef Sarah als verstijfd zitten staren naar de acacia die hen tot stilstand had gedwongen. Toen sloeg de paniek toe.

'Lars? Lars, ben je nog heel? David?' Ze merkte dat ze hun namen schreeuwde.

Naast haar begon Lars te hoesten in een poging zijn longen te bevrijden van het stof dat in verstikkende rode wolken om hen heen opsteeg.

'Ja, ja, ik ben nog heel... Ik leef in elk geval nog. En jij?'

'Ja.' Ze keek hem aan, slap van schrik en opluchting. 'David? Ben je gewond?'

'Nee, *memsahib*, ik maak het goed.' Zijn stem beefde en hij lag half over de achterbank, zich vastklampend aan het raampje.

'We kunnen beter gaan kijken wat de schade is.' Lars stapte uit, en de auto schudde vervaarlijk heen en weer toen hij op de grond sprong. 'Pas op,' zei hij waarschuwend, 'straks slaat hij om. We hangen half op een of andere rots. Stap heel voorzichtig uit, Sarah, en daarna jij, David. Hier, pak mijn arm maar vast. We moeten kijken of we hem weer op de weg kunnen krijgen en of hij het nog doet.'

Ze kropen uit de auto en luisterden vol ontzetting naar het gekraak van het metaal toen de verdeling van het gewicht veranderde. Nu ze waren uitgestapt en duidelijk ongedeerd, merkte Sarah dat ze misselijk werd en begon te trillen.

'Ga maar even zitten,' zei Lars. 'David, wil jij even een thermosfles achter uit de auto pakken?' Even later schonk hij een beker koffie voor haar in, waar hij flink wat suiker aan toevoegde. 'Het is de schrik. Drink op en blijf maar rustig zitten, dan proberen David en ik de auto van die rots te krijgen. Je bloedt toch niet? Je hebt toch niets gebroken?'

Sarah schudde haar hoofd omdat ze haar stem niet vertrouwde. Ze ging op een kleiner rotsblok vlakbij zitten en nipte aan de mierzoete koffie totdat haar handen ophielden met trillen, ze weer kalm kon ademhalen en de misselijkheid was gezakt. De mannen worstelden met de auto, maar het rotsblok was erg breed, en ze konden niet genoeg kracht zetten. Lars vloekte ontstemd. 'Verdomme, zo te zien zijn de wielen en het chassis niet beschadigd, maar hij zit vast, en ik wil niet dat hij helemaal op zijn zijkant komt te liggen. David, kun je het touw even pakken?'

David zocht achter in de auto, en het voertuig gleed even schokkend opzij toen hij tegen het achterportier leunde. Sarah hapte naar adem. Ten slotte, nadat Lars zijn schouder tegen de zijkant had gedrukt om te voorkomen dat de auto om zou vallen, wist de jonge Kikuyu het stuk touw te pakken. Ze maakten het vast aan het sleepoog en Lars verdween tussen de struiken om een dikke tak van een acacia te pakken die hij voor de Land Rover op de grond legde.

'Als ik deze onder de wielen kan krijgen, kan ik hem misschien omhoog krijgen en kan David hem naar voren trekken,' legde hij uit.

Sarah liep naar hen toe en gebaarde dat hij niet tegen haar in moest gaan. 'Laat me jullie helpen. Het is bijna helemaal donker, en we willen hier niet de hele nacht vastzitten. Hannah zal vreselijk ongerust worden als we nog langer wegblijven.'

'Goed dan,' gaf hij toe. 'Pak het touw. Als ik ja zeg, moeten jij en David zou hard mogelijk trekken en zal ik duwen.'

Hij liep naar de voorkant van de auto, waar ze hem hoorde vloeken en worstelen toen hij de tak onder de as probeerde te duwen.

'Goed, ik tel tot drie en dan trekken jullie, zo hard als je kan!' riep hij. 'Eén, twee, drie! *Harambee!*'

Het duurde twintig minuten, maar toen kwam de auto eindelijk los. Twee keer knapte de geïmproviseerde hefboom in tweeën en moest Lars op zoek naar een dikkere tak.

'Voorzichtig,' zei David tegen hem. 'Misschien staat die olifant op ons te wachten, of misschien wil hij ons wegjagen. Ik help wel zoeken naar een nieuwe tak.'

De olifant was nergens te zien, en een ander dier evenmin, maar daar was Sarah allerminst rouwig om. Toen de Land Rover eindelijk in beweging kwam, hoorden ze een schurend geluid, en ze was even bang dat de hele bodemplaat eruit zou vallen. Ten slotte, onder begeleiding van een laatste stuk kreunend metaal, kwam het voertuig in een wolk van stof op de weg neer en konden ze eindelijk op adem komen, moe en vuil. David en Sarah hadden hun handen opengehaald aan het touw, en Lars' armen zaten vol bloedende schrammen door de takken vol doorns. Hijgend bleven ze een tijdje in het oprukkende duister zitten om op adem te komen. Lars bekeek de auto eens aandachtiger. Er liep een veelzeggend oliespoor van het rotsblok naar de auto, en toen hij onder de Land Rover kroop, zag hij meteen wat er aan de hand was.

'Verdomme, het carter lekt,' zei hij. 'Misschien kunnen we het gat dichtstoppen met een oude lap, dan halen we thuis hopelijk nog. God mag weten hoe lang zo'n oplossing het houdt.'

Hij voegde de daad bij het woord en startte de auto. Ze kwamen langzaam vooruit, en hij moest twee keer stoppen om de doordrenkte lap te vervangen. De olie lekte nu veel sneller naar buiten. Er was verder niemand te zien, waardoor Sarah steeds banger werd dat ze de hele nacht in de rimboe zouden blijven steken, zonder dat ze Hannah konden laten weten waar ze zaten. Toen het onvermijdelijke gebeurde en de motor het helemaal liet afweten, konden ze niets anders doen dan hulpeloos blijven zitten luisteren naar de stoom die sissend vanuit de oververhitte motorkap ontsnapte.

'Dit is helemaal niet goed,' zei Lars. 'Helemaal niet.'

Toen uitte David een kreet. 'Daar komt iemand aan, *bwana* Lars. Vanuit de richting van Nanyuki.'

Lars stapte meteen uit en ging driftig zwaaiend midden op de weg staan. Koplampen naderden, en even later hield er een politieauto naast hen halt. Jeremy Hardy draaide zijn raampje naar beneden. 'Gelukkig, daar zijn jullie. Ik heb net Hannah aan de lijn gehad, die was compleet hysterisch. Ervan overtuigd dat jullie na een ongeluk of een overval ergens dood in een greppel lagen. Gaat het?' Hij keek naar Sarahs bloedende handen. 'Wat is er gebeurd?'

'We lagen bijna dood in een greppel,' zei Lars, lachend van opluchting. 'We stuitten plotseling op een olifant, raakten een rotsblok, en nu is het carter lek. We moeten naar huis worden gesleept.'

Lars maakte zijn sleepkabel vast aan de politieauto, terwijl Jeremy Langani via de radio liet weten dat hij hen had gevonden. Op weg terug naar de boerderij vertelde Lars wat er was gebeurd, en wat ze die middag hadden gedaan.

'We hebben het er morgen wel uitgebreid over.' Jeremy keek streng en afkeurend. 'Maar het was behoorlijk stom om zomaar naar dat reservaat te gaan, zonder iets tegen me te zeggen. Dit is niet het moment om de amateurspeurder uit te hangen. Mijn god, waar zat je met je verstand?'

Na achten kwamen ze op Langani aan. Mwangi kwam hen meteen begroeten, en David deed hem uit de doeken dat ze een olifant waren tegengekomen; hij spreidde zijn armen om het formaat van het dier aan te duiden en toonde de wonden die de doorns hadden veroorzaakt, alsof hij een dappere krijger na een zware strijd was. Sarah bleef afzijdig, stijf en uitgeput. Hannah was nergens te zien. Kamau kwam de keuken uit, en zijn zoon herhaalde zijn verslag, nu aangevuld met nog meer details die gevaar en drama moesten aanduiden.

Eindelijk kwam Hannah naar hen toe, de verbandtrommel in haar hand. Ze keek hen even aan en slikte toen moeizaam. 'Waar hebben jullie in godsnaam gezeten?' Haar stem klonk hoog van bezorgdheid. 'De zon is al onder. Jullie hadden in elk geval even kunnen bellen. Is het ook maar een moment bij jullie opgekomen dat ik vreselijk ongerust was? Mwangi zei dat de auto was gekanteld.'

Sarah liep naar haar toe, geschrokken van de woede van haar vriendin, en begon het uit te leggen. 'O, Han, het spijt me zo. We zijn bijna op een olifant gebotst, en we zijn er allemaal vreselijk aan toe. We hebben onze handen opengehaald aan het touw, we zitten onder de schrammen, en we hebben stijve spieren. Gelukkig is er niemand gewond geraakt.'

'Wanneer is dat allemaal gebeurd?' Hannah keek naar de schrammen op Lars' arm.

'Rond een uur of zes,' antwoordde hij. 'We hadden er aardig de vaart in, omdat we op tijd thuis wilden zijn –'

'Een uur of zes?' onderbrak zijn vrouw hem. 'Wat deden jullie tot een uur of zes in Nanyuki? Jullie gingen alleen maar een paar boodschappen doen en de post halen. Dat dacht ik althans. Maar blijkbaar hebben jullie een middag vrij genomen.'

Ze konden het haar niet uitleggen, niet waar het personeel bij was. Hannah opende zwijgend de verbandtrommel, pakte de jodium en goot wat op een stel watten.

'Maak je handen hiermee schoon,' zei ze op afgemeten toon tegen David. 'En doe er daarna wat van deze gele zalf op.'

David liep naar een hoekje van de veranda, zich afvragend of ze aan de woede van de jonge *memsahib* konden ontkomen en of ze haar veel leugens zouden vertellen. Sarah voelde een steek van medelijden toen ze hem zijn handen zag schoonmaken, alleen in het donker. Ze was doodmoe, ze beefde nog na van de zenuwen en was zich bewust van het brandende gevoel in haar handpalmen en haar pijnlijke spieren.

'David heeft zich vandaag bijzonder kranig geweerd,' zei ze. 'We hebben een paar angstige uren achter de rug. We wilden dolgraag naar huis omdat we wisten dat jij hier alleen zat.'

'O, dus dat wisten jullie wel? Goh, dat had ik nooit gedacht.' Hannahs ogen spuwden vuur. 'Ik hoop dat jullie veel lol hebben gehad in Nanyuki, nadat jullie mij van alles op de mouw hebben gespeld. Dat boodschappen doen, dat kan hoogstens een half uur hebben gekost. Toen jullie niet kwamen opdagen, heb ik naar alle hotels en kroegen gebeld, maar niemand had jullie gezien, de hele dag niet. Ik probeer hier godverdomme een boerderij te bestieren, en voor een baby te zorgen, en om te gaan met overvallen en brandstichting en...' Ze was zo woedend dat ze even geen woord kon uitbrengen, maar toen vervolgde ze: 'En met alles wat er hier is gebeurd. Lars heeft hier werk te doen, Sarah. Hij heeft geen tijd om de hele dag met jou te gaan winkelen.'

'We zijn niet gaan winkelen, Han. We –'

'Je bent de hele dag op pad geweest, met mijn man en iemand van mijn personeel, terwijl ik die twee hier goed kon gebruiken.' Hannahs stem klonk schril van woede. 'En dan hebben jullie ook nog mijn auto in de prak gereden, waarschijnlijk omdat jullie snelheid veel te hoog was.'

Ze wist dat ze allemaal dingen zei die ze niet moest zeggen, dat ze moest zeggen dat ze blij was dat ze er weer waren, dat ze zo bang was geweest toen ze niet thuis waren gekomen. Ze wilde haar armen om Lars heen slaan en zeggen dat ze bang was geweest dat hem iets was overkomen, dat ze niet zonder hem kon leven, dat ze geen dag aan zou kunnen als hij er niet zou zijn, vol van liefde voor haar. Ze had zo lang haar best gedaan om sterk en besluitvaardig en dapper te zijn, alleen maar om te ontdekken dat haar man en haar beste vriendin plannen smeedden waarvan ze haar met opzet buitensloten. Waar hadden ze de hele dag gezeten? Wat hielden ze voor haar geheim? Alle angst die ze had opgekropt, kwam nu in één keer naar buiten, in een uitbarsting van woede, en ze kon zichzelf niet stoppen. Sarah staarde haar zwijgend en geschrokken aan, maar Lars stond met zijn rug naar haar toe, zijn schouders opgetrokken en zijn handen in zijn zakken.

'Ik moet zeker medelijden met jullie hebben omdat jullie een paar schrammetjes vertonen,' zei ze, zich tot Sarah wendend. 'Maar jullie hadden om een uur of drie al terug moeten zijn, en ik was zo ongerust. Dus kom niet aanzetten met mooie verhalen over hoe goed mijn man of mijn personeelslid zich hebben gehouden, Sarah Mackay! Want je bent hier ook maar een gast. Je hebt niet het recht me de les te lezen.'

Sarahs gezicht vertrok. Ze greep de leuning van een stoel vast, maar trok weer snel haar handen terug toen ze de pijn voelde.

'Ik denk dat ik maar ga.' Jeremy Hardy schraapte zijn keel, duidelijk opgelaten. 'We hebben het er morgen wel over, als iedereen een beetje is bijgekomen. Laten we er in de tussentijd maar zo weinig mogelijk over zeggen. Het is beter als zo min mogelijk mensen van dat bezoek weten.' Hij gaf Hannah een klopje op haar arm. 'Welterusten, lieverd,' zei hij vriendelijk. 'Ik ben blij dat ik je heb kunnen helpen. Jullie ook welterusten.'

'Bezoek? Welk bezoek?' vroeg Hannah zodra de politieman was weggereden.

'Hannah, we kunnen het er beter binnen over hebben,' zei hij zacht. 'Voor je iets zegt waar je spijt van krijgt.'

Ze wilde weglopen, maar hij pakte haar arm en duwde haar in de richting van het kantoortje. Sarah bleef alleen op de veranda achter, als verstijfd, haar blik vertroebeld door tranen. Hannahs woorden hadden haar als een klap getroffen. Na een paar minuten hoorde ze dat David wegliep en liep ze ook zelf over de veranda, langs de ramen van het kantoortje, waarvoor de blinden gesloten waren, en sloot ze zichzelf op in haar kamer.

'Ik zit er niet op te wachten dat je me de les leest waar het personeel bij is,' zei Lars. 'Ik begrijp dat je van streek bent, maar je had dat soort dingen niet tegen ons mogen zeggen. Nee, hou even je mond, Hannah, en luister naar me.' Hij sloeg met zijn vuist op het bureau om haar tot zwijgen te manen. 'Rabindrah heeft Sarah in contact gebracht met een pater die voor Simon heeft gezorgd toen die nog een kind was.'

Hannah siste van woede toen de naam van de sikh viel. 'Die stomme curryvreter! Ik wist wel dat hij problemen zou gaan veroorzaken.

Hij heeft vanavond ook al hierheen gebeld. Waarom kan hij niet oprotten en ons gewoon met rust laten?'

'Hou eens even je mond, Hannah, en luister naar me.' Lars greep haar stevig beet en dwong haar te gaan zitten. 'Zeg dat soort dingen niet. Hij heeft ons misschien naar het eerste echte aanknopingspunt in deze zaak geleid. Die pater heeft Sarah verteld hoe de man heette die beweerde familie van Simon te zijn. Daarom zijn we vandaag naar het Mwathe Reservaat gegaan, om met hem te praten. En ik was degene die het voor je geheim wilde houden, omdat ik niet zeker wist of het ergens toe zou leiden.'

'O, maar je wilde het wel aan David vertellen?' Hannahs stem trilde en haar knokkels zagen wit omdat ze zo stevig de rand van haar vaders oude bureau vastgreep.

'Ik heb David meegenomen zodat hij voor ons kon tolken, en ik vertrouw hem,' zei Lars. 'Hij heeft beloofd dat hij niet zou zeggen waar we heen gingen. Dit hoeft de rest van het personeel niet te weten. Net zomin als ze hoeven te weten hoe laat ik van jou weer thuis moest zijn.'

'En, hebben jullie iets ontdekt?' wilde ze weten.

'Daar kom ik zo op,' zei Lars. 'Ik wil je eerst duidelijk maken dat je me niet moet beschuldigen van onverantwoordelijk gedrag, of moet klagen dat ik samen met Sarah de bloemetjes heb buiten gezet, zonder jou. Je kunt er maar beter voor zorgen dat haar handen worden verzorgd en dat ze iets tegen de spierpijn neemt, want ze heeft flink aan die auto staan trekken. Je zou haar moeten bedanken, en David ook –'

'Waarom kies je haar kant?' Hannah stond op en sloeg haar armen stijf over elkaar. 'Je snapt toch wel dat ik vreselijk ongerust was?'

Lars stak zijn hand naar haar uit nu zijn woede plaatsmaakte voor medeleven, maar ze wendde zich van hem af.

'Het spijt me dat ik niet heb gezegd waar we heen gingen,' zei hij, 'en ik snap heel goed dat dat een naar gevoel is. Maar je bent niet de enige die het moeilijk heeft. Je lijkt even te vergeten dat Sarah alles heeft verloren toen Piet stierf: de man met wie ze zou gaan trouwen, de toekomst die ze samen op deze boerderij hadden. Maar ze heeft altijd haar best gedaan om je te helpen en te troosten, om er voor je te zijn, om zo vaak mogelijk hierheen te komen. Het moet vreselijk voor haar zijn geweest om met die pater over Simon te praten, om niets te zeggen over wat we vandaag zijn gaan doen. Om het risico te lopen dat ze misschien oog in oog zou komen te staan met degene die ons hier weg wil hebben, koste wat kost. Dat is allemaal niet gemakkelijk voor haar. Jij hebt een mooie dochter, jij hebt altijd nog een thuis, hoe zwaar Langani ook wordt getroffen. En je hebt een man die van je houdt. Maar Sarah heeft afscheid moeten nemen van al haar dromen.'

Ze keek naar hem, voelde haar woede afzakken en probeerde te glimlachen, maar hij ging er niet op in.

'Ik verdien meer respect dan jij me hebt betoond,' vervolgde hij. 'Denk daar volgende keer eens aan, Hannah, als je woede weer eens de overhand krijgt. Sarah is de beste en trouwste vriendin die je je maar kunt wensen, en zo moet je haar ook behandelen. Een dergelijke vriendschap is zeldzaam, en misschien heb je die nu voor altijd verspeeld. Ik ga nu in bad, en jij kunt maar beter wat *dawa* voor Sarah regelen en daarna aan Kamau vragen of hij iets te eten voor ons wil maken.' Hij liep het kantoortje uit en sloot de deur ferm achter zich.

Hannah ging zitten aan het bureau dat jarenlang door haar vader en opa was gebruikt. Ze boog haar hoofd toen het beeld van Jan bij haar opkwam: dronken en opgezwollen, verbitterd door de wetenschap dat hij Langani in de steek had gelaten en Lottie had veroordeeld tot een zwaar, ellendig leven in een land dat ze allebei haatten. Hij had een zoon verloren door een brute, zinloze moord. En dat allemaal voor het paradijs dat hun voorvaderen rond de eeuwwisseling in de woestenij hadden geschapen: Langani, de plek waar ze die heerlijke jeugd had doorgebracht die haar zo veel mooie herinneringen had gegeven. De *plaas* was een last geworden, een molensteen die haar al haar geliefde broer had gekost en nu dreigde een waardevolle vriendschap te vernietigen, die zelfs haar huwelijk en de veiligheid van haar kind bedreigde.

Ze vroeg zich af of het tijd was om te vertrekken.

TWAALF
Kenia, mei 1967

Sarah was al voor zonsopgang wakker. Omdat de onenigheid van de avond ervoor zich diep in haar gedachten had verankerd, begon ze de dag met een bitter gevoel. In de beslotenheid van haar kamer had ze een tastbare afstand tussen Hannah en zichzelf kunnen scheppen, maar de harde woorden was ze niet vergeten, en ze was zo van streek geweest dat ze haar kamer niet had verlaten toen Mwangi haar voor het eten had geroepen. Het had niet lang geduurd voordat er weer op haar deur werd geklopt.

Er was een gespannen stilte gevallen, die de kloof alleen maar breder en dieper had gemaakt. Ten slotte had Hannah het woord genomen. 'Sarah, o Sarah, het spijt me zo. Ik heb wat broodjes voor je, en zalf voor je handen.'

Sarah had niet geweten wat ze moest zeggen en had alleen maar geknikt.

'Ik kan er niet meer tegen.' Hannah was op het bed gaan zitten en had haar handen voor haar gezicht geslagen. 'Ik werd zo bang toen het donker werd, ik was doodsbang dat Lars en jou iets was overkomen. Dat jullie nooit meer thuis zouden komen en dat Suniva en ik helemaal alleen zouden zijn. Echt helemaal alleen. Toen kwam Jeremy jullie tegen en voelde ik me bijna misselijk van opluchting, maar ook heel erg kwaad. En toen kwam Mwangi me vertellen dat jullie een ongeluk hadden gehad, en toen kwam ik de veranda op en zag dat iedereen zich stond te bescheuren om Davids verhalen over die olifant en dat niemand mij zag staan.' Ze had gezwegen en gewacht totdat Sarah iets zou zeggen, maar zelfs toen ze haar hand in een verzoenend gebaar had uitgestoken, had Sarah geen woord kunnen uitbrengen.

'Ik word altijd kwaad wanneer ik bang ben. Dat weet je ook wel.

Misschien is dat mijn Italiaanse bloed. Zo deed ma ook altijd, als ik zomaar wegbleef zonder te zeggen waar ik heen zou gaan. Ze dacht altijd dat ik in de rivier was gevallen of was opgegeten door een luipaard of zo, en ze was altijd spinnijdig wanneer ik weer thuiskwam. Dat was haar manier om met de angst om te gaan. Het spijt me zo, Sarah, en ik snap heel goed dat je niet met me wilt praten.' Smekend had ze haar vriendin aangekeken. 'Ik moet nu weer naar Lars toe, die is ook kwaad op me, en terecht. Maar ik wilde tegen je zeggen dat het me spijt en dat ik van je hou. Tot morgen.'

Nadat ze was weggegaan, was Sarah een tijdlang zwijgend blijven zitten. Uiteindelijk had ze geprobeerd een broodje te eten, maar met moeite. Haar handen deden nog steeds pijn, ondanks de zalf die ze erop had gesmeerd, en haar hele lichaam voelde beurs aan. Na een tijdje liet ze het eten voor wat het was en ging naar bed, maar de slaap kwam niet. Ze hadden tegen Hannah moeten zeggen waar ze heen gingen, ze had het volste recht om kwaad te zijn, maar Sarah wist dat ze haar wrede woorden niet snel zou vergeten. Ze was hier op bezoek, ze kon blijkbaar niet worden vertrouwd. Ze was geen familie, Hannah zag haar niet als een soort zus of dierbare vriendin, zoals ze altijd had gedacht. En het was ook waar: ze hoorde hier niet langer thuis. Hannah had een man en kind voor wie ze moest zorgen, en een huishouden dat ze moest bestieren. Ze zat niet te wachten op de verloofde van haar vermoorde broer die haar leven overhoop kwam halen en een voortdurende herinnering vormde aan het verlies, aan het feit dat hij er niet meer was. Sarah probeerde haar opwellende verdriet te onderdrukken. Piet was er niet meer en de plek die haar thuis had moeten worden, vormde niet langer een deel van haar leven. Dat had ze eerder moeten inzien.

De rest van de nacht was ze geplaagd door onrustige dromen. Elke keer wanneer ze haar ogen had gesloten, was de dreigende gestalte van Karanja Mungai in haar gedachten opgedoemd. Hij had Simon gekend, daar twijfelde ze niet aan. En dat gold ook voor het meisje met de baby. Maar het bezoek aan Mwathi had hen geen stap dichter bij het antwoord op de vraag gebracht wie Langani kwaad wilde doen. Sarah had alleen maar het gevoel dat ze nog meer verwarring en onbegrip had veroorzaakt. Ze had Piet verloren, en Hannah nu ook. In Londen had Camilla tegen haar gelogen. Morgenochtend vroeg zou ze Langani meteen verlaten.

Toen de eerste glimp licht aan de hemel zichtbaar was, kleedde Sarah zich snel aan. Ze legde een briefje voor Hannah neer en liep naar haar auto, waarbij ze even naar de nachtwaker zwaaide. Ze reed zo rustig mogelijk weg, in de hoop dat het geluid van de motor niemand zou wekken. In de kille mist van de morgen draaide ze de hoofdweg naar Nanyuki op. Misschien zou ze zich beter voelen nu ze de boerderij had verlaten. De rijzende zon en de pracht van de vroege ochtend leken echter alleen maar te benadrukken hoe eenzaam ze zich voelde. Toen ze de plek van het ongeluk passeerde, zag ze het rotsblok waartegen de auto was gebotst en het spoor dat het lekkende carter had achtergelaten. De herinnering aan de botsing deed haar huiveren. Stel dat Lars het niet had overleefd, of zwaargewond was geweest? Ze mochten zich gelukkig prijzen dat ze er met een paar schrammen vanaf waren gekomen.

De weg strekte zich voor haar uit, lang en leeg en rood op de plekken waar het zonlicht op de vruchtbare leem scheen. Ze had het altijd fijn gevonden om alleen te reizen, zodat ze ongestoord naar de flora en fauna om haar heen kon kijken en de wilde bloemen en planten en vogelgezang kon benoemen. Maar nu verlangde ze hevig naar iemand met wie ze kon praten. Iemand die begreep hoe verloren ze zich voelde, dwalend door de vreemde, vijandige wereld die haar leven was geworden. Ze reed door, recht voor zich uit starend, zich pas bewust van haar bestemming toen ze Nanyuki had bereikt. Ze voelde zich beverig en misselijk en besefte nu pas hoe weinig ze de afgelopen vierentwintig uur had gegeten. Toen ze het bord van het Silverbeck Hotel zag, besloot ze daar te gaan ontbijten. De enige aanwezige was de nachtportier, die zei dat er pas vanaf zeven uur ontbijt zou worden geserveerd. Sarah liep terug naar de parkeerplaats, zich ervan bewust dat ze te weinig had geslapen en een lege maag had en zich eenzaam en afgewezen voelde. Ze zocht naar haar autosleutels, die ergens onder in haar tas moesten zitten, en voelde haar behoefte aan troost alleen maar toenemen. Ze hield op met zoeken en leunde tegen het portier van de

Land Rover, boos tegen een paar steentjes schoppend zodat ze de nieuwe schoenen beschadigde waaraan ze in Londen te veel had uitgegeven. Toen liep ze terug naar binnen.

'Ik wil graag even bellen.' Ze schreef een nummer op en gaf het aan de portier.

Hij gebaarde naar de telefoon in de lobby en verbond haar met de telefoniste. Sarah liet zich op het bankje naast de telefoon zakken en hield de hoorn met moeite in haar zere hand geklemd. Ze hoorde dat ze werd doorverbonden, maar toen ze merkte wie er opnam, zakte de moed haar in de schoenen. Blijkbaar had ze hem wakker gemaakt. Weer gold dat ze eerst had moeten nadenken voordat ze iets deed.

'Met Indar Singh. Met wie spreek ik?'

Sarah schaamde zich zo dat ze bijna ophing. Ze keek op haar horloge. Waar had ze gezeten met haar verstand? Een telefoontje op dit uur van de dag zou tot allerlei speculaties leiden. Dit was rampzalig. Maar ze moest met iemand praten. Met wie dan ook.

'Hallo? Hallo? Met wie spreek ik?' Indar Singh klonk geschrokken.

'Hallo.' Sarah kon eindelijk een woord uitbrengen. 'Het spijt me zo dat ik u stoor, meneer Singh. U spreekt met Sarah Mackay. Ik zou graag Rabindrah willen spreken. Als hij thuis is?'

'Mijn neef ligt nog in bed, mevrouw Mackay. Het is zes uur 's morgens en iedereen in huis slaapt nog.'

'Dat weet ik, en ik vind het ook heel vervelend, maar ik moet hem echt spreken. Het is dringend...'

Ze voelde dat haar gezicht vuurrood werd. Waarom had ze in godsnaam gebeld? Op de achtergrond hoorde ze Kuldip iets zeggen, vol verbazing omdat iemand op dat uur durfde te bellen. Indar wisselde een paar onverstaanbare woorden met zijn vrouw en Sarah voelde zich nog ongemakkelijker. Maar het was al te laat. Ze had gebeld, en opeens kon het haar niet meer schelen wat ze dachten. Ze wilde met Rabindrah praten.

'Blijft u aan de lijn, dan haal ik hem.' Het was duidelijk dat Indar zich ergerde.

Er viel een korte stilte, en toen: 'Sarah? Ik zat voor een artikel in Tanzania en hoorde pas gisteren dat er brand bij jullie is geweest.

Heeft Hannah nog gezegd dat ik heb gebeld?'

Sarah hoorde hoe verbaasd en bezorgd hij klonk, maar het kostte haar moeite te antwoorden. Een paar vreemde klanken verlieten haar keel toen ze probeerde uit te leggen wat er was gebeurd, maar toen overweldigden haar emoties haar helemaal en kon ze helemaal niets meer uitbrengen.

'Rustig aan,' zei Rabindrah. 'Haal eens een paar keer diep adem en begin gewoon bij het begin. De brand. En het ongeluk met de auto. Is er iemand gewond geraakt?'

Stukje bij beetje begon ze alles uit te leggen, te beginnen bij de brand in de lodge en haar gevoel dat de nagedachtenis aan Piet van die plek was weggevaagd. Dat zelfs het laatste symbool van zijn droom nu was verdwenen. Hij luisterde naar haar verslag van haar bezoek aan pater Bidoli in Nyeri en haar rit naar het Mwathe Reservaat.

'Ik weet zeker dat ze Simon hebben gekend,' zei ze, 'ook al ontkennen ze het. Die oude man, die Karanja, die vond ik maar kwaadaardig. Hij zit vol slechtheid, al weet ik niet precies wat het met hem is. En het meisje, dat heeft hen echt verraden omdat ze te bang was om te doen alsof. En ik bleef daarna maar denken dat ik misschien gelijk heb wat Simon betreft. Stel dat ze hem daar verborgen houden? Stel dat hij ons al die tijd heeft gezien? Het was vreselijk. En toen kregen we op de terugweg ook nog dat ongeluk. Ik dacht dat Lars gewond was en dat we allemaal dood zouden gaan en dat het mijn schuld was omdat ik hem had gevraagd mee te gaan. Maar Hannah, dat was nog het ergste. Ze was zo kwaad. Ik heb het allemaal verpest. Ik ben oneerlijk tegen haar geweest.'

Haar zinnen waren onsamenhangend, onaf, en ze bleef zich maar verontschuldigen omdat ze zelf amper besefte wat ze zei en het al helemaal niet aan een ander kon uitleggen.

'Sarah, je bent gewoon vreselijk geschrokken, na alles wat er de afgelopen vierentwintig uur is gebeurd. Iedereen die zoiets heeft meegemaakt, zou overstuur zijn. Waar zit je eigenlijk?'

'In Nanyuki. Ik ben gevlucht. Vanmorgen. Ik kon daar niet langer blijven.' Ze merkte dat ze begon te hikken en voelde zich nog ellendiger. Nu dacht hij vast dat ze had gedronken. Weer. 'Sorry, ik had niet moeten bellen.' Ze probeerde haar volgende hikje te onderdrukken, maar het werd een piepend geluidje. 'Je oom en tante zijn vast ontzet.'

'Denk je dat? Waarom?' Ze kon horen dat hij glimlachte.

'Ik bel je voor dag en dauw op, bijna hysterisch, ik maak iedereen wakker... Het lijkt me logisch dat ze niet blij zijn.' Ze hikte weer en zocht naar een zakdoek, maar haar handen waren nog vet van de zalf die ze er die ochtend op had gesmeerd en die autorijden bijna onmogelijk had gemaakt. De hoorn gleed uit haar hand en viel op de grond. 'O verdomme!'

'Sarah?' Rabindrahs stem steeg vanaf de tegels naar haar op. 'Gaat het? Sarah?'

Ze ging op de grond zitten en drukte de hoorn tegen haar oor. Hij kon haar nu vast horen snuiven en ze was blij dat hij haar niet kon zien, met haar rode ogen en haar haar en kleren door de war. De portier keek haar vanaf zijn plekje achter de balie nieuwsgierig aan, maar dat kon haar niet meer schelen.

'Sorry, de hoorn viel uit mijn handen. Hoor eens, ik wil niet te lang praten omdat het zo duur is –'

'Geef me het nummer van de tent waar je nu zit, dan bel ik je terug.'

Achteraf kon ze niet zeggen hoe lang het gesprek had geduurd. Een half uur, op zijn minst. Hij had haar van het ene onderwerp naar het andere laten dwalen, en ze hadden het over van alles gehad – de uitgever in Londen, de olifanten, hun boek en haar familie – totdat de hik was gezakt en haar stem niet meer trilde.

'Ik voel me nu stukken beter,' zei ze. 'Bedankt dat je met me hebt willen praten. En hebt willen luisteren.'

'Eet alsjeblieft iets voordat je weer de weg op gaat,' zei hij. 'Het is een heel eind rijden, over slechte wegen, en je bent moe. Ik ben trouwens van plan binnenkort weer eens langs te komen om de tekst te bespreken. En ik heb misschien nog een ander klusje bij jullie in de buurt. Sarah?'

'Ja?'

'Vergeet niet dat Hannah heel bang moet zijn geweest. Ze woont ergens waar ze voortdurend wordt bedreigd, en onder dergelijke omstandigheden zeggen mensen vaak dingen die ze niet menen. Trek je woorden die in paniek zijn gesproken niet te veel aan.'

Na het telefoontje liep Sarah naar de eetzaal, haar rode ogen verborgen achter de zonnebril die Rabindrah haar had geleend nadat ze in Nairobi was ingestort. Ze had die willen teruggeven, maar hij had gezegd dat die bril veel meer nut had in de verblindende hitte van de halfwoestijn waar zij haar werk deed.

Ze bestelde een groot ontbijt met alles erop en eraan en dronk een paar koppen sterke koffie. Tegen de tijd dat ze Nanyuki verliet, stond de zon meedogenloos te schijnen aan de bronzen hemel. Ze vroeg zich af of ze naar Langani moest bellen om met Hannah te praten, maar toen besefte ze dat ze niet was opgewassen tegen een emotioneel gesprek. Het verontschuldigende briefje met haar excuus moest voldoende zijn. Ze had meer dan drie uur reizen over stoffige, slechte wegen voor de boeg, en voor het eerst zag ze op tegen de eenzame rit. Haar handen sloten zich stevig om het stuur, en toen kromp ze ineen van de pijn. Het zou een lange tocht worden.

'Ze is weg, Lars.' Met een ontzet gezicht stak Hannah hem het briefje toe dat Sarah voor haar had achtergelaten. 'Ik heb haar weggejaagd.' Ze keek toe terwijl Lars het briefje las. 'Ik had gisteravond op haar moeten wachten. Het uit moeten leggen.'

'Gisteravond waren de omstandigheden daarvoor niet bepaald ideaal,' zei hij. 'Maar je moet haar schrijven. Dat is de beste manier om het weer goed te maken. Ze heeft nu even wat tijd en ruimte voor zichzelf nodig. En wij moeten nu met elkaar praten.'

'Ja. Ik maak even mijn klusjes af, kijk of Esther voor Suniva kan zorgen, en dan moet ik nog –'

'Nee, Hannah, we praten nu. En niet alleen over wat er gisteren is gebeurd. We gaan het ook over alle andere dagen hebben.'

Lars ging haar voor naar de woonkamer en sloot de deur achter hen. Een golf van medeleven overviel hem toen hij haar angstige blik zag, en ze ging met haar handen stijf in haar schoot gevouwen naast hem op de bank zitten. Het liefst had hij haar in zijn armen genomen en haar verdrietige, zenuwachtige gezicht gekust, maar het was nu tijd voor duidelijke taal.

'Hannah, sinds het atelier is vernield, ben je steeds bozer geworden,' zei hij, 'en ik weet dat dat komt doordat je bang bent, maar als dit zo blijft, zullen we Langani moeten verlaten. Want je wordt met de dag onmogelijker.'

'Ik weet niet wat ik moet doen.' Hannah liet verslagen haar schouders hangen. 'Elke keer moeten we een crisis bedwingen en opnieuw beginnen, maar net als het weer een beetje gaat, vindt de volgende ramp plaats. Ik heb aan weggaan gedacht, maar dit is mijn thuis. Ons thuis. Het is mijn erfgoed, het is alles wat ik heb. Al het goede waarvan ik hou, alles wat ik me van mijn familie en jeugd kan herinneren, heeft met Langani te maken. We zijn hier getrouwd, Suniva is hier geboren, net als Piet en ik. En pa. Het is ons thuis, Lars.'

'Maar wat heeft erfgoed te betekenen als ons of Suniva iets overkomt? Dat zouden we onszelf nooit vergeven, dat weet je ook wel.' Hij keek uit het raam en koos zijn volgende woorden zorgvuldig. 'Je angst en haat verspreiden zich als gif over de *plaas.* Zo kun je niet doorgaan, je kunt niet iedereen als je vijand zien, zeker Sarah niet. Is dat het erfgoed dat je wilt?'

'Ik ben de weg kwijt.' Ze klonk smekend. 'Maar ik kan mijn thuis nog niet opgeven. En als Jeremy die man arresteert die jullie gisteren hebben opgezocht, is het misschien voorbij en kunnen we ons weer veilig voelen.'

'Is het dan echt voorbij, Hannah?' Hij keek haar droevig aan. 'Dat weet ik nog zo net niet. En het kan heel lang duren voordat iemand kan aantonen dat Karanja Mungai iets te maken heeft met wat er hier is gebeurd. Misschien is er geen bewijs te vinden dat sterk genoeg is voor een rechtszaak. En we weten nog steeds niet waarom Piet is vermoord. Tegen de tijd dat we dit misschien achter ons kunnen laten, zou het wel eens te laat kunnen zijn. Dan is er misschien niets over van de Hannah die ik ken.'

'We houden het nog wel even vol. Ik hou van je, Lars. Ik kan niet zonder je. Daarom raakte ik gisteren zo in paniek. En het spijt me.' Ze keek hem vragend aan. 'Ik zal van nu af aan beter mijn best doen. Echt waar.'

'Als je wilt dat we samen iets opbouwen, Han, dan moet je aanvaarden dat dat misschien niet hier zal zijn,' zei Lars. 'Misschien moeten we ergens anders opnieuw beginnen. Dat is niet hetzelfde, ik weet het, maar we hebben elkaar. Dat is belangrijker dan wat dan ook.'

'Maar nu nog niet.' Haar blik was smekend. 'We moeten Jeremy nog een kans geven. We moeten zien te ontdekken of Karanja Mungai iets te maken heeft met wat er hier is gebeurd.' Ze greep zijn arm stevig vast, alsof ze zo haar angst kon bedwingen. 'En ik zal beter mijn best doen voor jou en Suniva. Als je me wilt helpen.' Ze staarde naar buiten, naar de verschroeide heuvelrug, langs Piets *cairn* naar de resten van zijn droom. Lars raakte haar wang aan en ze wendde zich tot hem, met een gezichtsuitdrukking die plechtig en vol vertrouwen en lief was. Het brak zijn hart.

'Kom, Han,' zei hij, 'dan maken we even snel de boekhouding af en nemen een dagje vrij. We kunnen met Suniva naar de rivier gaan. Het is prachtig weer.'

Aan het begin van de avond kwam Jeremy Hardy langs. Hannah keek hem meteen vragend aan, maar hij schudde zijn hoofd. 'Het is nog te vroeg om te kunnen zeggen of het ergens toe zal leiden,' zei hij, 'maar ik heb gisteravond een stille naar Mwathe gestuurd, een van mijn beste mensen. Hij is daar geboren, hij komt er regelmatig en zal geen argwaan wekken wanneer hij weer een tijdje thuis komt wonen.'

'En die oude man met wie Lars gisteren heeft gesproken?' wilde Hannah weten.

'Karanja Mungai heeft geen strafblad. In het verleden hebben we geprobeerd hem een aantal berovingen, diefstal en heling ten laste te leggen, maar hij is niet op zijn achterhoofd gevallen en laat de jongere mannen van zijn stem het vuile werk opknappen.'

'Dus hij is bekend bij justitie?' Ze fronste.

'Dat klopt,' zei Jeremy. 'Het is mogelijk dat hij achter de eerste beroving hier zit, en achter het afslachten van je koeien. Maar het is moeilijk te zeggen waarom hij zijn doelwit zo ver van het reservaat zou kiezen. In het verleden is hij altijd rond Nyeri actief geweest. Maar het verband met Githiri kan geen toeval zijn, en daar gaan we werk van maken.' Hij keek Lars aan. 'Ik vind jullie uitstapje van gisteren erg onverstandig: een *memsahib* meenemen naar een reservaat, vragen stellen... Die Karanja snapt nu ook wel dat wij weten dat er een verband is met Githiri, dus als we hem willen verhoren, kunnen we hem helaas niet meer onaangenaam verrassen. Lars, laat dit soort dingen voortaan aan ons over. Als je me ergens mee wilt helpen, kun je beter een potje tennis met me spelen, daar heb ik meer aan.'

'Als er meteen iemand met die pater was gaan praten, hadden jullie eerder geweten dat Karanja er iets mee te maken heeft.' Hannah wendde zich tot de politieman, vastbesloten het voor haar man op te nemen. Vanuit haar ooghoeken zag ze dat Lars haar waarschuwend aankeek, maar ze schonk er geen aandacht aan. 'Dan was het atelier misschien niet vernield, dan hadden we de lodge misschien nog gehad. Die kunnen we niet herbouwen, want daar hebben we het geld niet voor. Ik denk dat Lars en die Indiase journalist betere speurders zijn geweest dan jij, Jeremy.'

De inspecteur nam uitgebreid de tijd om zijn pijp op te steken en gaf geen rechtstreeks antwoord op haar beschuldiging. Hij wist dat het arme meisje ten einde raad was, maar het had geen zin te praten over wat had kunnen zijn. Gisteravond had hij zichzelf al vervloekt omdat hij niet eerder met de pater was gaan praten. Hij vroeg zich af hoe Rabindrah Singh toegang tot dossiers van de politie had gekregen.

Hannah belde om Mwangi, vroeg of hij iets te drinken wilde brengen en probeerde kalm te blijven toen Lars vertelde wat hij allemaal in Mwathe had gehoord en gezien.

'Ik denk dat we met dat meisje met de baby moeten gaan praten,' zei Hannah toen hij zijn verhaal had gedaan. 'Sarah had zo'n voorgevoel dat zij belangrijk zou kunnen zijn. Denk je dat jouw stille een ontmoeting met haar buiten het reservaat zou kunnen regelen?'

'Misschien,' zei Hardy. 'Ik heb al gezegd dat hij naar haar moet uitkijken. Waar is Sarah trouwens? Ik wil haar nog even spreken.'

'Ze moest weer aan het werk,' zei Hannah. 'Maar ze is via de radio wel te bereiken.'

'Mooi. Nou, dan ga ik maar weer.' Jeremy stond op. 'We krijgen die oude schurk wel te pakken. En misschien weten we dan eindelijk waarom Piet is vermoord.'

'Ik ben zo bang, Lars,' zei Hannah toen ze even later alleen waren. 'Als die man ons al eerder heeft aangevallen, probeert hij het misschien nog eens. Zeker nu we weten dat er een verband met Simon is. Stel dat hij terugkomt en ons iets aandoet, of de baby?' Ze beet op haar lip en kauwde op de binnenkant van haar wang totdat ze bloed proefde. 'Vraag ik te veel? Zet ik te veel op het spel door om nog iets meer tijd te vragen? Moeten we nu weggaan, Lars? Zeg het eens. Zeg wat we moeten doen.'

Lars tikte met zijn vingers op tafel, zoekend naar het antwoord op haar onmogelijke vragen. 'Geen enkel stuk land is het waard om jouw leven of dat van Suniva op het spel te zetten,' zei hij. 'Ik weet dat je wilt blijven omdat je familiegeschiedenis hier ligt, en vanwege Piet, maar hij zou ook niet willen dat we ons aan allerlei gevaren blootstellen.' Hij zag haar huiveren. 'Ik ben dol op deze boerderij, maar ik wil er geen levens voor op het spel zetten, zeker het jouwe niet. Zo denk ik erover.'

'Dan moeten we een besluit nemen.' Hannahs toon was somber. 'Ik vind dat we Jeremy een paar weken de tijd moeten geven. Na gisteren is die oude man misschien geschrokken en komt er voorlopig een einde aan het geweld. Of misschien kan Hardy een reden bedenken om hem aan te houden. En ik zal proberen rustiger en vriendelijker te zijn. Wat vind je daarvan?'

'Daar kan ik me wel in vinden, Han,' zei hij, 'daar kan ik me wel in vinden.'

Er gingen drie dagen voorbij waarin ze niets hoorden. Hannah schreef Sarah een brief waarin ze smeekte om vergiffenis, maar ze wist dat het even kon duren voordat er antwoord uit Buffalo Springs zou komen. Als dat al zou komen. Lars leek zichzelf in zijn werk te hebben begraven en liet niemand merken wat hij dacht. Toen belde Hardy om te zeggen dat hij iets nieuws had ontdekt: tijdens de noodtoestand had Karanja Mugai vastgezeten op verdenking van sympathiseren met de Mau Mau. De politie had echter nooit kunnen bewijzen dat hij de eed had gezworen of moorden had gepleegd.

'Zijn *shamba* lag aan de rand van het woud,' zei Jeremy tegen Lars.

'We weten zeker dat hij de bendes daar van voedsel en gestolen munitie heeft voorzien. Hij kon informatie over patrouilles van de politie en het leger doorgeven of mannen verborgen houden die werden gezocht.'

'Hij is nooit aangeklaagd?' wilde Lars weten.

'Onvoldoende bewijs,' zei Hardy. 'Ik heb begrepen dat hij de baas is in die nederzetting en dat de jongere bewoners doodsbang voor hem zijn. Hij heeft drie vrouwen, maar daar hoort dat meisje met die baby niet bij. Ze is met een van zijn stamgenoten getrouwd. Die man werkt ergens in Nairobi. Het bekende verhaal: hij is ervandoor en laat de zorg voor zijn kind en akker aan zijn *bibi* over. Als hij verlof heeft, komt hij terug om weer een kind te maken. Hoe is het nu met Hannah?'

'Ze doet haar best,' zei Lars op zwaarmoedige toon. 'Maar ik weet niet hoeveel ze nog kan verdragen.'

'Het is een dappere meid,' zei Jeremy, 'en ze heeft veel te veel ellende gezien voor iemand van haar leeftijd. En Sarah Mackay ook. Ik zit morgen trouwens de hele dag in Nanyuki, maar als het goed is, kom ik aan het einde van de middag even langs. We krijgen hem wel te pakken, dat beloof ik je.'

'Het is in elk geval iets, zij het geen stap voorwaarts,' zei Hannah nadat hij haar had verteld wat Jeremy had ontdekt. 'We moeten nog even geduld hebben.'

De volgende morgen zat Lars op het kantoortje net de post uit te zoeken en rekeningen te betalen toen David in de deuropening verscheen. Hij had een ernstig gezicht.

'Ja, David, is er iets mis?'

'De *bibi* uit Mwathe is hier, *bwana.* De jonge, met het kindje. Ze staat buiten en wil *memsahib* Sarah spreken.'

Lars schoot overeind. 'Waar is ze? Heeft ze het kind bij zich?'

'Ja. En ze is erg bang.' David oogde eveneens bang.

'Heeft iemand haar gezien?' Tot Lars' opluchting schudde de jonge man zijn hoofd. 'Mooi zo. Laat haar maar meteen binnenkomen.'

Hij keek uit het raam, maar zag niemand in de schaduw van de grote tulpenboom staan. Hopelijk had ze niet de aandacht getrokken. David verdween tussen het dichte gebladerte dat haar aan het oog had onttrokken, en ze kwam met tegenzin tevoorschijn, het stijf in haar *kanga* gewikkelde kind dicht tegen haar borst gedrukt. Ze keek angstig en uitdagend tegelijk, en Lars had met haar te doen toen hij naar buiten liep en zag hoe mager en ziekelijk ze was. Hij sloeg zijn blik neer en zag dat haar voeten droog waren en bloedden en dat ze moeizaam liep. Toen hij haar in het Kikuyu vroeg hoe ze heette, keek ze hem zonder iets te zeggen aan. Haar ogen waren groot van angst.

'Ik denk dat jij beter met haar kunt praten,' zei hij tegen David. 'Dan is ze vast minder nerveus. Vraag haar eerst maar hoe ze heet.'

'Wanjiru,' zei het meisje opeens.

'Zeg tegen haar dat ze hier veilig is, dat haar niets kan overkomen. Al kan ze beter meekomen naar het kantoortje, dan kan niemand ons horen of zien.'

Wanjiru keek om zich heen. Het idee een gebouw te moeten betreden, leek haar nog meer angst in te boezemen, maar toen Lars geruststellend lachte, glipte ze naar binnen en ging met haar rug tegen de muur staan, haar ogen neergeslagen. Hij bleef even staan, niet goed wetend wat hij moest doen, maar toen viel hem iets in.

'Zeg maar dat ze mag gaan zitten, en ga dan tegen *memsahib* Hannah zeggen dat ik haar dringend wil spreken.'

David keek hem angstig aan, zich duidelijk afvragend wat *memsahib* Hannah van deze *bibi* zou zeggen.

'Toe maar.' Lars gaf hem een duwtje. '*Haraka!* O, en David?'

'Ja, *bwana?*'

'Haal een kom water en de verbandtrommel met *dawa*, voor haar voeten. Ze heeft een heel eind gelopen.'

Wanjiru keek om zich heen en hield angstig de deur in de gaten. Toen die openzwaaide en David met Hannah binnenkwam, keek ze alsof ze weg wilde rennen. Ze barstte los in een stortvloed van vragen, en het duurde even voordat ze haar konden overhalen te gaan zitten.

'Ze wil weten waar de andere *memsahib* is, die naar het reservaat kwam,' zei David. 'Ze zegt dat die tegen haar heeft gezegd dat ze iets voor haar kindje kan doen. Daarom is ze hierheen gekomen.'

'Zeg dat ze hulp zal krijgen, zoals haar is beloofd,' zei Lars. 'Maar eerst moeten we haar helpen.'

Hannah zette de kom voor het meisje neer en gebaarde dat die haar voeten in het warme water moest stoppen, zodat ze het bloed en het vuil van haar voeten konden wassen. Wanjiru kromp ineen, maar maakte geen geluid toen Hannah de doorns en piepkleine steentjes uit haar voetzolen peuterde en daarna haar voeten met een desinfecterend middel insmeerde. De hele tijd hield ze het slapende kind dicht tegen zich aan.

'Hoe lang is ze onderweg geweest?' vroeg Hannah.

Wanjiru gaf op zachte toon antwoord, en David vertaalde: 'Ze heeft drie dagen lang gelopen. Sinds ons bezoek aan het reservaat heeft ze gewacht totdat ze kon ontsnappen. Het was erg moeilijk. Elke keer wanneer ze de weg vroeg, was ze bang dat iemand haar zou herkennen en terug zou brengen naar Karanja. Dus ze heeft de hoofdwegen zoveel mogelijk vermeden en zich 's nachts in de *bundu* verborgen.'

'Ze heeft vast erg veel honger,' zei Hannah. 'Drie dagen door de *bush* lopen is zwaar, zeker met een kind op de arm. Zou je kunnen vragen of we iets te eten voor haar hebben? Lars, misschien moet jij Jeremy even bellen en vragen hoe snel hij vanuit Nanyuki hierheen kan komen. Maar zeg dat hij in burger moet komen. Als ze zijn uniform ziet, klapt ze misschien helemaal dicht of gaat ze er misschien zelfs vandoor. David, zou je haar uit kunnen leggen dat we haar het een en ander willen vragen, en dat we een vriend hebben die ook met haar wil praten? En dat we haar met de baby zullen helpen en dat ze niet bang hoeft te zijn.'

Lars pakte de hoorn van de haak om Jeremy Hardy te bellen. Wanjiru was duidelijk van streek omdat er nog een *wazungu* zou komen, maar langzaam drong het tot haar door dat ze deze *memsahib* kon vertrouwen, en het vooruitzicht van eten leek haar goed te doen. Gedwee bleef ze zitten wachten totdat ze iets zou krijgen. Hannah smeerde haar voeten in met zalf en legde er een schone handdoek onder. Ondertussen sprak ze tegen het kind op dezelfde kalme toon die ze tegen een schichtig paard gebruikte.

'David haalt wat te eten voor je en daarna gaan we eens kijken wat we voor je zoontje kunnen doen,' zei ze.

'Ik heb nog een paar dringende klusjes met Juma af te handelen,' zei Lars, 'dus jij moet maar even bij haar blijven totdat Jeremy er is. Hij probeert hier binnen een half uur te zijn.'

Hannah bleef geduldig bij de jonge vrouw zitten en sprak met haar in een mengeling van Kikuyu en Swahili, net zoals Sarah had gedaan. Na een paar minuten maakte Wanjiru haar *kanga* los, zodat Hannah naar het voetje van haar kind kon kijken. Dat zat op een vreemde manier verdraaid, zodat hij in de toekomst problemen met lopen zou krijgen. Maar het kind was nog jong, hoogstens een maand of vijftien oud. Hannah had deze aandoening vaker gezien en wist dat een operatie, gevolgd door therapie, doorgaans het ongemak kon verhelpen.

Er werd op de deur geklopt. Mwangi keek naar binnen, zijn oude waterige blik bleef nieuwsgierig op de jonge vrouw rusten. '*Bwana* Hardy is er,' zei hij. 'Hij wacht in de woonkamer, ik heb hem een Tusker aangeboden. *Bwana* Lars wil weten of hij binnen mag komen.'

'Ja, Mwangi,' zei Hannah, 'zeg maar dat ze hierheen komen.' Ze hield het magere voetje nog steeds in haar hand en probeerde te laten zien wat een dokter eraan kon doen, en dat het beentje een tijdje in het gips zou moeten zitten. Wanjiru zou naar Nairobi moeten gaan, legde ze uit, en daar bij de baby moeten blijven tijdens de operatie. Daarna zou hij gewoon kunnen lopen, net als andere kinderen.

Het meisje barstte los in een stortvloed van woorden waarvan Hannah maar weinig kon volgen, en ze wou dat David er was om te vertalen. Wat ze wel begreep, was dat Wanjiru geen geld en geen onderdak had. Ze was bang dat de familie van haar man haar zou vinden en haar terug zou brengen naar het reservaat. Ze zouden haar doden, zei ze, en dat begreep Hannah maar al te goed. Dokter Markham zou het kindje zonder problemen kunnen doorverwijzen naar een specialist in Nairobi, maar een veilig adres vinden waar de vrouw kon verblijven terwijl haar kind herstelde, zou minder eenvoudig zijn. Als Karanja Mungai te weten zou komen dat ze naar Langani was gegaan, zou ze gevaar lopen. Dan liepen ze allemaal gevaar. Maar misschien zouden ze haar echtgenoot kunnen bereiken en kon ze zo lang bij hem logeren.

'Wanjiru, waar woont je man?' Hannah sprak op zachte toon. 'Ik denk dat hij wel graag zal willen weten dat iemand zijn zoontje gaat helpen. Werkt hij in Nairobi? Kun je bij hem logeren wanneer de baby in het ziekenhuis ligt?'

Het meisje keek haar met een gekwelde blik aan en schudde toen keer op keer haar hoofd. Hannah probeerde te volgen wat ze haar vertelde, maar toen tot haar doordrong wat het meisje wilde zeggen, voelde ze een golf van misselijkheid opkomen. Het gevoel was zo overweldigend dat ze bijna geen adem kon halen.

'Wanjiru,' zei ze, niet in staat het beven van haar stem te onderdrukken. 'Was Simon Githiri je echtgenoot? Ben je daarom alleen met je kindje?'

De jonge vrouw begon zachtjes te jammeren en begon snikkend, duidelijk in paniek, van alles uit te leggen. Hannah staarde haar ontzet aan, de flarden van zinnen amper horend. Het kind van Simon Githiri. Ze hielp de zoon van Piets moordenaar. Zweetdruppels parelden op haar voorhoofd, gal welde op in haar keel. Ze slikte het moeizaam weg en leunde achterover, niet in staat een woord uit te brengen. O god, dit was te wreed, dit was meer dan een mens kon verdragen. Het kind was onschuldig, dat kon er niets aan doen, maar de moeder? Wist zij wat haar man op zijn geweten had? Wanjiru's smeekbeden stierven weg, en ze sloeg haar armen stevig om haar kind heen, hem heen en weer wiegend. Haar zoon was geschrokken van haar opwinding en bewoog onrustig. Wanjiru ging op de grond zitten, trok zijn hoofdje naar haar borst en begon hem te voeden.

Hannah stond op, hoewel haar benen heel erg beefden, en keek uit het raam. Ze dacht aan Sarah, die de jonge vrouw had beloofd dat ze haar kindje zouden helpen als ze naar Langani zou komen. Wat zou zij zeggen als ze de gruwelijke waarheid hoorde? Als Piet was blijven leven, zouden ze nu man en vrouw zijn geweest, dan had zij misschien ook een kind gehad. Maar Simon Githiri had hem gedood, en Piet en Sarah zouden nooit een zoon krijgen van wie ze konden houden.

Oog om oog, tand om tand. Dat zei het Oude Testament. De zoon van Simon zou nooit sterven zoals Piet was gestorven, vastgebonden als een offerdier op een heuvel. Maar hij zou verminkt zijn. Een mankepoot in een gemeenschap die een lichamelijke handicap zag als een straf van de grote god Kirinyaga voor de stam. Hij zou worden bespot, zijn leven zou zwaar en eenzaam zijn, hij zou worden gestraft voor de zonden van zijn vader. De politie moest het meisje maar meenemen, zodat ze haar konden verhoren en gevangen konden houden totdat ze iets zei wat Karanja achter de tralies zou brengen. Daarna konden ze haar terugsturen naar Mwathe, waar de leden van de stam moeder en kind konden behandelen zoals het hun goeddunkte. Ze hoefde dit kind, dat misschien net zo'n moordzuchtige wilde zou worden als zijn vader, geen bescherming of genezing te bieden.

Hannah liet haar voorhoofd tegen het koele glas rusten en keek naar de harmonie in Lotties tuin. Toen draaide ze zich om en zag het drinkende kind, van wie de vuistjes zich tijdens het voeden balden en openden tegen de ebbenhouten huid van zijn moeder. Zijn oogjes waren gesloten, zijn wereld was omsloten door Wanjiru's bescherming en overvloed, haar geur in zijn neusgaten, haar tepel in zijn mondje. Dat waren zijn zekerheden. Hannah was geroerd door zijn afhankelijkheid, door dat vertrouwen dat ze ook bij Suniva zag wanneer die op haar schoot lag. En ze kon de wanhopige smeekbede in de ogen van de moeder niet negeren.

'Hier moet een einde aan komen,' zei ze hardop. 'Een einde aan de haat, het doden en de pijn. Het moet nu ophouden. En ik kan het laten ophouden, als ik daar moedig en krachtig genoeg voor ben. Voor mezelf en voor Lars en voor Suniva. En voor Sarah.'

Wanjiru staarde haar aan en begreep er duidelijk niets van. Ze zag er bang uit. Hannah hurkte naast haar neer en legde een hand op haar schouder.

'Je hoeft niet bang te zijn,' zei ze. 'Ik zal jou en je baby naar een goede dokter brengen, en die zal je helpen. Dat beloof ik je.'

Toen Lars even later met Jeremy binnenkwam, sprong het meisje geschrokken op, maar Hannah legde een geruststellende hand op haar schouder. 'Wanjiru, je moet deze *bwana* over je man en Karanja vertellen. Want ze hebben iets heel slechts gedaan, dat weet je toch? En hier is David met iets te eten voor je. Neem eerst maar wat, dan kan *bwana* Hardy je daarna wat vragen stellen. Begrijp je wat ik bedoel?'

Wanjiru knikte een paar keer en pakte toen de kom *posho* en stoofpot en begon heel snel te eten. Af en toe keek ze om zich heen, met een blik die heen en weer schoot tussen de drie blanken die om haar heen stonden en haar het ontsnappen beletten. Hannah ging naast Lars staan en legde haar hand in de zijne, zwijgend biddend om kracht waarmee ze deze nachtmerrie zou kunnen overleven. Hij zag dat ze aan het einde van haar Latijn was en vroeg zich af wat er tijdens zijn korte afwezigheid was voorgevallen.

'Ik moet jullie iets heel vervelends vertellen,' zei ze ten slotte. 'Dit is het kind van Simon Githiri.'

Ze zag de schok in Lars' blik en op het gezicht van de inspecteur van politie. David liet sissend zijn adem ontsnappen. Ze ging verder, vastbesloten bij haar beslissing te blijven. 'Ik weet zeker dat Wanjiru weet wat er is gebeurd, en wat de rol van Karanja is geweest. Maar ze is echt doodsbang. Als we iets te weten willen komen, zullen we heel voorzichtig moeten zijn. En ze heeft een plek nodig waar ze kan blijven wanneer het kind wordt behandeld, zoals we hebben beloofd. Een plek waar ze veilig zal zijn.'

'Hannah.' Lars sloeg zijn armen om haar heen en voelde dat ze huiverde. 'Dit is te veel voor je. Het is te zwaar. Jeremy kan haar nu meenemen en verhoren, dan kijken we later wel wat we aan dat voetje kunnen doen.'

'Daar heb ik ook al aan gedacht.' Hannah schudde haar hoofd. Ze moest zich dwingen de woorden uit te spreken, en ze leken van ver weg te komen. 'Dat was het eerste wat ik dacht, maar ik geloof niet dat een meisje dat zo jong en simpel is iets met Simons daden te maken kan hebben. Ze zal in elk geval geen invloed op hem hebben gehad. Ze is zelf nog een kind. Je weet hoe die dingen gaan, ze hebben haar gewoon aan hem gegeven. Ze had geen keuze. Uiteindelijk is ze gewoon een moeder met een gehandicapt kind en moet ze daar nu al onder lijden.' Ze sloeg haar armen stijf om Lars heen en liet weten wat ze had besloten. 'Er is al genoeg geleden.'

En dus kwamen de vragen. David hurkte neer naast Wanjiru en vertaalde de vragen, Jeremy zat aan het bureau aantekeningen te maken. Na een paar bemoedigende woorden stapten Hannah en Lars opzij en gingen voor het raam staan. Met groeiende ontzetting luisterden ze naar het verhaal dat de verbaasde stilte in de kamer vulde.

Simon was een jaar of twee geleden voor het eerst naar het Mwathe Reservaat gekomen, als de neef van Karanja Mungai. De meisjes in de nederzetting vonden hem een knappe jongen, goed gekleed, goed opgeleid, een naaste verwant van de machtigste man in het reservaat. Hij had behoorlijk veel aandacht getrokken. Wanjiru had hem vol interesse bekeken, en zij was hem ook opgevallen: wanneer ze het bier naar de mannenhut had gebracht en hem had bediend, had hij haar een snelle glimlach geschonken. Dat gebeurde tijdens de eindeloze gesprekken die tijdens zijn eerste bezoek hadden plaatsgevonden. De vrouwen wisten niet waar de mannen zo lang over spraken, maar de hoofdvrouw van Karanja onthulde dat Simon de neef van de oude man was. Wanjiru vroeg waarom hij nu pas zijn familie bezocht en waarom ze niet eerder over hem hadden gehoord, maar de vrouw had gefronst en haar een oorvijg gegeven, haar waarschuwend dat ze nooit te veel vragen mocht stellen.

In het begin leek Simon blij te zijn dat hij weer was herenigd met zijn familie, maar al snel leek hij geplaagd door zorgen, afstandelijk, en na een paar dagen vertrok hij weer. Na zijn vertrek had niemand het nog over hem, en Wanjiru's leven ging weer zijn gangetje. Haar familieleden behoorden tot de clan van Karanja, maar ze waren arm en hadden zelf geen land, zodat ze haar hadden gestuurd om Karanja's derde vrouw tijdens haar zwangerschap bij te staan. Dat mens was grillig geweest, moeilijk te behagen, en als Wanjiru niet deed wat ze zei, kreeg ze een pak slaag. Ze deed haar best om bij Karanja uit de buurt te blijven. Hij had de naam wreed te zijn, en alleen al zijn blik joeg haar angst aan.

Een maand later kwam Simon weer langs. Deze keer bleef hij langer, maar hij verkeerde in een sombere stemming en maakte vaak ruzie met zijn oom. Op een dag, toen Wanjiru in het bos hout aan het sprokkelen was, zag ze de jongeman op het pad voor haar. Hij mompelde in zichzelf, en omdat ze nieuwsgierig was, legde ze haar brandhout neer en sloop achter hem aan, zorgvuldig uit het zicht. Toen hij een paar meter verder een open plek bereikte, bleef hij opeens staan, schreeuwde het uit en liet zich op de grond vallen, waarbij hij met zijn handen tegen zijn hoofd sloeg en jammerende geluiden maakte. Ze vroeg zich af of hem iets mankeerde en had geen idee wat ze moest doen. Als ze zou laten merken dat ze hier zat, zou hij misschien kwaad worden. Als ze Karanja zou vertellen wat ze had gezien, zou ze slaag krijgen. Maar ze had met hem te doen, hij zat daar zo alleen en had het duidelijk moeilijk. Ten slotte liep ze naar hem toe en raakte zijn schouder aan. Hij draaide zich met een ruk om en greep haar bij haar keel, schreeuwend, en ze was er zeker van dat hij haar zou wurgen, maar na een paar tellen leek hij tot zichzelf te komen. Hij liet haar los en streek met zijn hand over zijn ogen. Hij zei dat hij werd geplaagd door nare herinneringen en dacht dat hij ergens anders was. Ten slotte vond ze de moed om te vragen wat hem dwarszat, maar hij wilde geen antwoord geven.

Hij smeekte haar tegen niemand te zeggen wat ze had gezien, en ze begreep meteen dat zijn oom niets van zijn zwakte mocht weten. Ze beloofde het geheim te houden, liet hem alleen en ging door met sprokkelen. Het was niet verstandig om te lang uit de nederzetting weg te blijven: een onverklaarbare afwezigheid kon de toorn van Karanja of zijn vrouwen opwekken en tot weer een bestraffing leiden. In de dagen daarna zag ze Simon af en toe en was ze zo dapper om naar hem te glimlachen, maar ze wisselden geen woord. Hij bracht uren door in Karanja's hut en verdween toen weer. Wanjiru probeerde te ontdekken waar hij heen was gegaan, maar ze kon geen directe vragen stellen. Dat mocht ze niet.

Toen ze op een dag vanuit het bos terugliep naar de hutten, met een bos brandhout op haar rug, zag ze Karanja een smal paadje verlaten dat haar nog niet eerder was opgevallen. Ze bleef doodstil staan met haar zware last, haar blik neergeslagen, in de hoop dat hij haar zou negeren en door zou lopen. Maar hij bleef staan en vroeg wat ze daar deed. Zijn toon was bars en ze wist dat hij aan de *bhang* had gezeten. Dat maakte hem altijd agressief. Ze antwoordde op respectvolle toon en hield haar blik op het pad vol steentjes gericht, maar opeens sloeg hij het hout van haar af en gaf haar een klap in haar gezicht. Ze keek op, met ogen vol tranen en een wang die pijn deed van zijn klap, en hij smeet haar op de grond, riep dat ze een spion was en dat hij haar wel eens zou laten zien wat er gebeurde met vrouwen die anderen bespioneerden. Hij boog zich over haar heen, sloeg haar keer op keer en scheurde de *kanga* van haar lijf. Ze begon te huilen en zei smekend dat ze niets had gezien of gehoord, dat ze alleen maar hout had gesprokkeld, maar hij bleef haar slaan, totdat ze zeker wist dat ze zou sterven. Hij zou zich aan haar vergrijpen en haar dan doden. Ze was zo bang dat ze zich niet eens durfde te verzetten.

Toen hoorde ze de stem van Simon. Hij sprak zijn oom vermanend toe, en na een paar minuten stond de oude man op. Wanjiru sloeg haar gescheurde kleren om zich heen en probeerde op te staan. Karanja keek haar vol walging aan. Zijn neef wilde haar als vrouw, zei hij. Ze was niets waard, maar hij zou haar aan Simon geven. Ze vluchtte terug naar haar hut, bang dat de oude man van gedachten zou veranderen. De rest van de dag werkte ze ondanks haar sneden en blauwe plekken keihard in de nederzetting.

Die avond kwam een van Karanja's zonen naar haar toe en zei dat ze met hem mee moest gaan. Doodsbang deed ze wat hij vroeg, er zeker van dat ze zou worden gemarteld en gestraft, misschien gedood. Ze volgden het pad waar ze Karanja eerder die dag had gezien en liepen dieper het bos in. Op een vochtige open plek hoger op de berg stond Simon op haar te wachten, samen met Karanja en een paar oudere leden van de clan. Bij een vuur in het midden van de open plek was een bok vastgebonden, en ze moest zich uitkleden en ernaast neerknielen. Karanja pakte een *panga* en sneed het dier de keel door, en terwijl het bloed in een kalebas werd opgevangen, maakte hij met het lemmet een snee in haar rug. Nu wist ze zeker dat ze haar zouden doden. Ze hield haar hoofd gebogen en haar ogen gesloten, wachtend op de fatale slag, maar toen nam Karanja het woord. Haar bloed zou zich vermengen met dat in de kalebas, en ze moest nu zweren haar mond te houden en zeven keer rond het offerdier lopen. Als ze haar eed zou verbreken, zou ze sterven, net zoals deze bok. Ze legde haar eed af terwijl de bok, nog steeds levend, van zijn ledematen werd ontdaan en de testikels in het vuur werden verbrand. Een brandijzer dat in de vlammen was gehouden, werd tegen haar wond gedrukt, en ze schreeuwde het uit toen haar vlees verschroeide.

Later kwam Simon naar haar toe en tilde haar op. Ze hoorde nu bij hem, zei hij. Hij was gekleed in de traditionele dracht van de Kikuyu: een hoofdtooi met veren, een lendendoek van leer, een mantel van het vel van een franjeaap en armbanden met kralen. Zijn ogen glansden van de *bhang*, zijn adem rook naar alcohol. Hij nam haar mee naar een grot aan de rand van de open plek en duwde haar neer op een bed van riet. Daar nam hij bezit van haar, terwijl zij onder hem lag in de greep van de pijn en de angst. Dat was haar huwelijksnacht. Er was geen hofmakerij, geen geschenken, geen dagen vol feestelijkheden met de stam waaraan de andere jonge vrouwen hadden kunnen deelnemen. Twee dagen lang lag ze daar met koorts vanwege die wond op haar rug. Dichtbij kon ze de mannen horen zingen terwijl haar echtgenoot een of ander ritueel doorstond. Hij bracht haar een stuk geroosterde bok dat hij haar dwong te eten, hoewel ze moest kokhalzen. Toen dwong hij haar een bitter kruidendrankje te drinken waarvan ze heel erg ging ijlen, en ten slotte verloor ze het bewustzijn.

Ze wist niet hoe lang ze daar had gelegen, maar toen ze weer wakker werd, kwam daglicht de grot in. Simon kwam binnen en hurkte met een ernstig gezicht naast haar neer, maar de andere mannen waren verdwenen. Ze moest opstaan, zei hij, en het huishouden doen. Ze zouden in de grot gaan wonen en niet terugkeren naar de nederzetting. Als ze iemand hoorde aankomen, moest ze zich verbergen. Ze mocht met niemand praten. Hij zou haar eten brengen dat ze moest bereiden, en ze moest aan de rand van de open plek naar brandhout zoeken. Hij had haar voor de toorn van Karanja behoed en haar tot vrouw genomen, en ze had een eed gezworen. Ze wist wat er zou gebeuren als ze zou proberen te vluchten.

Stijf en pijnlijk en verdoofd van wanhoop ging Wanjiru een vuur maken en eten voor haar man bereiden. Simon at zwijgend, en toen hij klaar was, pakte ze wat voor zichzelf. Ze durfde geen vragen te stellen. Overdag sprokkelde ze hout, hield het vuur brandende, maakte de pannen schoon met water uit een beekje vlakbij en vroeg zich af hoe lang ze hier zou moeten blijven. De wond op haar rug genas ten slotte, maar er bleef een rafelig litteken zichtbaar. Ze had geen schone kleren en waste haar *kanga* in het koude water en sloeg hem nog steeds nat om zich heen. Ze schepte geen genoegen in het tonen van haar jonge, strakke lichaam aan haar man, en Simon zag haar alleen staan als hij seks wilde. Dan was ze niet meer dan een houder voor zijn zaad, en wanneer hij klaar was, draaide hij zich altijd met een grom om en viel met zijn rug naar haar toe in slaap. Later stond hij dan op en ging alleen voor de ingang van de grot zitten. Hij dronk veel alcohol en oogde somber en peinzend, maar hij sloeg haar niet. Ze wist dat ze bij hem beter af was dan overgeleverd aan de genade van Karanja.

Haar leven in het woud was een aaneenschakeling van ontberingen. De grot lag zo hoog op de berg dat het er koud was, het mistte en regende, ze was er eenzaam. Maar ze deed haar best om er iets van te maken, en in de loop van maanden begon er iets van een relatie tussen haar en haar man te ontstaan. Overdag bleef hij vaak urenlang weg, en ze kon niet vragen waar hij heen ging. Mannen kwamen hem halen, en wanneer ze hen zag naderen, moest ze zich verstoppen. Af en toe kwam Karanja langs, maar hij sprak gelukkig niet tegen haar. Ze was bang voor hem, maar ook kwaad op hem omdat hij haar zo vreselijk had behandeld, en ze geloofde dat het zijn schuld was dat haar man nu zo anders was dan de jongeman die naar het reservaat was gekomen. Als Simon met Karanja op pad was geweest, kwam hij vaak dronken en somber thuis, vaak ook onder invloed van bedwelmende middelen. Dan lag hij 's nachts in zijn slaap te woelen en te schreeuwen, maar ze durfde hem niet uit zijn nachtmerries te wekken omdat ze bang was dat hij net zo zou reageren als de eerste keer in het bos. Ze wist nog goed dat zijn handen zich om haar keel hadden gesloten en dat er waanzin in zijn ogen had geblonken. Ze wilde hem geen reden geven haar pijn te doen.

Op een avond kwam hij terug met een bundeltje in zijn handen, en toen ze naar hem toe liep om hem te begroeten, drukte hij het haar in de hand. Het waren drie *kanga's* en een kralenkettinkje. Haar ogen vulden zich met tranen toen ze de allereerste geschenken van haar leven zag, maar ze keek hem aarzelend aan, niet goed wetend of deze echt voor haar waren. Hij knikte en glimlachte voor de allereerste keer sinds ze man en vrouw waren geworden. Aangemoedigd door zijn reactie gooide ze haar oude gewaad van zich af en stond voor hem in het zachte licht van het woud, zodat hij naar haar kon kijken. Hij pakte een *kanga* en wikkelde die om haar heen, waarbij hij bewonderend haar borsten en zijden aanraakte. Toen leidde hij haar naar de grot, streelde haar, bedreef de liefde met haar alsof hij haar voor de allereerste keer zag. Daarna bleven ze in elkaars armen liggen, en voor het eerst begon ze hoop te koesteren. Hij was geen slecht mens. Ze had zijn goedkeuring gewonnen. Misschien zou hij haar na verloop van tijd wegvoeren van deze sombere plek en zouden ze ver weg van Mwathe samen een leven opbouwen.

De weken regen zich echter aaneen, en ze bleef een gevangene. Ze spraken nu vaker met elkaar, aten samen, en 's nachts hield hij haar in zijn armen. Maar hij sliep slecht en werd vaak zwetend wakker, met een woeste blik in zijn ogen, en dan streelde ze hem over zijn hoofd en hield hem tegen haar borsten gedrukt. Ten slotte, na een bijzonder zware nacht, smeekte ze hem te vertellen wat hem scheelde en waarom hij aan zulke nachtmerries leed. Vol schroom herinnerde ze hem aan haar eed: ze moest haar mond houden, dus wat hij ook tegen haar zei, het zou hem niet schaden. En toen vertelde hij haar eindelijk wat hem naar Karanja en naar het reservaat had gevoerd.

Tijdens het verzet van de Mau Mau had zijn vader zich bij degenen in het woud gevoegd die de eed hadden afgelegd. Hij had deel uitgemaakt van een groep die overvallen pleegde op blanke boerderijen en Afrikaanse dorpen. Simon was toen vijf geweest, de enige zoon van de lievelingsvrouw van zijn vader, en zijn moeder en hij waren naar het woud gevoerd, zodat ze zich in een nederzetting van de Mau Mau konden verstoppen. De oudere broer van zijn vader, Karanja, was degene die het kamp bevoorraadde en vertelde waar de politie en het leger zaten. Een tijdlang ging het goed en werden ze niet ontdekt, totdat een van de speciale patrouilles op hun kamp stuitte. De Mau Mau had net een strooptocht gehouden en een stier meegebracht van een boerderij die ze hadden overvallen. Ze waren uitgehongerd geweest, vervuld van hun succes, en al snel was een vuur hoog opgelaaid en hing het dier aan een spit te roosteren. Ze hadden al zo lang geen vlees meer gehad, en ze werden roekeloos. Al snel waren de bewakers van het kamp dronken geweest en was de rook opgestegen tot boven de boomtoppen. De politie was in een hinderlaag gaan liggen en had in het donker gewacht totdat iedereen zijn buik rond had gegeten en in slaap was gevallen. Toen waren ze het kamp binnengevallen. De strijd die volgde, was hevig, en een groot deel van de bende liet het leven.

Simons moeder verborg hem in het dichte kreupelhout totdat de gevechten voorbij waren. Ze zagen dat zijn vader en anderen gevangen werden genomen en ze besloot het bos in te vluchten, maar een van de *askari's* zag haar en sloeg alarm. Ze duwde haar kind tussen de struiken en rende het pad af, zodat ze de politie van hem kon weglokken. Er klonken schoten, haar kind zag haar op de grond vallen, en toen stond ze op en probeerde weg te kruipen. Een blanke man richtte zijn geweer op haar en schoot nogmaals. Daarna bewoog ze niet meer. Het kind bleef tussen de struiken zitten, te bang om zich te verroeren, en zag alles wat er op de open plek gebeurde. De politie begon de gevangenen te ondervragen. Zijn vader werd voor twee blanken geleid, naar wie hij spuugde toen ze hem vragen stelden. Hij riep dat alle *wazungu* zouden worden verdreven en dat hun vrouwen zouden worden gedood, net zoals zijn vrouw was gedood. Hij weigerde hun informatie te geven, hoewel ze hem en zijn metgezellen in elkaar sloegen. Ze zeiden niets. Een van de blanke mannen riep een bevel, en de *askari's* sleepten zijn vader lachend naar het vuur. Ze bonden hem aan het spit waaraan eerder de stier had gehangen en een van hen merkte sarrend op dat dit de juiste plek was voor zo'n vurig ventje als hij. Toen legden ze meer brandhout neer en staken het aan. De twee blanken keken zwijgend toe terwijl de *askari's* hun vragen stelden. De derde blanke, die Simons moeder had neergeschoten, kwam aangelopen en zei dat ze moesten ophouden, maar de anderen plaagden hem, zeiden dat hij maar een boer was en geen echte soldaat, en na enig redetwisten draaide hij zich schouderophalend om en liep weg. Simon zag dat hij aan de rand van de open plek ging zitten en naar de bomen keek toen zijn vader begon te schreeuwen.

Het duurde heel erg lang voordat het schreeuwen ophield, maar zijn vader vertelde hun niets. Anderen uit de groep begonnen te huilen en vertelden alles wat ze wisten omdat ze niet zoals Simons vader gemarteld wilden worden. Ten slotte beval de blanke die zijn moeder had gedood dat ze zijn vader van het spit moesten halen. Het was al te laat. Toen ze hem op de grond legden, zag Simon dat zijn huid zwart als roet was, en hij stierf daar, op een open plek in het woud. Een van de politiemannen, een Kikuyu, vroeg wat ze met de lijken moesten doen, en een blanke zei dat ze moesten blijven liggen als waarschuwing voor andere opstandelingen. Ten slotte staken ze de resten van het kamp in brand en voerden hun gevangenen weg. Simon bleef een hele tijd tussen de struiken zitten, verlamd van angst. Toen hij zeker wist dat ze weg waren, kroop hij naar zijn moeder toe en ging naast haar zitten huilen. Hij durfde niet naar dat smeulende, verkoolde ding naast het vuur te gaan. Hij wist niet hoe lang hij daar had gezeten, of wie hem had gevonden en naar Karanja had gebracht. Er werden hem vragen gesteld, maar hij kon geen antwoord geven. Hij kon helemaal niet meer praten. Ze hielden hem een paar weken bij hen in het reservaat, maar toen oordeelde iemand dat ze niets aan hem hadden en hem net zo goed naar de missie in Kagumo konden brengen.

De paters waren aardig voor hem. Hij wist dat hem iets heel ergs was overkomen, maar wanneer ze hem vroegen wat dat was, leek er een wolk over hem neer te dalen en kon hij zich niets meer herinneren, zelfs zijn eigen naam niet. Ze noemden hem Simon Githiri, en het duurde een hele tijd voordat hij weer kon praten. Pas toen Karanja hem kwam halen en meenam naar Mwathe, begon hij zich zijn kindertijd weer te herinneren. Eerst was hij blij dat hij nog familie bleek te hebben: jarenlang had hij zich afgevraagd wie hij was en waar hij vandaan was gekomen, en waarom niemand hem ooit bezocht. Maar de gebeurtenissen uit het verleden waren diep in zijn geheugen begraven, en hij begon pas bang te worden voor de waarheid toen Karanja hem meenam naar de plek waar zijn vader was gedood. Daarna was hij teruggekeerd naar Kagumo, maar hij had niemand verteld waar hij was geweest. Het moest een leugen zijn. Of ze dachten dat hij iemand anders was. De paters hadden hem van alles over de noodtoestand verteld, net als de Kikuyu-leraren die trouw aan de Britten waren geweest. Hij kon niet geloven dat zijn vader bij die kwade opstandelingen had gehoord. De paters hadden hem een thuis geboden, hem opgeleid. Als ze hoorden dat zijn vader bij de Mau Mau had gezeten, zouden ze zich misschien van hem afkeren. Dan zou hij het weinige wat hij had verliezen.

Geplaagd door twijfels en niet langer in staat bevrediging te putten uit zijn werk in Kagumo besloot hij een baan buiten de missie te zoeken. De paters gaven hem wat geld en een goede referentie. Hij verliet de school met het voornemen naar Nairobi te gaan, maar in de bus voelde hij de onbedwingbare neiging Mwathe te bezoeken. Hij wilde eens en voor altijd vaststellen of Karanja gelijk had. Op de dag dat Wanjiru hem was tegengekomen, had hij eindelijk zekerheid gekregen. Hij was een wandelingetje gaan maken en had iets in het bos gezien wat een herinnering had opgewekt. Opeens zat hij weer naast het lijk van zijn moeder en rook hij weer de stank van het verkoolde lijf van zijn vader. Het was zo gegaan als Karanja had gezegd. Nu zou hij moeten doen wat zijn oom hem had opgedragen.

Ontzet door dit verhaal had Wanjiru gevraagd wat zijn oom van hem verlangde, maar Simon wilde het niet zeggen. Hij was de hele dag bij haar gebleven, uitgeput door het praten over de ellende in zijn jeugd. Ze stelde hem geen vragen meer. Hij was al nerveus, bang dat hij te veel had gezegd, en in de week die volgde, zei hij weinig. Wanneer hij met haar wilde vrijen, gaf ze zich gewillig aan hem over, en wanneer hij 's nachts last van nachtmerries had, troostte ze hem alsof hij een klein kind was. Hij verliet de open plek niet. Een tijdje later kwam Karanja langs. Er volgde een verhitte discussie. Wanjiru bleef in de grot zitten en kon niet horen wat ze zeiden. Kort daarna verliet Simon samen met hem de open plek, en nu bleef hij dagen achtereen weg. Wanjiru was alleen in het woud.

Het eten raakte op en ze probeerde te leven van bessen en van wat ze verder kon vinden. Ze vroeg zich af wat ze moest doen als hij niet terug zou komen. Niemand zou het weten als ze hier van de honger zou omkomen, en het zou vast niemand iets kunnen schelen. En ze was vaak misselijk. Ze had het vermoeden dat ze misschien een kind verwachtte, een vooruitzicht dat haar met angst en vreugde tegelijk vervulde. Als ze haar man een gezond kind zou schenken, zou hij haar hier misschien vandaan halen. Dit was geen plek om een kind op te voeden, dat moest hij ook wel inzien. Een kind van hemzelf, een zoon

– ze hoopte dat het een zoon zou zijn – kon hem afleiden van die gruwelijke herinneringen aan het verleden. Hij zou niet willen dat de jongen verborgen in het woud opgroeide, zoals hem was overkomen. Na nog drie dagen waren de laatste restjes *posho* op. Wanjiru wist dat er snel iets moest veranderen, anders zou ze te zwak zijn om zichzelf of de baby te kunnen redden. Uiteindelijk besloot ze terug te gaan naar het reservaat. Simon had haar niet achtergelaten om te sterven. Er moest hem iets zijn overkomen.

Ze volgde het pad, doodsbang omdat ze haar belofte had verbroken. Korte tijd later besefte ze dat ze verdwaald was. Er liepen sporen alle kanten op, voornamelijk gemaakt door olifanten en buffels, en ze was slechts één keer over het pad gelopen, in de schemering, geleid door Karanja's zoon. Toen was ze zo bang geweest dat ze niet op haar omgeving had gelet. Bij het vallen van de avond was ze echt verdwaald. Alle bekende punten waren verdwenen en ze hoorde het geritsel van etende olifanten en heel dichtbij het snuiven van een buffel. Ze had geen water. Haar maag was leeg. Ze had het laatste beetje dat ze had gegeten weer uitgebraakt en was doodop. Vol wanhoop ging ze op de aarde liggen en bedekte zich met bladeren, ervan overtuigd dat de vloek van de eed haar had getroffen.

Karanja was degene die haar vond, en hij was zo woedend dat ze wenste dat ze in de grot was gestorven of tijdens haar omzwervingen door de wilde beesten was verscheurd. Ze werd verdwaasd wakker en merkte dat hij over haar heen gebogen stond en haar vol woede aankeek. Ze wilde niet te lang stilstaan bij het pak slaag dat hij haar had gegeven en kon niet zeggen hoe ze de wandeling terug naar de grot had overleefd. Daar zat Simon op haar te wachten. Hij troostte of steunde haar niet toen ze strompelend de open plek bereikte. Toen ze hem aankeek, zag ze slechts leegte in zijn blik.

Karanja zei dat ze moest boeten voor haar ongehoorzaamheid. Hij had een *panga* in zijn hand. In een laatste wanhopige poging haarzelf en het kind in haar buik te redden, wierp ze zich aan de voeten van haar man en smeekte hem om genade. Ze had niet willen weglopen, loog ze. Ze had honger. Ze was voorbij de open plek gelopen, op zoek naar eten, en toen was ze verdwaald. Ze was misselijk geworden. Vanwege haar zwangerschap was ze in de war. Als ze haar nu zouden doden, zou het kindje ook sterven. Dan zou hij zijn eigen zoon doden. Karanja knarste met zijn tanden en zei tegen zijn neef dat hij niets aan deze vrouw had en haar niet kon vertrouwen. Maar haar woorden lieten Simon niet koud. Hij staarde haar met hernieuwde aandacht aan en zei toen tegen zijn oom dat hij haar zou laten leven, totdat hij zeker zou zijn dat ze een kind droeg. Als bleek dat ze had gelogen, zou hij haar eigenhandig doden.

Karanja ging ontstemd mompelend weg en Simon liep naar de beek om een kalebas vers water voor haar te halen. Hij zei dat ze moest drinken, zichzelf moest wassen en naar de grot moest gaan. Ze ging in het halfdonker liggen, haar gezicht opgezwollen en haar ogen bijna dicht door de vuistslagen van Karanja. Haar ledematen deden pijn, haar wonden bloedden, en ze huilde van pijn en eenzaamheid. Haar man, de man voor wie ze had gezorgd, vertelde niet waar hij was geweest of waarom hij zo lang was weggebleven. Hij was haar man en had haar eten moeten brengen, maar hij had haar alleen gelaten, zonder voedsel, en toen hij terug was gekomen, had hij haar door zijn oom laten slaan. De enige reden dat ze nog leefde, was de kans dat ze een zoon onder haar hart droeg. Welke band ze ook hadden opgebouwd, die was nu voor altijd verdwenen. Het kind was haar enige hoop. Ze legde haar hand op haar buik en rolde zich op.

De maanden verstreken, haar buik werd dikker, en ze bracht het grootste deel van de tijd alleen in de grot door. Ze sprak tegen het kind in haar buik en zong liedjes. Ze was gelukkig, voor zover dat mogelijk was. Simon liet haar het grootste deel van de tijd alleen, maar zorgde er wel voor dat ze te eten had. Ze dacht dat hij Karanja uit de buurt wist te houden, want de oude man verscheen niet meer. Toen kwam Simon op een avond de grot in, gekleed in een schoon overhemd en een schone broek, en zei dat ze terug zou gaan naar Mwathe. Hij had werk gevonden, zei hij, en hij zou een hele tijd weg zijn. Ze kon hier niet alleen blijven. Ze smeekte hem haar mee te nemen, maar hij wilde er niets van horen. Ondanks haar tranen en smeekbeden stond hij erop dat ze terug zou gaan naar het huishouden van Karanja en daar zou bevallen. Hij leidde haar de berg af en liet haar aan de rand van het woud achter.

Het laatste deel van de tocht was het zwaarst. Ze was doodsbang voor wat er met haar zou gebeuren als ze de nederzetting zou bereiken. De hoofdvrouw van Karanja nam haar op. De oude vrouw was een indrukwekkende dame die de touwtjes strak in handen had, maar ze was niet onvriendelijk, en Wanjiru was verbaasd dat ze een machtige bondgenoot had gevonden die haar kon beschermen. Simon was nergens te zien en niemand sprak over hem. Er werd haar verteld dat ze niets te vrezen had als ze hard zou werken en haar mond zou houden. De laatste maanden van haar zwangerschap waren bijna plezierig geweest, ze had vol verwachting uitgekeken naar haar zoon. Als Simon terug zou komen en zijn kind zou zien, dacht ze, zou hij weer de man worden die hij was geweest.

De bevalling was zwaar en pijnlijk. De vroedvrouw die erbij was gehaald, sprak in de loop der uren steeds angstigere toverspreuken uit, en toen was het eindelijk zover. Ze hoorde de eerste kreetjes van haar kind en voelde een vlaag van geluk door haar uitgeputte lichaam gaan. De pijn, de inspanning; ze was alles op slag vergeten. Ze boog zich voorover om haar kindje te kunnen zien, maar toen de vroedvrouw hem optilde om de navelstreng door te kunnen snijden, uitte ze een ontzette kreet en keek de rest van de aanwezige vrouwen aan. Pas toen zag Wanjiru de misvorming, het rechtervoetje dat in een vreemde hoek uitstak. De vrouwen mompelden iets, over een teken, een slecht voorteken. Het kind moest worden weggehaald. Het zou de clan, de hele stam, ongeluk brengen. Wanjiru deugde niet en haar kind evenmin. Ze moesten beiden uit het reservaat worden verdreven. Ze griste het kind uit de armen van de vroedvrouw en sneed zelf de navelstreng door. Toen drukte ze het jammerende kindje tegen haar borst, hen uitdagend het van haar af te pakken.

Er volgde een aantal gespannen momenten. De hoofdvrouw van Karanja was de enige die het voor haar opnam. Zij was degene die moeder en kind redde. Niemand mocht iets doen, zei ze, de oudsten moesten bijeenkomen en een oordeel vellen. Tot die tijd zouden moeder en kind bij haar blijven en net als de anderen worden verzorgd. Ze duwde alle andere vrouwen de hut uit en hurkte toen naast Wanjiru neer. Ze legde uit hoe die haar kindje moest voeden en zei dat het allemaal wel goed zou komen. Ze moest het kind bedekt houden. Hij zag er heel gezond uit, mensen moesten alleen zijn voetje niet zien. Toen had ook zij de hut verlaten en was Wanjiru alleen met haar zoon achtergebleven. Hij keek haar aan alsof hij begreep hoe moeizaam zijn start in het leven was, en ze beloofde hem met haar leven te beschermen, maar toen ze doodmoe achterover leunde, kon ze haar tranen niet meer inhouden. Vrijelijk stroomden ze over zijn bolletje. Ze wist dat hij het zwaar zou krijgen als ze hem hier zouden laten blijven. Vooral door toedoen van Karanja.

Ze wist niet wat er tussen de oudsten was besproken, maar Karanja's vrouw moest zich erg sterk voor haar hebben gemaakt, want ze mocht blijven en haar kind houden. Misschien verwachtte de oude man dat ze haar baby niet zomaar zou opgeven en wilde hij niet de aandacht op haar of haar ontbrekende echtgenoot richten. Wat zijn reden ook was, hij liet aan iedereen weten dat het kind onwettig was en dat Wanjiru alleen in de nederzetting mocht blijven wonen omdat hij met zijn hand over zijn hart had gestreken. Hij keek haar echter altijd aan met een blik die ronduit kwaadaardig was, en ze had het gevoel dat ze Simon, als die ooit terug zou komen, ervan moest zien te doordringen dat ze ergens anders moesten gaan wonen, al had ze geen idee hoe ze dat zou moeten aanpakken. Haar grootste angst was dat haar man het vaderschap zou ontkennen, dan zou ze haar kindje ergens anders alleen moeten opvoeden. Nu kon ze echter bij de vrouw van Karanja blijven en ze was haar dankbaar voor haar bescherming.

Een half jaar later kwam Simon terug. Hij kwam heel laat, in het donker, en zijn lichaam zat onder het zweet en het vuil, en in zijn blik glansde de waanzin die ze ook had gezien op de dag dat hij haar in het bos had aangevallen. Karanja glimlachte vals toen ze haar man voor het eerst zijn kind liet zien. Simon gunde het echter amper een blik waardig. Hij leek last van koorts te hebben, zijn ademhaling was snel en moeizaam. Hij bleef zijn vuisten ballen en ontspannen, ze zaten onder het gedroogde bloed, net als de rest van zijn lichaam. Hij zei dat hij het woud in zou gaan en daar enige tijd zou blijven. Over een maand of twee zou hij terugkomen voor zijn zoon, en in de tussentijd moest ze aan haar eed denken. Als ze tegen iemand zei dat ze hem had gezien, zou hij haar en de baby laten doden.

Wanjiru sloeg haar blik neer en mompelde dat ze begreep wat hij bedoelde, dat ze haar mond zou houden. Al het medeleven dat ze voor hem had gevoeld, verdween, en ze ging terug naar haar hut, vastbesloten te ontsnappen zodra de kans zich zou voordoen. Ze was niet langer veilig bij haar man. Diep in haar hart wist ze echter dat ze geen kant op zou kunnen. Ze had een kreupel kind, daaraan zou iedereen haar overal herkennen, en niemand zou haar onderdak bieden omdat ze vervloekt was. Uiteindelijk begon ze te geloven dat ze dat ook echt was. Totdat Sarah en Lars met David in Mwathe waren verschenen en ze had beseft dat die *wazungu* haar laatste en enige kans zouden zijn. Ze had het reservaat in het holst van de nacht verlaten, toen iedereen sliep, en was door de wildernis naar Langani gelopen.

Nadat ze was uitgesproken, trok Jeremy een ernstig gezicht. Als het meisje de waarheid sprak, en hij zou niet weten waarom ze zou liegen, dan konden ze Karanja oppakken om hem te verhoren. Maar ze hadden geen tijd te verliezen.

Hannah stond als verstijfd bij de deur en staarde nietsziend voor zich uit, net zoals ze op de avond van Piets dood had gedaan. Lars keek naar haar en vroeg zich af of dit moment haar zou breken en haar steeds moeizamere grip op de werkelijkheid zou verzwakken. De stilte kroop door de kamer terwijl iedereen wachtte totdat ze iets zou zeggen of zou laten merken dat ze iets van Wanjiru's woorden had begrepen. Lars sloeg zijn armen om haar heen en ze leunde stijfjes tegen hem aan, met een asgrauw gezicht. Haar roerloosheid was onrustbarend, en toen ze ten slotte eindelijk iets zei, klonk haar stem laag en schor.

'Jan,' zei ze.

'Wat is er, Han?' Hij streelde haar over haar haar, maar begreep niet wat ze bedoelde. 'Wat is er met Jan?'

'Het was pa,' zei ze. 'Die dag in het woud, dat was mijn vader. Piet is vermoord om wat die boer heeft gedaan. Om wat mijn vader heeft gedaan.'

Toen bewoog ze en keek haar man aan.

'Ik moet met Sarah gaan praten,' zei ze. Haar stem was amper meer dan een fluistering. 'Ik moet haar dit zelf gaan vertellen. En zeggen dat het me spijt. Dat ik mijn uiterste best zal doen om het weer goed te maken tussen ons. Maar Lars... o god, Lars. Als het verhaal van Wanjiru waar is, en Simon is na Piets dood nog op het reservaat geweest... Snap je wat dat betekent, Lars? Dat betekent dat Simon Githiri nog leeft.'

DERTIEN
Kenia, mei 1967

Doordat het gesprek via de radio telkens werd onderbroken door geruis of wegvallend geluid was het nog moeilijker om Sarah te vertellen wat er was gebeurd. En de pogingen slokten Hannahs laatste restjes moed en kracht op.

'Simon leeft nog.' Sarah herhaalde de woorden op vlakke toon, zonder blijk te geven van ontzetting of zelfs verbazing. 'Dat dacht ik al, maar ik durfde het niet te zeggen. Ik kon onmogelijk uitleggen wat ik voelde, en jij zou hebben gezegd dat ik me aanstelde.'

'Je had het niet voor je hoeven houden,' zei Hannah vol schaamte.

'Ik heb het aan Rabindrah verteld,' zei Sarah, 'maar toen heb ik er verder geen aandacht aan geschonken omdat het maar een voorgevoel was en het geen zin had erbij stil te staan. Heb je Jan en Lottie al gesproken?'

'Nee, dat kan ik niet. Nog niet.'

'Wat zal er nu met Wanjiru gebeuren?' Sarah voelde een vlaag van misselijkheid toen ze aan het meisje en het misvormde kind van Simon dacht.

'Dokter Markham regelt een afspraak met een specialist, maar we kunnen haar niet hier houden,' zei Hannah. 'Wie weet gaat Karanja naar haar op zoek. Door haar lopen we allemaal een enorm risico. Jeremy regelt een schuiladres voor haar, hij wil haar natuurlijk niet in de cel stoppen. Er mag haar niets overkomen en ze mag niet op de vlucht slaan, anders is hij zijn belangrijkste getuige kwijt.'

'Ze zou naar de missiepost kunnen gaan. Naar Kagumo,' stelde Sarah voor. 'Ik weet zeker dat ze haar daar zullen opvangen, veilig en uit het zicht. Ik kan het aan pater Bidoli vragen. Ik moet morgen toch naar Isiolo, dan bel ik hem daarvandaan.'

'Sarah? Het spijt me zo. Ik mis je.'

'Het is goed, Han. Over en uit.'

'Ze heeft het me niet vergeven,' zei Hannah na haar gesprek met Sarah. 'Ik heb gevoel dat ik zelf iets vreselijks op mijn kerfstok heb waarvoor ik keer op keer moet boeten, en het ergste staat ons nog te wachten.'

'Nee, Han, we hebben het ergste al gehad. Vandaag is het begin van –'

'Denk eens aan de rechtbank in Nyeri.' Ze boog zich over Lars heen, die in zijn stoel zat. 'Denk eens aan Simon die een getuigenverklaring aflegt, en het meisje ook. Jan van der Beer, de man die een weerloze vrouw heeft neergeschoten. En toen heeft hij haar man vastgebonden en aan het spit geregen en hem geroosterd boven een vuur en hem horen schreeuwen en schreeuwen...'

Haar stem was zo schril dat ze bijna hysterisch klonk, en Lars schudde haar aan haar polsen door elkaar. 'Hou op, Hannah, hou op. Misschien houdt Simon zich in het woud verborgen, maar hij kan net zo goed dood zijn. Dat weten we niet. En als hij nog leeft, is Karanja misschien degene die hem het eerst vindt en hem zal doden, zodat hij niets belastends kan zeggen. Maar wat er ook gebeurt, we moeten sterk zijn. Je kunt nu niet opgeven. We slaan ons hier samen doorheen, want we hebben elkaar, en Suniva. Dus blijf moed houden, anders heeft Simon ons allemaal kapotgemaakt. Ik ga nu kijken hoe het met Wanjiru is en dan kom ik naar bed.'

Lars had in het magazijn een matras en dekens laten neerleggen, zodat het meisje daar kon slapen. Haar aanwezigheid zat hem heel erg dwars. Hij had aan Mwangi en Kamau uitgelegd waarom ze hier was en die twee hun hoofd zien schudden, bang dat zij en het kreupele kind ongeluk zouden brengen. De zoon van Simon Githiri zou hier geen onderdak mogen vinden. Hij droeg een teken. Ze weigerden in de buurt van het magazijn te komen, en toen Wanjiru en haar kind zich hadden opgemaakt voor de nacht, sloot Lars de deur aan de buitenkant af en liet David de wacht houden. Hij vreesde anders dat ze gedurende de nacht zouden ontsnappen.

De volgende dag belde pater Bidoli rond het middaguur om te zeggen dat de jonge vrouw en haar kindje naar Kagumo konden komen. De nonnen zouden zich over hen ontfermen.

'Heb je zin om mee te gaan naar Nyeri, Han? Ik breng die twee er zelf heen, voor de zekerheid.' Lars hoopte dat de pater haar misschien troost zou kunnen bieden. 'Dan kun je pater Bidoli leren kennen. Sarah is erg op hem gesteld.'

'Het kind van een moordenaar,' zei Hannah op harde toon. Ze was niet zoals gewoonlijk vroeg opgestaan om naar de melkerij te gaan en had evenmin ontbeten. Lars had haar nog steeds liggend in bed aangetroffen. 'Hij is het kind van een moordenaar. Net als ik.'

'Dat mag je niet zeggen, dat mag je zelfs niet denken.' Lars wilde haar omhelzen, maar ze duwde hem weg, getroffen door dat gruwelijke besef.

'Mijn vader was een moordenaar,' zei ze. 'Een man die anderen heeft gemarteld en gedood. En nu moeten wij ervoor boeten. Eerst Piet, met zijn leven. En nu jij en ik en Suniva.'

'In tijden van oorlog doen mannen wel vaker rare dingen,' zei Lars troostend. 'Jij en ik hebben alleen een tijd van vrede gekend, we kunnen niet begrijpen welke invloed een oorlog heeft op degenen die ermiddenin zitten.'

'Ik zit midden in de nasleep,' zei ze. 'Ik heb niemand verwond of gedood, maar ik kan niet aan de oorlog van mijn vader ontkomen.'

'Han, het heeft geen zin je druk te maken over wat is geweest. We hebben hier te veel geweld en leed meegemaakt, en dat zullen we nooit kunnen vergeten. Maar we moeten eraan zien te ontstijgen.'

'Zo zou ik graag ook willen denken. Ik probeer me voor te stellen wat Piet zou hebben gedaan als hij nu nog had geleefd. Maar ik kan niet daarheen gaan waar jij me wilt hebben. Waar ik ook kijk, hij is er.'

'Piet zal altijd bij ons zijn, Hannah. Zijn nagedachtenis zal –'

'Ik heb het niet over Piet,' viel ze hem in de rede. 'Ik heb het over pa. Ik zie hem aan het bureau zitten, ik zie hem tussen de tarwe staan of 's avonds bij de haard zitten. Pa, die alles kapot heeft gemaakt wat zijn ouders en grootouders hier hebben opgebouwd, die zijn kinderen hun toekomst heeft ontnomen. Ik zie hem overal, en ik kan het hem niet vergeven. Want dit is allemaal zijn schuld. Het is zijn schuld dat

Piet er niet meer is.' Ze sprak die woorden uit alsof ze die in gedachten al eindeloos had herhaald, zodat ze in haar geheugen gegrift stonden.

'Maar wij zijn niet dood,' zei Lars zacht. 'Je hebt getracht voort te zetten waar Piet aan is begonnen, en ik heb je daarbij gesteund. En nu moeten we een manier vinden om ons leven draaglijk te maken.'

'Lees me niet zo de les,' zei ze. 'Ik kan er niet tegen als je praat alsof alleen maar een van mijn koeien ziek is. Ik lig in het bed dat ooit van mijn ouders was en nu van mij is. Hier moeten ze het hebben gehad over wat hij heeft gedaan. Dat hij een man levend heeft verbrand. Net als die nazi's over wie je in boeken leest. En zij moet naast hem hebben gelegen en hem hebben getroost. Dus praat niet tegen me alsof ik een kind ben dat alleen maar haar knie heeft opengehaald.'

'Ga je mee naar Nyeri?' Lars probeerde het nog eens.

'Nee. Breng jij ze maar. We hebben ons aan Sarahs belofte gehouden, maar nu moeten we zo snel mogelijk van die meid en dat kind af zien te komen. Na vandaag wil ik die twee nooit meer zien en nooit meer iets over hen horen.'

Ze draaide hem haar rug toe en bleef drie dagen opgesloten in haar slaapkamer liggen, met haar ogen open. Ze stond alleen op om Suniva te voeden of haar aan Lars of Esther te geven. De borden met eten die Kamau klaarmaakte, bleven onaangeroerd, en ze wilde dokter Markham niet spreken. Het leek Lars niet verstandig om Jan of Lottie te waarschuwen, maar hij wist dat ze vroeg of laat de vreselijke waarheid over Simon zouden moeten horen. Die gedachte bezwaarde zijn gemoed onophoudelijk.

'Hannah, ik heb je nodig,' zei Lars. Hij was vastbesloten haar uit haar ellendige stemming te halen. 'Ik kan het werk niet alleen aan. Je moet de draad weer oppakken, er zijn ook goede dingen in het leven. Ik wil dat je je nu aankleedt en gaat ontbijten. Ik zal tegen Mwangi en Kamau zeggen dat je eraan komt.'

'Laat me alsjeblieft met rust.' Ze verborg haar gezicht in de kussens.

Lars stond op. 'Je kleedt je nu aan, Han,' zei hij vastberaden. 'En dan beginnen we samen aan de dag.'

In de eetkamer stond Mwangi met een plechtig, somber gezicht op hem te wachten.

'*Memsahib* Hannah komt ontbijten,' zei Lars, hoewel hij geen idee had of dat echt zo was. Als hij ongelijk had, zou hij voor gek staan, maar Mwangi klaarde meteen op. Toen Hannah inderdaad aan tafel kwam zitten, draaide hij zorgzaam om haar heen, bracht haar verse koffie en extra veel gebakken spek en bleef naast haar staan wachten totdat ze zich eindelijk omdraaide en zijn hand drukte. Ze aten zwijgend, maar Lars was blij dat ze er was. Eindelijk vocht ze terug.

'Ga je dadelijk mee naar de melkerij?' vroeg hij. 'Er is een kalfje geboren dat je nog niet hebt gezien. Het gaat goed, en je moet een naam voor hem verzinnen.'

Ze schudde haar hoofd. 'Nee.'

Toch zag hij iets van belangstelling in haar blik, en hij ging door. 'Je wilt hem heus wel zien. Hij heeft je lievelingskleur en toont nu al karakter. Hij is koppig, net als jij.'

Ze keek naar haar vingers, die met het tafellaken speelden. Toen ze antwoord gaf, hoorde hij haar bijna niet. 'Ik wil dat je eerst iets voor me doet. En dan ga ik weer aan het werk. Ik wil dat je het vanmorgen doet. Want ik kan het niet.'

'Ik doe alles voor je.'

'Ik wil dat je pa belt.'

'Ik weet niet of ik wel degene ben die –'

'Je belt hem en vertelt hem wat er is gebeurd, en waarom. Maar ik wil niet met hem praten, Lars. Nu kan ik dat niet. Misschien kan ik dat wel nooit.'

De moed zonk hem in de schoenen. De kamer baadde in het zonlicht, maar hij had het koud. Ze had het niet meer over Jan en Lottie gehad sinds Wanjiru haar verhaal had gedaan, en zelf had hij hen niet willen waarschuwen omdat het zo veel leed zou betekenen. Hij stelde zich Lotties reactie voor en kon amper ademhalen.

'Misschien moeten we wachten totdat ze Simon te pakken hebben gekregen,' zei hij, een reden voor uitstel verzinnend. 'Totdat we zeker weten dat ze de waarheid heeft gesproken.'

'Dat heeft ze,' zei ze. 'Je weet wat er is gebeurd. Daarom is Piet dood en zullen wij ook sterven. Je bent nog steeds pa's *plaasbeheerder*, en zijn schoonzoon, en je moet hem de waarheid vertellen.'

'Ik weet niet of dat de juiste manier is,' zei hij. 'Ik kan niet zomaar opbellen en zeggen dat hij de moord op zijn eigen zoon zelf over zich heeft afgeroepen. Niet in een telefoontje. Ik kan me niet voorstellen wat dat met Lottie zou doen.'

'Ik kan het niet,' zei Hannah. 'Jij moet het doen.'

'Dan moet ik erheen gaan,' zei Lars, 'en het hun persoonlijk vertellen. Dan kan ik hun in elk geval troost bieden door er te zijn. Ik zal kijken of ik iemand kan vinden die mijn werk kan overnemen, dan vliegen wij naar Rhodesië.'

'Je gaat je gang maar,' zei Hannah, 'maar ik wil hem niet zien.'

'Je moeder zal je nodig hebben,' zei Lars.

'Ze was er ook niet toen ik haar nodig had. Ze koos ervoor bij pa te blijven. Net zoals ik ervoor kies hier te blijven, op Langani, ook al is het zijn schuld dat er hier bloed heeft gevloeid. Ik ga nu naar kantoor om de boekhouding te doen. En later, als je met hen hebt gesproken, ga ik wel met je naar de melkerij. Meer kan ik niet aan.'

Na het ontbijt deed Lars zijn ronde en sprak met de herder en de *watu* die hij op de akkers tegenkwam. Maar zijn stemming was somber, en hij vroeg zich af hoe iedereen hier zou reageren als ze te horen zouden krijgen waarom Piet dood was, en dat Simon nog leefde. Hij dacht aan Jan en Lottie en was er steeds zekerder van dat ze het nieuws niet per telefoon mochten horen. Het was duidelijk dat hij naar hen toe moest gaan, en wel meteen. Nieuwtjes deden altijd snel de ronde onder de blanken in Kenia en hun veelgeplaagde soortgenoten in Rhodesië. Hij wist dat Lottie contact met vrienden van vroeger had gehouden en had geen idee hoe lang de ware reden van Piets dood geheim zou kunnen blijven.

Toen hij later die dag het kantoor binnenliep, zag hij dat Hannah driftig tikkend aan het bureau zat. Suniva lag in haar wiegje te slapen, zich volkomen onbewust van de kwellingen die haar moeder plaagden. Lars voelde een rilling over zijn rug lopen. Niemand kon zeggen of de boerderij nog eens zou worden aangevallen, of zijn vrouw en kind het doelwit zouden zijn. Simon was in zijn zucht naar wraak blijkbaar vastberaden iedereen en alles te vernietigen wat Van der Beer had geschapen. Wilde Hannah nu maar mee naar Rhodesië.

'Heb je nog iets van Sarah gehoord?' vroeg hij.

'Nee,' zei Hannah zonder op te kijken. 'Maar ik heb Anthony wel gesproken. Hij organiseert pas in juni weer safari's en wilde toch hierheen komen om te vragen hoe het met die brand zit, dus ik heb hem gevraagd of hij eerder wil komen. Dan kan hij bij me blijven wanneer jij naar het zuiden gaat.'

'Hannah...'

'Je gaat maar wanneer je wilt.' Haar stem klonk vlak en onaangedaan. 'Anthony kan een week bij me blijven, misschien langer. Hij komt morgen hierheen. Dan ga ik nu met je naar het kalfje kijken.'

Het was al donker toen Hannah wakker werd van het schijnsel van een stel koplampen dat over de wand van de woonkamer zwiepte. Ze verstijfde en voelde angst en ontzetting opwellen toen de honden hysterisch blaffend naar buiten renden. Lars legde geruststellend een hand op haar arm. 'Dat zal Anthony zijn. Ik ga wel even kijken.'

Hij kwam inderdaad samen met hun vriend binnen. Hannah probeerde hem vrolijk te begroeten, maar ze voelde haar gezicht verstrakken toen Lars hem vertelde over de brand en de gevolgen van het bezoek aan Mwathe.

'Wat vreselijk om te horen,' zei Anthony, 'al lijkt het erop dat de schuldige nu toch eindelijk zal moeten boeten voor de moord op Piet. Ik hoop maar dat het meisje veilig is in de missiepost.'

'Jeremy had daar zo zijn bedenkingen over,' zei Hannah. Hij wilde haar liever niet daarheen brengen, en ik evenmin, maar we konden haar niet hier houden, en een alternatief was er niet.'

'Ik weet zeker dat ze de ernst van de zaak daar wel begrijpen,' zei Lars. 'Ik heb haar er zelf heen gebracht en heb met de oude pater gesproken, en met de nonnen die het meisje opvangen. Ze kan nergens anders heen, ze heeft geen geld en moet voor dat kind zorgen. En ze is doodsbang dat iemand uit Mwathe haar zal vinden en terug zal brengen naar Karanja. Ik denk dat ze alleen maar blij is dat ze ergens zit waar niemand haar vragen stelt.'

Naarmate Jeremy Hardy meer vragen had gesteld, was Wanjiru steeds schuchterder geworden, maar ze had haar verhaal nog een paar keer herhaald. Ten slotte, nadat ze haar nogmaals hadden beloofd dat ze haar een schuiladres zouden bieden en haar zoon zouden laten behandelen, gaf het meisje een gedetailleerde beschrijving van het pad naar de open plek en de grot waar ze zo lang had gewoond. Er werden *askari's* heen gestuurd, maar die troffen alles verlaten aan, al waren er sporen die erop wezen dat hier iemand had gewoond. Spoorzoekers ontdekten dat de voortvluchtige dieper het woud in was getrokken en toen een van de vele buffelwissels had genomen die kriskras door de dichte struiken liepen. Ondanks hun uitgebreide zoektocht vonden ze hun prooi niet.

Op dezelfde middag gingen twee agenten naar Karanja's nederzetting in Mwathe, maar geen enkel lid van zijn familie gaf toe Simon ooit te hebben gezien. En Karanja zelf was verdwenen, in het donker weggeglipt, ondanks de bewaking die Jeremy had geregeld. Toen hij dat nieuws kwam melden, reageerde Hannah vol kille berusting.

'Dat had ik wel verwacht,' zei ze. 'Simon en hij zouden de rest van hun leven op die berg kunnen blijven zitten, zonder dat we ze ooit vinden. Tenzij ze ons weer aanvallen.'

'Lieverd, ik denk niet dat ze nog terugkomen,' zei Jeremy. 'Hier lopen dag en nacht *askari's* rond, en andere agenten kammen de omgeving uit. We hebben nu echt de jacht geopend, met iedere man die ik tot mijn beschikking heb. We krijgen ze wel te pakken.' Maar zijn woorden klonken leeg, zelfs in zijn oren, en inwendig vervloekte hij de ondergeschikten die niet goed hadden opgelet.

Hannah had zich zonder iets te zeggen omgedraaid en was weggelopen zonder de hand te schudden die de inspecteur bij wijze van afscheidsgroet had uitgestoken. En nu ging er weer een dag voorbij zonder nieuws.

'Ik heb geen vertrouwen meer in de politie,' zei ze tegen Anthony. 'Ik weet niet of ze gewoon hun vak niet verstaan of dat het ze gewoon niet kan schelen dat een boerderij van blanken het doelwit is.'

'Dat is niet helemaal eerlijk tegenover Jeremy,' vond Lars. 'Hij doet zijn best, maar heeft gewoon weinig mensen.'

'Ik wil er niet meer over praten,' zei Hannah. 'Ik ga de baby naar bed brengen, dan nemen jullie maar een borrel. Daarna kunnen we eten.'

‘Ze ziet eruit alsof ze elk moment kan instorten,’ merkte Anthony op toen Hannah de kamer had verlaten en Lars hem een whisky gaf. ‘Dat merkte ik al toen ik haar gisteren aan de lijn had.’

‘We worden hier min of meer belegerd,’ zei Lars. ‘En ik heb al helemaal geen zin om naar het zuiden te gaan. Het zal nog wel een dag duren voordat ik alles heb geregeld en nog wat dingen met Bill Murray heb besproken, die oplet voor het geval er problemen dreigen. Ik weet alleen zeker dat ik dit Jan en Lottie persoonlijk moet vertellen, en ik ben blij dat jij hier kunt blijven om het fort te bewaken.’

‘Het komt wel goed,’ zei Anthony. ‘Het wemelt hier van de agenten, en je eigen nachtwakers en parkwachters zijn er ook nog. En ik kan aardig met een geweer overweg. Dus ga en doe wat je moet doen, en maak je geen zorgen.’

Tijdens het eten had niemand het over Wanjiru en haar kind of over Lars’ reisje naar Rhodesië. De avond werd gekenmerkt door gespannen stiltes, afgewisseld met soms een stortvloed aan woorden. Anthony had het enige leuke nieuwtje: na een paar dagen onderhandelen met de verzekeringsmaatschappij in Nairobi had hij af weten te dwingen dat de herbouw van de lodge zou worden vergoed.

‘Aanvankelijk kwamen ze met een schijntje,’ vertelde hij, ‘maar daar kwam na enig gediscussieer verandering in toen ik zei dat ik mijn safari’s en auto’s ook wel ergens anders kan verzekeren. Toen konden we pas echt rond de tafel gaan zitten. Ze hebben besloten over de brug te komen, dus we kunnen weer aan de slag. Laat maar weten wanneer en hoe.’

‘We hebben het helemaal niet meer over de lodge gehad,’ zei Lars. ‘Het is denk ik nog te vroeg om –’

‘Nee, dat is het helemaal niet.’ Hannah keek Anthony recht aan. ‘We kennen nu het hele verhaal, de waarheid over pa en Simon, en we weten hoe gevaarlijk het is hier iets nieuws te beginnen.’

‘Het zal moeilijk zijn de knoop door te hakken,’ zei Anthony, ‘maar oordeel niet te snel over je vader, Hannah, want –’

‘O ja, want die goeie ouwe Jan van der Beer beschermde alleen maar zijn gezin en zijn *plaas*, en tijdens een oorlog doen mannen rare dingen.’ Hannah kon zich niet langer inhouden. ‘Probeer je me dat soms te vertellen? Wil iedereen me dat vertellen? Nou, laat ik je dan de moeite besparen. In plaats daarvan wil ik dat iedereen beseft dat die "gekke dingen" die pa heeft gedaan tot de dood van Piet hebben geleid en dat we worden bedreigd door een moordenaar die alles wil vernietigen wat we hier hebben opgebouwd. En waar is pa nu? Beschermt hij ons tegen de gevolgen van zijn zonden? Welnee, hij is voor de onafhankelijkheid al gevlucht omdat hij wist dat Langani hem anders zou worden afgepakt. En hij heeft ook niet gezegd dat we bijna failliet waren. Lars is degene geweest die ons voor de ondergang heeft behoed.'

'Ik wilde Jan niet verdedigen, ik bedoel alleen maar dat hij dacht dat zijn vertrek jullie zou helpen –'

'Helaas vergat hij ons dit geheimpje te vertellen, of ons te waarschuwen zodat we ons hadden kunnen voorbereiden.' Hannah gaf hem geen kans uit te praten. 'Hij is gewoon vertrokken en heeft Piet, Lars en mij laten leven met de gevolgen van zijn daden. Ik vind het vreemd dat je dat niet wilt of kunt begrijpen.'

'Hij heeft iets ongelooflijk wreeds gedaan,' zei Anthony, 'als het tenminste waar is. Maar je moet niet vergeten dat de Mau Mau ook verantwoordelijk was voor werkelijk barbaarse aanvallen.'

'O, dus dan mogen wij ons tot hetzelfde niveau verlagen?' Hannah was zo kwaad dat ze met haar vuist op tafel sloeg.

'Nee, natuurlijk niet,' zei Anthony. 'Maar je moet niet vergeten dat Jan zijn broer in stukken gehakt in het bos heeft aangetroffen, waar hij –'

'Werd achtergelaten om te sterven, net zoals Piet later,' zei Hannah. 'Alsof dat een excuus is.'

'Het is een reden, geen excuus,' zei Anthony. 'De Britten, het leger, de politie; ze waren allemaal vastbesloten de Mau Mau uit te schakelen, wat ze er ook voor moesten doen. Door tegen die barbaren te strijden, hebben ze veel meer Kikuyu dan blanke boeren weten te redden. Ik denk alleen dat we nu een moment hebben bereikt waarop vergiffenis de enige manier is om verder te komen. Anders gaat dit nog een generatie zo door, en nog een, en zal iedereen die ermee te maken heeft sterven door verbittering en haat en wraak.'

'Ik heb geen zin in nog een preek.' Hannah smeet haar servet neer. 'We moeten elkaar beloven dat we hier niet over praten wanneer Lars weg is, Anthony, anders vrees ik dat we niet lang meer vrienden zullen zijn. Ik ben blij dat je hier wilt blijven, maar ik kan dit gewoon niet vanuit jouw standpunt bekijken, en jij begrijpt niet hoeveel woede en schaamte en verdriet ik voel. Dus laten we het er maar niet meer over hebben. Voorlopig in elk geval niet, of misschien maar nooit meer.'

'Je hebt gelijk,' zei Anthony. 'Ik kan me helemaal niet voorstellen wat jij voelt, en van nu af aan gaan we het over andere dingen hebben.'

Hannah stond op. 'Ik ben doodop,' zei ze, 'en ik slaap tegenwoordig heel slecht. Ik word steeds wakker omdat Suniva moet worden gevoed, of omdat ik nachtmerries heb. Ik ben blij als ik een uurtje gewoon kan slapen. Tot morgen.'

'Ze is in elk geval uit haar bed gekomen en praat weer,' zei Lars toen het geluid van haar voetstappen wegstierf. 'Maar ze is doodsbang en heel erg kwaad. Misschien is dit het begin van aanvaarding, een keerpunt. Op dit moment is dat het beste waarop ik kan hopen.'

Terug in Buffalo Springs trof Sarah Dan op een linnen vouwstoel in het hoofdgebouw aan, waar hij zijn dagelijkse verslag zat bij te werken. Intens geconcentreerd zat hij over de volgetikte pagina's gebogen, in zichzelf mompelend. Zijn safari-jasje was versleten en zat onder de vlekken, zijn bril gleed voortdurend van zijn neus en was tussen de glazen met een stuk plakband aan elkaar gezet. Sarah voelde haar hart samentrekken toen ze hem zo zag zitten. Ze had zo'n geluk gehad dat ze deze mensen had leren kennen en met hen mocht werken, dat ze hen inmiddels tot haar beste vrienden kon rekenen.

Dan keek op toen ze de *boma* inliep. Haar gezicht straalde omdat ze weer thuis was. Ze zou tijd nodig hebben om haar gedachten te ordenen, haar leven weer richting te geven en zichzelf te bevrijden van de pijn die op Langani altijd bij haar was. Nu waren daar nog afwijzing en nieuwe angst bij gekomen. Hoe eerder ze weer haar werk kon doen, hoe beter. Dan zouden die gevoelens naar de achtergrond verdwijnen.

'Ik hoop dat je Ierse whiskey lust, en je gewone bocht,' zei ze toen ze hem omhelsde.

'Fijn dat je er weer bent, meid,' zei hij hartelijk. 'Hoe was de bruiloft? Hoe gaat het op Langani?'

'O, de bruiloft werd afgeblazen.' Ze moest lachen om zijn verbazing. 'En de brand in de lodge is een vreselijke tegenslag, maar ik vertel je alles tot in detail als Allie erbij is. Dan hoef je het geen twee keer te horen.'

Een uur lang hielp ze hem met het bijwerken van zijn kaarten en verplaatste de gekleurde punaises aan de hand van zijn aantekeningen over de routes van de olifanten, die hij turend bestudeerde. Daarna ruimde ze haar bagage op in haar eigen hut, ging aan de ruwe tafel zitten die ze als bureau gebruikte en begon haar brieven en aantekeningen te sorteren. Na een tijdje voelde ze dat ze tot rust kwam, omringd door de geluiden van de krekels en van de klipdassen die haar vanaf hun uitkijkpunt op een stapel rotsen net buiten de omheining gadesloegen. Het was bloedheet, waardoor ze het gevoel kreeg dat alle ellende van de buitenwereld wegsmolt en haar rein en nieuw vanbinnen maakte. Toen haar papieren waren uitgezocht en ze haar camera's had uitgepakt, vroeg ze of ze water in de douchetent kon krijgen.

Sarah was net haar haar aan het afdrogen toen Allie verscheen en vlak voor de deur in de schaduw van het rieten dak bleef staan. De zon zakte net weg achter de doornbomen en de eerste geluiden van de avond waren te horen. Er stak een zacht briesje op.

'Heb je je bureau al opgeruimd?' Allie glimlachte. 'Ik ben onder de indruk.'

'En daarna moest ik echt even douchen,' zei Sarah. 'Die emmer koud water was gewoon hemels.' Ze liep naar Allie toe en gaf haar een pakje. 'Iers linnen,' legde ze uit. 'Een broek en een blouse. Die zitten altijd lekker, hoe heet het ook is. En ik heb nog wat dingetjes bij me, jam die mijn moeder heeft gemaakt, en... O, ik vind het zo vervelend dat ik nog een paar dagen ben weggebleven. Jullie moeten het zwaar hebben gehad, met een persoon te weinig. Het spijt me, Allie.'

'Doe niet zo gek. Het is hier trouwens allerminst paradijselijk geweest. Een paar dagen geleden hadden we een overval van *shifta's*, die vier olifanten te pakken hebben gekregen. Zoals gewoonlijk weet niemand hoe ze ongezien konden aankomen, met een lawaaiige vrachtwagen en een hele batterij geweren. Dwars door een gebied waar elke dag gepatrouilleerd zou moeten worden. Iemand heeft geld gekregen om een oogje dicht te knijpen. Dan is zo kwaad dat hij er niet eens over kan praten.' Allie ging op de rand van het bed zitten. 'Maar ik heb gehoord dat jij je portie ook wel hebt gehad. Ik kwam je even vertellen dat hij nu je fles whiskey opentrekt en wil weten of je meedoet.'

'O, ik krijg dat spul niet weg,' zei Sarah, 'maar een koude Tusker, daar zeg ik geen nee tegen. Ik kom over een minuut of vijf.'

De lampen sisten, gekko's ritselden in het riet, en buiten in de donkere Afrikaanse avond zag ze de eerste sterren aan het zwarte doek van de hemel verschijnen. Nachtzwaluwen, kikkers en klipdassen scharrelden door het donker. Met haar glas bier in haar hand vertelde ze over haar tijd in Londen, de ramp die Tims bruiloft was geworden en de brand op Langani. Toen ze het over het verontrustende bezoek aan het Mwathe Reservaat had, kon Allie haar ongerustheid niet onderdrukken.

'Ik hoop dat ze die boerderij nu extra laten bewaken,' zei ze. 'Hannah is daar niet veilig. Als ik haar was, zou ik weggaan voordat ze alles verliest wat haar dierbaar is.'

'Ik denk dat het niet veel scheelt,' zei Sarah.

Ze was blij dat ze over haar broer en de problemen op Langani had kunnen praten, maar ze had niets willen zeggen over de tirade die Hannah een dag eerder had gehouden, of over haar verwarde telefoontje naar Rabindrah van die ochtend vroeg. Dat was pijnlijk en gênant, en die herinneringen wilde ze het liefst diep begraven, zodat ze er niets van zou voelen.

De volgende ochtend verliet ze het kamp bij zonsopgang. Aan de hoge hemel waren vuurrode strepen te zien en de vogels hadden hun eerste gezang ingezet. De Land Rover gleed over de zanderige paden en deed de takjes kraken onder de nieuwe banden, de lucht was fris en zwanger van de geur van wilde bloemen. Erope zat naast haar en grinnikte toen ze hem vroeg naar de ansichtkaart die ze hem vanuit Londen had gestuurd. Die had hij meegenomen naar zijn *manyatta*, vertelde hij, en aan de oudsten laten zien als voorbeeld van de waanzin van *wazungu* in hun eigen land. Toch had hij het gevoel dat de blanke mannen en vrouwen op de foto, met hun kleren in felle kleuren en hun veren en kralen, meer met hem gemeen hadden dan de stijve Britse ambtenaren die hij in Kenia had leren kennen en die rondliepen in gesteven hemden en broeken, en die hun schoenen drie keer per dag hadden gepoetst vanwege het stof.

Het duurde niet lang voordat ze haar groepje olifanten hadden gevonden. Ze stonden naast een apenbroodboom die met zijn dunne takjes naar de verblindende zon aan de hemel wees. Nergens was een spoor van regen te zien, en niemand kon nog zijn ogen voor de dreigende droogte sluiten.

'De koeien en geiten hebben niet veel meer te eten,' merkte Erope op. 'Alles droogt nu heel snel uit. We moeten erg ver lopen voor water, en de *shifta's* en de regering zitten ons achterna. Ze zijn er altijd wel, de een of de ander, op ons land, om te verhinderen dat we ons leven leiden zoals we dat al sinds mensenheugenis leiden.'

'Wat vinden de oudsten van het idee van minder kinderen en minder vee?' Sarah zag dat hij zijn ogen opensperde. 'Ik bedoel, de regering denkt dat de vrouwen en kinderen dan gezonder zouden zijn en dat er meer eten voor iedereen is.'

'De regering wil gewoon dat we met minder zijn, dan kunnen ze ons land beter afpakken,' zei Erope. 'Onze kinderen en dieren zijn alles wat we hebben. Die zijn ons leven, onze middelen van bestaan, en die kunnen we niet opgeven. Ik weet dat je verbaasd bent als ik dat zeg, Sarah, maar we hebben niets anders en vragen verder nergens om. Niemand heeft het recht ons die dingen af te pakken. De Britten niet, de stammen om ons heen niet, zoals de Rendille en de Boran die ons water en ons vee stelen. En ook de Somaliërs niet, die zelf niets meer hebben nu een *bwana* in een ver land een streep over de kaart heeft getrokken van hun land en het onze, zonder te denken aan de mensen die er wonen. Die oorlog tussen Somalië en Kenia is veroorzaakt door iemand die hier vast nog nooit is geweest, die nog nooit een Somaliër of een Boran of een Rendille heeft gezien.' Hij keek haar even aan. 'Is dat de waarheid, denk je? Je bent mijn vriendin, Sarah, we kunnen over dit soort dingen praten.'

'Het is zeker waar dat de mensen in het uiterste noorden graag bij Somalië wilden horen,' zei ze. 'Ze zien er anders uit, ze geloven andere dingen. Maar de regering probeert in elk geval een oplossing te vinden. Er zijn besprekingen gaande die een einde aan de oorlog moeten maken.'

'Er zal nooit een einde aan komen,' zei Erope. 'Het is net als in jouw land.'

Verbaasd keek ze hem aan. 'Mijn land?'

'Dat heeft een van mijn leraren me vroeger op school verteld. Hij kwam uit Ierland, net als jij, en hij zei dat ze een verkeerde streep door het land hadden getrokken. Daarom begrijp jij dit land zo goed. Omdat jouw volk het ook moeilijk heeft. Die vechten ook vanwege die streep.'

'Dat is waar,' zei ze. 'Zo heb ik het nooit bekeken, maar daar zit iets in. Zoals je wel vaker gelijk hebt. Ik wou dat we gewoon konden ophouden met vechten en konden kijken naar wat we met elkaar gemeen hebben, maar wanneer ik dat zeg, lacht iedereen me uit en zegt dat ik dom ben.'

'Wat dat betreft misschien wel, ja,' zei Erope op vermaakte toon. 'Want je lijkt te vergeten dat elk wezen wordt geboren met de drift zijn territorium te verdedigen. Kijk eens naar die kudde buffels die nu naar de rivier loopt. Ze kunnen overal drinken, maar ze willen per se dat plekje van de olifanten hebben. En ze proberen ook altijd de zebra's opzij te duwen, maar ze zullen niet winnen omdat de *ndovu's* sterker zijn. En zo gaat het met ons allemaal.'

Een paar dagen later schreef Sarah een brief aan haar ouders, maar ze kon het niet opbrengen Camilla meer dan een kort bedankje te sturen, en ze wilde al helemaal niet aan Tim schrijven. Ze plakte net de envelop voor Raphael en Betty dicht toen er bericht via de radio kwam. Ze moest haar best doen om Hannahs stem boven het gekraak en de ruis uit te horen, maar toen het nieuws tot haar doordrong, moest ze even gaan zitten. Haar handen begonnen vreselijk te trillen. Het voelde alsof de grond onder haar voeten wegzakte en het vernisje van kalmte waaraan ze zo hard had gewerkt aan stukken sprong. Toen het krakende gesprek ten einde was gekomen, leidde Allie haar weg van de radio.

'Wat...' Dan zweeg toen hij de blik in Allies ogen zag.

'Hij leeft nog,' zei Sarah na een paar minuten. 'Simon Githiri leeft nog. Ik heb altijd het idee gehad dat ik het zou voelen als hij zou zijn gestorven, maar dat was zo vergezocht. Camilla noemt me altijd een Iers elfje als ik dat soort dingen zeg, maar ik had dus gelijk. Mijn gevoel was juist.'

Ze bleef als verlamd op haar stoel zitten, vervuld van een onheilspellend voorgevoel, maar toen klopte Allie haar bemoedigend op haar arm. 'Praat er maar gewoon over,' zei ze. 'Dat helpt echt.'

'Een wraakactie.' Sarahs woorden klonken kil en hard. 'Jan maakte deel uit van de patrouille die Simons moeder heeft gedood, tijdens de noodtoestand. Ze werd neergeschoten toen ze wegvluchtte uit een bivak van de Mau Mau. De vader werd ook gedood, al had Jan een bevel kunnen geven om dat te verhinderen. Dus daarom heeft Simon de zoon van Jan gedood. Mijn Piet. Het was een wraakactie, en god mag weten of hier ooit een einde aan zal komen.'

Ze kon niet zeggen, niet tegen haar vrienden of tegen zichzelf, wat er die dag precies in dat woud had plaatsgevonden, welke gruwelen al hun levens hadden veranderd en de gebeurtenissen in gang hadden gezet waaraan misschien pas een einde zou komen als Langani weer was verworden tot de wildernis waaruit het ooit was opgerezen. En ze kon de weerzin niet onderdrukken die in haar opwelde en die de fijne herinneringen die ze al sinds haar jeugd aan Jan van der Beer had begon te verdringen.

'Hardy kent de familie in elk geval goed,' zei Dan. 'En nu hij een aanknopingspunt heeft, zal hij die twee heus wel te pakken krijgen. Maar ik ben blij dat Hannah ook dat meisje en haar kind wil helpen. Dat is het soort daad dat spreekt van evenwicht en mededogen. Precies wat we nodig hebben in deze moeilijke tijd.'

'Ja,' zei Sarah in de luide stilte die op zijn woorden volgde. Maar in haar hart voelde ze dat het de woorden waren van een wetenschapper, van een vriendelijke man die bepaalde voorrechten genoot en nooit had kennisgemaakt met moord en wraak. 'Ik wil het er niet meer over hebben, in elk geval niet vanavond,' zei ze.

'Dan kan ik je maar beter alles vertellen over Dans plannen voor de viervoeters,' zei Allie, in een poging Sarah terug te voeren naar dat deel van haar leven dat haar nog steeds zekerheid bood. 'En dan kunnen we nadenken over wat zij ons leren en wat we telkens maar vergeten.'

In de week daarna volgde Sarah de kudde. Ze maakte foto's en aantekeningen en reed met Erope door de droge warme wind die overal het stof deed opwaaien en het land veranderde in een trillende, verschuivende luchtspiegeling die aan de horizon leek op te lossen. Alleen op de paden langs de rivier vonden ze nog enige beschutting tegen de verzengende hitte, en op een ademloze, gebleekte middag had ze zin om naar de oever te lopen en haar gezicht en armen nat te maken. Maar Erope schudde zijn hoofd toen hij haar voorstel hoorde en wees op een boomstam die tegen de andere oever rustte. Bij nader inzien bleken de oogjes van een krokodil zichtbaar boven de waterspiegel, en toen een uur later een kudde zebra's kwam drinken, gleed het grote, met schubben bedekte roofdier geluidloos verder het water in, om vervolgens met een ijzingwekkende snelheid tussen de hoefdieren op te duiken. Doodsbang stoven de zebra's uiteen, maar het bruine water kleurde al rood van het bloed van een onwillig slachtoffer. Om hen heen klonken de kreten van de dieren die het hadden overleefd en de geschrokken waarschuwingen die door de vogels en apen in de bomen werden doorgegeven.

Sarah schrok toen ze zag hoe mager en lusteloos de dieren waren geworden door hun onophoudelijke zoektocht naar voedsel en water. De paden waren omgeven door de resten van beesten die het niet hadden gered. Olifanten groeven steeds diepere kuilen om aan water te komen, maar zonder succes. Het stof steeg in meedogenloze kringen op, het gras onder hun voeten was zo droog dat het voelde alsof ze op speren liepen. Het was vreselijk om machteloos toe te zien dat de dieren stierven van honger en dorst, dat hun botten hun vel leken te doorboren wanneer ze zich voor de laatste keer op de onverzettelijke bodem lieten zakken. Alleen de aaseters hadden het goed. Hyena's en jakhalzen, vossen, gieren en grote krokodillen wachtten rondom de traag stromende rivieren totdat hun door dorst gedreven prooi zich tussen hun kaken zou storten.

De familie van Erope bewoonde een *manyatta* op nog geen uur rijden van het kamp van Dan en Allie, en een groot deel van hun dieren was ook slachtoffer van de droogte geworden. Voor de Samburu betekende vee leven. De koeien waren meer dan alleen maar dieren, ze stonden voor rijkdom en aanzien in de gemeenschap, en een verlies op deze schaal betekende een ramp. Erope had zelf een kleine kudde waarvan al twee dierbare koeien waren overleden. Sarah was al vele keren in de *manyatta* geweest, waar ze foto's had genomen van zijn familie en vrienden die hun dagelijkse dingen deden, waarna ze hen later altijd de ingelijste versie van hun portretten had aangeboden. Ze had het gevoel dat het de beste foto's waren die ze tot nu toe had gemaakt. Nu vroeg ze zich wanhopig af of ze iets kon doen om de kindertjes te helpen wier hongerige gezichten en opgezwollen buiken op ondervoeding wezen. Normaal gesproken leefde men van de melk van de koeien en vulde die aan met wortels en kruiden die om hen heen groeiden. Het vlees van de koeien werd alleen bij bijzondere gelegenheden gegeten, maar nu de droogte aanhield, moesten ze de dieren wel doden en opeten. De Samburu plantten geen gewassen aan en keken neer op de Kikuyu en andere stammen die dat wel deden. Graan en andere levensmiddelen haalden ze bij de *duka* in het dichtstbijzijnde stadje, en Sarah reed met Erope naar Isiolo om met de Indiase winkelier over prijzen te onderhandelen. Ze had succes en reed even later met een auto vol meel voor *posho*, suiker en zout terug naar de *manyatta*.

'Die *mahindi* van jou is heel anders dan die vent,' zei Erope. 'Maar ik heb geen idee hoe hij tegen zijn bedienden in Nairobi is. Die lui uit India kijken op ons neer en zullen daar op een dag de prijs voor betalen.'

Sarah wilde er niet op ingaan. Ze had Rabindrah nooit met Afrikaans personeel om zien gaan, maar ze had het niet prettig gevonden dat Indar tegen de Afrikanen in zijn garage had geschreeuwd. Aan de andere kant leidde hij ook drie Afrikaanse monteurs op die hij eerlijk behandelde, en ze vonden hem duidelijk aardig en hadden respect voor hem. Het was een moeilijk onderwerp waarover ze weinig wist en waarover ze geen generaliserende uitspraken wilde doen.

'We kunnen het beter over olifanten en dikdiks hebben,' zei ze tegen Erope, en hij knikte glimlachend.

De aarde was nog steeds kurkdroog en warm toen Rabindrah in een wolk van stof aan kwam rijden. Sarah liet hem alleen, zodat hij zijn bagage in het gastenverblijf kon neerzetten en het stof en vuil van de reis van zijn lijf kon spoelen. Toen hij weer verscheen, zag ze tot haar genoegen dat hij voorbeelden van de lay-out van het boek bij zich had, die de uitgever hem had gestuurd. Na het eten gingen ze buiten onder de sterrenhemel zitten, maar zelfs 's avonds bleef de lucht heet en droog.

'Dat ziet er goed uit, jongens,' zei Dan. 'Wanneer ligt het in de winkel?'

'Hopelijk in de lente,' zei Rabindrah met die lage stem waarop Sarah zo gesteld was geraakt. 'Dat is eerder dan verwacht.'

'Ik ben het met Dan eens, jullie hebben goed werk geleverd.' Allie keek Rabindrah lachend aan. 'En we zijn heel blij dat je oom zo gul is geweest. Ik hoop dat hij een keer bij ons komt kijken.'

'Dat belooft hij telkens weer,' zei Rabindrah, 'maar hij heeft het druk. Hij is altijd maar aan het bouwen.'

'Bouwen? Wat bouwt hij dan?' wilde Allie weten.

'O, van alles. Tempels, winkels, huizen, en dan past hij ook nog auto's voor safari's aan,' legde Rabindrah uit. 'En dan wil hij ook nog altijd iedereen te vriend houden en eeuwig de gulden middenweg kiezen.'

'Bespeur ik daar enige afkeuring?' vroeg Dan geboeid.

'Je weet hoe wij Aziaten tegenwoordig zijn,' antwoordde Rabindrah. 'We doen ons best niet op te vallen, maar we willen wel een wit voetje bij Afrikaanse politici halen en opklimmen in het nieuwe systeem. Daarom gaan we alle controverse zorgvuldig uit de weg. En een groot deel van de gemeenschap wil niet eens over een gulden middenweg nadenken. God verhoede dat ze opvallen.'

'Ik weet dat slechts een klein deel voor het Keniase staatsburgerschap heeft gekozen, en dat betreuren ze nu misschien wel,' zei Allie. 'Maar degenen die niet willen of kunnen blijven hebben het recht naar Engeland te gaan.'

Sarah leunde achterover en distantieerde zich in gedachten van de zoveelste discussie over de problemen rond ras en achtergrond. Ze dacht aan Jasmer Singh en zijn halfvrijstaande toevluchtsoord in het grauwe en saaie Southwark.

'Ik wil nu wel eens over iets anders schrijven dan dat,' merkte Rabindrah op. 'Maar in Engeland heeft Enoch Powell weer eens problemen veroorzaakt. Ja, degenen van ons die niet voor de Keniase nationaliteit hebben gekozen, hebben het recht terug te keren naar het Verenigd Koninkrijk, of zelfs naar India. Maar "terug naar India" is een absurd idee, want een groot deel van de jongeren is hier geboren en nog nooit in India geweest. In al die chaos en armoede zouden we ons geen raad weten.'

'Maar de meesten van jullie hebben toch een Brits paspoort?' vroeg Dan.

'Ja, het paspoort hebben we wel,' zei Rabindrah, 'maar er zijn verschillen tussen een pas die daar is uitgegeven en eentje die in een voormalige kolonie is verstrekt. Op het moment heerst in Groot-Brittannië de angst dat het land zal worden overspoeld door Indiërs. In de laatste twee jaar zijn er meer dan tienduizend vanuit Oost-Afrika daarheen gegaan. En dat zijn druppels die alleen maar een vloedgolf kunnen worden. Het kan niet lang duren voordat alles hier wordt geafrikaniseerd, en dan zullen veel van de *duka wallahs* in arme vluchtelingen veranderen die ook nog eens stateloos zijn.'

'Maar jij kwam terug,' merkte Allie op. 'Je wilde toch deel van de gemeenschap worden, ook al kunnen de Britten en de Kenianen jullie alles afnemen.'

'Ja, is dat geen gekkenwerk?' Op Rabindrahs gezicht verscheen een scheve glimlach, en zijn toon klonk samenzweerderig. 'Ik voelde me in Engeland niet thuis, ik hoorde nergens bij, ik zag geen toekomst voor mezelf. Ik zat daar in mijn kamer met het straalkacheltje en zeil op de vloer, met achter een scheef gordijn een keukenblokje, en buiten zag ik grauwe, vlakke straten. En ik wilde alleen maar hier zijn. Hier weet ik hoe alles ruikt en voelt en eruitziet. Ik ben Brits noch Indiaas, en ik weet nog niet wat het betekent om Keniaas te zijn. En of ik in mijn geboorteland zal mogen blijven. Ik voel me net een koorddanser, maar dat gevoel bevalt me wel.'

'Je hebt een overtuiging,' luidde Dans oordeel. 'En nu ik erover nadenk, is dat ook alles wat ik heb. Maar soms is dat genoeg.'

'En wat nu, nu het boek bijna af is?' vroeg Allie.

'Ik heb belangstelling voor de gesprekken die een einde moeten maken aan de oorlog met de *shifta's,*' zei Rabindrah. 'De regering is veel te optimistisch. De mensen ten noorden van hier zijn een heel ander soort. Je hoeft alleen maar in Wajir of Garissa naar hun gezichten te kijken of hun gesprekken te horen om dat te beseffen. Ze leven anders, ze bidden anders. Hun gebouwen met platte daken en moskeeën hadden net zo goed op het Arabisch schiereiland kunnen staan. Misschien slagen ze erin het geweld tijdelijk een halt toe te roepen, maar die Somalische bandieten en nomaden zullen niet veranderen. Het zijn net middeleeuwse krijgsheren, en dat zullen ze ook blijven.'

'Dat is waar,' gaf Dan toe. 'Alleen hebben ze tegenwoordig geen zwaarden en kamelen en giftige pijlen meer, maar gaan ze met geweren en auto's op strooptocht. Zo maken ze tegenwoordig vee buit en verdedigen ze hun manier van leven.'

'Ze durven hun wapens niet op te geven uit angst dat de regering dan hun land en hun bronnen zal afpakken en die aan boeren uit het zuiden zal geven. Vooral aan Kikuyu, omdat die het meeste in de melk te brokkelen hebben. Als dat gebeurt, zullen er overal in het noorden hekken verrijzen en zijn de nomaden hun middelen van bestaan kwijt. Daarom ga ik een paar dagen naar Wajir, dan kan ik met de Somaliërs en de Rendille en de Boran daar praten. Eens horen wat hun visie op de gebeurtenissen is.'

'Het gaat er daar ruig aan toe.' Sarah kreeg een ongemakkelijk gevoel in haar buik.

'Ik blijf maar even,' zei Rabindrah. 'En daarna heb ik een ander project in gedachten waarover ik het met jullie wil hebben.'

'Vertel eens.' Allie klonk nieuwsgierig.

'Het is een idee dat ik aan John Sinclair heb weten te slijten. Ik zou graag een boek maken over de nomadenstammen van Noord-Kenia, over hen die nog steeds op de oude manier leven, ondanks onderwijs en de onafhankelijkheid en al die andere veranderingen hier. Ik wil een jaar bij hen wonen en met hen reizen, ik wil hun gebruiken begrijpen, hun voedselpatroon, hun rituelen en de relaties tussen familieleden en mannen en vrouwen in de stam. Dat soort dingen. Ze zijn exotisch, knap, fotogeniek, en de streek is prachtig en woest. Niemand heeft ooit echt enige aandacht aan hen besteed. Er zijn wel wat wetenschappers geweest die onderzoek hebben gedaan, maar er zijn geen geïllustreerde uitgaven verschenen die een breder publiek zullen aanspreken.'

'Ik vind het een fantastisch idee,' zei Dan. 'Daar hef ik het glas op.'

'Een jaar bij de nomaden.' Allie klonk peinzend. 'Dan mag je nu alvast een aanbetaling doen voor het gebruik van onze douche. En je zult een prijs gaan betalen. Ik zie je al komen, stinkend naar kamelenvel en koeienmest en onder de luizen. Wacht maar totdat je het een of twee maanden met urine en gestremde melk hebt moeten doen, en o jee, geen broeken en gesteven hemden.' Ze nam de mouw van zijn dure overhemd tussen haar vingers en wreef erover. Haar ogen lachten. 'Je zult Dans slaafje zijn wanneer hij vraagt of je whisky of een biertje wilt. Of zelfs een glas water. Dat kan leuk worden.'

'Het punt is dat ik jullie hulp nodig heb,' zei Rabindrah. 'Ik ben nu eenmaal geen antropoloog, maar wil wel een goed beeld van de streek geven, bedoeld voor een breed publiek. Net als het boek over de olifanten. En het heeft geen zin als ik geen illustraties heb. Foto's.'

'Aha,' zei Allie, 'nu wordt het me helemaal duidelijk.'

'Ik zou graag willen dat Sarah de foto's maakt,' zei Rabindrah, 'maar dat zou betekenen dat ze af en toe een paar dagen naar het noorden moet komen. Bijvoorbeeld voor iets belangrijks als een bruiloft of een besnijdenis. Ik weet niet zeker of ze dat met haar verplichtingen hier kan combineren. De regels zouden natuurlijk hetzelfde zijn: een deel van de opbrengst gaat naar jullie onderzoek. Lijkt jullie dat redelijk?'

'Ik denk dat Sarah maar moet bepalen of ze het wil doen,' zei Allie. 'Als je daar een jaar blijft, zal het wel lukken.' Aan Dans gezicht kon ze echter zien dat hij zijn twijfels had. Ze probeerde meteen een discussie te beginnen, in de wetenschap dat ze dit vraagstuk van alle kanten moesten bekijken. 'Heb je er al aan gedacht dat je haar misschien niet kunt betalen? Na jullie eerste boek wordt ze vast overspoeld met aanbiedingen. Heeft de uitgever daar al aan gedacht?'

'Ze zijn helemaal weg van je foto's.' Rabindrah keek Sarah aan. 'Dat weet je. John Sinclair heeft je portretten uit Dublin gezien, en de foto's van Eropes *manyatta*. Dit is een boek dat de schoonheid en het zware leven van dergelijke volkeren kan tonen. Wat denk je ervan, Sarah?'

'Het is te laat op de avond om erover te praten, en nog veel te vroeg om een besluit te nemen.' Ze stond op. 'Bovendien zal ik het uitgebreid met Dan en Allie moeten bespreken. Ga je morgen nog met Erope en mij mee?'

'Nee, ik denk het niet.' Haar reactie stelde Rabindrah teleur. 'Ik wil morgen de tekst aan Dan geven, zodat hij die kan goedkeuren. Dan rijd ik ondertussen zelf naar Wajir. Ik ga al vroeg op pad, dan heb ik al een heel stuk achter de rug voordat de hitte mijn hersenen aan de kook brengt en ik geen stap meer kan zetten.'

'Heb je geen vergunning nodig om daar rond te rijden?' wilde Dan weten.

'Ik heb voor elkaar gekregen dat ik een paar dagen in een pension met bescherming van de regering kan logeren, wat dat ook moge betekenen,' zei Rabindrah. 'En ik heb een gids uit dat gebied geregeld, al denk ik dat ik die weg zal moeten sturen als ik echte meningen wil horen.'

'Mijn advies is dat je goed moet oppassen.' Dan schudde zijn hoofd. 'Het is daar niet pluis. Kom je op de terugweg naar Nairobi weer hier langs?'

'Als jullie het goedvinden wel, ja. Dan heb jij tijd genoeg om even naar de teksten te kijken en kan Sarah de lay-out goedkeuren. Hierna kunnen we niets meer veranderen.' Rabindrah zweeg even, een tikje verlegen. 'Is je zo op het eerste gezicht al iets opgevallen, Sarah?'

'Weet je wat, we laten jullie even alleen.' Allie stond op en gebaarde naar Dan. 'Wees voorzichtig, Rabindrah. Schrijven over de *shifta's* is allemaal goed en wel, maar het moet je niet je leven kosten.'

Toen ze met hun tweetjes waren, gaf Sarah eerlijk toe dat ze niet over het nieuwe plan wilde praten. 'Ik ben de laatste tijd te veel weg geweest en moet me nu op mijn werk richten. De verloren tijd inhalen en dankbaar zijn omdat ze de afgelopen anderhalf jaar al zo veel rekening met me hebben gehouden.'

'Het spijt me dat ik er zomaar over begon, daar had ik aan moeten denken. Maar het zou een geweldig project zijn waar we samen iets heel moois van kunnen maken.'

'Ik ben jou ook dankbaar, hoor,' zei Sarah schutterig. 'Je bent heel erg aardig voor me geweest, en ik sta zo bij je in het krijt omdat je naar me hebt willen luisteren en –'

'Je staat helemaal niet bij me in het krijt,' zei Rabindrah. 'Maar een van de kleurigste en mooiste stammen ter wereld woont hier min of meer om de hoek, en ik vraag me af of Erope een gesprek met de Samburu hier zou kunnen regelen. Misschien kunnen we dan... kan ik dan, bedoel ik, met de mensen in zijn *manyatta* gaan praten.'

'Ik zal het hem morgenochtend meteen vragen,' beloofde Sarah, blij dat ze iets kon doen. 'Als hij er iets voor voelt, kun je misschien bij zijn oudsten en zijn familie op bezoek gaan.'

Rabindrah ging al voor zonsopgang weg, maar ze hoorde hem niet vertrekken. Hij had een briefje voor haar achtergelaten waarin hij haar bedankte. Erope stond voor haar hut op haar te wachten, klaar om aan de slag te gaan.

'Ik dacht dat de *mahindi* mee zou gaan.' Hij wierp haar een vlugge blik toe toen ze de auto startte. 'Ik dacht dat hij voor jou was gekomen en een tijdje wilde blijven.'

'Nee, hij is naar Wajir vertrokken,' zei ze, een tikje ontstemd over zijn suggestieve toon. 'Hij kan daar wel wat mazzel gebruiken, anders eindigt hij straks tussen de andere skeletten in de woestijn. En dat zijn er al te veel.'

Sarah liet de motor tot leven komen in een poging dat ijzingwekkende beeld uit haar gedachten te wissen. Vreemd genoeg had Rabindrahs besluit hier niet te blijven haar teleurgesteld, en dat had ze niet verwacht.

'Hij wil een boek schrijven over de stammen in het noorden,' zei ze, 'en ook over de Samburu. Daar kunnen jullie iets aan hebben, Erope. Dan zullen mensen meer begrip krijgen voor jullie manier van leven en die respecteren. En hij heeft me gevraagd of ik de foto's wil nemen. Ik vroeg me daarom af of je hem aan je familie zou willen voorstellen. Aan je clan.'

'Ik zal het de oudsten vragen.' Erope klonk niet echt enthousiast. 'Ze zullen geen nee zeggen als jij er ook bij bent, want ze zijn je dankbaar voor het eten dat je hebt meegebracht.'

Drie dagen later hadden ze echter taal noch teken van Rabindrah vernomen. Aan het einde van de week was Sarah bijna op van de zenuwen, en uiteindelijk verwoordde ze haar angsten tegenover Allie.

'We hadden inmiddels toch iets van hem moeten horen?' zei ze. 'Via de radio of zo?'

'Geen nieuws is goed nieuws,' zei Allie opgewekt. 'We zouden het zeker hebben vernomen als hij in de problemen was gekomen. Ga je nu nog in op zijn voorstellen voor een nieuw boek of niet?'

'Dat weet ik nog niet,' zei Sarah. 'Maar ik wil er nu even niet over nadenken.'

'Nou, Dan en ik wel,' zei Allie, 'want je bent een begenadigd fotografe, jongedame. En we willen je niet inperken. Dus als je het gevoel hebt dat je meer op dat gebied wilt doen, iets puur creatiefs, dan heb je onze zegen.'

'O nee!' Sarah staarde haar ontzet aan. 'Nee, Allie, ik wil doorgaan met het onderzoek naar de olifanten. Ik wil hier bij jou en Dan blijven. Dit is mijn werk en mijn thuis, en ik kan me niet voorstellen dat ik ergens anders zou zijn. Als ik het komende jaar tijd kan vrijmaken om wat plaatjes voor Rabindrah te schieten dan doe ik dat graag, maar mijn echte leven is hier.'

'Denk er nog maar eens over na,' stelde Allie spottend voor. 'Hier zitten bij twee oude sokken van wetenschappers en in je eentje in een rondavel slapen en met je Land Rover op pad gaan haalt het natuurlijk niet bij een van vlooien vergeven tent delen en meerijden op de kameel van onze knappe Rabindrah.' Luid lachend reed ze weg naar haar groep olifanten, zonder Sarah de gelegenheid te bieden antwoord te geven.

De hele dag door steeg de temperatuur tot duizelingwekkende hoogten, zodat de enige verkoeling de douche was die Sarah nam. Die was echter van korte duur: Dan had het water gerantsoeneerd, zodat ze zich maar heel even verkwikt voelde. Zelfs de adem van de nacht was onophoudelijk droog en heet. Ze lag in de kleine uurtjes nog steeds wakker, naakt op haar bed, met de klamboe en de lakens naast haar in een poging koelte te vinden. Buiten hoorde ze een koor aan kikkers, en de in verte riep een leeuw zijn wijfje. Een ongewoon geluid tussen het riet op het dak deed haar overeind schieten. Een rilling liep over haar rug toen ze probeerde vast te stellen wat ze hoorde en rook. De geur van opstuivend stof, het geluid van dikke waterdruppels die de droge aarde raakten en kletsend op het rieten dak neerkwamen, water dat door de zinken goot stroomde, naar het watervat naast haar hut. Regen! Het was gaan regenen.

Sarah schoot overeind en trok de deur open. Buiten versperde een ware waterval haar het zicht, en binnen een half uur was het eerste plasje veranderd in een meertje dat haar drempel bedreigde. Ze tuurde door de stromende regen en zag een lamp flikkeren. Dan riep iets naar haar, en snel trok ze een korte broek en een blouse aan en rende naar buiten. Op hetzelfde moment weergalmde de eerste donderslag boven hen. In het kantoortje was Allie al bezig dozen en dossiers op te ruimen en de meubels naar het midden van het vertrek te schuiven, en daarna lieten ze de linnen rolgordijnen zakken en maakten die vast aan de kozijnen. Het personeel verscheen, doorweekt maar breeduit grijnzend; hun zwarte gezichten glansden in het licht van de lampen. Stukken zeildoek werden over de stoelen met hun nu al vochtige bekleding gegooid, en over de oude schrijfmachine, de radio en de papieren die nog op het bureau lagen. Ten slotte, toen alles bedekt leek te zijn, gingen ze allemaal buiten in de vloedgolf staan, waar ze hun armen uitstrekten en het zoete water hun monden in lieten stromen. Het bedekte hun haar en ogen en huid, en ze klapten lachend in hun handen en sprongen als kinderen op en neer in de plassen.

Allie was de eerste die weer bij zinnen kwam. 'Ik heb het koud!' Ze sloeg haar armen om haar gedrongen lijf. 'Dit is allemaal leuk en aardig voor de *toto's* aan de kust, maar ik wil een whisky en een droge handdoek en mijn bed.'

Ze liepen door de regen naar het hoofdgebouw, waar Dan whisky in tinnen kroezen goot.

'Op de regentijd,' zei hij. 'Laten we hopen dat –'

De rest van zijn woorden was onverstaanbaar doordat op hetzelfde moment een geluid klonk dat begon als een laag gerommel en toen in gebulder veranderde. Het was de opgezwollen rivier, die buiten zijn oevers stroomde en opsteeg naar het omringende land. Boomstammen werden de donkere nacht in geslingerd, laaghangende takken knapten af, kleine dieren werden verspreid, en de kwetsbare nesten van de wevervogels en de holen die de servals in de bomen hadden gemaakt, werden aan stukken gescheurd. De ronde kuilen van de zwijnen vulden zich met water, de hoog oprijzende mierenhopen vielen om. Alles zakte ineen ten gevolge van het schuimende water, dat met een onstuitbare kracht alles neermaaide wat het tegenkwam. Aan de andere kant van de omheining klonk een kreunend geluid toen een deel van de oever ineenzakte en werd meegesleept, zodat de vorm en de aanblik van het land voor altijd veranderden. Bliksem scheurde het gordijn van regen aan stukken, waarna het noodweer heel even leek te stoppen, maar daarna kwam de donder opnieuw aanrollen. Sarah, die tot aan haar enkels in het water stond, voelde opeens iets haar voeten aanvallen en sprong gillend op. Er klonk een luid gelach toen Dan met zijn zaklantaarn op het water scheen en ze de inventaris van de keukenhut zagen drijven: potten en pannen, ketels en zeven en kommen, en hier en daar een wortel of een aardappel. Ten slotte werd het gebulder eindelijk minder en steeg het water niet langer.

'We kunnen maar beter even naar de auto's gaan kijken.' Dan verdween in het donker.

Allie en Sarah bleven staan, wachtend op een uitroep van ongenoegen of opgeluchte geluiden, maar toen bleef Dan stokstijf staan en gebaarde met zijn zaklantaarn dat ze naar hem toe moesten komen.

Aan de andere kant van de omheining stonden twee van Sarahs olifanten hen met hun kleine wijze oogjes aan te kijken. Ze liep heel langzaam naar hen toe, zodat ze aan haar geur zouden wennen en ze niet zouden schrikken. Lily stak als eerste haar slurf uit, over de houten palen, en rond haar bek leek een glimlach te verschijnen toen ze zachtjes op Sarahs uitgestoken hand blies. Toen tilde het kalfje haar slurf op en raakte Sarahs arm aan. Een onwezenlijk moment lang stonden ze zo naast elkaar in de stromende regen, maar toen uitte de moeder een paar lage, rommelende geluiden en draaide zich om, waarop ze geluidloos in het duister verdwenen.

Toen de zon opkwam, was het nog steeds zwaarbewolkt, en de lucht voelde drukkend aan. Sarah en Allie veegden zwijgend alles droog, hingen boeken en papieren te drogen en zetten de meubels ver van ramen en deuren, voor het geval er nog meer overstromingen zouden volgen. Dans dierbare kaarten waren van de wand gewaaid en een paar gekleurde punaises waren op de grond gevallen, als een pijnlijke herinnering aan het noodweer voor iedereen die op blote voeten liep. Sarah pakte de gescheurde vellen op en plakte ze zorgvuldig aan elkaar, en daarna legde ze de punaises in een blikje, zodat Dan ze weer kon gebruiken. Het zou heel lang duren om alles te herstellen. Het personeel veegde zingend en fluitend de modder uit de keukenhut en de voorraadkamers. Etiketten hadden losgelaten van blikken en flessen, zodat ze lang niet altijd wisten wat ze in hun handen hadden. Dan controleerde de auto's en verklaarde dat die het nog deden, maar de radio deed helemaal niets.

Na het ontbijt namen ze zijn Land Rover om te kijken hoe groot de schade was en hoe de olifanten het maakten. Overal lag echter rotzooi, en de paden die ze normaal volgden, waren gevaarlijk nat en glibberig. Toen ze de auto al twee keer uit een kuil hadden moeten duwen en de eerste regen alweer op de voorruit viel, gaven ze het op en keerden terug naar het kamp.

'Dat was nogal een bezoek, vannacht,' zei Dan toen ze voorzichtig over het modderige pad reden. 'Ik denk dat ze kwamen kijken of jou niets mankeerde, meid.'

'Het is niets voor jou om zoiets te denken,' zei Sarah luchtig, maar haar hart zwol van trots omdat hij haar vermoeden over de olifanten bleek te delen.

'Hij wordt nog sentimenteel op zijn oude dag.' Allie knipoogde naar haar. 'Of misschien heeft de regen zijn hersens in moes veranderd. Laten we hopen dat het zo blijft, die romantische ideeën bevallen me wel.'

Het bleef drie dagen regenen, en uiteindelijk was alles vochtig en schimmelig. Insecten die Sarah nog nooit eerder had gezien, kwamen uit het riet gekropen en vertoonden zich overal in het kamp; ze nestelden zich op haar planken en in haar kasten en haar schoenen. Dan raakte steeds geïrriteerder omdat het hem maar niet lukte de radio aan de praat te krijgen of zijn aantekeningen te drogen. Ze hoorden hem voortdurend vloeken wanneer er weer eens vellen aan elkaar bleven kleven.

'Zullen we anders vanmiddag proberen om naar Isiolo te rijden?' stelde Allie voor. 'Die weg kan nooit zo erg zijn, en er zijn dingen die het personeel per se nodig zegt te hebben.'

'Ik ga wel samen met Sarah,' zei Dan. 'Maak maar een lijstje, dan kijk ik wel hoe ver we komen.'

De rit verliep zonder grote problemen. Ze hoefden maar één keer te stoppen om takken onder de voorwielen te schuiven, zodat de Land Rover grip had en uit een greppel kon worden gereden.

In Isiolo sprak de plaatselijke politie-inspecteur hen aan. 'Ik heb geprobeerd jullie via de radio te bereiken. We hebben hier een Indiase vent die beweert een vriend van je te zijn. Een journalist die blij mag zijn dat hij nog leeft.'

'Wat is er gebeurd?' vroeg Dan fronsend.

'Een paar van mijn *askari's* hebben hem ten noorden van Wajir aangetroffen, met een stel kogelgaten in zijn auto. Hij had geen eten en geen water meer, zijn *gari* reed niet meer. Blijkbaar had hij een vrachtwagen vol *shifta's* achtervolgd. Hij heeft nog even met hen kunnen praten, maar ze kregen er al snel genoeg van en hebben een stel kogels op hem afgevuurd. Ik snap niet dat hij ongeschonden weg heeft kunnen komen.'

'Hij is dus niet gewond?' Sarah probeerde kalm te blijven.

'Een paar sneden.' De politieman wendde zich tot Dan. 'We zien hier niet graag journalisten, die veroorzaken alleen maar onrust. Als hij was gedood of als zijn auto was opgeblazen, hadden we echt een probleem gehad, en het is hier al moeilijk genoeg, met al die Somaliërs. Ik hoop dat er snel vrede wordt gesloten, maar in de tussentijd stel ik voor dat jullie je alleen maar met de olifanten bezighouden, dan gaan wij wel achter de bandieten aan.'

'Hij hoort niet bij mijn team!' zei Dan boos. 'En we hadden echt geen idee waar hij mee bezig was. Ik ben niet verantwoordelijk voor de capriolen van de pers uit Nairobi. En ik wil niet dat mensen denken dat we nog iets anders doen dan olifanten onderzoeken.' Hij keek Sarah aan. 'Ga jij die Singh van je maar zoeken, dan ga ik boodschappen doen.'

'Ik moet mijn auto hier laten,' vertelde Rabindrah toen Sarah hem had gevonden. 'Oom Indar stuurt een monteur omdat er op belangrijke plaatsen vrij grote gaten zitten.'

'Goed, hoor. Maar ik waarschuw je: Dan is niet blij met je.'

Rabindrah had sneden in zijn gezicht van het rondvliegende glas en zijn auto zat onder de kogelgaten. Sarah voelde zich heel even misselijk toen ze bedacht hoe dicht hij bij de dood was geweest. Op weg naar huis zwegen ze allemaal, en pas toen ze de auto hadden uitgeladen, nam Dan het woord.

'We nemen hier een bijzondere positie in,' zei hij tegen Rabindrah. 'We mogen gaan en staan waar we willen wanneer we de kuddes volgen en onderzoek doen. Ik wil dat voorrecht niet kwijtraken omdat een of andere bijdehante journalist ons kamp als basis gebruikt voor politiek getinte artikelen. Het bestuur van dit district en de politie en het ministerie accepteren ons allemaal omdat we wetenschappers zijn en ons niet met politiek bemoeien. Ik wil ook niet dat bezoekers ons kamp voor iets anders dan wetenschappelijk onderzoek gebruiken. Als je wilt schrijven over de politieke situatie in dit gebied, dan ga je maar ergens anders heen. Want dit is geen uitvalsbasis voor babbeltjes met de *shifta's*. Is dat duidelijk?'

'Ik had echt geen idee dat dit gevolgen voor jullie kon hebben,' zei Rabindrah. 'En ik heb echt geen moment de suggestie gewekt dat ik deel uitmaakte van jullie team. Het enige wat ik heb gedaan, is tegen een van de *askari's* zeggen dat ik terug moest naar Buffalo Springs om mijn spullen te halen, en ik ben bang dat ze daardoor het idee hadden dat ik ook onderzoeker ben.'

'Nou, dan had je duidelijker moeten zijn over je relatie tot het kamp,' zei Dan. 'Die Somaliërs veroorzaken alleen maar problemen hier, ze doden en verminken dieren en mensen. Zelfs al komt het tot een overeenkomst, dan nog zal er geen einde aan die schermutselingen komen. Het ligt in hun aard om koeien te stelen en strooptochten te houden, dat is hun traditie. Hoeveel papieren er ook worden ondertekend, ze zullen er echt niet zomaar mee ophouden.'

'Toch verdient hun verhaal het om te worden verteld,' zei Rabindrah. 'Je hebt gelijk, sommigen zijn gewelddadige bandieten die zonder blikken of blozen doden om aan ivoor of hoorns te komen, maar er zijn ook herders en handelaren met vrouwen en kinderen, en oude mensen die niet veel nodig hebben. En die zullen straks verhongeren omdat ze niets meer hebben sinds de Britten een willekeurige grens op de kaart hebben getrokken. De Keniase regering heeft een deel van het land waar ze al eeuwen hun kudden lieten grazen opgeëist en aan boeren van andere stammen gegeven. En dat zullen ze alleen maar vaker gaan doen. De Somaliërs mogen niet deelnemen aan de Keniase maatschappij, maar horen ook niet meer bij Somalië. Niemand wil ze hebben. Niemand heeft de moeite genomen om uit te zoeken wie ze zijn of waar ze thuishoren. De gewone Kenianen betalen daar de prijs voor, en ik denk dat ze dat nog heel lang zullen blijven doen, tenzij iemand met een oplossing komt.'

'Jeetje man, de Somaliërs hadden al mot met de Boran en de Rendille en andere nomaden voordat de Britten kwamen, en het gaat altijd om gras en water,' zei Dan ongeduldig. 'Zeg nu niet dat hun oudsten ooit met een kopje thee of een glas gin bij elkaar zijn gaan zitten om eens te bespreken waar ze precies thuishoren.'

'Nee, natuurlijk niet, maar ze hebben ook nooit beweerd dat ze de waarheid in pacht hebben. Ze hebben alleen maar met speren en schilden gestreden voor wat ze als hun gebied beschouwden, en de sterksten hebben gewonnen. Wij hebben onszelf daarentegen bestempeld als de autoriteit op het gebied van sociale verhoudingen. We hebben geprobeerd hen een ander leven te laten leiden, dat hemelsbreed van het hunne verschilde, en nu vinden we het vreemd dat het zo uit de hand is gelopen.'

'Daar zit wat in, ja,' gaf Dan toe, 'maar ik wens er geen rol in te spelen. Ik ben alleen maar een saaie oude wetenschapper die probeert te beschermen wat er nog van deze kwetsbare streek rest.'

'Het spijt me als ik je in de problemen heb gebracht,' zei Rabindrah stijfjes. 'Ik heb contact opgenomen met mijn oom, en hij stuurt morgen een monteur die mijn auto zal oplappen. In de tussentijd haal ik mijn spullen hier weg en neem een kamer in het eerste het beste pension of *banda*, als Sarah me daarheen zou willen rijden.'

'Dat hoeft niet,' zei Dan. 'Je kunt hier blijven totdat je auto is gerepareerd. Als je je maar aan de regels houdt. Ik zie je straks wel, dan drinken we voor het eten nog een borrel.'

Hij liep naar de douche en liet Rabindrah en Sarah in een ongemakkelijke stilte achter. Zij was degene die uiteindelijk de stilte verbrak. 'Dus ze hebben je beschoten?'

'Ja. Ik was al twee dagen bij die lui, ze hebben een geïmproviseerd bivak in de buurt van Wajir. Ik sliep in een van hun hutten, als dat ding die naam verdiende. Een paar geweven matten aan een stel stokken. Ze hadden geiten en wat magere koeien en een paar kamelen. Maar achter de struiken in de buurt stonden een stel vrachtwagens, en ze hadden automatische wapens in overvloed. Allemaal van Russische makelij. Daar komen hun wapens vandaan, uit de Sovjet-Unie, via Somalië hierheen gehaald.'

'De regering kan nooit de hele grens bewaken,' zei Sarah.

'De situatie is hopeloos.'

'Maar goed, het leek allemaal redelijk te gaan, al waren ze bloednerveus. Maar toen vroeg ik naar de wapens en kregen er twee vreselijke ruzie. Er volgde een gevecht, en het leek me verstandig te vertrekken. Snel. Dus ik zette het op een lopen, en toen schoten ze op mijn auto. Een van de banden raakte lek, de achterruit sneuvelde en de radiator werd doorzeefd. Een kogel ging rakelings langs mijn hoofd. Maar ze kwamen gelukkig niet achter me aan, en een paar kilometer verderop wist ik het een en ander provisorisch te repareren, maar een eind verderop hield de auto er toch echt mee op. Gelukkig kwam er een politieauto voorbij. Zo is het dus gegaan. En ik vind het heel vervelend dat ik Dan zo boos heb gemaakt.'

'Ik ook,' zei Sarah, 'maar hij heeft wel gelijk. Je bent hier om over olifanten te schrijven. Dat zou genoeg moeten zijn.'

'Hoe bedoel je?' Zijn stem klonk zacht maar intens. 'Die mensen hebben ook hun verhaal, hun situatie is uitzichtloos. Het ligt allemaal niet zo simpel als je denkt.'

'Het kan me niet schelen of het simpel ligt,' zei Sarah. 'Ik heb gezien wat er gebeurt als *shifta's* op strooptocht gaan. Ik heb olifanten gezien die aan speren waren geregen, die waren neergeschoten en weg mochten rotten zodra het ivoor van hun koppen was gesneden. Die *shifta's* castreren of doden mannen van andere stammen, ze stelen en verkrachten de vrouwen, ze nemen het vee van anderen mee. Het zijn een stelletje bloeddorstige moordenaars en ik wil niets horen over de moeilijke omstandigheden waarin ze moeten leven.'

'Wat moet een journalist dan doen? Sprookjes gaan schrijven? Moet ik getuige zijn van honger en ongelijkheid en vooroordelen en daar een mooi verhaaltje van maken omdat de machthebbers dat graag zo zien?' Hij boog zich over haar heen en pakte haar arm zo stevig vast dat het pijn deed. 'Ik dacht dat jij anders was. Toen ik je die eerste keer in Nairobi zag, had ik het gevoel dat je bijzonder was. Ik zag moed, ik zag de vastberadenheid om een einde te maken aan corruptie en hebzucht. En nu zeg je tegen me dat ik niet onder alle omstandigheden naar dingen moet zoeken die ik aan de kaak kan stellen.'

'Dat zeg ik helemaal niet.' Ze stond op, verward en verdedigend. 'Het gaat me niets aan wat jij denkt of schrijft, en ik heb niet het recht jouw mening te bekritiseren. Maar goed, ik wil nu graag even douchen. Tot straks.'

Ze liet hem alleen achter. Hij was kwaad op zichzelf, maar merkte ook dat hij opeens heel erg moe was. En het koud had. Huiverend wreef hij met zijn handen over zijn armen, in een poging warm te worden. Toen stond hij op om te kijken of er nog warm water voor een douche was.

Voor het eten was de stemming gespannen. De muggen zoemden om hen heen, net als andere vliegende insecten die na de regen in drommen waren verschenen. Rabindrah was stil. Zijn ogen, die doorgaans belangstellend naar alles om hem heen keken, stonden dof. Hij droeg een overhemd met lange mouwen en een safari-jasje en had een sjaal om zijn nek gewikkeld.

'Je ziet eruit alsof je de bergen in wilt trekken,' zei Sarah. 'Is het niet veel te benauwd voor zo veel kleren?'

'Misschien komt het doordat ik daar zo slecht heb gegeten,' zei Rabindrah. 'En mijn spieren doen pijn omdat ik op de grond heb moeten slapen.'

'Dit helpt vast wel.' Dan gaf hem een groot glas whisky aan en glimlachte verzoenend. 'Je hebt daar vast ook geen lekkere borrel gehad.'

Rabindrah dronk zijn glas echter niet leeg en at evenmin zijn bord leeg. Meteen na het eten zei hij dat zijn tijd in het noorden hem doodmoe had gemaakt en verdween hij in de gastenhut.

'Ik ben bang dat ik niet zo fel had moeten zijn,' zei Dan. 'We hebben allemaal onze eigen manieren om de wereld te verbeteren, om een balans te vinden tussen vooruitgang en de oude leefwijze van de nomaden.'

'En misschien vinden we die balans wel nooit,' zei Allie. 'Want we willen per se een rigide systeem invoeren dat mensen dwingt hun manier van leven te veranderen en nooit meer om te kijken, om voor een onzekere toekomst te kiezen die vooral door politici is uitgestippeld. En Rabindrah vindt het belangrijk daar aandacht aan te schenken.' Ze keek Sarah aan. 'Wat vind jij ervan?'

'In het begin was ik onder de indruk van de vragen die hij stelde, maar toen werd het allemaal veel persoonlijker, en dat beviel me niet. Ik dacht dat hij op zoek was naar schandalen en sensatie, maar nu ben ik er zeker van dat hij integer is.' Sarah dacht even na omdat ze de juiste woorden wilde vinden. 'Hij is niet iemand die voor de gemakkelijkste oplossing zal kiezen of zich aan de regels zal houden om zijn baas een plezier te doen. Ik denk dat hij echt wil weten wat er gaande is in dit land. En hij aarzelt niet daar heel veel moeite voor te doen.'

Ze gingen allemaal vroeg naar bed. Sarah deed zodra ze in bed lag haar lamp uit om te voorkomen dat het licht insecten zou aantrekken die door het riet of door de kieren tussen raam en kozijn naar binnen kropen. Ze sliep snel in en hoorde aanvankelijk niet eens het kloppen op de deur. Na een paar minuten drong het tot haar slaperige hoofd door dat er iets aan de hand was en schoot ze overeind, geschrokken en gespannen.

'Sarah?'

Ze schoof de klamboe opzij en trok haar pantoffels aan. Rabindrah stond voor haar deur, met over zijn kleren heen nog een handdoek om zijn schouders geslagen. Ze staarde hem verwonderd aan.

'Ik geloof dat ik ziek ben.' Hij klappertandde. 'Ja, ik ben ziek. En ik heb het heel erg koud.'

'Er ligt nog een deken in de kast,' zei ze. 'En er ligt er ook een in de doos op de kast in je rondavel. Er liggen er nog meer in de voorraadkamer, maar ik ben bang dat die nogal muf ruiken.'

Ze pakte haar lamp en zocht naar de sleutels van de voorraadkamer. Al snel stond ze met nog drie dekens in haar armen in de gastenhut. Rabindrah kroop snel onder de lagen beddengoed. Hij beefde over zijn hele lichaam, en zijn tanden klapperden nog steeds.

'Malaria,' zei Sarah. 'Mijn vader heeft het ook een paar keer gehad. Daarom heeft hij Kenia ook verlaten; de artsen zeiden dat hij nog een aanval niet zou overleven.'

Ondanks zijn zwakke protesten ging ze naast hem zitten, vouwde de dekens op en legde ze neer, zodat hij zich kon begraven onder het bergje dat ze had gemaakt. Maar het beven hield niet op.

'Ik ga Allie halen,' zei ze na een uur. 'Ik weet zeker dat ze wel wat *dawa* heeft.'

'Nee, laat haar slapen,' zei Rabindrah. 'Ik heb haar al genoeg last bezorgd.'

Maar Sarah was al weggelopen. Ze kwam terug met nog meer dekens en een mok warme thee die hij van haar moest opdrinken. Zijn handen beefden zo dat zij de beker moest vasthouden en tegen zijn lippen moest duwen. Toen hij wat van de thee morste, veegde ze zijn gezicht af. Een paar tellen later braakte hij alles wat hij had gedronken uit op de grond en viel achterover op zijn bed neer, verontschuldigingen mompelend.

Allie kwam binnen met een thermometer. 'O hemel,' zei ze even later. 'Negendertig graden. En het zal nog wel wat hoger worden. De radio doet het nog steeds niet, dus we kunnen niemand laten komen, maar ik heb nog wel wat medicijnen liggen. Ik geef die liever niet zonder toestemming van een dokter, maar als het echt niet anders kan... Morgen zullen we je meteen naar een ziekenhuis brengen. Nu moet je ervoor zorgen dat je warm blijft, al zal het niet lang duren voordat we je weer moeten afkoelen.'

Het was een onmogelijke opgave, en een paar keer beefde hij zo hevig dat Sarah hem neer moest duwen op het bed. Drie uur later werden de bevingen minder en bleef Rabindrah slap en uitgeput liggen. Zijn ademhaling was oppervlakkig. Toen steeg zijn temperatuur en begon hij te zweten; hij lag te woelen op het smalle bed en gooide de dekens van zich af, hij riep dingen in een taal die Sarah niet verstond. Ze verschoonden zijn bed net zo lang totdat ze geen schone lakens meer hadden. Dan kwam helpen toen het beven weer begon en ze hem in handdoeken wikkelden. Eén keer wilde hij opstaan en naar de sanitairtent lopen, maar hij was zo zwak dat het hem zelfs met Dans hulp niet lukte. Allie haalde een po en Rabindrah wendde zijn gezicht beschaamd af, waarop de vrouwen even naar buiten gingen. Tegen zonsopgang zonk hij af en toe weg in een onrustige slaap. Dan nam zijn temperatuur op en zei dat het tijd was om naar het ziekenhuis te gaan. Allie was het echter niet met hem eens.

'Hij is te ziek om te worden vervoerd,' zei ze. 'Ik stel voor dat we hem een flinke dosis chloroquine geven, maar we zullen met een injectie moeten beginnen omdat hij een pil niet binnen zal kunnen houden. Sarah, we moeten hem weer natmaken. Misschien dat de koorts dan wat zakt.'

Ze spoelden hem af met koud water en strooiden talkpoeder op zijn rug, al was zijn huid zo gevoelig door de koorts dat zelfs de lichtste aanraking hem al deed kreunen. Allie probeerde hem kleine beetjes water te laten drinken, maar hij was niet in staat veel binnen te houden. Toen de dag vorderde en het warmer werd, begon hij weer te beven en moest Sarah naar buiten rennen om de lakens en dekens te halen die in de zon lagen te drogen. Dan ging op zoek naar een gepensioneerde arts, een missionaris die vlak bij Isiolo woonde, en kwam terug met een voorraadje kinine.

'Als hij niet binnen drie of vier uur op die chloroquine reageert, moeten we hem hiermee volstoppen,' zei hij. 'Anders krijgt hij problemen met ademen.'

Laat die middag begon de hele cyclus weer opnieuw, en de doorweekte lakens werden verschoond en raakten weer doorweekt. Tegen het vallen van de avond lag Rabindrah uitgeput op zijn bed. Zijn ledematen deden pijn en zijn hoofd bonsde. Maar Allie bleef hem omdraaien en sponsde en droogde hem af. De oude missiearts kwam kijken en stelde hen met zijn zware Schotse tongval en kalme manier van doen allemaal gerust.

'Als de koorts morgenochtend niet is gezakt, moeten jullie hem naar Nanyuki brengen,' zei hij. 'Of hem per vliegtuig vanuit Isiolo of Samburu laten vervoeren. Het wordt vannacht erg spannend. Ik heb hem wat kinine gegeven, nu moeten we maar afwachten. Maar hij is jong en sterk, en ik denk dat we het ergste nu wel hebben gehad. Nog een uur of zes à acht, en het ziet er heel anders uit.'

Rabindrah bleef afwisselend beven en zweten, en Sarah gaf hem water met een pipet en zorgde ervoor dat zijn lippen niet uitdroogden door ze in te smeren met vaseline. Het kostte haar moeite om de hele nacht wakker te blijven en ze merkte dat haar lijf pijn deed van vermoeidheid toen zij en Allie hem met dekens bedekten en die weer weghaalden toen de koorts steeg. Ze vulden kommen met water, verkoelden hem met natte lappen en sponzen, legden zijn lakens te drogen en gingen op zoek naar meer beddengoed. De hele dag en nacht waakten ze om beurten bij hem in zijn hut, wachtend totdat het beven weer zou beginnen.

Kort voor zonsopgang was Sarah op haar stoel in slaap gevallen, onderuitgezakt, met haar hoofd naar voren, toen Allie haar wakker schudde.

'De koorts zakt,' zei ze zacht. 'Hij is doodop, maar we hebben het ergste gehad. Ik ga nu even een paar uur liggen, en ik denk dat jij ook wel even kunt gaan slapen.'

Sarah knikte en voelde zich overvallen door vreugde. Ze strekte haar armen en benen. Haar nek deed pijn, en ze wist niet waarom ze zowel wilde lachen als huilen. Ze stond op en keek op Rabindrah neer, op zijn gesloten ogen en donkere wimpers. Zijn haar stond in zwarte pieken overeind en zijn gezicht was dodelijk bleek onder de stoppels die de afgelopen dagen op zijn kaken waren gegroeid. Op zijn bovenlip parelden een paar zweetdruppeltjes, maar ze vond dat zijn mond er volmaakt uitzag, als die van een klassiek beeld. Toen ze een hand op zijn voorhoofd legde, voelde zijn huid koel en een tikje vochtig aan. Ze boog zich voorover en bracht haar gezicht bij het zijne, zodat ze zijn ademhaling, zwak maar regelmatig, op haar wang kon voelen. Zijn ogen bleven gesloten, en ze geloofde niet dat hij merkte dat ze hem kuste, langzaam en teder, op zijn prachtige mond.

Ze zag Allie niet in de deuropening staan. Haar bazin knikte in zichzelf, stopte haar handen in haar zakken en ging toen op zoek naar haar man.

VEERTIEN
Rhodesië, mei 1967

Boven de weg hing een waas van stof die het zicht tot een paar honderd meter beperkte en als een sluier voor de glazig blauwe hemel hing. Al meer dan een uur lang was Lars geen ander verkeer tegengekomen, en hij was blij dat hij met zijn gedachten alleen kon zijn. De afgelopen nacht had hij in Salisbury doorgebracht, waar de hotelbar en eetzaal vol hadden gezeten met mensen die gin en whisky en grote pullen bier hadden gedronken, klaar voor een weekend vol feesten in een club of bij iemand thuis. Ze waren gastvrij en vriendelijk geweest en hadden graag kennis willen maken met de vreemdeling die hun stad bezocht, aan wie ze op luide toon hun optimistische kijk op de toekomst van hun land hadden meegedeeld. Een meisje met lang, donker haar en een uitnodigende mond was op de barkruk naast hem gaan zitten en had hem met zo veel enthousiasme getracht te versieren dat het hem een glimlach had ontlokt. Het feit dat hij uit Kenia kwam, was al snel onderwerp van gesprek, en er volgde een verhitte discussie over de manier waarop het land en de blanke gemeenschap door de Britse regering waren verraden.

'Je hebt er goed aan gedaan om naar het zuiden te komen.' Een joviaal ogende man met een rood gezicht en ogen als flinters graniet zette een gin-tonic voor Lars neer. 'Hier gaat het leven gewoon door, hier geven we ons niet gewonnen en doen we niets over aan die kaffers. Kijk de komende dagen maar eens goed om je heen, man. Dan zul je zien dat dit een bloeiend land is, waar de juiste mensen de touwtjes in handen hebben. Als je zou willen blijven, kun je heus wel werk vinden. Er zijn genoeg lui die Kenia hebben verruild voor een nieuwe toekomst in Rhodesië. We hebben hier alles: koper en goud, tabak, thee en katoen, koffie en suiker en prachtig vee. Ian Smith helpt ons er wel doorheen. Hij regelt wel wat met die zwartjes. En uiteindelijk zal de Britse regering zich ook wel koest houden, want ze willen ook niet dat die rooien hier alles overnemen.'

Lars vond hun politieke visie op de toekomst van Afrika echter uiterst beperkt, en na het eten ging hij al snel naar zijn kamer. Eerder die avond had hij Jan van der Beer geprobeerd te bellen, maar er werd niet opgenomen. De telefoniste bevestigde dat het nummer correct was, maar dat de verbinding niet tot stand kwam en dat ze niet kon zeggen wanneer hij wel contact zou kunnen krijgen. Daarna belde hij Hannah op Langani.

'Ik vertrek morgenochtend vroeg meteen naar de boerderij van Kobus,' zei hij. 'Ik heb je ouders nog niet kunnen bereiken; de lijn is dood, dat schijnt hier vaker voor te komen. Ik weet zeker dat Lottie wel thuis zal zijn, al is Jan misschien op de akkers aan het werk. Het betekent alleen dat ik je niet vanaf hun huis kan bellen als ik daar ben. Hoe is het bij jullie? Is alles goed met Suniva?'

'Alles gaat prima. Anthony is bij ons en het is hier rustig.'

Hij hoorde haar stem licht trillen. 'Slaap lekker, Han. Ik hou van je.'

Hij sliep onrustig en verliet weer vroeg het hotel. Nadat hij een auto had gehuurd, kocht hij een kleine koelbox met wat water en bier en broodjes voor onderweg. Rond tienen had hij de buitenwijken van de stad achter zich gelaten en reed hij het platteland op. In gedachten was hij al op zijn bestemming. Hij had nog steeds geen idee wat hij tegen Jan en Lottie moest zeggen. Wat zou Jan doen wanneer hij te horen zou krijgen dat de dood van zijn zoon in feite zijn eigen schuld was? En hij kon zich simpelweg niet voorstellen hoe Lottie dit nieuws zou opvatten, of hoe ze verder zou kunnen gaan met haar leven.

Lars wilde nu dat hij nooit was gekomen. De man die hij had gedacht te kennen, de Jan die hij had bewonderd, was verantwoordelijk voor een weerzinwekkende misdaad. Dat hij wraak wilde nemen op de Mau Mau die zijn broer hadden verminkt en vermoord, vormde geen excuus voor het levend roosteren van een mens aan een spit. Ook al had hij, zoals Wanjiru zei, in het begin een soort van protest geuit. Simons moeder kon ook niet bepaald als een aanvaardbaar oorlogsslachtoffer worden gezien, maar die andere daad was helemaal erg en vervulde Lars met walging. En Jan had Kenia en de *plaas* zomaar verlaten, onverwacht, en zo zijn zoon overgeleverd aan een moordenaar die hem op zijn eigen land had gedood en zijn dochter had veroordeeld tot een toekomst vol angst en haat. Wat voor soort man deed dat zijn gezin aan? Hij moest hebben geweten, of in elk geval hebben vermoed, wie er achter de aanvallen op Langani zat. Toch had hij zijn mond gehouden, zelfs na de dood van Piet. Als hij toen iets had gezegd, hadden ze Karanja misschien eerder kunnen opsporen. Nu zou Jan de gevolgen van die barbaarse daad in het woud, van al die jaren geleden, onder ogen moeten zien. Vluchten kon niet meer.

Lottie zou het heel moeilijk krijgen, en Lars had geen idee hoe hij haar onder deze omstandigheden zou moeten troosten. Hij wist niet eens of ze vrienden in de buurt had. Hij had begrepen dat de neef, Kobus van der Beer, een bruut van een vent was aan wie ze weinig zouden hebben. Misschien had Lottie ook altijd al de waarheid geweten, al vermoedde Lars van niet. Hij wilde dat hij dit niet hoefde te vertellen, maar hij was er ook nog steeds zeker van dat dit niet het soort nieuws was dat per telefoon kon worden overgebracht.

Zijn gedachten dwaalden af naar Hannah. Hij stelde zich voor dat ze in het kantoortje zat, blozend, met haar dikke blonde haar in haar nek samengebonden, en zich over de boekhouding boog, een tikje fronsend, en dat het puntje van haar tong langs haar bovenlip streek terwijl ze met haar vinger langs de rijen cijfers ging. Of dat ze de kleine Suniva in haar armen nam en lachend optilde. Hannah, met haar heerlijke brede mond en sterke, weelderige lichaam, en haar zangerige manier van praten. Ze zou nu haar werk in de melkerij wel af hebben en teruggekeerd zijn naar het huis. Waarschijnlijk was ze nu bezig de administratie af te ronden, zodat ze 's middags met haar dochter zou kunnen spelen. Hij bad tot God dat ze veilig zouden zijn. Als haar, of de baby, iets zou overkomen... Hij sloeg met zijn vuist op het dashboard en trok in gedachten van leer tegen het kwaad dat zijn thuis had getroffen.

Binnen een tel werd hij teruggevoerd naar het hier en nu toen er opeens, zonder waarschuwing, een gestalte voor hem opdook. Hij gaf een ruk aan het stuur, waarbij hij op een haar na de man op de fiets miste. De auto zwenkte naar één kant en hij vloekte omdat hij niet had opgelet. De banden gleden over de weg en de auto kwam in een wolk van stof tot stilstand, half boven een greppel langs de kant van de weg. De eenzame fietser, die van zijn rijwiel was gevallen, krabbelde op van de met steentjes bezaaide weg. Hij klom weer op zijn fiets en reed naar Lars toe.

'Sorry.' Lars stapte uit. 'Ik zag je te laat. Het komt door het stof.' Hij had geen idee wat hij anders moest zeggen. De man sprak waarschijnlijk niet eens Engels.

'Het is niet erg, *nkosi.* Misschien hebt u bier gehad en moet u nu slapen, en weer rijden als het koeler is.'

'Nee, het kwam door het stof. Maar ik heb bier achter in de auto en zal je een paar flessen meegeven. Door mij ben je immers van je fiets gevallen.'

'Misschien kunt u me een lift geven, *nkosi.*' Witte tanden blonken in het donkere gezicht.

'Maar je ging de andere kant op,' bracht Lars hem lachend in herinnering.

'Dat is waar, *nkosi,* maar tegen de tijd dat ik u heb geholpen die auto uit de greppel te trekken, ben ik al te laat voor waar ik heen wilde gaan. We mogen na de avondklok niet meer buiten zijn. We kunnen mijn fiets op uw dak binden, en dan kan ik naar huis.'

'Waar is je huis?' vroeg Lars, maar toen besefte hij dat het een zinloze vraag was. Hij kende de namen van de dorpen hier toch niet. Maar de man wilde hem helpen, vroeg niet om geld en dreigde evenmin herrie te schoppen. Het minste wat hij kon doen, was een babbeltje maken. Hij deed de kofferbak open en keek of hij een touw had waarmee hij de fiets zou kunnen vastbinden.

'Het is niet ver.' De fietser wees over zijn schouder. 'Ik vertel u wel hoe u moet rijden. Hebt u een boerderij waar werk te doen is, *nkosi*? Ik zoek werk. Ik ben sterk en kan alles doen. Ik kan hard werken voor een goede baas.' Hij keek Lars hoopvol aan en leek toen nog iets te bedenken. 'Hebt u sigaretten bij u? Naast het bier?'

'Ik kom hier niet vandaan.' Lars gaf hem een sigaret en boog zijn hoofd om die van hemzelf aan te steken. 'Ik ga op bezoek bij een vriend. Weet je waar de boerderij van Kobus van der Beer is? Daar ga ik heen, en misschien kun je daar vragen of ze werk voor je hebben.'

Er kwam geen antwoord. Lars keek verbaasd op. Zijn mogelijke reisgenoot was op zijn fiets gestapt en reed met opvallende snelheid weg. Na een paar honderd meter sloeg hij af, het struikgewas in, en verdween uit het zicht. Lars haalde zijn schouders op en pakte toen zijn broodjes en een biertje uit zijn koeltas. Het brood met kaas en ham proefde nog vers, en hij dronk rechtstreeks uit het flesje. Het was heerlijk het koele drankje door zijn keel te voelen stromen. Nadat hij het touw had opgeborgen, kroop hij weer achter het stuur en startte de motor. Tot zijn grote opluchting kreeg hij de auto zonder problemen van zijn plaats. Hij draaide de weg op en reed verder.

Nog geen vijf minuten later trof de eerste steen het raampje aan de passagierszijde van de auto. De ruit spatte aan stukken, het glas bedekte zijn schoot en benen. Lars trapte stevig op het gaspedaal en reed verder door een hagelbui van stenen die de auto troffen. Hij vloekte naar het groepje mannen langs de kant van de weg dat hem met stenen bekogelde en hem allerlei scheldwoorden naar het hoofd slingerde en nam pas gas terug toen hij een bocht had genomen en zijn aanvallers uit het zicht waren verdwenen. De voorruit lag aan stukken en de auto zat vol stof. Lars voelde de glasscherven tussen zijn benen glijden en hoorde ze op de bodem van de auto vallen. Er was niemand te zien, maar hij reed door totdat hij een flink eind van de plek van de hinderlaag was. Toen hield hij pas halt en stapte uit, al liet hij voor de zekerheid de motor draaien. Het duurde even voordat hij al het glas uit de sponning had gepeuterd, en hij merkte dat hij voortdurend over zijn schouders keek, zoekend naar mensen die hem vanuit de struiken konden belagen. Hij was opgelucht toen hij ongestoord zijn weg kon vervolgen. Het volgende uur verliep zonder enig incident, zodat hij ten slotte de hoofdweg kon verlaten en een onverharde weg insloeg die naar een poort met een slagboom leidde. Naast de poort, in de schaduw van een lemen hut met een rieten dak, stond een bewaker op wacht.

'Ik kom voor meneer Van der Beer,' zei Lars.

De man zei niets, maar keek hem een hele tijd met een doffe blik aan voordat hij de slagboom omhoog deed. Lars stak bij wijze van bedankje zijn hand op en reed door. De eerste paar kilometer werd het weggetje nog omgeven door wildernis, maar daarna maakten de struiken plaats voor rijen tabaksplanten, die ritselden en fluisterden onder het meedogenloze witte schijnsel van de zon. Toen de weg zich splitste, koos hij voor het smallere spoor dat naar links voerde. Een paar tellen later zag hij een bordje aan een boom hangen waarop een naam was geschilderd: JAN VAN DER BEER. De oprit was kort. Voor hem stond een laag huisje dat elk moment leek te kunnen instorten; de veranda was helemaal doorgezakt. Het dak was van golfplaat dat hij hoorde kraken en schuiven in de moordende hitte. Het trapje naar de veranda werd omzoomd door stoffige struiken waarvan de takken slap naar beneden hingen. Voor het huis lag een border, begrensd door een strook gras en tot een aarzelend groeien aangespoord. Dat was onmiskenbaar het werk van Lottie. Glimlachend stapte hij uit, maar hij werd slechts begroet door een onheilspellende stilte. Vogels en insecten leken halverwege hun gezang hun adem in te houden toen hij zijn groet riep.

'Jan? Lottie? Ik ben het, Lars. Ik heb geprobeerd te bellen, maar er is iets met jullie telefoon.'

Nu hij dichter bij het huisje kwam, werd hij zich bewust van de ongewone zware geur die er hing. De ramen aan de voorkant waren kapot, en de buitenmuren waren hier en daar roetzwart, alsof er brand was geweest. Weer riep hij, maar zijn kreet werd slechts begroet door stilte. Hij voelde aan de deurknop, deed de deur open en liep naar binnen. Daar stonk het naar rook, daar hing de al te bekende lucht van verschroeide stof en verbrand hout. Midden in de kamer lag een stapel kapotte meubels. Boeken en tijdschriften dreven in een plas stilstaand water. Planken en stoelen waren van de muur getrokken of omgegooid. Op de vloer van wat waarschijnlijk de woonkamer was geweest, lagen scherven van beeldjes en ingelijste foto's. In een hoek lag Lotties naaimachine op zijn kant. De hoes was in kleine stukken gebarsten, het handvat was van het wiel getrokken, en de draden die waren losgeraakt van de spoel glommen als een spinnenweb in de schemerige resten van de kamer.

Beelden van het atelier op Langani en de verkoolde resten van de lodge kwamen in Lars' gedachten op toen hij langzaam door het huis liep. De rillingen liepen over zijn rug. Vol vrees opende hij deur na deur, hij keek in de kleine slaapkamertjes en in het badkamertje aan het einde van de gang, en verwachtte elk moment een verkoold lijk aan te treffen. Maar de kamers waren leeg. Er was nergens iets van waarde te vinden, en het was duidelijk dat de vlammen het hart van het huis nooit hadden bereikt. In de keuken stonden nog steeds twee aluminium pannen op het fornuis, maar verder was alles overhoopgehaald. Laden hingen open, de inhoud was over de vloer verspreid, en overal lagen scherven van gebroken borden.

De achterdeur stond open en kraakte lichtjes in het briesje dat het einde van de verstikkende middag leek aan te kondigen. Lars bleef even staan, zijn oren gespitst, zoekend naar de kleinste beweging in de *bush* rondom het huisje. Maar er heerste slechts stilte en hij rook alleen maar de resten van de brand. Op de grond lagen de verbrande, verwrongen resten van een kippenren. Boven de ineengekrompen, zwartgeblakerde lijkjes van de dieren zweefde een vlaag van grijze as en veren langs de heg die de moestuin afbakende.

Nu de avond viel, werd het licht zachter, en Lars besefte dat hij hier niets kon doen, afgezien van zijn eigen leven op het spel zetten. Hij liep om het vernielde huisje heen en startte zijn auto weer. Hij gaf flink gas en reed achteruit terug naar de splitsing in de weg en nam toen het rechterspoor, dat kronkelend tussen de tabaksplanten door voerde. Na een paar kilometer was hij bang dat hij terug zou moeten rijden naar de slagboom om daar de weg te vragen, en hij minderde net vaart, zoekend naar ruimte om te keren, toen zijn oog viel op een sprankje licht in de verte. Een paar minuten later hield hij halt voor een groot, stenen huis en liep hij het trapje naar de veranda op. Er kwam een klein vrouwtje naar buiten dat de voordeur sloot en zo een horde honden binnenhield die naar hem blaften. Ze keek Lars met een doffe blik in haar ogen aan. Er bungelde een sigaret in haar mondhoek en aan haar verweerde gezicht waren de teleurstelling en het harde leven van jaren af te lezen.

'Ik ben op zoek naar Jan van der Beer,' zei Lars. 'Ik ben zijn schoonzoon. Uit Kenia.'

'Hun huis is afgebrand. Molotovcocktail. Ze zitten in het huis van mijn zoon. Het huis van Fanie.'

'Waren ze gewond? Is Lottie...'

'Wie is daar? Wat moet je daar buiten, Ellie? Je weet dat het daar nu niet pluis is!'

De deur zwaaide open, zodat er een stevige man te zien was van wie Lars aannam dat het Kobus van der Beer was. Hij leek op Jan, maar zijn gezicht was grimmig en meedogenloos. Uit zijn blik bleek niet dat hij enige belangstelling voor zijn bezoeker had of wilde weten wie er voor hem stond.

'Ik ben Lars Olsen van Langani. Ik ben hier voor Jan.'

'Daarzo.' Kobus wees de opkomende duisternis in. 'Rijd om het huis heen, dan zie je rechts nog een oprit. Hij zit in het huis van mijn zoon totdat we iets anders voor hem hebben geregeld.' Hij keek Lars recht aan. 'Heb je een ongeluk gehad?'

'Iemand heeft me met stenen bekogeld.' Lars haalde zijn schouders op. 'Waarschijnlijk omdat ik hem bijna had aangereden. Hij heeft een paar vrienden opgetrommeld en me een eindje verderop belaagd, maar ik ben ongedeerd.'

'Waar was dat precies?'

Lars vertelde wat er was gebeurd en was niet voorbereid op de reactie die hij daarmee losmaakte.

'Ik sta niet toe dat een stelletje van die kloterige *munts* iemand op mijn weg aanvallen,' zei Kobus. 'Ik denk dat ik wel weet wie dit heeft gedaan, die luie donder die alleen maar op zijn vuile reet heeft gezeten totdat ik hem vorige week eindelijk heb ontslagen. Zeg maar tegen Jan dat we dat hele zooitje eens goed gaan aanpakken. Ik kom hem straks wel halen. We gaan die lui te grazen nemen wanneer ze daar het minst op rekenen.'

'Zeg maar tegen Lottie dat ze hierheen moet komen als ze niet alleen wil zijn,' zei Ellie aarzelend, en ze wendde haar blik af toen Kobus haar aankeek.

'Lottie blijft waar ze is.' Hij pakte zijn vrouw bij haar arm en duwde haar naar binnen. 'Ze mogen blij zijn dat ze daar kunnen wonen, in het huis van mijn zoon.' Zijn blik schoot naar Lars. 'Hij is dood, wist je dat? Vermoord door een stelletje van die klerekaffers. Zeg Jan dat ik hem over een paar uur kom halen en dat hij maar beter nuchter kan zijn. Dat hij die fles moet laten staan, begrepen?'

'Ik denk dat het grotendeels mijn schuld was.' Lars probeerde de spanning te verzachten en wilde allesbehalve de aanleiding tot nog meer geweld vormen. 'Ik liep al ver voor de slagboom in een hinderlaag.'

'Deze hele streek zit vol kaffers die eens goed op hun lazer moeten krijgen. Ik haal Jan na het eten wel op.'

Kobus verdween weer naar binnen, Lars liep terug naar zijn auto en reed om het vreugdeloze gebouw heen naar het huis erachter. Dat was kleiner, maar had dezelfde sombere uitstraling. Er zaten dikke tralies voor de ramen en een bord waarschuwde voor waakhonden. Toen hij klopte, werd er niet meteen opengedaan, maar hij zag achter de gesloten gordijnen het schijnsel van een lamp. Net toen hij zijn hand ophief om nogmaals te kloppen, vloog de deur open en keek hij recht in de loop van een geweer.

'Lars! Godsamme, man, wat doe jij hier?' Jan liet zijn wapen zakken en deed hoofdschuddend een stap opzij. 'Is alles in orde op Langani? En met Hannah? Wat doe je hier?'

Voordat Lars antwoord kon geven, hoorde hij voetstappen en schoot Lottie naar voren. Ze sloeg haar armen om hem heen, slaakte verbaasde kreten en trok hem mee naar binnen. In het licht van de lampen keek hij hen beiden aan, verontrust door Jans opgezwollen gezicht en roodomrande ogen en de zenuwachtige blik van Lottie.

'Op Langani is alles in orde,' zei hij snel, in een poging hen gerust te stellen. 'Hannah maakt het goed en Suniva wordt met de dag mooier.' Hij stak zijn hand naar Jan uit. 'Wij hebben elkaar niet meer gezien sinds... Nou, een hele tijd geleden. Ik hoop dat je mijn brieven hebt ontvangen. En alle maandelijkse verslagen. Piet was mijn beste vriend en ik mis zijn gezelschap en alles waar hij voor stond. Elke dag mis ik hem.'

'Dus je hebt eindelijk eens vakantie genomen?' vroeg Lottie. Ze keek angstig naar het gezicht van Jan, dat betrok. 'We zijn blij je te zien,' zei ze, 'maar het is nogal schrikken. We verwachtten je helemaal niet. Hannah heeft niets gezegd...'

Ze zweeg toen ze besefte dat er een zwaarwegende reden voor zijn komst moest zijn. Lars was geen man die iets in een opwelling deed. Hij zou zeker niet zomaar Langani en vrouw en kind verlaten. Ze vroeg zich af of hij was gekomen om de breuk tussen Hannah en haar vader te lijmen en Jan over te halen om thuis te komen. Heel even voelde ze zich beter.

'Hier, dat heb je na zo'n reis wel nodig. Waar je ook vandaan komt.' Jan schonk een glas whisky en een kan water voor hem in. Zijn handen trilden. 'Zeg maar ho.'

Lars zag dat Jan een nog grotere borrel voor zichzelf inschonk en daarna moeizaam ging zitten, met zijn geweer tegen zijn knie. Lottie ging op de rand van de bank zitten en leunde vol ongeduld naar voren. Ze zag bleek, en rimpels veroorzaakt door spanning vertelden hun verhaal op haar gezicht. Geen van beiden had iets over het afgebrande huis gezegd, en Lars wilde er net naar vragen toen Lottie de stilte verbrak.

'Vertel eens hoe het op Langani gaat, hoe het met Hannah en Suniva is. En hoe is het met die goede oude Mwangi en Kamau en Juma, hoe gaat het op de *plaas*? Dat willen we graag weten, Lars.' Ze glimlachte bemoedigend, maar haar blik was nerveus.

Hier is geen gemakkelijke manier voor, dacht Lars. Ik kan het maar beter zo snel mogelijk zeggen, hoe erg het ook is, en er geen doekjes om winden. Hij stak van wal en vertelde over de vernielingen die in het atelier waren aangericht, en daarna over de brand in de lodge. Voordat hij over Karanja kon beginnen, en de komst van Wanjiru naar Langani, had Jan zijn glas leeggedronken en staarde hem vijandig aan.

'Wat kom je hier dan doen, man?' vroeg hij.

Hij probeerde op te staan, zodat het geweer kletterend op de vloer viel. Moeizaam boog hij zich voorover, raapte het op en zette het tegen het dressoir. Lars wendde zijn blik af en merkte dat Lottie hem gadesloeg, in een zwijgende smeekbede. Jan schonk nog een whisky voor zichzelf in en schonk geen aandacht aan het gemompelde protest van zijn vrouw.

'Wat is er met mijn dochter gebeurd? Het kan daar niet veilig zijn voor haar. Je had haar niet alleen moeten laten.'

'Hannah heeft me gevraagd hierheen te gaan. Ik moet jullie iets vertellen.' Lars zag Lotties vragende blik, maar ze zei niets.

'Hannah en de baby maken het goed,' zei hij nogmaals. 'Anthony Chapman is nu op Langani, en de familie Murray komt ook regelmatig langs.'

'Dus laat me de dingen even op een rijtje zetten.' De alcohol voedde duidelijk de woede in Jan. 'Na twee zware aanvallen laat je je vrouw en baby gewoon alleen? Je laat haar Langani leiden, met hulp van iemand die niets van landbouw weet?' Zijn minachting was overduidelijk.

'Natuurlijk heeft hij dat niet gedaan,' wierp Lottie tegen. 'Ik weet zeker dat Lars een goede reden heeft om helemaal hierheen te komen. Je weet dat hij Hannah en de baby nooit zonder bescherming zou achterlaten. En hij heeft de *plaas* altijd uitstekend bestierd.'

'Het is godverdomme mijn *plaas*. Ook al ben ik er al een hele tijd niet meer geweest.' Jan keek zijn schoonzoon kwaad aan.

'Dat weet ik heel goed.' Het kostte Lars moeite beleefd te blijven. 'Al zul je op een dag toch met Hannah moeten bespreken hoe het verder moet, en of je Langani aan haar wilt overdragen. Omdat je niet van plan lijkt te zijn om terug te keren naar Kenia. Maar daarvoor ben ik niet...'

Jan liep met onvaste tred naar Lars toe en bleef vlak voor hem staan. Zijn gezicht was rood, zijn blik kwaad. 'Ze wil me uitkopen, zeker? Of wil jij Langani voor jezelf hebben, nu je met haar getrouwd bent? Was dat de hele tijd al je plan?'

Lars voelde zijn woede opwellen.

'Jan, hou op,' zei Lottie smekend. 'Hoe kun je zoiets zeggen? Lars houdt van Hannah, je weet dat dat zijn enige reden was om met haar te trouwen. We moeten luisteren naar wat hij ons te zeggen heeft, maar dat kan ook straks.' Ze stond op. 'Je moet maar even tot rust zien te komen. Ik maak de logeerkamer voor hem in orde, daarna eten we een hapje en kan hij ons alles vertellen, over de *plaas* en onze dochter en kleindochter. En dan zul jij luisteren, Jan, zonder weer in die zinloze woede van je te ontsteken.'

Jan snoof minachtend en ging weer zitten, de fles whisky in zijn hand.

'Wat is er met jullie huis gebeurd?' Lars wilde het moment van de waarheid nog even uitstellen. 'Daar kom ik net vandaan. Er was niet veel van over.'

'Een stelletje van die verrekte *munts* hebben een molotovcocktail naar binnen gegooid. Gelukkig waren we niet thuis, want dan hadden we hier nu niet gezeten.' Jan klonk bitter. 'Ik was met Kobus op patrouille en Lottie was naar een vriendin die een paar kilometer verderop woont. Toen ze naar huis reed, zag ze de rook en de vlammen. Het huis stond in brand, de kippenren stond in brand, de schuur stond in de fik. En natuurlijk was het personeel ervandoor. Die zullen het wel op hun geweten hebben.'

'Dat denk ik niet.' Lottie was bij de deur naar de gang blijven staan en keek Lars aan. 'Ik denk dat het een van die plaatselijke bendes is geweest die het op het bezit van blanken hebben gemunt. Er zijn er nu heel veel, ze worden opgestookt door terroristen die vanuit Zambia hierheen komen. Ze hebben het ook al een paar keer bij Kobus en Ellie geprobeerd, en hun zoon Fanie is in een hinderlaag gelopen en vermoord. Jan is die dag ook bijna gedood.'

'Het kan hier niet gemakkelijk zijn,' stelde Lars vast. 'Ondanks Ian Smith en de blanke bevolking. Zelf denk ik dat het te laat is om een Afrikaans land te besturen zonder dat het hele volk een stem heeft. De tijd van de elite is voorbij.'

'Het wordt steeds erger,' bekende Lottie. 'Er zijn sancties, er dreigen tekorten, de politieke kloof tussen blank en zwart wordt steeds groter. Ik zie geen reden meer tot optimisme. De blanken houden zichzelf voor de gek en de plaatselijke bevolking wordt onder druk gezet, bijna als tijdens de Mau Mau. Alleen gaat dat hier een tikje anders: jonge mensen worden gedwongen zich aan te sluiten bij zwarte partijen die verandering beloven en hen dan wegsturen om hen om te scholen tot schurken en moordmachines. We hebben gehoord dat sommigen zelfs naar China of Rusland gaan. Het geweld wordt met de dag erger. Ik zeg steeds tegen Jan dat we hier weg moeten.'

'Begin daar nu niet weer over.' Jan keek haar boos aan en vulde zijn glas nog eens bij. Met stemverheffing vervolgde hij: 'Alsof het in Kenia allemaal koek en ei is. Daar worden ook mensen gedood. Onze zoon is in mootjes gehakt en de dader is nooit gepakt. Dat weten we allemaal maar veel te goed.' Zijn stem beefde en hij veegde met de rug van zijn hand over zijn gezicht.

'Kom maar mee.' Lottie wenkte Lars. Haar beweging kon niet helemaal de aandacht afleiden van de wanhoop die hij in haar blik las toen haar man het woord had genomen. 'Ik laat je de badkamer en de logeerkamer zien, dan kun je je even opfrissen. We praten tijdens het eten wel verder.'

'O, dat zou ik bijna vergeten.' Lars wendde zich tot Jan. 'Ik kwam je neef nog tegen en moest van hem zeggen dat hij je later vanavond komt ophalen. Ik ben op weg hierheen met stenen bekogeld en hij zegt te weten door wie. Hij wil later vanavond naar die lui op zoek gaan.'

'O nee.' Lottie was zichtbaar ontzet. 'Dat is gewoon weer een excuus om te gaan patrouilleren, om iemand in elkaar te slaan of te doden. Kobus is een bruut, geen haar beter dan een crimineel, en hij is geobsedeerd door wraak.' Ze legde haar hand op Lars' arm, en hij voelde de druk van haar vingers. 'Sinds zijn zoon is vermoord grijpt hij elke aanleiding aan om een zwarte te kunnen doden.'

'Hij neemt het op voor zijn bezit en zijn gezin, zoals duizenden andere blanken hier,' zei Jan kwaad. 'Maar jij moet hem gewoon niet, dus alles wat hij doet, is verkeerd. Die molotovcocktail had je kunnen doden, Lottie, of ze hadden je onderweg kunnen overvallen. We moeten patrouilleren, we moeten onszelf verdedigen, want niemand anders zal ons helpen. Hier in Rhodesië staan we tegenover een stel onwetende kaffers wie wordt wijsgemaakt dat ooit elk stukje land van hen zal zijn, en elk gebouw en elke auto en fiets, als ze ons maar lang genoeg blijven aanvallen. Ze denken dat als ze maar een paar boeren meer vermoorden en nog wat in de fik steken de blanken er met de staart tussen de benen vandoor zullen gaan en alles wat we hier hebben opgebouwd voor hen zullen achterlaten.'

'Wij hebben hier niets opgebouwd,' zei Lottie op ijzige toon. 'Dit is niet ons land, dit is niet onze oorlog, en we zouden ons erbuiten moeten houden. We zouden niet met wapens onder ons kussen hoeven slapen en 's nachts de ramen moeten hoeven sluiten, met tralies ervoor, en schrikken van elk geluidje dat we horen. Ik heb al maanden niet meer echt goed geslapen. En wanneer jij met je neef op pad bent, doe ik helemaal geen oog dicht. Ik voel me geen moment veilig. Ik wil niet levend verbranden, ik wil niet worden verkracht, zeker niet voor Kobus en zijn bezit.'

'Het moet voor jullie allebei heel zwaar zijn,' merkte Lars op, maar hij keek naar Jan en vroeg zich af hoe die man zichzelf zo voor de gek kon houden. Was hij zelf niet met de staart tussen de benen van Langani vertrokken? Erger nog, hij had zijn kinderen met de gevolgen van zijn daden opgezadeld. 'Het zal hier in Rhodesië waarschijnlijk niet beter worden, tenzij alle partijen water bij de wijn willen doen, en dat zie ik niet gebeuren. Misschien is het tijd om te vertrekken, Jan. Dit is geen goede plek voor jou of Lottie. Dat zie je toch wel in?'

'Ja,' zei Lottie bijna wanhopig. 'O, Lars, help me hem te overtuigen. We moeten hier weg, voordat het te laat is en ze ons in een kist terug naar Kenia kunnen brengen.'

'Terug naar Kenia waar mijn zoon is afgeslacht en mijn dochter woont die me haat, waar iemand anders de leiding over mijn bedrijf heeft gekregen? Wil je daar soms heen? Is dat de veiligheid waarover je altijd loopt te zemelen?' Jan sprak inmiddels met dubbele tong en liep enigszins wankelend naar Lottie toe, zijn vuist gebald. Ze stapte opzij met een snelle beweging die aantoonde dat ze dit niet voor het eerst meemaakte.

'Jullie kunnen niet blijven vluchten voor het verleden.' Lars greep Jan vast en bleef tussen hen in staan. Hij walgde van de ander omdat die zijn vrouw had willen slaan. Voordat hij zichzelf kon tegenhouden, hadden de kwade woorden zijn lippen al verlaten: 'Dwaas! Je kunt jezelf niet voor eeuwig verbergen in een of ander godvergeten oord en de rest van je familie laten boeten voor je daden!'

'Hoe bedoel je? Jezus, wat bedoel je daar nu weer mee?' Jan stond tegen hem te brullen. 'Hoe durf je zo tegen me te praten! Je bent gewoon een knecht die met de dochter van de baas is getrouwd en nu alles voor zichzelf wil. Jij bent degene die je vrouw en kind nu hebt overgelaten aan een stelletje *kaffers* zodat je mij kunt overhalen om mijn bezit aan jou te geven. Ik kan me namelijk geen andere reden voorstellen om helemaal hierheen te komen als je beter thuis had kunnen blijven om iedereen te beschermen.'

'Ik ben hier vanwege dat wat jij die dag in het bos hebt gedaan,' zei Lars. Hij sprak op zachte toon en stond doodstil, zijn armen strak langs zijn zijden. Zijn houding sprak van droefheid en het inzicht hoe nutteloos zijn taak was. 'Die dag toen je de moeder van Simon Githiri doodschoot en zijn vader levend werd geroosterd. Hij was een klein kind dat dat allemaal heeft gezien. En daarom is je zoon dood, daarom wordt Langani onder vuur genomen, daarom leeft je dochter elke dag in angst. Daarom vreest ze voor haar eigen leven, voor dat van Suniva en van mij. Hannah leeft met de gevolgen van jouw daden, en jij zit hier en leeft je uit op je vrouw. En jaagt met je neef Kobus op Afrikanen.'

Lottie uitte een hoge kreet, als een dier dat pijn heeft, en toen drukte ze haar handen tegen haar oren en liet zich op de grond zakken. Jan staarde zijn schoonzoon aan en zag de beschuldigingen en walging in Lars' blik. Toen verslapte hij en leunde tegen de muur, met zijn handen voor zijn gezicht geslagen. Lars wendde zich af, niet in staat te kijken naar de lege huls van de man in wiens kracht en integriteit hij ooit had geloofd. Op vermoeide toon vervolgde hij zijn verhaal en beschreef het bezoek aan Mwathe en de ontmoeting met Karanja. Hij eindigde met het relaas van Wanjiru en de ontdekking dat Simon nog leefde. Toen hij was uitgesproken, hoorde hij slechts de raspende ademhaling van Jan de stilte verbreken. Lottie zat nog steeds op de grond, haar armen beschermend over haar hoofd geslagen, en Lars voelde niets dan wroeging nu hij haar zo zag. Zo had hij hun niet de waarheid willen vertellen. En nu hij naar Jan keek, voelde hij zijn woede afzakken en merkte hij dat hij medelijden kreeg met het sombere, dronken wrak dat voor hem stond. Jan draaide zich om naar Lottie en stak zijn hand naar haar uit, maar ze schudde haar hoofd en stond zonder hulp op. Op enige afstand van haar man bleef ze staan, haar armen stijf over elkaar gevouwen. Nu hij haar zo zag, in het meedogenloze licht van de lamp aan het plafond, voelde Lars niets dan droefheid omdat ze zo oud was geworden, omdat de rimpels van ontgoocheling zich een weg door haar stralende goedheid hadden gevreten.

'Het spijt me, Lottie. Het spijt me echt verschrikkelijk.' Hij probeerde een vriendelijke toon aan te slaan, zodat ze zou begrijpen dat hij om haar gaf. 'Het spijt me dat dit allemaal is gebeurd en dat jullie het zo hebben moeten horen. Ik had niet zo grof willen zijn. Het spijt me heel erg.'

'Ik ga wat lakens en handdoeken voor Lars pakken.' Lotties stem klonk vlak en haar gezicht was lijkbleek. Ze keek haar man niet aan. 'En dan maak ik wel iets te eten voor ons.'

'Nee, ik pak die dingen wel.' Jan had zijn blik neergeslagen en bewoog langzaam, onzeker. 'Ga jij maar koken, Lottie. Die stomme kok is niet meer teruggekomen omdat hij veel te bang is. Lars, ga jij je bagage maar halen, en neem mijn geweer maar mee. Je weet nooit of er buiten niet nog ergens een stelletje *terrs* staat te wachten om je een kopje kleiner te maken.'

Hij gaf zijn wapen aan Lars en liep toen door de gang naast de linnenkast bij de badkamer. Met trillende handen opende hij de deur en stak zijn hand naar binnen, zoekend naar de whisky die hij daar eerder die avond had verstopt. Lottie speurde altijd naar drank, maar hij had aangenomen dat ze de komende paar dagen niet in de linnenkast zou hoeven zijn. Zijn vingers beefden toen hij zocht naar de plek waar hij de fles had neergelegd, diep tussen de handdoeken. Hij moest iets hebben, nu, voordat de woorden van Lars tot zijn benevelde brein zouden doordringen en de pijn ondraaglijk zou worden. Hij deed twee keer een poging, zonder resultaat, en voelde toen iets onder zijn vingers. Het was geen fles. Het voelde als papier. Hij pakte het bundeltje en hield het in het licht. Brieven. Brieven aan Lottie. Enveloppen met een poststempel uit Italië. Hij kon niemand bedenken die haar vanuit Italië zou willen schrijven. Hij pakte een van de brieven en stak die in zijn borstzak. Daarna schoof hij het bundeltje terug tussen het linnen en voelde tot zijn opluchting het glas van de fles in de laag handdoeken eronder. Hij haalde hem tevoorschijn, nam vlug een slok en stopte de fles toen in zijn jasje. Daarna bracht hij het beddengoed naar de logeerkamer. Lars verscheen in de deuropening. Beide mannen bleven als verstijfd staan, niet in staat elkaar aan te kijken.

'Er is nog genoeg warm water,' zei Jan. 'Fris jezelf maar even op, dan drinken we nog wat en gaan we daarna eten. Lottie is nog steeds de beste kok die je ooit zult tegenkomen.'

Tijdens de maaltijd werd er over de dingen die echt belangrijk waren niet gesproken. Het was een uur vol lange stiltes en geforceerde opmerkingen.

'Het spijt me dat we geen wijn hebben,' zei Lottie. 'Ik heb na de brand in het oude huis nog niet echt de gelegenheid gehad om alles te vervangen wat er is verwoest, en bovendien weten we niet hoe lang we in dit huis kunnen blijven. Ik wil niet te veel kopen, althans niet totdat we weten –'

'Kobus heeft gezegd dat hij een huis voor ons heeft, bij de waterpomp en de stallen. Het moet alleen nog een beetje worden opgeknapt, dat duurt nog een week of twee. Maar ik ben vandaag gaan kijken en het is best aardig. Heel aardig.' Jan kon zijn vrouw niet aankijken en richtte zich tot Lars. 'Er is water genoeg, zodat Lottie aan een nieuwe tuin kan gaan denken die beter is dan wat ze eerst had.'

'Ik wil niet aan een andere tuin denken.' Lotties ogen werden vochtig en haar gezicht vertrok van wanhoop. 'Ik wil naar huis. Ik wil Hannah en mijn kleindochter zien. Ik wil hier weg.'

Lars legde zijn mes en vork neer en schraapte zijn keel. 'Je kunt terugkomen naar Langani, Lottie. Hannah heeft je nodig.'

Jan, die tegenover hem zat, keek hem aan, mogelijk wachtend totdat Lars hetzelfde tegen hem zou zeggen. Maar toen die zweeg, schoof hij zijn stoel naar achteren, stond op en liep naar het dressoir om zichzelf nog een borrel in te schenken.

'Niet meer, Janneman. Toe. Zeker als Kobus je straks nog komt halen en je de hele nacht rond zult moeten rijden. Toe nou.' Lottie was ook opgestaan en liep naar hem toe, maar hij duwde haar weg.

'Ga zitten en eet door,' zei hij. 'Jij en Lars. Ik drink wat ik wil en wanneer ik maar wil. Want ik krijg hier toch geen steun, er wordt alleen maar geklaagd. Wanneer ik straks weg ben, kunnen jij en Lars het over je dochter hebben, en over teruggaan naar Langani. Zeg maar dat je zo graag terug wilt keren naar de plek waarvoor je man heeft gevochten, waar mijn broer en sommige van onze vrienden voor hun land zijn gestorven. Waar ik weken, maanden later nog de prijs voor betaalde met nachtmerries en andere ellende. Langani, waar Lars onze dochter alleen en weerloos heeft achtergelaten, waar ze kans loopt zelf ook te worden gedood. Langani heeft ons onze zoon afgenomen. Voor mij is het nu een oord des doods, of dat nu mijn schuld is of niet. Want dit soort haat heeft geen reden nodig. Het verlangen om te doden is voldoende, en het zal maar doorgaan. Als ik morgenochtend weer thuiskom, hoor ik wel wat je hebt besloten.'

Hij dronk zijn glas in één teug leeg en liep wankelend de kamer uit. Lars bleef zwijgend zitten en hoorde Jan aan de andere kant van de dunne wand door de slaapkamer scharrelen; hij trok laden en kasten open en zocht vloekend naar kleren en kogels.

'Het spijt me.' Lottie zat met haar hoofd gebogen. 'Hij is niet meer de man die hij ooit was. Ik weet dat je Hannah niet onbeschermd hebt achtergelaten, alleen wou ik dat ze met je mee was gekomen...'

'Dat wilde ik ook,' zei hij, 'maar ze wilde Jan niet zien. Ik dacht dat ik haar misschien kon overhalen om met Suniva bij Sarah te gaan logeren terwijl ik hier zou zijn, maar ze wilde Langani niet verlaten. Gelukkig is Anthony een echte vriend en heeft hij aangeboden bij haar te blijven. Bij hem is ze veilig. Zo veilig als ze op het moment kan zijn. Maar ik kan hier niet lang blijven.'

'Ze is zo koppig, Hannah,' zei Lottie. 'Sinds Piet... Sinds hij er niet meer is, is er een muur tussen ons opgetrokken die ik niet kan afbreken. En nu moet ik dit horen. Mijn arme meisje, mijn arme Hannah.'

Voordat Lars antwoord kon geven, kwam Jan weer binnen. Zwalkend liep hij naar de eettafel en bleef naast hen staan. 'Ik ga nu,' zei hij. 'Ik rijd nu naar Kobus, dan kunnen we meteen op pad. Morgen praten we wel verder, Lars. Jij en ik, van man tot man. Wanneer mijn vrouw boodschappen aan het doen is en haar naaiwerk rondbrengt en zo.'

Even later viel de deur met een klap achter hem dicht en hoorden ze het geluid van een auto die in het donker achteruit over de oprit reed. Het licht van de koplampen viel tussen een spleet in de gordijnen door, daarna was alles stil. Lottie bleef zitten maar hief met een verdedigend gebaar haar hoofd op.

'Dit moet heel moeilijk voor je zijn,' merkte Lars op, 'en misschien heeft Jan wel gelijk en had ik Hannah niet alleen moeten laten. We hebben het zelfs over voor altijd weggaan gehad, als die aanvallen zouden voortduren. Maar een dergelijke beslissing wil ze niet nemen. Alles wat we hebben, heeft met Langani te maken, en de brand heeft zoveel verwoest. Niet alleen de lodge, maar ook alle apparatuur en meubels. Het zou ons flink wat moeite kosten om iets anders te vinden. Maar ik weet niet of ik dit nog langer aankan, Lottie. Ik dacht altijd dat ik tegen alles was opgewassen, maar het idee dat haar iets zou overkomen, of Suniva...'

Hij klonk zo terneergeslagen dat Lottie opstond en zijn hand pakte. 'Toe,' zei ze, met een zwakke glimlach. 'Je bent de beste vent die ik ken. Ik heb heel veel bewondering voor je omdat je Hannah altijd hebt gesteund, dat je de baby opvoedt alsof ze van jou is. Toe, Lars, neem een glas cognac. Ik verstop het, dan kan Janneman er niet van drinken. Want soms wil ik zelf ook wel een keer een borrel, als ik hier 's avonds helemaal alleen zit. Ik ben bang dat ze me zullen aanvallen, zonder dat iemand het weet of het iemand iets kan schelen, en ik ben bang dat hij niet meer terug zal komen, of dat hij verminkt en totaal gebroken terug zal komen. Ik leef voortdurend in angst, Lars, en ik weet niet hoe ik dat moet veranderen.'

Ze bleven een tijdje zwijgend zitten. Toen keek Lars haar aan en sprak hardop de vraag uit die hem had geplaagd sinds hij het verhaal van Wanjiru had gehoord.

'Wist hij het? Wist Jan dat de moord op Piet en de problemen op Langani iets te maken hadden met die man die is verbrand?'

'Ik denk dat hij het diep in zijn hart wel moet hebben geweten, ja. Nadat hij tegen de Mau Mau had gevochten, had hij heel veel last van nachtmerries. Hij durfde niet eens zijn ogen dicht te doen en te gaan slapen. Ik wist dat er iets heel ergs moest zijn gebeurd, dat hij iemand had gedood, maar het was oorlog, en hij was niet de enige. Ik heb getracht hem bij de nasleep te helpen. Dat moesten heel veel vrouwen doen, voor hun echtgenoten.' Ze drukte haar vuist tegen haar mond en probeerde kalm te blijven, maar Lars zag haar over haar hele lijf trillen. 'Ik heb gehoord wat je vanavond zei, over de dood van Simons vader, maar ik wil het nooit meer horen. Want dan zou ik me de rest van mijn leven afvragen hoe ik dag in, dag uit bij de man kan zijn die voor zo'n barbaarse daad verantwoordelijk is.'

'En nu?' vroeg Lars.

'Nu zal hij moet nadenken over de reden van Piets dood. Voor zover hij überhaupt over een begrip als dood kan nadenken. Meestal verdrijft hij elke gedachte daaraan met de fles.' Haar mond verstrakte. 'Hij martelt zichzelf nu al met de gedachte dat hij vorig jaar terug had moeten terugkeren. Dat hij de laatste kans om zijn zoon levend te zien voorbij heeft laten gaan. Hij geeft zichzelf de schuld van Hannahs vertrek van hier. Ze heeft haar best gedaan, ze heeft die opleiding boekhouden gevolgd en me zo goed mogelijk gesteund, maar uiteindelijk werd het haar te veel. Ik was bijna opgelucht toen ze wegliep. Toen ze terugging naar Langani om bij Piet te kunnen zijn. Ze moest hier weg, ze had hier geen toekomst, haar vader was altijd dronken. En Janneman denkt ook dat het zijn schuld is dat zijn neef Fanie is gedood, maar hij heeft nooit gezegd waarom hij dat denkt.' Lottie maakte een afwijzend gebaar. 'Fanie was nu anders ook wel dood geweest. Hij was net zoals zijn vader: geen geduld, dom en onverdraagzaam. En als we hier nog langer blijven, zal Jan ook sterven, en dat zal Kobus' schuld zijn.'

'Lottie, je moet hier weg,' drong Lars aan. 'Ik weet dat je dat zelf moet beslissen en wil me er niet mee bemoeien, maar als je hier blijft zal het jou ook je leven kosten. Ga terug naar Langani, of ga een tijdje bij je broer in Johannesburg logeren. Misschien komt Jan je dan achterna en wordt hij weer de man die hij ooit was.'

Ze schudde haar hoofd. Haar lippen vormden een strakke lijn, maar ze weigerde te huilen. Lars zag vol medelijden dat ze in haar zak naar een zakdoekje zocht.

'Janneman heeft gelijk waar het Langani betreft,' zei ze ten slotte. 'Het is een oord des doods geworden, en ik denk niet dat hij ooit zal terugkeren. En hij zal nooit naar Johannesburg gaan. Daar hebben we in het verleden ruzie over gemaakt.'

'Goed, dan niet daarheen,' zei Lars, 'maar je hebt ook vruchtbaar land in Natal, en –'

Lottie stond op. 'Ik weet niet eens of ik wel wil dat hij met me meegaat,' onderbrak ze hem. 'Na vanavond weet ik dat niet meer.'

'Ik begrijp heel goed waarom je dat denkt. Je hebt hem gesteund, je bent al die jaren bij hem gebleven, je hebt het verdragen dat hij aan de drank is. Je bent zo'n goed mens, Lottie, je bent zo –'

'Nee!' riep ze uit, maar toen ze Lars' geschrokken gezicht zag, besefte ze pas dat ze had geschreeuwd. 'Schilder me niet als een soort heilige af, Lars. Zo ben ik helemaal niet. Ik ben niet de perfecte echtgenote die in stilte lijdt en geen hoop heeft. Ik ben geen martelaar.'

Ze begon onbedaarlijk te snikken, en hij sloeg zijn arm om haar heen en probeerde haar te troosten. Maar ze kon niet ophouden met huilen en alles op te biechten. Ze had haar verdriet zo lang voor zichzelf moeten houden en nooit kunnen denken aan iets anders dan de grimmige werkelijkheid van het overleven op deze vreselijke plek.

'Ik heb vreselijke fouten gemaakt,' zei ze. 'Ik zit hier omdat ik laf ben. Ik had hem lang geleden al moeten verlaten en terug moeten gaan om jou en Hannah te helpen. Ik had na de dood van Piet op Langani moeten blijven, zodat ik bij de geboorte van Suniva had kunnen zijn. Maar ik kon niet leven met de geest van mijn zoon. Daarom heb ik mijn dochter in de steek gelaten, juist toen ze me zo hard nodig had. Omdat ik niet genoeg moed had.'

'Wees niet zo streng voor jezelf, Lottie. Hannah is een tijdje erg kwaad geweest, dat is waar, maar ze snapt het nu echt wel. We weten allebei dat je hebt gedaan wat je kon, dat je er heel lang alleen voor stond en geen hulp hebt gehad. Je bent de dapperste vrouw die ik ken. Er is al heel lang niemand meer die van jou houdt of om jou geeft, en niemand kan zo lang overleven zonder liefde.'

'Maar ik heb zelfs die kans verspeeld,' zei ze. 'Zoals ik met alles heb gedaan.'

'Natuurlijk niet,' zei Lars. 'We houden heel veel van je, Hannah en ik, en we zouden alles voor je –'

'Ik heb een verhouding gehad,' flapte ze er opeens uit.

Lars staarde haar met open mond aan. Ze had zo onomwonden gesproken dat hij geen antwoord kon bedenken.

'Ik wil niet dat je me als een of andere heilige ziet,' zei ze nogmaals. 'En ik ben niet schijnheilig. Ik wil dat je de waarheid weet, anders ga je me zielig vinden en zal je eerbied voor me gebaseerd zijn op een mythe. Een leugen, de zoveelste. Daar hebben we er al genoeg van.'

'Ik kan alleen maar hopen dat het je gelukkig heeft gemaakt,' zei Lars.

'Ja, ik was gelukkig, al was het maar even. Het gebeurde toen ik vorig jaar mijn broer in Zuid-Afrika ging opzoeken. Ik leerde een fijne man kennen en werd verliefd op hem. Hij is weduwnaar en wil dat ik Jan verlaat en bij hem in Italië kom wonen. Maar ik ben teruggekomen omdat Jan tijdens een van de patrouilles van Kobus gewond raakte. Ik kon hem niet in de steek laten. Hem alleen laten met zijn wonden en nachtmerries. Ik zou me te schuldig hebben gevoeld. Ik durfde hem niet in de steek te laten en met Mario mee te gaan. Ik was bang dat Hannah het me nooit zou vergeven, dat ik een slechte naam zou krijgen omdat ik mijn man had verlaten toen hij ernstig gewond in het ziekenhuis lag. Ik was bang dat God het me niet zou vergeven.' Ze keek ongelooflijk verdrietig. 'We hebben goede jaren gehad, Lars. Jan was een harde werker, een lieve man, een fijne vader.'

'Het waren niet allemaal goede jaren, Lottie.'

'Je ziet hem als een moordenaar,' zei ze. 'Maar vóór de noodtoestand was hij heel anders. De Britse regering zag de problemen met de Mau Mau gewoon als een oorlog en riep alle mannen op die konden vechten. Ze haalden extra politie hierheen en stuurden het leger. Toen werd de broer van Janneman gedood door de Mau Mau. Ze hakten hem gewoon aan stukken, net als met Piet is gedaan. Zijn buik lag open, zijn ingewanden lagen over de grond, zijn ballen waren in zijn mond gestopt. We wisten dat een paar *watu* op Langani de eed hadden gezworen. De meesten werden gedwongen, bang dat ze zouden worden gedood als ze nee zeiden, maar we hebben nooit geweten wie het echt meenden. Onze levens, onze huizen, werden bedreigd. En ja, alle partijen maakten zich schuldig aan wandaden, ook de Afrikanen onderling. Zij waren degenen die het meest hebben geleden.'

'Ik heb over die tijd gehoord,' zei Lars. 'Mijn oom woonde toen al in Kenia en had de nodige problemen op zijn koffieplantage in de buurt van Kiambu.'

'Ja,' zei Lottie, 'het waren andere tijden, en sommige methoden die de Britten gebruikten, zouden nu niet meer door de beugel kunnen. Toen het voorbij was, heeft Jan nog een hele tijd last gehad van schuldgevoelens en nachtmerries. Hij was net als mannen die in de loopgraven of op slagvelden hebben gevochten, die in donkere holen of fel verlichte cellen hebben gezeten, die met hun blote handen anderen moesten verwonden of doden om in leven te blijven. Hij wist dat hij iets verkeerds had gedaan, en na de noodtoestand deed hij zijn uiterste best om een liefhebbende echtgenoot en vader te zijn, en een eerlijke werkgever.'

'Zo was hij ook toen ik pas op Langani werkte,' zei Lars. 'Iedereen in de streek gaf hoog van hem op. Dat doen ze nog.'

'Maar dat heeft geen zin, of wel?' zei ze wanhopig. 'Het doet er niet meer toe, en hij zal altijd blijven boeten voor wat hij op die ene dag heeft gedaan. Hij denkt dat ik hem de dood van zijn zoon nooit zal vergeven, noch de kloof met Hannah, noch het verlies van ons thuis. Hij weet dat de mensen van wie hij houdt geen respect meer voor hem hebben. Daarom gaat hij met Kobus mee, met een buik vol whisky en een hart zonder hoop. Hij doet wat zijn neef hem opdraagt omdat hij geen uitweg ziet.'

'Maar door hier te blijven kom je ook geen stap verder,' bracht Lars haar in herinnering. 'Ik vind dat je terug moet komen naar Langani en dat je Jan mee moet brengen. Zelfs in zijn huidige toestand.'

'Terug naar Langani.' Lotties stem klonk erg schor en raspend. 'O, daar droom ik van. Ik zeg het soms hardop, om mezelf te kwellen. Maar zou dat echt kunnen? Hij weet dat Hannah hem daar niet wil hebben. Hij zou dag in, dag uit met de geest van Piet moeten leven, op de plek die hij zo goed kent. Hij zou drinken. En als ze Simon Githiri vinden, komt het tot een rechtszaak en zal iedereen weten wat Janneman heeft gedaan. Je ben zo lief, zo dapper en trouw, omdat je ons daar wilt hebben, maar we kunnen nooit meer terug, Lars. Zo is het nu eenmaal.'

'Het spijt me, Lottie.' Hij wist niet wat hij anders moest zeggen.

'Je bent een man met een groot hart, en Hannah mag zich gelukkig prijzen,' zei ze. 'Maar ik wil het er verder niet meer over hebben. Ga maar naar bed, lieverd. Ik heb al een paar nachten niet meer geslapen, maar nu jij er bent, kan ik de slaap misschien weer vatten omdat ik niet alleen ben in deze wereld vol angst. Daar ben ik dankbaar voor.'

Ze leunde even tegen hem aan, haar ogen gesloten, en hij sloeg zijn sterke armen om haar heen, in de hoop dat ze zou merken dat hij erg op haar gesteld was en enorm met haar te doen had.

Nadat ze ramen en deuren op slot hadden gedaan en de lampen waren gedoofd, gingen ze naar bed, maar Lars lag nog een hele tijd wakker, alert op geluiden die aangaven dat er buiten iemand wachtte totdat hij kon aanvallen. Hij vroeg zich af waar Jan was en dacht aan de stoere, vriendelijke boer die hem bij zijn komst naar Langani welkom had geheten. Hij was onder de indruk geweest van het schooltje dat Jan op de *plaas* had gesticht en van het aantal kinderen dat hij voor een vervolgopleiding naar Nanyuki had gestuurd. In gedachten zag hij Lotties medische hulppost voor zich, en de vrouwen die voor het magazijn in de rij stonden voor hun maandelijkse porties rijst, suiker en vlees die ze als aanvulling op het loon van hun man ontvingen. Jan van der Beer was een sterke, maar rechtvaardige baas geweest. Een fatsoenlijke kerel die aanzien in de gemeenschap genoot. Een man die had gemarteld en gemoord.

Lars deed het licht uit en dacht aan de boerderij van zijn ouders in Noorwegen, en hun buren die maar niets konden begrijpen van zijn liefde voor de woeste schoonheid en onvoorspelbare, meedogenloze gevaren van Afrika. Hij probeerde zich voor te stellen dat hij terug was op de geordende akkers van Europa, in de melkerij van zijn vader met die schone tegels en glanzende apparaten, waar hij samen kon werken met welvarende knechten die radio's en wasmachines en auto's bezaten, die hun kinderen gratis naar een school konden sturen waar ze nieuwe boeken en mooie meubels hadden, die hun hele leven lang niets dan zekerheid en stabiliteit hadden gekend. Maar hij zou nooit meer in Noorwegen kunnen wonen. Hij moest over Hannah en haar dochter waken, die alles voor hem waren. Hij moest een manier vinden om Langani, en alles waar Langani voor stond, te redden, en om Lottie en Jan te helpen. Op de een of andere manier moest het mogelijk zijn een leven te leiden dat voor hen allemaal draaglijk zou zijn.

Dertig kilometer verderop lag Jan plat op zijn buik op een overhangende rots, zijn lichaam verborgen onder het omringende struikgewas. Hij was er zeker van dat hij onzichtbaar was in de donkere nacht. Tussen het dikke bladerdak van de bomen en de wolken door was heel af en toe het schijnsel van de sterren te zien. Kobus had de auto op enige afstand van de plek geparkeerd waar Lars eerder die dag was bekogeld en er een stuk zeildoek en takken overheen gelegd die hij in de laadbak had meegenomen. De acht leden van de patrouille, die allemaal hun gezichten zwart hadden gemaakt, waren uitgestapt en in slakkengang voortgekropen, uiterst stil en voorzichtig, waarbij ze af en toe even waren neergehurkt om naar de geluiden om hen heen te luisteren. Het had bijna twee uur geduurd voordat ze het hoger gelegen stuk land hadden bereikt vanwaar ze de groep hutten konden zien. In het midden van de nederzetting brandde een groot vuur, en een stel mannen in legerkleding zat rond de vlammende takken, met automatische wapens in hun handen. Ze hadden de dorpelingen met bezielde verhalen opgezweept, ze hadden geld aangeboden en hen aangemoedigd deel te nemen aan de revolutie; dan zouden ze rijk worden en niet meer hoeven zwoegen, dan zouden al die stukken land die nu van blanken waren van hen zijn.

'Stelletje lamzakken. Die zijn over de grens opgeleid en daarna door Nkomo en zijn vriendjes hierheen gestuurd,' had Kobus gemompeld. 'En die ene daar rechts is de oliedomme *munt* die ik heb ontslagen. We zouden ze allemaal te grazen moeten nemen. Gewoon afschieten en in de bomen hangen, daar horen ze thuis. Stelletje apen.'

'Er zijn vrouwen en kinderen bij.' Jan wist dat zijn neef om het even wie zou kunnen doden; Kobus maakte geen onderscheid. 'We moeten nog even wachten totdat alleen de mannen bij het vuur zitten. Dat duurt niet lang. Als ze klaar zijn met eten, hebben de vrouwen geen reden om te blijven zitten.'

'Jezus, je wordt toch niet sentimenteel op je ouwe dag, hè? Maak ze allemaal dood, wat maakt het uit,' had Kobus gefluisterd. 'Man, hoe meer van die lui we kwijt zijn, hoe beter. Kijk, daar heeft er eentje een dikke buik, die poept er straks weer een lastpak uit. Schiet ze gewoon dood, god nog aan toe. Wat maakt het uit?'

'Ik denk dat we moeten wachten.' Jan had van geen wijken willen weten. 'Als we nog even wachten, hebben we meer kans dat we de leiders kunnen pakken. Als er minder mensen bij zijn. We moeten wachten totdat ze de vrouwen en kinderen naar de hutten hebben gestuurd. Als we nu gaan schieten, wordt het een chaos omdat er te veel mensen zijn, en dan kunnen die *terrs* ongezien ontkomen.'

'Ook als we wachten, zullen ze nog dekking zoeken aan de andere kant van de hutten,' had Kobus opgemerkt.

'Dan moeten we het groepje opsplitsen,' had Jan gezegd. 'Jij blijft met drie man hier en ik ga met drie man aan de overkant zitten. Als we in positie liggen, geef ik een seintje met mijn zaklantaarn en kun jij die *terrs* onder vuur nemen. Als ze het op een lopen zetten, pak ik ze van de andere kant.'

Kobus had hem aangekeken en de drank in zijn adem geroken, maar hij had geen teken van zwakte kunnen vinden. Ten slotte had hij geknikt. 'Goed dan, ik wacht op een seintje van jou. Maar ik hoop dat het niet te lang duurt.'

Het duurde een uur voordat Jan een goede plek had gevonden vanwaar hij het groepje bij het vuur kon zien. Hier was meer licht, en toen de wolken uiteen dreven, liet een bleke maan zich zien. Hij dook verder weg tussen het gebladerte en voelde een vlaag van angst door zijn buik gaan. Hij sloot zijn ogen en dacht aan Lottie, hij zag weer haar gesloten blik voor zich en het medeleven op het gezicht van Lars. Zijn handen trilden, en toen hij naar zijn fles tastte, stuitten zijn vingers op de brief die hij in de linnenkast had gevonden. Langzaam trok hij de velletjes uit de envelop en tuurde er in het zwakke licht naar.

Liefste Carlotta,

Elke dag voel ik je wanhoop en eenzaamheid en pijn. En elke dag hou ik meer van je en ben ik er nog meer van overtuigd dat je naar me toe moet komen. Op die eerste avond in Johannesburg wist ik al dat we bij elkaar horen, dat het voorbestemd is dat we ons leven delen. Je hebt geen reden om je schoonheid en liefde te vergooien, evenmin als alle dagen die je nog hebt, alleen maar voor die meelijwekkende kerel.

Je hebt genoeg gedaan, mijn liefste, mijn schat, en ik wacht hier in Italië op je. Ik wil je mijn huis laten zien. Ons huis. Ik wil je genoegen en verrukking zien wanneer je ziet wat ik al met dit oude huis heb gedaan, en ik wil mijn eigen vreugde voelen wanneer je me vertelt hoe we het nog mooier kunnen maken. Ik verlang ernaar je te strelen, te kussen, je weer te beminnen en voor altijd te beschermen.

Het waren in totaal drie kantjes, maar Jan kon niet meer verder lezen. Hij stopte de brief terug in zijn zak en ging weer liggen, in een poging het beven op te laten houden dat bezit van zijn zwetende lichaam had genomen. Wilde Lottie hem verlaten voor een vreemde in Italië? Hij dacht aan de vrouw die ze ooit was geweest, de vrouw die met een stralend gezicht de rozen in haar tuin op Langani had geplukt, de vrouw die hem op de dag van Piets geboorte in het ziekenhuis vol trots hun zoon in zijn armen had gelegd. Hij zag weer voor zich dat ze altijd Hannahs dikke blonde haar had gevlochten en hun allebei een zoen had gegeven voordat hij zijn dochter naar school had gebracht. Lottie, die 's nachts aan zijn zijde had gelegen, die van hem had gehouden, ondanks alles wat er in hun levens was gebeurd. Ze zat nu in Fanies huis met Lars te praten, ze bekende hem nu vast hoe ongelukkig ze was, hoeveel haar man dronk en dat hij een nutteloos bestaan leidde in dit helse oord waar hij als lafaard zijn toevlucht had gekozen. Ze vertelde Lars vast wat hij had gedaan.

Hij was haar zoveel schuldig. Hij was haar alles schuldig. Ooit was hij in staat geweest het voor haar op te nemen. Hij had zijn best gedaan hun huis te beschermen, daarvoor was hij koud en hongerig in het donker door de duistere, hooggelegen wouden in de Aberdare Mountains gekropen, daarvoor had hij zij aan zij gestreden met Britse officieren die Afrikaner boeren nooit als hun gelijken hadden gezien, al was hij een onderdaan van hetzelfde land geweest. Maar hij had zijn familie naar de rand van de afgrond geleid. Hij had zijn zoon verloren en was van zijn dochter vervreemd geraakt, en nu zou zijn vrouw hem verlaten. Als ze Simon Githiri te pakken zouden krijgen, zou de zaak worden heropend die na de noodtoestand bij wijze van amnestie was gesloten. Hij zag nu al de walging en afkeer op Hannahs gezicht voor zich, hij voelde nu al de schaamte die ze zou uitstralen wanneer de details in de rechtszaal zouden worden voorgelezen. En Lottie zou nog het meest van iedereen lijden. Lottie, van wie hij hield. Lottie, die het geluk en de geborgenheid verdiende die hij haar niet langer kon geven. Lottie, die hij moest laten gaan.

Jan stond onverwacht op. Zijn kornuiten keken verwonderd op, maar hij zag hen niet eens toen hij naar de open plek beende, recht voor zich uit schietend, mikkend op de gestalten in hun legerkleding. Hij zag twee van hen neervallen en voelde even een woeste gerechtigheid, de zekerheid dat dit de mannen waren die hadden geprobeerd zijn huis af te branden en zijn vrouw te doden. Een vreemd, grommend geluid ontsnapte aan zijn keel, sloop langs de lippen die hij had opgetrokken boven de vreselijke grimas van zijn tanden, onder de doffe blik in zijn ogen. Hij liep door en voelde slechts opluchting toen de eerste kogels hem in zijn borst en schouders troffen. Iemand raakte hem in zijn benen, zodat hij bleef staan en verbaasd keek naar zijn knieën die onder hem bezweken. Hij viel neer. Zijn ogen vielen dicht en hij zweefde weg, al kon hij nog een hele tijd het geluid van schoten en stemmen horen, en het gegil van de vrouwen en kinderen. Toen werd alles stil en liet hij zijn geweer los, toen kwam Lottie naar hem toe, en daar was Hannah, met haar armen naar hem uitgestoken, haar lange vlechten zwaaiend over haar schouders. En hij werd meegevoerd naar het licht, waar hij zijn prachtige zoon kon zien, die zo jong en energiek en levend was en die op hem wachtte. Die wachtte totdat hij hem kon helpen opnieuw te beginnen.

Lottie werd wakker zodra ze de auto op de oprit hoorde, maar Lars was degene die de deur opende, met zijn geweer in zijn hand, en haar gebaarde dat ze binnen moest blijven. Kobus bleef buiten staan en gaf drie van zijn mannen een teken dat ze het lichaam naar binnen moesten brengen. Ze legden het op de eettafel, gewikkeld in een grijze deken vol bloedvlekken. Jans ogen waren gesloten en zijn gezicht stond vriendelijk, bijna als dat van een kind. Lottie staarde van een afstand naar het lijk van haar man en rende toen zonder een woord te zeggen de kamer uit.

'We hebben die teringlijers te pakken gekregen, allemaal. Ik vind het heel erg van Jan, maar hij ging er zomaar op af, zonder ons een teken te geven. Zonder hulp. Ik heb geen idee wat hem bezielde.' Kobus haalde zijn schouders op. 'Condoleer Lottie maar namens mij. Ik kom morgen nog wel even met haar praten. Je kunt hem nu maar beter even schoonmaken, dan regelen we de begrafenis zodra ik de doodgraver te pakken heb gekregen. Met deze hitte kun je niet snel genoeg zijn.'

Hij liep naar buiten en smeet de deur achter zich dicht. Lars bleef naast het lichaam staan en hoorde Lottie huilen achter de gesloten deur van de slaapkamer. Hij dacht aan Hannah en Suniva, van wie hij zoveel hield en die hij koste wat kost altijd zou beschermen. In de keuken vond hij een grote kom, die hij met warm water vulde, en daarna haalde hij een paar schone theedoeken uit de la en pakte een schaar. Nadat hij alles op het dressoir had gelegd, liep hij naar de linnenkast om een laken te pakken. Hij waste de bloedspatten van Jans gezicht en knipte toen diens overhemd open. In de borstzak zat een brief die Lars zonder nadenken openmaakte, in de veronderstelling dat het een afscheidsboodschap aan Lottie was. Hij begon te lezen en voelde dat zijn gezicht verbleekte.

Na de eerste alinea pakte hij zijn aansteker en hield de vlam onder het papier, zodat vuur de laatste tragedie van Jan van der Beers veelgeplaagde leven kon verteren.

VIJFTIEN
Kenia, mei 1967

Het was al laat op de avond toen de honden begonnen te blaffen en Hannah het geluid van een auto hoorde.

'Het is Lars!' riep ze over haar schouder naar Anthony toen ze de veranda afrende. 'Lars! O, ik ben zo blij dat je er weer bent. Toen ik je telegram kreeg, wist ik niet wat...' Ze viel stil toen er een tweede persoon uit de auto stapte. 'Ma? Ma? Bent u het echt? Ma! O, wat heerlijk!'

Ze snelde naar Lottie toe om haar te omhelzen, en Lottie bleef roerloos op de oprit staan, stevig in de armen van haar dochter. Hannah lachte van vreugde. Lars had het onmogelijke bereikt. Hij had haar moeder mee naar Langani genomen, zodat die haar kleinkind kon zien. Die lieve, geweldige Lars.

'Je bent fantastisch,' zei ze tegen hem, met Lotties hand nog steeds in de hare. 'Hoe heb je haar over kunnen halen, hoe heb je haar zover kunnen krijgen dat ze mijn...' Ze maakte haar zin niet af toen ze merkte hoe ongewoon stil haar moeder was. 'Wat is er aan de hand? Wat is er gebeurd?' Ze sloeg haar hand voor haar mond. 'O god, is er iets met pa gebeurd?'

'Lieverd.' Lars nam haar in zijn armen. 'Hij is er niet meer, Hannah. Hij is in een hinderlaag gelopen en gedood. Neergeschoten. Het is heel snel gegaan en ik geloof niet dat hij heeft geleden. De telefoon daar deed het niet, en ik kon je niet bereiken. Ik wilde bij de buren gaan bellen, maar toen besloten je moeder en ik dat ik het je beter persoonlijk kon vertellen. Daarom heb ik in dat telegram alleen maar gezet dat ik thuis zou komen. Ik heb Lottie meegebracht, zodat we elkaar kunnen steunen.'

'Is pa dood? Dat kan niet. Ik heb nooit... Ma? O ma, ik kan het niet geloven.'

'Het is echt zo.' Lottie sloeg haar armen om haar dochter heen. 'Ik wilde niet dat je het zou horen als je alleen was, met Lars zo ver weg.'

'God, o god. Ma, u hebt hem daar toch niet achtergelaten, in dat vreselijke land? Hij zou daar nooit alleen willen blijven.' Ze deed een stap naar achteren. Haar stem klonk schril.

Lars nam haar gezicht tussen zijn handen en zei, met zijn lippen dicht bij haar oor: 'Hij is eergisteren gecremeerd. Dat was nog het beste, gezien de omstandigheden.'

'We hadden geen keuze,' zei Lottie. 'Dat was het enige wat we konden doen, met die hitte en zo weinig tijd. Ik heb zijn as mee naar huis genomen.'

'Laten we naar binnen gaan, Han,' zei Lars zacht. 'Kijk, daar zijn Mwangi en Kamau al, die willen graag je moeder begroeten.'

Ze deden een paar stappen opzij toen de twee mannen naar Lottie toe liepen en haar handen in de hunne namen. Toen ze het nieuws hoorden, mompelden ze verdrietig en liepen de tranen over hun rimpelige wangen. *Bwana* Jan was een goed mens geweest. Ze vonden het heel erg dat hij er niet meer was. *Pole sana.* Even later liepen ze terug naar de keuken. Kamau schudde zijn grijze hoofd. Zou de vloek ooit worden opgeheven? Was er geen sterkere magie, was er geen toverspreuk die was opgewassen tegen de duistere krachten van Simon Githiri? Nu was alleen *bwana* Lars er nog om voor de vrouwen te zorgen. Zou hij het volgende slachtoffer zijn?

'Lottie? O, Lottie.' Anthony kwam de veranda af en sloeg zijn armen om Lottie heen.

'Anthony, kerel.' Lars schudde zijn vriend de hand. 'Ik vind het geweldig dat je hier hebt willen logeren. En je ziet wie ik bij me heb, al heb ik ook heel vervelend nieuws.'

Toen Lottie binnen was gaan zitten, dicht bij het knapperende vuur in de haard, nam Lars Hannah even apart. Hij kuste haar innig, sloeg een arm om haar heen en zei zacht: 'Je moeder staat bijna op knappen. Ze is doodop. Ik zal je eerst vertellen wat er allemaal is gebeurd, en daarna moet je haar Suniva maar laten zien. Ik weet zeker dat dat Lottie weer wat vreugde zal kunnen geven. Ze heeft het zo zwaar gehad.'

Lars deed de feiten uit de doeken, maar op een vriendelijke manier, zonder de details die hem te pijnlijk leken. Hij hoefde niet te zeggen dat Jan zoveel had gedronken of gewelddadig was geweest, en evenmin hoefde hij te herhalen wat Kobus had gezegd: dat Jan onbeschermd, zonder steun, zomaar de vuurlinie in was gelopen. Ook zei hij niets over de brief die hij had gevonden en vernietigd. Er was al te veel geleden. Hij concentreerde zich op de goede kanten van zijn schoonvader en deed het voorkomen alsof Jan dapper was gesneuveld nadat hij in een onverwachte hinderlaag was gelopen.

Lottie zat naar het vuur te staren en dacht aan de aanblik van de houten kist die in het crematorium uit het zicht was verdwenen. Toen ze de kist van Janneman hadden gesloten, had ze het gevoel gehad dat ze ook haar eigen geest daarin had opgesloten. Het voelde alsof ze stikte, ergens waar het donker was, en dat vlammen ook haar wilden verteren. Ze had gehoopt iets te kunnen afsluiten, een zekere vrede te kunnen vinden, maar dat was nog niet gebeurd. In de afgelopen paar maanden was ze de man in wie haar echtgenoot was veranderd bijna gaan haten, en soms, wanneer hij na een periode van door drankzucht ingegeven geweld het huis had verlaten, had ze wel eens gehoopt dat hij niet meer terug zou komen. Dan werd ze verscheurd door schuldgevoelens omdat ze hoopte dat de vader van haar kinderen iets zou overkomen – want dat bleef hij, hoe hij ook was veranderd. Maar naarmate de weken en maanden zich uitzichtloos aaneen hadden geregen, slechts onderbroken door de woedeaanvallen van een gebroken man, werd ze gekweld door onrust en het verlangen te ontsnappen. Ze had haar kans op liefde, op een nieuw begin, afgewezen, en had opgesloten gezeten in een somber huis dat was vergeven van de termieten, omringd door wreedheden en ellende. Ze had ergens willen zijn waar het schoon en rustig was. Ze had alleen willen zijn.

Nu was het voorbij, maar ze wist niet of er nu een einde aan het lijden was gekomen, zelfs niet nu Janneman er niet meer was. Wanneer ze aan hem dacht, zag ze zijn zwetende rode gezicht voor zich, zijn gebalde vuist, en dan hoorde ze zijn stem woedende verwijten schreeuwen.

Die nacht, nadat Lars het lichaam had gereinigd en het op de geïmproviseerde baar had gelegd, was Lottie stilletjes naar de woonkamer gelopen om naar haar man te kijken. Een opgezwollen lijk, vol kogelgaten, op een tafel in een somber huis, in het felle licht van een kaal peertje. Dat was hij geworden. Toen ze neerkeek op de overblijfselen van de man aan wie ze haar beste jaren had gegeven, had ze alleen de resten van het leven gezien die hem van zijn waardigheid hadden beroofd. Ze had het gevoel gehad dat ze hem niet kon aanraken en schaamde zich omdat ze geen laatste blijk van liefde en vergiffenis kon schenken. Op de zonnige, blijde ochtend van hun huwelijksdag had ze beloofd hem nooit in de steek te laten, wat er ook zou gebeuren. Maar nu vroeg ze zich af of de prijs van de belofte niet te hoog was geweest. Want ze had niets meer over wat ze een ander kon schenken. Terug in haar oude huis, bij haar enige nog levende kind, voelde ze zich als verlamd. Ze was niet in staat zich te bevrijden van de wanhoop die haar na de dood van Janneman had overweldigd. Daarom zat ze daar maar, ineengedoken in een hoekje, niet in staat iets te zeggen of het eten aan te raken dat ze voor haar hadden neergezet.

De aanblik van haar kleindochter vormde de eerste aanzet tot een verandering. Voor de eerste keer in weken glimlachte ze van vreugde. Het kleine meisje met haar brede, blije lach deed haar zo aan Hannah op die leeftijd denken, en herinneringen aan het gelukkige gezinsleven dat ze was kwijtgeraakt kwamen bij haar op. Ze wilde zeggen hoe fijn het was om voor de eerste keer een kindje vast te houden, maar ze kon de woorden niet vinden. Ze zat daar alleen maar en wiegde het kind, ze klampte zich vast aan het enige symbool van hoop in haar wereld vol chaos.

Anthony hielp hen door de avond heen door te vertellen over een tocht die hij ooit met Piet had ondernomen naar de Mountains of the Moon en over de keren dat hij met Jan was gaan vissen en jagen. Hij wist Lottie over te halen een paar hapjes te eten en zette toen de radio aan, zodat ze naar de vertrouwde stemmen van de BBC World Service konden luisteren. Ten slotte stond Lottie op en omhelsde hen een voor een.

'Ik ga slapen,' zei ze, 'het is een erg lange dag geweest. Lars, ik weet niet wat ik zonder jou had moeten beginnen. En Hannah moet net zo over jou denken, Anthony. Jullie zijn een stel bijzondere jonge kerels, en de beste vrienden die een mens zich kan wensen.'

'Lars brengt Suniva wel even naar bed,' zei Hannah, 'en dan loop ik even met u mee om te zien of alles naar wens is.'

'Slaap lekker, Lottie,' zei Lars. 'Anthony, nogmaals bedankt dat je hier op iedereen hebt willen passen. Ik zie je morgen wel weer.'

'Graag gedaan. Ik moet volgende week weer op reis en vertrek dus morgenochtend vroeg, meteen na het ontbijt. Ik moet nog het een en ander op mijn kantoor regelen voordat ik kan vertrekken.'

'Ik bel je nog wel voordat je gaat,' zei Lars, die de baby overnam. 'Nu ga ik mijn dochter naar bed brengen, een genoegen dat ik de laatste dagen te vaak heb moeten missen.'

Het duurde niet lang voordat Hannah de deur opende en hun slaapkamer binnenkwam.

'Ligt Lottie in bed?' Lars keek naar het vermoeide gezicht van zijn vrouw. Ze knikte, en hij stak zijn hand naar haar uit. 'Han,' zei hij, 'kom bij me. Ik heb je zo gemist. Elke dag en elke lange nacht.'

Ze ging naast hem leggen en vlijde haar hoofd tegen zijn borst.

'Heb je het tegen hem gezegd?' vroeg ze na een lange stilte. 'Wist hij waarom Simon Piet heeft gedood? Wist pa dat, voordat hij op patrouille ging?'

'Ja, dat wist hij, dat wisten ze allebei. Het was vreselijk om dat te moeten vertellen, maar... ik heb mijn best gedaan. Dat was alles wat ik kon doen.'

'Ik heb hem nooit meer gesproken,' fluisterde ze. 'Ik heb het nooit meer goedgemaakt. En nu is het te laat. Hij is gestorven met de gedachte dat ik hem haatte, en dat was ook zo, ik gaf hem de schuld van wat Piet is overkomen. Maar ik had hem beter moeten proberen te begrijpen. Hij was mijn pa.'

'Hij heeft er zelf jaren mee moeten worstelen. Ik denk niet dat hij het zichzelf ooit heeft vergeven.' Lars streek haar over haar haar. 'Je zou je na verloop van tijd wel weer met hem hebben verzoend.'

'Voor ma is het nog het ergste. Die heeft daar vier lange jaren gezeten, zonder iemand die van haar hield of voor haar zorgde.' Hannahs stem trilde. 'Toen ze in de slaapkamer haar armen om me heen sloeg, voelde ik dat ze over haar hele lichaam beefde. Ik heb geprobeerd erover te praten, maar ze schudde alleen maar haar hoofd en zei niets. Ik hielp haar het bed in, en toen ging ze naar de muur liggen staren. Ik ben nog even blijven zitten, maar toen ben ik weggegaan. Ik weet niet wat ik moet doen.'

'Geduld hebben, Han. Het belangrijkste is dat ze nu hier is. Ze heeft tijd nodig om te rouwen, daarna kan ze zich de goede jaren weer gaan herinneren. Die zijn er ook.'

'Maar die zitten zo diep verborgen! Je moet ons helpen die weer te vinden.' Ze voelde zich dankbaar voor deze bijzondere man in haar leven, die haar vreugde bracht en bij wie ze haar toevlucht kon zoeken.

'Geduld,' herhaalde hij. 'We moeten geduld hebben. Morgen gaan we bij elkaar zitten en kijken hoe we afscheid kunnen nemen van je vader. We kunnen een dienst met een dominee regelen, hier op de *plaas*. Dan kunnen zijn vrienden en buren afscheid komen nemen. Zich het goede herinneren. Want dat andere, dat is hij maar heel even geweest. We moeten aan het goede denken, Han.'

De volgende morgen vertrok Anthony al vroeg naar Nairobi om zijn reis voor te bereiden. Niemand begon over Camilla omdat de situatie al droevig genoeg was zonder nog meer verdriet en ongenoegen. Hannah omhelsde hem wel vol genegenheid en was hem dankbaar voor zijn onwankelbare trouw en steun.

Lottie sliep tot een uur of twaalf door. Bij het wakker worden duurde het even voordat ze besefte waar ze was, maar toen hoorde ze aan de andere kant van de deur de vertrouwde geluiden van thuis: het gefluit van Mwangi die de vloer in de was zette, de blaffende honden, Kamau die tegen de *toto* in de keuken zei wat de jongen uit de moestuin moest halen. En vogelgezang. Ze stond op en liep langzaam naar het raam om de gordijnen open te doen. Buiten stond de tuin in bloei en was het gazon net een lap groen fluweel die zich uitstrekte naar de grens van struiken die ze zo lang geleden had geplant. Ze ademde de geur van de jasmijn onder haar vensterbank in en keek toen weer naar de kamer om haar heen, de oude meisjeskamer van Hannah. Ze was blij dat ze niet in de kamer lag die ze met Jan had gedeeld. Hier schuilden geen nare herinneringen, maar slechts de echo's van haar dochters jeugd. Het zou hier moeilijk worden omdat ze aan haar oude leven en haar donkerste herinneringen zou moeten denken, maar niemand kon het verleden ongedaan maken, en ze moest verder. Voorlopig zou ze Hannah en Lars helpen een toekomst voor zichzelf en hun kind op te bouwen, en misschien zou zich daardoor ook de weg openbaren die zij zou moeten volgen. Ze nam een douche, kleedde zich met zorg aan en ging op zoek naar haar dochter.

Die middag bespraken ze de herdenkingsdienst voor Jan. Lars had met de dominee afgesproken dat die in het weekend zou komen, zodat ze nog voldoende tijd hadden om advertenties in de krant te plaatsen en oude vrienden te waarschuwen die van ver weg moesten komen. Hannah was verbaasd toen ze zag dat haar moeder zo anders was dan de vorige avond. Lottie nam besluiten over de dienst en de gasten en het eten, kracht puttend uit een verborgen reserve waar Hannah bijna jaloers op was.

'Ik wil nog één belangrijk ding bespreken,' zei Lottie. 'Ik zou graag willen dat we met ons drietjes, en niet meer, zijn as verstrooien. Ik geloof niet dat...' Haar stem brak en ze drukte haar vingertoppen tegen haar oogleden. 'Ik wil dat alleen zijn familie bij zijn laatste reis is. En ik zou het morgen willen doen. Vinden jullie dat goed?'

'Waar wilt u hem verstrooien?' vroeg Hannah. 'Op de heuvel? Naast de *cairn*?'

'Nee!' riep Lottie uit. Ze sloeg even haar handen voor haar gezicht en vervolgde toen: 'Nee, dat zou ik niet kunnen verdragen. Ik zat aan de rivier te denken. Daar waar dat diepe gedeelte is en de forellen zaten die hij zo graag ving.'

Lars knikte. 'Dan kan de rivier hem meevoeren, over zijn land. Ja. Dat is een goede keuze.' Hij stond op. 'Ik ga nu naar de tarwe kijken en samen met Juma de afrastering controleren. Hannah, jij en Lottie kunnen wel een stukje met Suniva gaan wandelen, maar neem dan wel David mee. Ik wil niet dat jullie ergens alleen heen gaan.'

Uiteindelijk dwong de regen hen binnen te blijven, waar ze met de baby en de honden op het kleed speelden. Lottie keek naar Hannah en zag dat haar dochter haar best deed haar gespannen gevoelens te verbergen.

'Wil je er misschien over praten?' vroeg Lottie na een tijdje. 'Over wat je voelde toen die Kikuyu met haar kind kwam aanzetten, over wat ze heeft verteld? Ik heb amper de tijd gehad om er met Lars over te praten omdat kort voor zijn komst ons huis net was afgebrand. Een molotovcocktail, door het raam gegooid. Dat is daar schering en inslag bij boerderijen van blanken. En je pa wilde niet horen wat Lars ons te vertellen had.'

'Hij was zeker weer dronken?' zei Hannah. 'Zodat hij niets zou voelen. Nee, ma, u hoeft het niet te ontkennen. U kunt hem niet meer beschermen. Wat heeft het voor zin? Hij is er niet meer. Ik heb het ook meegemaakt, weet u nog? Het spijt me dat ik u daar alleen heb achtergelaten, maar ik moet mijn eigen leven leiden. Ik wilde zo graag hier zijn en Piet helpen.'

'Je hebt er goed aan gedaan weg te gaan,' zei Lottie. 'Dat heb ik altijd al gevonden.'

'Ik denk dat pa op zijn laatste avond dronken is geweest,' zei Hannah. 'Hij wilde gewoon niet horen wat Lars hem te vertellen had. Daarom zoop hij zich klem, en daarna is hij op pad gegaan en heeft zich dood laten schieten.' Ze zag aan Lotties blik dat ze de spijker op de kop had geslagen. 'Daar moeten we mee leven. Wat kunnen we anders?'

'Hopen dat ze Simon en Karanja Mungai zullen arresteren. En dan zullen we de scherven van ons leven bijeenrapen. Langani voortzetten.'

'Het is nu uw *plaas*, ma. Dus u moet beslissen wat we gaan doen, en of we hier blijven.'

'Lieverd, Langani is niet van mij.' Lottie pakte de hand van haar dochter vast. 'Je vader had een testament laten maken. Dat moest van mij, omdat hij telkens op patrouille ging. We wisten niet wat de toekomst ons zou brengen. Daarom heb ik hem naar een notaris gestuurd. Ik heb het testament naar je oom Sergio in Johannesburg gestuurd, zodat het veilig zou zijn. Langani is voor jou, Hannah.'

Hannah liet de woorden van haar moeder zwijgend tot zich doordringen. Ondanks hun vervreemding had haar vader haar voldoende vertrouwd om haar zijn bezit na te laten. Ze was hier geboren, ze had altijd hard gewerkt op dit land, maar het was nooit echt van haar geweest. Nu was het dat wel. Het voelde alsof iemand haar een gifbeker had aangereikt, want nu was ze er meer aan ooit tevoren aan gebonden. Ze besefte ook dat Jan niets voor Lottie had geregeld. En ze hadden het nog niet eens gehad over de gevolgen die een eventuele rechtszaak voor de naam van de familie en de nagedachtenis aan Jan kon hebben, of over de mogelijkheid van een schadevergoeding.

Hannah legde als een klein kind haar hoofd in haar moeders schoot. 'Dit is net zo goed van u, ma. Dit is ook uw huis. U weet dat Lars en ik het heerlijk zouden vinden als –'

'Ik weet dat ik hier altijd welkom ben, bij jou en die geweldige Lars van je,' zei Lottie, 'maar ik zou hier niet meer kunnen wonen. Ik zal een tijdje blijven, om je te helpen. Dat had ik al een hele tijd geleden moeten doen, Hannah. Ik had niet –'

'Hij had u harder nodig dan ik. Ik snap niet hoe u het hebt volgehouden, maar nu zijn we weer bij elkaar. En dat is toch fijn?'

Lottie staarde voor zich uit en dacht aan het stralende landschap van Italië en de man die daar op haar wachtte. Mario. Hun verhouding in Johannesburg was zo kort geweest, maar ze hadden meteen geweten dat ze samen een toekomst hadden. Hij had haar sindsdien veelvuldig geschreven, liefdesbrieven die ze koesterde en keer op keer las, zodat haar ziel niet zou wegkwijnen. Maar het was te vroeg om aan hem te denken. Of te laat. Ze moest nu aan Hannah denken. Inhalen wat ze hadden gemist.

'Ja,' zei ze, 'we zijn weer bij elkaar, en dat is fijn.' Ze stond op, streek haar haar glad en vermande zich. 'Ik ga Sergio bellen. Ik zei dat ik hem zou laten weten wat ik ga doen, en ik zou het fijn vinden als hij bij de dienst zou kunnen zijn. Je moet ook contact opnemen met Sarah. Ze moet weten wat er met Janneman is gebeurd, want ze was erg op hem gesteld. Hetzelfde geldt voor Camilla. Lars heeft me verteld wat ze hier op poten heeft willen zetten, en ook dat ze is teruggekeerd naar Engeland omdat Anthony haar zo heeft gekwetst.'

'Ik zal haar schrijven,' beloofde Hannah. 'Ik durf te wedden dat ze nu wel over hem heen is. Het kan niet lang duren voordat een meisje dat zo mooi en succesvol en chic is als zij een ander tegenkomt die haar Anthony helemaal doet vergeten. Tijdens haar modeshow heb ik

Tom, haar agent, leren kennen, en volgens mij is hij heel erg gek op haar. Ik denk dat ze het niet eens heeft gemerkt. En Sarah zei dat die arts die haar gezicht heeft gedaan ook weg van haar is.'

'Maar ze is kwetsbaar,' zei Lottie. 'Ze was altijd al een gevoelig, eenzaam meisje dat gemakkelijk gekwetst werd. Wat naar dat het met Anthony niets is geworden. Het is een prima vent, totdat de andere sekse in beeld verschijnt. En hoe is het nu met Sarah?'

'O, die wordt ook beroemd. Door haar boek. Het zal in de lente verschijnen.' Hannah zweeg even en vervolgde toen: 'We hebben ruzie gehad. Ik heb nare dingen tegen haar gezegd en weet niet of ze me wel heeft vergeven. Ik heb haar nog wel via de radio gesproken, maar meer ook niet.'

'Ze is niet het type om wrok te koesteren,' zei Lottie. 'Daar is ze veel te hartelijk voor. Als ze voor de dienst hierheen komt, moet je misschien maar een paar dagen vrij nemen en met haar terugrijden naar Buffalo Springs. Dat zou goed voor je zijn.' Ze gaf haar dochter een zoen op haar voorhoofd.

Het idee om Buffalo Springs te bezoeken was aantrekkelijk, maar Hannah wist niet zeker of ze wel welkom zou zijn. Ze ging op zoek naar Lars en vroeg: 'Zou je het erg vinden als ik na de dienst voor pa een paar dagen bij Sarah zou gaan logeren? Als ze voor pa's dienst hierheen wil komen, bedoel ik, en als ze het een goed idee vindt.'

Lars zocht meteen via de radio contact en hoorde Sarahs stem door de ruis naar hem toe komen. Ze kwam naar de dienst. En ze zou Hannah met zich mee terug nemen.

'Misschien kun je de baby beter hier laten,' zei Lars. 'Dan heb je echt tijd voor jezelf, en Lottie wil maar al te graag voor haar zorgen.'

Daar wilde Hannah echter niets van weten. Ze zou Suniva niet achterlaten op Langani, niet terwijl Simon Githiri nog vrij rondliep. Het idee dat ze van haar kind gescheiden zou zijn, was doodeng. Daar wilde ze niet eens aan denken. En Lars drong niet verder aan toen hij de paniek in haar ogen zag.

De volgende morgen klaarde het heel even op. Zwijgend liepen ze naar de oever van de rivier. De aarde was vochtig van de regen, en een rijke, leemachtige geur steeg op van de plekken waar ze voetafdrukken hadden achtergelaten. Het zonlicht deed het stromende water glanzen als sterren en werd weerkaatst door de golfjes die de wind maakte. Overal om hen heen klonk de muziek van de *bush*, het gefluit en gezang van de vogels, het tjirpen van de insecten, en het verre hinniken van een zebra op de savanne. Een ijsvogel dook naar visjes, waarbij zijn verenkleed oplichtte in turquoise en kobalt en oranje, en de stenen op de oever glansden als marmer. De stroom werd onderbroken door een rotsig eilandje dat draaikolkjes en geultjes veroorzaakte, waarop de bladeren van de overhangende takken groene vlekjes vormden. Het geluid van water vulde de heldere lucht, en opeens dook er een forel als een zilveren boog uit de stroom op om een vlieg te vangen en weer onder te duiken. Lottie bleef aan de rand van het water staan, met in haar handen de urn die ze naar Jannemans laatste bestemming had gebracht.

'Wil je nog iets zeggen, Lottie?' vroeg Lars, met zijn arm om Hannahs schouders.

'Alleen dit,' zei ze. 'Je bent nu thuis, Janneman. Dit land dat zoveel van je heeft genomen, zal je nu rust bieden. Ik bid dat je aanwezigheid hier een einde zal maken aan alle wraak en haat. Je schuld is vereffend. En als je ons nu vanaf een betere plek kunt zien, dan smeek ik je je gezin te beschermen. En vrede. Ik wens je vrede.'

Ze maakte de urn open en strooide de as uit boven de rivier. Grijze deeltjes hingen een moment lang in het zonlicht en vielen toen op het water neer, afzakkend als een zucht. Hannah leunde tegen haar man aan.

'Dag, pa.' zei ze zacht. 'Ik hou van je. Dag.'

Ze draaide zich om, met tranen in haar ogen, en liep toen weg van de oever. Lottie bleef een tijdlang met gebogen hoofd staan en gaf toen de urn aan Lars.

'Gooi hem zo ver weg als je kunt,' zei ze. 'In het diepste deel van de rivier. Hij is leeg. Ik wil hem niet mee naar huis nemen.'

Ze liep weg en keek niet meer om. Lars nam het kleine metalen vat dat alles was wat van een leven restte. Aan de binnenkant zaten de laatste vegen as die aan Jans aanwezigheid herinnerden.

'Het spijt me, oude vriend, dat het zo heeft moeten eindigen,' zei hij. 'Moge God ons allen vrede geven.'

Na een laatste gemompeld vaarwel pakte hij de urn beet en gooide die zo ver mogelijk weg, zodat het vaatje met een vlaag van spetters het water raakte en wegzonk.

Het droge land rond Buffalo Springs was na de regen doorspekt met bossen wilde bloemen en de eerste sprieten nieuw gras. Sarah had de olifanten gevolgd door dit nieuwe groene paradijs en had hun gedrag vastgelegd en gefotografeerd. Ze gedroegen zich heel anders nu er weer genoeg te eten was. Rabindrah was nog steeds bij hen. Zijn auto was naar Isiolo gesleept en oom Indra had een monteur uit Nairobi gestuurd, maar de reparatie ging veel minder snel dan verwacht omdat ze op nieuwe onderdelen moesten wachten. Dankzij die extra dagen kon Rabindrah iets van de kracht hervinden die zijn ziekte hem had ontnomen. De dag nadat de koorts was gezakt, had Sarah nog verhinderd dat hij naar Nairobi zou vertrekken.

'Ik moet morgen gaan,' had hij gezegd, toen hij na een eerste nacht zonder koorts was opgestaan. 'Ik heb lang genoeg misbruik gemaakt van de gastvrijheid van Dan en Allie. En als jij telkens op me moet passen, kom je ook niet aan je werk toe.'

'Dat valt wel mee,' had ze geantwoord. 'Ik kan momenteel toch nergens heen omdat hele wegen zijn weggespoeld door de regen of compleet onbegaanbaar zijn geworden. De *lugga's* staan allemaal vol water. Erope en ik hebben er wel even genoeg van om de Land Rover telkens weer te moeten uitgraven. Ik onderneem nu alleen korte tochtjes rond het kamp of werk mijn aantekeningen uit. De meeste kaarten van Dan zijn tijdens de regen weggewaaid of doorweekt geraakt, en we moeten ze uit de restjes trachten te reconstrueren. Allies schriften met aantekeningen zijn ook allemaal nat geworden. Ik heb ze te drogen gelegd in de zon en probeer wat leesbaar is over te tikken.'

'Jullie werden dus verrast door het weer,' merkte Rabindrah op.

'Ja, we hebben onvoldoende op de wolken gelet. Ze waren zo lang alleen maar dreigend dat we nooit hadden gedacht dat er nog eens regen uit zou vallen.'

Ze was op de rand van zijn bed gaan zitten en gaf hem wat water aan. Zijn hand trilde zo toen hij het glas naar zijn lippen bracht dat ze de neiging had gevoeld het vast te pakken, maar ze bleef zitten. Het was een hele opluchting dat hij niet had gemerkt hoe dwaas ze zich had gedragen. Het was een opwelling geweest, zei ze tegen zichzelf, het gevolg van de opluchting die ze had gevoeld omdat hij nog leefde. Dat deed een ernstige ziekte met je; die zorgde ervoor dat je aangeboren schroom verdween.

'Je bent erg goed voor me geweest.' Hij keek haar recht aan, en zijn stem klonk schor. Dat kwam waarschijnlijk door de koorts en het braken, veronderstelde ze. 'Elke keer wanneer ik wakker werd, zat jij aan mijn bed. Je moet hier dag en nacht hebben gezeten.'

'Dat was niet erg.' Ze glimlachte. 'Mijn vader heeft vaak malaria gehad, dus ik wist wat er moest gebeuren. En Allie heeft ook haar steentje bijgedragen, door je warm te houden of je af te koelen. Ik ben blij dat je het ergste hebt gehad. We maakten ons zorgen over je.'

'Het is geen ervaring die ik nog eens wil herhalen,' merkte hij op. 'Maar nu ik beter ben, wil ik jullie niet langer tot last zijn.'

Sarah keek naar zijn ingevallen, magere gezicht en het wit van zijn ogen, dat door de malaria en de medicijnen nog steeds een gelige tint had. Haar neiging tot beschermen kwam naar boven. Ze wilde dat hij zou blijven, zodat ze voor hem kon zorgen, maar ze dacht niet dat ze dat kon zeggen. Het was bespottelijk en zou hem in verlegenheid brengen. Het idee alleen al bracht haar in verlegenheid.

'Je kunt nog niet reizen,' zei ze. 'De wegen zijn te slecht; het is een en al modder waarop je je moet blijven concentreren om te voorkomen dat je gaat slippen. Je moet rustig door blijven rijden en nooit remmen, anders blijf je steken.'

'Ik kan goed rijden,' zei hij. 'Ik heb met oom Indar aan de East African Safari Rally meegedaan. Erger dan dat kan gewoon niet.'

'Je hebt nu gewoon nog niet genoeg *nguvu* om je auto uit te graven,' zei ze vastberaden. 'Bovendien is de monteur van je oom terug naar Nairobi voor meer onderdelen. Hij heeft vanmorgen in Isiolo de bus gepakt, en dat was al moeilijk genoeg. Dus totdat de onderdelen er zijn, zit je hier vast. Als de monteur je auto heeft gerepareerd, kunnen jullie samen terugrijden.'

'Maar misschien kan ik met een vliegtuig mee, of met een safari vanuit Samburu...'

'Geen gemaar.' Ze boog zich voorover en pakte het glas uit zijn handen. Daarna legde ze een vinger op zijn lippen om zijn protesten te smoren. 'Je bent heel erg ziek geweest en moet weer op krachten komen.'

'Daar zullen je werkgevers niet blij mee zijn,' zei hij.

'Dan was inderdaad kwaad omdat het leek alsof je de *shifta's* met dit kamp in verband had gebracht,' gaf ze toe, 'maar dat is nu allemaal verleden tijd, en ze mogen je echt heel graag. Probeer nu nog maar even te slapen.'

Hij stak zijn hand uit en legde die op de hare, maar toen pakte hij hem vast en drukte zijn lippen tegen haar pols. Ze voelde een schok door haar heen gaan toen hij haar huid aanraakte. Zijn ogen waren gesloten.

'En jij, Sarah?' vroeg hij. 'Wat vind jij van me?'

Ze staarde hem zwijgend aan, haar huid nog steeds tintelend van de druk van zijn mond, en voelde zich geschokt omdat ze niets liever wilde dan haar armen onder hem laten glijden en hem kussen. Zoiets had ze heel lang niet meer gevoeld. Niet meer sinds Piet. Met een vlaag van schuldgevoel trok ze haar hand weg en hield zich bezig met het rechttrekken van het beddengoed.

'Ik vind je een bijzonder mens,' zei ze. 'Je bent integer en moedig en je hebt visie, en je bent een beetje gek. Een goede combinatie. Maar je bent vooral een zieke die rust nodig heeft. En eten. Ik ga iets te eten voor je halen.'

Ze stond op en liep snel weg, voordat ze zichzelf voor gek kon zetten. Voordat ze na moest denken over wat ze had gevoeld.

Rabindrah bleef met zijn ogen dicht liggen en ademde haar geur in, genietend van de herinnering aan de kus die ze hem had gegeven. Hij wist zeker dat ze dat had gedaan, hoe koortsig hij ook was geweest. Het was goed karma dat hij voorlopig niet kon reizen. Dat gaf hem de kans zekerheid te krijgen. Het begon weer te regenen, de druppels vielen van het riet van zijn hut op de doorweekte bodem. Hij hoopte maar dat oom Indra weinig onderdelen op voorraad had.

'Hoe is het met onze patiënt?' Dan keek op van zijn papieren toen Sarah vluchtend voor de regen naar binnen kwam rennen. Allie glimlachte even veelbetekenend, waardoor ze begon te blozen. Allie had een scherpe blik, haar ontging nooit iets.

'De koorts is gezakt,' zei Sarah. 'Als hij vanavond weer last krijgt van verhoging, zal dat wel meevallen. Hij heeft geslapen, maar ik ga hem nu iets te eten brengen. Dan kan hij even rechtop zitten. De komende dagen zal hij nog wel zwak zijn, en ik denk niet dat hij in zijn eentje naar Nairobi kan rijden.'

Dan leunde achterover en zette zijn bril af. 'Hij hoeft echt niet meteen weg,' zei hij. 'Tenzij hij haast heeft om dat artikel weg te brengen waarin hij beschrijft hoe hij bijna door bandieten is vermoord?'

Sarah grinnikte. 'Hij voelt zich een beetje schuldig omdat hij hier moet blijven. Hij denkt dat hij te veel ruimte en plaats inneemt.'

'Hm, blijkbaar heeft hij toch enige bescheidenheid geleerd,' merkte Dan lachend op. 'Zeg maar tegen hem dat hij zo lang mag blijven als nodig is, mits hij uit de buurt blijft van bandieten en ambtenaren. Ik heb geen zin in bezoek van dat soort gasten.'

Sarah haalde een kom soep en wat brood uit de keuken en liep terug naar de gastenhut. Rabindrah was opgestaan en leunde tegen de rug van een stoel, zijn gezicht grauw en bedekt met zweet. Sarah liep snel naar hem toe om hem te helpen.

'Wat doe jij uit bed?' vroeg ze, geschrokken door zijn bleke gezicht.

'Ik wilde om warm water vragen en een douche nemen. Maar mijn benen werken niet mee.'

'Nee, gek, natuurlijk niet. Je kunt nu even nergens heen, behalve naar je bed of naar de pot.' Ze zag dat hij bloosde en besefte dat ze te grof was geweest. Jonge Indiase dames bespraken dergelijke zaken vast niet met mannen die geen familie waren. 'Het spijt me, dat kwam er niet helemaal goed uit. Maar ik ben de dochter van een arts en jij bent mijn patiënt. Ik heb wat brood en soep voor je. Je hebt dagenlang niets gegeten, geen wonder dat je zo slap bent.'

Ze zag dat zijn hand nog steeds trilde en ging daarom op de rand van het bed zitten om hem te voeren. 'Dan komt straks nog even bij je kijken,' zei ze. 'Je mag van hem pas weg als je weer helemaal de oude bent.'

Hij knikte en at zwijgend alles op. Toen ze zijn handen en gezicht met een koele, vochtige doek afnam, bedankte hij haar en sloot weer zijn ogen, maar toen uitte hij een gefrustreerd geluidje. Ze vroeg zich af of hij het vervelend vond zo afhankelijk te zijn en zelfs de simpelste dingen niet alleen te kunnen. En hij zag er vreselijk uit: bezweet, ongeschoren, duidelijk toe aan een bad. Tijdens de ergste koorts hadden Allie en zij hem regelmatig gewassen, maar daar kon ze het maar beter niet over hebben. Ze haalde een kom warm water voor hem en zette die op de stoel naast zijn bed, zodat hij zich kon wassen, en ging weer aan haar werk.

De avond daarop kwam hij naar het hoofdgebouw, nog een tikje onvast op zijn benen maar duidelijk blij dat hij uit bed was.

'Ik vroeg me af of ik de radio mag gebruiken,' zei hij. 'Ik wil mijn oom vragen hoe lang het nog duurt voordat de onderdelen hier zijn.'

'De radio doet het nog steeds niet,' zei Dan. 'Hij is tijdens het noodweer beschadigd geraakt en ik krijg hem maar niet aan de praat.'

'Ik was vroeger een enthousiast zendamateur,' vertelde Rabindrah. 'Ik kan er wel even naar kijken. Ik wil niet zeggen dat ik er alles van weet, maar toen ik in Engeland woonde, had ik een hele stapel zenders en onderdelen. Of nou ja, eigenlijk een berg oude troep. Maar ik was er vaak mee bezig.'

Toen Sarah later die avond met Erope in het kamp terugkeerde, werd ze begroet door het geruis van de radio en een breed lachende Dan.

'Zie je dat, meid?' zei hij. 'We hebben weer contact met de buitenwereld. Rabindrah heeft goed werk geleverd. Zin in een borrel?'

'Een koud biertje gaat er wel in.' Sarah voelde een vlaag van warmte door haar lijf gaan toen Rabindrah een glas in haar hand drukte.

De rest van de avond luisterden ze naar verhalen van Dan en Allie over hun eerste jaren als onderzoekers, toen ze in een tent in Tsavo National Park hadden gewoond. Hun schamele onderkomen werd regelmatig aan stukken gescheurd door hyena's die hun kleine voorraad eten wilden stelen en zelfs een keer vertrapt door een olifant die voor een kortere weg koos. Ze moesten hard lachen om Dans dramatische verhalen en het droge commentaar van Allie daarop. Af en toe boog

Rabindrah zich wat meer naar Sarah toe om haar iets te vragen en raakte dan heel zacht met zijn lange vingers haar arm aan. Ze liet niet merken dat ze zijn avances in de gaten had, wat hem verbaasd en gefrustreerd maakte. Allie keek naar hen en zag Sarah af en toe een steelse blik op hem werpen. Ze hadden een bijzondere band, dacht ze, met een kwetsbaarheid die ontroerend was. Maar na elke heimelijke blik verstijfde Sarah even en sloot ze zich beslist af voor verder contact.

Het bleef onophoudelijk regenen, maar de rivier trad niet meer buiten zijn oevers. Op de tweede dag uit bed vond Rabindrah dat hij fit genoeg was om in de auto te zitten en besloot Sarah hem mee te nemen naar Eropes *manyatta.* De Samburu had twee dagen vrij moeten nemen om de schade in zijn nederzetting te herstellen, en de rit door het doorweekte landschap viel niet mee. Al snel had Sarah er spijt van dat ze Rabindrah had meegenomen. Hij zag grauw en ze was bang dat hij te veel van zichzelf zou vergen, al verzekerde hij haar dat hij sterk genoeg was voor een uitstapje.

De *manyatta* was één grote modderpoel. De regen was meer dan welkom geweest omdat het vee daardoor weer voldoende te grazen had, maar twee van de hutten waren gedeeltelijk ingestort. Herbouw werd bemoeilijkt door de nattigheid. Het water was door alle kieren de lage bouwsels binnen gesijpeld, zodat het brandhout nat was geworden. Binnen hing de geur van rook die opsteeg van het vochtige hout. Sarah en Rabindrah merkten dat ze moesten hoesten en dat hun ogen begonnen te tranen. Een paar kinderen zaten ziekelijk en kuchend in een hoekje, en de stank van natte mest was overweldigend. Rabindrah had nog nooit zoiets gezien, en Sarah merkte dat hij was gegrepen door de primitieve omstandigheden waarvan hij getuige was. Ze liep door de nederzetting, nam foto's van de verwoestingen en zocht in haar zakken naar snoepjes en kleurpotloden en papier die ze voor de kinderen had meegebracht. Nu ze het dorpje zo zag, vroeg ze zich af of Rabindrah nog steeds een jaar bij de nomaden zou willen wonen. Misschien zou hij voor een ander project kiezen, en dan zou ze hem niet meer zien. Dat idee gaf haar een leeg gevoel, en ze liep bij hem vandaan om aan de andere kant van de *manyatta* foto's te gaan nemen.

'Ik ga hier een stuk voor de krant over schrijven,' zei Rabindrah op weg naar huis tegen haar. 'Zou ik daarvoor een paar van je foto's mogen gebruiken? Erope zegt dat de oudsten dat goedvinden en dat het misschien wat hulp naar dit gebied zou kunnen lokken. Er zullen meer *boma's* als deze zijn, of misschien nog wel erger. En ik denk dat ik wel wat voedsel en medicijnen voor de kinderen kan regelen. Een van mijn neven werkt als arts in Nairobi. Ik wil graag iets doen.'

Erope was verbaasd, er niet aan gewend dat een Indiër zomaar iets aanbood. De *duka wallahs* in de stadjes stonden niet bepaald bekend om hun vrijgevigheid en hadden geen respect voor de Samburu. In tijden van nood verhoogden ze soms zelfs de prijzen van hun goederen omdat ze wisten dat de stammen nergens anders heen konden. Deze man bood echter hulp aan. Hij was anders. Sarah had Erope uitgelegd wat de bedoeling van het boek was en hem erop gewezen dat de Land Rover waarin ze rondreden een cadeau van de *mahindi*-oom uit Nairobi was. Erope boog zich voorover en stak zijn hand naar Rabindrah uit.

'*Asante*,' zei hij, en dat vormde het begin van een vriendschap vol wederzijds respect.

Het deed Sarah deugd dat de twee mannen die in haar leven zo'n grote rol waren gaan spelen elkaar eindelijk hadden aanvaard. Met een warme glimlach raakte ze even Rabindrahs arm aan, waarop hij haar hand een kneepje gaf.

Tegen de tijd dat ze bijna thuis waren, beefde hij echter van vermoeidheid. Hij zei dat hij na even uitrusten en een douche voor het eten wel weer de oude zou zijn, en Sarah liep met hem mee naar zijn hut. Toen ze naar binnen stapten, sloot hij de deur en trok haar tegen zich aan, nog steeds een beetje wankel op zijn benen van vermoeidheid, maar zijn greep was opvallend stevig. Onder het katoen van zijn overhemd kon ze de vorm van zijn lichaam voelen. Door de malaria was een dun laagje vulling van zijn botten verdwenen, maar ze merkte dat haar lichaam zich heel goed naar het zijne voegde.

Hij voelde haar beven en dacht heel even dat ze zich door hem zou laten kussen. Hij hield zijn adem in en besefte vol verbazing dat hij stapelverliefd was geworden op dat kleine, vastberaden en prachtige meisje. 'Sarah,' zei hij met zachte stem. Zijn greep werd nog steviger. 'Kleine Sarah...'

Op dat moment, toen ze de woorden hoorde die Piet ook zo vaak had gezegd, verstijfde ze over haar hele lichaam en maakte ze zich van hem los. Een tel later had ze zijn hut verlaten en bleef hij alleen achter, verbijsterd, getroffen door de pijn van haar afwijzing. De aantrekkingskracht tussen hen was overduidelijk, hij was er zeker van dat zij die ook voelde. Hij begreep niet wat een einde had gemaakt aan dat breekbare, bijzondere moment.

Tijdens het eten zei Sarah maar weinig en was Rabindrah vooral degene die over het bezoek aan de *manyatta* vertelde. Meteen na het eten trok ze zich terug in haar hut en pakte Dan een lamp en richtte zich weer op zijn kaarten. Allie bleef alleen achter met Rabindrah.

'Misschien zal wat cognac je weer op gang helpen,' merkte ze op.

'Ik wil jullie graag bedanken voor jullie gastvrijheid.' Hij pakte het grote glas aan dat ze voor hem had ingeschonken. 'Ik ga weg zodra het kan, maar ik hoop over een paar maanden weer terug te zijn met de proeven voor het boek.'

'Dat zal een feestdag worden,' zei Allie. 'Daar drink ik op.'

'Dat idee dat ik had, over dat boek over de nomaden van het noorden, zal zeker een jaar aan research vergen,' zei hij, aangemoedigd door haar enthousiasme. 'Ik hoop nog steeds dat Sarah de foto's wil maken, maar ik wil niet te veel beslag op haar leggen. We kunnen het telkens een paar dagen achter elkaar doen, verdeeld over een langere periode.'

'Het werk aan dit boek heeft haar goed gedaan, na alles wat er is gebeurd. En het was slim van je om je uitgever op de nomaden van het noorden te wijzen. Dat kan vrucht afwerpen.' Ze keek hem onderzoekend aan, en in het licht van de lamp zag ze hem blozen.

Hij keek haar echter recht aan toen hij zei: 'Dat is waar. John Sinclair wil graag meer werk van Sarah uitgeven. Ze zou de ideale fotografe zijn om het nomadenleven vast te leggen. Ze ziet en begrijpt zoveel meer dan andere fotografen.'

'Toe, je kunt mij niet voor de gek houden,' zei Allie. 'Het gaat je niet alleen om haar talenten als fotografe.'

'Je bent niet op je achterhoofd gevallen, Allie.' Hij liet de drank ronddraaien in zijn glas.

'Ze waren zo verschrikkelijk verliefd op elkaar, Sarah en Piet.' Ze zag hem even ineenkrimpen. 'Ze heeft heel lang op hem gewacht, en toen, toen haar leven een sprookje leek, werd hij haar op de wreedste manier die er is ontnomen. Het kost haar heel veel moeite dat achter zich te laten. Het kan nog wel heel lang duren, gewoon vanwege haar karakter. Je moet geduld hebben, jongen, anders keert ze zich van je af en rent ze heel hard weg. En dan heb je je kansen voor altijd verspeeld.'

'Ik kan wel wachten,' zei Rabindrah, al vreesde hij dat hij misschien al een fatale fout had gemaakt. 'In de tussentijd kan onze vriendschap alleen maar hechter worden.'

'Ik wens je veel geluk,' zei Allie. 'We zijn erg op Sarah gesteld, en ze kan niet blijven leven met de vraag "stel dat alles anders was gelopen?" Maar je moet het heel voorzichtig aanpakken.'

In de twee dagen die volgden, was hij vriendelijk en ontspannen en ging met Sarah en Erope op pad, maar hij hield zich verre van elke vorm van intimiteit. Het kostte hem echter de grootste moeite om niet te zeggen wat hij voelde. In Dans ogen won hij echter alleen maar in aanzien omdat hij in staat was een onderdeel in elkaar te flansen voor de oude koelkast, die op petroleum liep en waarin het bier werd gekoeld.

'Goed gedaan.' Dan trok meteen twee koude Tuskers open.

'Ach, je weet wat ze zeggen, dat sikhs altijd goede monteurs zijn,' zei Rabindrah. 'Al kan mijn vader niet eens het leertje van de kraan vervangen. Ik heb een paar dingen van oom Indar geleerd die nog wel eens nuttig kunnen zijn.'

Ze werden onderbroken door het gekraak van de radio, en even later luisterde Sarah vol ontzetting naar het nieuws van Lars.

'Dat ging over Jan van der Beer,' zei ze even later. 'Hij is in een hinderlaag gelopen en is gedood, in Rhodesië. Lars was daarheen gegaan en heeft Lottie mee terug naar Langani genomen. Overmorgen houden ze een herdenkingsdienst voor hem.' Ze keek Allie en toen Dan aan. 'Ik moet erheen, al is het maar voor één nacht. Het spijt me, maar dat moet gewoon.'

'Ja, natuurlijk,' zei Allie meteen, en Dan knikte instemmend. 'Die arme Hannah, wat een aaneenschakeling van rampen. Natuurlijk moet je erheen om haar te steunen. Dat vinden we helemaal niet erg.'

'Lars vroeg zich af...' Sarah aarzelde. Rabindrah was hier al, en nu ging ze vragen of ze er nog een gast bij konden hebben. 'Hij zou graag zien dat Hannah na de dienst een paar dagen bij mij zou kunnen logeren,' zei ze. 'Ze kan in mijn rondavel slapen, maar ze zal Suniva meebrengen, en ik weet niet of jullie hier wel een baby willen hebben.'

'Natuurlijk wel. Dat zouden we heerlijk vinden, hè Dan?' Ze negeerde de paniek in zijn ogen en keek Sarah recht aan. 'Breng die twee maar mee, en ze mogen zo lang blijven als ze willen.'

'Is het wel veilig om er met dit weer alleen heen te rijden?' vroeg Rabindrah de volgende dag.

'Ik ga vroeg weg en hoop dat het niet de hele tijd regent,' antwoordde ze.

'Ik zou je graag willen vergezellen, maar ik denk niet dat mijn aanwezigheid op prijs wordt gesteld,' zei hij. 'Ik kan een hotel in Nanyuki nemen, of nee, nog beter, ik kan doorrijden naar Nairobi, dan kan de monteur mijn auto later wel ophalen.'

'Nee, jij gaat helemaal nergens heen.' Sarah hoorde zelf hoe nadrukkelijk ze klonk. 'Je bent echt nog niet fit genoeg.'

'Dan wacht ik wel totdat je terug bent,' zei hij.

Hij had iets in haar blik gezien en dacht dat ze wilde dat hij bleef. Hij sloeg losjes een arm om haar heen, en ze drukte haar gezicht tegen zijn schouder en sloot haar ogen.

'Ik wou dat het allemaal afgelopen kon zijn,' zei ze. 'Ik wou dat het leven opnieuw kon beginnen, zonder pijn en nare herinneringen en schuldgevoelens.'

'Het wordt heus wel beter,' zei hij. Hij raakte haar haar aan en voelde dat zijn hart een sprongetje maakte. 'Het wordt binnenkort echt beter.'

Op de dag van de dienst ging Sarah al bij zonsopgang op pad en reed kilometer na kilometer over de gladde wegen. Af en toe moest ze even stoppen omdat het zo hard regende dat ze geen hand voor ogen zag, maar gedurende het grootste deel van de reis kon ze langzaam doorrijden, waarbij ze haar uiterste best deed om een constante snelheid aan te houden die moest voorkomen dat ze vast zou komen te zitten. De rit leek eindeloos lang te duren. Het leek wel alsof ze de laatste tijd niets anders deed dan van de ene tragedie naar de andere rijden.

Hannah stond al op haar te wachten. Haar haar was samengebonden in een halve vlecht, haar blouse was gekreukt en haar blik dof.

'Han, gecondoleerd.' Sarah stapte uit en omhelsde haar vriendin. 'Ik vind het zo erg voor je. Wanneer is het gebeurd?'

'Zes, zeven dagen geleden. O, ik weet het niet meer, het is één groot waas geworden. Lars was erbij. Hij was daarheen gegaan om hun over Wanjiru te vertellen, en dat was al erg genoeg. Diezelfde avond ging pa met Kobus op pad en werd gedood. Ik ben zo blij dat ma niet alleen was.' Ze viel stil, niet in staat nog meer over haar vader te zeggen. Toen ademde ze diep in en langzaam weer uit en vervolgde: 'Hij is gedood toen ze op zoek waren naar terroristen. Hij is gestorven door die zak van een Kobus, die nooit ene mallemoer om hem heeft gegeven. Hij heeft zijn leven gegeven voor een tabaksplantage die niet eens van hem was, die hem niets kon schelen. Wat een einde, hè?'

'Arme, arme Jan. Hij is zo'n onlosmakelijk deel van mijn jeugd.'

'Ik kan me niet eens meer herinneren hoe het voelde om klein te zijn,' zei Hannah. 'Ik ben doodop en slaap al weken slecht. Of jaren, misschien. Laten we naar binnen gaan, ma wil je dolgraag zien.'

'Sarah, lieverd,' zei Lottie even later. 'Wat fijn dat je kon komen. Kom even wat eten, daar ben je wel aan toe na zo'n reis in je eentje. De dienst begint om vier uur, vanmiddag komt mijn broer Sergio aan. Hij heeft gisteren het vliegtuig vanuit Johannesburg genomen en rijdt nu hierheen.'

Tijdens het middageten zei Lottie niet veel. Ze plukte het stukje brood op haar bord uiteen en staarde naar de plek waar Jan altijd had gezeten. Ze was nog steeds mooi, vond Sarah, dat zou ze altijd blijven. Ze had nu iets koninklijks en er ging moed van haar uit; die liet haar grote donkere ogen stralen en verlichtte de hartelijke glimlach die niet was veranderd. Haar gezicht zag bleek, zo veel moeite kostte het haar hier te zitten, met het vooruitzicht van de dienst en het beeld van Janneman dat ze tegenover vrienden en familie zou moeten schetsen. Zijn lege stoel had iets naargeestigs en deed haar denken aan Banquo tijdens het feestmaal van Macbeth. Ze zag Piet, en nu ook Janneman, voor zich, bebloed en aanwezig, hier aan tafel. *Stand not upon the order of your going, but go at once...* Ze had zo haar best gedaan om Hannah over te halen na de dood van Piet Langani te verlaten. Misschien moesten ze allemaal afscheid nemen van deze waanzin. Misschien moesten Hannah en Lars dat nu ook doen, voordat de laatste resten van Langani tot stof zouden vergaan.

Later keek Sarah door het raam van haar kamer en zag Lottie in de tuin lopen. Ze had een mand aan haar arm en een snoeischaar in haar hand, en ze knipte als in trance bloemen af voor de dienst. We zijn allemaal net robots, dacht Sarah, we doen wat we moeten doen, automatisch. Het verleden was niet iets wat je op een plek als deze achter je kon laten; herinneringen overvielen je overal, en de goede waren net zo erg als de slechte omdat die heel even en kwellend deden denken aan alle vreugde die hun zo wreed was ontnomen. Het maakte niet uit waarop Sarah haar blik richtte, binnen of buiten, overal dromden de geesten samen. Vermoeid sloeg ze haar handen voor haar ogen, verlangend te ontsnappen. Het regende niet meer, maar het was bewolkt en de berg oogde dreigend, als een vlaag blauw onder een dek van sombere wolken die onheilspellend waakte over het land.

De gedachte aan de dienst stemde hen allemaal somber, net als de druk om de goede naam van Jan hoog te houden. Stel dat Simon Githiri zou worden opgepakt en voor de rechter moest verschijnen, wat zou er dan van Jans erfenis worden, wat zou er dan met de *plaas* gebeuren? De gedachte aan de jonge Kikuyu vervulde Sarah met afgrijzen. Als de politie hem te pakken zou krijgen, zou hem ongetwijfeld de doodstraf wachten, en wie zou het niet eens zijn met een dergelijk vonnis? Maar de blanke officieren die zijn vader hadden gedood, hoefden zich niet voor hun daden te verantwoorden. Goed, er was na de noodtoestand amnestie verleend, na jaren vol willekeurig moorden door alle partijen. Maar toch, een man roosteren boven een vuur? Hem te horen gillen terwijl zijn vlees siste en rookte aan het spit? Dat waren oorlogsslachtoffers, dat had de wet bepaald, en hetzelfde gold voor de broer van Jan. Jan moest altijd bang zijn geweest dat hij nog eens verantwoording zou moeten afleggen, maar hij had nooit kunnen denken dat er wraak zou volgen in de vorm van moord op zijn zoon. Zijn geliefde Piet. Sarah merkte dat haar gedachten over elkaar heen buitelden en liep naar buiten in de hoop van haar eenzame gepieker te worden afgeleid. Een roodborsttapuit zat te zingen, de zon kwam achter de wolken tevoorschijn zodat de savanne veranderde in een oord van weergaloze schoonheid, als in een impressionistisch schilderij. Misschien wel het kostbaarste schilderij dat iemand kon begeren of bezitten.

Sergio kwam aan terwijl ze nog steeds in de tuin waren. Lotties opluchting en dankbaarheid waren duidelijk zichtbaar en Sarah vroeg zich af of hij wel het hele verhaal achter de tragedie kende.

Tegen vieren stroomden de gasten binnen. De zon was weer verdwenen en er dreigde opnieuw regen. Jeremy Hardy kwam samen met zijn vrouw, en de aanwezigheid van de oude dokter Markham was een troost. Een groot aantal van de plaatselijke boeren verscheen, zoals de familie Murray, hun naaste buren. Oude vrienden uitten schutterige condoleances en praatten elkaar bij. Hannah was blij dat het weer zo somber was dat de dienst buiten op het gazon houden geen optie was. De laatste ceremonie die daar had plaatsgevonden, was haar bruiloft geweest, en ze wilde niet dat de dood van haar vader een schaduw zou werpen over haar herinneringen aan die dag vol vrolijkheid en vreugde.

Ze hielden de dienst in de woonkamer. Lottie had een foto van Jan op tafel gezet, met bloemen eromheen. Op de foto stond hij naast de rivier en keek recht in de lens, een vriendelijke reus van een man die zijn arm om de schouders van zijn vrouw had geslagen en werd geflankeerd door zijn zoon en dochter. Het was Lotties lievelingsfoto van hem, die ze had bewaard als wapen tegen de latere, bittere herinneringen. Naast de foto lag de oude familiebijbel in het Afrikaans, opengeslagen bij de bladzijde waar zijn geboorte was bijgeschreven. In twee zilveren kandelaars brandden kaarsen, zodat de man op de foto leek te zweven in het licht. Het was bijna alsof hij een arm ophief en naar de vrienden zwaaide die zich hier hadden verzameld.

Het was een eenvoudige dienst. De dominee vroeg hun zich hun vriend en buur te herinneren en te bidden voor hem en zijn familie, die na zijn tragische dood zonder hem verder moest. Nadat er was gebeden, de zegen was gegeven en ze de psalm hadden gezongen die Hannah had uitgekozen, sprak Bill Murray de aanwezigen toe.

'Ik heb het geluk gehad Jan van der Beer en zijn gezin heel lang te mogen kennen, al sinds de dag dat ik jaren geleden hierheen ben gekomen. We hebben altijd zij aan zij op onze boerderijen gewerkt, Jan en ik, we hebben goede en minder goede jaren gedeeld, en we hielpen elkaar wanneer dat nodig was. Hij was een goed mens, in alle betekenissen van dat woord. Een man met een groot hart, een trouwe vriend. Een man die altijd keihard voor zijn gezin heeft gewerkt en zijn personeel altijd goed heeft behandeld. Het is erg droevig dat hij zo ver van zijn geliefde land is gestorven. Dat is niet alleen erg voor Lottie, Hannah en Lars, maar voor ons allemaal. Het is des te schrijnender dat het zo kort na Piets dood gebeurd is. Wij, jullie buren, kunnen ons onmogelijk voorstellen wat jullie nu doormaken, maar we willen dat jullie weten dat we er voor jullie zijn. Dat we alles zullen doen om dit draaglijker voor jullie te maken. We zijn niet alleen vandaag, maar altijd aanwezig om jullie bij te staan en jullie te helpen jullie thuis en gezin te verdedigen. Hopelijk vinden jullie troost in de gedachte dat jullie er niet alleen voor staan. Moge Jan nu in vrede rusten. We zullen altijd vol genegenheid en eerbied aan hem denken. God zij met je, Lottie, en met jullie, Hannah en Lars en jullie prachtige dochter. Laten we allemaal bidden dat Langani van nu af aan weer een plek vol vrede en voorspoed zal zijn. Amen.'

Lottie sloot haar ogen en wou dat het snel voorbij zou zijn. Ze vreesde voor de komende uren, waarin ze de versie van Jans dood zou herhalen waarover ze het eens waren geworden en ze zou moeten luisteren naar de woorden van medeleven. Alles wat werd gezegd, was zowel leugen als waarheid, en ze kon die twee niet langer van elkaar onderscheiden.

Hannah voelde de wanhoop van haar moeder en pakte haar hand vast, maar later, toen oude vrienden om hen heen dromden om hun bijstand aan te bieden, merkte Lottie dat de bijeenkomst haar wel goed deed. Velen bleven tot laat op de avond, ze haalden herinneringen op en vertelden verhalen die goed waren voor een tedere lach en hun eigen gevoel van vrede.

De rit naar het noorden vormde voor Hannah een bevrijding, al voelde ze zich de eerste uren schuldig omdat ze Lars en haar moeder alleen had gelaten.

'Sergio blijft nog een week,' had Lottie gezegd toen Sarah had gevraagd of ze ook mee wilde gaan. 'Hij is helemaal voor mij hierheen gekomen, dus nu wil ik ook wat tijd met hem doorbrengen. Bovendien vind ik het fijn weer in de tuin te kunnen werken en wil ik Lars graag helpen in de melkerij. Lieve Hannah, geniet ervan en maak je geen zorgen. Wij redden ons wel, en je kunt ons via de radio altijd bereiken.'

Hannah had uit het raampje gehangen om naar Lars en haar moeder te zwaaien, net zo lang totdat ze zo ver weg waren dat ze alleen nog hun silhouetten kon zien. Een tijdlang zei ze niets, uitgeput door de stortvloed van emoties die ze in de afgelopen paar weken had ervaren. Nu de dienst achter de rug was, voelde het alsof ze tegen een muur was gelopen.

'Ik ben niet echt leuk gezelschap,' zei ze ten slotte. 'Het kost me al de grootste moeite om adem te halen, laat staan om te praten.'

'Haal dan maar alleen adem, Hannah, en ontspan je. Dat heb je al ik weet niet hoe lang niet kunnen doen. Kijk eens naar Suniva, die weet hoe het moet!'

De baby lag diep te slapen in haar reiswiegje op de achterbank, zonder iets te merken van de hitte, het stof of het verdriet. Hannah stak haar hand uit en raakte even het zachte wangetje aan. Toen glimlachte ze en keek naar het landschap dat als een droom langs haar gleed. Het besef dat Simon Githiri nog leefde, gevolgd door het nieuws dat haar vader dood was, had de kwetsbare muur vernietigd die ze had opgetrokken in een poging haar gezin te beschermen. Ze bleef maar herinneringen aan haar jeugd voor zich zien, beelden van haar vader die haar lachend optilde, die haar leerde paardrijden en zwemmen en vissen en jagen, en die haar troostte wanneer ze viel en haar knie bezeerde. Een deel van haar wilde die herinneringen verdringen en nooit meer aan hem denken, maar ze durfde niet te denken aan wat ze dan zou zien. Ze was bang voor dat geheime deel van haar vaders leven en de dodelijke nasleep daarvan.

Er gold een stilzwijgende overeenkomst dat ze het niet over Langani zouden hebben, en daarom begon Hannah over Tim.

'Ik heb geen idee wat hij uitspookt,' bekende Sarah. 'Mijn vader zei dat hij weer aan het werk is, maar hij is erg somber. En Deirdre heeft zich niet meer laten zien. Maar er is iets wat je nog niet weet.'

Ze vertelde Hannah het hele verhaal, met inbegrip van de woede en de verwarring die ze had gevoeld toen ze Tim in Londen had gezien en had beseft dat hij een geheim met Camilla deelde waarvan zij niets mocht weten.

'Tim is een hopeloos geval, maar op een bepaalde manier ook gehaaid,' zei Hannah.

'Hoe bedoel je?'

'Nou, hij ziet er altijd zo verfomfaaid en schattig uit. Als hij in de puree zit, zet hij zo'n hulpeloos gezicht op waardoor iedereen de neiging heeft hem meteen te gaan helpen. En voor je het weet, zijn anderen bezig zijn problemen op te lossen.'

'Ja, dat is wel zo.' Rond Sarahs lippen verscheen de eerste aanzet van een glimlach. 'Zo heb ik het nooit bekeken, al heb ik hem vaak genoeg gered. En nu heeft Camilla die rol misschien wel gekregen. Maar ze had iets tegen me moeten zeggen, en hij ook.'

'Camilla vertelt nooit iemand iets,' merkte Hannah op. 'Ze laat niets meer van zich horen of verdwijnt gewoon helemaal. Dus reken maar niet te veel op een uitleg van haar.'

Tijdens de rit bleef het droog, en Sarah was blij dat ze, nu ze een kind aan boord had, de auto niet uit de modder hoefde te trekken. Ze hielden twee keer pauze voor een koel drankje en de broodjes die Kamau voor hen had klaargemaakt. Aan het einde van de middag kwamen ze in Buffalo Springs aan, maar Dan en Allie waren nog steeds op pad. Sarah tilde de wieg met het slapende kindje uit de auto en bracht die naar haar hut. Er was een tweede bed neergezet, en ze keek met een andere blik naar haar vertrouwde omgeving, in de hoop dat Hannah zich er ook thuis zou voelen en de eenvoud geruststellend zou vinden.

'Ik denk dat ik maar even bij Suniva blijf totdat ze wakker wordt.' Hannah liet zich op het veldbed vallen.

'Dat is goed, hoor. Zal ik iets te eten voor je maken, of thee voor je halen?'

'Nee, voor mij niet. Ik ben zo moe, dat is niet te geloven. Ik denk dat ik even een dutje ga doen. Ik kan mijn ogen gewoon niet openhouden.'

Sarah pakte haar aantekeningen van haar bureau en ging met een koel drankje onder de acacia zitten.

'Hoe is het gegaan?'

Ze voelde een vlaag van blijdschap toen ze opkeek en Rabindrah zag staan. Ze had zich al afgevraagd of hij er nog zou zijn. 'O, Hannah is echt aan het einde van haar Latijn. Elke keer wanneer ze opnieuw begint en geluk lijkt te vinden, gebeurt er weer iets vreselijks. O, wat zijn onze levens toch veranderd.' Ze leunde achterover in haar stoel. 'Soms word ik wakker met het gevoel dat ik een klap op mijn hoofd heb gekregen, dat ik word gestraft maar niet weet waarvoor. We zijn allemaal het slachtoffer van zo veel narigheid geworden, we zijn zo ver weg geëindigd van onze oorspronkelijke doelen. Het lijkt allemaal zo zinloos.'

'Het grote plan van God. Soms is dat moeilijk te volgen,' zei hij.

'Ik durf bijna niet meer terug te gaan,' zei Sarah, half in zichzelf. 'Toen we nog op school zaten, Hannah en Camilla en ik, toen was Langani de plek waar we gelukkig waren, maar nu is de basis verdwenen, net als het resultaat van jarenlang hard werken en liefde en toewijding. Eerst Piet en nu Jan. Ik kan me gewoon niet voorstellen wat Lottie nu doormaakt, of wat er van Hannah en Lars moet worden.'

Hannah werd wakker toen Dan en Allie terugkeerden van hun middagritje en voegde zich bij hen, met een montere Suniva in haar armen.

'Ik vind het zo fijn dat ik hier mag komen logeren,' zei ze. 'Dag, Rabindrah. Je ziet er weer aardig hersteld uit. Sarah wist niet zeker of je er nog zou zijn.'

'Malaria, bandieten en regen hebben hem tot onze gevangene gemaakt,' zei Allie, 'zij het niet in die volgorde. Je bent hier altijd welkom, Hannah. En nog gecondoleerd.'

Hannah knikte. Ze vond het nog steeds moeilijk over Jans dood te praten. 'Hebben jullie het boek al af?' Ze wendde zich tot Rabindrah. 'Wanneer kunnen we de proeven zien, of hoe noem je dat?'

'Over een maand of twee, als de prachtige litho's van Sarahs foto's klaar zijn,' zei hij. 'Ook mijn oprechte deelneming, Hannah. De situatie in het zuiden kan alleen maar erger worden, en ik ben bang dat we daar oorlog krijgen. Zat hij bij een van de Rhodesische regimenten?'

'Hij vocht helemaal niet in een oorlog,' zei ze op kille toon. 'Hij was gewoon een boer die tabak probeerde te verbouwen. Niets bijzonders. Hij was toevallig op het verkeerde moment op de verkeerde plek. Zeker niet iets wat interessant genoeg is voor de krant.'

'Ik vind het erg voor je dat hij is gestorven.' Rabindrah merkte hoe vijandig ze was. Sarahs vriendin was geen katje om zonder handschoenen aan te pakken, en hij zou voorzichtig moeten zijn.

'Wie wil er iets drinken?' vroeg Dan uitnodigend. 'Ik heb een speciaal drankje voor jonge moeders. Neem er maar eentje voordat je gaat douchen. Het werkt altijd.'

'Hoezo, het werkt altijd?' vroeg Sarah lachend. 'Laat maar eens proeven, Dan.'

Ze zaten op hun linnen stoeltjes en genoten van de krachtige mengeling van rum, limoensap en cointreau die Dan voor deze gelegenheid had bedacht. Hannah voelde de spanning uit zich wegvloeien en begon Allie vragen te stellen over haar werk. Later hoorde Sarah haar neuriën in de douche en ze glimlachte, terwijl ze ondertussen Suniva de fles gaf. Hannah had nooit zuiver kunnen zingen. Na het avondeten gingen ze buiten onder de bomen zitten en keken op naar de glanzende sterren aan de hemel, met hun voeten uitgestrekt naar de gloeiende resten van het vuur. In de verte brulde een leeuw, en even klonk er een zwaar grommend geluid, en daarna weer gebrul.

'Die jongen is op zoek naar iets te eten,' concludeerde Dan. 'Hopelijk gaat hij niet de hele nacht zo door.'

'Mij zal hij niet wakker houden,' zei Sarah. 'Ik ben al blij als ik mijn bed haal.'

Later, toen ze in bed lagen te luisteren naar het geritsel van de gekko's tussen het riet leunde Hannah op een elleboog en vroeg: 'Sarah? Weet je nog toen we voor het laatst hier bij elkaar waren? Dat was in de zomer toen we eenentwintig werden en beloofd hadden die samen door te brengen. Jij kwam uit Ierland hierheen en Camilla kwam uit Londen. En ik was net Rhodesië ontvlucht om Piet op Langani te kunnen helpen. Weet je nog hoe gelukkig we toen waren en hoeveel dromen we koesterden?'

'Ja, dat weet ik nog.'

'Vind je niet dat we Camilla moeten schrijven? Haar moeten vertellen wat er is gebeurd?'

'Ja, dat denk ik wel.'

'Het heeft geen zin kwaad op haar te blijven vanwege Tim,' zei Hannah. 'Je moet niet dezelfde fout maken als ik, toen ik dacht dat jij en Lars een geheim hadden.'

'Nee, en Tim is niet bepaald het toonbeeld van geheimzinnigheid,' zei Sarah. 'Bovendien is Camilla het soort meisje dat het me wel zou vertellen als ze met mijn broer naar bed zou gaan, of ik dat zou willen horen of niet.'

'Wat denk je ervan?'

'We sturen haar morgenochtend een brief. Ga nu maar slapen, anders krijg je er spijt van dat ik je om half zes uit je bed ga trekken.'

'Ik slaap al,' zei Hannah. Ze lag met haar ogen open aan het donker te wennen en kon inmiddels de vormen van de voorwerpen om haar heen onderscheiden. Ze was doodmoe, maar ze had dat moment bereikt waarop beelden haar overvielen zodra ze haar ogen sloot.

'Sarah?'

Er klonk wat gemompel bij wijze van antwoord.

'Weet Piet dat we hier zijn? Denk je dat hij ons kan zien?'

'Dat denk ik wel. Ik weet dat hij over me waakt. Over ons allemaal.'

'Maar pa dan?' vroeg Hannah. 'Stel dat het waar is wat ze ons op school hebben geleerd, dat de nonnen en de dominee gelijk hebben, dan brandt hij nu voor altijd in de hel en kan hij nooit meer ontsnappen.'

'Daar geloof ik helemaal niets van,' zei Sarah. 'Ik denk dat Jan lang voor zijn dood al voor zijn fouten heeft geboet. Hij heeft zijn schulden vereffend toen hij nog op aarde was. En nu rust hij in vrede.'

'Ik hoop dat je gelijk hebt.' Hannah lag in het donker aan de vader te denken die ze ooit had gekend, lang voordat haar onschuldige, overzichtelijke wereld was ingestort. Hij bleef een tijdje aan de rand van haar bewustzijn ronddwalen, en toen ze door slaap werd overmand, deed ze nog steeds haar best om zijn gezicht voor zich te zien.

Sarah werd bij zonsopgang wakker. Buiten was het koel. Ze schudde Hannah voorzichtig wakker, waarna die de baby ging voeden en verschonen en haar in haar reiswiegje legde. Ze pruttelde en zwaaide met haar armpjes en beentjes toen ze haar naar de Land Rover droegen. Rabindrah was nergens te zien.

'Ga je morgen met ons mee?' had Sarah hem de avond ervoor gevraagd.

'Ik denk dat ik morgen hier blijf,' had hij geantwoord. Hannah zou hem er liever niet bij willen hebben en hij wilde haar niet tot last zijn nu ze zo'n verdriet had. 'Jullie hebben vast dingen te bespreken waarbij een derde niet gewenst is.'

Ze reden het kamp uit, begeleid door het tjirpen van insecten en het zingen en slaan van de vogels. Sarah wees op een fraaie spiesbok die tussen de lange grashalmen bijna niet te zien was en zag de gerenoeken en giraffen lang voordat Hannah die in de gaten kreeg. Bij de rivier zagen ze een groepje olifanten drinken en zichzelf besproeien met slurven vol water. Boven hen, in de bomen, zat een troep bavianen elkaar krijsend achterna, ruziemakend over besjes en bladeren. Ze sprongen van tak tot tak, of zaten elkaar dicht bijeen te vlooien. Een visarend bewoog zich langs de rivier en nam plaats op een stuk drijfhout op de oever. Zijn indringende roep werd meegevoerd door de kalme wind.

'Hoe lang blijft Rabindrah nog?' wilde Hannah weten. 'Ik hoop dat hij niet opnieuw over pa begint en gaat vragen naar details over zijn dood.'

'Hij wacht totdat zijn auto is gerepareerd. En ik denk niet dat hij dat zou doen. Het is niet eerlijk om te denken dat hij alles wat hij over anderen en hun verdriet hoort zomaar zou opschrijven. Zo is hij helemaal niet.'

'Sorry,' zei Hannah. 'Ik heb gemerkt dat jullie behoorlijk goede vrienden zijn geworden, en hij heeft ook indruk op Dan en Allie gemaakt. Ik denk dat we door die keer dat hij naar Langani kwam gewoon niet op zo'n fraaie manier hebben kennisgemaakt.'

'Ik was toen ook niet bepaald blij met zijn komst,' zei Sarah, 'maar ik heb met veel plezier met hem samengewerkt.'

'Ga jullie nog een boek maken?'

'Dat weet ik niet,' antwoordde Sarah. 'Ik zou het heel leuk vinden, als ik er naast mijn bezigheden hier tijd voor zou hebben. Het is vast heel boeiend om de nomaden en de herdersvolkeren tussen hier en Somalië te fotograferen.'

'Het is zo moeilijk om de zaken nuchter te bekijken, hè? O, Sarah, ik hoop zo dat we ooit weer een normaal leven zullen kunnen leiden. Ma ook.'

'Lottie is heel erg sterk. Jan mocht van geluk spreken dat ze al die jaren bij hem is gebleven.'

'Maar ze hield niet meer van hem. Dat kon ook niet, met de hoeveelheden die hij dronk.' Hannah was ongelooflijk eerlijk. 'Het moet heel eenzaam zijn geweest, en hij had nogal eens last van losse handen. Ik heb nooit begrepen waarom ze hem niet verliet. Ik zou zo'n offer niet kunnen brengen, niet als iemand me zo'n pijn deed. Zo'n goed mens ben ik niet. Ik kan nog steeds niet geloven wat hij heeft gedaan, Sarah. Mijn eigen vader.'

'Hij heeft een vreselijke prijs betaald, Han.'

'Piet is degene die de prijs heeft betaald,' zei Hannah. 'Met zijn leven. En dat kan ik pa niet vergeven. Hij had moeten blijven, of ons in elk geval moeten waarschuwen. Dat had Piet van Simon Githiri kunnen redden. Weet je, toen ik begreep hoe het zat, haatte ik hen allebei evenveel, pa en Simon. Ik kon niet zeggen voor wie ik meer haat voelde.' Ze klonk gekweld. 'Ik had Lars een boodschap voor pa moeten meegeven. Maar dat heb ik niet gedaan, en nu is het te laat.'

'Hij weet het, Hannah. Hij weet nu alles.'

Twee dagen later was Hannah al zo aan het ritme van het leven in het kamp gewend dat ze zich begon te ontspannen. Ze glimlachte vaker en breder en begon weer op het sterke, optimistische meisje te lijken dat ze voor Piets dood was geweest.

'Waarom ga je niet met ons mee?' vroeg ze die ochtend aan Rabindrah. 'Of heb je geen belangstelling meer voor Sarah en haar olifanten nu je boek af is?'

'Natuurlijk wel.' Hij hapte meteen.

'O, als blikken konden doden.' Hannah lachte hardop. 'Je hebt toch niet ergens zo'n dolk verstopt, hè?'

'Dat wilde Camilla ook al weten.' Sarah grinnikte toen ze zag hoe ongemakkelijk Rabindrah keek.

'Jij zou dat toch moeten weten,' zei Hannah. 'Toen hij ziek was, was hij dagenlang aan de genade van Allie en jou overgeleverd, weerloos als een zuigeling.'

'Nu weet ik helemaal zeker dat ik niet met jullie meega,' zei Rabindrah, maar ook hij moest lachen. 'Maar ik kan trouwens niet, want ik ben gepromoveerd tot kampmonteur en moest iets voor Dan regelen. Een verrassing. En over monteurs gesproken, morgenavond is mijn auto klaar.'

Sarah voelde dat haar opgewekte stemming meteen verdween. Nu hij op het punt van vertrekken stond, wilde ze van alles tegen hem zeggen, maar ze wist niet zeker hoe, en ze durfde er ook niet te veel over na te denken. Hij zat haar aan te kijken, maar zijn uitdrukking was ondoorgrondelijk. Verward wendde ze haar blik af, wensend dat ze het kon uitleggen. Of nee, wat ze het liefst wilde, was haar armen om hem heen slaan, hem vragen geduld te hebben en haar niet te snel af te schrijven. Nu Hannah hier was, wist ze echter niet hoe ze dat moest doen.

Toen ze die avond thuiskwamen, zat Allie onder de acacia te schrijven. Ze keek op en sloeg haar ogen ten hemel. 'Ze hebben vanmiddag bijna het magazijn laten afbranden,' zei ze. 'Ik hoop dat het resultaat je bevalt.'

Het was een uiterst belangrijk stuk gereedschap, legde Dan uit toen ze zich voor het eten verzamelden. Hij had het samen met Rabindrah gemaakt, van een stel oude metalen buizen die ze aan elkaar hadden gelast. Het vierkante bouwsel leek net een kleine kooi, maar er zat een houten platform in waarop schroeven en moeren bevestigd waren.

'Dat is voor je camera's,' zei Dan. 'We kunnen dit geval boven op je Land Rover monteren, en dan kun je je camera vastschroeven, zodat die niet kan bewegen. Wat vind je ervan, meid? Kom, dan gaan we het meteen proberen.'

Sarah keek hem aan en merkte dat ze tranen in haar ogen kreeg. Hij was zo met haar begaan, hij wilde zo graag dat ze gelukkig was. Rabindrah keek haar met diezelfde intense blik aan die haar zo van haar stuk had gebracht bij hun eerste kennismaking, maar er school een glimlach in die ogen met die gouden vlekjes. Ze omhelsde Dan en daarna Rabindrah. Allie kwam naast haar staan en kneep haar even in haar arm terwijl de mannen het gevaarte op de Land Rover zetten.

'Dit moet worden gevierd,' vond Dan. 'En we hebben bovendien een afscheid te vieren. Rabindrah gaat ons morgen verlaten.'

'Zou je me mee kunnen nemen naar Nanyuki?' vroeg Hannah hem even later tijdens het eten. 'Dan hoef ik niet helemaal vanuit Isiolo met de bus. Het wordt tijd dat ik weer aan het werk ga.'

'Ik neem je graag mee,' zei Rabindrah, al keek hij diep in zijn hart niet uit naar drie uur lang met Hannah in één auto.

Na het eten gingen ze ondanks de protesten van Dan allemaal al snel hun eigen gang. Hannah sloeg het aanbod van een derde slaapmutsje af omdat ze haar spullen nog moest inpakken. Ze nam haar baby in haar armen en liep naar Sarahs hut, terwijl Allie haar man stevig vastpakte en hem naar hun vertrekken leidde. Toen Rabindrah opstond, volgde Sarah zijn voorbeeld. Hij aarzelde even en pakte toen haar hand.

In de rondavel bleef ze even roerloos en verlegen staan, niet goed wetend wat ze moest doen. De deur viel met een zacht, krakend geluid dicht, en daarna trok hij haar naar zich toe en kuste haar. Ze sloeg haar armen om hem heen terwijl zijn vingers haar huid verkenden. Hij leidde haar naar het smalle bed en ze gingen liggen, met hun gezichten naar elkaar toe, elkaar telkens weer kussend. Haar sandalen vielen met een kletterend geluid op de vloer. Hij begroef zijn hand in haar dikke haar. Ze duwde zich tegen zijn lichaam aan en voelde zijn hand onder haar katoenen blouse over haar rug op en neer gaan, waardoor het leek alsof haar huid in brand stond.

'Ik weet het niet,' fluisterde ze. 'Ik weet niet of...'

'Het geeft niet.' Hij maakte zich van haar los. Met een bijna afstandelijke blik keek hij haar aan toen ze overeind kwam en haar voeten op de grond plantte.

'Het spijt me,' zei ze ontmoedigd.

'Je gaat nu zeggen dat je tijd nodig hebt om na te denken, en dat is ook zo. Je hebt tijd nodig om te beslissen wat je wilt, of je nog wel iemand wilt toelaten in je hart. En of ik dat zou kunnen zijn, een Indiase journalist, een man met een ander kleurtje, uit een andere cultuur.'

'Daar gaat het niet om.' Zijn laatste woorden hadden haar gekwetst.

'Het gaat om wie ik niet ben.' Rabindrah ging liggen en keek naar het dak. 'Ik ben niet Piet van der Beer, en ik zal hem ook nooit worden. Jij moet beslissen of je hem kunt laten gaan. Anders zal iedere man die van je houdt het voor altijd tegen een geest moeten opnemen.' Hij ging weer rechtop zitten. 'Als je eruit bent, weet je waar je me kunt vinden.'

'Het spijt me,' zei ze weer. Ze wilde niet dat ze zo afscheid zouden nemen, maar ze wist niet wat ze verder kon doen of zeggen. Ze stond op. 'Welterusten, Rabindrah.'

'Welterusten, Sarah.'

Buiten bleef ze lange tijd onder de sterrenhemel zitten en dacht na over de manier waarop hij haar had aangeraakt, en aan het heftige verlangen dat ze voor hem voelde. Maar hoe kon ze de nagedachtenis aan Piet verloochenen, van wie ze al sinds haar jeugd had gehouden? Hij was er niet meer, maar haar liefde voor hem moest ergens voortleven, al wist ze niet waar of hoe. De gevoelens die ze voor Rabindrah had, waren echt en overweldigend, en ze wilde niets liever dan dat hij haar zou kussen en met haar zou vrijen. Toen dacht ze aan Hannah en voelde zich meteen heel erg schuldig. Hannah, die al zo lang haar vriendin was, die Piets zus was, die Rabindrah nog steeds niet vertrouwde. Hannah, die ontzet zou zijn wanneer ze zou merken dat iemand de plaats van haar broer wilde innemen. Zuchtend stond Sarah op. Als ze nog langer buiten zou blijven zitten, zou Hannah zeker denken dat ze bij Rabindrah zat. Er klonk geen geluid toen ze de deur van haar hut opende. Hannah leek te slapen, of wilde in elk geval niet praten. Dat was een opluchting. Sarah maakte zich klaar voor de nacht en gleed onder haar klamboe, waar alleen haar dromen haar konden bereiken.

Rabindrah vertrok na het ontbijt, met Hannah naast hem in zijn Peugeot en Suniva slapend in haar wiegje op de achterbank. Hij leek het fijn te vinden dat hij weer naar Nairobi kon terugkeren en had een zonnig humeur. Het enige spoor dat zijn ziekte had nagelaten, was het verlies van een paar kilo.

Ze namen snel afscheid en gingen op weg. Hij nam de bocht in de zandweg die naar Isiolo voerde en draaide daarna de hoofdweg naar het zuiden op.

'Ik begrijp heel goed waarom Sarah hier zo graag is,' merkte Hannah op. 'Ik had eerder moeten komen. Maar we zijn hier een paar maanden voor Piets dood allemaal nog tijdens een safari geweest, en ik dacht dat het te verdrietig zou zijn.'

'Je ziet er anders uit.' Rabindrah verbaasde zich over haar zelfvertrouwen. 'De afgelopen dagen is er heel wat spanning van je afgevallen, en je oogt uitgerust.'

'Jij ziet er ook beter uit.' Ze keek hem glimlachend aan. 'Waar woon je in Nairobi? Heb je ergens een appartement? Of een huis?'

'Nee, ik woon bij mijn oom. Maar als dit boek een succes wordt, kan ik misschien iets voor mezelf kopen.'

'Dus je wilt voorgoed in Kenia blijven?'

'Ik ben een Keniaan,' zei hij eenvoudigweg. 'Ik ben hier geboren en getogen, net als jij.'

'Ja,' zei ze, al voelde ze zich niet helemaal gelukkig met die vergelijking. 'Mijn familie woont hier sinds de eeuwwisseling. Mijn overgrootvader is in 1906 naar Langani gekomen, toen het allemaal nog wildernis was. De meeste Afrikaners gingen verder naar het noorden of het westen, maar mijn oma werd erg ziek toen ze in de buurt van Thika waren, en mijn overgrootvader vreesde dat zijn lievelingsdochter het niet zou redden. Drie van de huifkarren zijn daar een maand gebleven. Ze kwamen een stel Britten tegen die hun het land aanboden dat nu Langani is. Ik denk dat ze een tijdlang het idee hadden dat ze een fout hadden gemaakt, dat ze bij de Boeren hadden moeten blijven met wie ze uit Kaapstad waren gekomen. Maar ze zijn gebleven, en ik ben de derde generatie op de boerderij.'

'De familie van mijn moeder bestond ook uit boeren,' zei hij. 'In Punjab.'

'Ik dacht dat sikhs altijd soldaten waren,' zei Hannah. 'Een soort kaste van strijders die met het Britse leger hierheen zijn gekomen.'

'Dat is een mythe die ons maar blijft omringen,' zei Rabindrah. 'Veel sikhs zijn boeren. De klasse van krijgers ontstond pas aan het einde van de zeventiende eeuw, en degenen die zich daarbij aansloten, werden de "Singhs", leeuwen, genoemd. Toen de Britten zich in India vestigden, gingen deze sikhs een belangrijke rol in het Britse leger spelen. Ze zijn hierheen gekomen als soldaten en politieagenten, en als bewakers bij de spoorwegen. Mijn grootvader is hier in 1898 aangekomen. Later heeft hij zijn vrouw en twee van zijn broers over laten komen. Hij is vorig jaar pas gestorven, op zijn drieënnegentigste.'

'Dus jouw familie was heel anders dan de simpele koelies die het spoor hebben aangelegd?'

'De sikhs die voor de spoorwegen werkten, waren geschoolde ambachtslieden. Smeden en metselaars en timmerlieden. Naar het schijnt waren de leeuwen in Tsavo nogal dol op hen en hebben er een paar opgegeten, maar tegenwoordig zijn er nog steeds veel sikhs die bijvoorbeeld een houtzagerij hebben of sorghum verbouwen. Of ze hebben een garage, zoals mijn oom.'

'Is het waar dat mensen van alle gezindten jullie tempels mogen bezoeken en mogen mee-eten in de gemeenschapshuizen?' Dat verhaal had Hannah vaker gehoord, maar ze wist niet of het waar was.

'Ja, dat is zo,' antwoordde Rabindrah. 'Als je weer eens in Nairobi bent, zal ik je een keer meenemen. Je hebt mijn nichtje Lila tijdens de modeshow gezien, nietwaar? Zij zal je maar al te graag een rondleiding in de tempel willen geven, of je mee willen nemen naar de bazaar en de winkeltjes met specerijen.'

'Dat zou ik enig vinden,' zei Hannah. Het idee sprak haar heel erg aan. Ze was nog nooit in een Indiaas huis of gebedshuis geweest. 'Ik kan me niet voorstellen dat onze dominee hindoes of moslims, of zelfs katholieken in zijn kerk zou verwelkomen en te eten zou geven.'

'Zie je wel, we vallen best mee,' zei Rabindrah glimlachend. 'We zijn niet allemaal zoals die *duka wallahs* die hun Afrikaanse personeel slecht behandelen en we huwelijken niet allemaal onze kinderen uit.'

'Dat dacht ik heus niet.' Hannah bloosde. 'En ik vind het vervelend dat we in het begin zo naar tegen elkaar hebben gedaan. Na al die artikelen die na mijn broers dood in de krant waren verschenen, was ik nogal achterdochtig ten opzichte van journalisten geworden. Toen jij opeens op de *plaas* verscheen, was ik bang dat je alles weer zou komen oprakelen. Maar ik weet nu dat we dankzij jou die Karanja hebben kunnen vinden, en dat je een goede vriend van Sarah bent geworden.'

'Ik vind het een eer om tot haar vrienden te worden gerekend,' zei hij.

'Ja. En ik moet je nog iets zeggen, al is dat moeilijk voor me.' Hannah zweeg even en zei toen: 'Ik ben blij dat je niet opnieuw over mijn vader bent begonnen, of hebt gedaan alsof ik op de een of andere manier schuldig ben aan zijn wandaden. Als Simon wordt gepakt, als dit allemaal voor de rechter komt, dan zul jij een vriend van Sarah blijven. En hopelijk ook van mij.'

Rabindrah knikte. Zijn gezicht stond onbewogen, maar zijn gedachten buitelden over elkaar heen. Wat had Jan van der Beer dan gedaan? Hannah nam aan dat hij dat wist, maar Sarah had hem blijkbaar niet genoeg vertrouwd om hem deelgenoot te maken van deze pijnlijke feiten. Enigszins ontstemd reed hij verder naar het zuiden, weg van het meisje van wie hij hield. Hij had geen schijn van kans bij haar, besefte hij. Het idee dat ze verliefd op hem zou kunnen worden, was een rare droom, het gevolg van zijn koorts. Het was alleen maar goed dat ze elkaar een tijdje niet zouden zien.

Zelfs de komst van een nieuw kalfje wist Sarahs aandacht niet vast te houden. Ze volgde de kudde door het terrein waarvan ze zo hield, maar de vorm van de heuvels en de meedogenloze schoonheid van het landschap maakten vandaag weinig indruk op haar. De uren sleepten zich voort en ze vroeg zich af of Rabindrah al in Nairobi was, en of hij ooit nog terug zou komen. Ze kon geen reden bedenken waarom hij terug zou willen komen, en ze zou hem zeker niet achterna rennen naar Nairobi.

Al vroeg keerde ze naar het kamp terug, onder het voorwendsel dat ze haar aantekeningen wilde uitwerken. Allie zat achter haar bureau en vloekte toen de rol van de schrijfmachine voor de vijfde keer achter elkaar bleef steken.

'Jij ziet er niet best uit,' zei ze. 'Kom, dan nemen we een kop thee.'

Ze gingen samen onder de bomen zitten, maar Sarah zei niet veel.

'Je mist hem,' stelde Allie vast.

'Dat weet ik niet.'

'Lieverd, natuurlijk mis je hem.' Allie boog zich voorover. 'Luister eens goed, want ik zeg dit maar één keer. Het zijn namelijk mijn zaken niet, maar je bent heel veel voor Dan en mij gaan betekenen. We weten hoeveel je van Piet hebt gehouden, hoeveel je nog steeds van hem houdt. Dat je om hem hebt gerouwd. Je kunt blijven piekeren over wat je hebt verloren, maar je kunt ook denken dat je korte tijd van hem hebt mogen genieten, als een kostbaar, prachtig geschenk. Een stralend beeld van hoe een jongeman hoort te zijn. En in jouw herinnering kan hij nooit veranderen of oud worden. Hij was een bijzonder deel van je leven, dat je moet blijven koesteren, en ik denk dat hij zou willen dat je nooit zult vergeten wat jullie voor elkaar hebben betekend. Maar ik denk ook dat hij zou willen dat je weer het levendige, vrolijke meisje wordt dat je vroeger was. Dat je je leven gaat leiden op de manier die hem zo aansprak, dat je inziet welke andere bijzondere dingen er allemaal op je pad zijn gekomen en die gaat koesteren.'

'Dank je, Allie.' Sarahs antwoord was amper hoorbaar. 'Dank je wel.'

Een uur later kwam de radio krakend tot leven en drukte Dan op de knop.

'Ik kreeg net een telefoontje van Jeremy Hardy,' klonk Lars' stem aan de andere kant. 'Simon Githiri is een uur geleden het politiebureau van Nyeri binnengelopen om zichzelf aan te geven.'

ZESTIEN
Londen, juni 1967

'Heb je voor morgen al plannen?' klonk Edwards stem gespannen aan de andere kant van de lijn.

'Nee, ik heb een paar dagen vrij en wil mijn agenda zo leeg mogelijk houden,' antwoordde Camilla. 'Wil je onze afspraak verzetten?'

'Ik moet morgen naar Barbados,' zei hij. 'Het is maar voor een dag of drie, vier. Een patiënt met brandwonden. Zou je zin hebben om mee te gaan?'

Tot zijn verbazing zei ze ja. Tijdens de lange vlucht voelde ze zich ontspannen en zorgeloos, vol verwachting over de eenvoudige genoegens die haar te wachten stonden. Het zou een echte vakantie zijn, en ze droomde over urenlang over het strand wandelen of dobberen in de blauwe zee.

'Ze sturen een auto die me naar het ziekenhuis zal brengen,' zei Edward toen ze bij de receptie van het hotel stonden. 'Ik moet overleggen met de anesthesist en de rest van het team, en natuurlijk wil ik de patiënt zien. Ik ben zo snel mogelijk weer terug, schat. Op tijd voor een late zwempartij. Dankzij het tijdsverschil hebben we er een middag bij gekregen. Dat is het mooiste van naar het westen vliegen. En kijk eens naar dat witte zand en de kleur van het water.'

Camilla liep naar het strand en zwom in zee, daarna ging ze terug naar haar kamer waar ze een uur lang een dutje deed. Net toen ze alleen in het restaurant zat te eten, belde Edward om zich te verontschuldigen dat het wat later werd. Het was bijna twaalf uur toen hij eindelijk terugkwam. Hij plofte op de bank in haar suite neer en bestelde een groot glas whisky.

'Dit wordt een zware opgave,' zei hij. 'Het is een zwart meisje van zestien van wie de linkerkant van haar gezicht vreselijk is verbrand.

Op haar hals en haar arm heeft ze derdegraads brandwonden. Het zal een wonder zijn als ze met haar linkeroog straks nog iets kan zien. Natuurlijk is ze verdoofd, maar haar ouders zijn buiten zinnen van angst en verdriet. En woede.'

'Was het een ongeluk?'

'Nee, haar vriendje heeft een pan hete olie over haar heen gegooid. Blijkbaar sprak ze, wanneer ze 's morgens de geiten ging hoeden, ook nog met een andere knaap af. Dat jonge heethoofd besloot haar een lesje te leren.'

'Wat een barbaar. Wanneer ga je haar opereren?'

'Morgenochtend vroeg. Ik ben bang dat ik de hele dag in het ziekenhuis zal zitten. Er zijn ook een paar plaatselijke artsen aanwezig die ik een nieuwe methode wil laten zien. Dan ga ik nu maar naar bed. Ik moet er morgenochtend om zes uur weer zijn.'

Camilla ging op het terras zitten en luisterde naar het geluid van de branding en het geritsel van de palmbladeren in het briesje. De sterren straalden boven de zee. Kijkend naar de bewegingen van het licht op het water raakte ze vervuld van een gevoel van geheimzinnige schoonheid. Ze liep het trapje af, naar het strand, en merkte dat allerlei beelden bij haar opkwamen: herinneringen aan de bewegingen van de Indische Oceaan, aan de lange, vlakke *ngalawa's* met hun ranke riemen en spitse boegen, aan de ronde boeien die dansten op de golven. Nu ze zo langs de vloedlijn liep en het water tussen haar tenen voelde, was haar verlangen naar Afrika zo hevig dat het bijna pijn deed.

Ze wist dat het gevoel van eenzaamheid maar tijdelijk zou zijn. Morgen zou ze de hele ochtend aan het strand kunnen liggen, en als Edward klaar was met zijn operatie, zou ze hem meenemen naar de markt en hem kennis laten maken met de overvloed van tropische kleuren en geuren en geluiden die haar altijd dankbaar wisten te maken dat ze hier mocht zijn. In de verte zag ze een paartje lopen, met hun armen om elkaar heen en hun hoofden dicht bij elkaar. Hun zachte gelach werd door het avondbriesje naar haar toe gevoerd. Hun aanblik deed zo'n pijn dat ze zich omdraaide en met snelle passen terugliep naar haar suite. Ze sloot de glazen deur en daarna de gordijnen om afstand tussen zichzelf en de wereld buiten te scheppen, waar anderen hun genoegens konden delen.

Gewoonlijk stoorde ze zich er niet aan dat Edward zo veel tijd met patiënten en collega's doorbracht. Vaak zat hij tot laat op de avond in het ziekenhuis, en in het verleden had ze regelmatig in haar eentje in een restaurant zitten eten omdat hij niet weg kon of wilde. Haar eigen werk eiste veel van haar en trok de aandacht van het publiek, zodat ze het doorgaans niet erg vond als ze eens een avondje rustig alleen en onzichtbaar kon zijn. Nu wilde ze het maanlicht echter delen. Ze wou dat hij haar bij de hand had genomen, de zoute wind en zilte zee had kunnen ruiken en de dansende lichtjes van de tropische bootjes en huisjes en vissershutjes die de kromming van het strand omzoomden in het water weerspiegeld had kunnen zien. Het deed haar allemaal zo denken aan de kust van Afrika, die zo ver weg was.

Toen ze nog een dag alleen had doorgebracht, belde ze het ziekenhuis met een voorstel dat Edward verbaasde en de hele afdeling deed juichen. Op weg naar het hotel kocht ze een paar bossen bloemen bij een kraampje op de markt, en in het witte gebouw sprak ze met het personeel, patiënten en hun familieleden en vrienden, ze deelde bloemen uit, hielp bij het voeden van de kleinste patiëntjes op de kinderafdeling en tekende haastig tevoorschijn gehaalde kaartjes die later vol trots in plakboeken werden gestopt of aan wanden van huisjes op het eiland werden gehangen. Het duurde niet lang voordat er een fotograaf van de plaatselijke krant arriveerde en Edwards patiëntje en haar ouders op de voorpagina kwamen te staan. Geld en geschenken stroomden al snel binnen, en op de tweede dag stuurde een verzekeringsmaatschappij een secretaresse die hielp bij het uitzoeken van alle post. Het meisje werd een beroemdheid, en tegen de tijd dat de limousine Edward en Camilla naar het vliegveld bracht, was Camilla blij dat ze aan de hectiek kon ontsnappen.

'Dat was geweldig van je,' zei Edward toen het toestel opsteeg en ze haar hoofd moest draaien om een laatste glimp van de blauwgroene zee op te vangen. 'Fantastisch idee. Het meisje heeft nu geld genoeg voor de vervolgoperatie, en een oogarts uit New York heeft aangeboden haar verder te helpen.'

'Ik had er genoeg van in mijn eentje over het strand te lopen,' zei ze. 'Nee, je hoeft je niet te verontschuldigen. Je kwam hier om iemand van verminking te redden, en dat vond ik prima. Ik wil er alleen geen gewoonte van maken om zo vakantie te houden.'

In Londen stortte ze zich weer op haar werk. De *Daily Mail* had het nieuws over haar ziekenhuisbezoeken opgepikt en Tom Bartlett belde haar om haar te feliciteren met de publiciteit die ze had gegenereerd. Haar protesten wilde hij niet eens horen. Er lag een nieuw contract met *Harper's Bazaar* op haar te wachten, Saul had een paar nieuwe ontwerpen voor de wintercollectie die ze moest goedkeuren en er kwam nog een sessie in Marokko aan. Ook moest ze nog voor een klus naar Parijs. Nu er zo veel papieren moesten worden getekend, leek het haar het beste wanneer Tom mee zou gaan naar Frankrijk. Hij maakte afspraken met modehuizen die een sessie met haar wilden doen en hielp haar tijdens de onderhandelingen, maar ze beleefden geen van beiden echt veel plezier aan het reisje.

'Dat waren de ergste drie dagen van mijn leven. Wat zijn die Fransen toch arrogant,' zei Tom toen hij bij thuiskomst haar bagage voor haar naar boven bracht. 'En kun je niet ergens gaan wonen waar ze een lift hebben? Of verruil die oude krakkemikkige portier voor iemand die wel kan sjouwen.'

'Lichaamsbeweging is goed voor je,' zei ze, 'zeker na al die cognac en sigaren.'

'Ik was al bang dat we daar eeuwig vast zouden zitten door die vertraging.'

'Dat was maar twee uur.'

'Het leek veel langer,' zei Tom. 'Zin in een borrel, schat? Ik heb trek in champagne, ook al is dat Frans.'

'Fransen zijn altijd lastig,' zei Camilla. 'En die fotograaf had de pest aan me, wat het ook niet gemakkelijker maakte. Er staat nog een fles in de koelkast, en pak maar een paar glazen. Ik neem even de post door.'

Haar blik viel meteen op de postzegels uit Kenia. Lars was degene die het adres op de envelop had geschreven, waardoor ze meteen een angstig voorgevoel kreeg. Hannah was altijd degene die schreef. Ze legde de brief opzij; die zou ze later wel lezen, als ze een borrel had gehad en zich niet schuldig voelde omdat ze niet had teruggeschreven.

Ze had via Toms kantoor cheques gestuurd en nieuwe naaimachines en stoffen laten leveren, maar ze had zich er niet toe kunnen zetten haar eigen gevoelens aan het papier toe te vertrouwen en uit te leggen waarom ze niet was teruggekomen. Om toe te geven dat ze een lafaard was. En met elke dag die verstreek, werd dat moeilijker.

'Tom? Heb je voor ons vertrek naar Parijs nog een cheque naar Langani gestuurd?'

'Ja, al weet ik niet meer waarvoor. Het atelier is nog steeds dicht en je laat de kleren hier maken, voor tien keer zoveel. Je vriendin Hannah draagt helemaal niets bij, dus het is me een raadsel waarom je haar geld stuurt. Het is bespottelijk, als je het mij vraagt.'

'Ik vraag het je niet.' Camilla pakte een glas champagne van hem aan. 'Hou nu eens op met ijsberen en ga zitten. Je maakt me zenuwachtig. Ik ben ook moe, hoor. Het was daar vreselijk, een beetje op een balustrade ronddansen in een jurkje dat me in de Sahara nog niet warm zou kunnen houden. En niemand nam de moeite om me te vragen of ik soms hoogtevrees heb.'

'Heb je dat dan?' Tom ging aan het andere uiteinde van de bank zitten.

'Nee, maar het heeft geen zin dat nu nog te vragen.' Ze keek hem met halfgesloten ogen aan. 'Waarom masseer je mijn voeten niet even voordat je naar huis gaat? Daar knap ik altijd van op.'

'Ik wil niet naar huis,' zei hij. 'Daar is het koud en donker en eenzaam. Ik blijf liever bij jou om dronken te worden. Of stoned.'

'Ik ben niet van plan een van beide te worden,' merkte ze op. 'Zit dat blonde mokkeltje niet op je te wachten, in haar beste lingerie en met iets lekkers in de oven?'

'Dat is voorbij.' Hij trok een mismoedig gezicht. 'Het ging om de een of andere reden niet.'

Camilla barstte in lachen uit. 'Natuurlijk ging het niet. Je laat altijd je oog vallen op die hersenloze meiden die maar voor één ding deugen. En dan ben je verbaasd dat het niets wordt.'

Hij pakte een van haar voeten en begon vaardig over haar voetzool te wrijven. 'Doet Tarzan dit ook als je moe bent?' vroeg hij, met de bedoeling haar te kwetsen.

'Hou op, Tom.' Haar toon was kil, en ze wendde zich van hem af. Ook al gedroeg Anthony zich schandelijk, helemaal vergeten kon ze hem nooit. Het was vreselijk dat hij nog steeds zo'n invloed op haar leven had, zelfs nu ze duizenden kilometers bij hem vandaan zat.

'Het spijt me, schat,' krabbelde Tom terug. 'Zal ik wat te eten voor ons maken? Een eitje bakken?'

'Denk maar niet dat je kunt blijven, ook al maak je iets te eten,' merkte ze op, maar ze voelde zich zo somber dat ze blij was dat hij er was.

Ze nipte aan haar drankje en hoorde hem rommelen in haar keuken. Hij kon lekker koken, maar leek niet eens in staat een kom cornflakes te maken zonder vreselijk veel lawaai te produceren. Wanneer hij bezig was geweest, zag de keuken eruit alsof er een bom was ontploft.

Even later kwam hij binnen met een dienblad in zijn handen en wierp ze hem een kushandje toe. 'Je bent echt een schat,' zei ze. 'En je ziet er niet eens slecht uit, met die bruine slaapkamerogen en die leuke lach. En je haar zit leuk de laatste tijd, met die pony. Ik kan je hersens er gewoon onder zien werken.'

'Maar je valt niet op me,' zei hij, toch een tikje hoopvol.

'Nee, dat doe ik niet, en dat zal ook nooit gebeuren. Eet nu maar je bordje leeg, dan kijken we daarna of er iets op tv is.'

'Hoe is het met Edward?'

'Die is er niet,' zei ze.

'Nog nieuws van Sarah? En hoe is het met dokter Tim? Heeft hij zijn bruidje nog gevonden?' Tom keek nieuwsgierig. 'Je zult toch voor het altaar worden gedumpt. Hoe is dat allemaal gegaan?'

'Ik heb niets meer van hem gehoord,' zei Camilla, 'en Sarah heeft ook niet meer geschreven, afgezien van een erg kort bedankbriefje. Ik weet zeker dat ze hem hier heeft zien weggaan, en ik was zo stom om hem te beloven dat ik niets tegen haar zou zeggen.'

Om verdere discussie te voorkomen zette ze de tv aan, maar ze kon zich niet op het programma concentreren. De envelop met Lars' handschrift bleef haar vanaf de salontafel aankijken. Ten slotte kon ze zich niet meer beheersen en maakte hem open. Vanaf dat moment bestond de rest van de wereld niet langer.

'Wat is er aan de hand?' Tom boog zich naar haar toe.

'De Kikuyu die Piet heeft vermoord, is waarschijnlijk nog in leven,' vertelde Camilla. 'En Hannahs vader is in Rhodesië gestorven.' Ze pakte de telefoon om een internationaal gesprek naar Langani aan te vragen, maar bedacht zich toen, beseffend dat het al laat was.

'Jezus, is dat gezin vervloekt of zo?' zei Tom.

'Wie weet,' zei ze bedachtzaam. 'Al lijkt niemand te weten wat er precies aan de hand is of wat de reden is.'

Niemand wist waar Simon zat, had Lars geschreven. Hij was naar Rhodesië gevlogen, waar Jan in een hinderlaag was gelopen en was gedood, en hij had Lottie mee terug naar Langani genomen. Hannah had het erg moeilijk. De nieuwe naaimachines waren geleverd, maar het atelier was vanwege de droeve gebeurtenissen van de afgelopen tijd nog steeds niet heropend. Op het laatste velletje had Hannah iets toegevoegd:

> Je bent daar beter af dan hier. Ik zou nooit meer terugkomen als ik jou was, want hier is niets meer, afgezien van dingen die we beter niet hadden kunnen weten. Ik ben een paar dagen bij Sarah geweest, het gaat goed met haar. Ma is bij ons, maar ik weet niet hoe lang ze zal blijven. We weten nog niet wat we gaan doen, of we hier zullen blijven. Ik heb altijd voor Langani willen vechten, voor Piet, voor zijn nagedachtenis, maar nu weet ik het gewoon niet meer.

'Ik moet erheen.' Camilla gaf Tom de brief aan. 'Ik kan hen helpen. Het atelier openen, Hannah een beetje hoop bieden. En ik kan het goedmaken met Sarah.'

'Ben je gek geworden?' Tom keek haar kwaad en ongelovig aan. 'Of heb je helemaal je verstand verloren? Er loopt daar godverdomme een moordenaar rond, en iedereen op die boerderij is een gemakkelijk doelwit. En als niemand je aan stukken hakt, dan kom je die domme leeuwenjager van je wel weer tegen, en die geeft je binnen een half uur het gevoel dat je niets waard bent, terwijl je zo'n prachtige, slimme en aantrekkelijke vrouw bent. Als je tenminste niet bij hem bent.'

'Ik kan voor even gaan en –'

'Je gaat helemaal nergens heen, Camilla.' Tom stond nu te schreeuwen. De aderen in zijn nek en voorhoofd zwollen op. 'Je hebt me laten beloven dat ik dat Somalische hoertje in Nairobi niet in zou lijven, want anders zou je bij me weggaan. Nou, dan kan ik je nu zeggen dat ik je contract zal laten ontbinden als je het waagt naar Afrika te gaan. Want ik werk niet met mensen die spelletjes met me spelen, schat. Punt uit.'

'Ik snap niet waarom je zo boos bent.' Ze wilde zijn hand pakken, maar hij stond op en zei: 'Ik ga naar huis. Ik hoor het wel wanneer je weer kunt nadenken. Maar wacht niet te lang, Camilla, anders haal ik je nummer uit mijn agenda.'

Twee dagen lang worstelde ze met de vraag of ze naar Nairobi moest vliegen. Er kwam een brief van Sarah, waarin ze kort de herdenkingsdienst beschreef die op Langani was gehouden. Net toen ze zich afvroeg of ze een ticket moest gaan boeken, ging de telefoon.

'Ik heb een verrassing voor je.' Tom kon zijn opwinding niet onderdrukken. 'Ze gaan *De meeuw* opvoeren, en ik heb ze zover gekregen dat je auditie mag doen voor de rol van Masja.'

'Ik? Op het toneel?' Het was al zo lang geleden dat ze was afgewezen voor de toneelschool. Ze had de afwijzing achter zich gelaten en aan een andere carrière gewerkt, maar nu zou haar jeugddroom werkelijkheid kunnen worden. 'O god, wanneer is die auditie? Tom, ik denk niet dat ik dat kan, auditie doen... Ik ben nu al nerveus, ik heb geen idee hoe –'

'Dit heb je toch altijd gewild?' onderbrak hij haar. 'Dit is je kans. Ik heb voor volgende week dinsdag een afspraak voor je gemaakt, en ik ga wel mee om je handje vast te houden. Je kunt je maar beter niet verspreken, schat.'

Camilla kreeg de rol en was dolgelukkig. Ze zegde de meeste van haar fotosessies af en stortte zich op het repeteren. Haar woonkamer lag vol met alles wat ze over Tsjechov en geschiedenis en literatuur van die periode kon vinden, en ze bleef avond aan avond laat op om zich onder te dompelen in de schemerwereld van de verdwijnende Russische adel en hun instortende landhuizen.

Twee weken later kwam ze thuis van een dag waarop de repetitie niet lekker was verlopen. Iedereen was geïrriteerd geweest, de regisseur had ruzie met twee spelers gemaakt en na de repetitie had ze geen taxi kunnen krijgen omdat het koud was en regende. Ze zag bij thuiskomst de uitnodiging boven op het stapeltje post liggen. Ze scheurde de envelop open en keek naar de namen van de gastheer en gastvrouw die op het zware papier stonden vermeld. Chad en Ruthie Parker. Dat zei haar niets, en ze legde de envelop op de stapel met brieven die om een beleefd bedankje vroegen. Elke dag ontving ze tientallen van dit soort kaartjes, meestal van mensen die graag een beroemdheid op hun feestje wilden hebben.

Nadat ze zich had gedoucht en aangekleed, nam ze een taxi naar de woning van Edward, waar de huishoudster de haard had aangestoken en een plaat van Mozart had opgezet.

'Heb je een uitnodiging van de Parkers ontvangen?' vroeg Edward.

'Ja, maar wie zijn dat? Moet ik hen kennen? Ken jij ze?' Camilla was verbaasd.

'O, wat ben je af en toe toch een warhoofd,' zei hij. 'Weet je het niet meer? Ze kwamen hier eten toen Sarah er was. Ze hebben een flink bedrag aan haar onderzoek gedoneerd.'

'O, dat is waar ook,' zei ze. 'Dan moest ik maar wel gaan. Ze waren vriendelijk, maar ook een beetje eng. Zij is zo overenthousiast.'

'Ze hebben een tamelijk riant huis in Mayfair,' zei hij. 'Vol met impressionistische schilderijen en een stel Picasso's, en van die Chinese rotzooi waar binnenhuisarchitecten uit New York zo dol op zijn. We moeten op dat feestje in elk geval even onze neus laten zien. Als je zin hebt, kunnen we daarna nog wel samen een hapje gaan eten.'

Het huis bleek inderdaad indrukwekkend. Een dienstbode in uniform nam meteen hun jassen aan en een ober bood champagne aan.

'Wat fijn dat jullie konden komen.' Ruthie begroette hen uitbundig in de hal. 'We hebben een verrassing voor jullie, een speciale gast. Ik had het willen vertellen, maar zo leek het me toch leuker.'

Ze ging hen voor naar de woonkamer. Camilla bereidde zich al voor op een uurtje doelloos babbelen, maar toen verstijfde ze van schrik. Anthony Chapman stond met zijn rug naar de haard, lang en pezig, een tikje afzijdig van de andere gasten. Hij had een glas in zijn hand en glimlachte vanaf de andere kant van de kamer naar haar. Chad Parker liep naar haar toe om haar te begroeten, en opeens stond Anthony Chapman naast haar en gaf haar een zoen op haar wang terwijl Ruthie maar doorratelde over de romantiek van blanke jagers en safari's en nachten in een tent op de Afrikaanse savanne.

'We zijn zo blij dat je vriendin ons in contact met Anthony heeft gebracht,' zei Chad. 'Dankzij Sarah hebben we een leuke reis voor een aardig groepje vrienden kunnen regelen.'

'Anthony. Wat onverwacht. Ben je hier al lang?' Camilla had zich snel hersteld.

'Nee, sinds vanmorgen. Ik ben op mijn gebruikelijke reisje om klanten te werven, en Chad en Ruthie vroegen of ik zin had om hierheen te komen.'

Camilla vroeg zich af of hij de moeite zou hebben genomen contact te zoeken als hij hier geen gast was geweest. Ze zag dat Edward vanaf de andere kant van de kamer naar haar keek, hoewel een van de gasten tegen hem sprak, en schonk hem snel een oogverblindende glimlach.

Hij kwam naar haar toe en pakte haar lichtjes bij haar elleboog. 'Stel me eens voor, lieverd.'

'Ja, natuurlijk. Dit is –'

'Ik ben Edward Carradine,' zei Edward tegen Anthony, zonder te wachten totdat ze was uitgesproken. 'Ik heb veel over je gehoord. Blijf je lang in Londen?'

'Ik ben vanmorgen aangekomen en blijf twee dagen. Daarna ga ik naar New York, Chicago en de westkust, en vanaf daar terug naar Europa.' Anthony schudde Edward de hand en wendde zich tot Camilla. 'Ik zie je gezicht overal, in etalages en op reclameborden en tijdschriften. En nu hoor ik dat je ook nog op het toneel gaat staan. Dat voelt vast erg goed.'

'Dat voelt fantastisch,' zei ze, 'al ben ik wel bang voor de recensenten. Ze kunnen met een paar harde woorden een stuk helemaal de grond in schrijven, en dat zou dan wel eens mijn schuld kunnen zijn.' Ze merkte dat ze te snel sprak, maar ze kon niets doen tegen het snelle kloppen van haar hart of haar droge keel.

'Zover zal het heus niet komen,' zei Edward.

'Natuurlijk niet.' Anthony keek haar recht aan, en zijn blik leek haar te doorboren.

'Ik heb het gehoord, van Jan,' zei Camilla. 'En dat Simon nog leeft.'

'Het is erg zwaar voor Hannah,' zei hij, 'en ook voor Sarah. Ze hebben al zoveel meegemaakt. Ik weet niet of er nog wel een einde komt aan al die ellende.'

Camilla wilde echter niet stilstaan bij Langani en haar gebrek aan steun voor haar vriendinnen. Tot haar opluchting kwam er een ander stel naar hen toe en ging het gesprek al snel over de savanne en het leven in een onafhankelijk Afrikaans land. Het was een koud kunstje om de man met het zuidelijke accent die mee zou gaan op de safari van de Parkers om haar vinger te winden met verhalen over haar jeugd in Afrika. De champagne vloeide rijkelijk en het werd steeds warmer in de kamer. Ze voelde zich opgesloten, en toen Anthony door de gastvrouw werd weggelokt, zette ze haar glas neer en vroeg waar het toilet was. Daar bleef ze tien minuten staan, genietend van de koele lucht. Het was fijn om afstand te kunnen nemen van het lawaai van het feestje en het onrustige gevoel in haar buik. Ze wilde net terugkeren naar de woonkamer toen Anthony in de gang verscheen en haar de weg versperde.

'Ik moet je zien,' zei hij met lage stem.

'Je ziet me toch?'

'Dat bedoel ik niet. Ik wil je onder vier ogen spreken.' Hij pakte haar bij haar arm.

'Ik heb het erg druk,' zei ze. 'Ik ben niet beschikbaar. Bovendien wilde ik net gaan, dus je moet me excuseren.'

Ze bracht de nacht bij Edward door en ging na het ontbijt naar haar eigen huis, blij dat ze voor die dag geen afspraken had. In de gang trof ze een envelop aan die onder de deur door was geschoven. Ze scheurde hem open en las het briefje dat erin zat:

Camilla, ik moet je spreken. Alsjeblieft. Bel me, ik zit in het Chesterfield Hotel, kamer 14.
Anthony.

Ze gooide het briefje in de prullenbak en zette een kop koffie. Toen de telefoon ging, wist ze dat hij het zou zijn.

'Ik wil graag naar je toe komen,' zei hij. 'Ik heb je het een en ander te zeggen. Geef me alsjeblieft een kans.'

'Dat kun je me ook telefonisch vertellen,' zei ze.

'O, in godsnaam, Camilla, ik wil je zien. En als je niet thuis blijkt te zijn, blijf ik net zo lang voor je deur bivakkeren totdat je er weer bent.'

'Het is hier te koud om te kamperen,' zei ze, in een poging zijn dreigement belachelijk te maken. Ze wist dat ze niet aan hem zou kunnen ontkomen. Dat ze hem dolgraag wilde zien. Ze probeerde een plek te bedenken die neutraal en veilig was en waar ze een uurtje met elkaar zouden kunnen praten. Een uurtje maar. 'Kom maar naar de Royal Academy. Er is een tentoonstelling die ik al weken wil zien. Twaalf uur.'

'Ik ben blij dat je er bent,' zei hij toen ze de draaideur openduwde. 'Al had ik liever ergens gezeten waar we onder elkaar waren geweest. Ik wilde tegen je zeggen dat ik me als een echte zak heb gedragen. Ik ben zo stom geweest. Ik heb er elke dag spijt van. Ik wil weten hoe het met je gaat.'

'Het gaat goed, dat zei ik gisteravond al. Kunnen we het nu over iets anders hebben?'

'In Nairobi spreek ik je vader nogal vaak,' zei hij, bang dat ze weg zou lopen. 'We werken samen aan een paar projecten. Hij doet grootse dingen voor natuurparken en reservaten. George is een van de weinigen die resultaten boeken omdat hij weet hoe hij met politici en ambtenaren om moet gaan. Uitermate charmant, maar ook heel daadkrachtig. Johnson Kiberu staat helemaal aan zijn kant. Een goeie vent.'

'Een erg goeie vent.' Camilla moest haar lippen opeenknijpen om te voorkomen dat ze zou lachen.

'We hebben met ons drietjes allerlei manieren bedacht om te voorkomen dat subsidies en dergelijke in verkeerde handen terechtkomen. Vorige maand heeft George vijf spiksplinternieuwe Land Rovers hoogstpersoonlijk aan de parkwachters overhandigd, zodat ze beter naar stropers kunnen speuren. Ik geloof dat hij binnenkort even naar Londen wil komen.'

'Dat zou enig zijn,' zei Camilla. 'Kijk eens, wat een prachtig landschap, met zo'n zachtpaarse gloed. Het is Frans, maar zo ziet het avondlicht in Kenia er ook uit. Is dat niet verbazingwekkend?' Ze zag dat hij helemaal niet naar de schilderijen keek. 'Hoe gaat het in de safariwereld? Zit je al vol voor het volgende seizoen?'

Hij schonk geen aandacht aan haar vraag. 'Camilla, ik weet niet hoe ik je duidelijk moet maken dat het me heel erg spijt. Ik was heel erg egoïstisch, kinderachtig zou je kunnen zeggen. Ik flirtte alleen maar een beetje met die meid, meer had het niet te betekenen. Ik heb je nooit van streek willen maken. Luister alsjeblieft eens naar me.'

'Het doet er niet meer toe.' Ze wilde niet praten over dingen die pijn en beschuldigingen konden opleveren. Het was sowieso al te laat. 'Het is allemaal al een hele tijd geleden en er is zoveel veranderd.'

'Is dat zo?'

'Ja, we zijn weer teruggekeerd naar onze oude levens, net zoals jij altijd al had gedacht.' De aarzelende glimlach bereikte haar ogen niet, en opeens wist ze dat deze afspraak een verkeerd idee was geweest.

'Hou je van hem?' vroeg hij. 'Ga je met hem naar bed?'

'Dat zijn jouw zaken niet.' Ze begon haar zelfbeheersing te verliezen. 'Ik ga nu. Ik moet nog een paar dingen regelen voordat ik om twee uur in het theater moet zijn.'

'Kijk me aan en zeg dat je van hem houdt.'

'Laat me met rust, Anthony. Mijn leven loopt nu op rolletjes. Ik ben goed in wat ik doe en ben daar tevreden mee. Laat me gewoon met rust, toe nou.'

'Ik heb een enorme fout gemaakt.'

'Nee, dat heb je niet. Vertel me nu maar over Hannah, en Lottie.'

'Ze hebben een vreselijke tijd achter de rug. De ontdekking waarom Simon Piet heeft gedood, wat Jan heeft gedaan. En natuurlijk lopen Simon en zijn oom nog steeds vrij rond en vormen nog steeds een bedreiging voor de boerderij.'

Camilla begreep er niets van. Niemand had haar verteld waarom Simon Piet had gedood, en wat had Jan dan gedaan? Ze voelde een vlaag van misselijkheid. Hannah had haar buiten de belangrijkste gebeurtenissen op Langani gehouden. Ze hoorde er niet meer bij, ze was geen deel meer van het dierbare groepje uit hun jeugd, ook al had ze zo haar best gedaan met het atelier en had ze hun geld gestuurd. Ze keek naar Anthony, ronduit misselijk maar te trots om toe te geven dat ze niet het hele verhaal kende. In een flits van helderheid begreep ze dat haar vader dit al die tijd al moest hebben geweten. Dit was de reden waarom Jan de boerderij voor de onafhankelijkheid had verlaten.

'Ik wil het niet over Hannah hebben,' zei Anthony, 'maar over ons.' Hij keek haar aan, hij stond vlak voor een enorm doek waar hij niets van zag omdat hij alleen Camilla zag, die haar prachtige gezicht naar hem ophief en hem met haar stralende blauwe ogen aankeek. Een paar mensen keken hen aan, en hij besefte dat ze was herkend. 'Laten we hier weggaan.' Hij pakte haar hand vast. 'Kom, dan gaan we ergens koffiedrinken. Of een stukje door het park wandelen. Het is een mooie dag en je hebt nog wel wat tijd.'

Ze liep zwijgend achter hem aan, vastberaden haar gevoelens in de hand te houden. Ze was alweer gekalmeerd toen ze het park hadden doorkruist en een cafeetje hadden gevonden.

'Hannah vertelde in haar brief niet alles over Simon en Jan,' zei ze. 'Je kunt onder zulke omstandigheden niet altijd alles goed in woorden vatten. Kun jij me het hele verhaal vertellen?'

En zo hoorde ze de waarheid, terwijl ze van haar koffie nipte en haar schrik probeerde te verbergen. Anthony vertelde wat Jan had gedaan en wat de gevolgen van zijn daad waren geweest.

'Die arme Hannah,' zei ze. 'Gelukkig heeft ze Lars en de baby nog. Sarah heeft helemaal niemand.'

'Die heeft haar werk, dat houdt haar aan de gang.' Hij stak zijn hand uit en pakte die van Camilla vast. 'Maar nu moeten we het over ons hebben.'

'Er is geen "ons". We hebben plezier aan elkaar beleefd, meer niet. Een leuk romantisch intermezzo, maar nu is dat voorbij.'

'Ik heb je pijn gedaan en daar zal ik altijd spijt van hebben.'

'Je hebt me twee keer pijn gedaan. En nu wil ik dat je uit mijn buurt blijft, omdat ik eroverheen ben en er nooit meer aan wil denken.'

'Ik was jaloers. Op al die mensen uit Londen en die drukte om je heen, waarvan ik geen deel kan uitmaken. Hannah heeft me heel onomwonden duidelijk gemaakt hoe egoïstisch ik kan zijn. Hoe onvolwassen. En Lars ook. Ze hebben me niet gespaard en ze hadden gelijk.'

'We worden allemaal op een andere manier volwassen. Mijn leven is nu heel anders, Anthony. Ik kan nu iets bereiken wat ik als kind al wilde doen, en dat vind ik heerlijk. Dat is nu belangrijk voor me.'

'Ben je gelukkig?' Hij greep allebei haar handen vast. 'Met die dokter van je?'

'Gelukkig? Wat is dat nu voor een vraag? Alles gaat prima. En hij zorgt goed voor me.'

'Hij is oud genoeg om je vader te zijn,' zei Anthony.

'Hij is twintig jaar ouder dan ik,' zei Camilla op kille toon. 'En hij lijkt helemaal niet op mijn vader. Het zijn trouwens jouw zaken helemaal niet.'

'Hoor eens, na jouw vertrek voelde ik me echt belabberd. Ik was helemaal van streek, ik wist me geen raad.'

'Je hebt vast wel ergens troost kunnen vinden.'

'Je hebt het over die Amerikaanse,' zei hij, ervan uitgaande dat ze het had gehoord. In Nairobi deden roddels met een bijna wrede snelheid de ronde, en hij wist zeker dat George van de affaire had gehoord. 'Ze betekende niets voor me, en ik ook niets voor haar.' Hij zag niet hoe geschokt ze keek omdat ze haar gezicht afwendde.

'Het arme kind,' zei ze bitter. 'Weer een speeltje dat jouw avances niet kon weerstaan. Net als ik.'

'Ze had net haar verloving verbroken en we likten allebei onze wonden. Maar laten we het er niet over hebben, dat is het niet waard.'

'Ja, dat geldt voor al die meisjes die je sindsdien hebben kunnen troosten.' Camilla voelde een ijzige woede bezit van haar nemen, maar was kwader op zichzelf dan op hem. Ze voelde dat haar maag zich omdraaide en merkte dat ze met haar lege kopje zat te spelen. Haar vingers trilden.

'Camilla...'

'Ik moet nu gaan, Anthony. Het lijkt me zo wel genoeg.' Ze stond op en keek hem met een droevige blik aan.

'Ga met me mee naar mijn hotel, Camilla. Laten we opnieuw beginnen.'

Ze schudde haar hoofd, niet in staat iets te zeggen. Toen liep ze met ferme passen weg, haar gedachten gericht op het zoeken naar een taxi, een bushalte, of desnoods alleen maar op het oversteken van de straat, op alles en iedereen behalve Anthony Chapman. In de beslotenheid van haar woning stapte ze meteen onder de douche en boende elke gedachte aan hem van zich af. Ik spoel hem uit mijn haar, dacht ze. Maar de pijn binnenin bleef ze voelen, alsof hij haar met een mes in de borst had gestoken.

Toen ze terugkwam uit het theater stond hij op de gang voor haar voordeur te wachten, met een heel perk aan rozen aan zijn voeten. Hij bukte zich om de bloemen te pakken.

'O, toe nou.' Ze wendde zich van hem af en stak met trillende handen haar sleutel in het slot. 'Ga alsjeblieft weg.'

'Zeg dat je van die Edward houdt. Zeg dat je helemaal niets meer voor me voelt. Zweer dat je me niet wilt kussen. Want ik verlang zo naar je dat ik bijna geen adem kan halen.'

Ze liep achteruit de woonkamer in, haar handen in een afwerend gebaar naar hem uitgestoken. Hij liep haar snel achterna, gooide de rozen op de salontafel en trok haar in zijn armen. Toen ze hem van zich af probeerde te duwen, werd zijn greep steviger. Hij maakte haar blouse los en overdekte haar met kussen. Ze sloeg met haar handen tegen hem aan, maar hij hield haar alleen nog steviger vast, hij kreunde zacht en mompelde in haar oor, en zijn adem deed haar huiveren. Ze vielen op de bank neer, zij met haar armen en benen rond zijn lichaam geslagen, en deden het als beesten.

Later, toen de telefoon ging, legde ze de hoorn naast de haak. De onderbreking leek hen allebei weer aan te moedigen; Anthony stak zijn armen naar haar uit en bedreef opnieuw de liefde met haar. Daarna aten ze bijna zwijgend en langzaam, elkaar telkens weer aankijkend en aanrakend. Nadat ze de tafel hadden afgeruimd, gingen ze op het kleed voor de haard liggen en vonden het vertrouwde en het onbekende in elkaar. Ze spraken in zinnen en woorden en flarden die werden onderbroken voor kussen. Daarna gingen ze naar de slaapkamer en vielen in slaap, hand in hand, hun gezichten dicht bij elkaar zodat ze de adem van de ander konden voelen. Toen ze de volgende morgen haar ogen opende, was hij al wakker. Hij legde zijn hand lichtjes op de zijdezachte huid van haar buik, en ze voelde verlangen door haar heen gaan.

'Ik moet vanavond weg,' zei hij zacht. 'Ik wil dat je dat toneelstuk doet, maar daarna kom je naar Nairobi, zodat we bij elkaar kunnen zijn. Tenzij je nu besluit de droom van je vervangster in vervulling te laten gaan en morgen met me mee vliegt.'

Ze keek hem zwijgend aan en vroeg zich af of hij haar hart kon horen breken. 'Ik kom niet naar Nairobi,' zei ze. 'Het is te laat. Ik hoor daar niet langer thuis. Ik ben niet dapper genoeg voor een dergelijk leven, om alles hier op te geven en mijn dagen te slijten in een stoffig huis met een tuin in Karen of Langata, waar ik moet gaan zitten wachten totdat jij om de paar weken weer een dag of twee thuiskomt van je safari. Dat kan ik niet.'

'Camilla,' zei hij. 'Ik ben al jaren gek op je, maar ik denk dat ik bang was voor een vaste relatie en wat die voor mijn leven zou betekenen.'

'Jouw leven zal nooit veranderen,' zei ze. 'Voor jou is je werk je leven, en ik wil geen leven waarin ik vooral bezig ben met voorraden controleren, drank en groenten bestellen, hotelkamers boeken voor je klanten en aardig doen tegen die lui terwijl jij onschuldig zit te flirten met hun dochters en echtgenotes, of misschien wel minder onschuldig met hen de koffer induikt. Je had gelijk, die eerste keer. We horen niet bij elkaar.'

'Als je de mijne was, zou ik dat nooit doen,' zei hij wanhopig. 'We kunnen een oplossing vinden. Dat weet je ook wel. We kunnen een ander soort safari organiseren, waarbij jij de gastvrouw bent, en dan mag jij alles beslissen. Dat zou een groot succes kunnen worden, en dan kunnen we bij elkaar zijn, op de plekken waarvan je ook zoveel houdt.'

'Nee.' Ze durfde alleen dat ene woordje te zeggen.

'We zouden minstens twee keer per jaar naar Europa of Amerika kunnen gaan. Bovendien kun je in Nairobi ook van alles doen, met die prachtige dingen die je op Langani liet maken. We zijn bevoorrecht, Camilla, we zijn opgegroeid tussen twee culturen en kunnen van elk de vruchten plukken. We kunnen een fantastisch leven leiden dat ons allebei voldoening zal schenken.'

Ze wendde haar gezicht af, vastbesloten weerstand te bieden aan zijn overredende woorden. 'Ik blijf hier,' zei ze. 'Ik heb daar niet de moed voor. Ik kan niet tegen die onzekerheid.'

'Natuurlijk heb je wel de moed,' zei hij ongeduldig. 'Je bent bang dat ik je teleurstel, maar dat gebeurt niet, Camilla. Dat zal ik nooit meer doen, liefje, echt nooit meer. Ik geef om je en wil voor je zorgen. We zullen leven in een wereld vol prachtige dingen die ik je allemaal wil laten zien. Ik heb je daar meegemaakt en weet dat je net zoveel van dat land houdt als ik. Het is voor ons allebei de enige plek waar we willen zijn.'

Camilla schudde haar hoofd. 'Nee.'

'Je kunt je niet aan een man binden omdat hij je veilig lijkt,' zei hij op indringende toon. 'Je houdt niet van hem, Camilla. Je doet jezelf te kort, en dat is voor hem evenmin eerlijk.'

'Ik hou op bepaalde manieren van hem,' zei ze. 'Ik kan op hem bouwen en ik weet dat hij er altijd voor me zal zijn. Ik heb gezien wat er kan gebeuren als mensen alleen maar hun hart volgen. Dat ga ik niet meer doen.' Ze pakte haar ochtendjas en wikkelde die om zich heen. 'Ik ga nu een douche nemen,' zei ze, 'en als ik klaar ben, ben jij hier weg. Je vindt wel een leuke meid, binnen de kortste keren rennen er een stel leuke blonde en gebruinde Keniase kindertjes door je tuin. En op een dag, als er genoeg tijd is verstreken, dan zien we elkaar wel weer en zullen we gewoon goede vrienden zijn.'

Hij zei niets, maar klemde stevig zijn kaken opeen, geschokt door haar afwijzing. Ze liep de badkamer in, deed de deur op slot en draaide de kraan zo ver open dat er geen geluiden uit de slaapkamer te horen zouden zijn. In het bad stond ze het zichzelf toe te huilen, geluidloos, met zo veel verdriet dat ze ineenkromp in een poging de pijn buiten te sluiten. Ten slotte sloeg ze een handdoek om zich heen en liep de badkamer uit. De slaapkamer was verlaten.

Om zeven uur die avond kwam Edward bij haar langs. Camilla keek hem glimlachend aan, maar wendde haar gezicht af zodat hij niet haar lippen kon kussen, die nog gezwollen en gevoelig waren. Haar ogen waren een tikje rood, maar ze hoopte dat haar pogingen tot camoufleren succesvol waren geweest. Hij zei ja tegen een drankje en nam plaats terwijl zij het inschonk.

'Je hebt Anthony Chapman hier gehad,' zei hij plompverloren. 'Ontken het maar niet, dat maakt het alleen maar erger. Ik heb je gebeld, maar je nam niet op, en later lag blijkbaar de hoorn ernaast. Ik weet dat hij hier bij je was, dat voel ik gewoon. En nu zie ik het ook aan je gezicht en aan je ogen. Het is niet voorbij tussen jullie.'

Ze zweeg. Haar hart klopte in haar keel, waardoor antwoorden onmogelijk was. Toen ze het toch probeerde, was haar toon afgemeten: 'Ja, hij is hier geweest, maar hij is alweer weg. Er is niets meer tussen ons, Edward. We hebben in Kenia iets met elkaar gehad, toen ik daar vorig jaar nog even was, maar hij wilde er niet meer van maken. Hij kwam alleen maar zeggen dat het hem speet dat hij me heeft gekwetst, dat is alles. We hebben het verleden achter ons gelaten en kunnen hopelijk goede vrienden blijven. Meer is het niet, echt niet.'

Edward zette zijn glas neer en boog zich naar haar toe, zodat zijn ogen op gelijke hoogte met de hare waren. 'Ik geloof niet dat je daar zo zeker van kunt zijn,' zei hij. 'Als je dat wel bent, ben je niet helemaal eerlijk, niet tegenover jezelf en niet tegenover mij. En ik weet dat hij hier al eerder is geweest, toen hij op weg was naar de Verenigde Staten. Toen heb ik de resten van een ontbijt voor twee in je gootsteen zien staan. Gek genoeg was dat op de avond dat ik je ten huwelijk heb gevraagd. Ik vroeg me toen al af wie hier was geweest, en waarom je daar niets over had gezegd.'

'O, maar dat was hij helemaal –'

'Ik denk dat we elkaar voorlopig maar even niet meer moeten zien, Camilla. Ik vertrek morgen naar Marokko voor een paar operaties en reis daarna door naar San Francisco. Ik bel je nog wel als ik weer terug ben, misschien kunnen we dan even met elkaar praten. Als je hier dan nog bent, tenminste, en die berg rozen uit je gedachten hebt kunnen bannen.'

'Natuurlijk ben ik hier dan nog.' Ze dwong zichzelf te glimlachen. 'Denk je nu echt dat ik in een aftandse auto door Nairobi ga rijden of ga zitten wachten op een Keniase jager die om de paar weken weer eens naar de stad komt en me dan kan trakteren op een stuk eland en een pot bier?'

'Dus hij heeft je gevraagd mee terug naar Kenia te gaan? Om bij hem te komen wonen?'

'Het doet er niet toe wat hij heeft gevraagd,' zei ze. Ze voelde dat een vlaagje angst in haar opwelde en dat haar stem smekend klonk. 'Ik blijf hier, en dat moet je geloven. Toe, Edward, laten we ergens iets gaan eten of naar de film gaan. En daarna moet ik vroeg naar bed, want ik heb morgenochtend een repetitie en morgenmiddag een fotosessie die koud, nat en erg saai dreigt te worden.'

Edward stond op. 'Ik pas ervoor de rol van de veilige keuze te spelen,' zei hij. 'Ik heb meer nodig dan dat, maar het is wel duidelijk dat jij me dat niet kunt geven. Dus laten we even afstand van elkaar nemen.' Hij staarde haar lange tijd aan, daarna hoorde ze de deur opengaan.

'Dag, Camilla,' zei hij.

En toen was ze alleen.

ZEVENTIEN
Londen, juni 1967

'U had bij mij kunnen logeren,' zei Camilla tegen haar vader. 'Ik heb een compleet ingerichte logeerkamer.'

'Dat is lief van je,' zei George, 'maar mijn sociëteit is dichter bij waar ik moet zijn. Bovendien blijf ik een paar weken, en je weet wat ze zeggen over een gast en een vis.'

Ze voelde zich een tikje schuldig omdat ze hem niet eerder had uitgenodigd, maar door haar lange dagen in het theater en voor de camera had ze amper tijd om zich om een gast te bekommeren, ook al was het haar eigen vader. En ergens in haar achterhoofd besefte ze dat ze niet te veel van zijn privéleven wilde weten. Ze vroeg zich af of hij nog met zijn voormalige minnaar had afgesproken, die onverwacht in Londen was gebleven toen George naar Kenia was verhuisd. Toen Camilla in Nairobi bij hem had gelogeerd, was er niets geweest wat op de aanwezigheid van een man in zijn leven had gewezen. Er was niemand met wie hij op feestjes of tijdens lunches verscheen. Misschien vreesde hij de roddels, die zijn reputatie van een voormalig diplomaat die voor natuurbeheer was gaan werken en van keurige weduwnaar in gevaar konden brengen. Waarschijnlijk werd hij omringd door mensen zoals zij, die niets tegen homoseksualiteit hadden, mits ze er maar niet mee werden geconfronteerd. Ze schaamde zich omdat ze net zo hypocriet was als ieder ander.

Hij zag er goed uit, vond ze. Het leven in Kenia deed hem duidelijk goed, en hij was gebruind en fit omdat hij regelmatig ter plaatse in de natuur op verkenning ging. George stond erom bekend dat hij bij elk project dat zijn organisatie financierde het naadje van de kous wilde weten, en in tegenstelling tot veel van zijn collega's bleef hij niet in een duur kantoor zitten, maar bracht hij regelmatig een paar dagen door in de streek die hulp nodig had. Hij beperkte zich niet tot contacten met plaatselijke ambtenaren, maar sprak persoonlijk met parkwachters en bewakers, met boeren en zakenlieden van alle rassen, en met de oudsten van de stammen die het land bewoonden of er hun vee lieten grazen. Hij wandelde graag over de savanne, hij beklom de steile rotsen om naar de trek van het wild te kunnen kijken en hij vloog vol belangstelling over gebieden die niet langer in staat waren zowel de wilde dieren te voeden als de snelgroeiende menselijke bevolking voldoende voedsel en ruimte te bieden.

'Ik ben hier al een hele tijd niet meer geweest,' zei Camilla. 'Fijn dat er nog een plek als uw sociëteit is, waar helemaal niets verandert en waar je altijd nog een klassiek Brits gerecht kunt bestellen. En waar niemand me herkent of gaat zitten aangapen.'

'Daar is men veel te discreet voor,' merkte George op, 'maar geloof me, ze kennen je heus wel. De oude Albert, de portier, zei vanmorgen nog tegen me dat ik zo'n beroemde dochter heb. Hij had gelezen dat je nu ook op het toneel staat.'

'Dat is nog maar voor tien dagen. Het is een klein theater en een korte serie voorstellingen. Al wordt er gesproken over een herhaling in de herfst, in een groter theater in het West End.'

'Ik vond je gisteravond echt geweldig,' zei hij. 'Ik ben zo trots op mijn mooie dochter die zo veel talent heeft.'

'Trots gaat vaak gepaard met vooringenomenheid,' zei ze, maar ze was als een kind zo blij met zijn lof.

'Heb je de recensies bij je? Ik heb er een in *The Times* zien staan, maar je zei dat je er nog meer had.'

'Klopt.' Camilla haalde een hele stapel uit haar tas. 'Ze gaan vooral over de productie zelf en de andere spelers. Ze zijn allemaal zo aardig voor me geweest dat het zelfs na mijn grootste blunders toch nog goed is gekomen. Maar ik krijg hier en daar wel een speciale vermelding.'

'Nog beter,' zei hij. 'Ze noemen je de beste debutant, een stralende en kwetsbare verschijning, intelligent spel.'

'Ik weet niet waarom iedereen altijd denkt dat fotomodellen dom zijn,' zei ze een tikje verontwaardigd. 'De pers is hogelijk verbaasd dat ik kan praten, laat staan acteren. Maar het is wel vermoeiend. Al die voorstellingen, zelfs twee op woensdag en zaterdag. En ik heb nog een paar fotosessies die ik niet kan afzeggen. Als het allemaal achter de rug is, heb ik echt even rust nodig.'

'Weet je nog dat je werd afgewezen voor de toneelschool?' Hij glimlachte vol genegenheid naar haar. 'Je was er helemaal kapot van. Je wilde het niet nog een keer proberen. Toen zaten we ook hier, in deze zaal. En nu heb je een toneelstuk gedaan dat goed is besproken, zonder een opleiding op dat gebied. Dat is een hele prestatie.'

'De recensies waren niet allemaal goed,' zei ze. 'Eentje schreef dat ik mooi maar doorzichtig ben, en een ander vond mijn stem vreselijk. Hij vond me net een ster uit een stomme film, die je wel mag zien maar niet moet horen. Goed, wat zullen we drinken bij dit ouderwetse eten?'

'Ze hebben een buitengewone Saint Julien die je misschien wat zult vinden,' zei George. 'En nu wil ik horen hoe het echt met je gaat.'

'Ik heb het druk,' zei ze. 'Net als iedereen die ik hier ken.'

'Zie je Edward nog regelmatig?'

'Nee. Hij is naar een voorstelling komen kijken, maar ik heb geen tijd voor gezellige dingen, en hij ook niet.' Ze depte haar mondhoeken met een servetje en probeerde verveeld te kijken.

'Wat bedoel je daarmee?' George kende haar maar al te goed.

'We hebben besloten elkaar wat minder vaak te zien.'

'Heeft dat iets met het bezoek van Anthony te maken? Nee, nu niet meteen dichtklappen, Camilla.'

'Pap, ik kan me gewoon niet voorstellen dat ik in Nairobi ga zitten wachten terwijl Anthony achter de leeuwen en de olifanten en de andere vrouwen aan zit. Of dat ze achter hem aan zitten. Dat is niets voor me. En kunnen we nu over iets anders praten?'

'Nee, ik wil weten hoe dit zit,' zei hij ferm. 'Hij heeft zich tijdens jouw modeshow schandalig gedragen, maar ik had tot dat moment het idee dat jullie stapelgek op elkaar waren. Maar toen ging jij er opeens vandoor –'

'Hij deed gewoon wat hij altijd doet,' onderbrak ze hem. 'En ik weet dat hij daarna meteen met een Amerikaanse meid het bed in is gedoken. Bovendien was ik toch wel vertrokken omdat ik hier nog verplichtingen had.'

'Ja, maar je had weer terug kunnen komen.' Hij zweeg even. 'Je had het in je brieven over Edward.'

'Ja, ik zie hem af en toe,' zei ze.

'Lieverd, ik lees ook de Engelse kranten, zelfs in Nairobi. Misschien een dag of twee te laat, maaar ik heb gezien wat je voor dat meisje met die brandwonden op Barbados hebt gedaan.'

'Ik heb niets voor haar gedaan. Ik heb alleen maar –'

'Je was daar met Edward, dat bedoelde ik,' zei George. 'Ik weet ook dat Anthony je nog in Londen wilde gaan opzoeken. En nu zeg je dat je Edward minder vaak zal zien. Daarom vraag ik je of je nog steeds gek bent op Anthony Chapman.'

'Ik ben een tijdje bijna bezeten van hem geweest. Ik viel voor het hele pakket: de stoere blanke jager, brullende leeuwen, prachtige zonsondergang, tentje onder de sterrenhemel. Maar het zal nooit iets worden omdat ik hem niet meer kan vertrouwen. Hij heeft me heel erg gekwetst. Niet een, maar meerdere keren. En ik wil me nooit meer zo kwetsbaar opstellen.'

'Ik wil niets goedpraten, maar –'

'Doe dat dan alstublieft niet, papa. Het is voorbij, nu moet ik verder.'

'Je kunt niet altijd elk risico uitsluiten, Camilla. Soms maakt een gok het leven de moeite waard.'

'Ja, u kunt het weten.' Ze wilde hem kwetsen, om verdere kritiek voor te zijn.

'Ik heb enorme fouten gemaakt.' Tot haar verbazing ging hij er zonder aarzelen op in. 'Ik heb je moeder en jou pijn gedaan en daarmee ook mezelf, door te doen alsof ik iemand was die ik niet was. Ik wil jou niet dezelfde fout zien maken. Wees eerlijk tegen jezelf, Camilla.'

'Dat probeer ik ook. Ik dacht dat ik duidelijk was.'

'Vertel me dan eens eerlijk wat er tussen jou en Edward is voorgevallen.'

'Hij denkt dat er nog steeds iets is tussen Anthony en mij. Daarom heeft hij een einde gemaakt aan ons... aan wat we hadden.'

'En wat vind je daarvan?'

'Kunnen we nu een toetje bestellen, pap? Ik wil de pudding met stroop.' Zijn aanhoudende gevraag maakte haar boos. 'U moet me niet zo het vuur aan de schenen leggen. En ik wil graag nog wat wijn.'

'Het leven loopt niet altijd zoals je het hebt uitgestippeld, liefje,' zei George. 'Er zijn zo veel dingen die ons van de koers brengen, en we slaan allemaal wel eens het verkeerde pad in. Soms moeten we dat erkennen en ons omdraaien en dezelfde weg terug volgen.' Hij liet de wijn ronddraaien in zijn glas. 'Soms is dat de enige manier om geluk te vinden.'

'Ik wil mijn leven niet achterstevoren leiden. En u klinkt veel te gewichtig. Alsof u me de les wilt lezen. Dat is nog erger.'

'Misschien moet je weer een tijdje naar Nairobi komen,' stelde hij voor. Hij besefte dat hij beter van onderwerp kon veranderen. 'Gewoon een week of twee ertussenuit. Kijken wat je nu echt voelt.'

'Wat ik echt voel, is dat ik vernederd en verraden ben door Anthony Chapman. Bovendien kan ik toch niet langer dan een half uur weg hier,' zei ze. 'Tom Bartlett heeft mijn agenda weer helemaal gevuld.'

'Je moet Tom niet je hele leven laten bepalen,' zei George waarschuwend. 'Hij is een ambitieuze jongeman die niet zal aarzelen alle energie uit je te knijpen.'

'Hij is een goede agent en een trouwe vriend,' zei Camilla. 'Hebt u Hannah trouwens nog gezien?' Haar hart bonkte nu ze de vraag stelde die ze niet had durven stellen.

'Nee, ik ben de laatste tijd niet meer op Langani geweest. Lars heeft de patrouilles aardig tot een succes weten te maken, en –'

'Wat weet u van Jan, en van wat hij heeft gedaan?' onderbrak ze hem met lage, maar indringende stem. 'Weet u waarom Piet is vermoord?'

George schudde somber zijn hoofd. 'Ik weet alleen dat het iets met de Mau Mau te maken heeft.'

'Jan heeft de ouders van Simon vermoord. Zijn moeder werd in de rug geschoten toen ze vluchtte in een poging haar kind te redden. Simon verborgen te houden.'

'Heeft Hannah je dat verteld?' Hij schrok zo van haar woorden dat het hem ontging dat ze zijn vraag niet instemmend beantwoordde. 'Tja, dat soort dingen gebeurden toen, vrees ik. Vrouwen brachten de bendes in de bossen vaak eten en moesten dat soms met hun leven bekopen.'

'En daarna hebben Jan en zijn mannen de vader van Simon aan een spit gebonden en boven een vuur geroosterd. Om hem informatie te ontfutselen. Ze hebben hem aan het spit geroosterd totdat hij stierf. En ik denk dat u dat altijd al hebt geweten.'

'Nee! Lieve hemel, van zulke verschrikkingen heb ik nooit iets geweten. Ik wist dat Jan een man had gedood en dat er iets niet helemaal in de haak was, maar dat kwam in die tijd wel vaker voor. Zijn broer was een wrede dood gestorven, op dezelfde manier omgebracht als Piet vorig jaar. Er had een onderzoek kunnen volgen, maar korte tijd later werd de noodtoestand beëindigd en werd er amnestie verleend. Dossiers werden vernietigd, letterlijk duizenden, met gegevens over wandaden van beide partijen. Er werd van alles verzwegen, onder tafel geveegd. Maar kort voor de onafhankelijkheid dook er een lijst op waarop ook de naam van Jan stond. Die heb ik gezien toen je me vroeg of ik wilde kijken of de onafhankelijkheid nog gevolgen voor Langani zou hebben, of de regering land zou gaan opeisen. Iemand kon zich de kwestie blijkbaar nog herinneren. Jan wist dat hij daardoor het staatsburgerschap wel kon vergeten, en hetzelfde gold voor een verblijfsvergunning. Daarom is hij vertrokken.'

'U wist dus dat de dood van Piet een wraakactie was.'

'Ik had een vermoeden, ja,' zei hij somber. 'Maar ik dacht dat het daarbij zou blijven, zeker omdat Simon ook dood is. Ik wist zeker dat het allemaal voorbij was, totdat ik jouw atelier zag.'

'Het is helemaal niet voorbij.' Ze vertelde hem het verhaal van Wanjiru. 'Simon leeft dus nog en Hannah is vreselijk bang. Ze is ook bang dat Jans verhaal naar buiten zal komen en dat al haar personeel haar in de steek zal laten, wat haar bezit helemaal kwetsbaar voor aanvallen maakt. Voor meer vergeldingsacties.'

'Lieverd, dit is verschrikkelijk, ik had hier geen idee van. Ik twijfel er niet aan dat ze Simon zullen vinden, maar inderdaad, een rechtszaak zal misschien nog meer schade betekenen. Misschien kunnen Hannah en Lars beter hun biezen pakken. Misschien moeten ze maar naar Noorwegen gaan, daar boeren zijn ouders ook. Daar opnieuw beginnen.'

'Een deel van haar wil blijven, en dat snap ik wel. Haar opa en Jan zijn daar geboren, en Hannah ook, zelfs Suniva. Ze is een Keniase. Waarom zou ze haar land moeten opgeven omdat de wet haar niet kan beschermen?'

'Dat zou ze ook niet moeten, in theorie. Het is heel triest, maar ik geloof dat geen enkel stuk land waard is wat zij nu moet doormaken. En nu ik dit zo hoor, lijkt het me beter wanneer je voorlopig niet terugkeert naar Kenia, en al helemaal niet naar Langani.'

'U hebt het mis,' zei ze. 'Ik zou nu juist op Langani moeten zijn. Ik moet aan de zijde van Hannah vechten voor wat van haar is, en voor alle fijne jaren die ik daar heb gekend. En wanneer het toneelstuk achter de rug is, ga ik dat ook doen.'

Ze namen wat ongemakkelijk afscheid, waarna Camilla naar het theater vertrok. Pas om twaalf uur 's nachts keerde ze terug naar haar rustige, veilige appartement, maar ze kon de slaap niet vatten. Ze probeerde een boek te lezen, maar het kostte haar moeite haar aandacht te richten op iets wat zo onbelangrijk leek. Ze voelde zich kwetsbaar, ze had het idee dat niemand van haar hield of haar begreep. Toen ze aan Anthony dacht, voelde ze dat haar hart sneller begon te kloppen. Waar was hij nu? Hij troostte zich waarschijnlijk met een of ander grietje dat hij in New York of Chicago had leren kennen. En daar had ze zelf aan meegewerkt door hem af te wijzen. Ze wilde dat hij terug zou komen en haar mee zou nemen naar Kenia, zonder haar te vragen of ze dat eigenlijk wel wilde. Dat had hij moeten weten, hij had haar protesten moeten negeren en moeten beseffen dat ze de beslissing aan hem wilde overlaten. Het was geen realistische gedachte, maar ze klampte zich er in haar eenzaamheid en spijt aan vast. Buiten wierp een zwakke maan zijn licht over het plein, en de regendruppels tikten tegen haar raam.

Het was wreed van hem geweest om terug te komen en haar te verleiden, om haar het gevoel te geven dat haar leven niets voorstelde en dat elke dag was gevuld met flitslicht en een eindeloze stroom kleren en sieraden die maar even werden gedragen en vervolgens weer afgedankt. Ze vormde een vast bestanddeel van het swingende Londen, ze was een bekend gezicht, een icoon. Maar ze voelde zich niet verbonden met dat leven. Haar ateliertje op Langani had haar veel meer voldoening geschonken, maar het had haar ontbroken aan de moed om terug te keren, en zoals gewoonlijk was er weer iets anders op haar pad gekomen. Ze had niet gevochten voor wat ze echt belangrijk vond, net zomin als ze voor Anthony had gevochten.

Tijdens haar jeugd had ze haar ouders veelvuldig horen ruziën en had ze Marina achter de gesloten deur van haar slaapkamer horen huilen terwijl George buiten de auto startte en het kille huis vol verdriet achter zich liet. Dan was Camilla op haar tenen naar haar kamer geslopen, bang dat haar vader misschien niet meer terug zou komen en dat haar breekbare, mooie moeder haar zou overlaten aan de zorgen van een kindermeisje of een huishoudster en uit haar leven zou verdwijnen. Ze had zichzelf tijdens die eenzame jaren beloofd nooit ruzie met een ander te maken, dat ze het leven op zijn beloop zou laten en het beste zou maken van wat er op haar pad kwam. Toen ze voor het eerst Langani had gezien, had ze het thuis gevonden waarnaar ze zo had verlangd, bij Jan en Lottie van der Beer. En dat was de plek waar ze nu hoorde te zijn.

Ze werd wakker van de telefoon en krabbelde overeind van de bank, nu pas beseffend dat ze in de woonkamer in slaap was gevallen. Huiverend in de koele morgenlucht nam ze op.

'Ik wil je even vragen wat je van het nieuws vindt,' hoorde ze Tom Bartlett zeggen.

'Welk nieuws?' Camilla wreef in haar ogen en trok een plaid om haar schouders.

'De man die de broer van Hannah heeft gedood. Hij heeft zichzelf aangegeven,' zei Tom. 'Er staat een stukje in de *Telegraph*. Ze hebben hem dus. Dat zal een hele opluchting zijn.'

'Schrijven ze iets over een rechtszaak? Als er een rechtszaak komt, moet ik erheen, voor Hannah en Sarah.'

'Nee, Camilla, dat moet je niet, begin nu toch niet weer.' Tom klonk meteen vijandig.

'Ik ga erheen, Tom, ik kan niet anders. Dit wordt niet zomaar een rechtszaak. Het gaat om bewijzen die Hannahs hele leven kunnen veranderen. Het is ironisch, maar doordat Simon voor de rechter komt, zou ze haar boerderij wel eens kunnen verliezen.'

'En dat kun jij voorkomen door haar handje vast te houden?' zei hij. 'O, en je gaat natuurlijk ook weer vrede sluiten met Jungle Johnny, als je daar toch bent. Is het je toevallig ontschoten dat je momenteel meedoet aan een toneelstuk?'

'Dat duurt nog maar een week. Ik kan mijn invalster de tijd van haar leven bezorgen.'

'Je denkt er toch echt niet aan om nu weg te gaan?'

'Ja, dat denk ik wel. Zodra jij hebt neergelegd, ga ik Hannah bellen.'

'Camilla, ik wil dat je nu eens heel goed naar me luistert,' zei Tom. 'Als jij naar Nairobi vertrekt, zal ik voor minstens drie sessies een vervangster boeken.'

'Dat gebeurt zo vaak,' zei ze. 'Modellen worden ziek, gaan een film maken of op het toneel staan, of ze zijn te dronken of te stoned, of ze gaan op het allerlaatste moment met hun vriendje de popster of de beroemde acteur op vakantie. Ik zeg bijna nooit af. Ik sta erom bekend dat ik betrouwbaar ben en nooit een driftbui krijg.'

'Camilla, als je nu vertrekt, haal ik je uit mijn boeken,' zei Tom. 'Dan is onze samenwerking voorbij.'

Ze voelde verbazing en woede. 'Goed, dan is die voorbij. Dag, Tom.'

Ze trok haar jas aan en ging een krant kopen. Het artikel stond op pagina vier en was vrij klein, maar de kop sprong haar tegemoet: POLITIE KENIA ARRESTEERT KIKUYU VOOR MOORD BRITSE BOER.

Er stond dat Simon Githiri in hechtenis was genomen, en de bloedige en barbaarse details van de moord op Piet werden nogmaals ter sprake gebracht. Ze voelde dat de herinneringen haar overvielen, en daarmee ook de oude, onderdrukte angst. Ze herleefde de avond van de overval toen de vijf mannen met messen waren binnengedrongen en ze het bloed over haar voorhoofd had voelen lopen. Ze dacht aan Hannah en Sarah, die oog in oog met Simon zouden komen te staan en tegen hem zouden moeten getuigen, al zouden ze weten dat Piet nooit meer terug zou komen, wat ze ook zouden zeggen. Niets kon de pijn van zijn dood verzachten. Ze twijfelde er niet meer aan dat ze bij hen moest zijn.

Het duurde een paar uur voordat ze onder het toneelstuk uit kon komen en haar ticket had geboekt. Ze had net Hannah gebeld om te zeggen dat ze eraan kwam toen de bel ging.

Het was George. 'Ik probeer je al de hele tijd te bellen, maar je bent sinds een uur of acht constant in gesprek, en ik had tussendoor nog een paar besprekingen. Heb je de *Telegraph* gezien?'

'Ik vlieg naar Nairobi,' zei ze. 'Vanavond nog.'

'Je bent een goede, trouwe vriendin,' stelde hij simpelweg vast. 'Ik ga pas over een dag of tien terug, dus je kunt mijn huis gebruiken. De sleutels van de auto liggen op mijn bureau. Ik zal meteen de huisknecht bellen om te zeggen dat hij alles voor je in orde moet maken.'

'Bedankt, pap. Ik neem wel een taxi vanaf het vliegveld naar uw huis, dan kan ik daar nog even een dutje doen voordat ik naar Langani rijd.'

Ze omhelsde hem vol dankbaarheid en nam nadat hij naar Nairobi had gebeld afscheid omdat zijn volgende afspraak alweer op hem wachtte. Camilla schonk iets te drinken in en liep naar de slaapkamer. Ze had net haar koffer van de kast gehaald toen de telefoon weer ging. Even dacht ze erover om niet op te nemen omdat het Tom wel weer zou zijn, maar toen deed ze het toch. Hij was nu vast wel gekalmeerd. Het had geen zin om met ruzie te vertrekken.

'Camilla?'

'Met wie spreek ik?' De stem was bekend, maar ze kon hem niet meteen thuisbrengen.

'Met Giles. Giles Hannington.'

'O hemel,' zei ze, allerminst blij. 'Wat een verrassing.'

'Ik weet dat George in de stad is.' De spanning in zijn stem was duidelijk hoorbaar. 'Ik heb boodschappen op zijn sociëteit voor hem achtergelaten, maar hij belt niet terug. Dus ik vroeg me af of jij –'

'Als hij niet belt, kan ik daar niets aan veranderen,' zei ze snel. 'Je hebt je keuze gemaakt, hij is alleen naar Nairobi vertrokken, einde verhaal.'

'Keuze? Ik had geen keuze.'

'Die heeft iedereen, Giles,' zei ze. 'En het leek jou gewoon te moeilijk om daar te wonen.'

'Nee, zo is het helemaal niet gegaan,' wierp hij tegen. 'George wilde niet dat ik naar Nairobi zou komen. Hij zei dat het voorbij was tussen ons. Dat ik niet moest proberen om hem van gedachten te laten veranderen. Dat was een paar dagen voor zijn vertrek. Ik was er helemaal kapot van en heb sindsdien niets meer van hem gehoord, dus –'

'Het zijn mijn zaken niet,' onderbrak ze hem. 'En je moet me niet meer bellen. Als mijn vader contact met je wil opnemen, dan doet hij dat wel, in zijn eigen tijd. En ik ga trouwens het land uit, vanavond nog. Dus ik kan je niet helpen, al zou ik dat willen. Het spijt me, Giles.'

'Dat zal best.' Zijn stem klonk vlak. 'Het spijt mij ook, ik had je niet moeten storen. Dag, Camilla.'

Ze hing op en probeerde zich op het pakken van haar koffer te concentreren, maar zijn woorden bleven door haar hoofd spoken. Dit was een heel ander verhaal dan dat wat George haar had verteld. Ze had de indruk gehad dat Giles niet naar Nairobi had willen verhuizen en hun affaire, of hoe ze het ook noemden, niet had willen voortzetten. Maar het waren inderdaad haar zaken niet, en ze wilde er niet bij betrokken raken. Ze haalde in gedachten haar schouders op en maakte haar koffer dicht. Ze had nog drie uur voordat ze naar het vliegveld moest vertrekken en stak ongeduldig en nerveus een sigaret op. Toen de telefoon weer ging, nam ze snel op, blij dat iets de drukkende stemming kon verbreken die over haar was neergedaald.

Het was Edward. 'Ik heb net het artikel over je vriendinnen in de *Telegraph* gelezen.' Zijn toon was zalvend; het was de stem waarmee hij in zijn spreekkamer tot patiënten sprak. 'Ik nam aan dat je je wel terneergeslagen zou voelen, ook al zal het recht nu zegevieren. Misschien heb je zin om ergens iets te gaan eten? Misschien kan ik je een paar uur afleiden.'

'Ik pak vanavond het vliegtuig,' zei ze.

'Blijf je lang weg?' vroeg hij.

'Geen idee,' antwoordde ze.

'Ik begrijp het. Dan wens ik je veel geluk.'

Ze hoorde de afkeuring in zijn stem. En de teleurstelling. 'Bedankt voor je telefoontje, Edward. Bedankt dat je aan me hebt gedacht. Tot ziens.'

'Tot ziens, Camilla.'

Het klikje dat te horen was toen hij ophing, gaf haar het gevoel dat ze de laatste draad had doorgeknipt die haar verbond met het leven dat ze hier voor zichzelf had gecreëerd. Een uur later was ze op weg naar het vliegveld.

ACHTTIEN
Kenia, juni 1967

Jeremy Hardy leunde achterover in zijn stoel en rekte zich uit. Voor hem bedekte een stapel brieven en rapporten als een verwijtende berg zijn bureau. Hij keek op zijn horloge. Zes uur. Hij had nog wel even tijd om op weg naar huis een borrel in het Outspan Hotel te pakken. En zich een beetje te ontspannen.

Even vroeg hij zich af of hij te oud voor dit werk werd. Of dat het werk nu te veel voor hem werd. Dat gedoe op Langani zat hem erg hoog, en dat werd nog versterkt door het feit dat hij al bijna tien jaar met de familie bevriend was. De herdenkingsdienst voor Jan was uitermate weemoedig geweest, met al die oude vrienden die bijeen waren gekomen om afscheid te nemen, zonder enig idee van de tragedie die zich werkelijk had afgespeeld. Jeremy zag nog steeds het angstige gezicht voor zich dat Lottie had getrokken toen ze hem had gevraagd of hij nog vooruitgang had geboekt. Voor haar, en voor haar gezin, wilde hij resultaten boeken. En hij wilde bewijzen dat hij een goed politieman was.

Hij pakte zijn pijp en maakte hem schoon, vulde hem, stampte de tabak aan en stak hem aan. Het ritueel gaf hem de tijd om na te denken.

Het duurde een paar minuten voordat hij zich bewust werd van geluiden voor in het bureau. De dienstdoende agent sprak op luide toon en riep om een tweede *askari*. Nou, ze konden zichzelf wel redden. Hij pakte zijn jasje en trok het aan, in de hoop dat hij zou kunnen vertrekken voordat iemand hem om advies zou vragen. Er werd op de deur geklopt.

'*Karibu*,' zei hij, berustend.

'Meneer, er vraagt een man naar u.' Zijn pas aangestelde assistent, brigadier Adongo, verscheen in de deuropening. 'Hij zegt dat hij alleen met de hoofdinspecteur wil praten. Ik heb gezegd dat hij morgen terug moet komen, maar hij zegt dat hij weet dat u er bent.'

'Wie is het dan?' vroeg Hardy een tikje geërgerd. Hij had geen zin weer een uur te moeten luisteren naar deze of gene *shauri* over gestolen vee, of een familievete die heel goed tot morgen kon wachten. Dit was nu precies het soort problemen die hij aan zijn Afrikaanse agenten wilde overlaten.

'Hij wil niet zeggen hoe hij heet,' zei brigadier Adongo. 'Hij zegt dat hij alleen met u wil praten.'

De inspecteur uitte een gefrustreerde grom en liep naar de hal voor in het bureau, waar de grote balie was. Het vertrek was geschilderd in de groene kleur die door de regering was vastgesteld en werd verlicht door tl-buizen die midden aan het plafond hingen. Op een van de bankjes langs de muur zat een man. Hij droeg een lange, versleten overjas en had geen schoenen aan. In het meedogenloze licht was goed te zien dat hij er niet best aan toe was: zijn haar was lang en zat vol klitten en zijn gezicht was hol en ingevallen, bijna van elk grammetje vlees ontdaan. Zijn huid had een grauwe, ongezonde kleur. Hij zat ineengedoken, met zijn hoofd gebogen, en had de bank vastgepakt alsof hij bang was dat hij anders zou omvallen.

'Ik ben hoofdinspecteur Hardy. U wilde me spreken.'

De man keek niet op. Toen hij iets zei, klonk zijn stem schor, alsof het spreken hem moeite kostte.

'Ik ben Simon Githiri,' zei hij in zorgvuldig Engels. 'Ik kom mezelf aangeven. Omdat ik mijn werkgever, Piet van der Beer, heb gedood.'

Hardy staarde hem verbijsterd aan, niet in staat te geloven wat hij hoorde. Hij had de jongeman een paar keer op Langani gezien, maar de gestalte voor hem zat te huiveren, met een sterk vermagerd lichaam en gezicht. Zijn blik was glazig, wazig, en hij zag eruit alsof hij honger leed. Hij was al lange tijd op de vlucht en had zich blijkbaar verborgen gehouden in de koude en natte wouden van de Aberdare Mountains, maar inderdaad, dit was Simon Githiri.

'Breng hem naar de verhoorkamer,' beval Hardy. 'Geef hem iets te eten en maak dan alles in orde om zijn verklaring te kunnen opnemen.'

Hij liep naar zijn kamer en belde Langani. Tot zijn opluchting was Lars degene die opnam.

'Hij is hier uit eigen beweging binnen komen lopen. Ik heb geen idee waarom, of waar hij vandaan is gekomen,' zei Hardy. 'Ik bel je weer zodra ik meer weet.'

In de verhoorkamer had de gevangene een kom *posho* met vlees en een mok warme thee met suiker en melk gekregen. Simon raakte het eten echter niet aan en wendde zijn ingevallen gezicht af van het voedsel.

'Water,' zei hij.

Hij pakte het bekertje aan dat hem werd aangeboden, hief het met trillende handen op naar zijn lippen en dronk het stilletjes leeg. De brigadier kwam binnen en ging zitten, klaar om aantekeningen te maken.

Hardy schraapte zijn keel. 'We bevinden ons momenteel in de verhoorkamer van het politiebureau te Nyeri, waar Simon Githiri zichzelf vrijwillig heeft aangegeven en de moord op Piet van der Beer van Langani heeft bekend.'

De brigadier stelde Githiri in het Engels en het Kikuyu op de hoogte van diens rechten en meldde dat hij een officiële verklaring zou moeten afleggen en tekenen.

Simon knikte instemmend. 'Ik kom mezelf aangeven omdat ik Piet van der Beer heb gedood,' zei hij met lage stem.

'Beken je eveneens schuldig te zijn aan het afslachten van vee op Langani en de gewapende overval in september van datzelfde jaar? En aan de vernielingen in het atelier die afgelopen december hebben plaatsgevonden, en de brandstichting op het perceel bekend als Langani Lodge? Kun je ons nu de namen vertellen van degenen die medeplichtig zijn aan die misdrijven en overtredingen?'

Het antwoord was echter een ondoorgrondelijke stilte. Simons gezicht was volkomen uitdrukkingloos, alsof hij niet langer in de kamer aanwezig was. Ten slotte, nadat de vragen een paar keer waren herhaald, verloor de inspecteur zijn geduld.

'Simon, begrijp je dat je de doodstraf kunt krijgen indien je schuldig wordt bevonden aan het misdrijf dat je zo-even hebt bekend?' Er kwam geen reactie, waarop Hardy het over een andere boeg gooide. 'We weten al dat je oom, Karanja Mungai, je bij deze misdrijven heeft geholpen,' zei hij. Hij boog zich erg dicht naar de jongeman toe en zei op zachte, samenzweerderige toon: 'We kennen je vrouw, Wanjiru. En het kind dat jouw zoon is.'

Simon hief met een ruk zijn hoofd op en keek de ander voor het eerst recht aan. Maar hij zei nog steeds geen woord.

'De oude man, Karanja, kan je niets meer doen,' zei Hardy. 'Ik laat hem arresteren en in staat van beschuldiging stellen omdat ik geloof dat hij je tot die wandaden heeft overgehaald. Maar je vrouw en zoontje zijn onschuldig. Als je hen wilt beschermen, moet je de waarheid vertellen.'

'De dood van die man was een zaak van de stam. Een kwestie van eer,' verbrak Simon zijn zwijgen. 'Mijn zoon heeft een smet omdat ik niet eerder had gehandeld, mijn schuld niet had voldaan. Nu heb ik mijn eed vervuld. Piet van der Beer is dood en ik heb gehoord dat Jan van der Beer ook dood is. Het is voorbij. Daarom kom ik mezelf aangeven.' Zijn kin zakte naar zijn borst, en hij leek in een soort trance te verzinken.

Hardy probeerde keer op keer hem meer informatie te ontfutselen, maar er kwam geen geluid meer over de lippen van de gevangene. Hij was duidelijk oververmoeid, of verkeerde mogelijk in hysterische toestand. Hardy had dit vaker gezien, bij mensen die dachten dat een medicijnman hen ter dood veroordeeld had, of wier geestestoestand door een krachtig verdovend middel was aangetast. Hij gebaarde naar de brigadier die voor de deur stond.

'Breng hem naar een cel,' zei hij, 'en blijf daar even in het Kikuyu met hem praten. Rustig en begrijpend. Blijf over zijn zoontje praten. En kijk of hij iets wil eten. Misschien knapt hij dan iets op en kunnen we hem morgen hopelijk met meer resultaat verhoren.'

Sarah staarde met een asgrauw gezicht naar de radio en keek toen op naar Dan. 'Hij heeft zichzelf aangegeven. Hij is naar het bureau gegaan en heeft bekend. Dat is niet te geloven.'

'Wil je erheen?' vroeg Dan.

'Nee!' Het woord klonk als een explosie. 'Nee,' zei ze weer, nu zachter. 'Ik kan niets doen, helemaal niets. Maar toch bedankt.'

Tijdens het eten zei ze weinig, en het kostte haar moeite de happen door te slikken. Allie hield haar scherp in de gaten en keek Dan waarschuwend aan toen die er weer over wilde beginnen. 'Sarah heeft gelijk. Ze kan daar nu toch niets doen. We kunnen maar beter bespreken welke route we morgen gaan volgen. Een paar van mijn dikhuiden zijn de andere kant opgegaan en ik weet niet zeker welk groepje ik nu moet bestuderen.'

Later, in de beslotenheid van haar hut, ging Sarah op haar bed liggen. Ze zou opgelucht moeten zijn dat Simon nu in de cel zat, maar ze voelde zich misselijk. Er zou een proces volgen en ze zou moeten getuigen omdat zij de enige was die hem boven op de heuvel had gezien. Ze zou Simon Githiri in de rechtszaal zien zitten, ze zou naar het gezicht van Piets moordenaar moeten kijken en een zaal vol vreemden moeten vertellen wat hij haar grote liefde had aangedaan. Hoe ze Piet daar had aangetroffen. Wanneer ze haar ogen sloot, zag ze de hele nachtmerrie weer voor zich, en ze stelde zich voor dat ze in de getuigenbank zou zitten en dat Simon haar met glanzende ogen vanuit de beklaagdenbank zou aankijken. Net zoals hij haar op die heuvel had aangekeken. Ze probeerde zich af te sluiten voor de herinnering, maar die bleef langs de rand van haar bewustzijn zweven, als een geest op een trap. Ten slotte stond ze op en liep naar haar bureau, waar ze in een poging tot afleiding haar aantekeningen begon op te ruimen. Misschien kon ze de toekomst buitensluiten door zich te omringen met het alledaagse. Ze begon aan een brief aan haar familie maar kon onmogelijk op een samenhangende manier duidelijk maken wat er was gebeurd, en dus verscheurde ze de vellen en wierp die in de prullenmand.

Bij zonsopgang nam ze een mok thee, waste zich in de wasbak van zeildoek voor haar hut en trok haar kleren aan. Haar ogen voelden aan alsof er zand in zat en ze had hoofdpijn door slaapgebrek. Ze liep naar de keuken, vulde een thermosfles met koffie en pakte een mandje met fruit en broodjes. Het idee van samen ontbijten en opgewekte gesprekken voeren was haar te veel, en ze was opgelucht toen ze Erope al bij de Land Rover zag staan wachten. Ze gingen meteen op zoek naar de olifanten, maar ze kon het idee dat ze Simon Githiri vroeg of laat weer onder ogen zou moeten komen niet van zich afschudden. Het lukte haar daarom niet zich onder te dompelen in de wereld van de grootse wezens die ze bestudeerde. Het schijnsel van het gele oog van de zon was meedogenloos, en na een paar uur hielden ze halt in de schaduw van een kleine, met gras begroeide helling. Onder hen baande de kudde zich een weg door het bos langs de rivier. Hun grote lichamen deden de takjes van de bomen en de struiken die ze tegenkwamen kraken.

Ze stapte uit en pakte haar fototoestellen, zodat ze de glanzende horizon in het noorden kon vastleggen waar de scherpe vulkanische heuvels als puntige tanden uit het bruine landschap oprezen. Erope stond vlak naast haar, hij stond ontspannen op één been en leunde op de speer die hij altijd meenam. Overal om hen heen stegen de geluiden van Afrika op naar de warme, witte hemel. Midden in de rivier zag Sarah een krokodil half onder water liggen; zijn schubbige lijf vormde een eilandje waaromheen een wolk vlinders danste. Neushoornvogels wipten op en neer in de takken van de bomen, en vlakbij konden ze het opgetogen krijsen van een stel bavianen horen. Sarah ging zitten en schonk koffie voor hen in, met drie scheppen suiker in de mok van Erope.

Opeens zag ze vanuit haar ooghoeken iets bewegen. In het kreupelhout, op slechts een paar meter afstand, zag ze een stel dikdiks staan. Hun ogen glansden vochtig, hun neuzen en oren trilden, ze waren op hun hoede. Ze krabbelde overeind en pakte haar camera, maar door haar plotselinge beweging schrokken ze op en sprongen weg op hun dunne pootjes, waardoor een groepje Thomson-gazellen die vlakbij graasden eveneens opschrokken. Erope klakte afkeurend met zijn tong omdat ze zo onvoorzichtig was geweest.

'Sorry, ik dacht er niet bij na,' mompelde ze.

'Je hebt een zware last te dragen,' merkte hij op.

'Te zwaar,' antwoordde ze, en toen had ze er opeens genoeg van om het allemaal maar voor zichzelf te houden. 'Erope, ik zit in de problemen,' zei ze.

'Je moet je problemen delen, dan zijn ze minder erg.'

'Simon Githiri heeft zichzelf gisteravond aangegeven.'

'De man die Piet heeft vermoord.' Erope spuugde vol verachting op de grond. 'Hij zal nu boeten voor zijn daad. Gaat de regering hem ophangen?'

'Dat weet ik niet. Ja, misschien wel.' Ze huiverde. 'Maar er zal eerst nog een rechtszaak gehouden worden.'

Erope spuugde nogmaals, deze keer met meer tevredenheid. 'En daarna zal hij sterven. Dan zal het voorbij zijn, Sarah.'

'Nee. Want Simons oom heeft hem geholpen die vreselijke dingen op Langani te doen. Het was een wraakactie. En ik zal tegen hem moeten getuigen, maar ik durf hem niet onder ogen te komen.' Ze sloot haar ogen tegen de drukkende hitte. 'Ze kunnen hem wel de doodstraf geven, Erope, maar in mijn gedachten zal hij blijven leven. Daar zal hij altijd blijven bestaan.'

'Was het een bloedvete?' vroeg Erope.

'Zo zou je het kunnen noemen. In de jaren van de Mau Mau heeft de vader van Piet de vader van Simon gedood. Dus misschien zag hij het wel zo.'

De Samburu staarde nadenkend voor zich uit. 'Sarah, als er ergens in het donker een *fisi* op je wacht, kun je daar beter met je speer op afgaan dan je verstoppen,' zei hij ten slotte.

Sarah voelde dat ze rilde bij de herinnering aan de hyena op de heuvel. Ze kon de walgelijke stank bijna ruiken, ze zag de zware kaken van het dier, ze voelde zijn bloeddorstigheid. De hyena was voor Piet gekomen, wiens ontzielde lichaam verminkt op de grond had gelegen. De geur van zijn bloed was meegevoerd door de wind, maar zij had de hyena tegengehouden, zodat die het lichaam niet kon verscheuren. En toen had Simon zijn speer geworpen en was het dier neergevallen en had haar over de rand van de heuvelrug geduwd.

'Het is niet meer dan een laf beest.' Erope tilde zijn speer op. 'Je kunt erop jagen en het doden, net zoals je een mens kunt opjagen en doden. Dan zijn de stank en de angst verdwenen.' Hij zwaaide zijn arm naar achteren, en de speer schoot zoevend naar voren, in een vlaag van warme lucht, en drong met een doffe bons diep in de bast van een acacia, waarin hij trillend bleef steken. Sarah staarde er als betoverd naar en dacht aan de speer die Simon had geworpen om haar het leven te redden, ook al had hij in diezelfde maanverlichte nacht haar grote liefde gedood.

Naarmate de middag steeds warmer werd, nam ook haar hoofdpijn toe. Al snel was ze te moe om zich op de bewegingen van de kudde te kunnen concentreren.

'Ik ga terug naar het kamp,' zei ze. 'Dan kan ik de rest van de middag mijn aantekeningen bijwerken en gaan we morgen wel weer op pad.'

Ze reden het pad af en kwamen uit de dichte struiken tevoorschijn bij een van de bredere wegen die naar Buffalo Springs leidden. Een half uur later zagen ze op de onverharde weg voor hen een minibusje staan, vol toeristen uit een van de lodges in de buurt. Ernaast stond een auto van het ministerie voor Natuurbeheer. Blijkbaar was er een verhitte discussie losgebarsten tussen een parkwachter in uniform en de chauffeur van het busje. Toen Sarah dichterbij kwam, zag ze dat de parkwachter een hand uitstak en een stapeltje bankbiljetten aanpakte, die hij in zijn zak stopte. Daarna reed hij weg. Ze zette de auto stil naast het busje en begroette de passagiers, die allemaal Italianen bleken te zijn.

'Hebben jullie problemen gehad?' vroeg ze aan de chauffeur.

Hij trok een boos gezicht. 'We hebben in Samburu al entree voor het park betaald,' zei hij, 'maar vandaag besloten we het reservaat te verlaten omdat een van de gidsen hier een luipaard heeft gezien. Maar deze vent heeft me net verteld dat ik twintig shilling voor iedere passagier en vijftig voor het busje moet betalen, anders mag ik hier niet komen. Hij zegt dat dat een speciale bijdrage is, voor de kosten van de beveiliging, omdat er hier zo veel *shifta's* rondlopen. Ik heb daar nog nooit van gehoord, maar volgens hem mochten we alleen doorrijden als we zouden betalen. En nu zal hij mijn busje de volgende keer ook herkennen.'

'Heeft hij je een kwitantie gegeven?' Maar ze kende het antwoord al.

'Hij stond heel kwaad om geld te schreeuwen.' Een van de toeristen leunde uit het raampje en sprak Sarah in aarzelend Engels toe. 'Het was best... eng voor ons. We vroegen ons af of hij zelf een bandiet was. Of hij ons pijn ging doen. Hij zei dat we zouden worden aangevallen als we niet zouden betalen.'

'Dit is gewoon een geval van plaatselijke corruptie,' zei Sarah. 'Jullie hoeven je echt geen zorgen over je veiligheid te maken, dit is een behoorlijk rustig gebied waar niemand jullie zal aanvallen. Ik ben bang dat jullie gewoon een corrupte ambtenaar hebben getroffen, en ik zal hem meteen aangeven bij het ministerie.' Ze wendde zich tot de chauffeur. 'Dat moet jij ook doen. Hij had niet het recht jullie geld af te troggelen, en hij heeft het gewoon in zijn eigen zak gestoken.'

De chauffeur haalde zijn schouders op. 'Tja, wat doe je eraan?' vroeg hij. 'Ik kom hier om de paar dagen, telkens met een andere groep. Het heeft geen zin om tegen zo'n vent in te gaan. Ik kan hem maar beter geld geven dan door zijn bandietenvriendjes te worden belaagd. Die zouden ons nog neerschieten of ons de keel doorsnijden. Als hij de *shifta's* betaalt om ons met rust te laten, vind ik dat best. Zijn baas zal ook wel een deel van de poen krijgen. Maar goed, ik moet nu gaan. We moeten voor zonsondergang terug in Samburu zijn.'

Sarah reed kokend van woede verder. Ze wilde meteen naar het kantoor van de parkwachters in Isiolo rijden om een klacht in te dienen. Het was duidelijk dat het de chauffeur daartoe aan lef ontbrak. Iemand moest hier iets tegen ondernemen. Erope zei niets, maar klampte zich vast aan zijn stoel toen Sarah met halsbrekende snelheid over de weg vol kuilen reed. Toen ze met ferme passen het kantoor in beende, bleef hij wijselijk zitten. De dienstdoende ambtenaar herkende haar meteen, maar was onvoorbereid op haar uitbarsting. Onder de indruk was hij echter niet.

'Hoe heette die man die u hebt gezien?' Hij pakte langzaam een schrijfblok en een vel carbonpapier en likte aan het puntje van zijn potlood. 'U moet dit formulier invullen, *mama*, en we hebben zijn naam en het kenteken van zijn auto nodig.'

'Ik weet niet hoe hij heet,' zei ze kwaad. 'En ik heb het kenteken van zijn auto ook niet onthouden. Hij is heel snel weggereden toen hij me in de gaten kreeg. Zo veel auto's kunnen er niet rondrijden, u moet weten wie het is.'

'We kennen de man niet over wie u het hebt,' zei de parkwachter. Hij leunde achterover in zijn stoel en keek haar onbewogen aan. 'U moet mij zijn naam en kenteken geven. En het kenteken van het busje en de naam van de chauffeur, zodat we hem kunnen ondervragen.'

Een groepje Samburu dat buiten voor de deur had gestaan, tuurde nu naar binnen, nieuwsgierig naar de redenen voor de *shauri* met de blanke *memsahib* en benieuwd wie het pleit zou gaan winnen.

'U weet heel goed wie het is.' Sarah ontplofte bijna van woede. 'En de chauffeur hoort bij de Samburu Lodge. Als u daar naar hem vraagt, vindt u hem wel. Ik wil die parkwachter spreken. Nu.'

'Die is er niet. Die komt vandaag niet meer. We hebben niemand die naar de Samburu Lodge kan gaan, we hebben het druk hier op kantoor.' De man achter het bureau wilde zich niet laten commanderen door een *mzungu*, zeker niet waar publiek bij was. Die blanken moesten nu maar eens begrijpen dat ze de touwtjes niet langer in handen hadden. Hij legde zijn schrijfblok en potlood weg, en Sarah hoorde het groepje bij de deur grinniken.

'Jezus, jullie zijn ook allemaal hetzelfde!' Ze schreeuwde nu bijna. 'God mag weten wie hier allemaal bij betrokken zijn. Mensen die hun functie misbruiken, horen hier niet te werken. Die vent moet worden ontslagen, iedereen die toeristen of *shifta's* geld aftroggelt, moet worden ontslagen. En ik zal duidelijk maken dat u niets hebt gedaan om me te helpen, helemaal niets.'

Ze stormde naar buiten en liep naar haar auto. Erope zag haar vuurrode gezicht en onheilspellende blik en hield zijn commentaar voor zich, maar ze kon zijn afkeuring voelen.

'Wat? Wat is er?' Haar toon was uitdagend, maar Erope voelde er niets voor om erbij te worden betrokken. Hij spreidde zijn handen in een gebaar van overgave.

'Nu we hier toch zijn, kunnen we net zo goed vragen of er post voor Dan is,' was alles wat hij zei.

Sarah reed naar het postkantoor en nam een stapeltje brieven in ontvangst. Voor haar was er een brief met een postzegel uit Ierland, voorzien van Tims bijna onleesbare handschrift. Ze stopte hem in haar cameratas en reed terug naar het kamp.

Dan zat in zijn kantoortje over zijn oude schrijfmachine gebogen, in zichzelf mompelend. De warmte van de middag deed hem zweten. Hij maakte een afwezig wuivend gebaar, maar keek niet op.

'Ik heb de post gehaald,' zei Sarah, maar ze vertelde niet waarom ze in Isiolo was geweest en het leek hem niet op te vallen.

'Bedankt, meid,' zei hij. 'Jeetje, wat is het heet vandaag. Neem maar een pauze. We praten later wel bij, als Allie er is.'

In haar hut was het zo verstikkend heet dat ze met Tims brief buiten onder een boom ging zitten. Hij had eindelijk besloten uit te leggen waarom Deirdre was vertrokken en waarom hij Camilla in Londen had bezocht.

Ik kan moeilijk uitleggen hoe groot de paniek was die ik voelde, hoe erg ik me schaamde, en hoe vernederd ik me voelde door alles wat er was gebeurd. Ik kan er met jullie niet over praten. Misplaatste trots, denk ik. Ik vond het zo erg dat Deirdre me nooit had durven vertellen wat haar was overkomen, het belangrijkste in haar leven, en dat ik, als arts, niet zag waaraan het meisje leed van wie ik hield.

Het spijt me zo, Sarah. Ik weet dat je het zou hebben begrepen, en dat probeerde je me ook duidelijk te maken, voor je vertrek. Maar ik kon toen niet helder denken. Ik schrijf nu om het een en ander goed te maken, met name tussen jou en Camilla. Ze is erg kwaad omdat ik haar in zo'n nare situatie heb doen belanden, en ik hoop dat je me dat kunt vergeven.

Je zei dat ik naar Kenia moest komen om je op te zoeken. En misschien doe ik dat binnenkort wel een keertje. Misschien kom ik daar zelfs weer werken, als pap een vervanger voor me kan vinden. Vergeef me alsjeblieft dat ik zo stom heb gedaan, en geef me een kans het goed te maken.

En sluit in de tussentijd alsjeblieft vrede met Camilla. Ze is een vriendin uit duizenden. Raak haar niet kwijt vanwege mij, of vanwege wat of wie dan ook.

Liefs,
Tim

Sarah las de brief keer op keer en voelde zich even dom en schuldig als haar broer. Zij had ook het een en ander goed te maken. Het viel niet mee om toe te geven dat ze te snel een oordeel had geveld, en ze worstelde nog steeds met haar geweten toen ze Allies auto hoorde aankomen.

'Hallo.' Sarah glimlachte naar haar. 'Het is hier moordend warm.'

'Het hoofd van de parkwachters uit Isiolo komt er zo aan,' zei Allie. 'Hij wil je even spreken. Iets over een incident met een van zijn mensen, zei hij.'

Even later schudde het hoofd haar beleefd de hand, maar het was duidelijk dat hij kwaad en een tikje vijandig was. Dan kwam aangelopen en nam de man mee naar het kantoor, waar hij zonder iets te zeggen ging zitten. Sarah kon echter zien dat haar werkgever ontstemd was.

'Ik heb gehoord dat u naar ons kantoor bent gekomen en mijn personeel hebt beschuldigd van het aannemen van steekpenningen,' zei het hoofd. 'Dat is een ernstige beschuldiging.'

'Ik heb het zien gebeuren.' Sarah hief met een verdedigend gebaar haar kin op. 'Een van uw mensen pakte geld aan van een groepje Italiaanse toeristen. De chauffeur moest een flinke som betalen, anders zou hij de volgende keer problemen krijgen en zou zijn busje worden aangevallen. De toeristen waren ook bang. Dat is slecht voor het reservaat en voor het toerisme in het algemeen.'

'Hebt u de parkwachter gesproken? Hoe heet hij?'

'Dat weet ik niet, hij reed weg voordat ik de kans kreeg hem aan te spreken. Maar ik zag wat er gebeurde. Hij nam geld van de toeristen aan en beweerde dat dat voor de veiligheid was. U kunt er zo achter komen wie het was.'

'Maar als hij wegreed voordat u bent gestopt, zult u niet kunnen zeggen wie het was. Misschien was het helemaal geen parkwachter.'

'Hij droeg het uniform. Hij reed in een auto van het reservaat. Dat heb ik heel duidelijk kunnen zien.'

'Wat was dan het kenteken van die auto? Of dat van het busje?'

'Dit heb ik allemaal al aan uw personeel verteld.' Sarah voelde haar woede weer opwellen.

'Mijn personeel.' De glimlach van de ander was allerminst aangenaam. 'Ja, ze zeiden dat er een *mzungu*-vrouw naar ons kantoor was gekomen die liep te schreeuwen dat alle wachters corrupt zijn en zouden moeten worden ontslagen, en dat deed ze allemaal waar derden bij waren.'

'Hoor eens.' Sarah keek hem boos aan. 'Er werkt minstens één corrupte wachter voor u, misschien wel meer. Als u daar niets aan wilt doen, dan –'

Dan stond op en zei snel: 'Volgens mij is hier sprake van een misverstand.' Hij greep Sarah bij haar arm om te voorkomen dat ze meer zou zeggen. 'We weten dat we een klacht via de officiële weg zullen moeten indienen, en natuurlijk wilde mijn assistente niet de indruk wekken dat al uw personeel niet deugt. Ik ben er zeker van dat u dit nu meteen zult onderzoeken. Mevrouw Mackay zal op papier zetten wat ze precies heeft gezien en de kwestie verder aan u overlaten.'

Sarah bleef letterlijk met open mond staan toen Dan en Allie met de man naar zijn auto liepen. Toen haar werkgevers weer terugkwamen, kon ze haar woede niet langer beheersen. 'Hoe kunnen jullie hem zomaar laten gaan? Hoe kan het hier ooit iets worden als we dergelijk gedrag gewoon negeren? Sommigen van die lui spelen onder een hoedje met de stropers! Ze laten zelfs *shifta's* binnen met hun geweren en auto's. Zo zal alles kapotgaan waar we zo hard voor hebben gewerkt! Ik weet wat ik heb gezien, en ik zag een wachter die toeristen afperste, en ik had wel wat steun van jullie –'

'Sarah!' Dan onderbrak op scherpe toon haar woordenstroom. 'Dit soort dingen kun je op twee manieren aanpakken: goed en verkeerd. Zomaar dat kantoor binnenstormen en meteen fel van leer trekken, dat is niet de goede manier, meid. Ik twijfel er niet aan dat die vent geld aanpakt, maar zo zullen we er nooit iets aan kunnen veranderen. Je had het kenteken van zijn auto moeten noteren, en de naam van de organisator van die safari, van de chauffeur en het kenteken van zijn busje. En je had me vanmiddag al moeten vertellen dat je in Isiolo bent geweest.'

'Maar ik –'

'We weten dat je erg toegewijd bent, en we weten allemaal dat de corruptie steeds erger wordt. Maar dat heb je helemaal niet goed aangepakt. Je had niet zomaar naar binnen moeten stormen zonder eerst te bedenken wat je zou gaan zeggen. Op die manier jaag je degenen met wie je moet werken tegen je in het harnas, en daar bereik je niets mee.'

'Ja. Ja, daar heb je gelijk in.'

'Hoor eens, meid, ik weet dat je behoorlijk in spanning leeft,' zei Dan. 'Het nieuws dat Simon zichzelf heeft aangegeven, het vooruitzicht van een mogelijke rechtszaak; dat is allemaal niet niks. Allie en ik hebben het er al over gehad dat je onder zware druk leeft, en we hebben een voorstel. Misschien moet je maar een tijdje naar Langani gaan, of gewoon even op vakantie. Naar de kust misschien. Je bent nu gewoon te veel van streek, jongedame, en we willen niet dat je fouten gaat maken die ons schade kunnen berokkenen.'

Sarah staarde het tweetal ontzet aan. Ze stuurden haar weg. Dit was hun manier om te zeggen dat ze was ontslagen.

'Is dit... Wil je me zo duidelijk maken dat ik geen baan meer heb?' Ze sloeg haar handen voor haar gezicht. 'Sturen jullie me de laan uit?'

Allie sloeg een arm om haar schouder. 'Nee, natuurlijk niet. Je hebt het van het begin af aan fantastisch gedaan, Sarah. Maar nu ben je in gedachten gewoon niet bij je werk. Dat snappen we allebei heel goed, en daarom vinden we dat je even pauze moet nemen. En als dit nare gedoe achter de rug is, willen we niets liever dan dat je weer terugkomt.'

'Je hoeft echt niet van streek te raken.' Dan keek haar vol medeleven aan. 'We maken ons al een tijdje zorgen over je, over wat er hier en op Langani gebeurt. Je bent vandaag om de juiste reden naar dat kantoor gestapt, je hebt het alleen verkeerd aangepakt. Daarom denk ik dat je even moet kunnen afkoelen. We houden je baan voor je vrij omdat je de beste onderzoekster bent die we ooit hebben gehad. Allie en ik kunnen ons op korte termijn wel redden, met hulp van Erope. We hebben hem al heel veel geleerd en hij maakt goede aantekeningen. Neem wat tijd voor jezelf. Ik heb je al eerder gezegd dat het hier een meedogenloze plek is om te leven.'

'Waarom rijd je niet morgen met je auto naar Langani?' stelde Allie voor. 'Als we je auto nodig hebben, of als je toch naar de kust wilt gaan, komen Dan en ik hem wel weer halen. Maak je geen zorgen, Sarah. Binnen de kortste keren zul je weer de oude zijn en gaat alles hier weer gewoon zijn gangetje. Laten we even kijken of we Hannah of Lars kunnen bereiken. Ik weet zeker dat ze op dit moment heel blij met je steun zullen zijn.'

Tijdens het avondeten was de sfeer gespannen, en na de maaltijd ging Sarah meteen naar bed. De volgende ochtend pakte ze haar tas in, zocht haar camera's en aantekeningen bij elkaar en deed de deur van de hut die haar toevluchtsoord was geworden achter haar dicht.

'Goede reis,' zei Dan. 'Het is maar goed dat je naar Langani gaat. De politie zal Githiri nu wel verhoren, en je wilt vast wel uit de eerste hand horen wat de inspecteur te melden heeft. Wij willen ook graag weten wat er gaat gebeuren.'

'Dan, ik –'

'Het is goed, meid, echt waar. Ga nu maar. Je hebt alles bij je, ook je aantekeningen? Dan kun je daar mooi wat werk doen. We spreken elkaar nog.'

Ze reed snel weg, haar zicht vertroebeld door de tranen. Alsof ze toch al veel zag door de voorruit die onder het stof zat. Ze was verbannen. Weggestuurd, zonder dat ze iets in te brengen had. Ze had een rotzooi van haar werk gemaakt. En Dan had gelijk, ze kon niet helder denken. De laatste tijd had ze met zowel Hannah als Camilla ruziegemaakt, en ze had het contact met Rabindrah verloren omdat ze niet wilde toegeven wat ze voor hem voelde. Ze moest tot rust zien te komen voordat ze nog meer fouten zou maken.

Toen ze op Langani aankwam, nam Lars haar meteen bij haar arm en voerde haar mee naar de woonkamer, waar Jeremy het zich al gemakkelijk had gemaakt, geflankeerd door Lottie en Sergio. Hannah stond op om haar te begroeten, en daarna gingen ze zitten om te horen wat de inspecteur te melden had.

'Simon is er vreselijk aan toe,' zei Jeremy. 'Bijna uitgehongerd, denk ik. Hij wist precies wat hij deed toen hij de moord op Piet bekende. Sindsdien heb ik hem urenlang verhoord, maar hij wil niets zeggen. Hij herhaalt alleen zijn oorspronkelijke verklaring.'

'Kun je hem helemaal niets ontfutselen?' wilde Hannah weten.

'Ik ben gisteren weer de hele dag bezig geweest, en vanmorgen weer,' antwoordde Jeremy. 'En ik heb mijn beste Kikuyu op hem afgestuurd, in de hoop dat hij iets zou zeggen als ze een babbeltje in zijn eigen taal zouden maken en hem naar zijn clan en zijn familie zouden vragen. Maar tot nu toe geeft hij geen antwoord.'

'Maar hij heeft wel bekend mijn zoon te hebben vermoord?' Lotties ogen waren groot van verdriet.

'Ja, dat is duidelijk. Het probleem is alleen dat hij niets ten nadele van Karanja of een ander wil zeggen. Ook wil hij niets kwijt over de overval op dit huis, het doden van het vee of de vernielingen in het atelier en in de lodge.'

'Weet je zeker dat die oom achter dat alles zit?' vroeg Sergio.

'De verklaring van Wanjiru bevestigt dat. Simon was een doodgewone jongen, totdat die oude rotzak hem in zijn klauwen kreeg. Ik denk dat Karanja hem alleen maar heeft meegenomen naar het reservaat om Piets dood te kunnen beramen. Hij rekende erop dat Simon helemaal van de kaart zou zijn als hij zou horen wat zijn vader was overkomen. Hij heeft opzettelijk op Simons emoties ingespeeld en hem daarna van bedwelmende middelen voorzien en hem de eed laten zweren.'

'Karanja is nu in elk geval gedwongen zich te verbergen,' zei Lars. 'Daardoor heeft hij niet de gelegenheid Langani nog meer schade te berokkenen. Zeker als hij weet dat Simon zichzelf heeft aangegeven.'

'Het lijdt geen twijfel dat Simon gelooft dat de verminking van zijn zoontje zijn schuld is, omdat hij niet eerder wraak heeft genomen,' legde Jeremy uit. 'Hij had Piet eerder kunnen doden. Ze waren vaak met zijn tweeën op pad. Hij had geen reden om zo lang te wachten, tenzij hij al die tijd met zijn geweten heeft zitten worstelen. Ik denk dat Karanja Hannahs vee heeft laten doden en het huis heeft laten overvallen om zijn neef eraan te herinneren dat hij hem in de gaten hield, dat hij wachtte totdat Simon wraak zou nemen. Maar zolang Simon zijn mond houdt, hebben we alleen de verklaring van Wanjiru. Ik weet niet zeker of ze het aankan om voor een rechter te getuigen, en bovendien zal alles wat ze zegt als bewijs uit tweede hand gelden.'

'Dus dan zal Simon worden veroordeeld omdat hij heeft bekend, maar zullen Karanja en alle anderen die erbij betrokken waren vrijuit gaan. Bedoel je dat?' Hannah keek Hardy recht aan.

'Simon zal de doodstraf krijgen, daar twijfel ik niet aan. Hij heeft bekend je broer te hebben gedood en een andere straf is er niet. Maar we kunnen Karanja alleen oppakken als Simon zijn mond opendoet.'

'Je moet iemand zoeken die de waarheid uit hem kan krijgen.' Hannahs toon had iets woests.

'Hij heeft niets te verliezen,' zei Lottie een tikje verslagen. 'Daarom heeft hij zichzelf aangegeven. Hij weet dat hij toch al ten dode is opgeschreven.'

'Dan zal dit niet ophouden, nooit,' zei Hannah. 'Want Karanja zal pas ophouden als hij ons alles heeft afgepakt. Je moet Simon aan het praten zien te krijgen, Jeremy. Is het niet goedschiks, dan maar kwaadschiks!' Ze verhief haar stem, en Lars pakte haar hand vast.

'Hannah, ik zal alles doen wat in mijn vermogen ligt, maar –'

'Maar je verwacht dat we hier geduldig gaan zitten wachten totdat je Simon een paar beleefde vragen hebt gesteld. Terwijl Karanja nog steeds vrij rondloopt en een bedreiging voor ons allemaal vormt.' Hannah trok een uiterst somber gezicht. 'Moeten we soms wachten totdat we allemaal dood zijn? Wil je dat soms?'

'Hannah,' zei Lottie voorzichtig, 'dit is niet de goede manier. Jeremy doet wat hij kan.'

'O, en wat doet hij dan?' wilde Hannah weten. 'Waarom heeft hij nooit ontdekt waarom Piet is vermoord?' Ze keek de inspecteur aan. 'Of wilde je de goede naam van pa soms beschermen? Is dat het?'

'Hannah, je weet dat dat niet zo is,' zei Lars.

'Er zijn geen bewijzen voor het incident in het bos,' zei Jeremy stijfjes. 'Ik neem aan dat alle vermeldingen in officiële dossiers zijn verdwenen toen er algehele amnestie is verleend. Ik kan je in elk geval verzekeren dat ik geen flauw idee had van wat Jan had gedaan. Of dat Piets dood een kwestie van wraak was.'

'Simon heeft gezegd dat de schuld is vereffend,' zei Hannah. 'Maar ik moet nog steeds vechten voor mijn land en mijn gezin.' Ze keek naar Lottie. 'Na de dood van Piet ben ik degene die is gebleven. U bent naar het zuiden gegaan, voor pa. En nu is ook hij dood en is deze *plaas* het enige wat nog rest van onze familiegeschiedenis. Natuurlijk heb ik er ook aan gedacht om weg te gaan, omdat ik doodsbang ben dat Lars of Suniva iets zal overkomen. Of mezelf. Maar waar moeten we heen? We scheppen hier banen en betalen belasting en zorgen ervoor dat mensen te eten hebben, we dragen ons steentje echt wel bij. Wat zal er met dit land gebeuren als tuig als Karanja de vrije hand krijgt? Wat stelt de wet voor als Karanja vrijuit gaat?'

'Dat is waar.' Sarah nam voor de eerste keer het woord. 'Simon zou een verklaring moeten tekenen waaruit de rol van zijn oom duidelijk wordt.'

'De politie kent methoden om zelfs de grootste criminelen informatie te ontfutselen.' Hannah keek de inspecteur aan. 'Speciale verhoormethoden. Dat weten we allemaal. Pas die nu maar eens toe.'

'Hannah, ik moet me ook aan de wet houden,' zei Jeremy, 'anders ben ik geen haar beter dan Karanja en kornuiten. Als ik onder druk een verklaring van Simon weet los te krijgen, zal een rechter die zonder pardon naar de prullenmand verwijzen. Dan zouden de andere bewijzen bij voorbaat al besmet zijn en eindigen we mogelijk helemaal met lege handen.'

'Mijn familie eindigt met lege handen.' Hannah stond op en schudde haar gebalde vuist voor zijn gezicht heen en weer. 'Terwijl de wet een moordenaar en een crimineel beschermt. We weten dat je een gevangene kunt laten bekennen, Jeremy. En Simon is een barbaar. Hij verdient geen genade.'

Lottie stond op en ging voor haar dochter staan, zodat ze Hannah recht in haar boze gezicht kon kijken. Ze waren net twee leeuwinnen die zich opmaakten voor een gevecht, vond Sarah. Ze vreesde voor hen allebei, voor de pijn die ze de ander in hun woede zouden kunnen doen.

'Weet je aan wie je me doet denken?' zei Lottie. 'Aan je vader. Je wordt net zoals hij, en dat komt allemaal door dit oord. Wat wil je dat Jeremy doet, dat hij Simon in elkaar slaat? Dat hij hem bedreigt en doodsbang maakt? Hem aan een spit rijgt en hem boven een vuurtje roostert?'

'Lottie...' Lars stak zijn hand naar haar uit, maar ze negeerde hem.

'Wil je dat soms, Hannah?' ging ze verder. 'Wil je de hele cyclus van wraak opnieuw laten beginnen, totdat ook jij moet vluchten en je moet verbergen om wat je hebt gedaan?' Ze deed een stap naar achter en schudde haar hoofd. 'Wil je hier blijven totdat ook jij in een plas bloed staat, alleen maar om de boerderij te kunnen behouden? Dat is het niet waard, dat was het nooit waard. Ik wil dat je sterk bent, maar niet dat je van steen bent. Ik wil dat je een visie hebt, niet dat je blind bent. Je bent nu echtgenote en moeder, net als ik. We moeten weten wanneer het genoeg is. En als je vindt dat ik je in de steek laat omdat ik hier niets mee te maken wil hebben, dan is dat jammer.'

'Ga dan maar weg.' De woorden hadden Hannahs mond al verlaten voordat ze erover had kunnen nadenken. 'Vergeet ons maar, je dochter en je kleindochter. Ren maar weg en verstop je, net als pa heeft gedaan. Ga maar naar Johannesburg, met oom Sergio.'

Er viel een geschokte stilte. Hannah verstijfde, ontzet door wat ze had gezegd. Maar het was te laat, ze kon haar woorden niet terugnemen. Lars boog zich voorover en sloeg zijn handen voor zijn gezicht.

'Ik zei dat ik zou blijven zolang je me nodig had,' zei Lottie. 'Maar als deze zaak is afgesloten, vertrek ik. Niet om weg te rennen en me te verstoppen, maar om te kunnen leven. Ik kan niet meer haat verdragen. Ik zal gaan omdat ik niet wil zien dat mijn enige nog levende kind zichzelf en iedereen om haar heen kapotmaakt, alleen maar voor een stukje grond.'

Ze draaide zich om en liep de kamer uit. Na een paar tellen stond Sergio op en liep achter haar aan.

Hannah liet zich in een stoel vallen, met een gezicht waarvan de wroeging af te lezen was. 'O, kijk me niet zo aan,' zei ze tegen Sarah. 'We hebben Piet verloren, jij en ik. En nu dreig ik de plek te verliezen waarvan hij zoveel hield. De plek waar we zijn geboren. Waar jullie een bestaan wilden opbouwen. Denk je dat hij zomaar het hoofd had laten hangen en het had opgegeven?' Ze keek Jeremy aan. 'Je moet dat kind gebruiken,' zei ze op kille toon. 'De zoon van Simon. Zeg tegen hem dat het kind kan worden geopereerd aan dat klompvoetje, aan die vloek, of wat hij ook denkt dat het is. Maar als hij niets wil zeggen over Karanja, dan zal het kind niet worden behandeld en nooit normaal zijn. Hij zal zijn hele leven lang misvormd blijven. Een verschoppeling, uitgestoten, net als Simon. Hij zal geen toekomst hebben.'

Er viel een lange stilte. De inspecteur bleef zitten en draaide zijn wapenstok rond in zijn handen, maar hij keek Hannah niet aan.

'Waarom vertel je hem de waarheid niet, Jeremy?' zei Sarah. 'Vertel hem dat zijn kind misvormd is omdat Karanja de moeder in elkaar heeft geslagen toen ze zwanger was. Simon was er toen de oude man Wanjiru terugbracht, op de dag dat ze was weggelopen. Hij heeft gezien hoe ze eraan toe was. Niet dat het hem veel kon schelen, voor hem was ze niet meer dan een slaafje. Maar een mannelijk kind heeft een zekere waarde. Als Simon hoort dat Karanja zijn zoon dit heeft aangedaan, doet hij misschien zijn mond open.'

Hardy keek haar nadenkend aan en stond toen op. 'Dat zou kunnen,' zei hij. 'Het zou kunnen werken, als Simon echt iets voor dat kind voelt. Ik denk alleen dat degene die hem dit zou moeten vertellen degene is die de meeste invloed op hem heeft gehad. Zijn oude leermeester. Pater Bidoli.'

'Dat wil ik hem wel vragen,' bood Sarah aan. 'Dan rijd ik morgen naar Nyeri. Misschien kan ik dan ook even met Wanjiru praten. Dan bel ik eerst dokter Markham om te vragen of hij nog nieuws van de specialist heeft.' Ze zweeg even. 'Moet ze eigenlijk nog wel op de missiepost blijven? Nu Simon in hetzelfde stadje opgesloten zit?'

'Ideaal is anders, maar zo kan ik haar in de gaten houden,' antwoordde Jeremy. 'Laat me maar weten wat de pater te melden heeft. Ik bel jullie morgen weer.'

Lars bracht de politieman naar diens auto, maar kwam daarna niet meer terug naar de woonkamer.

'Hij is woedend op me.' Hannah zat ineengedoken in haar stoel. Sarah kwam naast haar op de leuning zitten. 'O, Sarah, waarom kan ik nu nooit die grote mond van me houden? Ma had gelijk, ik ben een kenau zonder hart geworden. Dat wil ik niet zijn, echt niet, maar hoewel Simon in de cel zit, is hij nog steeds een bedreiging, en ik ben zo bang dat ik het wel kan uitschreeuwen van woede. Je moest eens weten wat ik voortdurend in gedachten zie en hoor.'

'Dat weet ik, want ik zie en hoor hetzelfde. En je bent niet de enige die bang en kwaad is. Ik ben min of meer geschorst door Dan en Allie omdat ik nogal fel van leer ben getrokken tegen een ambtenaar in Isiolo. Ik ben zelfs bang dat Dan misschien op zoek zal gaan naar een nieuwe onderzoeker, naar iemand die niet zo heetgebakerd is en zich helemaal op het werk kan richten. Ik kan me de laatste tijd nergens op concentreren. Ik weet gewoon niet hoe we nu verder moeten.' Ze stond op en trok Hannah overeind. 'Maar we kunnen in elk geval wel vrede sluiten met Lottie. Je wilt vast niet dat jullie hierdoor weer uit elkaar groeien.'

Ze hoorden Lottie al voordat ze haar zagen; ze zat met haar broer onder de tulpenboom. Aan de hemel hadden zich loodkleurige wolken samengepakt, en de wind die was opgestoken, voerde het geluid van hun stemmen mee naar de veranda. Hannah bleef boven aan het trapje staan en vroeg zich net af of ze haar moeder moest storen toen Sergio's woorden haar deden verstijven.

'Heb je Mario al geschreven?'

'Nee,' hoorde ze Lottie antwoorden. Haar moeder schudde haar hoofd. 'Het is nog te vroeg. Ik weet niet wat ik tegen hem moet zeggen.'

'Hij houdt van je, Carlotta. Je moet hem in elk geval vertellen wat er is gebeurd.'

'Dat weet ik, dat weet ik.'

'Ik weet zeker dat hij dan naar Johannesburg komt, en dan kun jij naar ons toe komen en bij ons logeren. Dan kun je hem weer zien, en misschien wil je zelfs wel met hem mee naar Italië, zodat je zijn huis kunt zien.'

'Sergio, Janneman is nog maar net –'

'Tijdens zijn laatste jaren in Rhodesië is Jan gewoon een schoft geweest. Ik heb gezien hoe je eraan toe was toen je ons kwam opzoeken. Elena en ik... We maakten ons zorgen over je. En we waren blij dat het tussen jou en Mario zo klikte. Ik denk dat je niet eens terug zou zijn gegaan als jullie meer tijd samen hadden kunnen doorbrengen. Jan heeft je die laatste jaren niet verdiend, Carlotta, hij heeft je bijna kapot weten te maken. Maar nu ben je van hem bevrijd. En vrij om te doen wat je wilt.'

Sarah gebaarde dat ze weg moesten lopen, maar Hannah was gefascineerd door wat Lottie zei en spande zich in om elk woord te kunnen horen.

'Ik blijf voorlopig hier,' zei Lottie. 'Ik zal Mario binnenkort schrijven, maar nu moet ik hier bij Hannah blijven, want ze is bang. Als ze Karanja niet te pakken krijgen, zal ik haar proberen over te halen om hier weg te gaan. Al zal dat moeilijk worden. En dat komt deels door mij, vanwege Jannemans testament. Ik heb er namelijk voor gezorgd dat zij de *plaas* kreeg. Ik zei tegen hem dat het niet anders kon. Maar nu Langani echt van haar is, zal weggaan nog moeilijker zijn. Ik ben bang dat ik een molensteen om haar nek heb gehangen.'

'Ze is een koppig meisje, die Hannah van je. Maar ze heeft een goede man die van haar houdt en een mooie dochter. Ze is niet alleen, en jij wel. Je hebt het verdiend om een mooi leven te leiden, *cara.* Je kunt niet alleen voor je dochter en kleindochter leven, maar je moet ook voor jezelf kiezen.'

'Ik ben er een hele tijd niet voor haar geweest en dat wil ik goedmaken. Hoe kan ik tegen haar zeggen dat ik weg zal gaan en mijn leven ga delen met de man met wie ik een verhouding had toen haar vader nog leefde? Je hebt gehoord wat ze zei, hoe ze over me denkt. Maar ik zal Mario schrijven, en als hij van me houdt, zal hij willen wachten. In elk geval totdat de rechtszaak voorbij is.'

Hannah draaide zich om en liep naar het einde van de veranda, Sarah wenkend dat die haar moest volgen.

'Ze heeft een verhouding gehad.' Hannah was stomverbaasd.

'Maar ze is al die tijd bij Jan gebleven,' zei Sarah. 'Al was het nog zo moeilijk.'

'Maar stel dat die man hierheen komt? En haar vraagt of ze met hem mee wil gaan, of met hem wil trouwen?' Hannah begon te ijsberen.

'Als het een goede vent is die van haar houdt, dan moet ze met hem trouwen. En als jij van haar houdt, dan gun je haar dat. Sergio heeft gelijk, ze heeft wel wat geluk verdiend na alles wat ze heeft meegemaakt.'

'Maar dan zal ze weggaan! Hij woont in Italië!'

'Hannah, ze zal hier sowieso niet voor altijd blijven. Niet omdat ze niet van je houdt, maar omdat Langani met al zijn herinneringen haar gewoon te veel is. Ik kan me niet voorstellen dat ze hier wil wonen en afhankelijk van jou wil zijn. En is het trouwens geen prachtig idee dat Lottie verliefd is? Net als Lars en jij?'

'O, wat ben je toch altijd romantisch! Door sterke en geduldige vrouwen als ma en jij voel ik me altijd zo rot. Ik bega de ene blunder na de andere, schop iedereen tegen de schenen en lijk nooit te kunnen uitleggen hoe ik het bedoel. Al heb ik met Anthony gepraat toen die hier was. Gek genoeg praat ik gemakkelijker met hem. Dat hielp echt, dat verbaasde me.'

'Het is soms het moeilijkst om je hart te luchten tegen de mensen die het dichtst bij je staan,' zei Sarah. 'Dat heb ik met Tim wel gezien. Ik zal je nog wel laten zien wat hij me heeft geschreven. En misschien kunnen we samen een brief aan Camilla schrijven. Want we moeten haar over Simon vertellen.'

Ze stonden arm in arm en keken naar Piets heuvel in de verte, die diepblauw onder de bewolkte hemel lag en nog steeds de littekens vertoonde van de brand die zijn laatste droom had verwoest.

'Vertel me dan eerst maar wat die hulpeloze broer van je te melden heeft,' zei Hannah, 'en dan trommelen we daarna Lars en Suniva op voor een wandeling, voordat de duisternis ons weer een nacht lang dwingt binnen te blijven.'

De volgende dag was het bijna twaalf uur toen Sarah plaatsnam naast pater Bidoli. Hij oogde breekbaar, maar ze vermoedde dat zijn zwakke gezondheid hem niet zou kunnen weerhouden van een bezoek aan de gevangenis. De vraag was alleen of hij Simon onder druk zou willen zetten. Als hij met Simon zou gaan praten, zou dat in de hoedanigheid van geestelijke zijn. En hij zou er zeker niets voor voelen zijn oude leerling met het lot van diens kind te chanteren, zoals Hannah had voorgesteld. Ze had dokter Markham gebeld, die had bevestigd dat een orthopeed in Nairobi het jongetje nog die week wilde helpen. Dat was in elk geval goed nieuws voor Wanjiru.

De pater oogde bijna als een geest toen hij haar hand pakte en vriendelijk glimlachte.

'Hoe gaat het met u, vader?'

'Ik prijs elke dag die God me schenkt,' antwoordde hij, 'maar ik vermoed dat je hier niet bent om mijn gezondheid te bespreken.'

'Ik ben hier vanwege Simon,' gaf ze toe. 'Hij heeft zichzelf aangegeven en zit in de cel, hier in Nyeri.'

De oude man schrok duidelijk van dat nieuws, maar hij luisterde zwijgend en geduldig toen ze hem vertelde wat er sinds hun laatste ontmoeting allemaal was gebeurd. Ze eindigde met het gesprek dat een dag eerder op Langani was gevoerd en zei hoe moeilijk Hannah en Lottie het hadden, en dat ze zo bang waren voor de man in de gevangenis aan de overkant.

'Wil je dat ik met hem ga praten?' vroeg de pater.

'Misschien luistert hij wel naar u. Hij vertrouwt u.'

'En waartoe denk jij dat ik hem kan overhalen?'

'Zijn oom heeft hem grotendeels tot deze daden aangezet. Ik denk dat we het daarover allemaal wel eens zijn. Maar als Karanja vrijuit gaat, zal er pas een einde aan de vete komen als Hannah haar boerderij opgeeft of hij haar ook doodt. Ze bezwijkt nu al bijna onder de spanning. Simon wil echter niet over zijn oom praten.'

'Mijn lieve kind, ik kan wel naar hem toe gaan, maar het is helemaal niet te zeggen of hij me wil spreken, of dat hij iets zal zeggen waar de politie iets aan heeft. En als hij me als zijn biechtvader behandelt, kan ik natuurlijk aan niemand vertellen wat hij heeft gezegd. Dat weet jij ook wel.' Hij zweeg even en keek naar Sarahs gebogen hoofd. 'Maar ik zal gaan,' voegde hij eraan toe. 'Ik zal proberen iets van de goedheid te redden die ooit in hem school. En ik zal het doen voor jou, en voor Hannah en haar gezin.'

'Ik begrijp dat ik heel veel van u vraag,' zei Sarah.

'Nee, het is mijn taak. Een kind dat eenmaal aan mijn zorg is toevertrouwd, blijft altijd mijn verantwoordelijkheid. Ik zal het je laten weten wanneer ik hem heb gesproken. Vertel me maar hoe die politieman heet, dan regel ik het een en ander met hem. Maar verwacht er niet te veel van, Sarah. De man die nu in de cel zit, is niet de jongen die ik in Kagumo heb gekend. Hij is afgedwaald van het geloof dat hij toen had, en nu moeten we vertrouwen op de goedheid en vergiffenis van God. Toch moet Simon een reden hebben gehad om zichzelf aan te geven. Misschien wil hij boete doen.'

'Ik denk dat hij het heeft gedaan omdat hij heeft gehoord dat de man die zijn vader heeft gedood er nu ook niet meer is. Maar ik denk niet dat Karanja daar genoeg aan heeft. Ik ben bang dat hij pas ophoudt als Hannah Langani verlaat.'

'Misschien. Ga je nu terug naar Langani?'

'Ik ga eerst even bij Wanjiru langs. Ik wil tegen haar zeggen dat de specialist haar kindje wil onderzoeken en het misschien binnen een paar dagen kan opereren.'

'Je bent een waarlijk goed en vrijgevig christen. Ik heb trouwens de man van je vriendin ontmoet toen die Wanjiru hierheen bracht.'

'Lars?'

'Ja. Een fijne man. Een goede man. Hannah mag zich gelukkig prijzen.'

'Ja, dat mag ze zeker,' zei Sarah op meewarige toon.

'En jij, mijn kind?'

Sarah keek in zijn wijze, oude ogen en vertelde hem dat Rabindrah Singh in haar leven was gekomen en al haar zekerheden aan het wankelen had gebracht.

'Het is zo raar, vader. Ik had nooit gedacht... Ik bedoel, Piet is de enige van wie ik ooit heb gehouden, vanaf het moment waarop ik hem voor het eerst zag. Toen was ik nog zo jong, en hij was Hannahs grote broer. Maar ik hield al van hem op die eerste dag, toen hij lachend naast me in de rivier sprong en me begon nat te spatten.' Haar ogen glansden omdat ze hem in gedachten weer voor zich zag zoals hij op die heerlijke ochtend was geweest, met zijn blonde haar en het water van de berg dat van zijn goudkleurige lichaam droop. 'Mijn liefde voor hem werd alleen maar sterker, al schonk hij in het begin niet veel aandacht aan me. Toen hij na een tijdje van me ging houden en uiteindelijk vroeg of ik met hem wilde trouwen, kwamen al mijn dromen uit. Ik was zo verschrikkelijk gelukkig.'

Ze zweeg lange tijd. De pater sloot zijn ogen en wachtte af.

'De dag voordat Simon Piet doodde, lagen we naast elkaar op de heuvel die zijn lievelingsplekje op de boerderij was. We keken op naar de hemel en smeedden prachtige plannen voor de toekomst. Er was zo veel verlangen tussen ons, maar we besloten te wachten. Tot onze huwelijksnacht. Die wilden we daar doorbrengen, hoog boven de rest van de wereld. Het was allemaal zo volmaakt, en toen was het opeens voorbij. Hij werd uit het leven weggerukt, uit mijn hart en mijn bestaan. Ik had nooit gedacht dat ik me weer zo zou voelen, dat wilde ik ook niet. Het was te mooi, het was te zeer een kwelling.'

'Maar nu word je weer tot leven gewekt, door een ander. Heb je daardoor het gevoel dat je de nagedachtenis van je geliefde geweld aandoet?'

'Het is zo beangstigend. En ik ben bang dat het verkeerd is, dat het helemaal verkeerd is.'

'Vertel me eens over die man die je hart heeft gewekt. Waarom denk je dat het verkeerd is?'

Sarah haalde haar vingers door haar haar, zoekend naar woorden om Rabindrah en het effect dat hij op haar had te beschrijven.

'Hij is Indiaas. Een sikh. Hij is de journalist die als eerste ontdekte dat de politie nooit met u had gesproken. Toen we net met elkaar samenwerkten aan dat boek over olifanten mocht ik hem niet zo. Ik dacht dat hij alleen maar beroemd wilde worden en geld wilde verdienen. Maar hij was heel erg aardig voor me toen ik echt in de put zat, en ik merkte dat ik hem kon vertrouwen. En na een tijdje wilde ik meer met hem delen. Hem meer over mezelf vertellen, meer... Ik weet het niet. Er veranderde iets. Misschien besefte ik het toen hij malaria kreeg. Opeens was ik bang dat ik hem zou verliezen. Ik besefte dat ik meer van hem wilde dan alleen vriendschap.'

'En dat wil hij ook?' De oude geestelijke keek haar glimlachend aan.

'Ik denk het wel. Of nee, dat weet ik wel zeker. Of dat wilde hij in elk geval. We hebben elkaar gekust. En dat was de eerste keer dat ik dat gevoel kreeg, diep vanbinnen, dat je voelt als je...' Ze zweeg opeens en ging toen verder: 'Hoe dan ook, ik raakte in paniek en rende weg. Ik dacht dat ik Piet de rug toekeerde en de belofte vergat die we elkaar hadden gedaan. Ik voelde me zo schuldig, en zo naar. Want ik wilde dat Rabindrah naar me zou verlangen. Dat wil ik nog steeds. Maar wat moet ik dan met die liefde en de jaren die ik met Piet heb gehad? Die kan ik niet zomaar vergeten, ik kan niet zomaar doorgaan. Dat kan ik niet.'

'Sarah, wanneer je iemand verliest van wie je hebt gehouden, wil dat niet zeggen dat je nooit meer ruimte in je hart voor een ander zult hebben. We zijn mensen, mijn kind, en God heeft ons gezegend met een oneindig vermogen tot liefhebben. Het is Zijn geschenk aan ons. Kijk maar naar een moeder en vader en hun kinderen.'

'Dat is een ander soort liefde,' zei ze, nog steeds van haar stuk gebracht.

'En wat je nu voor deze man voelt, is een ander soort liefde dan je voor Piet voelde. Omdat je nu een ander mens bent. Een mens dat opnieuw lief kan hebben. Je bent trouw, Sarah, en dat is goed. Maar Piet heeft dit aardse bestaan verlaten. Op een dag zul je hem weerzien, in een ander leven, maar nu moet je dit nieuwe geschenk van liefde aannemen dat God je heeft gegeven. Je moet ermee leven, ervan leven. Je hebt lang genoeg gerouwd, en Piet zou niet willen dat je de rest van je leven verdriet hebt. Als je ooit zo sterk en oprecht van iemand hebt gehouden, dan kun je dat weer doen. Dan moet je dat weer doen.'

'Maar het zal moeilijk worden. Hij heeft een andere religie, komt uit een andere cultuur, en zijn familie –'

'Je zult inderdaad goed over zulke dingen na moeten denken als je hem beter wilt leren kennen, dat is waar. Een verbintenis met iemand uit een andere cultuur kan tot ontevredenheid leiden, tenzij je er allebei hard aan werkt om de verschillen te overbruggen. Vaak zijn het andere familieleden die er moeilijk over doen omdat ze het niet aanvaarden.'

'Ik geloof niet dat zijn familie me echt aardig vond. En Hannah kan ook niet met Rabindrah opschieten. Dat is erg lastig, want ze is mijn beste vriendin en de zus van Piet. Dus het voelt bijna als dubbel verraad dat ik me zo tot hem aangetrokken voel.'

'Sarah, Sarah.' De pater stak zijn hand uit en streek haar over haar wang. 'Je moet niet voor een bepaalde man kiezen omdat je vriendinnen die toevallig aardig vinden, hoe hecht jullie band ook is. Als iemand echt je vriendin is, zal ze willen dat je geluk vindt, met wie dan ook.'

'Maar als dit nu alleen maar een dwaze verliefdheid is? Voor ons allebei.'

De pater lachte, zodat zijn vriendelijke gezicht vol lachrimpeltjes kwam te zitten. 'Dan zal het vanzelf wel overgaan. En dan heb je een stap in de richting van je nieuwe leven gezet. Probeer het maar. Dat is de enige manier om erachter te komen. Want als je het nooit probeert, zul je op een dag ontdekken dat de motor van je leven is vastgelopen.'

Ze boog zich naar hem toe en omhelsde hem voorzichtig, bang dat ze zijn broze botten zou breken. 'Dank u. Dank u dat u me dit hebt laten inzien. Dan ga ik nu op zoek naar Wanjiru om haar te vertellen dat haar kindje kan worden geholpen.'

Wanjiru was samen met een van de nonnen in de keuken aan het werk. Haar zoontje droeg ze op haar rug, gewikkeld in haar *kanga.* Ze oogde zenuwachtig toen Sarah haar vroeg om even aan tafel te komen zitten, maar een van de Italiaanse nonnen kwam bij hen zitten en vertaalde in het Kikuyu wat er allemaal zou gaan gebeuren. Wanjiru was dankbaar maar vervuld van angst toen ze hoorde dat haar man in de gevangenis zat.

'Nu zal hij achter me aan komen,' zei ze. 'Karanja zal mij en mijn kind doden.'

'De politie zal je beschermen, en ze weten geen van beiden waar je bent,' zei Sarah.

'Karanja zei dat ik niet weg mocht lopen of met een *wazungu* mocht spreken, want dan zou hij me doden en mijn kindje voor de hyena's werpen.' Het meisje sloeg haar handen ineen en begon te huilen.

'Kijk, je kunt vanaf hier het politiebureau zien,' zei Sarah. 'Als Karanja zich hier in de buurt waagt, zullen de *askari's* hem meteen arresteren. Hij zal hier niet komen, want hij wil niet gepakt worden.'

Huiverend keek Wanjiru door het raam naar het gebouw aan de overkant van het plein.

Sarah kreeg hetzelfde misselijkmakende gevoel. Simon was te dichtbij. Snel stond ze op. 'Wees niet bang,' zei ze. 'Hoofdinspecteur Hardy krijgt Karanja wel te pakken. Ik kom na de operatie weer naar jou en je kindje kijken. Het zal vanaf nu allemaal goed gaan.'

Terug op Langani wilde ze het liefst naar haar kamer gaan en rustig haar gedachten op een rijtje zetten, maar Hannah zat op haar te wachten. Ze keek uitermate vrolijk.

'Ik heb Camilla net gesproken,' zei ze. 'Er heeft vandaag in een paar Engelse kranten gestaan dat Simon zichzelf heeft aangegeven, en ze vliegt vanavond nog naar Nairobi. Ze wil hier bij ons zijn, totdat het allemaal voorbij is. We moeten het samen doorstaan, zei ze. George zit in Londen, maar ze gaat meteen naar zijn huis om zich wat op te frissen en rijdt daarna hierheen.'

'Dat is een flinke rit als je net uren in een vliegtuig hebt gezeten,' zei Sarah. Het duurde even voordat het nieuws tot haar verdoofde geest was doorgedrongen. 'Zal ik Rabindrah vragen of hij haar van het vliegveld wil ophalen en hierheen wil brengen?'

'Rabindrah?' Hannah keek verbaasd op. 'Waarom hij?'

'Omdat ik het nog met hem over het boek moet hebben. Dan kan hij meteen Camilla meebrengen.' Sarah hoopte dat de zegen van pater Bidoli dat leugentje om bestwil goed zou maken. 'Ik zal je dadelijk vertellen wat de pater allemaal heeft gezegd, maar ik wil eerst Rabindrah bellen, als je het goedvindt.'

Ze liep naar de telefoon en was blij dat ze hem op de redactie van de krant te pakken wist te krijgen. Het laatste wat ze wilde, was naar het huis van Indar Singh bellen.

'Sarah. Wat een verrassing. Wat kan ik voor je doen?' Zijn toon was koel. Bijna kil.

Meteen schoot ze in de verdediging. Dacht hij dat ze hem belde omdat hij iets voor haar moest doen? 'Simon Githiri heeft zichzelf aangegeven,' zei ze.

'Ja, dat heb ik gehoord,' zei hij.

Sarah was van haar stuk gebracht. Hij wist het, maar had haar niet gebeld. Ze wist even niet wat ze moest zeggen.

'Ik heb Dan gesproken,' verduidelijkte hij. 'Hij zei dat je op Langani zat en een tijdje bij Hannah zou blijven.'

'Hoor eens, Rabindrah, er is iets wat ik je nog niet heb verteld. Over de gebeurtenissen op Langani, over de reden waarom Piet is vermoord. Niet omdat ik het je niet wilde vertellen, maar omdat –'

'Sarah, ik moet zo weg. Kan ik je later op Langani bellen?'

Zijn toon was neutraal, en opeens wist ze dat ze hem duidelijk moest maken waarom ze niets had gezegd. Ze mocht hem nu niet verliezen, niet nu ze net had aanvaard dat hij een grote rol in haar leven zou kunnen spelen. Voordat hij de kans kreeg iets te zeggen, begon ze aan haar verhaal.

'Ik kon je niet vertellen wat Jan had gedaan,' zei ze, toen ze aan het einde van haar relaas was gekomen. 'Vanwege Hannah. Alleen de naaste familie wist het, en ze probeerden te aanvaarden wat er was gebeurd. Dus ik kon het niet aan een ander uitleggen.'

'Maar je vertelt het nu wel.'

'Omdat het tot een rechtszaak zal komen. En dan zal het hele verhaal naar buiten komen.' Opeens besefte ze hoe naar dat klonk: ze vertelde het hem omdat binnenkort toch iedereen het zou weten. 'Nee, daarom vertelde ik het niet,' voegde ze er snel aan toe. 'Het komt doordat ik aan je heb gedacht. Over wat je zei voordat je Buffalo Springs verliet. En ik wil dat je weet dat ik mijn leven in jouw handen zou durven leggen, en dat ik je alles over mezelf of mijn vrienden kan vertellen, wat het ook is. Ik bedoel, ik moet je spreken, Rabindrah.' Stilte. 'Rabindrah?'

'Ik luister.'

'Camilla vliegt vanavond vanuit Londen hierheen.' Ze voelde zich een dwaas. 'En ik vroeg me af of jij haar zou willen ophalen van het vliegveld. Of haar hierheen zou willen brengen, als je tijd hebt. Want ik moet met je praten, en... Nou, zou je dat alsjeblieft willen doen?'

'Hoe laat? Wat is het nummer van haar vlucht?'

Ze noemde het nummer en de tijd van aankomst en wachtte met ingehouden adem af.

'Ik moet nu echt de deur uit.' Zijn toon was kortaf. 'We hebben een familiebijeenkomst en ze zitten op me te wachten. Ik breng haar naar jullie toe. Dag.'

Ze bleef met de hoorn in haar hand staan luisteren naar het verbreken van de verbinding en daarna naar het ruisen van de lijn. Een vlaag van genoegen en verwachting ging door haar heen.

De volgende dag leek een eeuwigheid te duren, en Sarah kon zich amper inhouden. Ze was bang dat Hannah zou merken hoe rusteloos ze was en zou vragen waarom. Ze hielp Lottie op de medische hulppost en maakte daarna de logeerkamer voor Camilla in orde. Niemand vroeg of er een bed voor Rabindrah nodig was en Sarah durfde er niet over te beginnen. Ten slotte verdween ze naar haar kamer om nog wat te kunnen werken. Ze wilde niet dat Dan en Allie zouden denken dat ze de olifanten was vergeten. Mocht Allie de auto komen halen, dan wilde Sarah haar verslagen laten zien die actueel waren en zouden aantonen dat haar bijdrage onmisbaar was.

Tegen het middaguur was ze op van de zenuwen. Rabindrah had niets gezegd toen ze hem had verteld dat ze hem wilde spreken, maar hij kwam in elk geval. Dat was het belangrijkste. Hoe het verder zat, zou ze later wel merken. Elke keer wanneer de honden blaften of ze een auto meende te horen, sprong ze op en liep naar de veranda.

'Mijn hemel, wat is er toch met je?' vroeg Hannah. 'Je scharrelt rond als een klipdas op een hete rots. Ga toch eens even zitten, of maak anders een wandelingetje. Ik word gek van je.'

'Sorry.' Sarah sloeg het boek open waaraan ze was begonnen en probeerde nogmaals aan de bladzijde te beginnen die ze al een uur trachtte te lezen.

Kort voor de lunch kwam Lars haar een koud biertje brengen. 'Zijn ze er nog niet?' vroeg hij. 'Hopelijk hebben ze geen pech gekregen.'

Hij was amper uitgesproken of Sarah hoorde het geluid van banden op het grind. Nu het zover was, leek ze aan haar stoel te zijn vastgekleefd. Hannah was degene die naar buiten liep, en even later hoorde ze Camilla's ademloze begroetingen en hoog, vrolijk gelach.

'Waar is Sarah?' Rabindrahs eerste woorden werden door Camilla herhaald: 'Ja, waar zit ze?'

Camilla stond naast de auto, omringd door de kwispelende honden. Ze had een arm om Hannah heen geslagen en hield haar hand vast. Lars had de kofferbak geopend en was bezig haar bagage uit te laden. Rabindrah stond aan de andere kant van de auto, leunend op het portier. Sarah liep de veranda op, zich ervan bewust dat zijn blik alleen naar haar zocht. Ze keek terug en zag een glimlach om zijn fraaie lippen spelen, zag zijn zwarte haar glanzen in het zonlicht. Even viel er een stilte, maar toen rende ze het trapje af en stortte zich in zijn armen. Ze klampte zich aan hem vast, verborg haar gezicht in zijn jasje en voelde dat hij zijn hand in haar nek legde. Ze keek naar hem op en fluisterde in zijn kus: 'Ik heb je gemist, ik heb je zo gemist. Ik ben blij dat je er bent.' Ze bleven verstrengeld staan, zich volkomen onbewust van de verbazing van de anderen.

Mwangi was degene die ten slotte de stilte verbrak. '*Iko simu, memsahib* Sarah,' zei hij. 'Er is een telefoontje voor u. Het is een pater uit Nyeri.'

Sarah keek hem als verdwaasd aan en maakte zich toen van Rabindrah los. 'Een telefoontje,' herhaalde ze vrij dwaas. 'Iemand wil me spreken.'

Ze liep naar de nis in de woonkamer waar de telefoon stond en pakte de hoorn. 'Hallo? Pater Bidoli?'

Haar hart bonsde als een bezetene terwijl ze op een antwoord wachtte. Aan de andere kant van de lijn was vooral de zware ademhaling van de geestelijke te horen, zodat ze zich moest inspannen om hem te verstaan.

'Ik ben bij hem geweest,' zei hij eenvoudigweg. 'Hij heeft sinds hij zichzelf heeft aangegeven niets gegeten en slechts een klein beetje water gedronken. Hij wil sterven. Aanvankelijk wilde hij niet met me praten, maar ik vertelde hem dat ik ook stervende ben. Dat we onze laatste dagen samen zouden doorbrengen. Toen keek hij me aan en wist dat ik de waarheid had gesproken.'

'Zei hij iets over Karanja?'

'In het begin niet, nee. Ik vertelde hem dat zijn kind zou worden geopereerd en weer zou kunnen lopen. Dat de jongen niet vervloekt is, maar kan worden geholpen.'

'Wilde hij weten waar Wanjiru is?'

'Hij vroeg niet naar haar en ik heb niets gezegd. Maar toen hij hoorde dat jij de operatie had geregeld, hoewel hij jouw Piet heeft gedood, begon hij te huilen.'

'Maar is hij bereid de naam van Karanja te noemen?'

'Hij zit tussen twee vuren. Tussen de gebruiken van zijn stam, die wraak voor de dood van zijn vader vereisen, en de opvoeding die hij bij ons heeft genoten en waarin we bidden om de vergiffenis van Christus. Hij begrijpt dat het verkeerd is geweest om voor kwade magie te kiezen.' De pater zweeg even en Sarah merkte dat hij moe was, maar toen vervolgde hij: 'Hij zei dat Karanja hem heeft gedwongen de eed te zweren.'

'O, godzijdank heeft hij dat toegegeven. Godzijdank,' zei Sarah.

'Het ritueel heeft hem een enorme angst ingeboezemd,' zei de geestelijke. 'Karanja heeft hem een kruidendrank laten drinken, hem het rauwe hart van een bok laten eten en hem de woorden laten zeggen. Daarna was Simon bang voor wat hem zou overkomen als hij zich niet aan zijn belofte zou houden. De kracht van de suggestie leeft nog erg onder die mensen, wat we hun ook leren. Het is erg wrang, mijn kind, maar ik geloof dat Simon Piet aardig vond en hem respecteerde. Dat hij niet wilde doen wat hij Karanja had beloofd.'

'Toch doodde hij Piet,' zei Sarah.

'Karanja heeft gedreigd Piet en Hannah en alle arbeiders op de boerderij te doden als Simon niet zou doen wat hij zei. En toen Simon nog steeds niets deed, heeft hij zijn mannen het vee laten doden en de overval op het huis beraamd. Ten slotte nam Simon een zwaar bedwelmend middel in dat Karanja hem had gegeven en was hij vastberaden genoeg om te doen wat hij had beloofd. Daarna is hij heel erg ziek geworden.'

'Hij is niet ziek, vader, hij is een onmens.'

'Hij weet dat hij iets vreselijks heeft gedaan. Na zijn daad was hij niet minder kwaad vanwege de dood van zijn vader. Hij vond geen rust. Ik zei tegen hem dat Karanja's kwaad oneer over de stam heeft gebracht en dat de oude man, als hij niet wordt gepakt, Wanjiru zal doden omdat zij tegen hem kan getuigen.'

'Wil hij met de politie praten? En Karanja als schuldige aanwijzen?' vroeg Sarah.

'Zo simpel is het niet. Na de moord keerde Simon terug naar zijn schuilplaats in het bos. Hij dacht dat het voorbij was. Maar Karanja had nog meer rekeningen te vereffenen. Hij dreigde Simon te doden, zijn kind te vermoorden, als hij niet zou gehoorzamen. Volgens de oude gebruiken van de stam was het evenwicht hersteld: het leven van jouw Piet voor dat van Simons vader. Maar Simon zag in dat er nooit een einde aan zou komen omdat hij nooit aan de macht van Karanja zou kunnen ontkomen. Omdat de oude man nu zijn ziel in bezit had.'

'En dus gaf hij zichzelf aan,' zei Sarah.

'Hij had het gevoel dat Karanja hem had opgedragen te sterven, en daarom was hij in het bos gaan zitten wachten op de dood. En toen kwam er iemand voedsel naar zijn schuilplaats brengen en zei dat Jan van der Beer dood was. Dat had in de krant gestaan. Daarom gaf hij zichzelf aan. Om er een einde aan te maken.'

'Maar er zal pas een einde aan komen als hij zijn verklaring tekent,' zei Sarah vol wanhoop. 'Wat hij tegen u heeft gezegd, is niet voldoende voor een rechter.'

'Misschien zal hij nu de moed vinden. Hij is klaar voor de dood, maar hij vreest voor het lot van zijn zoon als Karanja hem zal vinden. Dat heeft hij gezegd.' De geestelijke hield even op en hoestte flink. Toen hij weer het woord nam, klonk zijn stem dun en vermoeid. 'Hij vroeg me of ik bij hem wil zijn wanneer hij sterft, en ik zei dat ik er, als God dat toestaat, zal zijn. Of dat ik aan de andere zijde op hem wacht.'

'Nee, we hebben u hier nog zo hard nodig, vader,' zei Sarah. Ze was de oude man als een goede vriend gaan beschouwen, als haar gids, een ragdunne verbinding tussen haar en de onverklaarbare God in wie ze ooit zo'n rotsvast vertrouwen had gehad.

De pater grinnikte. 'Ik ben een zieke oude man, mijn tijd zit er bijna op. Het zou dom zijn dat niet in te zien.' Zijn volgende woord was niet meer dan een fluistering: 'Sarah?'

'Ja, vader?'

'Hij vroeg of je naar hem toe zou willen komen. Eén keer maar, voordat hij sterft.'

'Nee! O nee, vader, dat kan ik niet. Dat kan ik niet.' Ze huiverde van angst en walging en keek of ze ergens een stoel zag, of iets anders wat haar knikkende knieën steun kon bieden.

'Ik weet dat je daar niet aan wilt denken, maar de pijnlijkste dingen zijn soms ook het waardevolste omdat ze ons van angst kunnen genezen. Daarom vraag ik je of je erover wilt nadenken. Dat is alles wat ik je nu wil zeggen, mijn lieve kind. God zegene je. Je bent erg moedig, moediger dan je denkt. Ik bid elke dag voor je.'

Sarah legde met klamme handen de hoorn neer en liep naar haar kamer, waar ze ging zitten. Een behandeling voor een onschuldig kind regelen was één ding, maar het monster bezoeken dat de man van wie ze zoveel had gehouden had verminkt en gedood – dat kon niemand van haar verlangen. Ze haalde een zakdoek tevoorschijn en veegde het zweet weg dat over haar gezicht stroomde. Het idee alleen al maakte haar misselijk. Het was uitgesloten. Ze zou het nooit doen, wat er ook gebeurde.

NEGENTIEN
Kenia, juni 1967

Camilla keek naar de woonkamer om haar heen, getroost door de warmte die Langani uitstraalde en de liefde die ze voor deze plek voelde. Ze liet haar vingers over de versleten bekleding van de bank en stoelen gaan, over het vel van de franjeaap dat over de rugleuning van de stoel hing waarin Jan altijd had gezeten. Aan de muren hingen olieverfschilderijen van Afrikaanse landschappen en wilde dieren, aquarellen van bloemen uit de streek, sepiakleurige foto's van voorouders in deftige houdingen, een verzameling opgezette dierenkoppen met glazen ogen en ceremoniële speren en een schil van de Masai. De overgrootouders van Hannah hadden op hun door ossen getrokken karren vanuit Zuid-Afrika de zware houten meubels meegebracht, alsmede talloze andere waardevolle bezittingen. Op de glanzende tafel en het dressoir en de boekenkasten stonden lampen met verschoten kappen, er lagen boeken en grammofoonplaten, er stonden schalen met bloemen en aandenkens die Hannah had neergezet om het huis tot het hare te maken. Er stonden foto's in zilveren lijstjes, foto's van haar bruiloft en de doop van haar dochter en Jan en Lottie in gelukkiger tijden. Een foto van Sarah, met haar dat wild krulde rond haar lachende gezicht, stond op het dressoir. Naast haar stond een portret van Piet dat een paar maanden voor zijn dood was gemaakt. Hij had niet gemerkt dat iemand een foto wilde maken en keek verbaasd, verwonderd. Zijn open gezicht en blonde haar glansden als goud in het licht van de avondzon. Het gezicht van een energieke jongeman die nooit oud zou worden. Ze zouden hem zich altijd herinneren zoals hij toen was geweest, vol dromen en plannen en optimisme, vol van het lange leven dat voor hem lag en hem zo veel voldoening zou schenken. Op de boekenplank zag Camilla een foto van zichzelf en Anthony staan, die was gemaakt in zijn bivak in Samburu. Op de foto boog ze zich naar hem toe, met een gezicht dat duidelijk straalde van liefde. Haar hart trok samen toen ze dat zag, en ze wendde zich af, niet in staat er nog langer naar te kijken.

Van de lunch was niets meer gekomen. Na een ongemakkelijk moment op de oprit, toen Sarah Rabindrah had losgelaten en naar binnen was gelopen om de telefoon aan te nemen, had Lars als eerste het woord genomen. 'Zullen we naar binnen gaan, Hannah, en gewoon wat broodjes en bier en koffie pakken, in plaats van een hele lunch op tafel te zetten?' had hij gezegd. 'Rabindrah, zou je met de bagage van Camilla willen helpen? Volgens mij heeft ze stenen ingepakt. Vrouwen en koffers, daar zal ik nooit iets van begrijpen.'

'Niet meteen zo kritisch,' had Camilla gezegd. 'Ik heb van alles uit Londen meegebracht voor jou en Hannah. En speelgoed voor Suniva, en allemaal crèmetjes en smeerseltjes voor ons meiden. Als je ziet wat ik allemaal bij me heb, piep je wel anders.'

Ze waren zich allemaal bewust geweest van het geluid van Sarahs stem op de achtergrond en de stiltes die waren gevallen toen ze naar de pater luisterde.

Hannah slaakte een zucht. 'Ik hoop dat hij Simon zover heeft gekregen dat hij een verklaring wil afleggen,' zei ze, nadat ze Camilla had uitgelegd wat er aan de hand was. Ze belde om Mwangi en glimlachte toen. 'En ma is hier, zoals je al weet. Ze is nu met Barbie Murray aan het lunchen, maar ze komt dadelijk weer thuis.'

'Ik denk dat Rabindrah na zo'n stoffige rit wel een biertje heeft verdiend.' Lars kwam de woonkamer binnen, met Rabindrah op zijn hielen.

'Ja, natuurlijk,' zei Hannah. 'Ik laat Camilla even haar kamer zien. Rabindrah, verderop in de gang kun je je opfrissen, als je wilt. Lars regelt wel een biertje voor je.'

Ze nam Camilla mee naar de logeerkamer, deed de deur achter hen dicht en sloeg meteen haar handen voor haar gezicht. 'O, zag je dat? Ze vloog hem gewoon om de hals! Niet te geloven, ik wist niet wat ik zag. En ik weet niet wat ik ervan moet denken. Het is echt bizar. Amper te geloven...' Ze ging op het bed zitten en keek Camilla afwachtend aan.

'Ik heb in Londen al gemerkt dat het erg klikt tussen die twee,' zei Camilla, 'al hadden ze dat volgens mij zelf nog niet eens in de gaten.'

'Het is moeilijk,' zei Hannah. 'Ik heb Sarah en Piet altijd als onafscheidelijk beschouwd, ook al heeft het heel lang geduurd voordat hij inzag dat ze bij elkaar hoorden. En toen hij haar vroeg of ze met hem wilde trouwen, dacht ik dat we hier allemaal nog jaren zouden wonen en op de *plaas* en in de lodge zouden werken en onze kinderen samen zouden grootbrengen. Sinds zijn dood hebben we zoveel meegemaakt, en ik had nooit kunnen denken dat ze...'

'Dat ze ooit oog voor een ander zou krijgen,' vulde Camilla aan.

'Het is zo'n schok. Al is het niet eerlijk tegenover haar dat ik zo verbaasd ben,' zei Hannah. 'Maar hij is Indiaas, en ik moet eerlijk bekennen dat ik daar mijn bedenkingen bij heb. Het is moeilijk te aanvaarden dat een sikh, een journalist, de plaats van mijn broer zal innemen.'

'Maar hij is niet een of andere *duka wallah*. Hij heeft een goede opleiding genoten, hij is intelligent, hij stamt uit een familie die even beschaafd is als die van jou en van mij.'

'Het is een andere cultuur,' zei Hannah. 'Ze gaan anders met vrouwen om dan wij.'

'Sikhs hebben de naam erg tolerant te zijn wanneer het om andere culturen en geloven gaat. Ze worden geacht mannen en vrouwen als gelijken te beschouwen, en dat is een idee dat voor de meeste blanke mannen al te hoog gegrepen is. Ik moet zeggen dat hij me wel bevalt, al ken ik hem nog niet zo goed.'

'Ja, hij zal ook heus wel aardig zijn.' Hannah leek niet overtuigd. 'Hij heeft me laatst een lift vanuit Buffalo Springs hierheen gegeven en wees me op iets wat ik nooit had beseft, en ik schaamde me best wel.'

'Wat was dat dan?'

'Hij wees me er, heel beleefd maar vastberaden, op dat onze families erg op elkaar leken. Hij had door dat ik dacht dat de meeste Indiërs in Kenia de afstammelingen van ongeletterde spoorwegarbeiders waren en als sirih kauwende winkeliers eindigen. Maar de voorouders van Rabindrah woonden hier al eerder dan de mijne, het waren soldaten en politiemannen en boeren die een opleiding hadden genoten. Waarschijnlijk waren ze meer belezen en wereldser dan de oude opa Van der Beer, die altijd alleen maar de Bijbel las en nooit aan iets anders dan zijn *plaas* dacht.'

'Kon jouw familie eigenlijk goed opschieten met de andere blanken hier?'

'De Afrikaners stonden er niet om bekend dat ze de gezelligheid van anderen opzochten, welke kleur die ook hadden, tenzij die anderen hun aan iets konden helpen wat ze voor hun boerderij nodig hadden. Of later wanneer er een rugbywedstrijd werd gehouden. Ze waren erg op zichzelf. Toen pa zei dat hij met een Italiaanse wilde trouwen die hij tijdens een vakantie in het zuiden had leren kennen, werd er eerst behoorlijk lelijk gekeken. Maar het duurde niet lang voordat opa en oma dol op Lottie waren. Vanwege ma ging onze familie meer met Britten om dan andere Afrikaners, en bovendien woonden er hier niet veel andere *japies* in de buurt. We vormden geen deel van een besloten groepje zoals de Nederlands-gereformeerden in Trans Nzoia. Maar we gingen ook niet veel met andere Europeanen om. Piet deed aan rugby in Nanyuki, en we werden lid van de club zodat we daar konden tennissen. Maar je weet dat ik het enige Afrikaner meisje was bij ons op school.'

'Ik dacht dat dat kwam doordat de gereformeerden niets moesten hebben van die frivole roomsen met hun gesneden beelden,' merkte Camilla op.

'Van alles wat enigszins vrolijk oogt, moeten ze weinig hebben,' zei Hannah. 'Ik denk dat de Keniase Aziaten de Britten beter begrepen dan wij. En ze maakten optimaal gebruik van voorzieningen als onderwijs of de banen die ze konden krijgen. Ook al keken de Britten toch vooral op hen neer.'

'De Indiërs waren in hun eigen land al aan onze aanwezigheid gewend geraakt,' legde Camilla uit. 'En de maharadja's deden niet onder voor de chicste Britse adel.'

'Dat is waar,' zei Hannah. 'Het is toch gek dat de Britten en Afrikanen een even grote hekel aan de Indiërs en ons Afrikaners hebben. Dat had toch voor een band moeten zorgen, maar blijkbaar konden we ons niet over het verschil in huidskleur heen zetten. Het zal interessant zijn om te zien hoe dat bij een volgende generatie gaat, nu we allemaal een paspoort hebben dat zegt dat we Keniaan zijn, welke kleur we ook hebben.' Ze sloeg met haar gebalde vuist tegen de palm van haar andere hand, zich ergerend aan haar eigen ingebakken vooroordelen. 'Dat snap ik ook allemaal wel, en ik wil met iedereen goed kunnen opschieten, alleen... Het idee van Sarah en Rabindrah, daar heb ik toch moeite mee.'

'Ik heb tijdens etentjes in Nairobi, waar ik met papa heen ben gegaan, diverse gemengde echtparen leren kennen,' vertelde Camilla. 'Al is het natuurlijk niet gezegd dat het voor hen ook zover zal komen.'

'O god, denk je echt dat ze met hem zou trouwen?'

'Wie weet?' Camilla hief haar bleke handen op.

'Er zijn Europese mannen die een Indiase of Afrikaanse vriendin hebben en er zelfs mee trouwen, tegenwoordig,' zei Hannah. 'Maar andersom is het nog steeds ongewoon. En hoe zou het met eventuele kinderen gaan? Zouden die worden geaccepteerd? Ik wil echt dat ze gelukkig is, maar ik weet niet wat ik hiervan moet denken.' Ze keek Camilla aan, smekend om begrip.

'Natuurlijk voel je je er ongemakkelijk bij,' zei haar vriendin. 'Het idee dat een ander Piets plaats zal innemen, is heel vreemd. Hij was haar eerste en enige liefde, al sinds haar jeugd. Na zijn dood was ik bang dat zij ook zou afsterven. Of dat ze een van die rare excentrieke wetenschappers zou worden die in hun eentje door de wilderis banjeren. Een sjofele oude vrijster met veel te grote kleren en rimpels en harige benen, die alleen met wilde dieren en andere geleerden kan praten. We willen toch niet dat ze zo wordt?'

'Nee, dat willen we niet.' Rond Hannahs lippen verscheen een lachje. 'Ik moet toegeven dat hij charmant is, maar toch, hij blijft Indiaas. Raphael en Betty zullen er ook niet blij mee zijn. Betty zeker niet.'

'Om over zijn familie maar te zwijgen,' zei Camilla. 'Ook al zijn het tolerante sikhs.'

'Waarom houden we ons niet gewoon bij onze eigen soort?' vroeg Hannah zich hardop af. 'Dat zou voor iedereen beter zijn, als we niet te veel vreemde elementen in ons liefdesleven zouden toelaten.'

'En daarom had jij een woeste verhouding met een gekke Pool en ben je met een Noor getrouwd,' merkte Camilla snedig op. 'Ja, dat is een goede raad, Hannah.'

'O, wat ben je toch altijd ad rem.' Hannah lachte hardop. 'En nu we het er toch over hebben: ik heb ontdekt dat ma een verhouding met een Italiaan heeft gehad die ze in Johannesburg heeft leren kennen. Verder weet ik helemaal niets van hem, het kan wel een gigolo zijn. Ze hebben iets met elkaar gehad, maar toen pa gewond raakte, is ze teruggegaan naar Rhodesië en daar tot zijn dood gebleven.'

'Ouders doen lang niet altijd wat wij zouden willen,' zei Camilla een tikje bitter. 'Maar ik ben blij dat Lottie er weer is. Wat denk je, kan het nog iets worden met die Italiaan?'

'Ik denk het wel,' zei Hannah aarzelend. 'Sarah en ik hoorden haar er met oom Sergio over praten. Die is gisteren vertrokken, zodat ik hem er niet meer naar kan vragen, en ik durf ma er niet op aan te spreken.'

'Ik zou er helemaal niet over beginnen.' Camilla pakte een trui en sloeg die over haar schouders. 'Sommige dingen kunnen ouders beter niet van hun kinderen weten, maar dat geldt andersom ook. Kom, dan gaan we samen met Lars en Rabindrah een hapje eten, en dan wachten we totdat je moeder er weer is. Misschien is ze wel helemaal niet met Barbie Murray aan het lunchen,' merkte ze ondeugend op. 'Misschien is die Italiaan niet ouder dan vijfentwintig en heeft ze hem in een suite in de Mount Kenya Safari Club geïnstalleerd, zodat ze af en toe een wilde middag kan beleven.'

Ze lachten allebei nog steeds toen Camilla de deur van de logeerkamer opende, maar ze deed hem meteen weer dicht.

'Wat is er?' wilde Hannah weten.

'Sarah. Ze is net met Rabindrah naar buiten gelopen. Misschien moeten we hun even wat tijd voor henzelf geven.'

'Daar heb ik ook wel behoefte aan. Dan kan ik in elk geval bedenken wat ik tegen haar wil zeggen.' Hannah kromp ineen toen ze uit het raam keek en het tweetal hand in hand over het gazon zag lopen. 'Dan kun je me ondertussen alles over Anthony vertellen.'

'Ik heb hem in Londen nog gezien,' zei ze schouderophalend, 'maar het zal nooit iets worden. Ik ben hierheen gekomen om jou en Sarah bij te staan tijdens een eventuele rechtszaak en de problemen die daaruit voort kunnen komen. En wie weet kan ik nog iets in het atelier doen, als je daarmee verder wilt gaan. Daarna moet ik weer terug naar Londen. Misschien zit er nog een nieuwe rol voor me in. Dat heb ik altijd al gewild, al geniet ik ook heel erg van kleren ontwerpen. De kleren die we hier hebben gemaakt, zijn allemaal verkocht, en ik heb genoeg ideeën, maar ik kan hier niet langer wonen. Ik kan de gok met Anthony niet nogmaals wagen.'

'Hij is verliefd op je,' zei Hannah.

'Dat zegt iedereen, maar ik begrijp niet waarom hij dat dan niet laat merken.'

'Hij schaamt zich voor het gedrag van die avond,' probeerde Hannah het nogmaals. 'Het was stom van hem om zo met haar te flirten, maar ik denk dat hij zich erg buitengesloten voelde. Vanwege jouw succes en al die mensen uit Londen en zo.'

'Hij flirtte niet alleen. Ik heb hen met elkaar zien zoenen, vlak voor de kleedkamer. Bovendien wil ik niet mijn licht onder de korenmaat steken om te voorkomen dat hij zich anders zo rot voelt,' merkte Camilla op. 'Ik heb een man nodig die van me houdt en trots is op wat ik doe, zonder dat hij zichzelf minder voelt. Ik wil niet samenleven met iemand die iedere vrouw wil versieren zodra hij zich even niet de grootste haan in het kippenhok voelt. Ik heb vooral een man nodig die ik kan vertrouwen. Goed, breng me nu maar naar iets te eten en te drinken, anders kom ik de rest van de dag nooit door.'

'Wat zei hij?' Rabindrah keek naar Sarahs bleke gezicht. De spiertjes rond haar mondhoeken trilden en ze had haar vuisten gebald. 'Zeg het maar.'

De woorden bleven echter steken in haar keel. Ze likte langs haar droge lippen, maar kon niets zeggen.

'Kom, dan gaan we een luchtje scheppen.' Hij pakte haar bij haar hand.

Ze liepen de tuin in en bleven staan bij het hekje dat naar de open vlakte leidde, dicht bij elkaar, en ademden de ijle, koele lucht van het hoge *veldt* in.

'Hij wil dat ik met hem kom praten,' zei Sarah. 'In de gevangenis in Nyeri.'

'Heeft pater Bidoli je gevraagd –'

'Nee, niet hij. Simon. Simon wil dat ik met hem kom praten. Hij is degene die –'

'O Sarah!' Hij greep haar stevig vast en drukte een kus op haar voorhoofd.

'Ik kan er niet heen gaan. Ik kan hem niet aankijken, of met hem praten, zijn stem horen. Dat kan ik niet. Dat mag niemand van me verwachten.'

Rabindrah zei niets, maar gaf haar de tijd om uit te leggen wat de pater had gezegd en te vertellen hoe ze worstelde met wat hij van haar had gevraagd.

'Dit is een nachtmerrie voor me,' bekende ze. 'Want hij leeft nog, hij kan zien en praten en ademen, terwijl Piet... Nee, ik kan het niet. Ik ga de pater meteen bellen en zeggen dat ik het nooit zal doen.'

'Je hoeft niet meteen te beslissen,' zei Rabindrah. 'Als er iemand is die weet dat je tijd nodig hebt, is het de pater wel. Wil je er met Hannah en Lars over praten? Of met Camilla?'

'Nee, het is mijn probleem, en ik moet het oplossen,' zei ze. 'Het zal al erg genoeg zijn om hem voor de rechter te zien staan, maar dat is niet te vermijden. Maar ik wil niet het gevoel hebben dat ik met hem moet gaan praten. Dat God van me verwacht dat ik vergeef.' Ze wendde zich van hem af. 'We moeten weer naar binnen gaan. Ik heb Camilla nog niet eens echt begroet.'

'Dat vindt ze vast niet erg.' Hij stak een hand uit en streek een lok haar uit haar gezicht. 'Dat vindt ze helemaal niet erg.'

'Zei ze dat ze kwaad op me was?' vroeg Sarah.

'Nee. Ze zei dat ze niets liever wilde dan hier bij jou en Hannah zijn.'

'Nou, ze is anders wel kwaad. Omdat ik dacht dat ze mijn broer had overgehaald zijn bruiloft af te zeggen. Ik had het natuurlijk helemaal mis, maar ze was erg van streek omdat ik dat dacht, en terecht.

Dat was schijnheilig van me, zeker omdat ik zijn verloofde nooit heb gemogen. Ik heb er echt een puinhoop van gemaakt, en misschien wel onze vriendschap kapotgemaakt.'

'Dat denk ik niet,' zei hij. 'Ze is toch hier? Ze is helemaal voor jou en Hannah hierheen gekomen, dus ik denk dat je het mis hebt. Hoeveel mensen zouden een toneelstuk in Londen laten schieten en duizenden kilometers reizen om hun vriendinnen te kunnen zien? Ze had ook vast nog wel andere afspraken.'

'Ik wist niet dat ze een toneelstuk heeft laten schieten,' zei Sarah, 'maar ik weet wel dat onze band zeldzaam en waardevol is.' Ze zweeg even en keek hem niet recht aan. 'Ik wilde jou ook bedanken omdat je meteen bent gekomen. Omdat je Camilla hebt opgehaald en haar hierheen hebt gebracht.'

'Dat stelde niets voor.' Hij wilde haar bezorgde gezicht kussen, de frons doen verdwijnen en haar oren en haar hals en al die sproeten aanraken. Haar eindeloos lang kussen. Maar hij verroerde zich niet omdat hij aan Allies waarschuwing moest denken en nog niet was vergeten hoe Sarah in Buffalo Springs had gereageerd toen hij te ver was gegaan. 'Ik wilde jou gewoon zien,' zei hij alleen maar.

Ze keek naar hem op. 'Wanneer moet je weer terug?' vroeg ze. 'Ik zou graag wat tijd met je doorbrengen.'

'Dat wil ik ook.' Hij voelde zijn hart opzwellen. 'Ik heb voor vanavond een kamer in de Sportman's Arms in Nanyuki geboekt. Dat is een keurig etablissement onder Indiase leiding met sombere kamers en een rare waterleiding en lekkere curry, is het niet?' Hij sprak de woorden met een zwaar Indiaas accent uit en bewoog zijn hoofd heen en weer, zodat Sarah moest lachen. 'Dus we kunnen morgen een deel van de dag samen doorbrengen.'

'Dat zou ik fijn vinden.' Haar gezicht straalde van vreugde. 'Maar nu wil ik dat je me kust. Dat wil ik echt heel graag, Rabindrah.'

Hij sloeg zijn armen rond haar middel, ze leunde tegen hem aan en opende haar mond een beetje, zodat ze zijn smaak kon leren kennen. Ze glimlachte toen ze zich even later van elkaar losmaakten en elkaar aankeken, en toen kuste hij haar weer.

'Ik ben verliefd op je,' zei hij. 'Hopelijk zeg ik dit nu niet op het verkeerde moment.'

'Nee, dit is het beste moment om dat te zeggen,' zei ze. 'Want je moet me hierdoorheen helpen. Ik was te bang om dat toe te geven, om de verlammende angst te overwinnen waarmee ik heb moeten leven sinds ik Piet dood en verminkt heb aangetroffen. Maar nu zie ik in dat ik verder kan gaan, als jij me helpt.'

'Ik kan me niet voorstellen wat je doormaakt,' zei hij. Hij kuste haar, ontroerd door het vertrouwen dat ze in hem had. 'Maar ik zal je bijstaan, wat je ook doet. Als je dat wilt.'

'Ja, dat wil ik. Ik wil jou,' zei ze. 'Ik denk dat ik dat van nu af aan altijd wil.'

Haar glimlach was het mooiste wat hij ooit had gezien, en hij wou dat ze hier altijd konden blijven staan, in deze schitterende tuin, onder het oog van de waakzame, eenzame berg die geen besef had van de moeilijkheden in de wereld om hem heen.

'Kom,' zei ze ten slotte, en ze trok hem met zich mee. 'Ze zitten allemaal op een uitleg te wachten, en het wordt tijd dat we die geven.'

De komst van Lottie bood hun echter nog even respijt. Camilla was het eerst bij haar en werd onmiddellijk door Lottie vol liefde omhelsd. Lottie hield Camilla toen een stukje van zich af, zodat ze haar kon bekijken.

'Lieverd,' zei Lottie, 'wat heerlijk dat je weer terug bent op Langani. Dit is een blijk van liefde en trouw dat we nooit zullen vergeten.'

'Lottie.' Camilla zei haar naam keer op keer, overvallen door een stortvloed van herinneringen die door haar gedachten stroomde. 'We zijn weer bij elkaar, dat is het enige wat telt. Ik ben zo blij dat je weer thuis bent. Ik ben zo blij je te zien.'

Lottie knikte. 'Ik heb mijn dochters weer bij elkaar,' zei ze. 'De drie kleine meisjes die al zo lang bij Langani hoorden. En hoewel we niet weten wat er morgen of volgende week gaat gebeuren, wil ik dit vanavond vieren. Ik vind dat we onze problemen even moeten vergeten en blij moeten zijn dat we met elkaar zijn herenigd.' Ze omhelsde Sarah en stak haar hand naar Rabindrah uit. 'Jij bent Sarahs vriend. Wat fijn je te leren kennen,' zei ze. 'Ik heb over jullie boek gehoord en ik ben zo trots op haar. Gelukkig heeft ze iemand gevonden die haar bijzondere werk in woorden kan vangen. Blijf je vanavond bij ons eten?'

'Dat zou ik fijn vinden.' Hij was nu al gesteld op deze levendige vrouw met haar olijfkleurige huid en het gladde zwarte haar dat ze in een knot in haar nek droeg. Haar grote donkere ogen straalden boven een rechte neus en een gulle mond, en haar trekken hadden iets onmiskenbaar Zuid-Europees. Hannahs stevige bouw, blonde haar en lichte teint stamden duidelijk van haar vaders kant van de familie.

'Mooi.' Lottie glimlachte naar hem. 'Toen je de vorige keer hier was en Hannah vanuit Buffalo Springs hierheen had gebracht, was ik er helaas niet. Sinds ik terug ben, komen er voortdurend oude vrienden langs die me mee uiteten nemen of me ergens voor uitnodigen. Maar we kunnen nu goedmaken dat ik er toen niet was en elkaar beter leren kennen. Ik zal tegen Kamau zeggen dat hij iets lekkers moet klaarmaken. Vanavond zullen we niet aan nare of droevige dingen denken. Helemaal niet.'

Sarah voelde zich heel erg dankbaar. Ze had zich al afgevraagd of ze tijd met Rabindrah zou kunnen doorbrengen, maar ze was bang voor Hannahs reactie en wilde Camilla, die van ver was gekomen, niet alleen laten. Lottie had dat probleem meteen opgelost, al wist Sarah dat ze vroeg of laat vragen zou moeten beantwoorden.

'Ik ga even met Suniva naar de melkerij,' zei Hannah. 'Als ze nog meer gaat kruipen, zit er straks helemaal geen vel meer op haar knietjes. En ze is dol op de koeien. Heeft iemand zin om mee te gaan?'

'Ja, ik,' zei Camilla. 'Ik heb onderweg zo lang gezeten dat ik wel even mijn benen wil strekken.'

'Ik rijd even naar Nanyuki, dan kan ik mijn spullen alvast in de Sportman's Arms neerzetten.' Rabindrah wist niet zeker of hij wel welkom was in Hannahs melkerij. 'Hoe laat word ik voor het eten verwacht?'

'O, je moet nu niet helemaal naar de stad rijden.' Lars kwam uit het kantoortje tevoorschijn. 'Helaas kunnen we je hier geen kamer aanbieden, nu Sarah en Camilla en Lottie hier zijn. Ik wilde net even naar een veld tarwe gaan kijken, en als je zin hebt, kun je me wel vergezellen. Gaat het, Sarah, na dat telefoontje?'

'Ja, hoor, niets bijzonders,' zei ze kortaf. Ze wilde niets over het gesprek met de pater kwijt.

'Goed.' Lars merkte dat ze iets voor hem verborgen hield. De geestelijke had vast iets gezegd wat haar van haar stuk had gebracht, veronderstelde hij. Of misschien kwam het door al die gedachten aan Simon Githiri en de rechtszaak. Hij kneep haar even troostend in de arm. 'Ga je met Rabindrah en mij mee, of ga je liever een babbeltje maken met die verwende koeien van Hannah?'

'Zij gaat met ons mee,' zei Camilla vastberaden. Ze pakte Sarah stevig bij de arm en lachte inwendig toen ze de blik tussen haar vriendin en de journalist zag. 'Tot later.'

Ze haalden de baby op, liepen de oprit op en sloegen toen na een paar meter linksaf het pad naar de melkerij in. Juma, die al dertig jaar op Langani werkte, joeg net de melkkoeien de schuur in. Suniva begon te lachen en te brabbelen toen ze de koeien met hun zachte ogen en natte neuzen zag.

'Zo, dan kun je ons nu alles over jou en Rabindrah vertellen,' zei Camilla.

Sarah bloosde hevig en probeerde een gevat antwoord te bedenken. In Camilla's blik waren humor en medeleven te zien, maar Hannah keek weifelend. Dit zou moeilijk worden, maar ze moest nu eerlijk zijn. Het had geen zin nog langer geheimzinnig te doen.

'Het komt doordat we met elkaar samenwerkten,' begon ze. 'Het... gebeurde gewoon. Eerst waren we collega's, toen vrienden. En kort geleden is dat allemaal veranderd. Zonder dat ik het echt merkte. Ik wilde niet inzien dat er meer tussen ons kon zijn, maar toen ik hem vandaag zag, moest ik wel toegeven dat ik meer voel dan alleen maar vriendschap.' Ze keek Hannah bijna smekend aan. 'En ik denk dat hij dat ook voelt. Of nee, dat weet ik wel zeker. Ja.'

'Dat denk ik ook,' zei Camilla. 'En ik vind het geweldig.'

'Je kunt er niets aan doen op wie je verliefd wordt.' Hannah wist te glimlachen. Ze besefte dat dat niet de beste opmerking was en deed nog een poging: 'Ik bedoel, je moet verder met je leven, en ik ben blij voor je, echt waar. Welke keuzes je ook maakt, je zult altijd mijn zuster en vriendin zijn. Net als Camilla.'

'Trouw aan onze belofte, door dik en dun, al scheiden ons hele oceanen en continenten.' Camilla spreidde haar armen in een weids gebaar. 'En voor altijd en eeuwig, uitstijgend boven de grenzen van de kleur van onze huid. Wat gaat er nu gebeuren?'

'Geen idee,' zei Sarah. 'We moeten zo goed mogelijk onze weg vinden. We zien wel.'

Ze bleven in de stal staan kijken naar Juma, die Suniva's handje pakte zodat ze de flanken van de koeien kon aaien en de zachte lok tussen hun hoorns kon aanraken. Ze zagen dat haar ogen groot werden van verrukking toen de dieren zich naar haar omdraaiden en zachtjes tegen haar huid bliezen.

'Het enige wat telt, is dat we dankbaar zijn voor wat we krijgen.' Hannah sloeg haar armen om haar dochtertje heen. 'Daar zou ik vaker aan moeten denken. Wat zei pater Bidoli trouwens? Wil hij nog met Simon gaan praten?'

'Hij belt me morgen weer,' zei Sarah, 'maar nu wil ik er niet aan denken. Laten we blij zijn dat we weer bij elkaar zijn, zoals Lottie al zei.' Ze keek Camilla aan. 'Ik ben je nog een excuus schuldig. Ik heb je nog geschreven nadat ik Tims brief had gekregen, maar dat was een dag voordat ik hierheen kwam, en ik ben er nooit meer aan toegekomen die brief te posten. Ik geef hem je later wel. Wat ik je wil zeggen, kan ik op papier beter duidelijk maken.'

'Tim heeft geluk gehad.' Camilla trok een nadenkend gezicht. 'En ik ben niet zo erg als je denkt.'

'Rabindrah zei dat je ons hebt verkozen boven je toneelstuk. Dat is zo –'

'Soms moet je jezelf laten zien dat je aan de gevangenis van het succes kunt ontsnappen,' zei Camilla op luchtige toon.

'O, wat een onzin!' Hannah sloeg haar hand voor haar mond om haar lach te smoren, en meteen moesten ze allemaal denken aan al die keren dat ze dat gebaar op school had gemaakt, zoals op de dag toen Sarah in de klas een slang had losgelaten.

'Ik duw de kinderwagen wel terug naar huis,' zei Camilla. 'We zullen Suniva eens laten zien hoe we ons opmaken voor een feestelijke avond, net zoals wij vroeger altijd deden.'

Het was een avond van hergeboorte, waarop ze de lange schaduwen van tragiek ontstegen en genoten van een maal met vrienden en familie. Lotties gezicht straalde in het kaarslicht toen ze van de een naar de ander keek; ze was blij dat ze weer terug was in de keuken en de tuin waarover ze zo lang de scepter had gezwaaid. Toen Lars opstond om de wijn in te schenken, legde hij even zijn hand in de nek van zijn vrouw, en Hannah keek naar hem op. Ze kreeg kippenvel van genoegen. Rabindrah gaf Sarahs hand onder tafel een kneepje. Hij was zich ervan bewust dat het vreselijke verzoek van de pater voortdurend door haar gedachten moest spelen en voelde zich geroerd omdat ze er alleen met hem over had gesproken. Voor Camilla was de plek die ooit zo verbonden was geweest met angst en ontzetting opnieuw een oord vol liefde en genegenheid. Ze zouden het allemaal wel redden, besefte ze, omdat ze allemaal veel van elkaar hielden en elkaar zo de kracht konden geven om door te gaan. Alleen Anthony ontbrak nog, maar dat gevoel van leegte wilde ze op deze heerlijke avond per se negeren.

Het was al laat toen bijna iedereen naar bed ging en Sarah en Rabindrah alleen bij de haard achterbleven.

'Denk je dat je kunt slapen?' Hij streelde haar over haar haar en kuste haar op haar lippen.

'Ik hoop het. Camilla en ik delen een kamer, net als vroeger.'

Ze leunde tegen hem aan en sloot haar ogen. Zijn vingers streelden haar wang en haar sleutelbeen en gingen toen verder naar haar hals, haar borsten. Ze maakte een verlangend geluidje en schoot toen opeens overeind, hem recht in zijn ogen kijkend. Hij trok zich meteen terug. Nu hij zeker wist dat ze hem wilde, kon hij wachten. En ze had gelijk, ze stonden nog maar aan het begin van het ontdekken van hun gevoelens voor elkaar.

'Ik moet ervandoor,' zei hij. 'Ik ben morgenochtend nog in Nanyuki, maar moet 's middags echt weer aan het werk, in Nairobi. Bel me morgen na het ontbijt maar, dan kunnen we kijken of er nog tijd is om samen iets te doen.'

Ze liep met hem mee naar de veranda en merkte dat haar geluk zich vermengde met teleurstelling. Hij trok haar dicht tegen zich aan en kuste haar nogmaals. Ze sloeg haar armen om hem heen, niet in staat hem te laten gaan. Nu hij haar alleen ging laten, moest ze weer denken aan het dilemma waarvoor de pater haar had gesteld. Ze vroeg zich af hoe ze de komende donkere uren moest doorkomen. Ze maakte zich in gedachten op voor de eenzaamheid en kuste hem een laatste keer.

'Tot morgen,' zei ze, troost puttend uit die woorden.

'Slaap lekker.'

Ze keek hem na en bleef nog even staan kijken naar de nachtelijke hemel en het glanzen van de sterren. Het was zo lang geleden dat ze zonder verdriet te voelen had opgekeken naar de schoonheid van een Afrikaanse nacht, en ze wilde dat moment delen.

'Piet,' zei ze zacht, 'ik weet zeker dat je over me waakt, en ik denk dat je wilt dat ik de moed vat om opnieuw lief te hebben. Want je weet dat ik altijd van jou zal blijven houden, tot mijn laatste snik. Maar ik hoop zo dat je goedvindt wat ik nu doe.' Op dat moment zag ze de vallende ster aan de hoge hemel, die een stralend spoor achterliet en toen voor eeuwig doofde.

Glimlachend sloop ze terug naar de donkere slaapkamer, ervoor zorgend dat ze Camilla niet wakker zou maken. Toen ze in bed ging liggen en haar ogen sloot, kwam de slaap meteen. Haar dromen werden geen moment geplaagd door gedachten aan Simon en zijn vreselijke verzoek.

'We gaan picknicken bij de rivier,' kondigde Hannah bij het ontbijt aan. 'Lars voegt zich rond het middaguur bij ons, en tot die tijd kunnen we lekker met Suniva gaan pootjebaden. Of een beetje gaan vissen. Wat denk je, zou Rabindrah zin hebben om mee te gaan? Ik wou rond een uur of tien vertrekken.'

Ze naderden de oever door een bosje Afrikaanse olijven waarvan de stammen door ouderdom waren verwrongen en waarvan de bladeren grijsgroen glansden in het zonlicht. In de schaduw van de bomen was het vochtig, er groeiden geurige varens en mos. Vlinders dansten boven het water op en neer, en overal klonk vogelgezang. Ze spreidden dekens uit op het gras op de oever en vlijden de baby neer. Een tijdlang babbelden ze over de boerderij, de plaatselijke politiek en natuurbeheer en hoorden ze alles over Camilla's eerste ervaringen op het

Londense toneel. Sarah kon zich echter amper op de gesprekken concentreren. De woorden van de geestelijke bleven maar in haar gedachten opduiken, ze leek ze maar niet te kunnen uitbannen. Zelfs de aanwezigheid van Rabindrah, de aanraking van zijn vingers of de glimlach die rond zijn mond speelde kon niets veranderen aan haar toenemende gevoel van angst.

'Zullen we een stukje gaan wandelen?' Hij merkte hoe rusteloos ze was. 'Tenzij je bang bent dat ik ergens door word opgegeten zodra we uit zicht zijn.'

'Misschien wel door je gezelschap,' merkte Camilla op, genietend van Sarahs overduidelijke schaamte.

'Ik ga vanmiddag terug naar Nairobi,' zei Rabindrah even later, toen ze alleen waren. Hij hief Sarahs gezicht naar het zijne op, zodat hij haar kon kussen. 'Is er nog een kansje dat jij binnenkort die kant op komt? Al is het maar voor een paar dagen. Misschien kun je op een afstand beter tot een besluit over Simon komen. En heb ik al gezegd hoe lief en mooi je bent?'

'Ik weet niet of ik Langani nu moet verlaten,' zei ze. 'Maar de verleiding is groot.'

'Ik zou je graag mee willen nemen, dan kun je op zondag curry komen eten bij oom Indrah en tante Kuldip. Mijn tante kan geweldig koken. En mijn neven en nichten en heel veel andere familieleden komen allemaal op zondag bij elkaar. Soms kun je maar beter meteen in het diepe springen.'

'Misschien vinden ze het wel helemaal niet leuk als ze merken dat ik meer ben dan alleen maar de fotografe die aan je boek heeft meegewerkt,' zei ze. 'We zullen vroeg of laat mensen tegenkomen die het maar niets vinden dat we samen zijn.' Ze keek naar het kolkende water van de rivier. 'Ik heb het met pater Bidoli over je gehad. Ik zei dat we... Dat ik... Nou, hoe dan ook, hij was erg positief. Maar ik denk dat we rekening moeten houden met afkeurende reacties omdat we ieder uit een andere cultuur komen.'

'Daar ben ik wel tegen opgewassen, als dat gebeurt,' zei hij. 'Ik hou namelijk van je. En dat geeft me de kracht om elk probleem te overwinnen, als jij maar bij me kunt zijn.'

Ze aarzelde. Ze wilde zeggen dat ze ook van hem hield, maar ze was nog een tikje te verlegen. Voordat ze iets kon zeggen, werden ze echter gestoord door de aankomst van Lars en Lottie en voelden ze zich weer verplicht zich bij de rest van het gezelschap te voegen.

Lars nam Sarah meteen apart. 'Pater Bidoli heeft voor je gebeld,' zei hij. 'Ik heb gezegd dat je vanmiddag weer te bereiken bent. Ik wilde er gisteren niet naar vragen, omdat Rabindrah en Camilla er net waren en Lottie dat wilde vieren, maar is er soms iets waarover je wilt praten?'

'Nu even niet,' zei ze, dankbaar voor zijn bezorgdheid. 'Ik zal hem dadelijk meteen bellen, en misschien kan ik je goede raad daarna wel gebruiken.'

'Ik ben altijd bereid je te helpen,' zei hij, en toen ging hij snel over op een ander onderwerp: 'Kijk die dochter van me toch eens. In dat ijskoude water is ze van een cherubijntje in een mollig visje veranderd.'

Halverwege de middag pakten ze hun spullen in en reden terug naar Langani, waar Mwangi met een boodschap zat te wachten.

'De *bwana* inspecteur heeft een half uur geleden gebeld,' zei hij. 'Hij wilde *memsahib* Sarah spreken. *Sasa hivi.* Dringend.'

Vervuld van angst draaide Sarah het nummer van de telefoniste en vroeg of ze kon worden doorverbonden met het politiebureau in Nyeri.

'Beste meid, het spijt me dat ik je moet storen, maar Simon Githiri is heel erg ziek. Onze arts heeft hem de afgelopen vierentwintig uur twee keer bezocht en denkt dat hij het niet lang meer zal maken. Misschien haalt hij de rechtszaak niet eens. Pater Bidoli is bij hem, want hij wil niemand anders spreken.'

'Wat heeft hij?' vroeg Sarah.

'Catatonie,' antwoordde Jeremy. 'Hij teert weg omdat hij niets wil eten. De man heeft het opgegeven. Het zou me niet verbazen als hij weldra sterft. En als hij nog voor de rechtszaak bezwijkt, zijn we echt de lul. Pardon, de pineut, bedoel ik. Ach, je snapt me wel. Wat hij tegen de pater heeft gezegd, blijft voor een rechter nooit overeind. Dat is geen direct bewijs.'

'Dat weet ik,' zei Sarah. 'De pater probeert hem zover te krijgen dat hij iets zal tekenen. Dat lukt hem vast wel.'

'In de tussentijd heb ik een *askari* in de missie neergezet. Voor het geval Karanja mocht ontdekken dat Wanjiru en het kind daar zitten. Ik laat haar morgen naar een andere plek overbrengen, want hoezeer we ook ons best doen iets geheim te houden, de tamtam is altijd sneller. Die oude vos is vast bezorgd dat Simon inderdaad iets zal tekenen wat ons de gelegenheid zal geven hem aan te houden. Of dat Wanjiru een getuige is die hem de das om kan doen.'

'O mijn god,' zei Sarah, 'houdt deze nachtmerrie dan nooit op?'

'Hoor eens,' Hardy aarzelde even. 'Pater Bidoli vertelde me dat Simon je graag wil spreken.'

'Daar wil ik liever niet over praten.'

'Sarah, ik vrees dat jij de enige bent die Simon kan overhalen een verklaring te tekenen. Je bent onze laatste kans.'

Er viel een stilte. Sarah maakte zich op voor de woorden waarvan ze wist dat ze zouden volgen.

'Ik weet dat ik het eigenlijk niet van je kan vragen,' zei Hardy ten slotte. 'Maar zou je erover willen denken om naar de gevangenis te komen? Misschien niet per se naar zijn cel, maar –'

'Ik denk niet...' viel Sarah hem in de rede, maar toen viel ze stil. Ze moest denken aan wat Erope had gezegd, dat je je niet altijd kon blijven verstoppen. Het was misschien beter om haar grootste angsten onder ogen te komen. Pater Bidoli had gezegd dat hij haar zo dapper vond, maar kon ze zo veel moed opbrengen?

Hardy nam weer het woord en klonk zo medelevend dat haar zelfbeheersing bijna verdween. 'Ik snap het best. Ik vraag te veel van je. Dat zou ik van niemand mogen vragen. Ik begrijp het.'

Sarah kreeg haar stem weer terug. 'Ik kom wel,' zei ze. 'Ik kom morgenochtend meteen naar Nyeri.'

'Vanavond zou nog beter zijn.' Ze hoorde hoe opgelucht Jeremy klonk. 'Dan zijn er minder *watu* die je kunnen zien. Misschien redt Simon het niet eens tot morgen. Elke seconde telt.'

'Vanavond dus.' Paniek en misselijkheid welden in haar op.

'Ja. Zou je achter het bureau kunnen parkeren? Ik laat een *askari* wel de poort voor je openen.'

Ze namen afscheid en Sarah legde de hoorn voorzichtig op de haak. De muren om haar heen leken op haar af te komen, en ze moest gaan zitten om te voorkomen dat ze flauw zou vallen.

'Sarah?' Door het ruisen in haar oren heen kon ze Camilla's stem horen. 'Wie was dat? Waarom kijk je zo ontzet?'

Ze merkte dat Hannah en Lars naast haar waren komen staan en wist dat ze het nu zou moeten vertellen. Daarna moest ze meteen vertrekken, nu ze nog vastberaden genoeg was. Als haar benen wilden meewerken. Ze keek naar de vrienden die haar nodig hadden, voor wie ze hun huis en gezin iets veiliger zou kunnen maken. Ze stond op.

'Gisteren zei pater Bidoli tegen me dat Simon me wil spreken.' Ze hoorde dat Hannah naar adem hapte en ging snel verder: 'En vandaag heeft Jeremy gebeld en een boodschap achtergelaten. Ik heb hem net teruggebeld.' Het kostte haar moeite adem te halen. 'Simon zal weldra sterven. Misschien vanavond of vannacht al. Jeremy denkt dat ik misschien de enige ben die hem kan overhalen een verklaring te tekenen.' De misselijkheid welde weer op. 'Dus ik moet wel gaan.'

'Je hoeft dit niet te doen.' Hannahs ogen stonden vol tranen. 'Je moet niet gaan, Sarah. Er moet een andere manier zijn.'

'Nee. En hoe eerder ik ga, hoe beter.'

'Je kunt niet alleen gaan,' zei Lars. 'Ik breng je wel.'

'Nee.' Camilla klonk vastberaden. 'Blijf jij maar bij Hannah en Lottie, dan breng ik Sarah wel. Rabindrah wil vast wel mee.' Ze rende meteen naar buiten, waar Rabindrah naast zijn auto met Lottie stond te praten, klaar om afscheid te nemen voordat hij naar Nairobi zou vertrekken. Camilla legde hem snel uit wat er aan de hand was.

'Ja, natuurlijk ga ik mee.' Hij keek op en zag Sarah op het trapje van de veranda verschijnen. 'Ik ken niemand die zo dapper is als jij,' zei hij tegen haar. 'Een ander zou hier niet eens aan willen denken. Je hebt zo'n groot hart. Je zult het wel redden, het komt allemaal wel goed.'

'Lieverd, drink voordat je gaat nog wat sterke thee met veel suiker,' zei Lottie met een blik op Sarahs trillende handen en bleke gezicht. 'Ik zal ook een thermosfles in de auto leggen. Je bent zo geschrokken dat je wel iets sterks kunt gebruiken.'

Sarah knikte. Het enige wat ze wilde, was vertrekken, haar bestemming bereiken en doen wat ze had beloofd.

Hannah probeerde kalm te blijven, maar haar gedachten buitelden over elkaar heen. Ze worstelde met haar ongeloof en woede. 'Hij heeft het recht niet om je aan zijn sterfbed te ontbieden,' zei ze. 'Om je nog meer pijn en verdriet te berokkenen.'

'Maar Hannah, ik moet wel,' legde Sarah uit. 'Voor jou en Lars en Suniva. Voor Lottie en Jan. Voor Camilla, die zoveel van deze plek houdt en hier haar atelier wil opzetten. En voor mij. Ik doe dit voor ons allemaal.'

Hannah sloeg haar handen voor haar gezicht. 'Dat weet ik. En ik zou met je mee moeten gaan, maar ik kan het niet. Ik ben niet dapper genoeg, ik zou me niet kunnen beheersen. Als ik hem zou zien, in levenden lijve, dan zou ik tegen hem gaan schreeuwen en hem willen slaan. Dan zou ik hem eigenhandig willen doden. Ik ben niet zoals jij, ik heb niet –'

'Rustig maar,' onderbrak Sarah haar sussend. 'Het is al goed. Het is al goed.'

'Je bent niet alleen.' Camilla gaf Sarah een wollen sjaal en een jasje aan. 'Trek dit maar aan, want het wordt al killer, en tegen de tijd dat we in Nyeri zijn, is het donker en koud. Hannah, we bellen je later vanaf het politiebureau.'

'Ja, dat is goed. Ik zal Jeremy bellen om te zeggen dat jullie eraan komen.'

Ze omhelsden elkaar en mompelden bemoedigende, troostende woorden tegen elkaar. Daarna lieten ze elkaar los, maar hun vingers waren nog vervlochten omdat ze elkaar niet echt konden laten gaan.

Mwangi en Kamau kwamen de keuken uit en raakten Sarah aan, haar toesprekend alsof ze een kind was dat getroost moest worden.

'*Mama* Lottie vertelde wat u gaat doen.' Kamau legde in het eeuwenoude zegenende gebaar zijn hand op haar hoofd. 'Moge God u vanavond bijstaan. We zullen hopen op een veilige terugkeer.'

Camilla bood aan te rijden, maar Sarah wilde achter het stuur zitten. Het was een opluchting zich te concentreren op het geluid van de motor en de bochten en oneffenheden in de weg. Ze was blij dat ze niet alleen was, al spraken ze weinig met elkaar. De Land Rover was betrouwbaar en doelmatig, maar niet bepaald comfortabel. Camilla was al snel stijf van de harde stoelen en de koude lucht die onder het linnen aan de achterkant naar binnen waaide.

Nu het moment van de confrontatie naderbij kwam, was Sarah doodsbang dat ze het niet zou redden. Het idee dat ze echt de cel zou moeten betreden, maakte haar misselijk van de zenuwen, en voor de eerste keer sinds de dood van Piet begon ze te bidden. Het was een wanhopige smeekbede tot het onbekende, een zoektocht naar de kracht die ze zo hard nodig had om te doen wat ze had beloofd. Ze dacht aan de woeste schoonheid van Buffalo Springs en haar tijd in de wildernis, waar ze met Erope de olifanten had gevolgd. Ze dacht weer aan wat hij over de *fisi* had gezegd. Sinds de dood van Piet waren de beelden van de hyena en Simon in haar gedachten onlosmakelijk met elkaar verbonden geraakt tot een monsterlijk visioen van het kwaad, dat haar meevoerde naar de gruwelen van het offer. Haar nachtmerries begonnen steevast daar, boven op de heuvel, waar ze de stank van het beest met zijn zware kaken en opgetrokken schouders kon ruiken. Dan zag ze weer het met olie ingewreven lichaam van de man en de meedogenloze bek en ontblote tanden van het dier dat haar wilde aanvallen. De ogen van de krijger die haar aankeken toen ze viel, en daarna zag ze altijd alleen maar het verminkte gezicht van Piet dat nietsziend naar de hemel staarde. De stank van bloed drong in haar neusgaten, bloed bedekte haar lichaam wanneer ze in haar dromen in de kuil naast hem rolde. Zelfs nu ze voorovergebogen zat achter het stuur van de Land Rover hoorde ze nog het zoeven van de speer, het doffe, natte geluid waarmee de punt de hyena raakte, een paar tellen voordat ze was gevallen. Simon had haar het leven gered. Ze klemde haar kaken opeen en stond het zichzelf toe zich dat te herinneren.

Meteen nadat het was gebeurd, had ze gewenst dat ze ook dood was. Ze had Simon gehaat omdat hij haar had laten leven, zodat ze kon zien wat hij had gedaan. Maar ondanks de lange periode vol groot verdriet had ze een moment bereikt waarop ze blij was dat ze nog leefde, dat ze haar tijd kon besteden aan iets wat de moeite waard was, dat ze onverwacht toch weer liefde had gevonden. Ze moest Simon Githiri een laatste keer onder ogen komen en zou dat ook overleven. Haar spieren spanden zich toen ze weer een scherpe bocht nam. Haar lippen bewogen toen ze tijdens de snelle rit naar Nyeri bleef bidden.

Toen ze bij de poort van het politiebureau aankwam, leek de avondlucht iets onheilspellends en drukkends uit te stralen. Het stadsplein werd omzoomd door ceders en Kaapse kastanjes, en door de lage gebouwen van de markt en het busstation. De missie, waar Wanjiru onderdak had gevonden, lag vlakbij. Sarah huiverde van de zenuwen. Het was gevaarlijk dat het meisje zo dichtbij was, al was er politie aanwezig. Toch geloofde Jeremy dat dat de laatste plek was waar Karanja haar zou durven zoeken, juist omdat het politiebureau zo dicht in de buurt lag. Alles was in duisternis gedompeld, maar onder de bomen zag ze minstens een tiental slapende gestalten liggen. Een groep mensen, gewikkeld in afgedankte legerparka's en truien en hoeden van vilt, onder dikke dekens die tegen de kou moesten beschermen, omringd door tassen vol bezittingen. Ze wachtten allemaal op de bussen die morgenochtend nog voor het begin van de markt zouden vertrekken.

Ze reed naar de achteringang van het bureau, waar Jeremy al stond te wachten. Hij keek verbaasd toen hij de Indiase journalist zag, maar zei er niets over. Op zijn kamer haalde hij een uitgetikte verklaring uit een la en gaf die aan Sarah.

'Dit is een verslag van alles wat Simon tegen pater Bidoli heeft verteld,' zei hij. 'Als je hem kunt overhalen te tekenen, dan hebben we Karanja, ook al zou Simon voor de rechtszaak sterven. Zonder dit stuk papier hebben we geen bewijs tegen die ouwe. Het spijt me dat ik dit van je moet vragen, Sarah, maar je bent nu onze enige kans. Ons laatste redmiddel. Ik heb bewondering voor je moed.' Hij keek haar twee metgezellen aan. 'Als jullie hier willen wachten, laat ik wat koffie brengen.'

Camilla merkte dat Sarah aarzelde en zag dat haar vriendin het vel papier met trillende handen aanpakte.

'Rabindrah en ik zullen zo ver mogelijk met je meegaan,' zei ze. 'We houden van je, dappere, lieve Sarah, en of je nu naar hem toe gaat of niet, daar zal niets aan veranderen.'

Hardy riep de dienstdoende brigadier, die hen meenam naar het cellenblok achter op het terrein. Het was een grimmig bouwsel dat was omgeven door een hek van gaas met bovenop rollen prikkeldraad. Een enkele lamp brandde fel en wit naast de hoofdingang. Wolken insecten vlogen keer op keer tegen het metaal rond het peertje, als meteoren die de energieringen van een verre planeet wilden doorboren. Voor alle ramen zaten tralies. Een gewapende *askari* hield voor de deur de wacht en een tweede liep langs het hek heen en weer, met een Duitse herder aan de lijn. Ze wilden niet het risico nemen dat Simon door zijn oom zou worden bevrijd of worden gedood voordat hij zou kunnen getuigen. De *askari* bij de deur sprong in de houding toen de brigadier de sleutel in het slot stak.

Binnen zat een bewaarder aan een bureau voor de cellen. Hij stond op toen hij Hardy zag. Het rook hier naar latrines en ongewassen lijven, vermengd met de sterke lucht van desinfecterende middelen. Nu Sarah hier binnen was, werd ze overvallen door angst en brak het zweet haar uit. De kamer leek om haar heen te bewegen, alsof ze nog steeds in de auto zat. Ze wankelde. Ze moest overgeven. Toen voelde ze dat Rabindrah zijn hand op haar arm legde en haar hielp te gaan zitten. De verklaring gleed uit haar handen op de grond, maar ze kon hem niet oprapen.

'Doe je hoofd naar beneden.' Rabindrahs lage stem kwam van ergens boven haar, van ver weg, alsof hij geen lichaam had. 'Doe je ogen dicht en haal een paar keer diep adem. Dan zakt de misselijkheid vast af. Het komt wel goed.'

Toen Sarah weer opkeek, zag ze het vriendelijke gezicht van pater Bidoli. Zijn huid was grauw, zijn ademhaling ging zwaar, en zijn soutane hing als een lijkkleed rond zijn magere gestalte. Ze huiverde. Ze werd door te veel dood omringd, het was altijd te veel. Ze wilde wegrennen, naar buiten, weg van het verstikkende gevoel van verval en eenzaamheid dat hier hing. Aarzelend stond ze op en keek over haar schouder of Rabindrah en Camilla er nog waren. Ze hadden beloofd bij haar te blijven, maar in haar paniek zag ze alleen de pater.

'Het gaat niet, vader. Ik kan het niet. Ik kan daar niet naar binnen gaan.' Haar keel was zo droog dat haar woorden eroverheen raspten als schuurpapier.

'Sarah.'

Hij zei alleen maar haar naam, maar toen zijn handen zich rond de hare sloten, voelde ze dat een enorme kracht bezit van haar nam. Ze staarde hem aan, zag de ontelbare lijntjes van pijn en ervaring die zich op zijn gezicht aftekenden. Zijn ogen straalden echter van leven en hartelijkheid en mededogen, en van een indrukwekkende moed die ervoor zorgde dat ze zich schaamde voor haar eigen zwakheid. Ze wist dat ook hij weldra zou sterven, dat ook hij leed. Maar hij maakte zich geen zorgen over zichzelf, hij bekommerde zich om haar en om de gevangene over wie hij had gewaakt.

'Help me,' zei ze. 'Help me. Want ik weet niet waarom ik hier ben.'

'Omdat hij je vergiffenis nodig heeft,' zei de pater, en ze uitte een hoge kreet van ongenoegen. 'Simon moet een oordeel onder ogen komen dat hij meer vreest dan welke wereldse rechter dan ook. Hij gaat sterven en moet weten dat God hem kan vergeven. Hij moet weten dat jij hem kunt vergeven. En dit is zowel voor jou als voor hem. Sarah. Geloof me, mijn kind, dit is de enige manier waarop je jezelf kunt bevrijden.'

Iemand gaf haar de ongetekende verklaring aan. Ze greep het vel stevig vast en klemde haar kaken opeen om te voorkomen dat ze zou gaan klappertanden. De pater leidde haar naar een van de cellen. Aan het plafond bungelde een enkel peertje en een hoog, van tralies voorzien raam keek uit op de kwaadaardige donkere avond buiten. In een van de hoeken stond een metalen ledikant.

De gevangene lag op zijn zij op een kapokmatras, gedeeltelijk bedekt door een dunne deken. Naast het bed stond een stoel, in de andere hoek stond een emmer voor zijn behoeften. Verder stond er niets in de kleine ruimte. Sarah keek neer op de man die haar leven had verwoest, haar haar liefde en geluk had ontnomen. Hij zag er meelijwekkend uit. Zijn lichaam was uitgemergeld, zijn huid was dof en droog, zijn ogen troebel als melk, nietsziend. Ze kon dit deerniswekkende wezen niet rijmen met de gretige jongeman die op Langani om werk had gevraagd, of met de van olie glanzende woesteling die Piet in zijn zucht naar wraak had afgeslacht. Wat was er gebeurd met het kwaad dat haar dromen bevolkte? Dit was een verschrompelde lege huls, zwevend op de rand van de eeuwigheid.

Een tijdloos moment lang werd ze verteerd door kille woede. Waarom zou ze dit veile beest vergeven? Hij moest er maar voor boeten, hij moest maar boeten voor de pijn en wanhoop die hij haar en de mensen van wie ze hield had laten voelen. Dit zou haar wraak zijn. Waarom zou hij op zijn sterfbed de troost en het mededogen ontvangen die hij Piet had onthouden? De cel leek om haar heen op en neer te gaan en ze dacht aan de woorden die Hamlet had gesproken toen hij de moordzuchtige Claudius had zien bidden. Moest ze deze schurk al gereinigd naar de hemel zenden, door haar vergiffenis voorbereid op zijn overgaan? Of moest ze weglopen, zodat zijn ziel even verdoemd en zwart als de hel zou zijn waarnaar hij op weg was? Sarah wou dat ze iets had waarmee ze hem kon treffen, waarmee ze hem keer op keer kon slaan, zodat ze hem net zo kon verminken als hij Piet had verminkt. De misselijkheid welde weer in haar op, en ze tastte nietsziend naar steun. Ze vond de hand van de pater.

Op de een of andere manier kwam ze op de stoel naast het bed te zitten. De geestelijke kwam achter haar staan en legde voorzichtig zijn handen op haar schouders, en toen stond alles stil. Toen ze weer naar Simon Githiri keek, zag ze een klein jongetje, hurkend in het woud, dat wachtte totdat zijn moeder overeind zou komen, dat zag dat zijn vader een vreselijke dood stierf. En nu was hij Simon Githiri de gevangene, die als een kind lag opgerold op zijn bed van angst en wanhoop en duisternis. Ze voelde alleen maar medelijden. Hoe kon ze hem veroordelen voor iets wat hij ziek van verdriet had gedaan? God moest maar een oordeel vellen. Ze moest hem laten gaan, anders zou dezelfde woede die hem had vernietigd haar ook nog verteren.

'Simon.' Ze hoorde haar eigen stem, schor, ergens van ver weg komen. Ze stak de verklaring naar hem uit. 'Je zoon zal weldra worden genezen. Hij zal kunnen lopen, hij zal net zo kunnen rennen als andere kinderen. Begrijp je dat?' Hij gaf taal noch teken. 'Simon, je moet deze verklaring tekenen. Hier staat wat je tegen pater Bidoli hebt gezegd. Je moet tekenen, dan is je zoontje veilig. Anders zal Karanja...'

Op dat moment drong het tot haar door dat hij haar niet kon zien. Zijn ogen waren bedekt met een soort waas, een wit membraan. Ze staarden vanuit zijn doffe, lege gezicht voor zich uit, in een bodemloze diepte. Ze stak haar hand uit, nogmaals in gedachten biddend om kracht, en raakte de zijne aan. Zijn lippen bewogen, en ze moest zich vooroverbuigen om te kunnen horen wat hij probeerde te zeggen.

'*Samahani.*' Het was niet meer dan een zwakke fluistering. '*Samahani*, Sarah. *Samahani.*'

Het spijt me. Hij zei het keer op keer, totdat hij geen geluid meer kon maken. Toen draaide hij zijn hoofd om, zodat ze alleen de zijkant van zijn gezicht kon zien.

'"Als jullie iemands zonden vergeven, dan zijn ze vergeven."' Dat was het enige antwoord dat ze kon bedenken.

Een enkele traan welde op in zijn geopende, nietsziende oog en gleed over zijn wang. Ze tastte in haar zak naar een zakdoek en veegde hem weg, kneep even in zijn hand. De ogen vielen dicht en ze hoorde hem zuchten. Toen zweeg hij.

Na een tijdje hielp pater Bidoli haar overeind en bracht haar naar de gang. Ze voelde dat haar knieën knikten, maar de misselijkheid, de vreselijke, allesverterende angst was verdwenen.

De geestelijke raakte haar wang aan. 'Het komt nu wel goed, kleintje. Je hebt iets geweldigs gedaan wat alleen iemand met een groot hart kan doen.'

'Wat heeft hij aan zijn ogen, vader?'

'Staar. Soms is een grote, ingrijpende gebeurtenis de oorzaak, soms gebrek aan voedsel. Bij hem is het allebei. Hij is niet langer in staat tot eten.'

'Wat gaat er nu met hem gebeuren?'

'Hij zal naar een beter leven gaan. En dat heb jij mogelijk gemaakt.'

Aan het einde van de gang zag ze iets bewegen. Jeremy Hardy stond op haar te wachten.

'O hemel, de verklaring!' riep ze uit. 'Die heeft hij niet getekend. Hij kon hem niet zien.' Ze besefte dat ze had gefaald, dat ze nooit bevrijd zouden zijn. Hoe kon ze Hannah nu onder ogen komen? Of Jeremy, die naar haar toe kwam?

'Ik heb iedereen in de steek gelaten. Wat erg.' Ze begon te snikken. Haar schouders schokten.

'Je hebt gedaan wat je kon. Dat was heel erg moedig van je.' Jeremy legde een hand op haar schouder. Zijn woorden waren vriendelijk, maar ze kon de teleurstelling voelen.

'Je zal zien dat de vrijgevigheid van God oneindig is.' De pater probeerde haar gerust te stellen, maar Sarah voelde slechts ontzetting. 'Daar zijn je vrienden. Ze zullen je naar huis brengen.'

Toen de geestelijke zich tot Camilla en Rabindrah wendde om hen te begroeten, viel het harde licht op zijn gezicht en zag Sarah hoe grauw zijn teint was. De beproevingen van de afgelopen dagen waren misschien wel te veel voor zijn zwakke gezondheid geweest.

'Vader, u ziet er ziek uit,' zei ze. 'U moet echt even gaan rusten.'

'Maak je niet druk over mij.' Zijn glimlach was een mengeling van humor en toegeeflijkheid. 'Ik kan straks voor altijd uitrusten. Lopen jullie met me mee naar de missie? De zusters hebben iets te eten voor jullie gemaakt, en Wanjiru wil je graag spreken.'

'Weet ze dat ik hier ben?' vroeg Sarah verbaasd.

'Ik heb tegen haar gezegd dat je Simon zou bezoeken. Ze vroeg of ze hem ook mocht zien, maar dat leek de inspecteur te gevaarlijk.' Pater Bidoli keek Jeremy aan. 'Komt u ook mee?'

Hardy schudde zijn hoofd. 'Het is heel vriendelijk aangeboden, maar ik heb nog het nodige papierwerk liggen. Laat jullie auto hier maar staan, en kom voordat jullie vertrekken nog maar even dag zeggen. Ik zit hier nog wel even.'

Ze verlieten het cellenblok en staken het verlichte binnenterrein over. De *askari* maakte het hek los, zodat ze het plein op konden lopen. Sarah had nog steeds de ongetekende verklaring in haar hand en ondersteunde met de andere de pater, die langzaam liep en de indruk wekte elk moment in elkaar te kunnen zakken. Rabindrah liep al naar hem toe, maar Camilla hield hem tegen omdat ze veronderstelde dat Sarah even onder vier ogen met de man wilde praten over wat er binnen was gebeurd. Toen ze de missiepost naderden, dook er plotseling een gestalte op uit het groepje slapende mannen op het plein die naar hen toe rende. Bijna te laat zag Camilla een *panga* flitsen en uitte ze een waarschuwende kreet. Sarah draaide zich met een ruk om, duwde de pater opzij en probeerde haar aanvaller met maaiende armen van zich af te houden. Ze rook zijn stinkende adem en zag de haat glanzen in zijn blik toen hij haar tegen de grond duwde en de verklaring uit haar hand trok. Om haar heen klonken geschreeuw en het geluid van snelle voetstappen van de kant van het politiebureau. Er klonk een schot. Haar aanvaller hief zijn *panga* op om de fatale klap uit te delen, en ze herkende het boze gezicht van Karanja Mungai. Sarah stak afwerend haar armen uit, maar toen stortte pater Bidoli zich tussen hen in. Er klonk het krakende geluid van metaal op bot, en ze voelde zijn breekbare oude lichaam tegen haar aan vallen.

Als vanuit het niets klonk er opeens een gekrijs van woede. De deuren van de missiepost vlogen open en een tweede gestalte rende naar hen toe. Wanjiru schreeuwde in het Kikuyu en wierp zich op Karanja. Hij draaide zich naar haar om en hief nogmaals zijn *panga* op, hij haalde hem neer in een beweging die het vlees van haar hals, haar schouders, haar borst, aan stukken scheurde. Maar ze wierp zich op hem, met een bloedstollende, ijselijke kreet, en stak het lemmet van een keukenmes diep in zijn buik. Met een verbaasde grom keek hij naar het gezicht van zijn nemesis en zakte toen ineen. Het heft van het mes stak nog steeds uit zijn lichaam.

Wanjiru liet zich op haar knieën vallen. Het bloed liep tussen haar vingers door toen ze zich over de oude man heen boog en in zijn dode, nietsziende ogen spuugde. Toen viel ze op de grond naast hem neer. Rabindrah kwam naar Sarah toe en hielp haar de pater te ondersteunen. Hij vroeg of ze gewond was, terwijl Camilla naast de Kikuyu in het stof neerhurkte.

'Ik heb niets,' zei Sarah hijgend. 'Zorg voor pater Bidoli, hij is zwaargewond, denk ik.' Ze kroop naar Wanjiru toe en hief het hoofd van het meisje op. Ze poogde het bloed te stelpen dat uit de open wonden stroomde en haar kleren en schoenen doorweekte, maar het was zinloos. De snee die de *panga* had gemaakt, was te diep en te breed, zodat ze niets kon doen om de slagaderlijke bloeding te stoppen.

Wanjiru probeerde iets te zeggen, maar haar stem was amper meer dan gegorgel. 'Karanja?'

'Hij is dood, Wanjiru. Hij zal niemand meer kwaad doen.'

'Mijn kindje.' Haar blik werd glazig, maar haar smeekbede was duidelijk.

'Ik zal voor hem zorgen,' zei Sarah. 'Dat beloof ik je, Wanjiru. Dat beloof ik je met heel mijn hart.'

Er klonk een laatste gorgelende zucht, en toen werd het meisje slap. Sarah bleef haar vasthouden, keek naar het bloed dat een plas om hen heen vormde, en dacht aan het kind binnen, dat zat te wachten op een moeder die nooit meer terug zou keren. Hij zou wachten, net zoals Simon had gewacht. Ze keek op en zag dat er een ambulance kwam aanrijden. De pater werd op een brancard getild en twee nonnen kwamen naar buiten om het lichaam van Wanjiru in een witte doek te wikkelen en haar naar binnen te dragen.

De rest van de nacht leek eindeloos te duren. Sarah wachtte in het ziekenhuis en zat net als Camilla te dommelen op ongemakkelijke stoelen, terwijl Rabindrah heen en weer liep om koffie voor hen te halen. De zon kwam net op toen Jeremy Hardy zich bij hen voegde.

'Karanja is dood,' zei hij. 'Ik denk dat we er zeker van kunnen zijn dat er geen problemen meer zullen zijn nu hij er niet meer is. Het is voorbij, mijn beste kind.'

'Wanjiru,' zei Sarah. 'Ze verdient een fatsoenlijke begrafenis. Ik neem aan dat de nonnen daar wel voor zullen zorgen.'

'Dat arme kind heeft je leven gered. En ook dat van de pater.' Hij wreef even in zijn vermoeide ogen en over de stoppels op zijn kin. 'God mag weten hoe lang Karanja al de wacht hield op het plein, of waarom hij juist op dat moment voor de aanval koos.'

'Hij heeft me vast naar buiten zien komen, met dat vel papier in mijn hand,' zei Sarah. 'Misschien dacht hij dat dat de getekende verklaring was die zijn ondergang zou zijn.' Ze huiverde en sloot haar ogen. Het verdoofde gevoel trok langzaam uit haar weg, en nu kreeg ze het opeens heel koud. Ze begon te rillen, en Rabindrah trok zijn jasje uit en sloeg het om haar schouders. 'Ik heb Wanjiru beloofd dat ik me om haar kindje zou bekommeren,' zei ze. 'Hij kan niet terug naar het reservaat. Niet met zijn achtergrond en zijn handicap.'

'Ze zullen in de missie wel voor hem zorgen,' nam Jeremy aan. 'Voorlopig zit hij daar in elk geval goed. En jullie kunnen maar beter naar huis gaan, jij en Camilla. Of anders een kamer nemen in het Outspan Hotel. Hier kunnen jullie toch niets meer doen.'

Sarah wilde protesteren en zeggen dat ze pas weg zou gaan als ze pater Bidoli had gezien, maar toen kwam er net een arts de wachtkamer binnen. Hij keek ernstig.

'Hij heeft veel bloed verloren,' zei hij, 'maar zijn toestand is stabiel. Jullie weten al dat hij heel erg ziek is, en de komende dagen zijn beslissend. Hij is nu bij bewustzijn en vroeg of jullie er nog waren. Als jullie willen, mogen jullie even naar hem toe, maar niet langer dan een paar minuten.'

De pater lag op de intensive care, zwaar in het verband, met overal buisjes en draden. Sarah ging naast zijn bed zitten en nam huilend zijn hand in de hare, smeekte hem niet te sterven, niet nu, nu hij haar haar leven had teruggegeven en hoop en geloof voor de toekomst had geschonken.

'Sarah.' Het was amper meer dan een fluistering, maar hij opende zijn ogen en kneep even in haar hand. 'Ik zeg altijd tegen mijn gelovigen: "*Kama Mungu na mwita wewe, hawezi kusema ngoja mpaka keshu.*" Begrijp je dat? Wanneer God je vandaag tot Zich roept, heeft het geen zin om "wacht tot morgen" te zeggen. Als mijn tijd is gekomen, zal ik in vrede gaan.'

'Nee, alstublieft niet. Ga nog niet dood.'

'Niet huilen, kleintje. Je hebt genoeg verdriet gehad. Die jongeman houdt van je, Sarah. Dat zag ik in zijn ogen. Daarom moet je nu durven te genieten.'

Meer kon hij niet zeggen. Sarah luisterde naar zijn moeizame ademhaling totdat de verpleegkundige binnenkwam en op zachte toon zei dat het tijd was om te gaan. Als er iets zou veranderen, zouden ze het haar laten weten. Op de gang liet ze zich in Rabindrahs armen vallen. Hij nam haar mee naar buiten, waar Camilla bij de auto stond te wachten. Toen kuste hij haar en zei dat hij later die dag nog zou bellen. Ze zag hem wegrijden en bleef toen de hele tijd samen met Camilla staan, hun armen om elkaar heen geslagen en zich aan elkaar vastklampend, voordat ze in de Land Rover stapten en wegreden. Het was tijd om naar huis te gaan, naar Langani.

Simon Githiri overleed twee dagen later, op een zondagmorgen vroeg, toen de zon net boven de horizon was verschenen en een straal licht als een lokroep door het getraliede raam van zijn cel viel. Nadat Hannah, Sarah en Camilla het bericht van zijn overlijden hadden vernomen, reden ze met hun drietjes naar de heuvelrug. Bij de *cairn* voor Piet legden ze bloemen uit de tuin op de witte stenen en gingen daarna op het brede rotsblok zitten vanwaar hij altijd zo graag had uitgekeken over de goudkleurige pracht van zijn land.

'Ik wil jullie iets vertellen, nu we hier bij Piet zijn,' zei Hannah na een tijdje. Haar stem klonk laag, haar gezicht was zacht. 'Ik ben in verwachting. Lars en ik krijgen een kindje. Ik durfde het niet eerder te zeggen, ik was bang een kind ter wereld te brengen terwijl we tegen zo veel kwaad moesten vechten. Maar nu koester ik weer hoop. Nu kan ik plannen maken. En ik heb ook een besluit genomen, al zal dat niet gemakkelijk zijn.'

'Wat dan?' Sarah pakte haar hand vast. 'Wat dan, Hannah? Kunnen wij je erbij helpen?'

'Ik heb aan dat andere kindje lopen denken,' zei Hannah. 'Aan het zoontje van Simon.' Haar gezicht was bleek, maar ze keek vastberaden. 'Ik heb een geweldige man en een heerlijke dochter, en er is weer een kindje onderweg. Maar dat jochie heeft alles verloren. Dus ik zat te denken dat hij wel bij ons kan komen wonen. Ons huis met ons kan delen, en alles wat we verder hebben. Dat is het enig juiste, nietwaar? Dan kunnen we het eindelijk goedmaken. En een einde maken aan al die haat en al het lijden van de jaren hiervoor.'

Sarah en Camilla keken haar even aan en sloegen toen hun armen om haar heen. Ze beloofden haar te zullen helpen en steunen, ze huilden met haar mee en ze maakten plannen voor de toekomst. Na een tijdje vielen ze stil en keken, ieder verzonken in de besloten wereld van hun eigen gedachten, uit over de wereld onder hen, luisterend naar de geluiden van de Afrikaanse savanne.

TWINTIG
Kenia, juli 1967

'De familie Singh heeft me uitgenodigd voor de lunch, aanstaande zondag,' zei Sarah. 'Maar ik weet nog niet of ik ga. Het is een echte familiebijeenkomst, en dat vind ik best wel eng.'

Ze lagen op de oever van de rivier. De paarden knabbelden aan het gras dat na de regen van afgelopen week was opgekomen en straaltjes zonlicht drongen door het gebladerte heen, waartussen af en toe een glimp op te vangen was van de door de middagzon uitgebleekte hemel.

'Je hebt zijn familie al eerder ontmoet,' bracht Camilla haar in herinnering. 'Je hebt zijn oom en tante leren kennen toen je die auto ging ophalen. En toen Lila meedeed met de modeshow kwamen er ook minstens een stuk of tien neven en nichten kijken. Ze waren allemaal erg aardig.'

'Ja, maar nu is het anders.' Sarah zag dat Hannahs gezicht onwillekeurig betrok en zweeg even, beseffend dat het nog steeds een gevoelig onderwerp was. Ze hadden het niet meer over Rabindrahs nieuwe rol in haar leven gehad, maar nu had ze hun steun nodig. 'Ik heb een brief van papa en mama gekregen,' zei ze. 'Ik heb hun geschreven om te vertellen wat er met Simon was gebeurd, in Nyeri. En ik heb hun over Rabindrah verteld.'

Hun antwoord was een schok voor haar geweest. Een paar amper te ontcijferen regels van Raphael, vriendelijk maar waarschuwend. Het was goed dat ze iets voor een ander voelde, zei hij, maar ze moest niets overhaasten. Ze hoopten dat ze later in het jaar naar huis wilde komen, misschien met kerst, en dan kon ze hun alles vertellen. Maar in de tussentijd moest ze voorzichtig zijn. Het was geweldig dat Langani weer die vredige plek kon worden waarvan ze altijd zo had gehouden en die ze als haar tweede thuis had gezien. Betty's brief was echter langer en heel anders. Sarah haalde de velletjes uit de zak van haar safarijasje en liet ze Hannah en Camilla zien.

Je bent nog zo kwetsbaar, je kunt je nog zo slecht weren. Zeker na wat er de laatste tijd is gebeurd. Je hebt bijna een jaar lang nauw met deze jongeman samengewerkt, en in Buffalo Springs zijn maar weinig mensen met wie je kunt praten, en al helemaal niemand van jouw generatie. Voor je ontmoeting met Simon was buitengewone moed en kracht nodig, en je vader en ik bewonderen je enorm. En dan is er ook nog die vreselijke aanval op pater Bidoli, en de dood van die arme Kikuyu. Ik kan niet anders dan huilen wanneer ik denk aan het gevaar dat je hebt gelopen en het onheil dat je had kunnen treffen. Het moet bijzonder moeilijk zijn die dingen in het juiste perspectief te plaatsen, zeker in combinatie met eerdere herinneringen aan de dood van Piet.

Ik begrijp heel goed dat je Rabindrah Singh dankbaar bent voor zijn gezelschap en zijn steun tijdens die moeilijke momenten. En omdat je zo dapper bent geweest, is het gemakkelijk dankbaarheid voor iets anders aan te zien, mijn lieve kind. Zeker in de emotionele staat waarin je nu nog verkeert. Het is goed dat je nu het idee hebt dat je iets hebt afgesloten, nu Simon dood is en Langani niet langer wordt bedreigd. Het is een opluchting dat je nu weet dat je opnieuw kunt beginnen. Je bent letterlijk de vallei des doods ontstegen, en je vriend Rabindrah is ongetwijfeld iemand die met je mee kan reizen naar een betere, lichtere plek.

Maar lieverd, het zou tot zo veel problemen leiden. Je vader en ik hebben je opgevoed als een tolerante vrouw, die zonder vooroordelen met mensen omgaat die een andere kleur hebben of een ander geloof aanhangen. We hebben degenen met een andere achtergrond altijd in ons huis verwelkomd, wie ze ook waren of waar ze ook vandaan kwamen. En we hadden vele vrienden in de Aziatische gemeenschap in Kenia – katholieken uit Goa, ismaïlieten, hindoes en moslims – die allemaal deel uitmaakten van ons leven daar. Maar wanneer het gaat om de alledaagse kwesties die tussen

een vrouw en een man een rol kunnen spelen, zijn onze gewoonten zo anders. Ik zou een slechte moeder zijn als ik verzweeg dat ik me zorgen maak over jouw gevoelens voor deze jonge sikh. Ik twijfel er niet aan dat hij intelligent is en een goede opleiding heeft genoten. Dat hij een oprecht en goed mens is, zoals je al zegt. En ik begrijp dat je in de loop van de tijd op hem bent gaan bouwen, zeker tijdens de periode toen je eenzaam was en verdriet had. Maar in een situatie als deze spelen allerlei factoren een rol.
Kun je je Angela Patel nog herinneren? Ze was een goede vriendin van me toen we nog in Mombasa woonden. Ze was een verpleegkundige uit Monaghan, die een Indiase arts uit Kenia leerde kennen toen die in Dublin studeerde. Op ons kwam hij altijd vriendelijk en intelligent over, en ik weet dat ze haar best heeft gedaan om haar huwelijk tot een succes te maken. Maar ze is na een zenuwinzinking teruggekeerd naar Ierland. De familie van haar man wilde haar gewoon niet accepteren. Ze maakten haar het leven absoluut onmogelijk, en hij schudde de vernederingen die vooral zijn moeder en zijn zussen haar aandeden gewoon van zich af. Die arme Angela heeft het jaren volgehouden, met name voor de kinderen. Maar als echtgenote van een hindoe heeft ze eigenlijk geen rechten. Ze ziet haar zoon en dochter slechts twee keer per jaar en gaat daaraan kapot. Hij wil hen niet naar Ierland laten komen, zodat zij gedwongen is naar Kericho te gaan, waar hij nu zijn praktijk heeft, en in een hotel of bij vrienden moet verblijven. Hij heeft een andere vrouw gevonden en voor Angela is er geen plaats meer. In Ierland voelt ze zich echter ook niet meer thuis. Mensen vinden haar raar omdat ze met een Indiër is getrouwd en kijken haar met de nek aan omdat ze vinden dat ze haar kinderen in de steek heeft gelaten. Haar leven hier is uitzichtloos. Dit is een katholiek land, zodat hertrouwen uitgesloten is, en ze krijgt erg weinig geld van haar man. Toch waren ze aan het begin van huwelijk heel erg verliefd op elkaar.
En ik ken meer vrouwen met dergelijke ervaringen. Helaas zijn velen van hen heel dapper en vol vertrouwen begonnen, in de overtuiging dat hun liefde alle hindernissen zou overwinnen, om ver-

volgens te ontdekken dat eeuwenoude gewoonten en gebruiken niet zomaar te veranderen zijn. Uiteindelijk zijn het de ogenschijnlijk onbeduidende veranderingen die aan de fundamenten van een huwelijk knagen en het uiteindelijk geheel onherstelbaar verwoesten.

Dus ik denk dat je heel voorzichtig moet zijn met deze jongeman. Zo op het eerste gezicht lijkt hij misschien ideaal, maar zijn geloof en cultuur maken net zo'n deel van hem uit als de jouwe van jou. Een verbintenis zou jullie misschien geen van beiden echt geluk bieden: wanneer de eerste bedwelmende roes van de romantiek is verdwenen, is er meer nodig om een relatie goed te houden. Je zegt dat hij geen traditionele sikh is, dat hij geen tulband draagt en niet naar de tempel gaat. Op dezelfde manier denken hij en zijn familie waarschijnlijk dat jij geen traditionele katholiek bent omdat je, omdat je nu eenmaal in Buffalo Springs woont, niet elke zondag naar de mis gaat of gaat biechten. Maar dat betekent niet dat jouw religie, die zo anders is dan de zijne, niet onlosmakelijk met je is verbonden, en dat geldt ook voor hem. Stel dat je kinderen zou krijgen, wat dan? Hoe zou je die opvoeden? In welke cultuur, met welk geloof? Naar wat voor soort school zou je hen sturen? Als je in de kerk zou willen trouwen, zouden jullie allebei moeten beloven jullie kinderen katholiek op te voeden. En misschien zul je dan later pas merken dat deze belofte een twistpunt tussen jou en hem wordt.

Misschien denken jullie wel geen van beiden aan trouwen, op dit moment. Maar ik ken jou zo goed. Je vader en ik zijn altijd zo trots geweest op je trouw, op je gevoel voor rechtvaardigheid, ook al maakt dat je leven soms moeilijk. Uit de toon van je brief maak ik op dat je heel veel voor deze Rabindrah voelt, en jij bent niet het soort vrouw voor een korte affaire. Dus is het belangrijk dat je al deze punten in overweging neemt, ook al heb je ze nog niet eens met hem besproken. En hoe zit het met zijn familie? De sikhs in Kenia vormen een hechte gemeenschap en moeten doorgaans niets hebben van huwelijken met hindoes of mensen uit een andere kaste, en al helemaal niet van verbintenissen met Indiase moslims, laat staan christenen en Europeanen. Ik weet dat sikhs als tolerant gelden, en ik ben bij sikhs op bezoek geweest en heb zelfs een bruiloft bijgewoond. Ik weet ook dat ze verwachten dat iedereen die met een van hen trouwt dat in hun tempel doet, binnen het kader van hun geloof. Lieverd, dit is een bijzonder ingewikkelde situatie waarover je echt heel goed moet nadenken.

Ik zou willen voorstellen dat je terugkeert naar Buffalo Springs en hier een tijdje over gaat nadenken. Misschien moet je Rabindrah maar een paar maanden niet zien. Dan kun je kijken wat je echt voor elkaar voelt. Je vader en ik houden heel veel van je, en we willen dat je iemand vindt met wie je je leven kunt delen op de manier die vooral jij verdient. Je hebt al zo veel problemen overwonnen, je hebt al zo veel verdriet gehad. We willen niet dat je ooit nog wordt gekwetst.

In de tussentijd heb je gelukkig Hannah en Camilla. Jullie band is iets heel bijzonders, die zal je steun bieden. En ik weet zeker dat je fantastische vrienden, Dan en Allie Briggs, dolgraag willen dat je weer snel voor hen gaat werken. We denken met zo veel genoegen terug aan die tijd daar en weten dat je op hun vriendschap en steun kunt rekenen.

Papa en ik houden meer van je dan woorden kunnen uitdrukken en hopen dat dit allemaal goed zal komen. We zouden het heerlijk vinden als je weer eens thuis zou komen, en Tim ook. Hij probeert de draad van zijn leven weer op te pakken, maar dat valt in een kleine gemeenschap als deze niet altijd mee. Als je met Kerstmis wilt komen, sturen we je wel een ticket. We willen je allemaal dolgraag zien en hopen dat je thuis wilt komen. Laat alsjeblieft snel weten hoe het met je gaat.

Mama

'O jee,' zei Camilla. Ze gaf het laatste velletje aan Hannah, die veel langzamer las, met een geconcentreerde frons op haar gezicht.

'Ik neem aan dat zijn familie er net zo over denkt,' zei Sarah. 'Ik bedoel, we zijn nog maar net... Nou, we hebben nog niet echt de kans gehad om over onze gevoelens voor elkaar te praten, en nu staat iedereen al klaar om er een einde aan te maken.'

'Ik denk dat je naar die lunch in Nairobi moet gaan,' raadde Camilla aan. 'Je weet pas hoe zijn familie erover denkt en hoe Rabindrah met zo'n tegenslag omgaat als je nu doorzet.'

'Maar loop niet te hard van stapel.' Hannahs gezicht ging schuil onder de rand van haar zonnehoed, en ze draaide bovendien haar hoofd, zodat Sarah haar bezorgde uitdrukking niet zou zien. 'Er kunnen grote verschillen zijn die je misschien aanvankelijk niet ziet, en je wilt niet in een situatie verzeild raken waarin –'

'Dus je bent het met mijn moeder eens?' Sarahs ogen vonkten van woede. 'Vind jij ook dat ik op moet passen voor een donkere vreemdeling met een raar geloof die me op zal sluiten en als zijn bezit zal behandelen?'

'Hé, rustig aan,' zei Hannah. 'Ik doe mijn best om dit te aanvaarden. Natuurlijk wil ik dat je de volgende stap in je leven zet, dat je weer verliefd wordt, zoals iedereen van onze leeftijd. Je weet dat ik wil dat je gelukkig wordt. Maar dit zal misschien wel moeilijker worden dan je denkt.'

'Wanneer zijn we voor het laatst allemaal gelukkig geweest?' Camilla ging rechtop zitten en keek Hannah waarschuwend aan. 'Beseffen jullie wel dat we op ons eenentwintigste, in de zomer voor de dood van Piet, voor het laatst zorgeloos en blij en gelukkig zijn geweest? Dat is toch niet juist? Moeten we nu niet, meer dan wat dan ook, proberen gelukkig te zijn? Genieten van ons leven, van de mensen van wie we houden, wie ze ook zijn? En waarom denkt iedereen toch meteen aan trouwen? Kan Sarah niet gewoon een relatie met hem hebben en wel zien wat ervan komt?'

'Dat is waar,' gaf Hannah toe. 'We maken er een veel te groot probleem van. Liefde hoort een en al opwinding en spannende ontdekkingen te zijn.'

'Je moet je er mooi en verleidelijk en ongeduldig en hongerig door voelen,' vond Camilla. 'Het moet leuk zijn. Liefde hoort niet te worden overschaduwd door verantwoordelijkheden en religie en schuldgevoelens. God nog aan toe, Sarah, ik dacht dat je nu wel over die roomse angst voor de geneugten des vlezes heen was. Geef je over aan de avances van Rabindrah, dan zal de tijd leren of jullie bij elkaar horen.'

Sarah rolde op haar buik, schoof haar armen onder haar hoofd en keek de andere kant op, zodat ze haar teleurstelling niet zouden zien. Ze kenden haar toch goed, ze wisten toch dat zomaar een affaire niets voor haar was? Zelfs haar moeder begreep dat. Ze kneep haar lippen opeen, voelde zich dwaas en vernederd en probeerde een verhitte verdediging van haar idealen voor zich te houden. Het leed geen twijfel dat ze ouderwets was, maar ze kon geen reden bedenken om haar kostbaarste principes vaarwel te zeggen.

'Laten we allemaal naar Nairobi gaan,' stelde Camilla voor. Ze boog zich over Sarah heen en schudde haar zachtjes door elkaar. 'Dan gaan we voor een lang weekend, delen een huisje van het Norfolk Hotel, en dan gaan we naar de film of naar een toneelstuk of allebei. Cadeautjes kopen voor de nieuwe baby. Mijn vader komt vandaag terug uit Londen, dus hij kan ons in elk geval mee uit eten nemen.' Ze keek Hannah lachend aan. 'Of hij kan ons meenemen voor een zondagse currylunch in de Muthaiga terwijl Sarah bij oom Indar en de rest van het inspectieleger het echte werk mag proeven. Dan kunnen we haar bij terugkomst opvangen. Wat denken jullie ervan?'

'Misschien heeft Lars ook wel zin om mee te gaan,' zei Hannah. 'We zijn al maanden niet meer in Nairobi geweest. En als Anthony in de stad is, kunnen we het met hem over de lodge hebben. Over de herbouw.'

Camilla's gezicht betrok. 'Ik hoef hem niet te zien,' zei ze, 'dus als jij en Lars dat wel willen, doen jullie dat maar zonder mij.'

'Hij heeft in de afgelopen weken een paar keer gebeld,' zei Hannah. 'Ook op de avond toen jullie naar Simon waren. En Lars heeft hem twee dagen geleden nog gesproken. Hij zat met een paar klanten in Tsavo, maar ik geloof dat die safari binnenkort afgelopen is.'

'Daar heb je helemaal niets over gezegd,' zei Camilla.

'Ik dacht dat je het niet wilde weten,' antwoordde Hannah. 'Maar vroeg of laat zul je hem weer tegen het lijf lopen. Dat is onvermijdelijk.'

'Ik hoef hem helemaal niet tegen het lijf te lopen.' Camilla's toon was effen. 'Ik wil best hier blijven zitten, een beetje aan mijn ontwerpen werken, het atelier nieuw leven inblazen. Ik voel me opperbest op Langani, waar ik niet de kans loop hem tegen te komen. En als hij een babbeltje met jou en Lars wil komen maken, ga ik wel een paar dagen bij papa in de grote stad logeren. Maar ik hoef hem nooit meer te zien. Nooit meer.'

'Dat vind ik schijnheilig,' zei Hannah. 'Je zegt tegen Sarah dat ze zich halsoverkop in een verhouding moet storten, maar zelf wil je Anthony niet eens een tweede kans geven. Misschien moet je daar eens over nadenken voordat je adviezen rondstrooit.'

'Ik ben hier helemaal niet blij mee,' zei Sarah. 'En het lijkt me trouwens tijd dat ik contact opneem met Dan en Allie. Ik moet maar weer eens aan het werk, voordat ze ontdekken dat ze me niet meer nodig hebben of een ander aannemen. Rabindrah kan dan volgende week wel naar Buffalo Springs komen.'

'Nee.' Camilla stond op en pakte haar paard bij de teugels. 'Hij wil je blijkbaar voorstellen aan de familie, dus je moet er maar in meegaan. Kom, dan rijden we naar huis en vragen we Lars wat hij van ons idee vindt. Misschien wil de grote baas wel mee naar Nairobi. Hij is veel verstandiger en minder kortzichtig dan wij.' Ze zette haar voet in de stijgbeugel en steeg vlot op. 'Ik vind het wel fijn dat Hannah het rustiger aan doet nu ze weer in verwachting is. Ik vond het altijd doodeng om als een razende over de savanne te galopperen, in een poging jullie bij te houden. Ik moest me altijd aan de zadelknop of aan de manen vastklampen en was als de dood dat mijn pony in een gat zou stappen, al was ik nog banger dat jullie zouden zien hoe eng ik het vond!'

Ze reden weg door het lange, wapperende gras. De paarden snoven en trokken aan de teugels, vol verlangen om snel thuis te komen. Een zon waaraan niet te ontkomen was, scheen op hen neer, en tussen de bomen klonk geritsel en gescharrel. De lucht trilde van de warmte, er stond geen zuchtje wind. Na een tijdje gingen ze over op een soepele handgalop, en bij de stallen aangekomen gaven ze de zwetende paarden over aan de stalknecht en liepen naar het huis om hun dorst te lessen. Lottie had verse limonade klaargemaakt en de fles in een emmer met ijs gezet, en samen met haar gingen ze in de tuin zitten, genietend van het uitzicht op de blauwe hellingen van de berg en de naderende wolken die zich 's middags aan de hemel samenpakten.

'Sarah moet dit weekend naar Nairobi,' zei Hannah, 'en we zaten erover te denken om ook een paar dagen te gaan. Lars ook, en u natuurlijk ook, ma.'

'Ik blijf hier.' Lottie antwoordde zo snel dat Hannah haar verbaasd aankeek. 'Er zijn een paar vrouwen en *toto's* die naar de medische hulppost zijn gekomen en op wie ik graag een oogje wil houden. En ik wil de nieuwe hoezen voor de bank en de stoelen afmaken. Nu er niemand in het atelier is, maak ik graag gebruik van Camilla's naaimachines.' Ze sprak die woorden met gebogen hoofd uit, starend naar haar handen die in haar schoot gevouwen lagen.

Hannah zag dat ze haar handen had ingewreven met crème om ze zachter te maken en dat ze haar nagels tot keurige ovaaltjes had geknipt. Ze schrok toen ze het streepje wit rond een van Lotties vingers zag en besefte dat haar moeder niet langer haar trouwring droeg. Het laatste symbool van haar huwelijk was verdwenen, en Hannah vroeg zich af wat ze met de gouden ring had gedaan die Jan haar zo lang geleden had gegeven, en waarom ze die juist nu had afgedaan.

'Gaan we nog eten?' Ze keken allemaal op toen ze Lars' afgemeten voetstappen hoorden. Hij boog zich voorover om Hannah een zoen te geven en legde zijn hand op haar buik met een gebaar dat zo teder was dat ze haar hart voelde opzwellen. Ze zuchtte, zich heel erg bewust van het geluk dat ze kende, en ze wist tegelijkertijd dat ze te benepen was geweest om Sarah hetzelfde te gunnen.

'Er is dit weekend iets heel belangrijks in Nairobi,' zei ze. 'Sarah is uitgenodigd voor de lunch bij de familie Singh en kan wel wat steun gebruiken. Wat denk je, zullen we er met ons allen een paar dagen heen gaan?'

'Ik blijf hier,' zei Lottie weer, en Hannah zag een tederheid op haar gezicht die ze niet kon thuisbrengen. 'Ga jij maar, Lars, je bent dapper genoeg om drie meiden op sleeptouw te nemen. Ze kunnen wel een begeleider gebruiken. En ik moet jullie iets vertellen.' Ze zweeg even toen ze merkte dat ze haar allemaal aan zaten te staren, dat hun iets aan de toon van haar stem was opgevallen. 'Ik ga hier eind deze maand weg,' kondigde ze aan. 'Ik wil een tijdje bij Sergio in Johannesburg logeren. Hij belt morgen om te zeggen welke vlucht hij voor me heeft kunnen regelen. Ik moet gaan nadenken over wat ik op de lange termijn wil gaan doen. Het is hier heerlijk en ik wil graag terugkomen om met de nieuwe baby te helpen. Maar ik heb wat tijd voor mezelf nodig, om na te kunnen denken. Dus dit is een goed moment voor jullie om naar Nairobi te gaan, dan zorg ik ervoor dat hier alles blijft draaien. En natuurlijk wil ik ook heel graag op Suniva passen, als je haar tenminste durft toe te vertrouwen aan een oma die haar zal verwennen.'

Na haar woorden viel er een stilte, en Lars zag dat Hannah een bedrukt gezicht trok. 'Nairobi lijkt me een goed idee,' zei hij snel. 'Bedankt voor het aanbod, Lottie, dan kunnen we Suniva hier laten en kan ik Hannah een kleine huwelijksreis bieden. De vorige is alweer zo'n tijd geleden.'

Hij voelde dat zijn vrouw hem beloonde door haar armen om hem heen te slaan, haar heerlijke boezem tegen hem aan te drukken en hem iets in zijn oor te fluisteren. Haar belofte toverde een glimlach op zijn gezicht, en snel wijzigde hij zijn plannen voor die middag.

'Vind je het erg om een huisje met me te delen?' Camilla keek Sarah aan toen ze zich meldden bij de receptie van het Norfolk Hotel. 'Dan hebben onze geliefden hun eigen nestje, aan de overkant van de binnenplaats.'

'Dat lijkt me een prima idee,' zei Sarah.

'Papa komt ons hier om zeven uur ophalen,' meldde Camilla. 'Dan gaan we eerst naar het theater en daarna ergens souperen. Denk je dat Rabindrah ook zin heeft om mee te gaan?'

'Hij heeft geen tijd om te gaan eten,' zei Sarah, 'want hij moet een of ander congres verslaan. Maar als hij tijd heeft, wil hij later nog wel een borrel met ons komen drinken.'

'Jij mag als eerste de badkamer gebruiken,' zei Camilla. 'Wat ga je aantrekken? Dit klinkt allemaal als vanouds.'

Ze was blij dat ze Sarah hoorde zingen tijdens het douchen en aankleden, en ze vroegen zich hardop af wat Lotties mededeling te betekenen had.

'Denk je dat ze haar Italiaanse bewonderaar gaat bezoeken?' Vaardig omrandde Camilla haar blauwe ogen met donkere kohl, zodat ze nog sprekender werden. 'Of zou hij in Johannesburg op haar zitten wachten en een aria zingend voor haar neerknielen zodra ze het vliegtuig verlaat? Zou hij op Mario Lanza lijken? Of zou het eerder een soort Dean Martin zijn?'

'Ik hoop dat Hannah er een beetje kalm onder blijft.' Sarah grinnikte bij de gedachte. 'We zijn niet al te goed in het begrijpen van onze ouders, geloof ik.'

'Nee, zeker niet.' Camilla moest even denken aan wat Giles Hannington had gezegd, dat haar vader hem had afgewezen, en de verkeerde conclusies die zij over hun relatie had getrokken. 'Ik denk dat we het punt hebben bereikt waarop elke generatie moet aanvaarden wat de andere doet. Maar gemakkelijk is het niet. Op ouders en verdraagzaamheid, van alle partijen.'

'Mijn auto staat voor. Met aan boord een oude bekende die je graag wil zien, Camilla.'

George' woorden vielen niet bepaald goed bij zijn dochter. ' O nee.' Ze was kwaad en verontwaardigd tegelijk. Hij wist dat ze Anthony niet meer wilde zien en kon niet geloven dat hij was vergeten wat ze in Londen tegen hem had gezegd. 'Dat is niet eerlijk, papa, u had niet –'

'Het is Saidi,' onderbrak hij haar snel. 'Onze vroegere chauffeur. Weet je nog dat hij altijd op je paste toen je nog een klein meisje was? En hoe geweldig hij voor je moeder was? Toen hij mijn naam in de krant zag staan, is hij me komen opzoeken en heb ik hem weer aangenomen.'

Camilla voelde zich zwak van opluchting toen ze Saidi de hand schudde, naar zijn gezin vroeg en hem eraan herinnerde dat hij Sarah ook al eerder had ontmoet. George zei niet veel, een tikje beledigd omdat ze blijkbaar had gedacht dat hij haar beslissing niet zou respecteren. Het was een ongemakkelijk begin van de avond, en het werd niet beter toen de voorstelling in het Donovan Maule Theatre middelmatig bleek te zijn. Camilla voelde haar stemming dalen toen ze voor de fotografen bij het New Stanley Hotel moest poseren.

'Sorry,' zei George. 'Ik had toen ik reserveerde tegen Oscar moeten zeggen dat jij erbij zou zijn. Hij weet zoals elke goede *gérant* hoe hij de pers op een afstand moet houden. Eenmaal in de Grill worden we wel met rust gelaten.'

'Er is weinig aan te doen.' Camilla schonk de fotograaf van de *Standard* een oogverblindende glimlach en boog zich toen voorover om hem iets in het oor te fluisteren. Hij keek haar verbaasd aan, knikte toen en bedankte haar voordat hij er haastig vandoor ging, met zijn camera's en lichtmeters bungelend aan zijn magere lijf.

'Hij gaat op zoek naar James Stewart,' zei ze bij wijze van antwoord op haar vaders vragende blik. 'Ik heb gezegd dat die net in het Norfolk is aangekomen.'

'Hoe weet je dat?' Hannah keek haar met grote ogen aan. 'Als ik dat had geweten, was ik daar gebleven. O, al kon ik alleen zijn stem maar een keer horen!'

'Nou, ik geloof dat hij vanavond arriveert,' zei Camilla. 'Of misschien volgende week. Of misschien was het wel volgende maand. Maar in elk geval ergens in de nabije toekomst.'

Nog steeds lachend gingen ze aan tafel zitten. George schoof de stoelen aan en bestelde drankjes, en al snel werd het gesprek zorgeloos en levendig. Toen hij naar zijn dochter en haar vriendinnen keek, was hij ontroerd door hun geluk.

Lars zag Anthony als eerste. Hij zat tegenover een donkerharige vrouw die een iets te strakke jurk droeg waar haar boezem bijna uit leek te rollen. Hij gebaarde met zijn handen toen hij naar voren leunde om zijn woorden kracht bij te zetten, en het kaarslicht viel op de koperen, met kralen bezette banden die hij altijd rond zijn pols droeg, op de glimlach rond zijn mond en op de lachrimpeltjes die zijn gezicht doorgroefden.

'Anthony is hier.' Lars besloot er geen doekjes om winden. 'Ik ga even *jambo* zeggen.'

George vloekte binnensmonds toen hij merkte dat Camilla meteen verstijfde. Ze pakte haar glas champagne en zag Anthony opstaan en naar hen toe komen.

'Is er nog iemand die last heeft van een enorm déjà vu?' vroeg ze met een schril lachje.

'Wat heerlijk om de drie sirenen weer bij elkaar te zien zitten.' Anthony begroette Hannah en Sarah vol genegenheid en kuste Camilla vluchtig op haar wang. 'Ik ga volgende week weer op safari en wilde op weg daarheen langskomen op Langani om de lodge te bespreken, als jullie dat goedvinden. De komende dagen zit ik in elk geval hier in Nairobi. Hoe lang blijf jij hier, Camilla?'

'Dat weet ik nog niet,' zei ze koeltjes. 'Dat hangt van zo veel dingen af.'

'Ik bel je nog wel,' zei Anthony. 'Logeer je bij George?'

'Nee. We zitten allemaal in het Norfolk, maar ik denk dat ik morgen vertrek.' Camilla wendde met opzet haar gezicht af.

'Ik ben blij dat ik jullie hier zie,' zei Anthony. Hij keek Sarah aan. 'Wat fijn dat al die ellende nu voorbij is. Ik zat net in Amboseli toen ik hoorde wat er was gebeurd. Ik kon daar niet weg, maar heb later vanuit het hotel in Namanga gebeld. Dat heeft Hannah vast wel verteld. Mijn volgende safari voert weer naar het noorden, dus dan kom ik weer bij Dan en Allie langs. Hopelijk zie ik je daar dan ook.'

'Ze zullen het leuk vinden als je langskomt,' zei Sarah.

'We zijn bijna klaar met eten.' Anthony knikte naar zijn tafel voor twee. 'George, is het goed als we straks nog even samen een borrel drinken? Gaan jullie er dinsdag nog met de helikopter opuit?'

'Ja.' George voelde zich steeds ongemakkelijker, zich hevig bewust van Camilla's amper verhulde nervositeit, en wilde het liefst zo snel mogelijk een einde aan het gesprek maken. 'Ik zal je maandag de details laten weten.'

'Helaas kan ik niet met jullie meevliegen. Daar wilde ik je morgen nog over bellen. En we zullen het nu verder niet meer over natuurbeheer hebben, dat beloof ik.' Anthony glimlachte en richtte de blik in zijn lichtbruine ogen op Camilla. 'Dan zie ik je later nog wel voor een borrel.'

Hij slenterde terug naar zijn tafel, en even later zat zijn disgenote enthousiast te knikken. Ze boog zich voorover om een hand op zijn arm te leggen en bood hem zo een nog beter zicht op haar boezem. Sarah knarsetandde.

Camilla deed net alsof ze uiterst kalm bleef, maar inwendig voelde ze zich verscheurd. Ze was doodsbang dat ze zou gaan huilen, maar ze was vastberaden zich niet door hem van de wijs te laten brengen of zichzelf voor gek te zetten. Anthony had haar immers niet bedrogen. Ze had hem in Londen verteld dat ze haar leven niet met hem wilde delen, en nu zag het ernaar uit dat ze de juiste beslissing had genomen. Nog geen paar weken later had hij alweer de volgende stap gezet en troost bij een ander gevonden. Of misschien wel bij meerdere anderen. Blijkbaar deed haar besluit hem niet zoveel. Ze slikte moeizaam en merkte dat ze maagpijn kreeg van de zenuwen.

'Dat spreekt boekdelen,' zei ze afgemeten. Ze keek met opgetrokken wenkbrauwen de tafel rond en glimlachte opgewekt, maar haar ogen lachten niet mee. 'Goed, laten we nu ons gezellige avondje voortzetten en straks, als ze zich bij ons voegen, ons beste beentje voorzetten. Papa, wat zei hij over een helikopter? Ik heb altijd een hekel aan die dingen gehad, totdat Saul er eentje regelde die ons in New York kwam ophalen.'

'Je zou dit project echt eens moeten zien,' zei hij. 'Het is een reddingsactie voor neushoorns. Ze worden vanuit gebieden waar steeds meer mensen komen wonen overgebracht naar een van de nationale parken. Mijn organisatie betaalt er ook aan mee.'

'Neushoorns zijn gevaarlijk en hebben zo'n kort lontje.' Camilla was blij dat ze haar aandacht op iets anders kon richten. 'Je kunt een neushoorn niet vragen of hij zo vriendelijk wil zijn naar het dichtstbijzijnde park te verhuizen, of hem een halsbandje omdoen en hem meevoeren.'

'Daarom kijken we eerst vanuit de lucht waar ze zich bevinden. In het begin volgen we het dier vanuit de lucht en geeft de piloot de positie door aan een auto van Natuurbeheer. Het hele programma is bedacht door een vooraanstaande dierenarts, die een kalmerend middel met de naam M99 heeft geperfectioneerd. Hij schiet vanuit de helikopter een verdovingspijl af. Het is een wonder dat hij zo'n dier kan raken. En daarna proberen we boven de neushoorn te blijven vliegen totdat die ineenzakt. Ligt hij eenmaal, dan komt de auto erbij en wordt hij op zijn rug getrokken. Het blijft altijd lastig, want die beesten hebben een talent om naar de dichtstbijzijnde bomen of struiken te vluchten, en dan is bijna niet te zien waar ze neervallen. En soms al helemaal niet te bereiken.'

'Dat zou ik graag eens willen zien,' zei Camilla. 'Mag ik mee?'

'Dat zou ik heerlijk vinden.' George straalde.

'Wat leuk,' zei ze. 'Gewoon met ons tweetjes, plus de dierenarts?'

'Ja, inderdaad.' Hij legde zijn hand even op de hare.

Het was onmogelijk Anthony te negeren, die inmiddels met de weelderige jonge vrouw aan het dansen was. Camilla veegde haar lippen af met haar servet en liep toen naar het toilet. George keek haar na toen ze door de kleine volle zaal liep en slaakte een diepe zucht.

'Ik snap het niet,' zei hij op vermoeide toon. 'Ze waren voor elkaar geschapen. Ik weet zeker dat Anthony echt van mijn dochter houdt.'

'Dat denk ik ook,' zei Lars. 'Maar hij is bang. Niet zozeer voor een vaste relatie, maar hij vreest dat er aan zoiets moois elk moment een einde kan komen. En ze is heel erg beroemd. Hij is niet het soort man dat graag in iemands schaduw staat.'

'Misschien is er een logische verklaring voor dat meisje.' Hannah keek naar de dansvloer. 'Er is niet bepaald sprake van een innige omhelzing of zo.'

'Zij houdt hem anders wel stevig vast,' merkte Sarah op. 'Maar Lars heeft gelijk. Camilla en Anthony zijn allebei aantrekkelijke mensen die veel erkenning krijgen, en dat kan tegen hen werken. Zij ziet hem als een soort Griekse god, zonder fouten. Hij beweegt sierlijk, als een dier, slank en krachtig en zonder moeite. En kijk dat profiel eens: die arendsneus, die volmaakt gevormde mond. En die jukbeenderen lijken wel uit steen gehouwen. Ik heb hem al zo vaak op de foto gezet, maar zijn trekken blijven me verbazen. Al denk ik niet dat hij zo heel erg zeker van zichzelf is.'

'Ik ook niet,' zei Lars. 'En zij lijkt net porselein, zo breekbaar en bleek en licht. Maar ze is erg sterk, sterker dan hij.'

'Ik hoop dat je gelijk hebt,' zei George. 'Ik wil niet dat ze opnieuw wordt gekwetst.'

'Gelukkig heeft ze haar vader om haar te helpen.' Sarah glimlachte naar hem en zag Camilla weer naar hun tafel lopen. 'Daardoor zal ze het wel redden. O hemel, daar komt hij.'

Het orkestje nam even een pauze, en Anthony kwam naar hen toe.

'Dit is Charlene Moore,' stelde hij het meisje aan hen voor. 'Ze heeft een reisbureau in San Antonio dat gespecialiseerd is in vakanties te paard. Ik denk dat we erg vaak zullen samenwerken.'

'Het is me toch wat,' mompelde Hannah binnensmonds.

Het meisje was duidelijk helemaal in de ban van Anthony. Ze sprak met een zwaar Texaans accent en was vereerd dat ze in zo'n gezelschap mocht verkeren.

'Ik had nooit gedacht nog eens iemand als jij te ontmoeten,' zei ze tegen Camilla. 'Ik heb je natuurlijk in de bladen zien staan, maar je bent in het echt veel en veel mooier.' Ze glimlachte even snel naar George. 'Aan je vader is te zien aan wie je je knappe uiterlijk te danken hebt.'

'Ik ben het evenbeeld van mijn moeder,' merkte Camilla met een ijzige glimlach op.

'Mijn zus was een schoonheidskoningin. Ze won alle missverkiezingen en wilde per se naar New York om naam te maken, maar ze kreeg een man en zes kinderen en heeft nu een schoonheidssalon. Dus ik vrees dat haar kans op roem verkeken is.'

Ze hield hen het volgende half uur bezig met beschrijvingen van haar ervaringen op safari. Anthony zat zwijgend naast haar en glimlachte niet. Zijn blik was onafgebroken op Camilla gericht.

'Toen ik boekte, heb ik niet gezegd dat ik in de reisbranche werk,' zei Charlene. 'Al zou deze geweldige man me dan korting hebben gegeven. Maar ik wilde incognito blijven. Dus ik boekte en nam een groepje vrienden mee, ik wilde zien hoe hij het een en ander aanpakte. En ik kan je zeggen dat hij het fantastisch aanpakt. Er is echt niets te verbeteren en mijn klanten zullen gek op hem zijn, zeker de vrouwen! O, als ik de foto's laat zien willen ze meteen hierheen komen om een stukje te gaan rijden met meneer Chapman. Wat zullen ze jaloers zijn! Dat weet ik nu al.'

'Ik denk dat het tijd wordt om op te stappen.' George stond op.

'Anthony, ik spreek je van de week nog wel. Dag, mevrouw Moore, ik hoop dat de rest van uw verblijf in Nairobi even aangenaam is.'

'O, ongetwijfeld.' Ze straalde van genoegen. 'Het was fijn jullie te leren kennen. Jullie zijn allemaal zo interessant.'

'Hebben jullie volgende week tijd om iets af te spreken?' vroeg Anthony aan Lars. Zijn toon was een tikje gespannen.

'Hannah en ik gaan maandagmorgen weer naar huis,' antwoordde Lars.

'Ik rijd met hen mee,' vulde Sarah aan. 'En dan ga ik weer terug naar Buffalo Springs. Het is tijd om aan het werk te gaan.'

'We houden contact,' zei Anthony tegen George. Hij draaide zich om, zodat hij iets tegen Camilla kon zeggen, maar ze was al naar buiten gelopen. 'Nou, goedenavond.'

In het Norfolk Hotel vroegen de vriendinnen om de sleutels van hun kamers en spraken af elkaar bij het ontbijt weer te treffen.

'Maar ik ben er niet bij,' zei Hannah. 'Ik laat me de kans op ontbijt op bed niet ontnemen. Dat heb ik al zo lang niet meer gehad.'

'O hemel,' zei Sarah toen ze even later onder de lakens kroop. 'Je hoort de lucht bijna knetteren wanneer jij en Anthony in één ruimte zijn. Ik weet dat hij de uren telt totdat hij je weer ergens kan zien.'

'Denk eens even aan wat de hoogtepunten van ons leven zouden zijn.' Camilla probeerde cynisch te klinken, maar het lukte haar niet. 'Zie je me al wekenlang in mijn eentje in Nairobi rondhangen, me afvragend of hij zal bezwijken voor de charmes van een of ander vrouwmens dat in de maneschijn in zijn tentje is gekropen?'

'Misschien is hij veranderd,' zei Sarah. 'Misschien is hij nu toe aan de liefde van zijn leven. En dat ben jij. De rest doet er eigenlijk niet toe. Niets anders heeft betekenis.'

'Jij zou romantische films moeten gaan maken,' merkte Camilla kortaf op.

'Ik denk dat je nog steeds gek op hem bent,' zei Sarah. 'Anders zou je het niet zo eng vinden om hem te zien.'

Maar er kwam geen antwoord. Ze keek op en zag dat Camilla haar ogen had gesloten en net deed alsof ze sliep.

'Ik kan dit niet.'

Het was zondagmorgen vroeg, de hemel was helder en blauw en overal zaten de vogels te zingen. En Sarah was in paniek geraakt. Ze zat bevend op de rand van haar bed, nog steeds in haar ondergoed. Haar gezicht zag bleek en er zaten donkere wallen onder haar ogen.

'Heb je eigenlijk wel geslapen?' vroeg Camilla. 'Hier, wrijf dit maar op die kraters onder je ogen en kleed je daarna aan. De familie vindt je vast aardiger als je bent aangekleed. En daarna ga je iets eten. Daar word je rustiger van.'

Het liep tegen twaalven toen de receptionist liet weten dat er een meneer Singh in de lobby op haar stond te wachten.

'O god,' zei Sarah, 'ik had nooit ja moeten zeggen.'

Rabindrah droeg een gestreept overhemd met opgerolde mouwen, een pas gestreken broek en een safari-jasje. Hij zag er ontmoedigend normaal en ontspannen uit.

'Het spijt me dat ik gisteravond niet meer kon komen,' zei hij, met zijn lippen warm tegen haar wang. 'Die toespraken gingen maar door en ik kon niet eerder weg. Wist je trouwens dat je ogen de kleur hebben van een bos in de lente? Hé, gaat het een beetje?'

'Nee,' antwoordde ze eerlijk. 'Nee, het gaat niet. Ik ben bloednerveus. Ik geloof zelfs dat ik moet overgeven.'

'Zo voelde je je ook toen we naar mijn ouders gingen,' zei hij. 'Als mijn familie zo'n effect blijft hebben, moeten we maar geen bezoeken meer afleggen. In de tussentijd moeten we even een omweg maken.' Hij sloot het portier van de auto. 'Er is een plekje waar ik graag heen ga als ik tot rust wil komen. Laten we daar even stoppen, ook al zal het er op zondag wel druk zijn. Voornamelijk met grote Indiase gezinnen, moet ik bekennen.'

Tien minuten later parkeerde hij de auto voor de ingang van de bomentuin van Nairobi. Hij pakte haar bij de hand en leidde haar naar het hart van de groene oase. Overal om hen heen rezen bomen en struiken op als een beschermend gordijn dat hen afsloot van de warmte van de middag en de geluiden van het verkeer dat over de grote verbindingswegen van de stad reed. Het duurde niet lang voordat ze alleen waren en Rabindrah bleef staan. Hij legde een vinger op haar lippen, zodat ze geen woord kon uitbrengen, en mompelde woordjes in haar oor. Hij streelde haar over haar haar, kuste haar hals en haar keel en haar zachte, volle mond.

'Hou op,' zei ze uiteindelijk. Glimlachend en buiten adem duwde ze hem van zich af. 'Hier word ik allerminst kalm van. En mijn haar en make-up en kleren raken helemaal door de war.'

'Ik hou van je.' Hij legde zijn handen weer op haar dikke haar. 'Ik hou van je, Sarah Mackay, klein Iers meisje met je grote hart. Ik hou van je omdat je mooi en dapper bent en je altijd sterk maakt voor het goede op deze wereld. Dat is het enige waaraan je hoeft te denken als we straks bij mijn familie zitten. Ga nu eens even op dit bankje hier zitten en denk daarover na. En daarna gaan we naar tante Kuldip om van haar heerlijke eten te genieten.'

Het huis van de familie Singh was een groot betonnen pand met een plat dak en een halfrond balkon op de eerste verdieping. Rond de tuin stond een metalen hek en voor de ramen zaten aan de buitenkant tralies. De hele gevel kon wel een likje verf gebruiken.

'We zijn er,' zei Rabindrah, en tot zijn verwondering zag hij dat Sarah rood werd. 'Wat? Wat is er?'

Ze kon niet tegen hem zeggen dat ze moest denken aan wat haar moeder jaren geleden eens had opgemerkt, dat het Indiërs weinig kon schelen hoe de buitenkant van hun huis eruitzag. Ze had echter geen tijd om daarop in te gaan, want Indar Singh was in de deuropening verschenen. Hij stak zijn handen naar hen uit en glimlachte breeduit onder een felroze tulband.

'Kom binnen, kom binnen,' zei hij. 'Welkom in ons huis, Sarah. We zijn blij dat je er bent. Hoe is het met de Land Rover? En de oude die we hebben opgeknapt, doet die het nog?'

Sarah werd meegenomen naar het koele, schemerige hart van het huis, ze werd aan Indars leidende hand meegevoerd over in de was gezette vloeren naar een zee van kleuren, geuren en geluiden. Het contrast met het huis van Rabindrahs ouders in Londen had niet groter kunnen zijn. Ze dacht aan de deftige, lege zitkamer in Southwark, aan de stilte die slechts werd onderbroken door het tikken van de klok en aan het geluid van Jasmir Singhs sleutel in het slot van de voordeur.

Hier zag ze een werveling van kleuren, babbelende mensen in felgekleurde kleren en tulbanden en sieraden.

Lila kwam haar als eerste begroeten. 'Wat leuk dat je er bent, Sarah,' zei ze. 'Mijn tante Kuldip ken je al, hè? Dit zijn mijn moeder en haar zus. En dit zijn mijn jongere broertjes, maar die zijn gek.'

Iemand drukte Sarah een glas sinaasappelsap in de hand en ze begroette een overweldigend aantal mensen wier namen ze nooit zou kunnen onthouden. Oudere familieleden zaten op met fluweel beklede banken en stoelen die tegen de muren van de kamer waren geschoven. Een plafondventilator zette de warme lucht in beweging en verspreidde de heerlijke geuren verder door de ruimte. Moeders hielden hun zonen en dochters scherp in de gaten, kijkend wie er bij elkaar zouden passen. De oudere mannen hadden zich in een hoek verzameld en bespraken onderwerpen als cricket, zaken en politiek. Sommigen droegen traditionele kleding uit Punjab, anderen pakken, broeken en jasjes. Wel droegen ze allemaal een tulband, in verschillende kleuren en stijlen.

'Juffrouw Mackay heeft de mooie foto's voor het boek van Rabindrah gemaakt,' zei Kuldip bij wijze van introductie tegen een oude dame die een tikje afzijdig zat, in een leunstoel van rood velours die aan een troon deed denken. 'Dit is mijn moeder, Lakhbir Kaur Singh.'

De oude dame stak haar een slap handje toe. Haar mollige armen waren behangen met gouden armbanden, en ze keek Sarah met arendsogen aan.

'Dus jij bent die vrouw die in de wildernis woont?'

'Ja, dat klopt,' antwoordde Sarah. 'In de buurt van Isiolo. Daar verricht ik wetenschappelijk onderzoek naar het gedrag van olifanten.'

'Maar je bent niet getrouwd?'

'Née, dat ben ik niet.'

'Een ongehuwd meisje, alleen in de wildernis.' Oma Singh schudde haar hoofd. 'De tijden zijn wel veranderd, mijn beste kind.'

Er viel een stilte omdat Sarah niet goed wist wat ze moest zeggen. Ze keek snel om zich heen, maar zag Rabindrah nergens.

'Kom, we gaan aan tafel.' Lila kwam haar redden. 'Ik hoop dat je honger hebt. Je moet me alles over Camilla vertellen, hoe het met haar gaat. Wat jammer dat ze er vandaag niet bij kon zijn.'

'Dat vind ik ook,' zei Sarah, maar ze had meteen spijt van haar uitspraak omdat ze vreesde dat die onbeleefd overkwam.

'Ik las in de krant dat ze weer in Nairobi zit, en ik hoop dat ze nog een modeshow gaat houden. Dat was zo leuk. Rabindrah heeft me trouwens verteld wat er allemaal in Nyeri is gebeurd. O kijk, daar is hij al, met tante Kuldip. Die gaat je vast helemaal in de watten leggen.'

In de eetkamer stond een buffet klaar. Afrikaanse bedienden liepen tussen de kamer en de keuken af en aan met schotels met tal van gerechten: spinazie met zachte kaas, wortelen, erwtjes, yoghurt en dal en linzen, geserveerd met platte chapati's en een salade van uien en de zoetste tomaten die Sarah ooit had geproefd. De meeste gerechten waren vegetarisch, al zag ze ook dat een paar mannen flinke porties van een heerlijk geurende curry met kip namen. Ze zag echter geen vrouwen van het vlees eten en besloot zich daarom ook tot de groentegerechten te beperken, uit angst dat ze anders een faux pas zou begaan. Een schotel met gele rijst die haar een bijgerecht voor de curry had geleken, bleek erg zoet te zijn door de toevoeging van amandelen en rozijnen. Er waren nagerechtjes van deegslierten die in olie waren gebakken en in siroop waren gedoopt, maar die vond ze iets te machtig. Nog geen uur later zocht ze wanhopig naar een beleefde manier om nog meer eten af te slaan.

Rabindrah bleef haar voorstellen aan mensen wier namen ze maar niet kon onthouden. De gastvrijheid was overweldigend, en al snel deed haar kaak pijn van het glimlachen. Ze merkte dat ze of antwoord diende te geven op een eindeloze stroom vriendelijke vragen over haar werk en de geschiedenis van haar familie in Kenia, of dat ze zocht naar een manier om een ongemakkelijke stilte te vullen. Na twee uur wilde ze het liefst in een donker hoekje wegkruipen en nooit meer iemand zien. Ze had hoofdpijn en dacht aan de open ruimten en rust van de savanne en vroeg zich af wanneer ze weg zou kunnen gaan. Rabindrah stond echter aan de andere kant van de kamer met wat oudere heren te praten, en het lukte haar niet zijn aandacht te trekken.

'Het is hier behoorlijk warm, vind je niet?' Kuldip pakte glimlachend Sarahs bord aan. 'Kom maar even mee naar buiten, ik wil je mijn rozen laten zien. Ik ben geen echte kenner, maar ik ben er dol op en heb al een paar prijzen gewonnen.'

De grote tuin lag achter het huis, en Sarah was verrast door de overvloed van rozen in keurige borders en de verscheidenheid van kleuren en geuren die Kuldips grote hartstocht vormde.

'Dit is prachtig,' zei ze. 'Mijn moeder is ook dol op tuinieren. Ze was erg trots op de tuin die we in Mombasa hadden en heeft in Ierland nu ook het een en ander bereikt, maar van iets als dit kan ze alleen maar dromen.'

'Hier breng ik een groot deel van mijn dag door. Als vrouw van een sikh word ik geacht vooral veel thuis te zijn,' bekende Kuldip. 'Je weet hoe dat gaat met mannen: ze hechten aan regelmaat. Op vaste tijden eten, een opgeruimd huis. Ze zijn wat dat betreft allemaal hetzelfde, jong en oud.'

'Mijn moeder zou waarschijnlijk hetzelfde zeggen.' Sarah begreep meteen wat het doel van dit onderonsje was. Ze wreef haar klamme handen af aan haar rok en bad in gedachten om een teken dat zou aangeven wat ze moest zeggen.

'Rabindrah is zo'n fijne jongen.' Kuldips lach was even zoet als haar toetjes. 'Hij had wat wilde haren, zoals alle jongens van zijn leeftijd. Hij rende van hot naar her, probeerde van alles uit, flirtte met alle buitenlandse meisjes. Natuurlijk heeft hij een tijdlang in Engeland gewoond, waar alles anders is, en daardoor is zijn leven veranderd. Maar nu rent hij niet langer achter de Zweedse stewardess en de Italiaanse en de Franse meisjes aan. Hij heeft eindelijk rust gevonden en keert terug naar de tradities van zijn familie. We zijn er allemaal zo blij mee.'

'Dat geloof ik graag,' zei Sarah.

'Jouw ouders hopen natuurlijk dat je op een dag terugkeert naar Ierland? Ze vinden het ongetwijfeld vervelend dat je zo ver van huis bent.'

'Ik zie Ierland niet echt als mijn thuis,' zei Sarah. 'Ik ben hier opgegroeid en wil hier blijven wonen.'

'Maar je ouders hopen zeker wel dat je snel een man vindt en hun een paar prachtige kleinkinderen schenkt? Je wilt vast niet de rest van je leven helemaal alleen in die gevaarlijke wildernis blijven zitten.'

Sarah opende haar mond om antwoord te geven, maar Kuldip had zich al met een verrast geluidje afgewend.

'O, daar hebben we Anoop,' zei ze. 'Die had ook vast behoefte aan frisse lucht. Ik laat je in haar gezelschap achter, dan zie ik jullie straks wel weer binnen.'

Ze zeilde weg en keek nog even over haar schouder, met een sierlijke glimlach. Ze is net Ava Gardner, dacht Sarah, een en al lang zwart haar en volle pruillippen.

'Ik ben een oude bekende van Rabindrah.' Anoop stak haar hand uit. 'We kennen elkaar al sinds onze jeugd. Onze families zijn goed met elkaar bevriend en doen veel samen. Rabindrah heeft me zijn ideeën voor het boek laten zien, en een paar van jouw foto's. Het ziet er erg mooi uit.'

'Dank je,' zei Sarah. 'Het was een genoegen om met hem te werken.'

'Ja. Hij is erg intelligent en verdient het succesvol te zijn. We zijn allemaal blij dat hij is teruggekomen en niet in Engeland is gebleven.'

'Ik denk dat dat een goede keuze is geweest.'

'We hebben elkaar in Engeland vaak gezien. Ik heb in Londen gestudeerd, toen hij daar ook zat, en een tijdje bij zijn ouders gewoond.'

'Woont jouw familie ook in Kenia?' Sarah wilde graag meer over het meisje weten. Ze leek begin twintig, had een lichte huid en was aantrekkelijk, zelfs knap te noemen. Haar amandelvormige ogen waren opvallend en donker, met lange wimpers, en ze had sierlijke handen en voeten en een mollig, maar goed figuurtje. Ze droeg een traditionele *salwar kameez* en bescheiden, maar fraaie sieraden.

'O, je bent vast wel aan hen voorgesteld,' zei Anoop, 'maar je kunt onmogelijk onthouden wie wie is als je twintig mensen tegelijk moet begroeten. Mijn moeder en Kuldip zijn elkaar beste vriendin. Ze doen alles samen: beslissen wat er in huis moet gebeuren, naar de tempel gaan, boodschappen doen en recepten uitwisselen, huwelijken voor hun kinderen regelen. Je kent dat wel.'

'Niet echt,' zei Sarah. Ergens diep in haar gedachten voelde ze een zweem van onzekerheid. 'Ben jij getrouwd?'

'Ik?' Het meisje lachte verlegen. 'Nog niet. Ik ben nog maar een paar maanden geleden uit Engeland teruggekomen.'

'Wat heb je in Engeland gestudeerd?' vroeg Sarah. 'En ga je nu hier in Nairobi een baan zoeken?'

'Ik heb economie gedaan,' antwoordde Anoop. 'Maar ik weet niet of ik een baan ga zoeken. Dat hangt er maar net van af.' Ze liet haar stem zakken en vervolgde op vertrouwelijke toon: 'Tante Kuldip is namelijk erg optimistisch, en mijn moeder ook. Zeker nu Rabindrah geld met zijn boek zal gaan verdienen. Dat zal hem een goede basis bieden, en we zijn je allemaal zo dankbaar omdat je hem hebt geholpen. Geen wonder dat Indar en Kuldip je vandaag zo hebben onthaald. Ik weet nog niet of ik hier een baan ga zoeken, al zal een moderne echtgenoot geen bezwaar tegen een werkende vrouw hebben. We zien wel.'

'Nou, ik hoop dat het naar tevredenheid zal gaan.' Het duizelde Sarah. 'Ik vond het leuk even met je te praten, maar ik ga nu weer naar binnen.'

In de woonkamer zat Rabindrah net met zijn oom te praten, maar ze liep recht op hem af. Het kon haar niet langer schelen of ze zouden denken dat ze ongemanierd was omdat ze hen onderbrak.

'Het spijt me dat ik moet storen,' zei ze, 'maar ik ben bang dat ik ervandoor moet gaan. Ik heb vanavond nog een afspraak met iemand van een natuurbeschermingsorganisatie. Het wordt tijd dat ik ga.'

Ze zag dat Rabindrah even fronste, maar toen knikte hij en legde een hand rond haar elleboog. 'Kom maar,' zei hij, 'dan nemen we even afscheid van mijn tante en breng ik je terug naar je hotel. Ik was je afspraak helemaal vergeten.'

In de auto durfde ze niets te zeggen, maar hij stelde geen vragen. Het duurde even voordat ze besefte dat ze niet op weg waren naar het centrum.

'Waar gaan we heen?' vroeg ze met een klein stemmetje.

'Naar Limuru, dan drinken we daar een kop thee in het hotel. Ze hebben er een prachtige tuin, met uitzicht over de theeplantages, en het is er rustig. Niemand zal ons storen.'

Het was aanmerkelijk koeler toen ze over het weelderige gazon naar een tafeltje achter een stortvloed van fuchsia's liepen.

'Waarom ben je zo van streek?' vroeg Rabindrah. Toen ze geen antwoord gaf, pakte hij haar hand en kuste de binnenkant van haar pols en haar vingers. 'Ben je door al die mensen vergeten dat ik van je hou?'

'Ze zullen me nooit accepteren.' Ze flapte de woorden eruit en trok haar hand terug om de eerste tranen weg te vegen. 'Je tante heeft ervoor gezorgd dat ik het meisje heb leren kennen dat ze voor je heeft uitgekozen. En ik heb de boodschap begrepen, die was luid en duidelijk.'

Hij gooide zijn hoofd achterover en lachte hardop. 'Ze geeft het ook nooit op,' zei hij. 'Maar dat is een grapje tussen ons, en dat weet ze diep in haar hart ook wel.'

'Lach me niet uit.' Ze stond zo plotseling op dat haar stoel omviel. 'Je moet hebben geweten dat het zo zou gaan. Dat ze wel zouden raden dat onze relatie verder gaat dan alleen maar samenwerking. En je hebt me aan mijn lot overgelaten terwijl jij de charmante neef en de slimme journalist kon spelen, de teruggekeerde held van die familie van je. En nu zit je te lachen omdat ik zo ben vernederd en durf je het over houden van te hebben. Hoe durf je! Hoe durf je me zo te behandelen!'

'Sarah! Het spijt me, het spijt me echt. Toe, ik had niet gedacht dat –'

'Nee, dat heb je zeker niet,' beet ze hem toe. 'Onze achtergronden zijn te verschillend. Je hebt me gewoon voor de gek gehouden, je weet dat je oom en tante me nooit zullen accepteren. Ik ben geen traditioneel sikhmeisje uit de middeleeuwen. Ik ben een blanke Ierse wetenschapster en een verdomd goede fotografe, met een eigen leven en een carrière die ik zeker zal voortzetten!' Ze zweeg even en keek op hem neer, en vervolgde toen op kalmere toon: 'Het heeft geen zin. Ze hebben gelijk. Je tante, mijn moeder, iedereen om ons heen. Dit kan nooit iets worden. Ik heb al genoeg ellende en verdriet in mijn leven gehad, aan meer heb ik geen behoefte.' Ze ging weer zitten en keek uit over het groen van de theeplantages en de gouden schoonheid van de naderende avond. 'Ik wil rust,' zei ze ten slotte. 'Ik kan niet nog meer argwaan en verdriet verdragen. Ik wil nu een normaal leven.'

Ze zwegen toen de ober hun de thee kwam brengen. Daarna wendde Rabindrah zich weer tot haar. 'Hou je van me?' vroeg hij. 'Je hebt nooit rechtstreeks gezegd dat je van me houdt.'

Ze boog haar hoofd en wilde niets zeggen, maar hij leek de woorden uit haar te willen trekken.

'Hou je van me, Sarah Mackay?' vroeg hij op lage toon.

'Ja.'

'Dan zal ik je alle rust geven die je je kunt wensen. Ik zal rust en vrede voor je en om je heen scheppen, en ik zal je beschermen en bij je blijven. Voor altijd. Dat beloof ik je.'

Ze schudde haar hoofd omdat ze haar stem niet vertrouwde. De lucht was afgekoeld en de eerste mistflarden verschenen boven de perfect onderhouden rijen theeplanten. Ze dronken zwijgend hun thee en toen stond Rabindrah op. 'Ik breng je wel terug naar het Norfolk,' zei hij.

'Ik wil niet naar het Norfolk.' Sarah kon nog geen vragen over haar dag verdragen. 'Ik wil nu even geen vragen, zelfs niet van mijn beste vriendinnen.'

'Wil je bij mij blijven?' Hij pakte haar hand.

'Bij jou blijven? Hoe bedoel je? Waar?'

'Hier. Als ze voor vannacht nog een kamer vrij hebben.' Zijn hart klopte als een bezetene en zijn mond was kurkdroog. Hij was doodsbang haar te verliezen. 'Dan kunnen we rustig met elkaar praten, een hapje eten. Dan hebben we wat tijd voor onszelf. Dat hebben we nog niet echt gehad, en dat hebben we wel nodig.'

'Maar wat zullen ze bij de receptie zeggen? Ik bedoel...' Ze was in de war, bang voor de stap die ze zou zetten als ze hier met hem zou blijven.

'Ik ken de eigenares, mevrouw Lloyd, erg goed. Ik werk samen met haar man, die ook journalist is. Ik kom hier regelmatig.'

'Je bent hier met andere meisjes geweest.' Ze voelde zich misselijk worden. 'Je hebt hier met andere vrouwen de nacht doorgebracht.'

'Nee.' Rabindrah pakte haar bij de arm en schudde haar door elkaar. 'Nee. Ik beloof je dat ik je nooit op die manier in verlegenheid zal brengen. Dat zal ik nooit doen, echt niet. Hemel, Sarah, je denkt toch niet dat ik je dat zou aandoen?' Hij begon boos te worden.

Er viel een lange, gespannen stilte. Ten slotte haalde Sarah diep adem. 'Ga dan maar vragen of ze nog een kamer hebben,' zei ze. 'Al weet ik niet wat ik zonder tandenborstel moet beginnen.'

'Ik heb altijd wat in de auto liggen,' zei hij. 'Voor het geval ik onverwacht voor een artikel op pad word gestuurd. Ik heb wel een tandenborstel voor je, nog nieuw en ingepakt.'

Hun kamer had een open haard, sitsen gordijnen en balken in het plafond en keek uit op het gazon en de theeplantages op de steile hellingen onder het hotel. Nadat de haard was aangestoken, gingen ze in de fauteuils aan weerszijden ervan zitten, en Sarah richtte haar blik op het oranje en purper van de vlammen. Ze had nu al spijt van haar beslissing en vroeg zich af hoe ze dit aan Hannah en Camilla moest uitleggen. Rabindrah stond als eerste op. 'Wil je Hannah en Camilla bellen? Zeggen dat je hier bent?'

'Nee,' zei Sarah. 'Ik ben hun geen verantwoording schuldig. Ik kan gaan en staan waar ik wil, zonder iets uit te leggen.'

'Ik merk dat je je niet op je gemak voelt,' zei Rabindrah. 'Maar ik wil niet dat je straks teruggaat naar je vriendinnen en deze dag vergeet, of mij vergeet. Ik hou van je, Sarah. Ik wil je niet verliezen en zal er alles aan doen om je gelukkig te maken.'

Hij stak zijn hand naar haar uit en ze stond op, ze kwam in zijn armen, hoewel ze door een vloedgolf van twijfels werd overvallen. Ze kon hem echter niet weerstaan. Toen hij haar uiterst teder op haar lippen kuste, voelde ze emotie en verlangen in haar opwellen. Als een slaapwandelaarster liep ze naar het bed. Ze gingen naast elkaar liggen, streelden elkaar, kusten elkaar, fluisterden lieve woordjes. Na een tijdje, toen de herinneringen aan de dag tot haar gedachten doordrongen en in woorden veranderden, begon ze hem te vertellen over haar angsten.

'Ik wist niet wat ik moest doen met al dat verdriet dat ik in me had,' zei ze. 'Toen Piet werd vermoord, wilde ik ook sterven, want mijn leven was een kwelling geworden. Of ik nu wakker was of sliep, het was één grote nachtmerrie. Toen leerde ik jou kennen, en ik was zo bang voor wat ik voelde. Bang om Piet achter te laten. Maar er is een grens aan hoeveel pijn en medelijden een mens kan verdragen, en ik weet dat hij zou willen dat ik weer gelukkig word.'

'En daar zal ik mijn uiterste best voor doen,' zei Rabindrah. 'Onze liefde zal elke tegenslag die ons treft overwinnen.'

'Maar ik wil niet dat onze relatie een twistpunt voor onze families en vrienden wordt,' zei ze. 'Ik kom uit een erg hecht gezin. Ze doen hun best me tegen verdriet te beschermen, om te voorkomen dat ik iets doe wat hen te riskant lijkt.' Ze stond op, liep naar de stoel waar ze haar handtas had neergelegd en pakte de brief van haar ouders eruit. 'Lees deze maar eens,' zei ze. 'Want ze denken er net zo over als jouw familie. En ze hebben gelijk, er staat ons heel wat tegenstand te wachten. Dat zie ik nu ook in.'

Rabindrah las de brief zonder iets te zeggen door en legde hem toen opzij. 'Ik hou van je,' zei hij uiteindelijk. 'Geef me de kans dat te zeggen en te laten zien. Dit is iets tussen ons twee, en wij zijn de enigen die kunnen beslissen wat we moeten doen.'

Ze keek hem aan en merkte dat de boodschap in zijn ogen haar tot zwijgen maande. Hij knoopte haar blouse los en kuste haar borsten totdat ze naar adem hapte, maar toen hij de rits van haar rok naar beneden trok, maakte ze zich met een verontrust gezicht van hem los.

'Nog steeds vanwege Piet?' vroeg hij. Hij rolde op zijn rug en staarde naar het plafond in plaats van naar haar, in de hoop dat dat zijn verlangen zou temmen.

'Nee, het is gewoon een van die andere stomme hindernissen die we op ons pad zullen vinden. Of ik op mijn pad, eigenlijk. Ik kan het niet echt uitleggen, maar ik ben katholiek opgevoed en...'

'En je wilt pas de liefde met me bedrijven als we echt man en vrouw zouden zijn?' Glimlachend raakte hij haar borsten aan en kuste haar weer op haar lippen. 'Katholieken zijn niet de enigen die er zo over denken, hoor. Wat denk je dat mijn ouders hadden gezegd als een van mijn zussen het met haar aanstaande had gedaan voordat ze in de tempel in de echt waren verbonden? Of wat ik zou zeggen? Want zo hypocriet ben ik dan ook weer.'

Ze moest wel lachen. Hij trok haar hoofd op zijn borst en hield haar stevig vast, zodat ze wel moest blijven liggen.

'Sarah?'

'Ja?'

'Wil je met me trouwen?'

'Met je trouwen?'

'Wil je met me trouwen en je leven met me delen, in voor- en tegenspoed, ondanks alle verschillen die er tussen ons zijn? Wil je met me trouwen, Sarah?'

'Ja,' zei ze. 'Dat wil ik.'

EENENTWINTIG
Nairobi, juli 1967

'Waar hangt ze in vredesnaam uit?' Hannahs ogen waren groot van ontzetting. 'Wat moeten we nu doen, de politie bellen, of de ziekenhuizen?'

'Dat lijkt me niet nodig.' Lars roerde in zijn kopje koffie. 'Als ze een ongeluk had gehad, hadden we het wel gehoord.'

'Maar misschien ligt ze wel in coma!' zei Hannah.

'Ze is vast ergens met Rabindrah heen,' zei Camilla, 'want anders zou hij wel op zijn werk zijn. Daar zeiden ze echter dat hij vanmorgen niet was komen opdagen.'

'Wil je daarmee zeggen dat ze de nacht met hem heeft doorgebracht? Waar? Ik dacht dat hij bij zijn oom woonde.' Nu was Hannah echt ontzet. 'Dat zou ze nooit doen. Nooit.'

'Ze zijn vreselijk verliefd op elkaar,' zei Camilla. 'En dat zullen we moeten accepteren. Twee dagen geleden vond je nog dat ze maar een verhouding met hem moest beginnen. Dat ze even niet aan fatsoen en religie en schuldgevoel moest denken, maar zich moet overgeven aan woeste vrijpartijen.'

Lars maakte een duidelijk ontstemd geluid. 'Ze kan heel erg worden gekwetst,' zei hij. 'Het is geen eenvoudige situatie, en ze is niet het type voor iets vluchtigs.'

'Nou, ze weet dat we vandaag terug naar Langani gaan,' zei Hannah boos. 'We kunnen moeilijk de hele dag op haar gaan zitten wachten. Het is al na elven en ik heb tegen ma gezegd dat we er met de lunch zouden zijn.'

'Gaan jullie anders maar,' zei Camilla, 'dan kan ze met mij meerijden. Al zal dat pas woensdag worden, want ik ga morgen met papa een helikoptervlucht maken. Maar ik neem haar wel mee.'

'Ik zou me heel wat prettiger voelen als ik zeker zou weten dat haar niets is overkomen,' zei Hannah. 'Als ik wist waar ze was.'

'Ik vind Camilla's plan uitstekend.' Lars stond op. 'Kom, Han, dan gaan we. En maak je maar geen zorgen. Ik weet bijna zeker dat Sarah niets is overkomen.'

'Dan zie ik jullie over een paar dagen wel weer.' Camilla omhelsde haar vriendin. 'Dan beginnen we aan het knippen van de nieuwe patronen. Later vandaag ga ik nog even bij de bazaar kijken of er nog nieuwe biesjes en ruches zijn. Ik sta te popelen om te beginnen.'

Ze liep terug naar hun huisje en besloot de ochtend naast het zwembad door te brengen, maar ze had net een bikini uit haar koffer gehaald toen de telefoon ging.

'Ik ben in de lobby.' Het was Anthony.

'Ik wil je niet zien.'

'Je zou een kop koffie met me kunnen gaan drinken. In de Lord Delamere Bar in je hotel,' zei hij snel.

'Ik heb al koffie gedronken. Ik hoef niet meer en ik wil niet meer.'

'Dan kom ik wel naar je huisje.'

'Ik zie je wel in de Lord Delamere,' zei ze snel.

Daar zaten ze even later zonder iets te zeggen tegenover elkaar. Opwinding maakte haar huid heerlijk gevoelig voor zijn aanraking. Ze voelde zich licht in het hoofd, alsof ze niets woog. Haar ledematen leken te smelten, en ze was gevangen tussen verwachting en vrees. Ze had al twee keer een fout gemaakt en wilde dat niet nog eens doen. In Londen had ze haar leven in de hand, daar had ze een succesvolle carrière. En hoewel ze Edward niet vaak zag, wist ze zeker dat hij van haar hield en naar haar verlangde. Het zou niet lang duren voordat ze zou ophouden met het modellenwerk en alleen nog incidentele opdrachten zou doen; ze zou voortborduren op haar eerste bescheiden succes op het toneel en op de goede naam die ze met haar ontwerpen had gemaakt. Het zou krankzinnig zijn haar groeiende gevoel van zekerheid in te ruilen voor een nieuwe kans met Anthony. Alleen wist ze dat ze nog steeds van hem hield.

'Camilla.' Anthony boog zich naar haar toe. Zijn adem likte als een vlam aan haar geweten. 'Blijf bij me. We horen bij elkaar. Ga niet weg,

Camilla. Als je me zou verlaten, zou je het verkeerde leven leiden.'

'We hebben het hier al eerder over gehad,' zei ze. 'Bovendien kon ik gisteravond zien dat je je handen hier al vol hebt.'

'Doe niet zo raar,' zei hij. 'Dat meisje heeft een reisbureau. Onze verstandhouding beperkt zich tot het organiseren van safari's.' Hij zweeg even. Charlene logeerde in zijn huis in Karen. Ze was drie dagen langer in Nairobi gebleven om de routes uit te stippelen die in de nieuwe brochure met Anthony's paardensafari's zouden worden afgedrukt. Ook was ze bezig met een aantal advertenties voor tijdschriften. Hij was blij met de samenwerking, die zou hem veel klanten uit de Verenigde Staten opleveren.

In het Pan African Hotel had ze echter niet langer kunnen blijven omdat alle kamers waren geboekt voor deelnemers aan een internationaal congres. In een opwelling had Anthony gezegd dat ze zijn logeerkamer wel kon gebruiken. Ze was zijn beste contact, en dat was simpeler dan alle hotels afbellen. Hij vroeg zich af of hij dit aan Camilla moest vertellen en besloot het niet te doen. Camilla zou direct de verkeerde conclusies trekken. Charlene zou over twee dagen toch al weggaan, en het had geen zin er een hele toestand van te maken.

'We houden van elkaar,' zei hij. 'Dat weet jij en dat weet ik ook. We zullen nooit zo van een ander houden. Het is voorbestemd dat we bij elkaar zijn. Dat kun je niet ontkennen.'

Ze stond op, haar drankje nog onaangeroerd. 'Het doet te veel pijn.' Ze merkte dat haar zelfbeheersing dreigde weg te ebben. Ze voelde de kracht van het verlangen dat ze voor elkaar voelden, waaraan niet te ontkomen was, en ze wist dat ze nu weg moest lopen omdat ze anders haar ondergang tegemoet ging.

'Je bent bang,' zei hij. 'Ik heb je eerder teleurgesteld, maar dat zal ik niet meer doen. Ik hou van je, Camilla.'

Ze keek op hem neer, met ogen die groot waren van onzekerheid.

'Camilla?' Een andere stem verstoorde haar moment vol twijfel.

Sarah stond een paar meter verderop en keek haar met stralende groene ogen aan. Rond haar lippen speelde een verwonderde glimlach.

'Waar heb jij gezeten? We hebben ons zorgen gemaakt,' zei Camilla. 'Lars en Hannah zijn al terug naar Langani, maar jij kunt woensdag met mij meerijden.'

'Rabindrah brengt me vanmiddag al,' zei Sarah. Op dat moment kwam hij aangelopen en sloeg een arm om haar schouders. 'We moeten jullie iets vertellen.' Ze keek even naar hem op en haalde diep adem. 'We gaan trouwen.'

Camilla staarde haar sprakeloos aan. Haar gedachten tolden door haar hoofd. Haar eerste reactie was verbazing, maar toen voelde ze een vlaag van paniek. Nu kon ze al horen wat Hannah hierop te zeggen zou hebben, om nog maar te zwijgen over de ouders van Sarah. Een gevoel van afgunst welde diep in haar op toen Anthony opstond, Rabindrah de hand schudde en Sarah toen hartelijk omhelsde.

'Wat een fantastisch nieuws,' zei hij. 'Vind je ook niet, Camilla?'

'Het is een hele verrassing,' bracht ze uit. 'Gefeliciteerd.'

'Ik ga mijn spullen halen.' Sarah kuste Rabindrah kort op de wang. 'Wacht jij maar hier bij Anthony. Ik ben zo terug.'

'Wacht, ik ga mee,' zei Camilla, en ze liepen samen door de lobby en over de binnenplaats naar het huisje.

'Je bent geschokt,' stelde Sarah vast. Zelf kon ze haar geluk niet op, en Camilla's reactie stelde haar teleur.

'Het gaat allemaal zo snel,' zei Camilla. 'Ik vind het heerlijk voor je dat je verliefd bent geworden, echt waar, maar trouwen is een heel grote stap. Is het niet verstandiger om jezelf wat meer tijd te geven? En ik moet maar aan Raphael en Betty denken, en ook aan Hannah. Die zullen echt aan het idee moeten wennen.'

'Maar denk je niet aan mij?' Sarahs ogen vonkten van woede. 'Na alles wat we hebben doorstaan, alle dood en ellende, verdienen we toch wel wat geluk en liefde? Dat is toch het belangrijkste, dat we daar dankbaar voor zijn? Waarom kun je niet blij voor me zijn?'

'Ik ben blij voor je.' Camilla sloeg haar armen om Sarah heen. 'Maar ik ben ook een beetje bang.'

'Omdat je niet de moed hebt ook wat onvoorwaardelijk geluk voor jezelf te pakken,' zei Sarah. Ze propte haar kleren in haar linnen tas en trok ongeduldig aan de rits. 'Daarom projecteer je je twijfels op mij en kun je niet gewoon blij zijn dat ik Rabindrah heb leren kennen. Blij voor mij, en voor hem.'

'Dat is niet eerlijk,' vond Camilla. 'Ik wil alleen dat je voorzichtig bent. Dat je het zeker weet. Ik wil niet dat je gekwetst wordt.'

'Hij zal me nooit kwetsen,' zei Sarah. 'Want ik geloof in hem. We houden van elkaar en willen de rest van ons leven met elkaar delen. Ik vind het vervelend voor je dat jij niet genoeg vertrouwen in een ander mens hebt om hetzelfde te kunnen doen, maar dat is jouw probleem, niet het mijne.'

'Sarah...'

'Ik zie je wel weer.' Sarah pakte haar tas en liep naar de deur. 'Als je tenminste het lef hebt en zo verstandig bent om hier te blijven, waar je hoort. Je moet eens ophouden met door het leven van anderen te trekken, Camilla. Het wordt tijd dat je de liefde eens een kans geeft en in iets anders dan in zelfbehoud gaat geloven.'

Camilla ging op de rand van haar bed zitten en sloot haar handen stevig om het hout. Haar schouders schokten toen ze om haar eigen stommiteit begon te huilen. Na een tijdje stond ze op en liep naar de badkamer om haar gezicht met koud water te wassen en haar make-up bij te werken. Nadat ze haar rode ogen met een zonnebril aan het zicht had onttrokken, ging ze op zoek naar Anthony, maar hij was al weg. Bij de receptie was een boodschap voor haar achtergelaten, van haar vader. Hij was druk bezig op kantoor, maar wilde weten of ze tijdens haar verblijf in Nairobi bij hem wilde logeren. Ze hoefde maar te bellen, dan zou hij Saidi sturen om haar bagage op te halen.

'Ik check nu uit,' zei ze tegen de receptioniste. 'U kunt over een half uur iemand sturen om mijn koffers te halen.'

In het huisje belde ze George. 'Ik kom straks naar u toe, maar ik ga eerst nog even naar de markt en de Indiase bazaar,' zei ze.

'Dat is goed. Saidi kan je ophalen wanneer je maar wilt,' zei George. 'Dan zie ik je vanmiddag thuis wel, rond een uur of vijf.'

De rest van de middag was ze druk bezig met het kopen van kralen, pailletten en linten en stuitte ze op halfedelstenen en zilveren versieringen die bruikbaar waren voor haar nieuwe collectie. Toen ze eindelijk bij het huis van haar vader aankwam, was ze blij dat ze de drukke mensenmassa en de middagwarmte van de stad achter zich kon laten. Nadat ze had gedoucht, ging ze op de veranda zitten om de krant te lezen, maar ze kon haar aandacht er niet bij houden. Ze vroeg zich af hoe het Sarah was vergaan en hoe Hannah op het nieuws van de verloving zou reageren. Ten slotte pakte ze de telefoon en belde naar Langani.

'Ze is hier niet geweest,' zei Hannah. 'Hoe laat heeft ze Nairobi verlaten? Waarom rijdt ze niet met jou mee? Heeft ze wel vervoer?'

'Rabindrah brengt haar. Hannah, ze hebben zich verloofd. Ze gaan trouwen.'

'Verloofd?' Hannahs ontzetting was aan deze kant van de lijn voelbaar. 'O mijn hemel, dat had ik nooit verwacht.'

'Ik reageerde er ook niet al te best op, Han,' gaf Camilla toe. 'Ze was behoorlijk van streek toen ze hier wegging. We moeten echt heel tactvol zijn. Behoedzaam. We moeten haar vooral laten merken dat we blij voor haar zijn.'

'Zijn we dat ook?'

'Ze houden van elkaar,' zei Camilla. 'Ze twijfelt er niet aan dat hun liefde alles zal overwinnen, en ik denk dat hij dat ook vindt. Ik geloof niet dat we die overtuiging aan het wankelen moeten brengen.'

'Nou, in elk geval bedankt dat je me hebt gewaarschuwd,' zei Hannah. 'Wanneer kom jij hierheen?'

'Ik ga morgen die vlucht maken, dus ik kom woensdag naar jullie toe. Ik bel nog wel voordat ik vertrek. En ik wil je dolgraag laten zien wat ik vanmiddag allemaal in de bazaar heb gekocht.'

Nadat ze had opgehangen, bleef ze nog een tijdje naar de telefoon zitten staren. Toen pakte ze de hoorn van de haak en koos een ander nummer. Bij Anthony thuis werd niet opgenomen, en daarom belde ze naar zijn kantoor.

Toen ze zijn stem aan de andere kant van de lijn hoorde, voelde ze zich zo zwak worden dat ze even moest gaan zitten. 'Ik ben vanmorgen nog teruggekomen, maar je was al weg,' zei ze.

'Ik heb nog maar drie dagen in Nairobi voordat ik weer op safari ga.' Hij klonk op zijn hoede. 'Een van de auto's heeft telkens pech en ik moet mijn uiterste best doen om die vandaag nog te laten repareren. En er ligt een hele papierwinkel op me te wachten.'

'Ja,' zei ze, 'je hebt het vast heel druk. Maar ik dacht dat we misschien... nou ja, iets samen konden gaan doen.'

Hij antwoordde niet meteen. De stilte rekte zich zo lang uit dat ze er zenuwachtig van werd, en ze frummelde aan het collier rond haar hals. Opeens brak het, en alle kralen rolden over de grond en verdwenen onder de meubels.

'O, verdraaid,' zei ze. 'Mijn halsketting breekt. Hoor eens, ik logeer een paar dagen bij papa, dus dan weet je waar je me kunt vinden.'

'Ja,' zei hij, maar hij kon zichzelf wel voor de kop slaan omdat hij haar niet over zijn gast had verteld en evenmin had gemeld dat hij die avond met Charlene had afgesproken. Maar Charlene zou al over twee dagen vertrekken, en nu was er iets in Camilla's stem te horen wat hem een gevoel van hoop gaf. Ze had hem gebeld. Ze wilde hem zien. Nu moest hij voorzichtig zijn en niet te hard van stapel lopen. 'Ik bel je morgenavond,' zei hij. 'Dan kun je me vertellen hoe het met de neushoorns is gegaan. *Salaams* aan George.'

Ze legde de hoorn op de haak en ging op haar handen en knieën zitten zodat ze de kralen kon zoeken, maar het voelde alsof ze een enorme klap had gekregen. Ze ging weer rechtop zitten, bijna in tranen. Ze voelde zich zo ellendig. Dat was niet de reactie die ze had verwacht. Had ze maar de moed om tegen hem te zeggen dat ze van hem hield, durfde ze maar de sprong te wagen die hen weer bij elkaar zou brengen.

De rest van de avond was ze ongedurig, en na een rustig avondmaal met George ging ze meteen naar bed, met het excuus dat ze de volgende dag weer vroeg uit de veren moesten. Toen ze in slaap viel, werden haar dromen bevolkt door Anthony.

Rabindrah was in hoog tempo naar het noorden gereden, zodat ze aan het begin van de middag op Langani zouden zijn en nog de kans hadden voor het vallen van de avond Buffalo Springs te bereiken.

'Trek het je niet te veel aan,' zei hij tegen Sarah. 'Ze moeten er maar aan wennen. Het zal wel even duren. Jij bent altijd de betrouwbare factor in jullie vriendschap geweest, en nu heb je iets gedaan wat niets voor jou is. Je hebt iedereen verrast. Daar moeten ze even aan wennen.'

'Ik snap niet waarom ze zouden moeten wennen,' zei Sarah. 'Camilla lijdt doorgaans niet aan de vooroordelen en vrees die Hannah van haar Afrikaner kant van de familie heeft meegekregen. En als Camilla al zo reageert, kun je je wel voorstellen hoe het op Langani zal gaan.'

'We slaan ons er wel doorheen,' zei hij.

'Nee,' zei Sarah. 'En ik zie niet in waarom we eigenlijk moeite zouden moeten doen. We zijn bijna bij Nyeri. Zullen we even een bezoekje aan pater Bidoli brengen? Hij is gisteren uit het ziekenhuis ontslagen omdat er ook verpleegkundigen in Kagumo zijn en hij dus net zo goed thuis op de missie kan worden verzorgd. We kunnen hem even gedag zeggen en dan doorrijden naar Buffalo Springs. Ik haal mijn spullen wel een andere keer van Langani op.'

'Ik vind dat je het aan Hannah moet vertellen,' zei hij. 'Je hoeft nergens bang voor te zijn en je nergens voor te schamen.'

'Zie je nu wel,' riep ze uit. 'We hebben het over het mooiste wat ons ooit is overkomen, en je neemt woorden als "bang" en "schamen" in de mond. Dat is niet juist, ik wil me niet door anderen tot zulke gevoelens laten dwingen.'

'Misschien is dat wel de prijs die je moet betalen voor een huwelijk met een donkerhuidige ongelovige,' merkte hij glimlachend op. 'Je moet iets overhebben voor het etiket "mevrouw Singh", vind je niet?'

'We gaan in Kagumo langs.' Ze bleef bij haar besluit. 'En als het te laat wordt om door te rijden naar Isiolo en Buffalo Springs nemen we wel een kamer in het Outspan.'

'O mijn hemel,' zei hij op overdreven toon. 'Je laat nog eens een spoor van schandalige hotelboekingen achter in het hele land. Je kunt dat niet al te lang verborgen houden, hoor.'

'Ik heb een reden om in Kagumo langs te gaan. Ik heb een idee dat een einde aan alle problemen zal maken.' Ze boog zich naar hem toe en kuste hem op zijn wang. 'Hier afslaan. Vertrouw me nu maar.'

Pater Bidoli had zijn intrek genomen in een ruime kamer met uitzicht op de moestuin die werd begrensd door een rij tulpenbomen waarvan de bloesem felrood oplichtte in de middagzon. Hij was nog steeds zwak, en spreken kostte hem moeite, maar hij glimlachte vriendelijk toen hij Rabindrah toeknikte en Sarahs hand in de zijne nam.

'Jullie zien er gelukkig uit, mijn kinderen,' zei hij. 'Wat komen jullie hier in Nyeri doen?'

'We komen u bezoeken.' Ze ging naast hem zitten. 'Ik wilde graag weten hoe het met u ging. En ik wil dat u iets voor me doet.' Ze haalde de brief van haar ouders uit haar zak en gaf hem zijn bril aan, die op een brevier naast hem lag.

Hij keek haar met zijn bleke, waterige ogen aan en glimlachte weer. Toen begon hij te lezen, langzaam, zonder op te kijken of commentaar te leveren.

'De familieleden en vrienden van Rabindrah hebben soortgelijke bezwaren,' zei ze toen hij klaar was. 'En mijn beste vriendinnen ook. Dat had u al voorspeld. Maar hij heeft me gisteren ten huwelijk gevraagd en ik heb ja gezegd.'

'Jullie zijn een stel sterke jonge mensen,' zei hij. 'En als jullie van elkaar houden, ten overstaan van God, dan zal jullie leven samen, jullie verbintenis, gezegend zijn. Dat weet ik zeker, en dat weten jullie ook. In de loop der jaren zullen jullie families en vrienden heus wel zien dat jullie bij elkaar horen, en dan zal er sprake zijn van een huwelijk van de geest en de ziel waarvan jullie allemaal deel uitmaken.'

'Nee,' zei Sarah. 'We willen niet ons best hoeven doen om iedereen duidelijk te maken dat we bij elkaar horen, dat ze in ons moeten geloven. En we willen geen plechtigheid die wordt gekleurd door de twijfels van anderen. Onze trouwdag is voor ons. Het zal de belangrijkste dag van ons leven zijn, de dag waarop we onze liefde voor elkaar bezegelen en aan ons leven samen gaan beginnen. Er mag geen schaduw over die dag vallen. En daarom...' Ze viel stil.

'En daarom?' De pater vouwde zijn handen met de vingertoppen tegen elkaar.

'En daarom willen we dat u ons in de echt verbindt,' zei Rabindrah. Op zijn gezicht verscheen een aangenaam verraste uitdrukking nu hij opeens begreep wat Sarah bedoelde.

'Mijn beste kinderen, ik zou niets liever willen. Als jullie zeker weten dat jullie dat willen.' Hij wendde zich met een ernstige blik tot Sarah. 'Als je denkt dat je er goed aan doet.'

'We doen er goed aan,' zei ze. 'Daar twijfelen we geen van beiden aan.'

'In dat geval zullen we vandaag nog om dispensatie vragen en de overige formaliteiten in orde maken. En ik moet met deze jongeman praten, om te zien of hij je in staat zal stellen je geloof te belijden en je kinderen katholiek op te voeden.'

'U kunt nu met hem praten.' Sarah boog zich voorover en pakte de hand van de pater vast.

Pater Bidoli keek Rabindrah aan. 'Ik merk dat jullie van elkaar houden. Maar voordat we het over het sacrament van het huwelijk kunnen hebben, moet ik je vragen een belangrijke belofte te doen.'

'Ja,' zei Rabindrah, 'Sarah heeft al gezegd dat dat nodig was.'

'Wil je me beloven dat je haar in staat zult stellen haar geloof te belijden, haar kinderen in datzelfde geloof op te voeden, ook al zal je eigen familie je mogelijk onder druk zetten dat niet te doen?'

'Ik beloof dat ik mijn uiterste best zal doen om haar gelukkig te maken, pater Bidoli,' zei Rabindrah. 'U kunt me op mijn woord geloven als ik zeg dat ik nooit tussen haar en haar geloof zal komen en dat onze kinderen katholiek zullen worden opgevoed.'

De geestelijke keek de jongeman een paar minuten zwijgend aan en Rabindrah keek terug, kalm en zwijgend.

'Ik wil dat duidelijk wordt wat jullie van me vragen,' zei de pater, met een glimlach die zo breed was dat die de twee jonge mensen voor hem leek te kunnen omhelzen. 'Want de bisschop is nu aanwezig, in zijn kantoor. Wat moet ik tegen hem zeggen?'

'Dat we zo snel mogelijk willen trouwen,' antwoordde Rabindrah. 'Zonder de familie erbij, zonder receptie en gasten en dure cadeaus. Want we zijn zelf de geschenken die we elkaar geven, en meer hebben we niet nodig. Daarom zouden we u willen vragen ons te trouwen, pater, met alleen de noodzakelijke getuigen erbij.'

'Dan zal ik mijn best doen dat te regelen. Maar het kan even duren voordat –'

'Pater Bidoli, er zijn altijd manieren om snel een dispensatie te regelen, zeker in zo'n kleine plaats als deze,' zei Sarah. 'U hebt me geholpen woede en verdriet te overwinnen en me mijn geloof teruggegeven. En u werkt al meer dan twintig jaar samen met de bisschop in Nyeri. Hij vertrouwt uw oordeel. Daarom willen we u vragen ons in alle stilte te huwen, of in het geheim, als u het liever zo stelt. Morgen.'

Camilla en George verlieten het huis al toen de stad net door de roze dageraad werd gewekt en reden naar de afgesproken plek in het noorden waar de helikopter al stond te wachten. George stelde haar voor aan de piloot en aan John King, de veterinair expert in het verdoven van groot wild. Tot haar verbazing was Johnson Kiberu ook aanwezig, maar hij zou meerijden in de vrachtwagen die de neushoorns op de grond zou volgen. Ze genoot niet bepaald van de op en neer deinende bewegingen van de helikopter; ze ontweken maar net de heuvels en de toppen van de bomen, en ze zag de takken en bladeren uiteenwijken door de luchtstroom die ze veroorzaakten. Ze vlogen over de vrachtwagen die aan de rand van een open plek op hun signaal stond te wachten. George zat naast haar, en voor hen boog de piloot zich voorover om tussen de mistflarden door naar het dichte bladerdak te kunnen turen. John King liet zijn verdovingsgeweer lichtjes op zijn schoot rusten en hing half uit de open deur naar buiten, waardoor Camilla de neiging had zijn jasje vast te pakken en hem naar binnen te trekken. Hij staarde naar beneden, het geweer in zijn hand, en hoopte dat het geluid van de helikopter de grote, gepantserde dieren het bos uit zou jagen, de open vlakte op, waar ze beter te raken zouden zijn. Het lawaai van de rotoren dreunde in haar hoofd.

Net toen ze zich afvroeg of ze niet beter thuis had kunnen blijven, uitte de piloot een enthousiaste kreet. De helikopter dook meteen naar beneden en bleef boven het enorme voorwereldlijk ogende dier hangen. Het stond onder hen op de open plek, verbaasd en kwaad, en richtte zijn lange, gekromde hoorn op degene die hem had gestoord. De helikopter ging zo langzaam dat Camilla even dacht dat ze stil bleven hangen, maar toen doken ze verder naar beneden, tot vlak boven de toppen van de bomen. Ze zag een pijltje naar zijn doel suizen en kon niet anders dan bewondering voor de schutter voelen toen het de neushoorn recht in de borstkas raakte. Het dier bleef even staan, keek op naar de hemel en schudde zijn krachtige kop. Daarna draafde het weg naar de beschutting van het ondoordringbare struikgewas. Tot

Camilla's verbazing rolde de dierenarts een rol toiletpapier af en stak daarna zijn duim op.

'Dan kunnen ze beneden zien waar we zitten,' riep hij over zijn schouder, lachend om haar verwondering. 'Kom, laten we afdalen en ons bij de grondtroepen voegen.'

Toen Camilla vaste grond onder haar voeten voelde, merkte ze dat haar knieën knikten en dat ze over haar hele lichaam beefde. George pakte haar hand vast en wilde iets zeggen, maar ze werden onderbroken door de neushoorn die op hen af gewaggeld kwam, zich een weg banend door de dichte struiken.

'Hij is een meter of vijfhonderd bij ons vandaan,' schatte King. 'Blijf een flink stuk achter me en doe wat ik zeg. Ik hoop dat je goed bent in bomen klimmen.'

Ze bleef wachten, buiten adem van opwinding, doodsbenauwd voor het snuivende, naderende dier dat werd achtervolgd door de vrachtwagen. Daarna klonk er een donderend geraas, toen werd het stil, maar het duurde niet lang voordat Johnson Kiberu en twee parkwachters te voet aan kwamen lopen.

'We hebben hem,' zei hij. 'Een enorme stier. Hij zal zo'n tweeënhalve ton wegen, en de hoorn is meer dan een halve meter lang.'

Ze baanden zich een weg tussen de bomen door en zagen de neushoorn op zijn zij liggen. Zijn oogjes waren gesloten. De beheerder van het park begon aanwijzingen te geven aan de helpers die uit de vrachtwagen sprongen en de dierenarts onderzocht het dier, verwijderde het pijltje en bracht een oormerk aan. Daarna werden een houten steiger en een takel neergezet, zodat de mannen het dier in de vrachtwagen zouden kunnen hijsen. Na meer dan een uur trekken en duwen en flink zweten lag de neushoorn veilig in de laadbak. Ze stapten weer aan boord van de helikopter en vlogen naar het hoofdkwartier van de nationale parken, waar al een kooi voor de gevangene was neergezet.

'Hoe lang moet hij daar blijven?' vroeg Camilla met een blik op het enorme slapende dier, dat opeens opvallend kwetsbaar oogde.

'Deze ziet er vrij sterk en gezond uit,' zei George, 'dus tenzij er complicaties optreden, moet hij binnen een dag of tien op weg zijn naar het Nairobi National Park.'

'Zonder de subsidie van je vader zouden we het nooit hebben gered,' zei Kiberu. 'En hopelijk kunnen we het blijven volhouden, anders zal de volgende generatie nooit met neushoorns kunnen kennismaken.'

'Hoezo? Planten ze zich zo moeilijk voort?'

'Er worden er te veel gedood omdat de bevolking steeds verder toeneemt en er meer land nodig is om iedereen te kunnen voeden,' legde George uit.

'En vergeet de stropers niet, die de hoorns afzagen en er heften voor dolken van maken of ze vermalen tot poeder dat lustopwekkend heet te zijn,' vulde Johnson aan. 'Vorige week zag ik nog zo'n arme ziel in Tsavo. Een wegrottend karkas, ongeschonden op de kop na, waarvan de hoorn was afgesneden. Het was een zogend wijfje, maar we hebben geen idee waar het kalf is gebleven. Helaas betalen stropers mijn parkwachters om een oogje toe te knijpen, en ze bieden meer dan ik ooit zal kunnen doen. Sommige wachters brengen de stropers zelfs naar de dieren toe. En de parken zijn zo groot, alleen Tsavo is al twintigduizend vierkante kilometer. Een dergelijk gebied kun je nooit goed in de gaten houden. Dat is te duur.'

'Ik begrijp waarom u hier bent,' zei Camilla tegen George, toen de neushoorn veilig binnen de omheining was gebracht. 'Het is veel bevredigender om hier goed werk te kunnen doen dan om in Londen op kantoor te zitten.'

'Het is een voorrecht te mogen samenwerken met mensen als John King,' zei hij. 'Dat is een bijzonder mens, en dat geldt ook voor parkwachters als Bill Woodley, die je eerder vandaag hebt ontmoet. Maar ik ben bang dat zulke lieden net zo met uitsterven worden bedreigd als de neushoorns die we proberen te redden. Het is goed dat Johnson er is, hij is een van de weinigen die echt geïnteresseerd zijn in het beschermen van de rijke natuur van dit land, maar hij moet opboksen tegen een vreselijke combinatie van luiheid, hebzucht en corruptie. En domme onwetendheid.'

Ze gingen in de schaduw naast de omheining zitten en luisterden naar de eerste geluiden van de ontwakende neushoorn, een prikkelbaar gesnuif en gegrom, en daarna hoorden ze hem met zijn logge lijf tegen het hek duwen. Camilla pakte het eten uit dat ze uit Nairobi had meegenomen, hardgekookte eieren en broodjes, weg te spoelen met een koud biertje. Ze stond op.

'Ik moet even de bosjes in,' zei ze met een glimlach. 'Blijf van mijn broodjes af. Na al die opwinding ben ik uitgehongerd.'

Ze was net op weg terug naar haar vader toen ze de piloot hoorde lachen. Hij stond te praten met een jongeman van het ministerie van Natuurbeheer in Nairobi.

'Het is me een raadsel hoe die Chapman het hem elke keer weer flikt,' zei de man met onverholen afgunst. 'Je hebt dat beroemde model in Londen, je weet wel, je kunt geen blad openslaan of je ziet haar foto. Ze zeggen dat ze wild van hem is, maar ik zie hem door de hele stad achter de vrouwtjes aan zitten. Elke safari heeft hij er weer eentje. Hij heeft er nu zelfs weer eentje bij hem thuis zitten. Een Amerikaanse griet met verschrikkelijk lekkere tieten, heb ik gisteren van iemand in de Long Bar gehoord. Ik wou dat ik wist hoe hij dat voor elkaar krijgt.'

Camilla bleef als verstijfd staan. Haar maag trok samen en heel even was ze bang dat ze zou gaan overgeven. Ze veegde met haar hand het zweet weg dat op haar gezicht was verschenen. Daarna ademde ze langzaam in en liet de lucht uit haar longen ontsnappen, in een poging kalm te worden, terwijl ze ondertussen aftelde. Zulke roddels en geruchten had ze vaker gehoord, al waren het vaak vergezochte hersenspinsels van verlangende vrijgezellen die de stad bevolkten. Alle jagers en safarigidsen werden geacht hun klanten in Nairobi te vermaken, en Anthony had altijd beweerd dat hij dat het minst leuke deel van zijn werk vond. Maar hij had niet gezegd dat de Amerikaanse bij hem logeerde, en ze kon niet geloven dat het waar was. Ze sloeg haar handen voor haar gezicht. Nu moest ze doen wat Sarah had gezegd, ze moest in hem geloven. Ze probeerde haar angst los te laten en diep in zich te verbergen, in haar onbewuste, en daarna liep ze terug naar de schaduw van de boom. Ze kreeg echter geen hap door haar keel.

Kort na vier uur waren ze weer terug in Nairobi.

'Ik zet je thuis af en ga daarna nog even een uurtje naar kantoor,' zei George. 'Er is nog een hele stapel papieren die ik moet tekenen. Hopelijk duurt het niet al te lang.'

'Het geeft niet.' Ze pakte zijn sleutels van hem aan. 'Ik zal wat te eten voor ons klaarmaken, dan kunt u daarnaar uitkijken. Niets ingewikkelds, hoor.'

Ze douchte zich en trok schone kleren aan, terwijl ze haar uiterste best deed om niet aan Anthony te denken. Anthony, die niet had gebeld, hoewel hij dat de avond ervoor nog had beloofd. Ze liep naar de keuken om aan het eten te beginnen. Het was na zessen, maar haar vader was nog niet thuis. Ze ging zitten, vermande zich en draaide het nummer van Anthony.

'Hallo.' Het was de stem van een vrouw. Van een Amerikaanse, met een Texaanse tongval.

'Ies Anthony Chapman daar?' Camilla zette een zwaar Frans accent op.

'Nee, hij is er niet.' Het was Charlene, geen twijfel mogelijk. 'Kan ik een boodschap aannemen?'

'Mais oui, als u wielt,' zei Camilla. 'Ziet u hem?'

'O, ja,' zei Charlene. 'Ik logeer hier. Hij belde net om te zeggen dat hij dadelijk naar huis komt, dus ik ben iets te eten voor hem aan het maken. Wat kan ik tegen hem zeggen?'

'Ik ben een *journaliste* van *Le Figaro* in *Paris*,' zei Camilla. 'Ik bel hem morgén. *Merci beaucoup.* Goedenavónd.' Ze hing op en schonk een half glas wodka met ijs in, deed er een schijfje limoen bij en dronk alles snel op. Toen schonk ze meteen een tweede glas in.

'Gaat het?' vroeg George Camilla tijdens het eten.

'Ja. Het was een heerlijke dag, maar erg vermoeiend.'

'Ik ben blij dat je het naar je zin hebt gehad,' zei hij. 'Saidi brengt me trouwens morgen naar de stad, en jij kunt de auto nemen die je hier eerder dit jaar hebt laten staan.'

'Bedankt. Misschien rijd ik wel even naar het park om te kijken hoe het met die neushoorn is.'

'Dan moet je Anthony bellen, die wil vast wel met je meegaan. Hij liet laatst erg duidelijk merken dat hij maar wat graag weer wat met je samen zou willen doen. Ik denk, lieverd, dat hij erg... Dat hij erg op je gesteld is.'

'Ik ga naar bed,' zei ze snel. 'Als ik nog slaap wanneer u morgen naar kantoor gaat, bel ik u daar later wel.'

De volgende morgen werd ze met een vreselijk gevoel wakker. De stem van de Amerikaanse weerklonk nog steeds in haar gedachten, en ze wou dat ze George over het telefoontje had verteld. Sinds haar vroegste jeugd had ze haar onzekerheden altijd voor zichzelf gehouden en haar problemen eigenhandig opgelost of volkomen genegeerd, wachtend totdat ze zouden verdwijnen. Alles was beter geweest dan haar moeder in vertrouwen nemen, en George was maar zelden thuis geweest. Nu besloot ze te kijken of ze met haar vader kon gaan lunchen. Ze wilde haar hart tegenover hem luchten en hem om raad vragen. En open met hem over zijn eigen leven praten.

Tot haar opluchting zei zijn secretaresse dat hij zo te zien geen afspraken had. 'Zeg maar dat ik er om een uur ben.' Camilla noemde de naam van een Indiaas restaurant waar ze altijd graag kwamen.

Ze besloot het huis meteen te verlaten en de stad in te gaan, bang dat Anthony haar anders misschien zou bellen en ze zichzelf voor gek zou zetten. Hij had haar weer bedrogen, maar nu besefte ze dat ze deze ervaring niet alleen kon verwerken. Als het contact met die Amerikaanse echt alleen maar zakelijk was, waarom had hij dan verzwegen dat ze bij hem logeerde? Camilla maakte een gekweld geluidje en trok de voordeur open. Tot haar schrik stond er een jonge man voor de deur. Hij was Somalisch, had een buitengewoon knap gezicht en een lang, slank lichaam. Hij droeg keurige kleren, en zijn ranke polsen werden gesierd door armbanden van zilver en koper, bezet met kraaltjes.

'Ik zoek meneer George.' Zijn uitdrukking was nors.

'Die is er niet,' zei Camilla. 'Kan ik je misschien helpen?'

'Ik wil mijn geld,' zei hij. Er verscheen een geslepen lachje rond zijn lippen. 'Hij heeft me niet betaald.'

'Werk je hier in huis? Of in de tuin?' vroeg Camilla.

Hij schudde meteen zijn hoofd. 'Hier is geen werk,' zei hij.

'Vertel maar hoe je heet,' zei ze, 'dan zeg ik wel tegen hem dat je hier was.'

'Meneer George weet hoe ik heet.' Hij keek bijna minachtend. 'Ik wil alleen maar mijn geld.'

Hij had iets wat haar een ongemakkelijk gevoel gaf, bijna bedreigend. Ze wendde zich van hem af, liep naar de garage en wilde net in de auto stappen toen hij spuugde. Dwars over de tegels, zodat hij haar rechtervoet raakte.

'Scheer je nu meteen weg,' zei ze woedend, 'anders bel ik de politie.'

'Dat zou meneer George niet fijn vinden,' zei hij, nu openlijk brutaal. 'Zeg maar dat ik morgen terugkom. Ik kom morgen alleen maar voor mijn geld. Niets anders. Hij krijgt niets anders.'

Pas toen Camilla de sleutel in het contactslot stak, durfde ze na te denken over wat de ontmoeting van zo-even betekende. Ze rukte het portier open, rende de garage uit en braakte in een van de borders, onbeheersbaar snikkend. Toen liep ze terug naar binnen en pakte haar koffer. Ze liet een briefje voor haar vader achter dat ze tegen een ingelijste foto van hemzelf en Marina in een zilveren lijstje zette. Zijn secretaresse bleek hem nog niet te hebben verteld over de lunch, zodat Camilla die kon afzeggen. Ze belde een taxi en liet zich naar een middelmatig hotel brengen waar niemand haar zou zoeken. In haar toilettas vond ze de kalmerende middelen die ze vaak voor een lange vlucht innam, en na een uur was ze rustig genoeg om de luchtvaartmaatschappij te kunnen bellen. Er bleek nog plaats aan boord te zijn, en ze maakte een reservering en spelde haar naam. Een paar minuten later verbond de receptioniste van het hotel haar met Londen. Een enorme opluchting maakte zich van haar meester toen ze hoorde dat Edward opnam.

'Ik ben in Nairobi,' zei ze, 'maar er komt geen rechtszaak omdat Simon Githiri is overleden en het allemaal voorbij is. Ik kom vanavond terug naar Londen. Wil je me morgen van het vliegveld afhalen?'

'Kom je voorgoed terug?'

'Ja, Edward,' zei ze. 'Ik kom naar huis. Ik kom voorgoed naar huis. Ik hoop je morgen te zien.'

Er viel een lange stilte, en toen zei hij: 'Ik wil je komen afhalen, maar op één voorwaarde.'

'Wat dan?'

'Ik wil dat je me belooft dat je nooit meer terug zult gaan, en dat je

Anthony Chapman nooit meer zult zien of spreken.'

De tranen stroomden over haar wangen toen ze de woorden uitsprak. 'Dat beloof ik.'

De avond viel neer over de stad en slokte de hitte en de werveling van kleuren en geluiden en het stof van de dag op toen ze de luchthaven bereikte en aan boord van het vliegtuig naar Londen stapte.

EPILOOG
Nairobi, september 1970

Ze had haar angst voor ziekenhuizen nooit meer overwonnen. Ze deden haar denken aan haar vroegste jeugd, toen haar vader haar had meegenomen wanneer hij bij Marina op bezoek ging, die er altijd beeldschoon uitzag in kamers vol bloemen, ondersteund door grote witte kussens, bleek en delicaat en kwetsbaar. Haar ouders spraken dan altijd op zachte toon met elkaar en leken nooit ruzie te hebben. Camilla was echter altijd bang geweest dat haar moeder nooit meer thuis zou komen, dat ze zou sterven en dat er alleen nog maar dat grote huis zou zijn, stil en wachtend. Het lichte tikken van Marina's hoge hakken, haar ademloze lach, de geur van haar parfum; dat zou allemaal verdwijnen. Haar vader zou achterblijven, hij zou alleen zitten met een afwezige blik in zijn ogen en droevig glimlachen wanneer het kindermeisje Camilla kwam halen en zei dat ze papa niet moest storen, dat hij voor het slapengaan nog wel even bij haar zou komen kijken. Ze was bijna een tiener geweest toen ze had begrepen dat Marina altijd weer thuis zou komen. De ontsmette gangen, het piepen van de rubberen schoenen van de verpleegkundigen, de artsen die hun hand door haar haar haalden en zeiden dat ze een knap meisje was: dat was allemaal vertrouwd, maar tijdelijk. Een schuilplaats voor haar moeder, waar ze doorgaans heen ging nadat ze een tijdlang achter de gesloten deuren van haar slaapkamer ingehouden had zitten snikken.

Camilla had amper haar eigen tijd in het ziekenhuis overleefd, na de operatie waarbij het litteken op haar voorhoofd was verwijderd. Ze was uit de narcose ontwaakt met het gevoel dat ze stikte, maar ze had haar best gedaan om niet opnieuw in slaap te vallen omdat ze niet door die duistere wereld durfde te dwalen waar ze wrede gezichten zag en het lemmet van een opgeheven *panga* glansde in het licht van de lamp. Edward had urenlang naast haar gezeten, en één keer had ze haar ogen geopend en gezien dat hij in slaap was gevallen, met zijn boek op zijn schoot en zijn leesbril op de dekens. Ze was blij geweest dat hij er was, zijn aanwezigheid bood troost. Maar ze had de gedempte cocon van de kliniek eerder verlaten dan hij haar had aangeraden. Ze had een hekel aan ziekenhuizen.

'Meneer Chapman ligt hier.' De hoofdzuster onderbrak haar herinneringen, glimlachte opgewekt en bleef met hen voor de deur van kamer 34 staan.

Sarah en Hannah gaven haar handen een kneepje en leken weg te smelten naar een of andere onopvallende wachtkamer. Camilla bleef even buiten de kamer staan en maakte haar handtas open om een lippenstift te pakken waarmee ze zonder veel aandacht haar lippen bijwerkte. Het was een vorm van uitstel, een zoeken naar passende woorden. Er viel haar niets in. Haar hand leek tonnen te wegen, zodat ze hem met moeite ophief en zachtjes klopte. Daarna duwde ze de zware deur open.

Hij lag op het witte bed, met zijn ogen dicht. Een gevaarte dat nog het meest op een kooi leek, hield de lakens omhoog, zodat hij het gewicht ervan niet op zijn lichaam hoefde te voelen. Ze hadden tegen haar gezegd dat hij zwaar verdoofd was, dat hij door de eerste dagen vol pijn en shock heen moest slapen. De kamer was zo stil dat het net een kerk leek, een gevoel dat werd versterkt door de bossen bloemen in niet bij elkaar passende vazen. Op de tafel naast hem lag een stapeltje wenskaarten. Ze bleef naast het bed staan en keek neer op de roerloze gestalte. Zijn gezicht was van haar afgewend, en ze wist niet zeker of ze hem mocht aanraken, maar toch legde ze aarzelend een hand op zijn schouder.

'Anthony.'

Het was zo lang geleden dat ze zijn naam had uitgesproken. Ze had beloofd hem te vergeten, ze had hem in de diepste krochten van haar herinnering begraven omdat ze nooit meer aan hem durfde te denken. Hij leek haar niet te hebben gehoord, en ze trok een stoel naast het bed en ging zitten, bereid tot wachten. Er staken allerlei slangetjes uit hem, en ze zag dat dat er vanuit een infuus dat naast het bed hing een pijnstillend middel druppeltje voor druppeltje zijn lichaam in vloeide. Opeens deed hij zijn ogen open en keek haar aan. Zijn gezicht was opvallend gebruind en gezond, nagenoeg zonder littekens. Alleen zijn ogen weerspiegelden de waarheid.

'Het spijt me zo.' Zijn stem was een schorre fluistering. 'Het spijt me zo.' Toen verkrampte zijn gezicht en klemde hij zijn kaken opeen om te voorkomen dat hij een geluid zou maken dat verraadde hoeveel pijn hij had.

De zwakte in zijn stem maakte haar aan het schrikken. De stille kamer verdraaide de woorden die hij probeerde uit te spreken. Ze boog zich naar hem toe, zodat hij zich minder hoefde in te spannen.

'Ik kon hem niet meer redden.' Zijn lippen bewogen moeizaam. 'Er waren overal vlammen. De brandstof lekte de grond in. Mensen liepen te gillen. Iedereen rende heen en weer en zei dat ik weg moest gaan. Dat er een ontploffing zou volgen.' In een van zijn droge mondhoeken verscheen wat wit speeksel. Zijn ogen glansden.

'Stil maar,' zei ze. 'Je hoeft niets te zeggen. Ik kom alleen maar even bij je zitten. Stil maar. We praten later wel.' Ze pakte een beker water en hield die tegen zijn lippen. Rond zijn nek en op zijn schouders en borstkas zat verband, en de huid die wel zichtbaar was, zat onder de blaren en de blauwe plekken. Zijn armen waren ingezwachteld.

'We praten later wel,' zei ze weer, en ze legde met een kalmerend gebaar haar hand op zijn voorhoofd. 'Wanneer je bent aangesterkt. Ik weet dat je je best hebt gedaan.'

'Hij was bewusteloos. Hij heeft er niets van gevoeld.' Hij wilde per se zijn relaas vervolgen, op dezelfde schorre, wanhopige fluistertoon. 'Ik probeerde zijn gordel los te maken, maar het ging niet. Ik pakte mijn mes en sneed de gordel door en probeerde hem weg te trekken, maar hij was zo zwaar. Zijn benen zaten klem tussen het verwrongen metaal. De rook drong in mijn neus en iedereen liep te schreeuwen, maar ik dacht dat ik nog tijd had, al was het zo heet. Toen ik mijn armen naar hem uitstak, raakten de vlammen me, en ik probeerde hem vast te pakken en hem naar buiten te trekken, maar hij gaf niet mee.' Tranen welden op in Anthony's ogen.

'Dat weet ik. Ik weet dat je je uiterste best hebt gedaan,' zei Camilla. ‘Ze hebben gezegd dat hij bewusteloos was, door de klap, door de brand, en dat hij overal door stukken glas en metaal was geraakt.’ Ze huiverde en probeerde het beeld te verdringen. ‘Je hebt gedaan wat je kon. Anders zou je zijn verbrand. Dan was je nu dood geweest.’

Hij had haar vader geprobeerd te redden, maar het was hem niet gelukt. Hij wist niet of ze echt begreep wat hij wilde zeggen, maar het was zo moeilijk de kracht te vinden om het uit te leggen. Toen de piloot de controle over de helikopter had verloren en het toestel de grond had geraakt, was hij erheen gerend en had de deur geopend. Hijgend en schreeuwend en vloekend had hij geprobeerd George van de voorstoel naast de dode piloot te trekken, maar George zat vastgegord, zijn hoofd wiegde heen en weer op zijn borst, zijn benen zaten klem tussen de delen van de verwoeste romp. Anthony was bijna gestikt door de dikke rook en de stank van de brandstof. Hij had amper iets kunnen zien, maar hij hoorde sirenes en geschreeuw, en iemand probeerde hem weg te trekken. Zijn kleren waren gescheurd en verschroeid en bebloed. Het vuur kwam dichterbij, veranderde in een muur van vlammen. Hij hoorde de ontploffing en dook naar de veiligheid. Er klonk een schurend, piepend geluid toen een deel van de staart naar beneden viel en zijn benen raakte. Hij zat klem, hij kon zich niet meer bewegen. Een misselijkmakende pijn trok door zijn hele lijf. Hij zag dat zijn rechterbeen een knalrode rivier van bloed was geworden, bloed dat ritmisch door zijn broek heen vloeide en een plas onder hem vormde. Van wat er daarna was gebeurd, kon hij zich niets meer herinneren.

‘Het spijt me zo,’ zei hij weer. Zijn ogen vielen dicht van vermoeidheid. Toen er geen antwoord kwam, dacht hij dat ze er niet meer was. Misschien had hij zich haar verbeeld, net als al die andere beelden die in het waas van zijn geest opdoken en weer verdwenen. Hij likte zijn lippen af en probeerde het nog eens, al was zijn mond droog en was hij vreselijk moe. ‘Camilla? Camilla, ben je er nog?’

‘Ja, ik ben hier,’ fluisterde ze.

Ze legde haar hoofd op zijn kussen, hij hief onhandig een ingezwachtelde hand op en legde die rond haar gezicht, en toen huilden ze samen. Na een tijdje viel hij weer in slaap. Haar lichaam deed pijn van de ongemakkelijke houding, maar ze wilde zich niet bewegen uit angst dat ze hem wakker zou maken. Ze had geen idee hoe lang ze zo had gelegen toen er een verpleegkundige binnenkwam die opgewekt en professioneel naar haar glimlachte.

'Hij zal nog wel een tijdje slapen. Als je wilt, mag je bij hem blijven, maar hij zal zeker een paar uur onder zeil zijn.'

Camilla maakte zich voorzichtig van hem los, zodat ze hem niet zou wekken, en stond op. Ze streek haar haar uit haar gezicht en zei: 'Ik kom later wel terug. Ik logeer in het Norfolk Hotel, huisje twee. Wanneer hij iets nodig heeft, moeten jullie me waarschuwen. Of wanneer hij wakker wordt en naar me vraagt.'

'Dat zal ik doen.' De verpleegkundige tilde voorzichtig Anthony's hand op en schoof hem terug onder de lakens. 'Je kunt altijd naar de afdeling bellen. Ik heb nog zes uur dienst. Ik ben Mary Thorpe.'

'Bedankt,' zei Camilla op vermoeide toon. 'Heel erg bedankt.'

'Je vriendinnen wachten op je,' zei de verpleegkundige. 'Ik heb gezegd dat ze met de auto aan de achterkant kunnen parkeren, dan kun je in elk geval de journalisten bij de hoofdingang ontlopen. Het leek me dat je daar geen behoefte aan hebt.'

Sarah en Hannah zaten in de wachtkamer. Omdat ze haar eigen stem niet vertrouwde, bleef ze met een strak gezicht in de deuropening staan. Zonder iets te zeggen omhelsden ze haar, en ze ging even zitten om haar make-up bij te werken. Haar gezicht was opgezwollen door de tranen die ze had vergoten en die ze nu wilde onderdrukken.

'De arts zei dat hij erg sterk is, zowel geestelijk als lichamelijk,' zei Sarah. 'Hij komt hier wel doorheen. Hij komt hierdoorheen en zal nog sterker zijn. Hij heeft alleen hulp nodig.'

'Is er iemand...' Camilla wilde haar vraag niet afmaken.

Sarah schudde haar hoofd. 'Zijn moeder vliegt ergens in de komende dagen hierheen. Ik ken haar helemaal niet, ze is hier weggegaan nadat zijn vader tijdens een safari is omgekomen en ze is nooit meer teruggekeerd. Ze hebben elkaar de laatste jaren niet vaak gezien, maar misschien kan ze helpen. Er is niemand anders. Wat wil je nu doen? We kunnen hier blijven, maar we kunnen je ook naar het hotel brengen.'

‘Hij slaapt nu. De verpleegkundige heeft beloofd me te bellen wanneer hij wakker wordt of ergens naar vraagt. Of naar mij vraagt,’ zei Camilla. ‘In de tussentijd moet ik heel wat papieren invullen en allerlei dingen regelen. Ik denk dat ik dat nu het beste kan gaan doen en dan later weer terug moet komen.’ Haar volgende woorden klonken aarzelend, bijna als een smeekbede. ‘Hebben jullie zin om vanavond bij me te blijven? Alleen met ons drietjes? Dat lijkt misschien heel erg egoïstisch, maar –’

‘Dat was precies ons plan,’ onderbrak Hannah haar. ‘Lars komt pas morgen met de kinderen hierheen.’

‘En Rabindrah zit in Oeganda voor een congres over natuurbehoud,’ vulde Sarah aan. ‘Hij pakt morgenvroeg het vliegtuig, zodat hij hier op tijd voor de begrafenis is.’

‘Jij had ook op dat congres moeten zijn,’ wist Camilla. ‘Bedankt dat je hier bent gebleven.’

‘Ik hoefde maar een kort praatje te houden,’ zei Sarah. ‘En Edward?’

‘Hij gaat uiteten met een arts die hij kent en die het over kinderen met misvormde gezichten wil hebben,’ zei Camilla. ‘Hij begrijpt dat we wat tijd voor onszelf willen hebben.’

Ze verlieten het ziekenhuis via de leveranciersingang aan de achterkant, zodat ze met succes de twee journalisten in de hal wisten te ontlopen, en reden door de brede straten die werden omzoomd door bougainvillea en hibiscus en jacaranda naar het centrum van de stad. Eenmaal terug bij het huisje merkte Camilla hoe moe en prikkelbaar ze was.

‘Misschien moet je even een uurtje gaan liggen,’ stelde Edward voor. ‘Je ziet er uitgeput uit. Als je het wilt volhouden, moet je nu even bijtanken.’

Ze wist echter dat ze zich niet zou kunnen ontspannen omdat ze voor morgen nog zoveel moest regelen. Ze moest formulieren ondertekenen en telefoontjes plegen. Een vertegenwoordiger van de Britse Hoge Commissie kwam hulp aanbieden en de officiële condoleances overbrengen. De begrafenisondernemer kwam en ging, discreet en overbeleefd. Ze wilde geen telefoontjes aannemen en liet roomservice een late lunch brengen. Edward schonk thee en drankjes voor haar in en hielp haar alles in te vullen. Aanvankelijk stelde hij geen vragen over Anthony, maar ze kon aan zijn blik zien wat hij wilde weten.

'Komt het weer goed met hem?' vroeg hij uiteindelijk.

'Goed? Wat is goed?' Verdriet welde weer in haar op. 'Hij is tweeëndertig en brengt het grootste deel van zijn tijd in de wildernis door, waar hij naar dieren speurt en in tenten bivakkeert en rondloopt en klimt en auto's bestuurt of op paarden rondrijdt. En nu is de helft van zijn lichaam verbrand, is hij een been kwijt en heeft hij allerlei andere verwondingen waar ik geen weet van heb. Maar als je dat allemaal buiten beschouwing laat, gaat het goed.'

Ze liet haar hoofd op haar armen rusten en uitte een gekwelde snik. De tranen maakten vlekken op de formulieren die ze zo keurig had ingevuld. Hij probeerde haar te helpen, maar in de donkere wervelingen van haar gedachten was geen troost mogelijk.

'Het spijt me,' zei ze. 'Het was een vreselijke aanblik, en ik weet niet of al echt tot hem is doorgedrongen wat er precies is gebeurd.'

Edward probeerde haar niet gerust te stellen of te zeggen dat Anthony het wel zou halen. Overleven kon in vele gedaanten die niet allemaal even gemakkelijk of welkom waren. Hij had niet gewild dat ze vandaag naar het ziekenhuis zou gaan en vroeg zich af welke invloed het bezoek op haar zou hebben. Toen ze had gehoord wat de aard van Anthony's verwondingen was, was ze lijkbleek geworden en had ze over haar hele lichaam zitten beven. Ze had jammerend haar handen ineengeklemd, en hij vreesde dat de ijzige zelfbeheersing die zo kenmerkend voor haar was voorgoed was verdwenen. Ze moest al de dood van haar vader zien te verwerken en proberen in vrede met zijn nagedachtenis te leven. Nu moest ze ook nog nadenken over de vreselijke gevolgen die een amputatie en brandwonden zouden hebben op het leven van de man van wie ze ooit had gehouden. Misschien hield ze nog steeds van hem. Edward wilde daar niet aan denken, en dankzij zijn jarenlange ervaring lukte het hem zich af te sluiten voor bepaalde gedachten, totdat hij de tijd rijp achtte om zich ermee bezig te houden.

'Ik heb voor vanmiddag een auto met chauffeur geregeld.' Hij keek haar ernstig aan. 'Voor de afspraak met de begrafenisondernemer en zo.'

'Dat kan ik niet,' wierp ze jammerend tegen. 'Ik wil hem niet zien, opgelapt en aan elkaar genaaid als lijk. Ik wil me hem herinneren zoals hij was.'

'Dat begrijp ik.' Hij ging naast haar zitten en pakte haar hand. 'Ik ga wel. Jij hoeft er niet zelf heen. Het enige wat je hoeft te doen, is deze papieren te tekenen, dan regel ik wat er verder nog moet worden geregeld.'

Uiteindelijk ging ze toch met hem mee, dankbaar voor zijn troostende aanwezigheid toen ze naar de kist keek waarin de man lag die haar vader was geweest. Zijn grijze haar was gekamd in het model waarin hij het altijd had gedragen, en de snee in zijn gezicht was vernuftig weggewerkt. Hij lag in een met zijde beklede eikenhouten kist, met zijn ogen dicht en zijn handen op zijn borst gevouwen. Iemand was een van zijn linnen pakken en een lichtblauw overhemd komen halen, en een stropdas die Marina voor hem in Rome had gekocht. Camilla vroeg zich af wie die kleren had uitgekozen, en wanneer. Het was duidelijk te zien dat zijn gezicht was opgemaakt; het had een enigszins gepolijste, wasachtige uitstraling. Toen ze op hem neerkeek, voelde ze een loden gewicht op de plek waar haar hart zou moeten zitten. Ze had hem veroordeeld, ze had hem in de steek gelaten, ze had zijn beeld uit haar gedachten gebannen, net als haar nare herinneringen aan zijn geheime leven. Zonder deze man zou ze er nooit zijn geweest, maar ze had nooit de onvoorwaardelijke liefde herkend die het enig belangrijke aan hun relatie was geweest. In de afgelopen drie jaar had ze hem nooit onder vier ogen willen spreken. Af en toe was hij naar Londen gekomen, maar ze had hem nooit naar zijn leven in Nairobi willen vragen en nooit willen weten of hij gelukkig was. Op zijn beurt had hij nooit iets gezegd over de gebeurtenis die haar had doen vluchten, en ze had hem steeds minder vaak gezien. En nu was het te laat.

'Ik heb alles verkeerd gedaan,' zei ze tegen Edward toen ze zich die avond verkleedde. 'Mijn beeld van de zaken was verkeerd, ik trok de verkeerde conclusies...'

'Dat is helemaal niet waar. Kijk eens naar je werk. Je bent het bekendste gezicht in Europa en Amerika, ook al doe je niet veel fotosessies meer. Je ontwerpen gaan als warme broodjes over de toonbank, de kleren en andere dingen worden steeds beter. Je krijgt goede kritieken voor je toneelrollen en bent al gepolst voor een film. Je hebt alles bereikt waar je van droomde. Je bent een begrip, Camilla, een fantastisch toonbeeld van vastberadenheid en succes.'

'Nee, dat ben ik niet.' Haar stem klonk even droevig als de duisternis die buiten neerdaalde. 'Alles is toevallig op mijn pad gekomen. Ik heb nooit mijn eigen weg hoeven zoeken, ik heb nooit echt hoeven vechten voor mensen of zaken die belangrijk voor me waren. Dit is de enige plek waar ik echt van hou, maar ik heb dit land de rug toegekeerd. Zonder aan mijn vader of aan mijn beste vriendinnen te denken.'

'Je hebt Sarah een paar keer in Londen gezien,' zei hij op geduldige toon, alsof hij het tegen een klein kind had. 'En Hannah heeft erg veel succes met het atelier dat je hebt opgezet.'

'Ik had niet het lef om te blijven,' zei ze. 'Om door te zetten, net als zij.'

'Je was vreselijk geschokt toen je hier wegging.'

'Ik had nooit weg moeten gaan. Ik ben nooit dapper genoeg geweest om te ontdekken wie hij echt was.' Ze merkte niet dat Edward steeds bezorgder keek. 'Weet je, ik ben sinds mijn vroege jeugd al bang. Bang voor wat er tussen mijn ouders gebeurde, bang voor afwijzingen, bang dat mensen nee zouden zeggen tegen me, bang voor elke vorm van confrontatie. Ik ben een lafaard. Elke beslissing die ik heb genomen, nam ik omwille van mijn eigen zekerheid, zodat ik me veilig zou voelen, zodat ik mezelf kon beschermen. Zo wil ik niet langer leven. Ik denk niet dat de rest van mijn leven zo zou moeten zijn.'

'Camilla, ik was degene die wilde dat je niet terug zou gaan naar Kenia,' zei hij. 'Ik liet je beloven dat je Anthony nooit meer zou zien en dat je niet meer terug zou gaan omdat ik niet wilde dat je nogmaals door hem zou worden gekwetst. En ik denk dat ik daar goed aan heb gedaan. Hier was je nooit veilig geweest, hier had je nooit gelukkig kunnen worden. Wanneer deze droeve dagen voorbij zijn, schat, en we weer thuis zijn, zul je inzien dat het leven dat we samen hebben opgebouwd het beste voor je is.'

‘Ik heb nooit beseft dat ik mijn vriendinnen zo mis.’

‘Je hebt ook goede vriendinnen in Londen.’

‘Nee. Dat is anders dan met Sarah en Hannah. Zulke vriendschappen heb ik daar niet. Ze zijn mijn enige familie, mijn zusters. En in Londen ben ik eenzaam. Heel vaak.’

‘Iedereen voelt zich wel eens eenzaam, liefje. Misschien biedt het enige troost als ik zeg dat ik nog beter mijn best ga doen om dat te voorkomen. De plotselinge dood van George heeft me iets geleerd, namelijk dat je nooit weet hoeveel tijd je nog hebt.’ Hij pakte haar hand en drukte zijn lippen tegen haar vingers. ‘Ik hou van je, Camilla, en we hebben het goed samen. Ik beloof je dat ik van nu af aan nog meer tijd voor je zal vrijmaken.’

‘Ik weet dat je dat ook echt wilt,’ zei ze, ‘maar je werk zal altijd op de eerste plaats komen, en dat bewonder ik ook zo in je. Je hebt tijd nodig om al die verwoeste gezichten, armen en benen, al die verwoeste levens, te genezen. Maar ik weet niet meer wat ik moet doen of waar ik heen moet. Ik weet alleen dat mijn leven hol en leeg voelt.’

‘De dood van George heeft je enorm aangegrepen, net als de gedachte aan wat Anthony nu te wachten staat. Dat heeft je wereld op zijn kop gezet, dus geen wonder dat je bang en onzeker bent. Maar we zullen hem op alle mogelijke manieren bijstaan. Ik kan de beste specialisten voor hem regelen, en als hij een behandeling overzee nodig heeft, kan ik daarbij bemiddelen. Wanneer we over een dag of twee weer naar huis gaan, zullen we weten dat we al het mogelijke hebben gedaan.’

‘Je kunt niet zomaar de zaken afvinken die hij nodig heeft, zoals je met een boodschappenlijstje zou doen,’ zei ze, zich ergerend aan zijn slappe uitspraak. ‘Ik weet niet wat ik moet doen. Ik heb me nog nooit zo hulpeloos gevoeld. Zo ontzettend nutteloos.’

‘Dat is de shock. Je hebt niet één, maar twee vreselijke dingen meegemaakt. Iedereen die zoiets tragisch meemaakt, zou op zo’n manier reageren. Maar je kunt er vanavond met Hannah en Sarah over praten, dat helpt vast wel.’ Hij raakte haar wang aan. ‘Ik moet nu naar dokter Channing toe. Terwijl je je aankleedde, heeft de receptie gebeld om te zeggen dat hij in de bar op me wacht. Je ziet er ondanks alles prachtig uit, liefje. Je weet dat ik altijd trots op je ben en je zal steunen.' Hij drukte een vluchtige kus op haar voorhoofd en verliet het huisje.

Camilla ging aan de toilettafel zitten en keek in de spiegel, nadenkend over zijn woorden en zijn belofte meer tijd voor haar vrij te maken. Ze was gewend geraakt aan zijn lange werkdagen, ze wist hoe ze de eenzame avonden moest vullen wanneer hij onverwacht moest werken of over een patiënt moest waken met wie het slecht ging, alsof hij met louter wilskracht het vernielde lichaam kon genezen. Soms vroeg ze hem waarom hij zijn aantal uren niet inperkte en minder patiënten inplande, waarom hij niet meer tijd voor zichzelf nam. Meer tijd voor haar nam. Het was zeker geen kwestie van geld. Hij nam vaak patiënten aan van openbare ziekenhuizen en vroeg dan geen honorarium. Maar hij werd verteerd door een allesoverheersend verlangen de beste in zijn vak te zijn, en hij was nu al een legende.

In het begin had zijn afwezigheid haar amper gestoord. Ze had haar eigen leven, er waren genoeg plaatsen waar ze gezelschap en vermaak kon vinden. Maar nadat ze bij hem was ingetrokken, had ze niet langer het idee dat ze alleen naar feestjes en nachtclubs kon gaan en bleef ze thuis zitten wachten. En wachten. In de wetenschap dat degenen om wie ze het meest gaf duizenden kilometers verder weg zaten en door tijd en afstand en haar eigen lamlendigheid en gebrek aan eerlijkheid van haar werden gescheiden. Ze had nooit de moed kunnen vatten om te vertellen waarom ze zo plotseling was weggegaan en niet meer was teruggekomen. In de loop van de tijd werd haar eenzaamheid steeds heviger en stemden haar herinneringen aan Kenia haar droeviger dan ooit.

Toen Sarah en Rabindrah naar Londen waren gekomen, had ze hun bezoek met een bijna manisch genoegen beleefd en na hun vertrek was ze in een diepe depressie beland. Meer dan een jaar lang had ze gehoopt dat Hannah en Lars ook zouden komen en bedacht waar ze hen allemaal mee naartoe zou nemen, dat ze hen voor zou stellen aan de eigenaren van de winkels die de kleren verkochten die op Langani werden gemaakt. Maar Hannah had de reis niet kunnen maken. Haar zwangerschap en de geboorte van haar zoon, de aandacht die het atelier vroeg, het besluit de lodge samen met Anthony te herbouwen en het bestieren van een boerenbedrijf in een land dat steeds vijandiger en corrupter werd, slokten zo veel tijd op dat het niet van reizen kwam. Lars was naar Noorwegen gevlogen om zijn ouders te bezoeken, maar zelfs toen had Hannah hem niet vergezeld. Ze begreep niet waarom Camilla niet naar Kenia wilde komen. Er ontstond een afstand tussen hen die niets met geografie te maken had, en in het afgelopen jaar hadden ze elkaar niet één keer gebeld of geschreven.

'Ze is van streek omdat je boekhouder onpersoonlijke cheques doorstuurt en je niet eens een briefje erbij kunt doen,' had Sarah uitgelegd. 'Zelfs niet wanneer je je nieuwe ontwerpen opstuurt, of de instructies voor het knippen en naaien voor het nieuwe seizoen.'

'Ik moest een paar handtassen en riemen terugsturen omdat ze niet goed waren afgewerkt,' had Camilla gezegd. 'Hannah vond dat ik naar hen toe moest komen om duidelijk te maken hoe ik het wilde hebben, maar daartoe was ik niet in staat. En dat heeft tot een kloof tussen ons geleid.'

'Waarom ga je er nu niet een week of twee heen?' had Sarah gevraagd.

'Ik heb het te druk.' Camilla was kortaf geweest en had elke mogelijkheid tot een verder gesprek erover afgekapt.

Ze had Sarah geërgerd zien zuchten, maar ze had nog steeds niet kunnen bekennen waarom ze Nairobi zo plotsklaps had verlaten. Anthony's bedrog en de ontzetting die ze had gevoeld toen ze de schandknaap bij haar vader voor de deur had aangetroffen wilde ze niet oprakelen uit de diepe donkere put van herinneringen waarin ze die had verborgen. Ze had het allemaal achter zich gelaten, weggestopt, toen ze haar belofte aan Edward had gedaan, en ze kon de gedachte dat ze er weer aan zou moeten denken gewoonweg niet verdragen. Maar ze had het zeker niet te druk met haar werk. Ze deed alleen nog modellenwerk als het echt belangrijke opdrachten waren en besteedde de rest van haar tijd aan het ontwerpen van kleren en accessoires die in India en Hongkong en de Filippijnen werden gemaakt. En ze had goede recensies gekregen voor twee stukken in het West End waarin ze een rol had gespeeld, al was acteren minder bevredigend dan ze had gedacht. Maar ze kon er tijd mee vullen die ze anders alleen had moeten doorbrengen, de uren waarin ze anders misschien over zichzelf was gaan nadenken en vraagtekens bij haar keuze had gezet.

Al met al had ze weinig reden tot klagen. Ze had aanvaard dat Edward nooit zou veranderen. Zijn aandacht voor zijn werk was even hard nodig als ademhalen. Soms stapte hij in de geluiden en kleuren van de buitenwereld, maar dat waren korte uitstapjes, die hem slechts voor even opwinding boden. Hij keerde altijd terug naar zijn medische tijdschriften en onderzoeken en patiënten, en dan waren ze weer terug bij af. Maar hij hield van haar. Hij had gelijk met zijn veronderstelling dat ze zich veilig bij hem voelde, ook al was ze af en toe eenzaam. En hij had haar, toen het vreselijke nieuws van het ongeluk haar had bereikt, niet één keer aan haar belofte herinnerd. Camilla keek in de spiegel en trok met een hulpeloos en berustend gebaar haar schouders op. Je kon niet alles hebben.

Nu Edward de deur uit was, belde ze voor de vierde keer naar het ziekenhuis. Meneer Chapman sliep. Hij had een redelijk rustige middag achter de rug. Nee, hij had niet naar haar gevraagd. Hij had helemaal nergens naar gevraagd.

'Ik kom morgen weer,' zei ze. 'Na de begrafenis. Misschien kunt u dat voor hem op een briefje zetten. Dan ziet hij het als hij wakker wordt.'

Hannah en Sarah zaten in de lobby op haar te wachten. 'We gaan bij Anthony thuis iets eten,' zei Sarah. 'Nee, niet tegenstribbelen. Daar is het rustig en kunnen we zo lang met elkaar praten als we maar willen. Hannah en ik slapen daar vannacht.'

In de auto was Camilla stil en gespannen. Ze keek uit het raampje en zag dat de lichten van de stad plaatsmaakten voor grote tuinen en keurig gesnoeide heggen. Achter de gesloten gordijnen was de gloed van lampen en brandende haarden te zien. Ze kneep haar lippen opeen en onderdrukte gevoelens van spijt. Bij Anthony thuis liep ze naar binnen en begroette Joshua, die in de woonkamer op haar stond te wachten. Een brede glimlach die al zijn tanden toonde, brak door op zijn gezicht toen hij haar groette. Trots wees hij op zijn werk, en haar hart brak bijna toen ze om zich heen keek. Hij had de kaarsen op de schoorsteenmantel en het dressoir aangestoken, de kussens opgeschud, de tafel gedekt met het servies en de glazen die zij had uitgekozen en de servetten tot bloemen gevouwen, zoals ze hem had geleerd. Ze probeerde hem te bedanken en haar waardering te laten blijken, maar ze had een enorm brok in haar keel gekregen. Hij verdween naar de keuken om het eten klaar te maken, en ze gingen bij de haard zitten en glimlachten onwennig naar elkaar. Het was vreemd om na zo'n tijd weer bij elkaar te zijn.

'Ik wou dat je om een andere reden was teruggekomen.' Hannah verbrak als eerste de gespannen stilte. 'Ik wou dat je was gekomen toen Piet net was geboren. Ik had graag gewild dat je bij de doop was geweest.'

'Ik kon het niet.' Camilla sloeg haar ogen neer.

'Ik kan me niet voorstellen hoe het is om zo beroemd te zijn,' zei Hannah. 'Sarah weet nu ook hoe het is, dankzij haar boeken en haar lezingen. Ik ben de enige die niet is veranderd, ik ben nog steeds een *japie*, een boerenmeid voor wie de grote stad het centrum van Nairobi is. Het moet erg zwaar zijn als elk uur van je leven door anderen wordt bepaald, als je nooit kunt doen wat je wilt en journalisten je voortdurend volgen –'

'Wacht even,' onderbrak Camilla haar. 'Ik wil dat alles duidelijk is tussen ons. Ik kon niet terugkomen. Niet alleen omdat ik geen tijd had, maar ook omdat ik had beloofd dat ik nooit meer terug zou keren.'

'Beloofd? Hoezo?' Sarah fronste.

'Toen ik Kenia verliet, liet Edward me beloven dat ik nooit terug zou gaan.' Camilla sloeg weer haar blik neer, zich schamend omdat ze dat nooit eerder had verteld. 'Hij kon niet leven met het idee dat ik Anthony weer zou zien en dat die mijn leven weer op zijn kop zou zetten. Of ik zijn leven. En dan zou verdwijnen.'

'Maar waarom heb je niets tegen ons gezegd?' Hannahs toon was bits. 'Ik weet dat Sarah je dat ook al heeft gevraagd, maar je hebt haar nooit echt antwoord gegeven. Als je wilt dat alles duidelijk is, moet je maar eens het een en ander gaan uitleggen. Want het ene moment wilde je hier blijven en in het atelier werken, je wilde naar Langani komen om nieuwe patronen uit te proberen en monsters te maken en je was stapeldol op Anthony, dat zagen we allemaal, maar het volgende moment was je opeens verdwenen. Zonder een briefje achter te laten, zonder enige uitleg. Je hebt helemaal niets gezegd.'

Camilla zweeg en zocht naar woorden – en naar de moed die uit te spreken.

'Hij zei tegen me dat hij je had gevraagd te blijven,' zei Hannah. 'We hebben het er heel lang over gehad toen hij ter gelegenheid van de opening van de lodge naar ons toe kwam. Hij heeft Sarah hetzelfde verteld.'

'Ik wilde ook blijven.' Camilla hield haar glas stevig vast en draaide het rond in haar hand. Herinneringen ophalen was vreselijk moeilijk. 'Ik hoopte dat hij me opnieuw ten huwelijk zou vragen, zeker toen ik hoorde dat Sarah en Rabindrah gingen trouwen. Maar toen hoorde ik dat die Amerikaanse bij hem logeerde. Die Texaanse die we toen hebben ontmoet. En hij had er met geen woord van gerept.' Ze lachte, hard. 'De gast die hij zomaar was vergeten te noemen.'

'Zat dat meisje echt bij hem thuis? Zeker weten?' Hannah keek haar ongelovig aan.

'Ja, dat weet ik heel zeker, want toen ik hem belde, nam zij op. Ik deed net alsof ik een Franse journaliste was, en zij zei dat ze bij hem logeerde. Ze was zelfs voor hen aan het koken.'

'Maar waarom heb je het er niet met Anthony over gehad?' vroeg Hannah, nog steeds ongelovig. 'Ik kan gewoon niet geloven dat er iets tussen hen was. Die avond in de Grill had hij alleen maar oog voor jou. Ik zou hem ernaar hebben gevraagd. Dat zou jij ook hebben gedaan, hè Sarah?'

'Ik had mijn vingers al eerder gebrand, of ben je dat soms vergeten?' Camilla vond het vreselijk dat ze haar niet leken te begrijpen. 'We hadden andere ideeën over trouw. Over een relatie. Doorgaan leek me zinloos omdat hij toch nooit zou veranderen. Daarom ben ik weggegaan. En toen heb ik Edward beloofd dat ik nooit meer terug zou gaan.'

'Ik vind dat Hannah gelijk heeft. Je had Anthony ernaar moeten vragen,' zei Sarah.

'En de beloften die je mij hebt gedaan?' wilde Hannah weten. 'Je zei dat je terug wilde komen naar Langani, maar je bent er zomaar vandoor gegaan omdat bij Anthony thuis een of andere griet de telefoon opnam. Het volgende wat ik van je hoor, is een briefje bij een lijst met instructies en knipschema's en kleuren. En geen woord over het feit dat je zomaar was verdwenen. Je hebt niet eens gebeld om dag te zeggen.'

'Het ging niet alleen om Anthony.' Camilla's stem was niet meer dan een fluistering.

'O, je kunt maar beter met een goede verklaring op de proppen komen.' Hannah wilde nog meer zeggen, maar Sarah wierp haar een waarschuwende blik toe.

'Het kwam door George.' Camilla wist dat ze nu alles moest vertellen. 'Toen ik de volgende dag zijn huis verliet, werd ik aangesproken door een Somalische jongen. Hij kon niet ouder zijn dan een jaar of veertien, vijftien. Een schandknaap die geld wilde hebben. Hij stond daar recht voor mijn neus en eiste betaling voor de diensten die hij mijn vader had geleverd.'

Hannah staarde met een krijtwit gezicht naar de haard, niet in staat een woord uit te brengen.

'O god.' Sarah sloeg haar handen voor haar gezicht. 'Ik had nooit kunnen denken dat hij daarop doelde.'

'Waar heb je het over?' wilde Hannah weten.

'Toen Rabindrah en ik in de buurt van Wajir aan het werk waren, is George ons een keertje komen opzoeken. Hij wilde de bronnen zien en weten hoe de Somaliërs en hun kamelen het water deelden met de giraffen en andere wilde dieren. We waren de hele dag op pad geweest en Rabindrah ging na het eten vroeg naar bed, maar George en ik bleven nog lange tijd met elkaar praten. Hij werd erg dronken. Zo had ik hem nog nooit meegemaakt. Hij zei dat hij het goed met je wilde maken, Camilla, dat hij je had teleurgesteld en je erg veel pijn had gedaan. Dat hij de reden voor je vertrek was.' Ze pakte Camilla bij de hand. 'Hij zat hartverscheurend te snikken en zei dat hij zichzelf niet kon veranderen, maar dat dat niets afdeed aan zijn liefde voor jou.'

'Ja, dat heb je me geschreven,' zei Camilla. 'Maar je kon niet weten wat hij bedoelde, en ik kon het niet tegen je zeggen. Ik heb het nooit iemand verteld. We wisten allemaal dat hij homoseksueel was, maar toen ik oog in oog met die jongen stond, die bijna nog een kind was, kon ik het niet langer aan. Ik werd er misselijk van, elke keer wanneer ik eraan dacht. Ik heb nooit meer echt met mijn vader gesproken.'

'Je had dat nooit voor jezelf moeten houden,' vond Hannah.

'Ik kreeg die woorden niet over mijn lippen,' bekende Camilla. 'En nu is hij dood. Voor altijd weg. Toen ik hem vanmiddag in die kist zag liggen, besefte ik dat ik nooit heb geprobeerd de mensen van wie ik hou te begrijpen. Ik was bang hun fouten te moeten zien en ik heb geprobeerd mijn eigen tekortkomingen te verbergen door iedereen op een afstand te houden. Of door weg te lopen. Ik ben laf. En nu is het voor papa en mij te laat.' Ze stond op en giechelde schril, bijna hysterisch. 'Dus daar ben ik dan, een arm klein weesje. Ik heb niemand meer. Alleen jullie nog.'

'Wij zullen er altijd voor je zijn.' Sarah pakte weer haar hand en trok haar mee naar de bank. 'Maar er is geen reden waarom je geen eigen gezin zou stichten. Ga je met Edward trouwen? Op een dag aan kinderen beginnen?'

'Die wil hij niet.' Camilla klonk verdedigend. 'En ik denk dat ik sowieso geen goede moeder zou zijn. Dus met hem trouwen is niet echt een thema.' Ze keek Hannah aan. 'Ik kijk ernaar uit om de kinderen te zien. Ik heb kleren bij me die ik voor mijn hoogsteigen petekind heb gemaakt. Ik heb niet eens gevraagd of jij en Lars gelukkig zijn, maar dat zie ik zo wel, aan je gezicht en je blik.'

'Dat zie je aan het feit dat ik steeds meer op mijn koeien ga lijken,' zei Hannah lachend. 'Ja, ik heb een geweldige man op wie ik stapelgek ben. Kleine Piet lijkt sprekend op hem.' Ze nam een slok van haar wijn en keek met een sluw lachje op. 'En godzijdank lijkt Suniva nog steeds sprekend op mij.' Ze moesten allemaal lachen. 'En dan is James er ook nog.' Haar toon veranderde. 'Ik had nooit kunnen denken dat ik nog eens van dat kereltje zou gaan houden. Het leek niet mogelijk. Ik heb hem in mijn gezin opgenomen omdat ik het gevoel had dat mijn familie deels verantwoordelijk was voor zijn lot en hij niet in de steek mocht worden gelaten, zoals zijn vader was overkomen. Maar voordat jullie me nu meteen heilig gaan verklaren wil ik ook nog even zeggen dat ik bang was. Ik was bang dat, als ik hem in de missie zou achterlaten of bij vreemden, de hele cyclus van wraak en haat op een dag opnieuw zou beginnen. Dus het was geen pure liefde die hem naar Langani heeft gebracht. Ik was eigenlijk bang dat ik hem vanwege het verleden zou gaan haten.'

'Je hebt iets heel bijzonders gedaan,' zei Camilla.

'Het is een heel dapper jongetje,' zei Hannah. 'Na de operatie wilde hij per se weer snel kunnen lopen, en zelfs kunnen rennen. Hij heeft geen moment geklaagd, maar keek me alleen maar aan met die grote ogen van hem en lachte dan. Uiteindelijk heeft hij mijn hart veroverd. En hij is erg slim en leergierig. Hij en Suniva zijn onafscheidelijk.'

'Het is een heerlijk kind,' vond Sarah.

'Weet je, ik zie foto's van jou en Sarah in bladen staan en lees dat jij acteert en ontwerpt en dat zij boeken schrijft en overal lezingen geeft, en dan voel ik me wel eens jaloers,' biechtte Hannah op. 'Maar als ik dan naar Langani en naar mijn gezin kijk, besef ik weer hoe gelukkig ik me mag prijzen.'

Sarah stond op en liep naar het dressoir, waar de fles wijn in een emmer met ijs stond. Ze schonk hun glazen vol en nam de tijd, denkend aan Camilla en haar neiging altijd voor problemen weg te rennen. Ze leek nooit in staat om hulp te vragen en was altijd bang te worden gekwetst of verraden.

'Hoe is het nu met Lottie?' vroeg Camilla aan Hannah.

'Ze zit in Italië. Ze werken keihard, ma en Mario, maar zijn hotel is maar de helft van het jaar geopend, zodat ze in de winter kunnen reizen. Vorig jaar zijn ze naar Amerika geweest: New York en Chicago en San Francisco en weet ik waar nog meer. In februari is ze nog hier geweest. Ze brengt graag tijd met de kinderen door.'

'Hoe is die Mario eigenlijk? Gaan ze trouwen?' vroeg Camilla.

'Hij is vijfentwintig en ziet eruit als Mario Lanza,' zei Sarah met een grimmig gezicht, waarop Camilla haar ontzet aankeek, maar toen barstte Hannah in lachen uit en volgden ze allemaal haar voorbeeld totdat de tranen over hun wangen stroomden en de afstand en de scheiding en het verdriet werden weggespoeld. Ze waren weer terug in hun jeugd, op de dag dat ze elkaar hadden beloofd voor altijd vriendinnen te blijven en ze bloedzusters waren geworden.

'Het is bijna niet te geloven dat we ooit drie meisjes op een nonnenschool waren die dachten dat ze nooit van elkaar zouden worden gescheiden,' zei Camilla ten slotte.

'We zijn ook niet van elkaar gescheiden,' zei Sarah. 'We zitten hier met elkaar te praten, net als al die jaren geleden. Onze band is tot het uiterste opgerekt, maar nooit verbroken. Ik denk dat we nog steeds kunnen stellen dat onze vriendschap de beste is die er bestaat.'

'Hoe is het eigenlijk met Rabindrah? En met jullie beider families?'

'Het valt niet altijd mee, maar ze zijn eraan gewend geraakt. Grotendeels,' zei Sarah. 'Mijn vader en moeder vinden het nog steeds vreselijk dat ze er op mijn trouwdag niet bij waren en het niet eens wisten.'

'Betty wilde natuurlijk een traditionele bruiloft met een lange witte jurk en een receptie op het gazon in Sligo,' begreep Camilla.

'Nou, ze hoopte eigenlijk dat ik helemaal niet zou gaan trouwen,' bekende Sarah. 'Zeker niet na al dat gedoe met Tim en Deirdre. Nadat we getrouwd waren, heeft ze me een vreselijke brief geschreven, echt heel erg. Ze was zo gekwetst. En papa ook, al zei hij er niet veel over.'

'Ik moet eerlijk zeggen dat je toen aan mij ook weinig had,' zei Hannah. 'Nu weet ik dat ik dom en egoïstisch ben geweest. Geen wonder dat je niets tegen me hebt gezegd.'

'Nee, je was niet bepaald enthousiast,' gaf Sarah toe. 'En Camilla was helemaal verdwenen. Daarom hebben we er maar een uiterst persoonlijke aangelegenheid van gemaakt.'

'Ik was woedend toen je opeens op Langani verscheen en meldde dat je een dag eerder was getrouwd,' zei Hannah. 'Maar ik had het verdiend om te worden buitengesloten. Ik had je al die tijd moeten steunen.'

'We hadden geen zin in een trouwdag die zou worden verpest door de kritiek van anderen, we voelden er niets voor om het mikpunt van twijfel en afkeuring te zijn,' zei Sarah. 'Uiteindelijk ging het alleen om Rabindrah en mij en was het de gelukkigste en mooiste dag van ons leven. Voor ons tweetjes.'

‘En hoe gaat het nu met de familie?’ Camilla was blij dat ze het over een ander konden hebben.

‘Volgens mij heeft de zijne er minder moeite mee dan de mijne,’ zei Sarah. ‘Het hielp natuurlijk wel dat we niet bij hen in hoefden te wonen, zoals de meeste jonge stellen uit die gemeenschap wel doen. We hebben ons eerste jaar in de rimboe kunnen doorbrengen, waar we van niemand last hadden. Ik weet niet zeker of ik het wel zou hebben gered als er een Indiase huismoeder voortdurend kritiek op me zou hebben gehad en had geprobeerd me haar manier van werken aan te leren.’

‘Maar Betty is toch wel bijgedraaid?’ zei Camilla.

‘Papa en mama kennen Rabindrah nog steeds niet echt goed,’ zei Sarah. ‘We hebben een paar maanden na ons trouwen tien dagen in Sligo gelogeerd. Het was heerlijk en Tim deed zijn uiterste best om alles glad te strijken, maar er was niet genoeg tijd om echt een band te krijgen, en Rabindrah was opvallend zenuwachtig. Zo kende ik hem nog niet, maar ik ben daardoor alleen maar gekker op hem geworden.’

‘En waar blijven de kindjes?’ wilde Camilla weten. ‘Stellen jullie het met opzet uit? Bang dat je ze met kamelenmelk en geitenvlees moet voeden?’

‘Nou, het komt niet doordat we het niet proberen.’ Sarah glimlachte een tikje droevig. ‘Elke maand koester ik weer hoop, en elke keer is het weer een teleurstelling wanneer blijkt dat ik niet in verwachting ben. En natuurlijk kijkt zijn familie ons hoofdschuddend en verwijtend aan omdat ik nog geen zoon en erfgenaam heb gebaard, en zelfs geen dochter. Ik weet zeker dat ze denken dat hij beter af was geweest met een braaf sikhmeisje dat thuis was gebleven en alleen maar kindjes had gekregen.’

‘Maar jullie zijn lang niet altijd bij elkaar,’ zei Hannah. ‘Ik weet niet of ik dat zou kunnen, hoor. Ik vind het al vreselijk als ik een paar dagen niet bij Lars kan zijn, maar Rabindrah is soms maanden weg. Of jij bent de hele week op pad voor je lezingen. Hoe kun je dat verdragen?’

‘We proberen onze agenda’s zo goed mogelijk te combineren. Ons eerste jaar was heerlijk, we zagen amper iemand uit zijn of mijn kringetje. We reden met onze Land Rover en ons tentje door de streek tussen Garissa en Wajir, en we zijn per kano de Tana afgezakt. Daarna zijn we naar het westen getrokken, achter de nomaden en hun vee aan. Boran en Rendille, en ook Gabbra. We zijn door de Chalbiwoestijn getrokken, we hebben met de El Molo bij het Rudolfmeer gewoond en gevist. We hebben op kamelen gereden en de berg in Marsabit beklommen en aan de rand van een krater gekampeerd. Het was net een huwelijksreis die een jaar duurde, en ik wou dat er nooit een einde aan had hoeven komen.'

In Sarahs ogen verscheen een afwezige blik toen ze dacht aan die heerlijke dagen en nachten die ze met Rabindrah had doorgebracht in een wereld die alleen de hunne had geleken. Ze hadden de tijd gehad om over hun levens en de wereld te praten, om elkaar echt te leren kennen, om over hun toekomst na te denken en zich te verbazen over het wonder dat hun huwelijk was. Ze dacht aan de keren dat ze in de Jadezee hadden gezwommen en elkaar als kleine kinderen hadden natgespat, aan de nachten in de woestijn toen ze in het licht van de maan hadden gevreeën, stralend van vreugde over het leven en elkaar. Hun tent was weggewaaid tijdens een storm en veedieven hadden hen achtervolgd. Rabindrah was gebeten door een schorpioen en Sarah was op een paar meter afstand van een zonnende krokodil in de Tana gevallen. De stammen hadden hun geleerd te vissen en te jagen en vuur te maken met twee takjes, ze hadden hun verteld hoe ze konden ruiken dat er regen dreigde en waar ze konden schuilen voor de verzengende hitte van de middag. Het boek waarin ze hun reizen hadden beschreven, was meteen een succes geweest.

'Het was vreselijk om weer terug te zijn in Nairobi,' bekende Sarah. 'We zaten in een gehuurd flatje, op elkaars lip, en overal lagen mijn foto's en delen van het manuscript van Rabindrah. Er kwamen voortdurend familieleden van hem langs die vroegen of we bij oom Indar kwamen wonen, zodat tante Kuldip me kon leren hoe je een huishouden bestiert. Ik heb geprobeerd me aan te passen en beleefd te blijven, maar ze bleven maar komen en klaagden steevast dat ik nog niet in verwachting was. Ik vond dat Rabindrah niet genoeg deed om hen te ontmoedigen, want hij ging op reis en werkte aan nieuwe artikelen en liet de familieleden aan mij over. Dus er waren een paar maanden dat het allemaal niet zo rooskleurig was.'

'Het woord scheiding komt bij me op,' zei Camilla lachend. 'Rabindrah boft maar dat hij met een doorgewinterde katholiek is getrouwd.'

'Nadat pater Bidoli aan kanker was gestorven, voelde ik me dus heel erg alleen,' ging Sarah verder. 'Dan en Allie hebben ons uiteindelijk gered. We mochten mijn oude hut gebruiken omdat ze inmiddels een andere hadden gebouwd voor hun twee nieuwe onderzoekers. Telkens wanneer Rabindrah weer terug was van een reisje of ik een van die vervelende rondreizen had voltooid, gingen we er een paar dagen heen. Dat doen we nog steeds. We leiden een erg druk leven, maar het is ook erg bevredigend.' Ze zweeg en staarde voor zich uit.

'Maar?' drong Camilla aan.

'Maar ik wil zo graag een kindje, meer dan wat dan ook. Wanneer ik die van jou zie, Hannah, word ik helemaal broeds.' Haar lach klonk niet helemaal gemeend. 'Maar goed, we hebben een geweldig huwelijk, ook al is het heel anders dan onze families zouden hebben gewild.'

'Het moet voor jou een hele toer zijn om de balans tussen werk en privé te vinden.' Hannah keek Camilla nieuwsgierig aan. 'Vind je dat niet moeilijk, om zo vaak in het openbaar te verschijnen en niet te vergeten dat liefde belangrijker is dan wat dan ook?'

Camilla trok een droevig gezicht. 'Ik ben wel de laatste die iets over liefde zou moeten zeggen, of over wat een mens wel of niet zou moeten doen.'

'Het is voor iedereen anders,' zei Sarah. 'Misschien word ik wel opeens zwanger wanneer ik er niet langer aan denk. Net zoals ik opeens wist dat het goed zat tussen mij en Rabindrah. In het begin, toen ik me net tot hem aangetrokken voelde, bleef ik maar aan het verlies van Piet denken. Ik voelde me zo schuldig omdat ik iets voor een ander bleek te kunnen voelen. Maar op een bepaald moment kon ik toch een beslissing nemen, waarvan ik wist dat het de juiste was. Rabindrah en ik delen iets heel bijzonders. Ik zie hem niet langer als een apart individu, maar als een belangrijk deel van mij, en soms maakt ons geluk me gewoon bang. Na alles wat ik heb verloren.'

'Je had het lef en het verstand om in te zien dat Rabindrah de ware was,' zei Hannah, 'terwijl ik zo dom was om een opwindende affaire met Viktor te beginnen en geen oog had voor Lars. Stel dat hij nooit terug was gekomen en nooit de moed had gehad me ten huwelijk te vragen en een vader voor Suniva te zijn?'

'We hebben in de afgelopen vijf jaar ieder meer verloren dan de meeste mensen in een heel leven,' zei Camilla. 'We zijn getuigen geweest van ziekte en dood, we zijn bijna door geweld om het leven gekomen en we hebben al onze dromen tot stof zien vergaan. Maar we kunnen in elk geval zeggen dat we elkaar nog hebben. En ik kan ook zeggen dat Sarah Singh een flinke hand van inschenken heeft. Ik heb 'm aardig zitten.'

Het was al laat toen ze eindelijk klaar waren met eten en Camilla haar vermoeidheid niet langer kon verbergen. 'Ga maar terug naar het Norfolk, voordat je instort,' zei Hannah. 'Morgen moet je sterk zijn, en je hebt nog geen moment rust gehad sinds je vanmorgen bent geland.'

'Ik zal het ziekenhuis even bellen om te vragen of we op weg daarheen nog langs moeten komen,' zei Camilla, maar de verpleegkundige vertelde haar dat meneer Chapman sliep. Er was geen sprake van verandering en het had dus weinig zin langs te komen. Camilla keek om zich heen en dacht aan de avonden die ze hier met Anthony had doorgebracht wanneer hij net terug was van safari. Dan had hij zo naar haar verlangd en hadden ze zich maar al te graag afgezonderd van de buitenwereld, dan hadden ze hier met elkaar zitten praten en de liefde bedreven voor de open haard.

'Mag ik jullie om een gunst vragen?' vroeg ze.

'Zeg het maar,' zei Sarah meteen.

'Ik wil Edward bellen en zeggen dat ik vannacht hier blijf logeren omdat ik geen zin heb helemaal terug naar het hotel te rijden. Vinden jullie dat goed?'

'Natuurlijk,' zei Hannah. 'Bel hem maar meteen.'

Later lag Camilla in Anthony's bed te luisteren naar de wind die over het dak streek. Ergens in de verte blafte en lachte een hyena, en aan het einde van de tuin hoorde ze een geluid dat op dat van een luipaard leek. Het was al zo'n tijd geleden dat ze zijn tent tijdens een safari hadden gedeeld en met hun ledematen verstrengeld hadden geslapen en ze zijn zachte adem op haar wang had gevoeld terwijl ze naast hem op het smalle veldbed lag. Had hij al die tijd echt van haar gehouden? Ze draaide zich om en tastte naar het lichtknopje, haar blik vertroebeld door plotselinge tranen. Er lagen geen zakdoekjes op het nachtkastje, en ze trok de la open, maar zag haar eigen gezicht dat haar aankeek. Het was een foto die Sarah ooit had genomen. Anthony stond achter haar, zijn hoofd een tikje gebogen omdat hij iets in haar oor fluisterde wat haar deed glimlachen. Camilla pakte de foto uit de la en keek er lange tijd naar. Toen schoof ze hem onder het kussen en deed het licht uit. Ondanks het aanhoudende gezoem van een mug viel ze in een diepe, droomloze slaap.

Het was na tienen toen ze de volgende ochtend in het Norfolk aankwam. Edward liep heen en weer door de zitkamer van hun huisje. 'Weet je wel hoe laat het is?' vroeg hij geërgerd. 'We moeten er over een uur al zijn. Ik vroeg me al af of je eigenlijk wel zou komen. Het is geen goed idee geweest om vannacht in Karen te blijven.'

'Ik denk niet dat dat iets uitmaakt,' zei ze. 'Ik heb mijn kleren gisteren al laten strijken en ben al in bad geweest. Ik hoef me alleen maar om te kleden. Tijd zat.'

'Ben je soms weer in het ziekenhuis geweest?' Hij trommelde met zijn vingers op het dressoir.

'Ja. We zijn op weg hierheen even gaan kijken. Geen verandering. Hij sliep. Zou je wat koffie voor me willen bestellen?'

De auto kwam hen even voor elven ophalen, en Sarah voegde zich bij hen voor de stille tocht naar de kathedraal. Edward staarde uit het raampje en Camilla deed haar ogen dicht en sloot zich af voor iedere vorm van gesprek. De gestroomlijnde zwarte limousine draaide de poort van All Saints in en parkeerde in de schaduw van de toren naast de grote deuren. De bisschop en de proost kwamen de trappen af om hen te begroeten. Verslaggevers en fotografen dromden om Camilla heen met hun flitslampen, en tot haar schrik stelde ze vast dat men in groten getale naar de begrafenis was gekomen. De Britse Hoge Commissaris begroette haar en Edward pakte haar bij haar arm. Hij leidde haar naar binnen, maar toen ze achter zich sirenes hoorde, keek ze om en zag een Mercedes naderen, geëscorteerd door twee motoragenten. De minister van Toerisme, Johnson Kiberu, was gearriveerd. Hij stapte uit, evenals zijn vrouw, omringd door assistenten en lijfwachten. Boven aan de trap boog hij zich even over Camilla's hand, wat een ware explosie aan flitslicht ten gevolge had.

Daarna liepen ze verder naar binnen, onder de gewelfde bogen van uitgehouwen grijze steen, en namen plaats in de kerkbanken. Ze bleef voor Lars en Hannah staan, die met hun kinderen vlak achter de deur hadden gewacht. Met hun twee blonde kinderen, en met een klein Afrikaans jochie. James Githiri. Camilla gebaarde dat ze bij haar moesten komen zitten, in de lege bank helemaal voor aan de lange rij. Op de plaatsen die waren gereserveerd voor familieleden die ze niet had.

Het ochtendlicht stroomde door het roosvenster naar binnen en liet hen allemaal baden in een kruisvormig patroon van gebrandschilderd glas. De banken stroomden langzaam vol en het orgel bracht Bachs *Toccata en fuga* ten gehore toen de bisschop en de andere geestelijken in een sombere stoet naar het altaar liepen. De lucht van geurige wierook vulde de ruimte. Het koor stond op, het geluid van diepe stemmen weerklonk in een lied over verrijzenis. Rabindrah ging snel naast zijn vrouw zitten en pakte even Camilla's hand, haar vingers een kneepje gevend.

Ze staarde naar de lijkkist met het witte kleed waarop haar krans van rode rozen rustte. Kaarsen flikkerden in hoge koperen standaarden die bij het hoofd en de voet van de kist de wacht hielden. De kathedraal zat vol. Ze had niet beseft dat haar vader zo geliefd was geweest en zo veel aanzien had genoten, en ze had al helemaal niet geweten wie zijn vrienden waren. Hier zaten mensen die met hem hadden gewerkt, gelachen, en misschien zelfs naar zijn geheimen hadden geluisterd en zijn hoop en vrees kenden. Ze wist niet veel van wat hij de laatste tijd hier had bereikt, afgezien van wat er in een paar korte berichtjes in Londense kranten had gestaan. Nu voelde ze zich uiterst verdrietig omdat zijn laatste jaren zo aan haar voorbij waren gegaan. Ze zag Johnson Kiberu en zijn gevolg zitten in de voorste bank aan de andere kant van het gangpad. Er waren hoge ambtenaren van het ministerie voor Natuurbeheer en de dienst van de nationale parken, alsmede vertegenwoordigers van de talloze organisaties waarmee hij had gewerkt. Ze herkende Erope van de foto's die Sarah haar had laten zien. Hij was tot hoofd van de parkwachters in een van de natuurreservaten in het noorden benoemd en had haar vader goed gekend. Er moesten hier ook anderen zijn, besefte ze, die een belangrijke rol in zijn leven hadden gespeeld. Mannen en vrouwen die afscheid kwamen nemen van hun vriend. Maar voor haar waren ze vreemden.

De dienst begon. Er werd voorgelezen uit de Bijbel, de aanwezige gelovigen antwoordden, er werden liederen gezongen en de bisschop hield een preek. Op aanwijzing van Edward stond ze als vanzelf op en ging weer zitten, zich vaag bewust van zijn arm op de hare die haar door de dienst heen leidde. De kist van George stond recht voor haar, maar haar blik ging er dwars doorheen en zag iets anders.

Het gezicht van Anthony vulde haar gedachten, en weer zag ze de wanhoop en het verdriet in zijn blik. Hij had bijna het leven verloren bij zijn poging haar vader te redden. Ze zag hem voor zich zoals hij voor haar uit was gebeend door het hoge bleke gras in Samburu, of een *kopje* had beklommen en haar op de top in zijn armen had genomen, of in het zadel van zijn favoriete merrie was gesprongen, met zijn lange benen zoekend naar de stijgbeugels. Ze hoorde in gedachten zijn lach en wist nog hoe hij haar in Nairobi naar de dansvloer had geleid en haar rondjes had laten draaien totdat ze duizelig was geworden. Nu was hij een man met littekens; hij had een ledemaat verloren. Hij was gebroken, kreupel. Het zou hem de grootste moeite kosten een toekomst voor zich te zien die hem nog enige bevrediging zou kunnen bieden. Camilla vroeg zich af of er een andere vrouw in zijn leven was die hem nu zou helpen, die zou trachten hem te genezen en hem weer te laten lachen, vol zelfvertrouwen. Ze liet zich op haar knieën vallen, sloeg haar handen voor haar gezicht en merkte dat Sarah zich naar haar toe boog en vroeg of ze iets voor haar kon doen. Camilla schudde haar hoofd en stond weer op. Er werd een nieuw gezang ingezet, en daarna gingen ze zitten en liep Johnson Kiberu naar voren om George de laatste eer te bewijzen. Camilla hief haar hoofd op en spitste haar oren.

'Vrienden,' begon de minister, 'we zijn hier vandaag bijeen om afscheid te nemen van onze goede vriend en collega, George Broughton-Smith. De man die zoveel van dit land en zijn volk hield en die Kenia in verschillende functies heeft gediend. Hij is in de jaren voor de *uhuru* hierheen gekomen om ons land te helpen de stap naar de vrijheid te zetten. En na de onafhankelijkheid is hij teruggekomen om zich sterk te maken voor natuurbeheer. Hij heeft geld ingezameld en samengewerkt met de regering, hij heeft de oprichting van natuurparken gesteund en mijn eigen ministerie van Toerisme geholpen bij het beschermen van onze grootste rijkdom. Als geen ander wist hij dat het ging om het vinden van een evenwicht tussen het beschermen van de Keniase natuur en de behoefte van onze bevolking aan land en voedsel. Ik heb talloze vruchtbare discussies met hem gevoerd en vele uren gewerkt aan plannen die dit doel moesten bewerkstelligen. Hij was een man die gevoel had voor politiek en bestuur, maar hij was ook iemand die graag buiten in de natuur was, die zich actief inzette voor de projecten die hij onder zijn hoede had. En daarbij heeft hij helaas het leven verloren. Bij een tragisch helikopterongeluk, tijdens een actie voor natuurbehoud in het park Masai Mara.

Tijdens ons laatste gesprek vertelde hij me dat hij geen grotere passie kende dan zich inzetten voor de toekomst van ons geweldige land. Dat was zijn roeping. Hij wilde al zijn energie wijden aan het scheppen van een vruchtbare toekomst voor alle Kenianen en wilde van dit land het beste toevluchtsoord voor dieren van heel Afrika maken. Voor dat doel heeft hij zijn leven gegeven. Nu rouwen wij, samen met zijn dochter Camilla en al zijn vrienden en collega's, om het verlies van zo'n groots man. En we moeten beloven zijn liefde voor Kenia, en het offer dat hij heeft gebracht, te eren door zijn waardevolle werk voort te zetten. Daarom vraag ik iedereen zich te verenigen in een symbool van eenheid en te wensen dat het volk van Kenia zich zal inzetten voor harmonie en welvaart voor iedere burger.' Hij hief een arm op, balde zijn vuist en uitte zijn laatste woord als een kreet: '*Harambee!*'

Heel even viel er een stilte, maar toen stond iedere man en vrouw op en weerklonk er een massa stemmen onder het gewelfde plafond van de kathedraal: '*Harambee!*'

Toen de stemmen stilvielen, klonk het orgel weer, en het koor zette het slotlied in. De dragers kwamen naar voren en namen de kist op hun schouders, en langzaam liep de stoet de kerk uit. Edward pakte Camilla vast en leidde haar de meedogenloze tropische zonneschijn in. Op de trappen van de kathedraal bleef ze even staan om de condoleances van de bezoekers in ontvangst te nemen en hun te bedanken voor hun aanwezigheid. De camera's flitsten weer toen Johnson Kiberu afscheid van haar nam. Even later bevond ze zich in een besloten hoekje van het kerkhof en keek naar de enorme hoeveelheid bloemen die van de kist werd getild. Aan een enorme krans met witte rozen hing een kaartje waarop in een kloek handschrift stond: 'Mijn innige deelneming. Als je me nodig hebt, weet je waar je me kunt vinden. Voor altijd je vriend, Tom Bartlett'.

Ze boog zich voorover en raakte dankbaar de geurende bloemen aan. Nadat de laatste gebeden waren gezegd en de zegen was uitgesproken, toen de kist langzaam in de aarde verdween, voelde Camilla dat ze bijna bezweek onder het loodzware besef dat alles zo weinig te betekenen had. Ze sloot haar ogen en leunde even tegen Edward aan.

'Ik ga terug naar het hotel,' zei ze. 'Ik moet echt even gaan liggen. Ik moet even alleen zijn.'

Terug in het huisje probeerde ze kalm te worden, maar ze kon elk moment in huilen uitbarsten. Er verschenen barstjes in de dwangbuis van zelfbeheersing die ze eigenhandig had aangetrokken. In een van de privé-eetkamers zaten haar vrienden op haar te wachten, en ze kon hen niet in de steek laten. Ze haalde diep en huiverend adem en bad, voor het eerst in jaren, om kracht, eindigend met een smeekbede aan haar vader.

'Help me, papa,' fluisterde ze. 'Help me hierdoorheen, alstublieft.'

Toen ze eindelijk naar binnen liep, werd ze als eerste door Dan en Allie begroet.

'Hij was een geweldige vent met een enorme visie,' zei Dan. 'We gaan hem vreselijk missen, niet alleen vanwege al het werk dat hij voor Kenia heeft gedaan, maar ook als vriend.'

'We hebben samen veel plezier beleefd,' vulde Allie aan. 'Hij hield heel veel van je, en ik wou dat je er vaker bij had kunnen zijn.'

'Ik ook.' Camilla's toon was vervuld van wroeging.

'Nou, misschien zien we je nog een keer bij ons in het kamp,' zei Dan. 'Sarah en Rabindrah kunnen je meenemen wanneer ze weer op bezoek komen. Dat zouden we heel fijn vinden.'

Ze voelde dat ze onder flinke spanning stond en moest haar best doen haar toon luchtig te houden, mede omwille van de kinderen. Lars stelde hen vol trots aan haar voor.

'Suniva ken je al, je eigen peetdochter,' zei hij. 'Ze is al een flinke jongedame van bijna vier. Deze tijger hier is Piet, en dit is James Githiri.'

Camilla keek naar de zoon van Simon. Hij was tenger van bouw en bleef een tikje verlegen op de achtergrond staan, met zijn vingertjes rond de mouw van Lars' jasje geklemd. Ze keek even naar Hannah en zag de aanmoedigende blik van haar vriendin toen die het jochie voorzichtig naar voren duwde. Hij staarde haar aan met ogen die groot waren van verwondering.

'Waarom heb je zo'n grote zwarte hoed op?' vroeg Suniva. 'Waarom kijk je zo verdrietig? Mag ik je hoed op?'

'Ja, dat mag,' zei Camilla. 'Je mag hem na het eten passen, en als hij je staat, mag je hem houden.'

Tijdens de lunch bleven de kinderen Camilla vragend aankijken, openlijk geboeid door de prachtige dame met haar zwarte jurk en haar met de kleur van bleek goud. Ze merkte dat Lars aanvankelijk wat teruggetrokken was en dacht dat dat te wijten was aan haar onverwachte verdwijning – waarschijnlijk was hij boos omdat ze Hannah van streek had gemaakt – maar na een tijdje werd hij weer veel hartelijker en raakte ze ontroerd door zijn hoffelijkheid en blijken van medeleven. Ze hadden het over Langani en over de lodge, en over het boek over de Riftvallei waar Sarah en Rabindrah aan werkten. Keer op keer kwam het gesprek op natuurbeheer en de buitengewone bijdragen die George Broughton-Smith had geleverd. Toen de koffie werd geserveerd, stond Camilla op en nam Edward even apart.

'Ik ga dadelijk weer naar het ziekenhuis,' zei ze tegen hem. 'Sarah en Hannah willen me wel brengen. Lars blijft hier met de kinderen, ze willen gaan zwemmen. Jij wilt waarschijnlijk ook wel even in het zwembad gaan liggen, of een middagslaapje in het huisje doen.'

'Hoe lang blijf je weg?' vroeg hij. 'Moet ik voor het diner voor ons allemaal een tafel reserveren?'

'Ik weet het niet,' zei ze. 'En het diner is nu wel het laatste wat ik aan mijn hoofd heb.'

'We moeten ook nog vliegtickets regelen. Ik moet uiterlijk dit weekend terug naar Londen omdat ik maandag de nodige afspraken heb.'

'Het is nog te vroeg om daar een besluit over te nemen. Ik leef met de dag,' zei ze. 'Verder dan dat kan ik nu niet plannen.'

'Camilla, we hebben voor hem gedaan wat we kunnen,' zei Edward. 'Vanuit Londen kunnen we veel beter dingen regelen. Als hij hulp nodig heeft, zorgen we daar wel voor. We moeten terug naar huis, schat. Ik zat er zelfs aan te denken om vanavond al terug te vliegen. Er zijn nog plaatsen vrij in de eerste klas, daar heb ik al naar geïnformeerd.'

'Ik weet het niet.'

'Lieverd, ik besef dat dit een uiterst moeilijke situatie is. Maar het wordt heus niet beter als je hier nog langer blijft. Het zal je echt geen rust geven of –'

'Hoe weet jij nu wat het me zal geven?' viel ze hem in de rede. 'En of ik ooit rust zal hebben?'

Zijn uitdrukking veranderde en zijn toon was kil en afwijzend toen hij opmerkte: 'Het is tijd om naar huis te gaan, Camilla.'

'Dat weet ik niet,' zei ze weer. 'Je kunt me nu niet vragen een beslissing te nemen.'

'Dat vraag ik je wel.' Edward pakte haar bij haar schouders. 'Ik wil dat je zegt dat je met me op dat vliegtuig stapt. Als het niet vandaag is, dan morgen. Ik weet wat het beste voor je is, liefje. En ik weet zeker dat je dat wel begrijpt.'

Ze zag de twijfel die zich van hem meester maakte en wendde zich af voordat hij haar verder onder druk kon zetten. 'Ik ga nu naar het ziekenhuis,' zei ze. 'Ik heb geen idee wanneer ik weer terug ben en kan er verder niets over zeggen. Ik bel zodra ik kan.'

Toen ze de kamer van Anthony in slopen, was hij wakker, maar zijn blik was een tikje wazig.

'Jullie allemaal.' Zijn stem was schor en raspend. 'Allemaal samen. Wat een gezicht!'

Ze omhelsden hem, raakten een voor een vol tederheid zijn gezicht aan en keken hem glimlachend aan, woorden vol genegenheid en steun prevelend. Na een tijdje merkten ze dat hij moe werd en in slaap dreigde te vallen.

'We wachten beneden wel op je,' zei Hannah.

Camilla ging zitten en legde haar hand op Anthony's ingezwachtelde arm. 'Het is voorbij,' zei ze. 'De begrafenis en zo. Hij rust nu in vrede, en ik denk dat ik daar iets van kan leren.'

'Wanneer ga je weer weg?' fluisterde hij. Hij had zijn ogen gesloten.

Ze gaf geen antwoord, maar stond op en boog zich over hem heen. Ze drukte haar lippen op zijn voorhoofd, in een zachte kus. Toen legde ze haar vingers op zijn mond en volgde de vorm van zijn lippen voordat ze die zou kussen. Opeens duwde hij haar hand weg, en ze schrok van de kracht waarmee hij dat deed.

'Niet doen,' zei hij. 'Ik wil nu geen medelijden van je, niet omdat ik nu verminkt ben. Maak het nu niet nog erger omdat je medelijden met me hebt omdat ik een afzichtelijk stompje in plaats van een been heb. Omdat ik verbrand en geschonden ben. Niet doen. Ga gewoon weg. In godsnaam, ga weg.'

'Het is geen kwestie van medelijden,' zei ze. 'Die brandwonden genezen wel weer. De artsen brengen nieuwe huid op de verbrande plekken aan, en dan zul je weer volledig herstellen. Dat weet ik omdat ik tijdens mijn eigen verblijf in het ziekenhuis de nodige patiënten met brandwonden heb leren kennen. En je zult weer lopen, Anthony. Het zal tijd kosten en je zult flink moeten oefenen, maar je zult weer lopen.'

Ze hoorde een geluid en kon eerst niet geloven waar het vandaan kwam, een laag jammerend geluid dat diep in zijn buik begon en als een lange, ononderbroken kreet over zijn lippen rolde. Hij sloeg met zijn armen op het bed en huilde en kreunde en schreeuwde. De deur vloog open en de verpleegkundigen dromden opeens om hem heen en spraken hem met vriendelijke, maar vastberaden stemmen troostend toe. Camilla ging in de verste hoek van de kamer staan en beefde hevig, totdat het vreselijke geluid wegstierf. Maar binnen een paar minuten schreeuwde hij het weer uit, luidkeels, en brulde dat zijn been in brand stond en hij de pijn niet kon verdragen. Ten slotte kwam hij overeind, probeerde zich los te maken uit de kalmerende greep van de verpleegkundigen en richtte zich tot Camilla. Hij schreeuwde naar haar dat hij wilde sterven, dat ze moest ophouden hem te martelen en weg moest gaan en nooit meer terug moest komen. Ze rende de kamer uit, misselijk en bevend, en bleef op de gang staan wachten. Met haar armen om zichzelf heen geslagen liet ze zich tegen de muur vallen.

'Heb ik iets verkeerds gedaan?' vroeg ze toen verpleegkundige Thorpe even later naar buiten kwam.

'Nee, lieverd, ik ben bang dat er momenten zijn waarop hij zich niet kan beheersen. Waarop het hem allemaal te veel wordt.'

'Maar de pijn in zijn been? Kunnen jullie daar niet iets aan doen?'

'Dat is heel moeilijk. Hij heeft last van fantoompijn. Dat is pijn die alleen in de geest bestaat. Bijna iedereen bij wie een arm of been is afgezet, lijdt er korte of langere tijd aan.'

Afgezet. Dat woord trof haar diep en beroofde haar bijna van alle vastberadenheid. Ze uitte een hoog kreetje van ontzetting, dat bijna als dat van een vogel klonk, en draaide zich om. In hoog tempo rende ze door de gang, naar de wachtkamer, waar ze zich in de armen van haar vriendinnen, van haar zusters, liet vallen. Zij waren de enige familie die ze nog had, haar enige bron van troost en kracht. Ze gingen naast haar zitten en luisterden naar haar toen ze vertelde over zijn woede en zijn angst, en over de geluiden die hij in zijn wanhoop had gemaakt.

'Hij denkt dat ik hier uit medelijden ben. Hij wil dat ik wegga en nooit meer terugkom. Ik heb het alleen maar erger gemaakt.' Camilla wiegde heen en weer, vervuld van ontzetting. 'Ik weet niet hoe ik hem moet troosten, wat ik moet zeggen of doen. O god, ik dacht dat ik hem kon helpen, maar ik heb hem alleen maar pijn en verdriet bezorgd. Ik heb echt geen idee wat ik nu moet doen.'

'Camilla.' Sarah pakte haar bij haar schouders. 'Camilla, wat wil je doen?'

'Ik wil hem helpen.'

'Waarom?' wilde Sarah weten. 'Waarom wil je dat?'

Camilla schudde haar hoofd. Ze stond op en liep naar het raam, zonder haar vriendinnen aan te kijken.

'Luister goed, Camilla, je mag hem nu niet in de steek laten. Als je van hem houdt, dan ga je dat nu tegen hem zeggen omdat je misschien nooit een tweede kans krijgt. Ik heb nooit genoeg tijd gehad om tegen Piet te zeggen hoeveel ik van hem hield, en hoezeer ik hem nodig had. Hannah heeft die ochtend, toen we hem voor het laatst zagen, haar armen niet om hem heen geslagen. Ze heeft hem toen niet laten weten dat ze van hem hield. En ze heeft nooit afscheid genomen van die arme Jan, en hij ook niet van haar. Jij hebt Marina verloren, en je hebt nooit tegen je vader kunnen zeggen dat hij een goed mens was.'

'Dit is allemaal zo onzeker,' zei Camilla. 'Ik kan niet zeker zijn van de toekomst.'

'Liefde is altijd een risico,' zei Sarah. 'Maar als we dat risico niet durven nemen, gaat dat moment misschien voor altijd voorbij. Ik moest die kans met Rabindrah wagen en ben blij dat ik dat heb gedaan. Dus als je van Anthony houdt, dan ga je nu weer naar binnen, Camilla. Ga naar hem toe en zeg dat je van hem houdt. Blijf bij hem, wat hij ook zegt. Neem je voor om nooit meer weg te rennen omdat je nooit meer een moment voorbij mag laten gaan waarop je hem kunt zeggen wat hij voor je betekent. Want je weet niet of je ooit nog een dag of zelfs een uur langer met elkaar zult kunnen delen.'

Tranen stroomden over haar gezicht. Over al hun gezichten. Sarah deed een stap naar achteren en ging naast Hannah staan. Toen stak ze haar hand uit en gaf Camilla een duwtje. Ze keken haar na toen ze door de gang liep en bleven naar haar kijken totdat ze haar hand ophief om aan te kloppen en Anthony's kamer binnenging.

Verklarende woordenlijst

Afrikaner	blanke Zuid-Afrikaan van Boerenafkomst
asante	bedankt
askari	politieman, bewaker
banda	bungalow of klein buitenhuis
bhang	kruid met een stimulerende werking
bibi	vrouw, echtgenote
boma	kraal, omheinde plaats voor het vee
bongo	bosantilope
bundu	bush, oerwoud, woestenij
bushbaby	halfaapje met lange staart en grote ogen dat in bomen woont en vooral 's nachts actief is; galago
bwana	aanspreekvorm voor een blanke man of werkgever
cairn	gedenkteken in de vorm van een kegelvormige steenhoop
dawa	medicijn
debbi	metalen vat
duka	winkel
duka wallah	winkelier
fisi	hyena
gari	voertuig, auto
gurudwara	sikhtempel
hapana	nee
haraka	schiet op
harambee	samen, met elkaar
hodi	hallo, is daar iemand?
iko simu	er is telefoon voor u

jambo	gegroet, hallo
japie	iemand van Afrikaner afkomst
kaffir	kaffer, denigrerende aanduiding voor een zwarte
kali	lastig, prikkelbaar
kanga	felgekleurde stof, gedragen door vrouwen
karibu	welkom, kom binnen
Kirinyaga	god van de Kikuyu, woont op Mount Kenya (de Kirinyaga)
kitenge	felgekleurde stof
kopje	rotsige heuveltop
kuni	brandhout
kweli	dat is waar
lugga	uitgedroogde wadi
mahind	hindoe (enkelvoud)
mama	aanspreekvorm voor een volwassen vrouw
manyatta	traditionele nederzetting van de Masai en de Samburu
Mau Mau	gewelddadige opstand van de Kikuyu, aanvankelijk gericht tegen blanke pioniers
mbogo	buffel
memsahib	aanspreekvorm voor blanke vrouw
mpishi	kok
munt	denigrerende aanduiding voor een zwarte
mzee	aanspreekvorm voor een ouder persoon, letterlijk 'wijze oude man'
mzungu	blanke (enkelvoud)
ndio	ja
ndovu	olifant
ngalawa	soort kano, gemaakt van een uitgeholde boomstam
ngombe	rund
nguvu	lef, moed
nkosi	baas, meester
nyoka	soort slang
panga	groot kapmes, machete

plaas	grote boerderij, inclusief al het land
plaasbestuurder:	bedrijfsleider op een plaas
pole sana	het spijt me zeer, ik vind het erg
posho	maïs, voornaamste bestanddeel van de maaltijd
rafiki	vriend(in)
rafiki ya zamani	een oude vriend(in)
rungu	lange stok
salaams	begroeting
salwar kameez	combinatie van wijde broek en tuniek
samahani	sorry
sasa hivi	nu, onmiddellijk
shamba	kleine akker, moestuin
shauri	probleem, geschil, gedoe
shifta	Somalische bandiet
shitani	duivel, boze geest
shuka	traditioneel rood laken, gedragen door Masai en Samburu-krijgers
sijui	ik weet het niet
sukuma	persen
terrs	Rhodesisch slang voor 'terroristen'
toto	kind, (kort voor mtoto)
uhuru	vrijheid, de politieke term voor onafhankelijkheid
veldt	met gras begroeide vlakte, savanne
watu	mannen, werklieden, knechten
wazungu	blanken (meervoud)